LA CIVILISATION DE L'ISLAM CLASSIQUE

DES MÊMES AUTEURS

DOMINIQUE SOURDEL

L'ISLAM, P.U.F., Paris, 1949, dernière édition 1983.

LES CULTES DU HAURAN A L'ÉPOQUE ROMAINE, Geuthner, Paris, 1952.

INVENTAIRE DES MONNAIES MUSULMANES ANCIENNES DU MUSÉE DE CABOUL, Institut français, Damas, 1953.

LA DESCRIPTION D'ALEP D'IBN SHADDÂD, Institut français, Damas, 1953.

LE VIZIRAT ʿABBÂSIDE DE 749 A 936, Institut français, Damas, 1959-1960.

L'ISLAM MÉDIÉVAL, P.U.F., Paris, 1979.

JANINE SOURDEL-THOMINE

ÉPITAPHES COUFIQUES DE BÂB SAGHÎR (dans *les Monuments ayyoubides de Damas*, livr. IV), De Boccard, Paris, 1950.

LE GUIDE DES LIEUX DE PÈLERINAGE D'AL-HARAWÎ, édition critique, Institut français, Damas, 1953.

LE GUIDE DES LIEUX DE PÈLERINAGE D'AL-HARAWÎ, traduction annotée, Institut français, Damas, 1957.

L'ISLAM (dans *Encyclopédie de la Pléiade, Histoire de l'art, le Monde non chrétien*, Gallimard, Paris, 1961).

DIE KUNST DES ISLAM *(Propyläen Kunstgeschichte)*, Berlin, 1974.

DE L'ART DE L'ISLAM, Geuthner, Paris, 1983.

COLLECTION LES GRANDES CIVILISATIONS

DIRIGÉE PAR RAYMOND BLOCH

D. ET J. SOURDEL

LA CIVILISATION DE L'ISLAM CLASSIQUE

ARTHAUD

AVERTISSEMENT DE L'ÉDITEUR

Ce livre reprend le texte de l'ouvrage de Dominique et Janine Sourdel, La Civilisation de l'Islam classique, *publié en 1968 par les Éditions Arthaud, souvent réédité et qui a connu de nombreuses traductions étrangères. Seules les illustrations photographiques noir et blanc et couleur ont été supprimées de cette édition; on pourra s'y reporter ainsi qu'à leurs légendes détaillées en consultant le volume relié de la collection « Les Grandes Civilisations ».*

ISBN 2-7003-0447-0. Imprimé en France

INTRODUCTION

Religion monothéiste encore vivante de nos jours après s'être imposée par les armes à un immense empire et avoir ensuite animé des foyers locaux plus ou moins indépendants, l'Islam conserve actuellement une remarquable force d'expansion, quoique désormais pacifique, et demeure, de l'Afrique noire au Pakistan et même à la Malaisie, la religion dominante de nombreux États modernes, même de ceux qui se sont établis apparemment sur des bases plus nationalistes qu'islamiques. Les traits de cette foi simple, qui s'accompagne d'obligations sociales et individuelles depuis longtemps codifiées, sont suffisamment marqués pour avoir modelé, et modeler toujours à l'époque actuelle, bien des aspects psychiques et bien des habitudes sociologiques des adeptes qui s'en réclament. D'où la tendance commune à parler d'une civilisation islamique originale et toujours semblable à elle-même que l'on retrouverait dans des régions géographiquement fort diverses et qui se serait constituée dès la proclamation de la révélation coranique par la bouche de Muhammad pour se perpétuer ensuite, sans modification notable, après avoir fondu en une seule « communauté des Croyants » tous les représentants d'un monde islamisé.

Les raisons qui militent en faveur d'une telle manière de voir sont évidemment puissantes. La civilisation islamique existe, par opposition aux formes de civilisation non touchées par cette doctrine, et il y a déjà longtemps qu'un orientaliste comme L. Massignon avait su mettre en valeur la réalité permanente de ce qu'il appelait les « blasons de l'Islam » et dont il continuait à discerner l'influence de siècle en siècle jusque dans la vie, pourtant multiforme, de ce monde musulman moderne qui suscite aujourd'hui tant de curiosités. Ainsi doit-on lui faire pour une part crédit de la faveur que rencontra, pendant toutes ces dernières années, la notion de « cité islamique » intemporelle dont on peut se servir comme d'une clé pour comprendre bien des phénomènes historiques demeurés sans cela obscurs, à commencer par ce phénomène d'interpénétration qui a contribué pendant des siècles à unifier les mentalités de groupes ethniques ou politiques originellement fort différents.

A l'Islam mérite en effet d'être rattachée une forme de culture que distingue la prééminence, dans l'activité intellectuelle, de ces sciences juridiques et religieuses fondées sur le respect de la Tradition, qui lui ont fourni la base de son armature doctrinale. De l'Islam encore relève un type de société qui donne la première place, à côté d'une autorité temporelle subie plutôt que justifiée, à des docteurs, juristes et juges qui se trouvent par définition nantis, parmi leurs contemporains, d'un prestige moral indiscutable, sinon d'une autorité contraignante. D'où ce souci du conformisme légal et ce respect des interprètes de la Loi, qui colorent une morale aussi bien publique qu'individuelle dominée par l'application constante de minutieuses prescriptions.

Le phénomène fut même renforcé par le jeu d'autres facteurs, telles les conditions socio-géographiques communes à la zone subdésertique dans laquelle s'étendit d'abord l'Islam, telle aussi la nature de l'héritage, à la fois intellectuel et technique, que l'Orient de la basse Antiquité avait légué à ses envahisseurs. Ces derniers facteurs, indépendants du fait religieux proprement dit, mais si profondément liés à lui qu'il est souvent difficile de les en distinguer, expliquent sans doute la pérennité, en territoire islamique, de cette forme de régime autocratique, dominé par le pouvoir arbitraire du souverain, et de cette économie de type médiéval, fondée sur la richesse foncière et le grand commerce, qui en constituèrent longtemps certains aspects les plus frappants. Ils concoururent ainsi à renforcer, dans les pays d'Islam, le sentiment de cette unité fondamentale qui devait longtemps prévaloir sur la conscience des oppositions internes et permettre de distinguer le domaine des musulmans de celui des « infidèles », avec lesquels les premiers ne pouvaient se trouver qu'en état de lutte armée ou de trêve temporaire.

De toutes ces évidences on ne saurait cependant conclure à l'uniformité dans le temps ni l'espace de la civilisation qui naquit ainsi de l'Islam. Non seulement les dynasties rivales y défendirent chacune leurs propres ambitions historiques et incarnèrent dans des États distincts la mentalité partisane qui les inspirait, mais le monde islamique lui-même, né déjà de la réunion sous une même autorité de pays au peuplement et au passé extrêmement variés, ne cessa de subir les effets de leurs tendances constantes à la sécession. Il connut au cours des siècles de nombreuses mutations d'ordre politique et social, touchant aussi bien le Proche-Orient arabo-musulman, qui en demeura toujours le cœur, que les provinces excentriques où surent s'élaborer, au contact d'habitudes étrangères, des symbioses parfois éloignées des réalisations antérieures. Aux premiers empires unitaires issus des conquêtes arabes succédèrent ainsi des royaumes de moindre extension que le jeu des causes économiques et des appétits dynastiques fit évoluer à leur tour dans des proportions très diverses, depuis la petite principauté indépendante groupée autour de son souverain local jusqu'au fragile agrégat de provinces rassemblées par la force d'un heureux conquérant.

En même temps ne cessaient d'intervenir de nouveaux éléments de différenciation, dus surtout aux infiltrations pacifiques ou aux brutales invasions de peuplades non arabes sorties des steppes asiatiques ou des déserts africains, qui étaient prêtes le plus souvent à s'islamiser rapidement, mais qui n'en modifiaient pas moins par leur apparition les conditions de l'équilibre antérieur. On sait combien la lente intrusion des Turcs transforma la physionomie de l'Empire abbasside dans ses provinces extrêmes comme dans ses capitales irakiennes. L'accession au pouvoir de ces mêmes Turcs, venus en force de l'Asie centrale en Iran, produisit des effets encore plus sensibles, à mesure qu'étaient annexés à l'Islam de nouveaux territoires — telles l'Anatolie à l'époque saldjoukide et l'Europe balkanique à l'époque ottomane — et que se manifestait surtout une transformation profonde de la société islamique au contact de nouveaux usages et de nouvelles habitudes de vie. Mais les destructions successives accumulées par la vague conquérante de Gengis Khan d'abord et par la sauvage aventure de Tamerlan ensuite n'eurent pas des conséquences moins frappantes, tandis que l'Iran, largement ouvert désormais aux influences asiatiques, retrouvait du côté de l'ouest une frontière abolie depuis des siècles, tandis aussi que revenaient à la steppe, sous les déprédations des Turcomans, bien des territoires cultivés sur lesquels avaient vécu des générations de sédentaires. Ce serait dénier toute valeur aux contingences historiques que de faire simplement abstraction des conséquences directes de tels bouleversements, accentuées encore par les effets, réels quoique moins spectaculaires, des conflits qui continuaient de surgir quotidiennement entre États musulmans. Sans oublier la tension permanente qui ne cessa d'opposer le monde islamique aux entreprises ambitieuses de l'Occident chrétien d'abord, puis de l'Europe commerçante et industrielle un peu plus tard, entreprises guerrières telles que les croisades en Orient ou que la reconquête en Europe de l'Espagne et du bassin du Danube, entreprises marchandes aussi à mesure que les commerces italien et français prenaient pied peu à peu dans les Échelles du Levant.

A ces diverses conjonctures, qui permirent à telle forme de société, plus spécialement implantée dans telle ou telle région, de prospérer et de s'exprimer par des œuvres marquées de son sceau, correspondirent autant de cultures locales que leur caractère islamique n'empêchait pas d'être profondément enracinées dans le temps et dans l'espace. L'Islam turc de la période ottomane, celui de l'Iran sous la dynastie safavide ou encore celui de l'Inde à l'époque des Grands Moghols, pour prendre quelques exemples connus de tous, apparaissent ainsi comme des créations originales où la place de premier plan dévolue à la religion musulmane n'empêcha pas l'action d'autres courants fort particularisés. Et, plus près de nous, les problèmes des États islamiques modernes sont encore venus démontrer les possibilités d'évolution de principes ou de modes d'existence que l'on aurait eu tort de croire intangibles.

Certes, parmi ces cultures caractérisées le plus souvent par l'usage d'une langue originale, il n'en est point qui mérite d'être considérée dans son isolement total ou qui puisse se comprendre sans référence aux cultures antérieures ou contemporaines greffées sur la même souche islamique. Mais à vouloir atténuer dans une vue d'ensemble la spécificité de chacune d'entre elles, pour s'attacher aux seuls traits pérennes qui leur soient communs à toutes, on ne saurait obtenir qu'une image affadie et artificielle de ce qui constitue peut-être l'essence d'une civilisation islamique « moyenne », considérée *sub specie aeternitatis*, mais qui n'a en fait jamais existé sous cette forme. S'élaborant à partir de données juridico-religieuses progressivement explicitées dans un cadre matériel changeant — ainsi que l'ont mis si heureusement en relief les recherches d'H. Laoust dans le domaine de l'islamologie —, la civilisation islamique a été autant qu'une autre soumise aux lois d'une croissance et d'un déclin qu'il est maintenant banal d'assimiler aux étapes de la vie humaine. A la différence de beaucoup d'autres cependant, elle a été constamment marquée par un souci d'imitation du passé qui confère une importance particulière à ses manifestations les plus anciennes, celles où il faut aller chercher, dans une perspective dynamique, les principes et les expériences qui ne cesseront d'inspirer ses formes postérieures.

En ce sens, la première civilisation impériale de l'Islam, cette civilisation arabo-musulmane qui vécut d'abord sous l'égide des Umayyades, puis des Abbassides, et qui grandit avec le triomphe temporel d'un Islam encore tout proche de ses origines, mérite seule le nom de « classique » dans l'acception la plus générale de ce dernier terme. Loin d'avoir joué le rôle d'une époque de transition plus ou moins dédaignée par les âges ultérieurs, comme le fut notre Moyen Age occidental, elle s'identifia avec un modèle toujours imité et respecté, première et parfaite réalisation du type de société qui était né des préceptes mêmes du Coran et qui en partageait donc le prestige. De cette civilisation historiquement facile à dater, les massives invasions asiatiques des Turcs et des Mongols, coïncidant avec les troubles dus aux incursions franques ou aux poussées en Occident des nomades et montagnards berbères, marquèrent le déclin, en même temps qu'elles consacraient le morcellement territorial et linguistique d'un ensemble où la volonté d'arabisation avait jusque-là servi de ferment d'unité. Mais cinq siècles de prospérité matérielle et culturelle s'étaient auparavant succédés, qui avaient suffi à la constitution d'un patrimoine artistique et intellectuel d'une prodigieuse richesse.

Nombreuses sont assurément les difficultés qui s'opposent aujourd'hui à son étude exhaustive à partir d'une documentation inégale. De la société où elle grandit et s'épanouit, seules les castes aristocratiques d'une part et intellectuelles de l'autre nous apparaissent par exemple à travers les sources narratives ou documentaires qui laissent généralement dans l'ombre la population laborieuse. De trop rares données d'ordre économique — sur lesquelles pourtant un historien comme C. Cahen s'efforce depuis des années d'attirer la curiosité des chercheurs — nous empêchent encore d'apprécier avec exactitude les conditions matérielles sur lesquelles reposait la prospérité du monde musulman de cette époque. Les comparaisons avec les faits modernes, pour lesquels on est mieux renseigné, restent dans leur ensemble trop fragiles pour qu'on y puisse chercher la base de restitutions ou d'évaluations. Les vestiges archéologiques eux-mêmes, auxquels J. Sauvaget rendit leur vraie place dans la perspective d'une « histoire complète » mais que l'on a commencé à prospecter depuis trop peu d'années dans des régions difficiles d'accès, n'éclairent qu'imparfaitement les habitudes de vie observées à l'époque lointaine sur laquelle on les interroge. D'une manière générale, le retard des études consacrées à ces diverses questions constitue encore de nos jours un obstacle majeur, dont on peut seulement espérer qu'il s'atténuera à mesure que croîtront en nombre et rigueur des investigations scientifiques nouvelles.

Mais le tableau incomplet qu'il faut, en attendant, se résoudre aujourd'hui à brosser n'en reste pas moins profondément révélateur, ne serait-ce que par ses défauts, de ce que dut être jadis la civilisation islamique « classique ». On y découvre cette civilisation sous deux aspects difficiles à faire exactement coïncider : ses brillantes réussites techniques et matérielles d'une part, où il faut chercher la source du luxe et de la facilité que connaissaient alors les membres des classes dirigeantes ; son orientation religieuse et intellectuelle d'autre part, grâce à laquelle on entrevoit la manière de penser et de juger d'une société tout entière. Du premier aspect relève à peu près toute l'illustration concrète dont nous disposons pour nous représenter les hommes de cette période à travers leurs œuvres, œuvres architecturales ou produits de leur artisanat, car les représentations figurées du genre « portrait » sont rares à l'époque. Le deuxième aspect se découvre en revanche à travers des observations plus variées, touchant aux faits politiques et culturels que dominaient les exigences de la condition ancienne du musulman. Ce qui revient à situer la civilisation islamique dans un état de tension entre deux pôles : celui que lui imposait d'une part une doctrine régissant les moindres actes de la vie humaine en fonction d'un absolu présupposé par une foi; celui vers lequel tendaient d'autre part les anciennes traditions profanes dont elle était devenue l'héritière et qu'elle ne pouvait rejeter sans refuser en même temps le triomphe temporel sur lequel elle avait fait reposer la grandeur même de son message.

PREMIÈRE PARTIE

NAISSANCE ET MORCELLEMENT D'UN EMPIRE

CHAPITRE I

DÉBUTS DE LA CIVILISATION ARABO-ISLAMIQUE

(622-750)

Dès les premières années du VIIe siècle se situa l'annonce en Arabie, au sein de la désertique région du Hidjâz * et par la bouche d'un homme inspiré qui s'appelait Muhammad — nom transcrit souvent en français sous la forme Mahomet —, d'une religion nouvelle fondée sur la « soumission à Dieu », ou *islâm*, et sur l'obéissance à son Envoyé. Cette prédication ne toucha d'abord qu'un petit nombre de contemporains, dans la cité marchande de la Mekke * et l'oasis montagnarde de Yathrib devenue la « ville » du Prophète ou Médine *. Tout juste atteignait-elle, à la mort de Muhammad en 632, les tribus * arabes qui nomadisaient dans l'intérieur du pays et dont certains chefs avaient accepté de reconnaître l'autorité du nouvel État, sans que ce ralliement politique puisse être toutefois qualifié de véritable conversion à l'Islam. De tels effets apparemment mineurs, mais bientôt étendus au-delà de ce cadre local, expliquent néanmoins le bouleversement politique qui allait, moins de cinquante ans plus tard, transformer la physionomie de l'Asie antérieure et du Bassin méditerranéen presque tout entier, lorsque se serait étendu, jusqu'à la barrière pyrénéenne d'une part et jusqu'aux plaines de l'Indus et de Transoxiane * d'autre part, un empire né du besoin d'expansion de la nouvelle foi.

La soudaineté de ce phénomène et le contraste existant entre les humbles débuts de la communauté musulmane et l'épanouissement d'un immense État conquérant n'ont pas manqué de susciter l'étonnement des historiens. D'où les explications diverses qui en ont été proposées et qui presque toutes choisissent d'y voir un cas particulier de l'effondrement du monde antique. Le lien en tout cas reste évident entre la création modeste de Muhammad et la complexe organisation du monde islamique ultérieur qui chercha ses principes directeurs dans les moindres faits et gestes de son fondateur et qui garda le souvenir, au sein de régions riches et urbanisées, du pays très particulier où le message de Muhammad avait été délivré et d'où ses premiers Compagnons * étaient partis à la conquête des contrées environnantes.

●

Ce pays, l'Arabie, que distinguaient partout, sauf à son angle sud-ouest, l'aridité de son climat et la rudesse de sa population clairsemée de souche sémitique, vivait encore au VIIe siècle dans un état d'anarchie et de désordre sur lequel nous manquons de renseignements précis. Ses habitants eux-mêmes l'appelaient Djazîrat al-ʿArab, ou « l'Ile des Arabes ». Mais il n'avait jamais été, pour autant, unifié sous une direction commune, n'apparaissant dans la vie du monde antique que par ses activités commerciales et par l'infiltration, au sein des terres syro-mésopotamiennes qui l'avoisinaient au nord, d'éléments tribaux fuyant la pauvreté de leur terre d'origine pour s'assimiler peu à peu aux sédentaires qui les entouraient. En dehors de lui avaient prospéré, pendant de longs siècles, les foyers des principales civilisations qui s'étaient succédées entre les rives de la Méditerranée et les plateaux montagneux de l'Iran. En dehors de lui également s'étaient déroulés les principaux événements qui avaient jusque-là fait date dans l'histoire et qui ne l'avaient touché que par contrecoup, soit qu'ils aient parfois entraîné dans de plus vastes conflits certaines fractions de ses peuplades belliqueuses, soit même qu'ils aient conduit quelques armées étrangères à entamer de plus ou moins brèves incursions au cœur de son territoire hostile. La légendaire opulence de son extrémité méridionale, productrice de « parfums qu'elle répand comme une odeur divine », selon la formule d'Hérodote, avait su en effet exciter dans le passé quelques convoitises, depuis l'expédition hasardeuse du Romain Aelius Gallus, sous Auguste, jusqu'aux tentatives de colonisation poursuivies sur son territoire à partir du IVe siècle par la Perse et l'Éthiopie. Mais ce n'avaient été là qu'événements de peu de portée, contribuant certes à modifier pour une part l'organisation

1. L'ARABIE ANCIENNE A LA VEILLE DE L'HÉGIRE →
(D'après M. Rodinson, Mahomet.)

Des tribus nomades de souches diverses, mais tendant presque toutes à étendre vers le nord la zone de leurs migrations, y voisinaient avec de rares noyaux de sédentaires occupant soit les oasis du Hidjâz, le long de la route caravanière de l'encens et des épices, soit l'ancienne Arabie Heureuse, alors en pleine décadence.

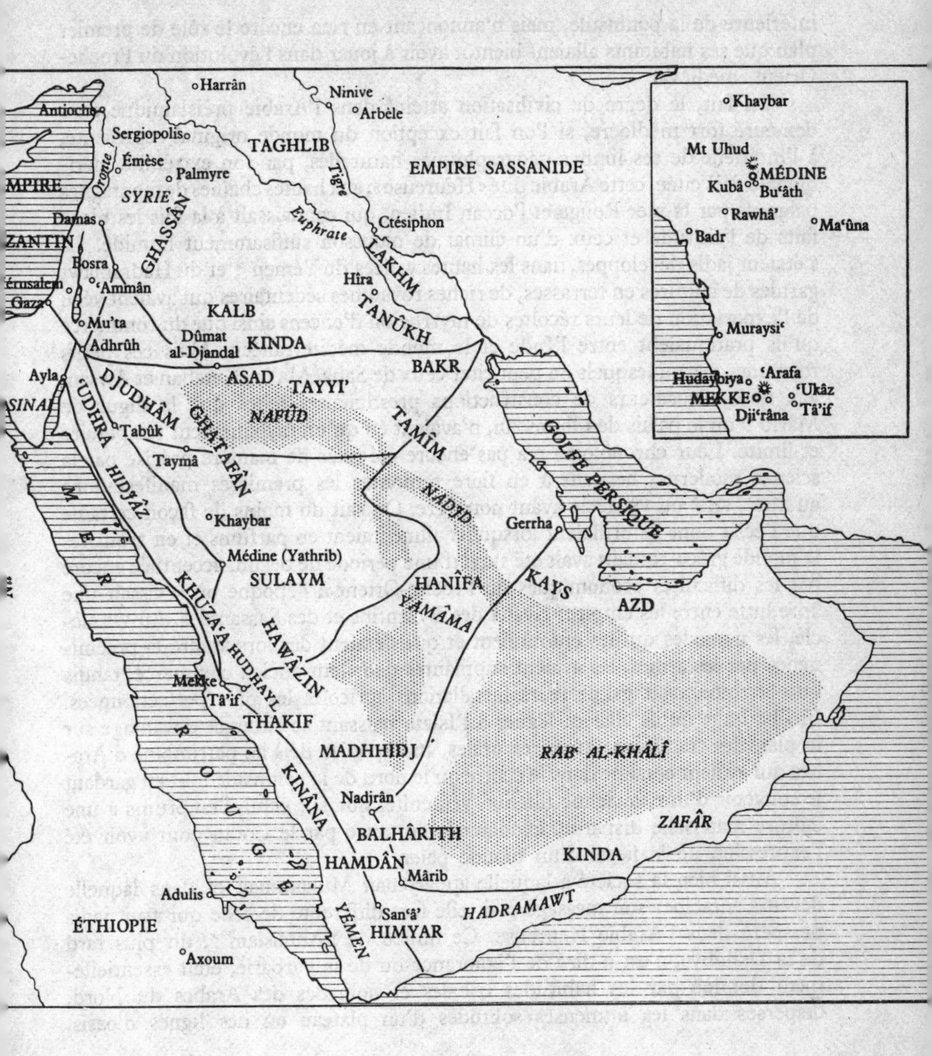
Harrân
Ninive
Arbèle
Antioche
Sergiopolis
TAGHLIB
Oronte
Émèse
Palmyre
EMPIRE SASSANIDE
MPIRE
SYRIE
GHASSÂN
Tigre
Damas
Euphrate
Ctésiphon
ZANTIN
Bosra
LAKHM
ʿAmmân
Hîra
Jérusalem
Gaza
TANÛKH
KALB
Mu'ta
Dûmat
al-Djandal
KINDA
Adhrûh
BAKR
Ayla
ASAD
TAYYI'
DJUDHÂM
'UDHRA
SINAÏ
NAFÛD
GHATAFÂN
TAMÎM
Tabûk
Taymâ
GOLFE PERSIQUE
HIDJÂZ
NADJD
M E R
Khaybar
Gerrha
Médine (Yathrib)
SULAYM
HANÎFA
KAYS
KHUZAʿA
YAMÂMA
AZD
HAWÂZIN
HUDHAYL
Mekke
Tâ'if
THAKIF
R O U G E
MADHHIDJ
RABʿ AL-KHÂLÎ
KINÂNA
Nadjrân
ZAFÂR
BALHÂRITH
HAMDÂN
KINDA
Mârib
Adulis
HADRAMAWT
YÉMEN
San'â'
ÉTHIOPIE
HIMYAR
Axoum
Khaybar
Mt Uhud
MÉDINE
Kubâ
Buʿâth
Rawhâ'
Maʿûna
Badr
Muraysiʿ
ʿArafa
Hudaybiya
ʿUkâz
MEKKE
Tâ'if
Djiʿrâna

intérieure de la péninsule, mais n'annonçant en rien encore le rôle de premier plan que ses habitants allaient bientôt avoir à jouer dans l'évolution du Proche-Orient médiéval.

En fait, le degré de civilisation atteint dans l'Arabie préislamique était demeuré fort médiocre, si l'on fait exception du monde original représenté, à l'intérieur de ses limites géographiques naturelles, par son extrémité méridionale déjà citée, cette Arabie dite « Heureuse », aux hautes chaînes de montagnes baignées par la mer Rouge et l'océan Indien, qui connaissait à la fois les bienfaits de l'altitude et ceux d'un climat de mousson suffisamment humide. Là s'étaient jadis développés, dans les hautes vallées du Yémen * et du Hadramawt garnies de cultures en terrasses, de riches royaumes sédentaires qui avaient vécu de l'exportation de leurs récoltes de myrrhe ou d'encens ainsi que du commerce qu'ils pratiquaient entre l'Inde et le monde méditerranéen. Mais ces petits royaumes, parmi lesquels on peut citer ceux de Saba, Ma'in, Kataban et Awsan, aux noms évocateurs de constructions prestigieuses telles que la digue de Mârib * ou le palais de Ghumdân, n'avaient eu qu'un rayonnement temporaire et limité. Leur chronologie n'a pas encore été fixée de manière précise par la science moderne, hésitant à en faire remonter les premières manifestations au XIIIe, VIIIe ou Ve siècle avant notre ère. On sait du moins de façon certaine que l'éclat dont ils brillaient lorsqu'ils alimentaient en parfums et en aromates le monde gréco-romain avait été suivi d'une période de déclin, accentuée encore par les difficultés économiques du Proche-Orient à l'époque où sévissait une âpre lutte entre les empires rivaux des Byzantins et des Sassanides. Au VIe siècle, les nomades qui les entouraient et qui s'étaient dès lors assuré la prééminence par les armes, les avaient supplantés dans leur ancien commerce, tandis que la ruine avait gagné leurs installations agricoles les plus perfectionnées. Et l'héritage qu'ils allaient léguer à l'Islam naissant se situerait davantage sur le plan des traditions littéraires orales, incorporées déjà au patrimoine d'Arabes qui avaient essaimé dans le centre ou le nord de la péninsule tout en gardant le souvenir d'une ancienne filiation yéménite, que sur celui d'emprunts à une culture matérielle disparue, condamnée en outre par le Coran pour avoir été l'expression de la fierté d'un monde païen.

Aussi bien la société à laquelle appartenait Muhammad et dans laquelle devait s'enraciner son message était-elle fort différente de celle qui avait jadis prospéré dans l'Arabie Heureuse. Ce milieu de l'Antéislam *, dit plus tard de la Djâhiliya, c'est-à-dire de l'ignorance ou de la barbarie, était essentiellement dominé par les habitudes tribales et nomades des Arabes du Nord, dispersés dans les immenses solitudes d'un plateau où des lignes d'oasis, correspondant parfois aux lits d'anciens cours d'eau, offraient sans doute la possibilité de quelques installations stables, mais où les sédentaires eux-mêmes devaient vivre en symbiose avec les bédouins. Ceux-ci, qui dominaient l'ensemble du pays et qui connaissaient un mode d'existence adapté à ses pauvres ressources, erraient généralement à la suite des troupeaux de chameaux dont ils tiraient leur subsistance, améliorant avec peine, au moyen de razzias et de continuelles batailles, leur maigre nourriture de pasteurs et se livrant, pour survivre, à une lutte impitoyable contre les éléments. Réduits bien souvent à se disputer les points d'eau et les lieux de campement favorables, ils avaient le respect de liens familiaux qui entretenaient entre les clans une continuelle hostilité, mais qui assuraient au moins l'individu de trouver, au milieu de ses proches, un recours contre ses ennemis. Telle était l'emprise de ces clans, eux-mêmes divisés en groupes et sous-groupes ou réunis au contraire en vastes confédérations censées représenter la descendance d'un seul et même personnage, que leurs noms, fidèlement transmis par la tradition islamique, nous sont encore connus aujourd'hui. Ils avaient chacun leur zone distincte d'habitat et de parcours, mais leur cohésion tenait surtout à la reconnaissance de l'ancêtre commun qui leur servait de héros éponyme et vers lequel des généalogies compliquées leur permettaient de faire remonter sans hésitation leur origine.

Parmi ces clans, certains se différenciaient par leur niveau de vie dans la mesure où ils avaient pu s'annexer, non seulement des oasis productrices de dattes et de pauvres récoltes de céréales, mais aussi des marchés locaux constituant autant de centres d'échanges où prospérait un artisanat rudimentaire. Ces lieux de rencontre pacifiques, qui étaient parfois le siège d'importantes foires, s'identifiaient aussi le plus souvent avec les entrepôts et les étapes marchandes des routes de caravanes qui traversaient alors la péninsule, longeant notamment sa bordure occidentale, la « barrière » du Hidjâz, pour transporter les épices et l'encens vers les grandes métropoles du Nord. Leur trafic avait jadis assuré la fortune de quelques noyaux de population sédentaire, dans les anciens sites minéens, lihyanites ou thamoudéens du Nord et dans ce royaume nabatéen * de Petra dont, aux alentours de l'ère chrétienne, les éléments d'origine arabe s'étaient rapidement mêlés aux populations sédentaires aramaïsées qui les entouraient, tout en conservant cependant leur vocation de commerçants nomades. Les mêmes causes économiques avaient ensuite pour une part aidé l'essor des États arabes septentrionaux qui avaient grandi au-dehors de la péninsule Arabique proprement dite, dès le IVe siècle comme le royaume des Lakhmides * de Hîra, ou vers le VIe siècle comme celui des Ghassanides * qu'avaient enrôlés les souverains byzantins pour faire à leur profit la police du désert syro-mésopotamien et assurer de ce côté la protection des avant-postes de l'ancien *limes*. Plus tard encore les effets de cette prospérité avaient touché l'inhospitalière région du Hidjâz qu'une conjonction de causes historiques favorables — déclin de l'Arabie du Sud et rupture de la voie commerciale de l'Euphrate au golfe Persique à la suite des luttes entre Sassanides et Byzantins — avait amenée, peu avant la naissance de Muhammad, à devenir le centre des activités marchandes auparavant commandées par ses voisins du Nord et du Sud. Non seulement c'était désormais de ses seuls habitants que dépendait la sécurité de la « route de l'encens », mais c'étaient eux encore qui assumaient les frais d'un commerce où leurs investissements leur valaient de substantiels bénéfices. Ils y acquirent vite le sens d'une discipline collective contrastant avec l'anarchie arabe coutumière, en même temps qu'une réelle aptitude aux négociations politiques nécessitées par les modalités d'un trafic toujours menacé. Ils y avaient également gagné de s'ouvrir à certains contacts avec le monde extérieur, aboutissant, soit à des progrès techniques que l'on discerne parfois sous de très anciens emprunts de vocabulaire, soit surtout à l'adoption de croyances étrangères plus évoluées et teintées de préoccupations morales, tandis que certains d'entre eux s'étaient directement convertis au judaïsme ou au christianisme.

Mais les tribus du Hidjâz nouvellement enrichies par le commerce n'en restaient pas moins, au VIIe siècle, profondément liées aux bédouins, moins évolués, qui partageaient avec elles la même ascendance et dont elles conservaient bien des traits de mœurs et de mentalité. Outre une langue arabe * dont tous étaient fiers et qui se distinguait déjà des autres langues sémitiques par la complexité de sa morphologie, les uns et les autres avaient en commun leur organisation tribale traditionnelle, la rudesse de leur caractère marqué cependant par le goût de la poésie et de l'éloquence, leur indifférentisme religieux foncier qui n'excluait point des craintes vagues et superstitieuses ainsi que le culte de multiples divinités souvent astrales, incarnées dans des arbres ou des pierres et pourvues quelquefois de territoires sacrés où on leur rendait hommage. Un sens particulier de l'honneur, marqué par le sentiment de la solidarité familiale et par le respect des lois sacrées de l'hospitalité, s'accompagnait chez eux de la glorification de qualités humaines — bravoure, maîtrise de soi, et même une certaine forme de ruse — qui étaient d'abord exigées de tout chef reconnu comme tel. Mais ils restaient surtout dominés par un farouche et orgueilleux individualisme, qui envenimait les querelles personnelles et consumait les groupes dans d'implacables luttes de clans.

Leurs rivalités, perpétuées par la pratique de la vendetta, tenaient souvent à des causes futiles. Elles tiraient aussi leur origine d'un passé de tribulations diverses, difficiles à cerner dans leur réalité bien que leur souvenir eût continué d'affleurer dans les récits plus ou moins mythiques qui constituaient la fierté de chaque tribu. Un événement essentiel aurait été, d'après les traditions, la rupture de la digue de Mârib au Yémen, qui avait eu pour conséquence la migration vers le nord de groupes d'Arabes yéménites imbus de leur origine et s'opposant, comme lointains descendants de Kahtân *, aux clans se rattachant à la lignée de ʿAdnân *. Une telle relation des faits est évidemment simplifiée. En tout cas, l'opposition entre Arabes du Nord et Arabes du Sud, voisinant dans les mêmes régions comme des frères ennemis, existait du temps du Prophète et fut assez profonde pour se transporter ensuite, avec les troupes islamiques, dans tous les pays touchés par leurs fulgurantes conquêtes. Elle témoignerait en faveur de la complexité des brassages ethniques survenus en Arabie pendant les années qui précédèrent la proclamation de l'Islam et qui virent l'accroissement de la population du pays dans des proportions propres à expliquer l'expansion militaire de la période suivante.

Dans ce monde sans stabilité, demeuré la proie de ses anciennes querelles tout en connaissant un développement économique nouveau, il n'était évidemment point question de suprématie politique proprement dite. Un rôle exceptionnel revenait néanmoins, au VIIe siècle, à la ville de la Mekke, le plus actif et le plus peuplé des points de semi-sédentarisation où la vie était déjà plus raffinée que dans les solitudes avoisinantes. A mi-distance à peu près de la Syrie * et du Yémen, non loin de la mer, à un endroit où s'abaisse la bordure montagneuse de l'Arabie, c'était le centre de l'axe commercial du Hidjâz, récemment réorganisé. Certes le nom de « ville » qu'on lui applique habituellement ne saurait faire illusion sur l'importance que devait avoir ce simple agglomérat de maisons se pressant dans le cadre apparemment peu favorable d'une étouffante dépression sans verdure, dominée par de hauts sommets et facilement balayée en cas d'orages subits par des crues dévastatrices. La localité néanmoins se montrait orgueilleuse de ses constructions, notamment de son temple, reconstruit avec des matériaux importés.

Les familles qui l'habitaient et qui entretenaient des relations d'affaires avec les pays éloignés où aboutissaient leurs caravanes, appartenaient toutes, depuis une époque mal déterminée, à la tribu de Kuraysh *. Le pouvoir était aux mains d'une oligarchie marchande composée par les notables des principaux clans, dont l'autorité s'étendait sur les territoires environnants grâce au jeu des alliances avec les tribus nomades et par l'effet des liens de clientèle.

Leur prestige assurait la renommée du sanctuaire dont ils avaient la garde et qui était largement respecté et visité par la population de la région tout entière. Sous leur patronage, le temple cubique de la Ka'ba *, les statues d'idoles qu'il renfermait et divers autres emplacements remarquables situés dans son voisinage faisaient l'objet des rites révérentiels de station et de circumambulation ainsi que des types de sacrifices * habituels dans les cultes sémitiques. D'importantes cérémonies s'y déroulaient annuellement à la saison du pèlerinage, qui était aussi celle d'une grande foire où affluaient les étrangers, et l'ensemble de ces lieux sacrés, le Haram * de la Mekke, jouissait d'une réputation y assurant la protection et la sécurité de quiconque y séjournait. On a cru même déceler, dans les manifestations dont il était le centre, les effets d'une tendance unificatrice qui aurait fait évoluer dès cette époque l'ancien polythéisme de l'Arabie vers un climat favorable à l'hénothéisme, sinon au monothéisme véritable, bien qu'on ne puisse affirmer que les quelques individus qualifiés par les chroniqueurs de *hanîf* * aient réellement existé.

Dans un site impropre à l'agriculture, la population de la Mekke s'occupait surtout de préparer les voyages de ses caravanes ou de remplir certains offices au service du temple de la Ka'ba. Mais elle avait aussi dû assurer par les armes son naissant essor commercial et son histoire avait été marquée, dès la fin du VIe siècle, par un épisode lié à la lutte des Éthiopiens contre les rois d'Arabie du Sud plus ou moins associés à la Perse. Un chef éthiopien du nom d'Abraha, qui s'était rendu indépendant dans les régions méridionales dévastées par les expéditions venues d'Axoum, avait en effet tenté contre la ville une action infructueuse restée mémorable par la présence des éléphants qui accompagnaient ses troupes. Le succès mekkois, qui aurait été dû à une intervention surnaturelle, ne fit que renforcer les prétentions d'une aristocratie dont croissaient l'opulence et l'autorité. Et la période qui suivit cette année dite « l'année de l'Éléphant », identifiée par la Tradition avec celle de la naissance de Muhammad en 570, vit les constants progrès de ses éléments les plus actifs, c'est-à-dire surtout du clan puissant des 'Abd Shams *, qui tendait à monopoliser le commerce aux dépens de clans plus faibles tels que celui des Banû Hâshim ou Hashimides *. La prospérité commerciale s'accompagnait ainsi d'un déséquilibre grandissant au sein de la cité mekkoise, où l'ancienne organisation paraissait ne plus fournir de garanties contre les conséquences de l'économie mercantile ni contre l'inégalité qui ne cessait de s'accroître entre ces riches aux prétentions grandissantes et des moins fortunés condamnés à un appauvrissement irrémédiable.

C'est là du moins une situation qui a été récemment mise en relief par un historien britannique, W. Montgomery Watt, cherchant à préciser le contexte sociologique dans lequel prit naissance l'action de Muhammad. La crise sociale et intellectuelle qu'aurait alors traversée la Mekke et qu'on a également qualifiée d'échec de l'humanisme tribal aurait directement ouvert la voie à l'appel d'un homme passionné, touché certes par la fermentation religieuse qui se manifestait autour de lui et qui correspondait sans doute à l'un des aspects fondamentaux de l'Arabie à cette époque, mais sensible surtout aux difficultés d'ordre matériel et moral que rencontraient ses contemporains dans une société en pleine transformation. La prédication de l'Islam aurait ainsi constitué la réponse à un climat d'inquiétude qui en expliquerait pour une part le remarquable succès à long terme.

•

Sur cet appel lui-même et les difficultés qu'il rencontra d'abord en milieu mekkois, les allusions peu précises du texte coranique et les témoignages des chroniqueurs * ou des apologètes arabes restent d'un maniement délicat. Certes on se trouve pour une part sur un terrain plus solide que lorsqu'il s'agissait de sonder le passé obscur de l'Arabie : la personnalité de Muhammad ne cessa en effet jamais de se trouver au premier plan des préoccupations des musulmans et de susciter par là même une abondante littérature. Mais les sources utilisables ont une origine unique et ne font que refléter les traditions, le plus souvent invérifiables, que l'on se transmettait au sein de la communauté islamique des premiers siècles. L'appréciation de telles opinions, que ne vient confirmer ni infirmer aucun témoignage étranger — tant il est vrai que l'événement passa inaperçu des habitants des empires voisins —, a donc depuis longtemps donné lieu à des discussions chez les commentateurs arabes comme chez les historiens modernes de l'Islam.

Les premiers eurent toujours tendance à choisir, dans les récits qu'ils présentaient, ceux qui étaient en accord avec leurs propres options politiques — notamment en ce qui concerne les faits susceptibles d'étayer des prises de position socio-religieuses ultérieures : on peut par exemple parler d'une version shi'ite * de la Vie du Prophète, opposée à la version généralement admise dans le monde sunnite *. Ces mêmes commentateurs firent aussi plus ou moins largement appel aux récits merveilleux qui concernaient particulièrement l'enfance de Muhammad, et observèrent des attitudes différentes à l'égard des « miracles » que certains lui attribuèrent en sus de la révélation de l'inimitable texte divin.

D'un autre côté, les historiens occidentaux se sont en général partagés entre deux courants principaux. Les uns dénient toute valeur à des biographies, ou *sīra* *, dont la plus ancienne remonte au milieu du VIIIe siècle et dont les anecdotes paraissent souvent suspectes. Les autres au contraire essaient de distinguer les matériaux dignes de foi que ces recueils renferment à côté d'embellissements postérieurs ou de récits tendancieux. Tous reconnaissent qu'on ne peut rien savoir de la vie de Muhammad sans prendre pour base des récits de natures diverses, s'accordant à peu près sur une série d'épisodes dont les détails et la portée réelle restent seuls difficiles à établir avec sécurité.

En général tout le monde admet aujourd'hui la sincérité d'un personnage que des études plus anciennes et de caractère souvent polémique tendaient à travestir. Tout en adoptant des positions différentes sur la valeur religieuse de son message, dont la nature prophétique ne peut être pleinement ressentie qu'au sein de la communauté musulmane, les auteurs modernes qui s'intéressent à lui insistent donc sur le caractère exceptionnel de l'expérience humaine vécue par Muhammad, d'abord comme défenseur d'un idéal qui le dépassait, puis comme chef d'un État qu'il s'efforçait d'incarner. Leurs orientations philosophiques, religieuses ou, pour employer un langage plus actuel, idéologiques n'en disparaissent cependant point pour autant et se reflètent dans l'interprétation que chacun propose d'une personnalité qui reste à bien des égards déconcertante. Sans doute discutera-t-on encore longtemps de points tels que la nature des phénomènes extatiques qui accompagnaient, semble-t-il, la révélation des versets du Coran. Sans doute aussi continuera-t-on à apprécier de manières fort diverses les brusques changements qui se révèlent dans l'attitude de Muhammad au cours de sa vie et qui touchent tout particulièrement son attitude à l'égard des femmes ou à l'égard de ses ennemis. Mais de telles discussions, auxquelles n'échappent que bien peu de grands hommes, n'empêchent point de se représenter avec quelques chances d'exactitude les événements fondamentaux d'une existence mouvementée, mais somme toute assez brève.

Parmi ces événements, l'un des plus importants fut sans doute le tournant marqué, dans la vie du Prophète comme dans les premières manifestations de la religion musulmane, par l'Hégire * ou « expatriation » de Muhammad et de ses quelques partisans qui durent quitter leur ville natale de la Mekke pour trouver un refuge dans l'oasis de Yathrib. De cette expatriation date en effet, avec la fondation du premier État musulman, le rôle politique du nouveau chef de cet État; ce sera le point de départ de l'ère choisie symboliquement pour souligner la rupture de la communauté musulmane avec son passé mekkois, ère qui, après avoir eu son début traditionnellement fixé au 16 juillet 622, restera depuis ce moment en usage dans tous les pays d'Islam.

Muhammad, auparavant, n'avait réussi à grouper autour de lui à la Mekke qu'un nombre fort restreint d'adeptes exposés à la raillerie ou aux sévices d'une population hostile. Il n'appartenait lui-même qu'à un clan peu florissant de cette ville, celui des Banû Hâshim; il avait connu dans sa jeunesse la pauvreté de l'orphelin, élevé par un oncle, Abû Tâlib *, qui l'avait associé à ses entreprises caravanières; même son mariage avec une veuve riche et âgée du nom de Khadîdja *, tout en le mettant vraisemblablement à l'abri du besoin, ne lui avait pas assuré cette descendance mâle qui, aux yeux des Arabes, était alors essentielle. On en a déduit qu'il avait dû souffrir depuis son enfance de sentiments de frustration propres à expliquer certains aspects de son comportement ultérieur, mais bien d'autres mobiles peuvent rendre compte du goût qu'il manifesta, aux alentours de son âge mûr, pour les retraites solitaires dans les montagnes des environs de la Mekke. Au cours d'une de ces méditations, il aurait pour la première fois reçu, d'une voix mystérieuse, l'injonction de transmettre son message et, après une période de doute, pris plus ou moins nettement conscience du rôle de prophète qui allait être le sien. Le contenu des appels qu'il adressa alors à ses proches et qui ne furent suivis que de rares conversions nous est connu par certaines sourates du Coran, les plus courtes, au style haché, dont on admire la puissance expressive et les envolées lyriques.

Les détails fournis par les biographes arabes sur la manière dont Muhammad aurait reçu la première Révélation insistent sur le caractère violent de l'épisode. Ce fut dans le même climat dramatique que le nouveau prophète continua de recevoir et de faire connaître les messages qu'un ordre impérieux l'avait chargé de transmettre ou, plus exactement, de «réciter»: d'où le nom de *kur'ân*, «récitation», qui fut donné par la suite à l'ensemble de ces textes. Les avertissements et les menaces y succédaient aux évocations de la grandeur et de la clémence divines. Mais la Tradition * insiste sur l'incompréhension opposée par les Kuraysh au « messager de Dieu » qui prêchait une réforme religieuse et morale. On voit dans une anecdote révélatrice, sinon véridique, le Prophète monter sur la colline d'al-Safâ et y pousser le cri d'appel : « O compagnons ! », puis les Kuraysh s'assembler autour de lui en disant : « Qu'as-tu donc? — Que penseriez-vous si je vous annonçais que l'ennemi arrive ce matin ou ce soir? Me croiriez-vous? — Certainement. — Eh bien! Je vous avertis que vous êtes devant un châtiment terrible! — Va-t'en au diable! s'écrie alors son oncle Abû Lahab. Est-ce pour cela que tu nous a convoqués? »

Les précisions de caractère parfois hagiographique ne manquent certes pas sur les formes diverses prises par ce refus, depuis le mépris des premiers temps jusqu'à l'hostilité nette de la dernière période en passant par quelques tentatives de compromis ou au contraire d'intimidation. Il semble sûr en tout cas que Muhammad, incompris de ses compatriotes et même de certains mem-

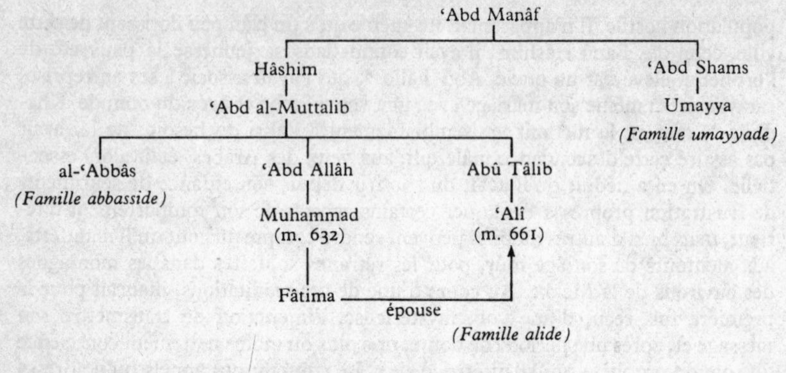

2. *HASHIMIDES ET UMAYYADES*

bres de son clan, eut pour seuls appuis sérieux ceux de son entourage immédiat où il fut encouragé par son épouse Khadîdja et où l'action d'Abû Tâlib, le seul de ses oncles qui voulût le soutenir, fit jouer en sa faveur la solidarité de divers membres de sa famille. Autour de lui s'étaient en outre assemblés quelques disciples de la première heure, parmi lesquels son cousin 'Alî *, qui allait devenir son gendre, époux de sa fille Fâtima *, son fidèle ami Abû Bakr *, un certain nombre de clients et d'esclaves, ainsi que les représentants de groupes plus ou moins influents. Dans ce cercle restreint, le prestige de Muhammad ne cessa jamais d'être reconnu, ni ne cessèrent d'être accueillies les nouvelles révélations qui vinrent approfondir son message, en insistant notamment sur le caractère unique du Dieu qui avait choisi Muhammad pour Envoyé. En même temps se situait, parmi les signes destinés à le réconforter, cet épisode connu sous le nom de Voyage nocturne * qui aurait mené le Prophète, d'abord à Jérusalem * où il aurait prié en compagnie des prophètes * bibliques, puis au ciel où il serait arrivé auprès de Dieu, épisode que certains commentateurs interprétèrent comme une vision, mais qui sera généralement considéré comme un « voyage » réel et qui constituera dans la suite l'un des thèmes favoris de la littérature édifiante populaire. A la fin de cette période de prédication mekkoise, qui dura une douzaine d'années, de 610 à 622 environ, et pendant laquelle quelques croyants tâchèrent de se mettre à l'abri au moyen d'une émigration temporaire en Abyssinie, les riches caravaniers kurayshites avaient finalement pris conscience du danger que constituait pour leur prospérité une doctrine qui plaçait implicitement tous les croyants à égalité devant un Dieu unique rémunérateur et qui tendait à substituer l'autorité de son Prophète à celle des pouvoirs établis. C'est ce qui explique la « quarantaine » dont furent victimes les premiers adeptes de l'Islam après la mort d'Abû Tâlib en 619, mort qui avait d'ailleurs suivi de peu celle de Khadîdja. Mais plutôt que de faire céder Muhammad, le résultat de cette initiative mekkoise fut de le pousser à rechercher des soutiens extérieurs et à s'assurer la fidélité d'un nouveau milieu susceptible de l'accueillir, lui et les siens.

•

Alors furent menées, avec les délégués d'une tribu habitant le territoire de Yathrib, à une centaine de kilomètres au nord de la Mekke, les négociations qui allaient aboutir à la conclusion du pacte dit « de 'Akaba * ». Celui qui s'était jusque-là identifié, à l'image de tant d'anciens prophètes bibliques, à un « messager de Dieu » repoussé par les siens, se résolvait désormais à abandonner ses compatriotes endurcis et à chercher, par un choix que l'on peut qualifier de politique, un nouveau champ d'action. Il profita pour ce faire de l'inimitié existant entre les commerçants mekkois et d'autres Arabes sédentarisés, moins chanceux ou moins habiles, qui n'avaient su s'assurer le profit d'un trafic de caravanes et devaient se contenter de vivre du travail de la terre. Car on ne saurait trop insister sur les différences qui opposaient, dans l'Arabie du VIIe siècle, la tribu puissante des Kuraysh à l'agrégat de clans arabes disparates, dont certains de religion juive, parmi lesquels le Prophète de l'Islam s'était décidé à aller chercher refuge : rien ne rappelait la vie mekkoise dans l'humble chapelet de villages qui occupaient la dépression cultivable où s'élèvera plus tard la célèbre Médine. Aussi bien la décision prise par Muhammad, et qui devait tout particulièrement coûter à son orgueil de Kurayshite, s'accompagnait-elle de la résolution cachée, mais que les événements ultérieurs allaient faire clairement apparaître, de revenir en triomphateur dans le pays que les nécessités d'une lutte désormais implacable l'avaient seules obligé à quitter.

Les dix années passées ensuite par Muhammad dans le « territoire de l'Expatriation », qui était devenu sa « ville », ou plus exactement le lieu où il exerçait son pouvoir pour mener à bien ses ambitieux desseins, mirent de fait en valeur un tout autre aspect de sa personnalité. On y découvrit l'homme d'État énergique et autoritaire, parfois même cruel dans ses condamnations, qui allait concevoir la ruine des membres de son ancienne tribu pour les amener à résipiscence tout en affermissant son autorité sur l'ensemble de l'oasis médinoise, d'où il réussira à expulser, sinon anéantir, les clans ou individus rebelles.

En même temps se révélait le général habile qui fut capable d'organiser, dans un esprit de « guerre sainte * », des razzias fructueuses suivies d'opérations défensives et inlassablement poursuivies jusqu'à dépasser dans leur élan les frontières de l'Arabie. En même temps encore apparaissait le diplomate habile à négocier et à temporiser sans perdre son sang-froid lorsque cela lui paraissait préférable à la lutte armée, qui sut faire servir les moindres épisodes de sa vie privée, notamment les nombreux mariages qu'il contracta avec les filles ou les veuves, non seulement de ses partisans, mais aussi de ses ennemis, aux progrès d'une politique qui ne visait rien moins qu'à lui assurer sur tous une suprématie où il voyait le gage le plus sûr de sa mission prophétique.

Les étapes de cette progression sont suffisamment connues pour qu'il soit inutile de rappeler les coups de main heureux de Muhammad et de ses Compagnons sur les caravanes mekkoises dont ils réussirent à interrompre le trafic, les batailles qui s'ensuivirent et dont certaines mirent en péril l'existence même du jeune État, les attaques brusquées et les recours aux alliances bédouines dans la meilleure tradition guerrière de l'Arabie, les tractations enfin qui entourèrent la reddition finale de la Mekke, le triomphe de Muhammad sur les Kuraysh contraints de se rallier à l'Islam. Dans ces combats, qui portent les noms fameux de Badr *, Uhud * et du Jour du Fossé *, s'illustrèrent les Compagnons du Prophète, les uns émigrés avec lui de la Mekke et appelés de ce fait les Expatriés, les autres recrutés à Médine et appelés les Auxiliaires puisqu'ils l'avaient accueilli parmi eux, lui et les premiers convertis mekkois, en lui reconnaissant un rôle d'arbitre souverain dans leurs querelles intestines. Mais à cette politique réaliste furent impitoyablement sacrifiés les opposants plus ou moins actifs, notamment ceux qui furent qualifiés d'Hypocrites *, condamnés individuellement lorsqu'ils s'avisaient de contrecarrer la volonté de Muhammad, ou même éliminés collectivement, comme les clans juifs des Banû Kaynuka', des Banû Nadhîr et des Banû Kurayza dont certains furent exilés et d'autres massacrés pour avoir essayé de perpétuer au temps du Prophète les intrigues et les divisions qui avaient caractérisé la vie de l'ancienne Yathrib.

Le principal effort de Muhammad, dès qu'il s'était installé à Médine, avait de fait porté sur l'organisation de la Communauté * qu'il entendait régir et sur laquelle il comptait désormais pour assurer le triomphe de son idéal. Un pacte, dont les clauses nous ont été transmises par la Tradition, lui servit d'abord à établir une structure composite où se trouvaient juxtaposés et alliés, dans une action commune contre les Mekkois et quelle que fût leur appartenance religieuse (nouveaux convertis, juifs ou païens), les habitants disséminés dans les hameaux de la palmeraie médinoise. A cette tentative encore imparfaite fut ensuite substitué le véritable État musulman, soumis à une Loi * commune, que l'on vit sortir peu à peu du texte même de la Révélation. Les causes de tension n'y manquaient pas, à commencer par la rivalité latente entre Auxiliaires et Expatriés : les premiers, qui prétendaient en outre descendre de tribus yéménites émigrées — donc traditionnellement ennemies des Kuraysh —, se méfiaient des étrangers auxquels ils avaient ouvert leurs demeures, tandis que les seconds souffraient, surtout au début, de leur situation matériellement inférieure. Mais la vigilance du Prophète ne cessa d'y remédier, tandis qu'il rétablissait entre eux l'équilibre, dès que cela lui fut possible, par des distributions de terres et de butin * aux exilés mekkois et qu'il les intéressait tous à des entreprises guerrières, généralement rémunératrices, bien faites pour forger la solidarité nécessaire entre ces éléments disparates.

Surtout, les dispositions nouvelles adoptées par Muhammad pour le culte et la vie sociale ne cessaient d'insister sur l'égalité fondamentale de tous les musulmans devant des prescriptions divines dont l'exécution reposait désormais sur l'autorité du Prophète. En matière pénale, par exemple, les habitudes anciennes furent bientôt réglementées par la substitution, aux anciennes structures tribales, de la communauté musulmane comme garante des biens et des personnes. Des sanctions précises étaient ainsi prévues pour la répression des principaux délits, sans qu'on sût toutefois encore exactement qui était chargé de les appliquer. L'institution d'une polygamie limitée à quatre épouses, institution dont le sens a été souvent discuté, visait, semble-t-il, à assurer la protection des femmes devenues veuves ou orphelines à la suite des batailles qu'avaient livrées les premiers défenseurs de l'Islam. Au même but concouraient sans doute les dispositions successorales qui prévoyaient désormais la division de chaque héritage * selon des règles à la fois complexes et équitables. Enfin la constitution d'un Trésor * commun de tous les musulmans, alimenté par une Aumône légale * prélevée sur les biens de chacun d'entre eux, allait être en ce sens encore plus efficace puisque chaque membre contribuait, dans la mesure de ses moyens, aux charges à la fois sociales et militaires du nouvel État.

A côté de ces mesures de tendance égalitaire, d'autres aspects de la réglementation médinoise semblaient avoir surtout pour dessein de différencier la société musulmane de celles qui l'avaient précédée. En ce sens jouaient des interdictions telles que celles du prêt à intérêt, des jeux de hasard, de l'usage du vin * ou encore du calendrier * solaire. Mais les détails du nouveau culte étaient peut-être à cet égard encore plus significatifs. C'est ainsi qu'à partir de l'an 2 de l'Hégire fut abandonnée, comme un trait d'inspiration juive, l'obligation de se tourner vers Jérusalem pour l'accomplissement du rite déjà traditionnel de la Prière *, qui se fit désormais en direction de la Mekke. De même l'obligation du Jeûne *, primitivement limitée au dixième jour du mois de muharram *, fut-elle bientôt transformée et appliquée au mois entier de ramadan pour ne point rappeler l'usage juif. Enfin le Pèlerinage * aux lieux saints de la Mekke, qui allait être reconnu comme l'une des exigences fondamentales de l'Islam, se vit à la fois dépouillé de son ancienne signification et volontairement rattaché à une tradition abrahamique bien faite pour établir, à côté des prétentions des juifs * et des chrétiens *, l'originalité profonde et l'authenticité de l'Islam.

Autour de ce rite du Pèlerinage, qui permettait à Muhammad de renouer avec ses origines familiales, furent conduites les négociations de la dernière période, lorsque Muhammad essaya d'obtenir des Mekkois, pour lui et ses fidèles, l'autorisation de venir vénérer la Ka'ba. Les musulmans purent ainsi, sans armes, accomplir une fois les tournées du Pèlerinage mineur et cette reconnaissance officielle de la puissance de Muhammad, qui fut inscrite dans la trêve par ailleurs peu glorieuse de Hudaybiya *, allait précéder de peu le siège et la conquête de la ville dont les chefs s'étaient divisés et se ralliaient successivement au maître désormais incontesté de Médine et de la majeure partie du Hidjâz. L'adoption définitive de l'Islam par l'ensemble des Kuraysh était au bout de cette longue attente.

L'habileté de Muhammad reçut alors sa récompense et continua de se manifester pendant les mois suivants au cours desquels le Prophète paracheva l'unité de la force musulmane tout entière, grossie pourtant d'éléments plus ambitieux que convaincus, et réussit à lancer immédiatement les Mekkois dans une expédition riche en butin, celle de Hunayn *, qui lui permit d'expérimenter contre une coalition de nomades la valeur de ses nouvelles troupes. L'image de Muhammad que ses biographies nous ont conservée est alors celle du triomphateur magnanime et sûr de lui, qui n'a garde de satisfaire par la vengeance ses vieilles rancunes, mais profite calmement de tout moyen d'étendre encore son autorité, recevant les délégations envoyées par des tribus ou des principautés arabes parfois lointaines pour discuter les termes de leur soumission et orientant déjà vers la limite septentrionale de l'Arabie, vers Tabûk * et au-delà où de premiers engagements s'étaient produits avec les troupes byzantines, l'ardeur combative de ses Compagnons.

Ce triomphe personnel allait être cependant de courte durée. En l'an 10 de l'Hégire, c'est-à-dire le 8 juin 632, Muhammad mourut à Médine où il avait continué à résider, quelques semaines après avoir dirigé lui-même les cérémonies du premier Pèlerinage auquel ne participaient plus les païens. Il avait une dernière fois, au cours d'une harangue dont la Tradition a gardé le souvenir, sinon la teneur authentique, rappelé les principaux traits de sa prédication, insistant notamment sur la double obligation qui ne cesserait jamais de peser sur les musulmans, celle de pratiquer la fraternité entre eux, et d'observer avec fidélité les prescriptions du Livre de Dieu. Les paroles mêmes qu'il prononça à cette occasion, celles surtout qui servent de conclusion à sa harangue, constituent sans doute le plus vivant commentaire de l'œuvre qu'il avait essayé d'accomplir et qui allait désormais se situer au-delà de l'arabisme primitif dans lequel lui-même avait vécu. « Hommes, écoutez mes paroles et pesez-les ; car j'ai accompli ma vie », aurait-il dit en effet comme péroraison. « Je laisse en vous ce par quoi, si vous y êtes fidèles, vous éviterez à jamais l'égarement, une chose claire, le Livre de Dieu et la *sunna* * de son Prophète. Écoutez mes paroles et pesez-les. Sachez que tout musulman est un frère pour un autre musulman ; que les musulmans sont frères ; que n'est licite pour un homme sur la part de son frère que ce que celui-ci lui donne de plein gré. Et ne faites point tort à vos propres personnes. Ai-je rempli ma tâche ? — Par Dieu, oui, répondit la foule. — Par Dieu, je rends témoignage. »

Avec ce message s'achevait l'enseignement direct du Prophète qui n'allait plus avoir le temps, aussitôt après son retour à Médine, que de décider l'envoi d'une expédition armée vers le nord, destinée, comme celle qui l'avait immédiatement précédée et qui s'était heurtée à une riposte sévère des troupes byzantines près de Mu'ta *, à piller quelques localités frontalières de Transjordanie. La maladie qui devait l'emporter ne lui permettait plus de sortir de sa maison où il était entouré et soigné par ses femmes, surtout par sa préférée 'A'isha *, la fille d'Abû Bakr, qu'il avait épousée toute jeune après la mort de Khadîdja. Ce fut dans cette maison, où il ne pouvait même plus diriger lui-même la Prière solennelle, qu'il s'affaiblit peu à peu, au grand désarroi de ses proches et de ses amis les plus fidèles, là aussi qu'il rendit le dernier soupir auprès de 'A'isha et qu'il fut même enterré discrètement dans la nuit qui suivit sa mort, tandis que la confusion la plus complète régnait parmi ceux qui se considéraient comme ses héritiers et qui déjà s'affrontaient avec âpreté pour savoir qui lui succéderait à la tête de la communauté musulmane et en sauvegarderait l'unité tout en assurant le maintien de l'œuvre interrompue.

●

Au cours de la réunion mouvementée qu'abrita, au soir du 8 juin 632, la maison d'un des principaux clans de Médine, le vieil Abû Bakr, Compagnon de l'Hégire et père d'une des femmes du Prophète, l'emporta sur ses rivaux après de longues discussions, à la suite aussi de manœuvres et d'intrigues qui seront parfois réprouvées par la tradition ultérieure. Il devint dès ce moment le « successeur de l'Envoyé de Dieu » *(khalîfa Rasûl Allâh)* ou le premier de ces « califes * » qui se trouvèrent bientôt à la tête d'un empire immense, mais qui durent d'abord faire face aux problèmes d'une situation compromise par la mort prématurée de Muhammad.

Le bref califat d'Abû Bakr (632 à 634), suivi bientôt de celui de son meilleur ami 'Umar * (634 à 644), puis de ceux de 'Uthmân * (644 à 656) et de 'Alî (656 à 660), ouvrit en effet, pour la communauté islamique naissante, une étonnante période de croissance et de transformation, qui fut à la fois marquée par la subite extension de conquêtes militaires triomphantes et par le déchaînement de crises intérieures allant du premier mouvement de sécession des tribus bédouines en Arabie aux luttes intestines qui ensanglantèrent le califat de 'Alî, tout en ayant provoqué entre-temps l'assassinat des deuxième et troisième califes, 'Umar et 'Uthmân.

La cause profonde de ces crises tenait au vide laissé derrière elle par la trop puissante personnalité d'un chef politique et religieux qui n'avait point prévu de son vivant les modalités de sa succession. Rivalités et appétits divers ne pouvaient que se donner libre cours parmi ses anciens disciples, confrontés avec la difficulté de se mettre d'accord sur le nom d'un remplaçant choisi dans leurs rangs, et les quatre premiers califes, « ceux qui suivirent la voie droite » *(râshidûn)* et qui jouirent dans l'histoire de l'Islam d'un prestige particulier, ne durent en fait leur accession au pouvoir qu'à des élections discutées, dominées le plus souvent par le jeu de puissantes coalitions d'intérêts. Le règne des Compagnons, puisque aussi bien cette qualité qui fut la leur constituait à l'époque leur premier titre de gloire et continua de les auréoler pour l'avenir, ne recouvrit en fait que des dissensions continuelles, dégénérant parfois en batailles, mais créant surtout, à l'intérieur de l'Islam, des failles dont certaines persisteront jusqu'à l'époque actuelle. Ce fut pour l'avenir de la communauté musulmane une période capitale, malheureusement trop souvent obscurcie, dans l'idée que l'on peut aujourd'hui s'en faire, par la variété des traditions rapportées par les premiers historiens arabes en fonction de leurs propres options religieuses ou politiques.

La plus grave cause de dissensions à l'époque découla de l'éviction du cousin et gendre du Prophète, 'Alî, qui avait tenu auprès de lui dès le début de l'Islam le rôle d'un soutien fidèle. Ce personnage effacé, courageux d'après certaines sources, mais en tout cas peu habile, aurait été selon ses partisans victime des machinations ourdies, à la mort de Muhammad, par un groupe de Mekkois opposés aux prétentions légitimistes des Auxiliaires médinois et défendant les mérites des deux futurs premiers califes, Abû Bakr et ʿUmar. Les droits de ʿAlî, que lui-même ne s'était point avisé de défendre, restèrent d'abord méconnus, ainsi que ceux de son épouse Fâtima, fille du Prophète, à qui Abû Bakr dénia le droit d'hériter de son père. Mais la réaction allait suivre, peut-être d'autant plus violente qu'elle avait été plus longtemps attendue, et la véhémence passionnée avec laquelle ʿAlî accomplit ses premières interventions politiques, après le meurtre de ʿUmar en 644, devait engendrer un fanatisme croissant chez les membres de son « parti ».

Sa situation ne cessa cependant d'être délicate : non seulement il ne réussit point alors à se faire élire calife par le conseil des Six où il siégea lui-même et qui était chargé de pourvoir à la succession de ʿUmar, mais son opposition au rival qui lui avait été préféré, ʿUthmân, et qui était un Kurayshite du clan umayyade *, eut pour résultat d'engendrer une véritable guerre civile. Celle-ci commença quelque dix ans plus tard par une révolte ouverte contre le troisième calife, abattu à coups de sabre dans sa maison de Médine, et devait rester connue sous l'appellation de la « Grande Division ». Si ʿAlî en bénéficia directement puisqu'il y gagna son accession à un pouvoir qui lui avait jusque-là échappé, il lui dut aussi de voir son autorité immédiatement mise en cause par un parent du calife assassiné, le gouverneur umayyade de la Syrie, Muʿâwiya *, qui entendait profiter de la vague de mécontentement soulevée dans les provinces par le meurtre de son propre cousin et exercer son droit de vengeance en exigeant de ʿAlî qu'il lui livrât les coupables.

La querelle, qui se déroulait dans un climat d'extrême confusion — car ʿAlî n'avait pas tardé à être parallèlement abandonné par bien des éléments de l'éphémère conjonction d'intérêts qui l'avait auparavant soutenu dans son opposition à ʿUthmân —, aboutit d'abord à la rencontre armée de Siffîn *, sur les bords de l'Euphrate, en juin-juillet 657. Elle se continua par le recours à une procédure d'arbitrage, l'arbitrage d'Adhruh *, qui se déroula, selon une chronologie peu précise, dans une ou même deux oasis de la steppe arabo-transjordanienne. Elle se termina en tout cas à l'avantage de Muʿâwiya qui se fit proclamer calife en juillet 660, après qu'eut été juridiquement condamné le meurtre de ʿUthmân. Ce fut ensuite le triomphe définitif du premier souverain umayyade, resté seul maître de l'empire lorsque ʿAlî, cantonné après l'arbitrage dans le territoire irakien où il avait à faire face à de nombreuses difficultés, eut été à son tour victime d'un attentat en 661, dans la grande mosquée de Kûfa *.

La pacification des esprits n'était point obtenue pour autant puisque 'Alî laissait des descendants, parmi lesquels les deux petits-fils du Prophète, al-Hasan * et al-Husayn *, et que surtout ses irréductibles partisans avaient lié sa défense à une conception du pouvoir qui allait peu à peu recevoir un contenu doctrinal à la fois politique et religieux. Le shi'isme était né, dont le nom reflète d'abord l'attachement à un personnage et à sa famille, plus exactement à un parti *(shî'a)*, mais dont l'évolution ultérieure allait faire appel à un ensemble de sentiments et de doctrines de plus en plus complexes.

D'autres conséquences idéologiques durables allaient d'ailleurs suivre d'autres heurts politiques de l'époque. Certes, la rébellion des tribus d'Arabie immédiatement après la mort du Prophète — ce refus de payer l'Aumône légale qui s'était accompagné de la prolifération de faux prophètes locaux et n'avait pu être réduit qu'après de violents combats — devait rapidement être oubliée. Mais une rupture véritable de l'unité de la Communauté avait été consacrée par la bataille dite « du Chameau * », engagée en 656 comme une suite directe des troubles suscités par le meurtre de 'Uthmân et par le triomphe de la coalition qui l'avait renversé. D'éminents Compagnons tels que Talha et al-Zubayr, soutenus par la veuve du Prophète, 'A'isha, y avaient combattu contre 'Alî qu'ils avaient d'abord défendu dans ses revendications. Ce fut une véritable guerre fratricide où de nombreux musulmans périrent et qui devait rester célèbre pour avoir mis au grand jour les difficultés des croyants de bonne foi, contraints de prendre parti entre des personnages également éminents. Néanmoins, si elle fut le point de départ de réflexions théologiques qui marquèrent à dater de cette époque la physionomie de l'Islam, elle ne donna point naissance à un mouvement sectaire proprement dit et la mort qu'y trouvèrent les chefs de la sécession arrêta définitivement le zèle de leurs partisans.

Plus importante et plus durable pour l'avenir fut au contraire la sédition des kharidjites *, qui se manifesta au lendemain de la rencontre ratée de Siffîn et qui était animée par une interprétation particulièrement rigoriste et égalitaire de la doctrine islamique. Non seulement ses membres « sortirent » — d'où leur nom — des rangs de l'armée de 'Alî après son acceptation d'un arbitrage entre lui-même et Mu'âwiya, mais ils quittèrent les cités d'Irak * et, renouvelant le geste du Prophète, se retirèrent avec femmes et enfants dans leur propre « territoire de l'expatriation », où ils organisèrent une communauté répondant à leurs idées. La défaite que leur infligea 'Alî en 658 put mettre fin à leur insurrection armée. Elle ne brisa point la volonté de sécession des survivants qui allèrent implanter dans des régions plus lointaines les convictions qu'ils restaient décidés à défendre sans compromission d'aucune sorte.

Les germes de schisme et de dissidence foisonnaient ainsi dans une société islamique en pleine crise de croissance. Ils affectaient essentiellement l'ancien milieu arabe qui avait constitué l'entourage du Prophète et qui se considérait comme le garant de son message. Mais il ne faut pas perdre de vue que conflits et rébellions se situaient maintenant dans un nouveau cadre, celui de l'empire que les armées musulmanes avaient conquis dans les quelques années qui suivirent la mort de Muhammad. L'époque des deux premiers califes, et plus précisément le règne de 'Umar, fut en effet pour l'Islam le moment de la foudroyante expansion qui n'allait cesser de vivre dans la mémoire des musulmans et qui leur permit, non seulement d'annexer soudainement par droit de conquête Syrie, Mésopotamie, Arménie *, Iran *, Égypte * et Tripolitaine, mais de prendre pied même jusqu'en Afrique du Nord ou en Transoxiane.

Tout avait commencé par les inévitables heurts qui s'étaient jadis produits, à la limite des terres cultivées de Syrie, entre des troupes musulmanes avides de pillage et des contingents byzantins chargés de la surveillance de ces provinces excentriques de l'empire. Les premières tentatives infructueuses, qui avaient eu lieu du vivant et aussitôt après la mort du Prophète, furent suivies, dès que l'Arabie eut reconnu tout entière l'autorité d'Abû Bakr, de l'irruption de vagues successives venues du désert, occupant les campagnes sans oser toutefois s'enhardir jusqu'à attaquer les villes pourvues de garnisons. La Palestine et les terres du Hauran en subirent d'abord les atteintes, tandis que d'autres expéditions étaient dirigées contre les plaines fertiles du Bas-Irak, où déjà des tribus bédouines s'étaient établies avant l'apparition de l'Islam et où la capitale arabe de Hîra * avait joui d'un renom chanté par les anciens poètes. D'un côté comme de l'autre les razzias s'accompagnaient de l'établissement de camps de regroupement utilisés par les combattants et leurs familles, qui servaient de bases de départ pour les assauts suivants et qui donnèrent en Irak naissance à de véritables villes, celle de Basra * d'abord, à l'embouchure du Tigre et de l'Euphrate, puis celle de Kûfa, située plus au nord.

Une étape importante fut ensuite franchie lorsque les musulmans eurent réussi à triompher, dans des batailles rangées, des armées des deux États rivaux et puissants dont ils avaient envahi le territoire. La riposte n'avait pas été, à vrai dire, aussi violente qu'aurait pu le faire croire la taille des deux empires, byzantin et sassanide, ainsi provoqués. Tous deux sortaient d'une période de luttes acharnées et, appauvris mutuellement par leurs précédentes offensives — dont la dernière avait été menée par l'empereur byzantin Héraclius jusqu'à Ctésiphon *, en 629, pour venger le ravage de la Syrie et de l'Égypte par les Sassanides entre 611 et 618 —, ils ne prêtèrent d'abord que peu d'attention au danger imprévu qui surgissait pour eux du côté de l'Arabie et qui revêtait la forme familière d'un assaut de pillards. Les populations qui étaient l'enjeu de la lutte paraissent même n'avoir pris aucune part à la résistance et avoir accueilli au contraire sans déplaisir, dans les provinces byzantines, des envahisseurs qui les délivraient d'une occupation pesante du point de vue fiscal et souvent tracassière sur le plan religieux.

En Syrie les principaux engagements, à Adjnâdayn * d'abord en 634, puis au Yarmûk * en 636, se soldèrent par une victoire totale des musulmans qui anéantirent la défense impériale et s'emparèrent ensuite des principales villes, Jérusalem en 638 et surtout Damas * qui, après avoir été envahie une première fois dès 635, devint trois ans plus tard le définitif pivot de l'occupation nouvelle. Les attaques avaient été menées avec une habileté tactique que l'on attribue en grande part au général Khâlid ibn al-Walîd *, « le sabre de Dieu » selon le surnom honorifique qui lui fut décerné, revenu inopinément d'Irak pour renforcer les contingents qui fléchissaient. Mais elles furent également facilitées par la modération des traités de capitulation que les envahisseurs proposaient aux habitants des régions conquises et qui leur assuraient le plus souvent la libre disposition de leurs biens moyennant un statut de tributaires protégés et le paiement d'une taxe annuelle, variable selon les lieux, qui sera à l'origine des impôts * ultérieurs dits impôts foncier et de capitation. La plupart de ces habitants étaient en effet des chrétiens dont le Coran, sous le nom de « détenteurs de l'Écriture », reconnaissait l'existence sans prétendre exiger d'eux une immédiate conversion et dont les terres devinrent terres « de traité », c'est-à-dire des terres où l'activité agricole traditionnelle continuait au profit des vainqueurs, mais dont on ne spolia que rarement les anciens propriétaires.

En Mésopotamie cependant le régime de la conquête semble avoir été plus brutal qu'ailleurs. Après qu'eut été forcé dès 635 le passage de l'Euphrate, la victoire de Kâdisiya * en 637, ouvrant définitivement le pays aux conquérants, fut suivie de la prise et du sac de l'opulente capitale sassanide de Ctésiphon. Aucune convention politique n'y modéra la violence des vainqueurs, tandis que le souverain sassanide fuyait en Iran. Le fertile bassin du Tigre et de l'Euphrate, sillonné de canaux qui en assuraient à la fois le drainage et l'irrigation, eut tout entier le statut d'une terre conquise « de vive force », où les particularismes locaux ne furent pas ménagés comme en Syrie. La méfiance des vainqueurs les empêcha même de profiter des anciennes installations urbaines et une métropole telle que Ctésiphon fut de ce fait vouée au déclin, tandis que les camps militaires arabes du Bas-Irak se transformaient peu à peu en d'immenses villes de sédentarisation, architecturalement informes, mais abondamment peuplées et conservant dans l'organisation de leurs quartiers le souvenir des groupements anciens de tentes par clans et par tribus.

Encouragé en tout cas par de rapides et fructueux succès, le mouvement de conquête ne fit avec les années que s'amplifier. Il se poursuivit d'abord vers la Haute-Mésopotamie * (prise de la future Rakka * en 639 et de Ninive en 641), vers l'Arménie, puis en direction des provinces orientales où se maintenait la fiction impuissante de l'Empire sassanide. Une importante bataille fut livrée en 642 à Nihâwand *, au sortir des défilés menant de l'Irak vers le plateau iranien, et cette nouvelle victoire islamique, suivie de l'occupation de l'Adharbaydjân * en 643 et de celle du Fârs * l'année suivante, eut pour conséquence l'extension des razzias jusqu'au lointain Khurâsân * et même au-delà. Non seulement les troupes qui poursuivaient le souverain sassanide en déroute réussirent à s'en rendre maître, enlevant ainsi tout prétexte à une résistance sérieuse, mais les expéditions de plus en plus hardies qui entraînaient les tribus arabes loin de leur point de départ s'accompagnèrent d'un mouvement de relative sédentarisation, fixant dans ces régions lointaines des fractions de clan entières, avec leurs habitudes tribales et leurs propres rivalités. Ce n'était pas encore la pacification complète du pays, qui allait connaître pendant plusieurs dizaines d'années des révoltes de plus ou moins grande ampleur. Déjà cependant s'habituait à la nouvelle domination une classe évoluée de propriétaires terriens, les *dihkân*, qui ne tarderaient pas à jouer, dans l'administration islamique de la province, un rôle d'une importance croissante.

Parallèlement était conduite dans une direction opposée, et en dépit des réserves personnelles du calife 'Umar, la conquête de l'Égypte, qui fut l'œuvre du général 'Amr ibn al-'As *. A cette occasion un nouveau camp, celui de Fustât *, fut fondé dans la vallée du Nil peu avant l'élargissement du delta. Les populations locales avaient d'abord accueilli les envahisseurs sans réaction notable et les principales cités capitulé dès 640. Cependant un retour offensif des Byzantins, s'inquiétant de perdre la province qui leur avait toujours servi de « grenier à blé », fut suivi de nouvelles opérations arabes qui rencontrèrent plus de difficultés et connurent leur intensité majeure lors du siège et de la dévastation de la prestigieuse cité grecque d'Alexandrie *, en 642. L'ensemble du pays fut ainsi conquis de vive force, mais l'administration * arabe se borna le plus souvent à y reprendre à son compte les habitudes fiscales des Byzantins, exigeant des Coptes soumis des impôts analogues à ceux qu'ils payaient à l'occupant précédent et les pressurant de la même manière.

Au-delà de l'Égypte enfin, quelques raids de grande envergure avaient été lancés à travers le désert de Cyrénaïque jusqu'à la riche province byzantine d'Ifrîkiya *, sans que toutefois les troupes musulmanes qui foulèrent le sol de Tunisie en 647, après la bataille de Sbeitla, s'y établissent déjà d'une façon durable. Des incursions étaient par ailleurs dirigées vers l'Anatolie *, mais elles se heurtèrent bientôt à des ripostes byzantines efficaces qui devaient pour un temps ralentir la progression islamique dans cette région.

Des résultats importants étaient cependant acquis et les proportions prises par un empire qui s'étendait de l'Iran à la Berbérie et des portes de Cilicie à la frontière de Nubie suffisaient à différencier profondément le nouvel État musulman de celui que l'on connaissait à la mort de Muhammad. Il ne s'agissait encore que d'un agrégat de provinces * quasiment autonomes, agrégat né des hasards de la Guerre sainte qui s'était trouvée à l'origine d'annexions territoriales successives, sans plan de campagne concerté. Mais cet ensemble n'en reconnaissait pas moins tout entier l'autorité du même pouvoir califien. L'ancienne ville du Prophète, Médine, qui était loin d'occuper une position centrale, y faisait figure de capitale. Le butin y affluait et avait entraîné pour ses habitants un accroissement soudain de luxe et de prospérité. Ceux qui y régnaient et auxquels les chefs d'expéditions victorieuses venaient finalement faire leurs rapports tranchaient en dernier ressort de questions qui leur avaient fait entrevoir une nouvelle échelle de valeurs, même s'ils ne pouvaient que difficilement se rendre compte de leurs conséquences lointaines.

On doit certes admirer la souplesse avec laquelle ces premiers califes de l'Islam s'efforcèrent de s'adapter à cette situation. Il faut néanmoins reconnaître que toute leur politique reposait sur des improvisations et ne pouvait recueillir d'adhésion unanime lorsqu'ils appliquaient à leur manière, en des circonstances fort différentes, les exemples fournis par les décisions du Prophète. Et les problèmes n'étaient pas moindres qui se posaient au niveau des accommodements locaux et qui commençaient à peine de recevoir en chaque cas des solutions, tant s'ignoraient encore, dans leur juxtaposition fortuite, la fruste société des vainqueurs et les éléments généralement plus évolués auxquels les anciens nomades arabes avaient imposé leur domination.

Aussi bien comprend-on, dans ces conditions, les divisions qui ravagèrent le groupe des anciens familiers de Muhammad et de leurs descendants pendant les vingt-huit années qui suivirent la disparition du Prophète de l'Islam. Ses Compagnons réagirent en fonction de leurs tempéraments personnels, ainsi que de leurs habitudes tribales et familiales, aux responsabilités imprévues qu'ils avaient à assumer au sein d'une communauté musulmane agrandie. Ils s'étaient en outre trouvés le plus souvent dispersés au hasard des aléas de la conquête, subissant inconsciemment l'influence des pays différents dans lesquels ils avaient été appelés. Les nouveaux facteurs de désunion que représentaient désormais au sein de l'empire les particularismes locaux non arabes jouaient, eux aussi, leur rôle dans les ambitions qui allaient peu à peu les conduire à s'affronter les uns les autres et à proposer de la doctrine islamique des interprétations souvent fort différentes. En dépit de l'isolement volontaire des vainqueurs au milieu de populations conquises auxquelles ils refusaient encore de se mêler, c'étaient déjà les influences étrangères qui commençaient à agiter sourdement la société islamique et à insuffler dans ses querelles l'âpreté des rivalités ethniques et nationales antérieures.

•

L'accession de Mu'âwiya au califat en 660 marquait le triomphe d'un clan, celui des Umayyades, sur le parti shi'ite. Mais elle marquait aussi le triomphe d'une politique, celle de l'habile gouverneur de Syrie qui avait adopté dans ce pays une attitude de compréhension à l'égard de ses habitants et de confrontation réaliste avec les problèmes posés par la domination de l'Islam sur des régions de vieille civilisation. Cette politique nouvelle, élargie aux dimensions de l'empire que le souverain umayyade était désormais appelé à régir, allait donner toute son originalité à la tentative poursuivie par lui-même et ses successeurs. Les oppositions furent néanmoins telles, dans un monde aussi profondément diversifié, et les difficultés s'accrûrent si rapidement avec la constante évolution d'une société islamique non encore stabilisée que l'entreprise se solda par un échec final — renversement de la dynastie par la dynastie abbasside * en 750. Elle fut même travestie dans la mémoire des époques suivantes par les accusations traditionnellement portées à l'encontre de ceux qu'on appelait désormais les « rois », et non plus les « califes » umayyades, et dont on critiquait notamment l'irréligion foncière et la coupable avidité, tant il était difficile, pour des historiens arabes plongés dans les luttes et divisions de leur propre époque, d'envisager avec sérénité un passé aux conséquences toujours actuelles sur le plan doctrinal, quoique provoquées souvent à l'origine par de simples querelles de personnes.

La méfiance de certains milieux arabes avait de fait toujours accompagné Mu'âwiya et son frère, tous deux aristocrates kurayshites de vieille souche et fils de l'habile chef mekkois Abû Sufyân * qui, bien que parent du Prophète, avait été son plus farouche opposant pendant la période mekkoise comme pendant la période médinoise de sa vie. C'était là d'ailleurs le sentiment qui avait déjà joué contre le troisième calife, 'Uthmân, lui aussi descendant d'Umayya, dont la qualité de gendre et d'ancien familier du Prophète n'avait pas suffi à désarmer l'hostilité des éléments shi'ites. 'Uthmân, en dépit de cette opposition ou peut-être à cause d'elle, n'avait jamais cessé de faire cause commune avec les membres du clan auquel il appartenait, leur confiant des postes importants lorsqu'il fut au pouvoir et encourant ainsi les critiques qui allaient pour une part entraîner son assassinat. La même méfiance d'origine partisane allait trouver de nouvelles justifications lorsque les efforts de Mu'âwiya réussirent à introduire dans l'État musulman, par le biais d'une prestation de serment anticipée à la personne de son fils, un principe dynastique * qui n'avait jamais été reconnu jusqu'alors. Et l'action ultérieure des Umayyades au pouvoir, contraints de ne se fier qu'aux membres de leur famille et de mener des répressions parfois brutales contre leurs ennemis, notamment contre les Alides *, ne fit qu'accroître par la suite le fossé ainsi creusé.

Cependant les dissensions ne manquaient pas non plus dans l'entourage immédiat des Umayyades. L'œuvre, à longue échéance durable, accomplie par Mu'âwiya pour assurer après lui la domination de ses descendants directs fit long feu avec l'extinction de la branche dite des Sufyanides. Yazîd *, son fils, ne régna, au milieu de troubles renaissants, que de 680 à 683 et le tout jeune Mu'âwiya II qui lui avait succédé mourut dans la même année, à peine devenu

3. LA FAMILLE UMAYYADE

Les numéros indiquent les personnages ayant successivement accédé au califat.

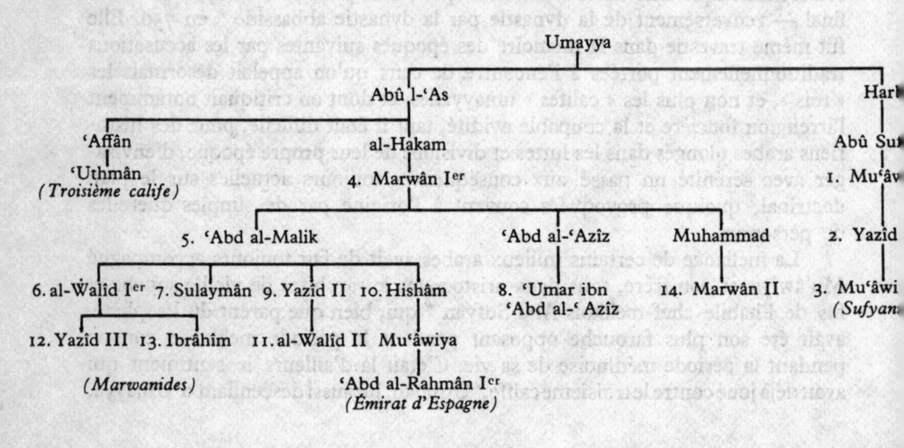

calife et au milieu d'une véritable anarchie. Les luttes entre les Arabes installés en Syrie étaient alors si violentes que les principaux chefs de clan réunis en assemblée mirent fort longtemps à se mettre d'accord pour confier le pouvoir à un cousin de Mu'âwiya, Marwân *, qui allait donner naissance à la seconde et plus importante branche de la famille umayyade, celle des Marwanides. Celle-ci, dont l'apparition s'accompagna d'un regain d'autorité pour le califat syrien, illustrée d'abord par des personnages de valeur, fut ensuite ébranlée par les troubles accompagnant de trop nombreux changements de règne. Certes 'Abd al-Malik *, le fils énergique de Marwân, devait être, de 685 à 705, l'ouvrier de la puissance umayyade, capable de rétablir l'unité alors gravement compromise et de fonder sur de nouvelles bases l'organisation matérielle de l'État et de la société islamiques. Mais après le fastueux califat d'al-Walîd * (705-715), qui fut le premier de ses fils à hériter de son titre, rivalités et discussions reprirent de plus belle tandis que le pouvoir passait, sans règle établie, à ses fils, frères, neveux et même cousins éloignés. Un arbre généalogique permet seul de se rendre compte du désordre dans lequel ces divers personnages furent appelés à régner. Mais il faut surtout souligner qu'à l'occasion de chacun de ces transferts fleurirent des intrigues suivies d'âpres contestations et que la plupart des règnes, à l'exception de celui de Hishâm *, entre 724 et 743, furent de très courte durée, ne laissant même pas le temps à des princes le plus souvent médiocres de maîtriser les diverses forces en présence. En fait, le désordre ne cessa de croître jusqu'aux efforts désespérés de Marwân II *, le dernier calife umayyade qui, après avoir réussi à triompher péniblement de ses rivaux, ne sut point résister, lors de la décisive bataille du Grand Zâb * en 749, à l'assaut des troupes khurasaniennes combattant pour la cause abbasside.

Les querelles familiales qui minèrent ainsi la dynastie umayyade étaient encore amplifiées par le climat d'agitation dans lequel vivaient les principales tribus arabes qui s'étaient établies en Syrie. Les effets avaient commencé à s'en faire sentir avec une particulière acuité lors des hésitations qui précédèrent la proclamation de Marwân Ier comme calife. La tension qui existait depuis longtemps entre les Kalb * et les Kays *, ces deux factions opposées en vertu de leurs lointaines origines, dégénéra alors en une véritable guerre civile dont les batailles, notamment celle de Mardj Râhit *, se livrèrent aux confins de l'oasis damascaine et du désert. Il en résulta l'écrasement des Kays et, par-delà ces sanglantes journées, une irrémédiable scission entre les tribus en présence. C'étaient en fait les habitudes bédouines de provocation mutuelle et de règlement de comptes qui sévissaient sur le sol syrien depuis que la conquête musulmane en avait amené le partage entre les divers clans qui s'y étaient implan-

4. LES GRANDES CONQUÊTES DU VIIe SIÈCLE

(*D'après* Historical atlas of the Muslim peoples.)

Après la pacification de l'Arabie, qui fut l'œuvre d'Abû Bakr, les troupes arabo-musulmanes suivirent les voies naturelles de pénétration qui les menèrent, soit dans les riches provinces de l'Empire byzantin, vers Antioche et Alexandrie et jusqu'en Arménie, soit vers la Mésopotamie sassanide d'où elles allaient envahir l'Iran par les deux routes de la Susiane et de la Médie.

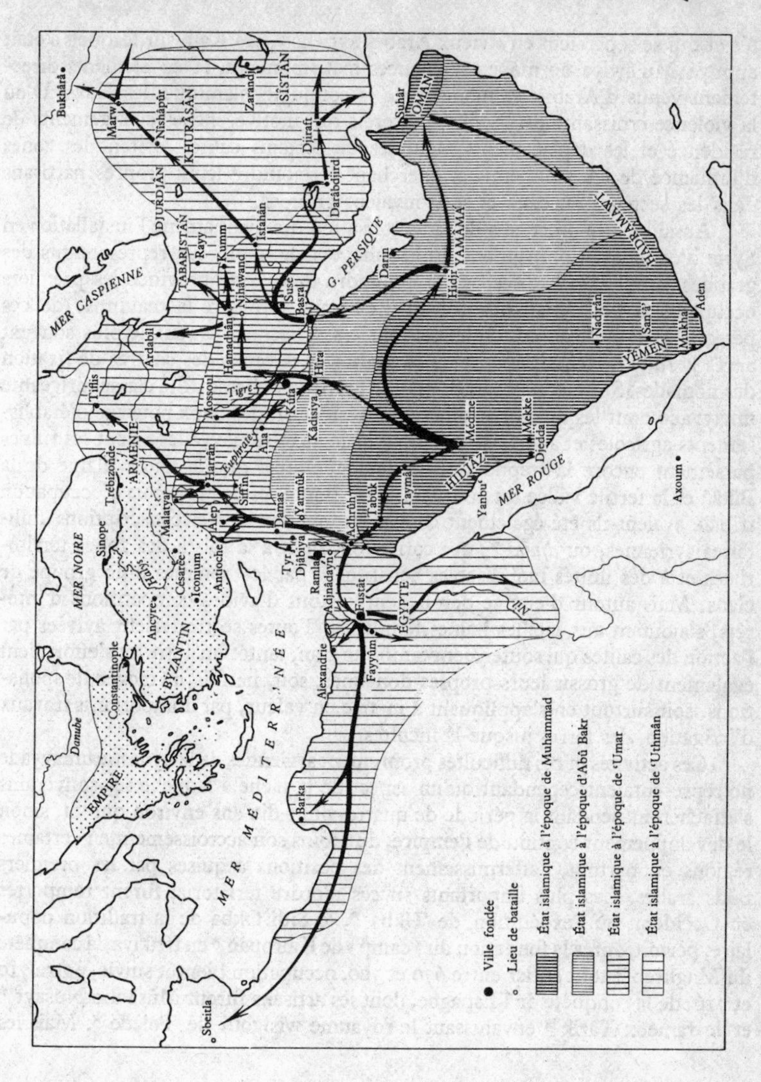

Ville fondée
Lieu de bataille
État islamique à l'époque de Muhammad
État islamique à l'époque d'Abû Bakr
État islamique à l'époque de 'Umar
État islamique à l'époque de 'Uthmân
MER CASPIENNE
MER NOIRE
MER MÉDITERRANÉE
MER ROUGE
G. PERSIQUE
EMPIRE BYZANTIN
ARMÉNIE
TABARISTÂN
DJURDJÂN
KHURÂSÂN
SÎSTÂN
OMAN
YAMÂMA
HADRAMAWT
YÉMEN
HIDJÂZ
ÉGYPTE
Bukhârâ
Marw
Nîshâpûr
Zarandj
Djiraft
Darâbdjird
Isfahân
Rayy
Kumm
Nihâwand
Hamadhân
Ardabil
Tiflis
Trébizonde
Sinope
Mossoul
Suse
Basra
Darin
Hidjr
Suhâr
Tigre
Kûfa
Hîra
Kâdisiya
Euphrate
Ana
Harrân
Malatya
Siffin
Alep
Antioche
Césarée
Iconium
Ancyre
Halys
Constantinople
Danube
Damas
Yarmûk
Tyr
Djâbiya
Ramla
Adjnâdayn
Adhrûh
Tabûk
Taymâ
Médine
Mekke
Djedda
Yanbu'
Axoum
Nadjrân
San'â'
Mukha
Aden
Fustât
Fayyûm
Alexandrie
Nil
Barka
Sbeitla

tés et qui se séparaient en « vieux Arabes syriens », ces Kalb sur lesquels s'était appuyé Mu'âwiya au moyen d'alliances matrimoniales, et en éléments directement venus d'Arabie au moment de la conquête islamique, les Kays. D'où la violence croissante de conflits d'intérêts qui motivèrent les changements de résidence et les déplacements tactiques de certains califes, évitant les zones d'influence de leurs ennemis et cherchant à rejoindre leurs propres partisans dans les secteurs où ceux-ci se trouvaient groupés.

Aussi bien le processus de sédentarisation qui avait amené l'installation en Syrie d'éminents Compagnons du Prophète et de nombreux représentants des grandes familles mekkoises, venus rejoindre dans cette province les premiers occupants arabes christianisés, avait-il eu pour corollaire la mainmise de ces personnages sur de grands domaines fonciers *, occupés par eux le plus souvent après la fuite de leurs possesseurs byzantins et devenus des centres de fixation des nomades. Sur eux reposait en grande partie la richesse de la classe dirigeante umayyade dont les membres aimèrent à résider en des lieux pourvus d'établissements agricoles et à y construire ces « châteaux * umayyades » dont les ruines parsèment encore la steppe syro-jordanienne ainsi que la haute plaine de la Bikâ ' et la fertile vallée du Jourdain. Sans doute ces divers points d'occupation tribale avaient-ils été également choisis en fonction des circonscriptions militaires syriennes, ou *djund* *, qui correspondaient à la fois à des zones territoriales et à des unités mobilisables constituées par les hommes d'un groupe de clans. Mais autour d'eux se déroulaient surtout d'avides compétitions d'intérêts, s'ajoutant aux vieilles haines familiales. Toutes se trouvaient avivées par l'action des califes qui soutenaient tantôt un clan, tantôt un autre, et s'efforçaient également de grossir leurs propres domaines, soit, parfois, au moyen de spoliations, soit surtout en s'appliquant à mettre en valeur, par d'importants travaux d'irrigation, des terres jusque-là incultes.

Ces activités et ces difficultés proprement syriennes de la dynastie umayyade ne représentaient cependant qu'un aspect de la tâche à laquelle ses souverains s'attachèrent pendant la période de quatre-vingt-dix ans environ qui vit, sinon le développement continu de l'empire, du moins son accroissement en certaines régions et, partout, l'affermissement des positions acquises par les premiers raids arabes. Les plus importants succès d'ordre territorial furent remportés en Occident, où l'expédition de 'Ukba *, le Sidi Okba de la tradition populaire, permit, après la fondation du « camp » de Kairouan * en Ifrîkiya, la conquête du Maghreb * tout entier entre 670 et 700, occupation bientôt suivie, entre 710 et 716, de la conquête de l'Espagne, dont les artisans furent Mûsâ ibn Nusayr * et le fameux Târik * envahissant le royaume wisigoth de Tolède *. Mais les attaques que les conquérants arabes lancèrent aussitôt après en Gaule furent brisées dès 732 à la bataille de Poitiers *, qui marqua l'avance extrême des armées musulmanes, tandis que ne cessaient de renaître en Afrique du Nord les manifestations d'une tenace résistance berbère.

A l'autre extrémité du monde de l'Islam, la progression des conquérants arabes avait parallèlement continué dans ces provinces orientales où les annexions de Herât * et de Balkh *, à la fin du califat de 'Uthmân, avaient été suivies du franchissement de l'Oxus ou Amou Darya, en 671, puis de l'annexion de Samarkand * et de Bukhârâ *, devenues, de 705 à 713, sièges de la puissance de l'énergique gouverneur Kutayba. Les armées musulmanes dépassaient alors de ce côté les frontières du Farghâna * pour pénétrer dans le Turkestan chinois, tandis qu'elles envahissaient également le delta de l'Indus, prenaient Multân et annexaient à l'empire le Sind *, tout en laissant derrière elles des îlots de territoires razziés et non conquis, qui connaissaient des troubles comparables à l'agitation des pays berbères et constituaient aussi une zone de relative insécurité.

D'autres succès spectaculaires, quoique sans résultat durable, furent aussi enregistrés dans la lutte contre Byzance *, qui fut activement menée pendant les règnes de Mu'âwiya d'abord, puis d'al-Walîd Ier et de Sulaymân. Des expéditions importantes, par terre à travers le plateau anatolien, par mer à la suite de la création par Mu'âwiya d'une marine * islamique, avaient été lancées à plusieurs reprises, dont certaines aboutirent à de véritables sièges de Constantinople *, de 673 à 678 d'abord, puis entre 716 et 717, après que la dévastation de l'île de Chypre *, dès 649, eut marqué le début des prétentions umayyades à l'hégémonie maritime sur la Méditerranée orientale. Les pointes les plus audacieuses en direction du Bosphore avaient été suivies de replis. Elles avaient néanmoins aidé à la consolidation des frontières arabo-byzantines de Cilicie et de Haute-Mésopotamie, où les troupes musulmanes commencèrent à élever quelques fortins et à établir de véritables bases de départ pour leurs

5. LA SYRIE UMAYYADE AU DÉBUT DU VIIIe SIÈCLE →

La Syrie umayyade, qui fut une région d'intense colonisation arabe, se caractérisa par le développement d'un certain nombre de sites correspondant à la fois aux villes antiques de la région et à d'anciens domaines ruraux remis en exploitation. Ces sites, connus par des ruines récemment découvertes, s'échelonnaient le long de voies de communication, superposées à d'anciennes routes romaines ou à des pistes du désert, qui avaient une importance à la fois stratégique et économique. La plupart d'entre eux sont marqués par ces châteaux umayyades, jadis connus sous le nom impropre de « châteaux du désert », qui étaient habités par des membres de la famille califienne et de l'aristocratie musulmane.

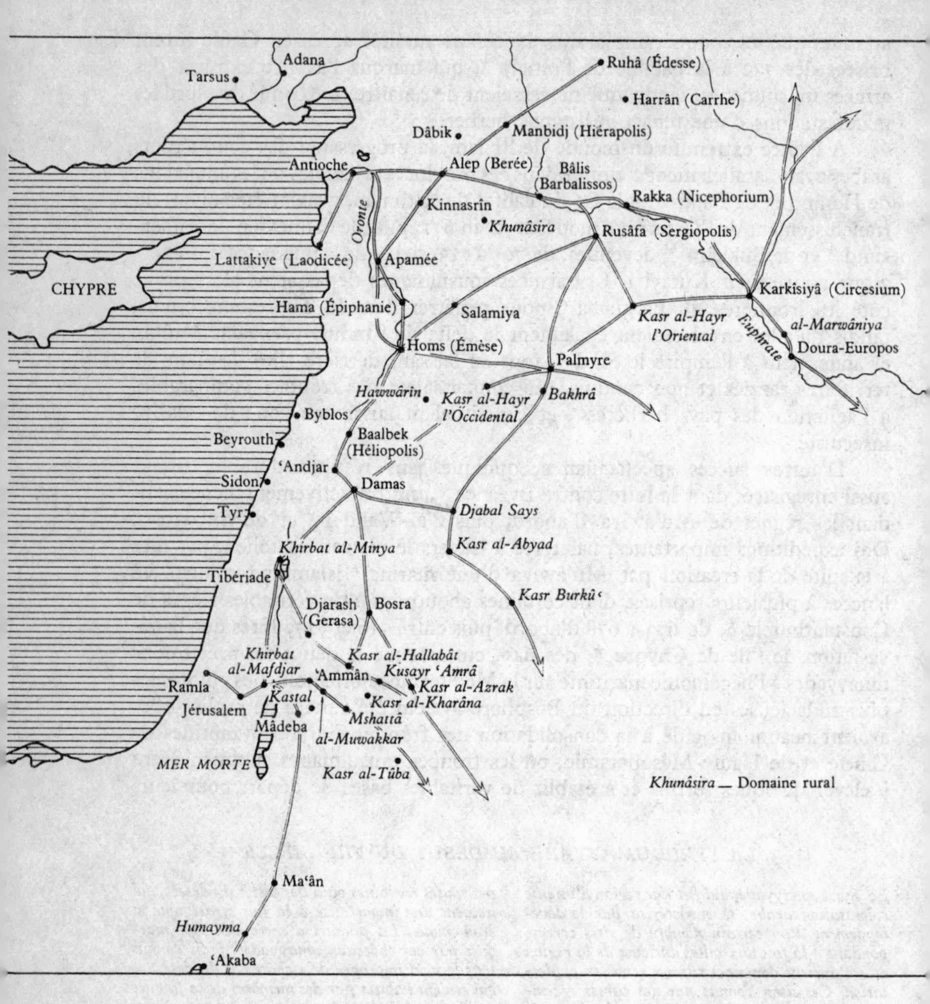

Tarsus
Adana
Ruhâ (Édesse)
Harrân (Carrhe)
Dâbik
Manbidj (Hiérapolis)
Antioche
Alep (Berée)
Bâlis
(Barbalissos)
Rakka (Nicephorium)
Kinnasrîn
Khunâsira
Rusâfa (Sergiopolis)
Oronte
Lattakiye (Laodicée)
Apamée
CHYPRE
Hama (Épiphanie)
Salamiya
Karkîsiyâ (Circesium)
Kasr al-Hayr
l'Oriental
al-Marwâniya
Euphrate
Doura-Europos
Homs (Émèse)
Palmyre
Hawwârîn
Kasr al-Hayr
l'Occidental
Bakhrâ
Byblos
Beyrouth
Baalbek
(Héliopolis)
'Andjar
Sidon
Damas
Tyr
Djabal Says
Kasr al-Abyad
Khirbat al-Minya
Tibériade
Kasr Burkû'
Djarash
(Gerasa)
Bosra
Khirbat
al-Mafdjar
Kasr al-Hallabât
Ramla
'Ammân
Kusayr 'Amrâ
Kasr al-Azrak
Kastal
Jérusalem
Kasr al-Kharâna
Mshattâ
Mâdeba
al-Muwakkar
MER MORTE
Kasr al-Tûba
Khunâsira — Domaine rural
Ma'ân
Humayma
'Akaba

incursions saisonnières en pays ennemi, les *ribât* * de la Guerre sainte, qui continueront pendant des siècles à jalonner les confins de l'Empire islamique. Là cependant comme en d'autres régions les contingents syriens, divisés par les luttes entre Kays et Kalb, voyaient leur ardeur combative décroître à mesure que l'anarchie intérieure grandissait et qu'ils devaient plus souvent intervenir contre des rébellions de plus en plus dangereuses.

Ces rébellions correspondaient souvent, en Iran comme au Maghreb, aux réactions anti-musulmanes qui agitaient des régions mal pacifiées. Mais il y avait aussi les troubles provoqués par les sentiments anti-umayyades de certains milieux arabes, soutenus plus ou moins solidement par les représentants non arabes de certaines tendances locales. Les opérations de pacification revenaient chaque fois à des troupes essentiellement composées de Syriens, qui s'identifiaient, hors de leur propre province, avec une cause umayyade discutée, mais devaient rencontrer de nombreuses difficultés à maintenir, dans de pareilles conditions, leur suprématie militaire.

L'une des premières répressions confiées ainsi aux armées umayyades fut, à la fin du VIIe siècle, celle de la révolte d'Ibn al-Zubayr *, qui avait mené cet « anti-calife » à refuser d'abord l'allégeance à Yazîd Ier, puis à affermir son autorité en Arabie, tandis que la Syrie était déchirée par les troubles précédant la venue au pouvoir de la branche marwanide. Après une campagne en Irak, il ne fallut rien moins que le siège de la ville sacrée de l'Islam, où une première tentative infructueuse des troupes du calife Yazîd avait déjà entraîné dix ans auparavant l'incendie de la Ka'ba, pour permettre en 693 à al-Hadjdjâdj *, l'énergique envoyé du calife 'Abd al-Malik, de rétablir l'ordre et de mettre à mort Ibn al-Zubayr.

En même temps ne cessaient de renaître en Irak des révoltes suscitées à la fois par la fermentation politico-religieuse qui se perpétuait dans les grandes villes de cette région et par l'animosité des Irakiens contre la province rivale à laquelle ils se trouvaient assujettis en dépit de la richesse naturelle et des possibilités commerciales de leur propre territoire. Les kharidjites d'abord, qui avaient été violemment combattus par 'Alî au lendemain de leur première sécession, mais n'avaient pas abandonné pour autant leur espoir de fonder un califat schismatique, se manifestèrent en prenant pour base de départ les territoires du Fârs ou d'Arabie qui avaient servi de refuge à leurs éléments les plus fanatiques; leurs insurrections successives, qui correspondaient à l'apparition dans leurs rangs de sectes * fort diverses, requirent à plusieurs reprises des répressions militaires. De son côté, la ville de Kûfa restait un foyer d'intrigues et accueillait les révoltés shi'ites qui, après s'être abstenus de toute action sous le califat de Mu'âwiya — à la suite du ralliement à son autorité d'al-Hasan, fils aîné de 'Alî —, agirent avec moins de prudence sous le règne suivant. Le second fils, al-Husayn, céda ainsi aux instances des partisans qui encourageaient ses prétentions, mais qui ne tardèrent pas à l'abandonner devant la réaction du gouverneur umayyade. Lui-même et le petit groupe de compagnons fidèles — membres de son clan et de sa propre famille — qui le soutenaient et qui étaient venus avec lui de Médine, périrent au cours d'un bref engagement qui eut lieu non loin de l'Euphrate, à Karbalâ' * en 680. La mémoire du calife Yazîd, tenu pour responsable de ce massacre, devait être dès lors honnie de tous les shi'ites, tandis que les remords de bien des Irakiens, se sentant coupables de n'avoir pas défendu le petit-fils du Prophète après lui avoir offert leur soutien, les conduisaient à se heurter à leur tour aux forces officielles dans de nouvelles et plus importantes attaques à main armée.

Après l'échec de la tentative dite ainsi « des Pénitents », ce fut un troisième fils de 'Alî, fils d'une autre femme que Fâtima et appelé pour cette raison Muhammad ibn al-Hanafiya *, qui cristallisa, à travers les appels d'un agitateur du nom d'al-Mukhtâr *, les espoirs et les revendications des shi'ites du Bas-Irak. Le soulèvement d'al-Mukhtâr fut réprimé dès l'accession au califat de 'Abd al-Malik qui avait chargé al-Hadjdjâdj de pacifier cette région avant de s'attaquer à la rébellion mekkoise. Mais les esprits n'en furent point calmés pour autant et les partisans de Muhammad ibn al-Hanafiya, qui lui-même n'avait pas été inquiété par les autorités syriennes, commencèrent à organiser dans la clandestinité un mouvement révolutionnaire qui devait être le premier à accueillir des idées messianiques. Bref, le calme de l'Irak ne reposait que sur la vigilance et l'habileté du gouverneur umayyade de la province, et la fondation de Wâsit *, cette ville spécialement créée pour lui servir de résidence ou plutôt de camp retranché dans une position « centrale » (d'où son nom), indique bien les conditions dans lesquelles se maintenait, en ce pays hostile, la milice des Arabes syriens. La personnalité du vice-roi au pouvoir était déterminante et la situation ne cessa de se dégrader à partir du moment où les califes ne purent plus se reposer sur des hommes aussi efficaces que Ziyâd * et que son fils 'Abd Allâh, créatures des Sufyanides, ou surtout que le fameux al-Hadjdjâdj, soutien du calife 'Abd al-Malik, dont les rapides et brutales interventions resteront légendaires.

La fin de la période umayyade vit donc se succéder de multiples soulèvements shi'ites et kharidjites qui ne furent réprimés qu'avec peine et en tout cas de manière temporaire. A la suite des importants épisodes signalés un peu plus haut, on peut encore citer en 740 l'insurrection d'un petit-fils d'al-Husayn,

Zayd *, dont le père avait échappé enfant au massacre de Karbalâ', et, en 744, celle de son lointain cousin ʻAbd Allâh ibn Muʻâwiya. Mais les troubles les plus graves furent provoqués dix ans plus tard par la révolte kharidjite de Haute-Mésopotamie, qui épuisa les forces du dernier calife umayyade Marwân II au moment même où il allait avoir à lutter contre les troupes abbassides venues du Khurâsân.

L'effervescence religieuse continuelle de l'Irak avait d'ailleurs des prolongements en bien d'autres régions. Sans parler de l'Arabie qui était en relation avec la basse vallée du Tigre et de l'Euphrate et qui restait, on l'a vu, le lieu de résidence de nombreux éléments anti-umayyades, membres de la famille alide ou simples descendants de Compagnons réputés pour leur qualité d'hommes de science et de religion, il faut noter que le Maghreb avait accueilli très tôt des doctrinaires kharidjites, venus de Mésopotamie, qui rencontrèrent chez des autochtones épris d'égalitarisme un terrain favorable à leur prédication. Les efforts du nationalisme berbère s'étaient ainsi teintés d'une couleur religieuse qui allait s'affirmer encore plus nettement pendant les siècles suivants.

En Iran, d'un autre côté, se propageaient les sentiments de fidélité passionnée à la descendance du Prophète qui étaient à la base du shiʻisme et qu'entretenaient des émissaires venus du foyer irakien. Plusieurs réseaux d'obédiences diverses se mêlaient dans cette action qui était l'œuvre d'un mouvement révolutionnaire et qui nourrissait les espoirs de prétendants aux titres variés, allant des descendants de ʻAlî à ceux d'al-ʻAbbâs *, oncle du Prophète et de son vivant éminent représentant du clan des Banû Hâshim. On ne sait en effet dans quelle mesure les Alides — mis à part Yahyâ, fils de Zayd, qui se révolta lui-même pour venger son père et mourut comme lui — participèrent effectivement à cette organisation de caractère clandestin. Mais il est sûr que les Abbassides, cachés d'abord en Transjordanie, puis à Kûfa même, surent l'accaparer à leur profit. Le plus actif de leurs envoyés, un énigmatique personnage du nom d'Abû Muslim * et d'origine iranienne, réussit ainsi à mettre sur pied au Khurâsân une véritable armée et lui donna pour signe de ralliement l'étendard noir qui allait rester le symbole de la nouvelle dynastie.

●

Le succès de sa propagande, appuyée sur les phénomènes d'agitation religieuse que l'on connaissait alors, tenait d'ailleurs au malaise croissant qui avait gagné la société umayyade à mesure que se transformait maladroitement, sous la pression des circonstances, le régime établi dans l'Empire islamique

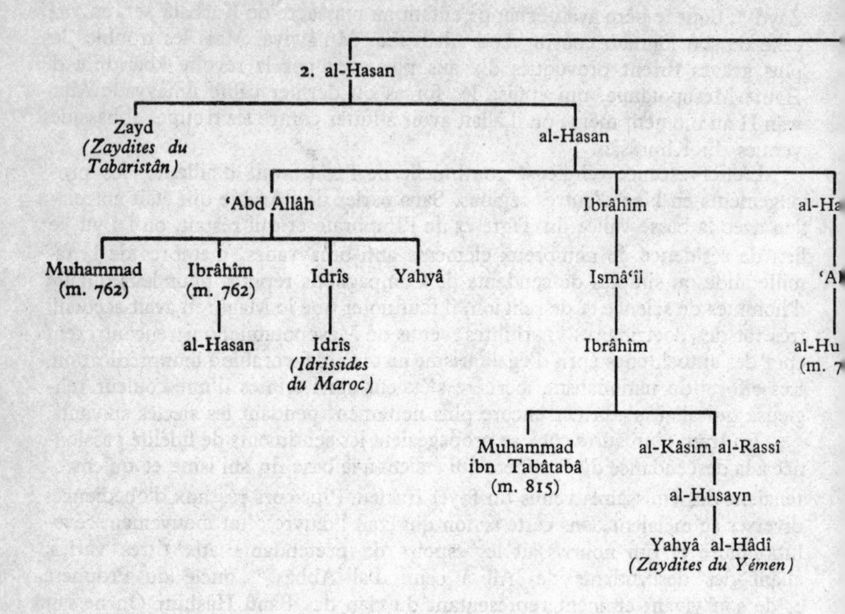

6. LA FAMILLE ALIDE

Les numéros indiquent les douze imâms des duodécimains.

aussitôt après les conquêtes. Au temps des quatre premiers califes en effet et encore du vivant de Mu'âwiya, le Trésor califien était alimenté par le butin des expéditions guerrières, tandis que les musulmans combattants étaient seuls à percevoir des pensions ou à recevoir des concessions foncières * dans les provinces où ils étaient établis. Conquérants et tributaires, traités selon des principes totalement différents, se trouvaient juxtaposés dans deux communautés distinctes, dont les problèmes n'interféraient que de manière occasionnelle et sans permettre aux peuples conquis de tenir une place de premier plan.

Cette situation commença de se modifier lorsque fut créée, avec le concours

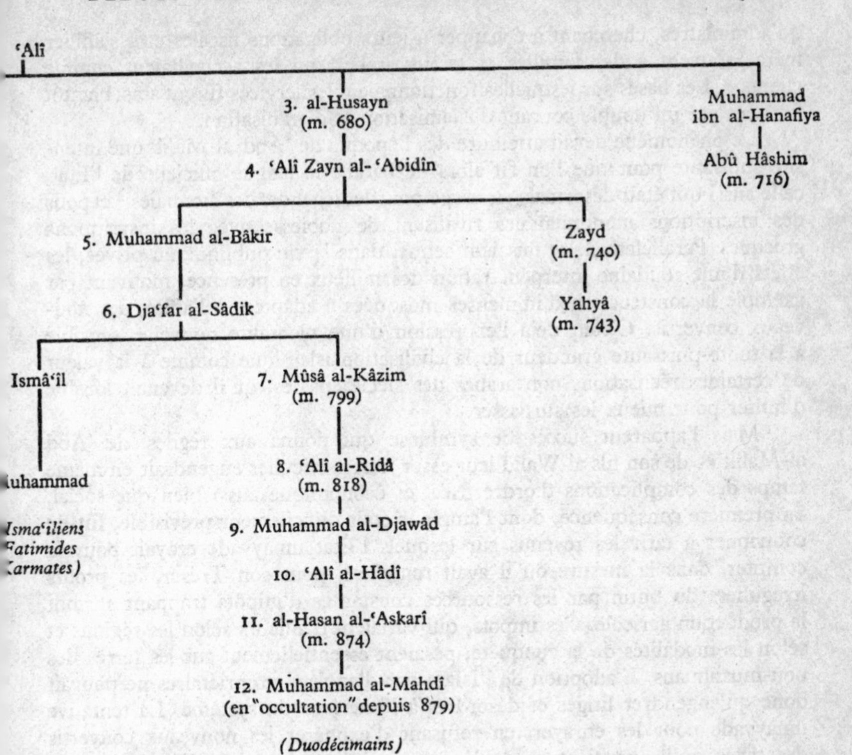

des autochtones, une administration islamique dont la principale tâche devait être de lever les lourds impôts que payaient les tributaires restés sur leurs terres. Aux anciens rouages des services byzantins et sassanides adoptés tels quels en diverses régions, avec utilisation des langues locales, notamment le grec et le pehlevi, fut bientôt substituée une organisation neuve, aux registres * établis en arabe, quoique confiés toujours aux mains des secrétaires et scribes traditionnels. Ce fut l'occasion de multiples contacts, surtout en Syrie où le calife laissait volontiers l'initiative en ce domaine à des éléments locaux. Ils furent suivis d'un mouvement de conversion des autochtones, tant administrateurs qu'administrés, cherchant à échapper à leurs obligations fiscales et à s'affilier même souvent à des familles et tribus arabes qui les accueillaient comme clients *. Les bases sur lesquelles fonctionnaient les services furent ainsi bientôt faussées par un double courant d'islamisation et d'arabisation.

Le phénomène devait atteindre dès l'époque de 'Abd al-Malik une intensité suffisante pour que l'on fît alors de l'arabe la langue officielle de l'État, celle aussi qui était désormais en usage pour les légendes des monnaies * et pour des inscriptions monumentales rivalisant de noblesse avec les inscriptions grecques. Parallèlement se faisaient sentir, dans la vie publique ou privée, les effets d'une soudaine interpénétration des milieux en présence, motivant par exemple la construction d'immenses mosquées * adaptées à l'afflux des nouveaux convertis. C'était déjà l'expression d'une mentalité nouvelle, sensible à la toute-puissante grandeur de la civilisation islamique comme à la valeur de certaines réalisations non arabes des siècles passés, qu'il devenait loisible d'imiter pour mieux les surpasser.

Mais l'apparent succès de symbiose qui donna aux règnes de 'Abd al-Malik et de son fils al-Walîd leur essor tout particulier engendrait en même temps des complications d'ordre fiscal et économique aussi bien que social. Sa première conséquence, dont l'ampleur était difficilement prévisible, fut de contribuer à tarir les revenus sur lesquels l'État umayyade croyait pouvoir compter, dans la mesure où il avait remplacé, pour son Trésor, les profits irréguliers du butin par les ressources constantes d'impôts frappant surtout la production agricole. Ces impôts, qui variaient d'ailleurs selon les régions et selon les modalités de la conquête, pesaient essentiellement sur les terres des non-musulmans. L'adoption de l'Islam par d'anciens propriétaires ne pouvait donc qu'engendrer litiges et désordres à l'intérieur du système. La tentative umayyade pour les enrayer, en refusant d'exonérer les nouveaux convertis des taxes qu'ils payaient et de les assujettir simplement à l'équivalent de l'Aumône légale réclamée des musulmans, n'eut pas les effets escomptés. Lorsque les gouverneurs umayyades continuèrent d'exiger de leurs terres les anciens taux fixés, nombre de convertis se résolurent à abandonner leurs domaines et à s'établir dans les villes pour y exercer de nouveaux métiers, ou plutôt grossir les rangs d'une plèbe indisciplinée. Il ne pouvait en résulter qu'un appauvrissement général : misère croissante dans les grandes cités et diminution des rentrées d'impôts exigibles sur des terres non cultivées. Les souverains umayyades n'eurent dès lors d'autre recours que dans les méthodes autoritaires, appliquées par la force en dépit de la temporaire réaction de 'Umar II * au début du VIIIe siècle et propres à susciter de croissants mécontentements.

A ce premier et fâcheux résultat des conversions trop nombreuses s'ajoutait l'apparition d'une nouvelle classe sociale, celle des musulmans non arabes qui s'assimilaient aux cadres existants tout en conservant l'orgueil de leur appartenance locale, et qui connurent, selon les régions, des problèmes plus ou moins aigus de cohabitation avec les anciens conquérants. Les éléments étrangers à la première communauté islamique parurent en Syrie s'intégrer sans trop de peine à la clientèle tribale de l'aristocratie umayyade. Mais ils eurent une position beaucoup plus difficile en Irak et en Iran, due sans doute à l'inquiétude avec laquelle les dirigeants arabes considéraient leur nombre et la traditionnelle supériorité dont ils se targuaient. Tenus dans ces provinces à l'écart des responsabilités importantes, humiliés et pleins d'ambition, ils s'y montrèrent prêts à suivre tous les agitateurs et ce fut parmi eux que se recrutèrent les plus fidèles sectateurs des causes alide ou abbasside.

Leur existence même ne pouvait qu'accentuer les tendances centrifuges dans un empire dont l'unification n'avait à vrai dire jamais été tentée de manière cohérente. Le monde umayyade demeurait, en dépit de sa direction unique et de la prééminence dont y jouissait la Syrie, un monde hétérogène dont des héritages multiples faisaient la grandeur, mais où les antagonismes entre provinces, incarnés bien souvent dans des mouvements religieux extrêmement variés, empêchaient la croissance d'une idéologie islamique commune et suffisamment solide pour asseoir le prestige de la dynastie syrienne. C'était cette situation précisément qui allait changer avec le triomphe tout proche de la dynastie abbasside.

CHAPITRE II

VICISSITUDES DU POUVOIR CENTRAL

(750-936)

SUCCÉDANT aux efforts empiriques et personnels des souverains umayyades, la domination des Abbassides ouvrit pour l'Empire islamique une période différente, où la puissance de l'État reposait avant tout sur l'éminente dignité d'un calife parent du Prophète et susceptible à ce titre de se poser en représentant et défenseur d'une parfaite orthodoxie. La dynastie « bénie », ainsi qu'elle se qualifiait elle-même, chercha dès son apparition à marquer la rupture avec les anciens maîtres de la Syrie et ne négligea aucun des signes extérieurs destinés à la souligner : transfert de la capitale en Irak, à Kûfa d'abord, puis à Bagdad *, adoption de « noms de règne » évoquant la faveur divine dont se prétendaient gratifiés les nouveaux califes (al-Mansûr, « celui qui reçoit le secours de Dieu » ; al-Mahdî, « celui que Dieu conduit » ; al-Rashîd, « le bien dirigé par Dieu »), enrichissement progressif de la titulature souveraine employée dans les textes officiels, les inscriptions et les légendes monétaires, accroissement constant de la pompe et du cérémonial isolant le calife des sujets, protection et consultation des hommes de religion, intervention officielle du calife dans la définition du dogme et la condamnation des hérésies. Surtout, la dynastie abbasside s'appuyait désormais sur une classe de la population que les Umayyades avaient toujours maintenue à un rang inférieur, celle des clients, qui purent, seulement à partir de cette époque, faire bénéficier l'État musulman de leurs aptitudes et de leur formation, tout en lui infusant un esprit bureaucratique inconnu des premiers temps. Parallèlement, elle avait abandonné pratiquement l'ancien système de l'armée * tribale qui était à prédominance arabe pour faire appel à des troupes composées de partisans, arabes ou non arabes, et, plus tard, de mercenaires.

Confrontée aux problèmes pratiques de gouvernement, l'œuvre des Abbassides allait néanmoins se situer dans la ligne de celle qu'avaient précédemment poursuivie les Umayyades et se contenter d'accentuer les étapes d'une évolution déjà commencée. Sur le plan du cérémonial par exemple, aussi bien que sur celui de l'organisation administrative, les nouveaux maîtres de l'empire ne firent que suivre des tendances qui s'étaient déjà manifestées lorsque le calife avait imité dans son comportement celui des anciens souverains de l'Orient, le basileus byzantin ou le chosroès sassanide, et qu'il avait eu recours aux services de leurs scribes et de leurs collecteurs d'impôts. Directement héritée aussi de l'époque des conquêtes, la structure de l'empire conservait de son côté cette hétérogénéité foncière que les Umayyades n'avaient pas réussi à réduire et qui allait résister encore aux tentatives d'unification menées depuis la capitale bagdadienne. Même le principe dynastique appuyé sur la méthode de l'élection anticipée n'était qu'un emprunt des Abbassides à leurs prédécesseurs qui s'étaient efforcés de le faire adopter en milieu musulman, en dépit des intrigues et des luttes continuant d'accompagner chaque changement de règne. Désormais, les querelles n'allaient plus se maintenir sur le plan tribal. Elles ne secoueraient plus que l'entourage du calife, sans entamer le prestige de la fonction souveraine. Mais l'absence d'une règle de succession précise imposant à l'avance le choix de l'héritier resterait une cause de faiblesse pour le pouvoir.

•

Les prétentions des Abbassides à la légitimité, par lesquelles ils voulaient se différencier des Umayyades, s'étaient d'ailleurs heurtées à une vigoureuse résistance de la part de rivaux qui pouvaient se prévaloir de titres analogues aux leurs. Certes les descendants d'al-'Abbâs, oncle de Muhammad, possédaient de ce fait des droits équivalents à ceux des autres Hashimides qui descendaient d'Abû Tâlib par 'Alî — dans les premiers temps en effet il ne semble pas que la parenté directe par Fâtima, fille du Prophète et épouse de 'Alî, eût été invoquée par ses descendants. Mais ils ne réussirent jamais à rallier tous les suffrages ni à désarmer l'opposition de ceux qui avaient jadis combattu pour leur cause sans la distinguer de celle des autres membres de « la famille du Prophète * ». L'équivoque entretenue autour de leurs personnes, sans que rien indiquât l'orientation réelle d'une tentative aux buts dissimulés par prudence, devait hypothéquer lourdement l'avenir de la dynastie.

Si en effet Abû Muslim, le chef le plus actif de leur propagande révolutionnaire, avait su exploiter à leur profit au Khurâsân le mécontentement d'une

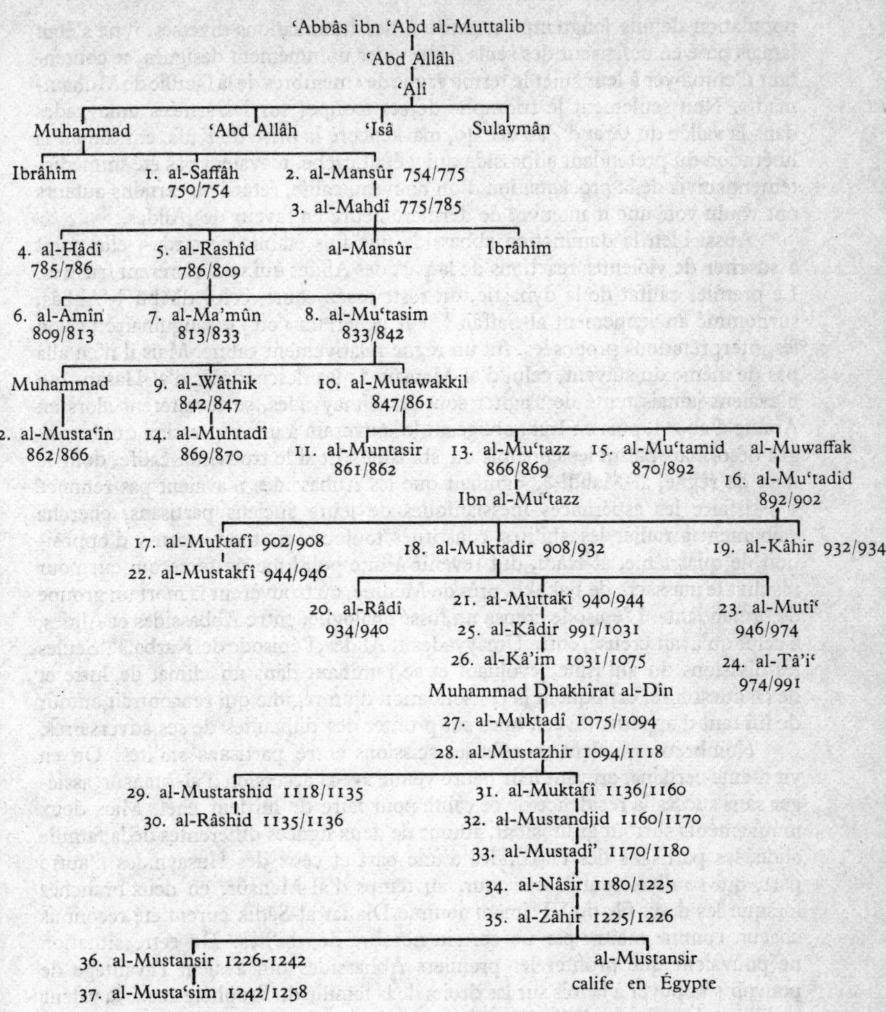
ʿAbbâs ibn ʿAbd al-Muttalib
ʿAbd Allâh
ʿAlî
Muhammad
ʿAbd Allâh
ʿIsâ
Sulaymân
Ibrâhîm
1. al-Saffâh 750/754
2. al-Mansûr 754/775
3. al-Mahdî 775/785
4. al-Hâdî 785/786
5. al-Rashîd 786/809
al-Mansûr
Ibrâhîm
6. al-Amîn 809/813
7. al-Ma'mûn 813/833
8. al-Muʿtasim 833/842
Muhammad
9. al-Wâthik 842/847
10. al-Mutawakkil 847/861
12. al-Mustaʿîn 862/866
14. al-Muhtadî 869/870
11. al-Muntasir 861/862
13. al-Muʿtazz 866/869
15. al-Muʿtamid 870/892
al-Muwaffak
16. al-Muʿtadid 892/902
Ibn al-Muʿtazz
17. al-Muktafî 902/908
18. al-Muktadir 908/932
19. al-Kâhir 932/934
22. al-Mustakfî 944/946
20. al-Râdî 934/940
21. al-Muttakî 940/944
23. al-Mutîʿ 946/974
25. al-Kâdir 991/1031
26. al-Kâ'im 1031/1075
24. al-Tâ'iʿ 974/991
Muhammad Dhakhîrat al-Dîn
27. al-Muktadî 1075/1094
28. al-Mustazhir 1094/1118
29. al-Mustarshid 1118/1135
31. al-Muktafî 1136/1160
30. al-Râshid 1135/1136
32. al-Mustandjid 1160/1170
33. al-Mustadî' 1170/1180
34. al-Nâsir 1180/1225
35. al-Zâhir 1225/1226
36. al-Mustansir 1226-1242
al-Mustansir calife en Égypte
37. al-Mustaʿsim 1242/1258

7. TABLEAU GÉNÉALOGIQUE DES CALIFES ABBASSIDES

population depuis longtemps soumise à des humiliations diverses, il ne s'était jamais posé en défenseur des seuls Abbassides nommément désignés, se contentant d'employer à leur sujet le terme vague de « membres de la famille de Muhammad ». Non seulement le triomphe de ses troupes sur les armées umayyades dans la vallée du Grand Zâb en 749, mais encore la prise de Kûfa, entraînant la libération du prétendant abbasside qui y était caché, n'avaient pas été immédiatement suivis de la proclamation d'un nouveau calife, retard où certains auteurs ont voulu voir une manœuvre de dernière heure en faveur des Alides.

Aussi bien la domination abbasside une fois établie ne tarda-t-elle point à susciter de violentes réactions de la part des Alides qui se déclarèrent frustrés. Le premier califat de la dynastie, du reste assez court, celui d'Abû l-'Abbâs, surnommé anciennement al-Saffâh *, « le généreux » ou « le sanguinaire » selon les interprétations proposées, fut un règne relativement calme. Mais il n'en alla pas de même du suivant, celui d'al-Mansûr * : les descendants d'al-Hasan, qui n'avaient jamais tenté de s'agiter sous les Umayyades, se révoltèrent alors en Arabie d'abord, puis en Irak, obligeant le souverain à une répression qui le rangea désormais parmi les ennemis du shi'isme. Et si le troisième calife, dont le nom de règne, al-Mahdî *, signifiait que les Abbassides n'avaient pas renoncé à satisfaire les espérances messianiques de leurs anciens partisans, chercha vainement à rallier les shi'ites constitués toujours en mouvements d'opposition, le quatrième, al-Hâdî, dut revenir à une politique de force qui eut pour résultat le massacre de Fakhkh, près de Médine, où trouvèrent la mort un groupe de prétendants. L'épisode creusa un fossé analogue, entre Abbassides et Alides, à celui qu'avait creusé, entre Umayyades et Alides, l'épisode de Karbalâ'. Seules les divisions du shi'isme, évoluant et se ramifiant dans un climat de lutte et de clandestinité, expliquent la consolidation d'un régime qui rencontrait autour de lui tant d'appétits divers, mais sut profiter des difficultés de ses adversaires.

Nombreuses étaient en effet les scissions entre partisans shi'ites. On en vit même certains, croyant leur heure venue avec l'accession d'al-Mansûr, assiéger sans succès la résidence de ce calife pour faire de lui leur chef. Mais deux mouvements surtout groupaient, autour de deux lignées différentes de la famille alide, les partisans des Hasanides d'une part et ceux des Husaynides d'autre part, qui se divisèrent à leur tour, au temps d'al-Mansûr, en deux branches lorsque les deux fils du VIe imâm nommé Dja'far al-Sâdik eurent été reconnus chacun comme maître par un certain nombre de shi'ites. De cette situation ne pouvaient que profiter les premiers Abbassides qui avaient l'avantage de pouvoir s'appuyer à la fois sur les droits de la famille du Prophète et sur la valeur juridique du serment d'allégeance prêté à chaque nouveau souverain.

Leur force tenait encore pour une bonne part à l'habileté avec laquelle ils surent gagner et utiliser les clients qui avaient jadis pris une part active aux efforts révolutionnaires en Iran et parmi lesquels les prétendants avaient choisi leurs émissaires de confiance. Une fois le régime nouveau instauré, les principales charges et dignités palatines leur furent remises comme à des serviteurs dévoués sur lesquels le calife préférait s'appuyer plutôt que sur les membres de sa famille, enclins à lui envier le pouvoir ou même à le lui disputer. Des autochtones nouvellement convertis occupèrent ainsi dès le début les charges de chambellan et de vizir, furent aussi les confidents avec lesquels le calife s'entretenait, dit-on, chaque jour de la situation de l'empire, peuplèrent enfin les services de l'administration centrale, qui se développèrent alors de manière à assurer un meilleur contrôle des provinces pour la levée des impôts comme pour la répartition des revenus. Non seulement ils faisaient profiter l'État islamique, comme à l'époque umayyade, de leurs talents de scribes et de leur compétence technique, en matière fiscale notamment, mais ils avaient désormais l'occasion d'exercer de véritables responsabilités gouvernementales. A travers eux s'affirmaient les traditions politiques et l'esprit de l'ancienne monarchie sassanide, que l'on retrouvait aussi bien dans le faste grandissant de la Cour que dans les habitudes autocratiques liées dès ce moment à l'exercice du pouvoir califien.

Cette emprise de gens issus principalement des provinces orientales fut renforcée encore par le transfert de la capitale hors du territoire syrien et par la création d'une nouvelle résidence califienne, au centre d'une région mésopotamienne riche et peuplée que son croissant essor économique appelait désormais à la première place. Le transfert lui-même résulta de circonstances historiques précises. Les princes abbassides s'étaient, lors du mouvement clandestin, réfugiés à Kûfa : là fut proclamé le premier calife, et auprès de cette ville il continua de résider. La fondation d'une fameuse capitale, bientôt identifiée avec la dynastie abbasside qui l'avait créée de toutes pièces, fut l'œuvre du second calife al-Mansûr. Se méfiant du voisinage de la population de Kûfa, volontiers séditieuse et prompte à la révolte, il chercha, après avoir essayé diverses résidences, à fonder une ville où il pût à la fois se sentir en sécurité et implanter les organismes centraux qui devaient lui permettre de contrôler le reste de l'empire. Il choisit ainsi l'emplacement de la future Bagdad sur l'axe qui joignait le golfe Persique à la Haute-Mésopotamie et aux confins septentrionaux de la Syrie, au débouché de la route de l'Iran et à l'endroit même où le Tigre et l'Euphrate, se rapprochant, étaient réunis par un système de canaux qui constituait à la fois une défense naturelle et un remarquable moyen de communications. Là fut établie la « ville du Salut », *Madînat al-Salâm*, dont le nom avait été choisi pour servir de symbole à « l'ère de justice » qui commençait et dont le développement ultérieur, suivi de son maintien jusqu'à l'époque actuelle comme ville principale de l'Irak, devait démontrer combien al-Mansûr avait vu juste en décidant de s'installer en ce lieu.

La première cité de Bagdad, couramment appelée la « Ville ronde » pour la distinguer des autres agglomérations urbaines qui lui succédèrent, devait être en grande partie ruinée au cours de la guerre civile qui sévit en 813. Elle avait eu cependant le temps de faire l'admiration des contemporains, sensibles surtout au soin avec lequel son plan et les moindres détails de son organisation intérieure avaient été prévus par son fondateur. S'il n'en subsiste aucun vestige, on sait qu'elle était enserrée d'une double enceinte circulaire, que quatre portes solidement défendues y correspondaient à quatre avenues, qu'en son centre se dressaient le palais califien et la mosquée entourés d'une large esplanade et qu'entre les deux enceintes se trouvaient cantonnés les logements des gardes et des fonctionnaires. Les activités proprement urbaines de commerce et d'artisanat * avaient d'abord été admises à l'intérieur de la première enceinte, mais furent ensuite repoussées au-dehors pour des raisons de sécurité. De nouveaux quartiers s'organisèrent ainsi très rapidement hors de la ville califienne, réservés les uns aux souks *, les autres aux demeures privées plus ou moins fastueuses. Le fils même du calife ne tarda pas à fonder, sur l'autre rive du Tigre, un camp qui devait devenir un quartier autonome et recevoir le nom de Rusâfa *. Dès la fin du règne d'al-Mansûr, Bagdad débordait ainsi largement des limites de la Ville ronde primitive et se trouvait constituée de plusieurs ensembles spécialisés et juxtaposés qui se complétaient.

La ville, d'abord fondée comme une « ville royale » dont elle présentait tous les traits caractéristiques, avait vu affluer rapidement une population de plus en plus importante qui devait en faire un centre économique et intellectuel de premier plan. Vers elle convergèrent des habitants des anciennes cités musulmanes de Basra et surtout de Kûfa, en même temps que sa position géographique lui valait de jouer un rôle comparable à celui qui avait jadis fait la fortune de la prestigieuse métropole sassanide de Ctésiphon. Le caractère composite de l'agglomération s'accentuait à mesure que croissaient ses besoins en main-d'œuvre et que s'ajoutait désormais, à l'éclat d'une Cour califienne pléthorique et assoiffée de luxe, celui d'une haute société de banquiers et de grands commerçants. Cette situation contribuait encore à renforcer la hardiesse des autochtones à côté d'éléments arabes non seulement en minorité du point de vue numérique, mais disposant le plus souvent de moyens financiers inférieurs aux leurs.

Les clients ambitieux qui peuplaient la capitale de l'empire et se sentaient désormais indispensables au fonctionnement de l'État constituaient un milieu éminemment favorable à la propagation de doctrines plus ou moins étrangères à l'Islam traditionnel. Certains d'entre eux, qui s'étaient convertis plus par opportunisme que par conviction personnelle, restaient en effet attachés à leurs précédentes croyances, notamment au manichéisme *, ou imprégnés de l'orgueil de leur race et de leur culture. Leur refus d'adhérer à l'éthique de l'Islam et de collaborer à l'édification d'une culture arabo-musulmane authentique commença d'inquiéter le troisième calife, al-Mahdî, qui dirigea contre les suspects, désignés sous l'appellation de *zindîk*, une énergique répression. Ce fut là une des premières manifestations de l'effort que poursuivirent les Abbassides pour maintenir l'intégrité d'un patrimoine religieux dont ils se considéraient comme les dépositaires et sauvegarder la cohésion d'une société qui s'enrichissait d'apports extrêmement divers, mais dont ils voulaient renforcer l'attachement à l'Islam.

Dans une autre direction, ces mêmes califes eurent à lutter pour sauver l'unité de l'empire en même temps qu'ils en consolidaient la base doctrinale. La tâche leur fut d'autant plus difficile que les particularismes locaux et les tendances sécessionnistes avaient profité du ressentiment provoqué dans certaines provinces par leur attitude brutale envers l'ancienne famille régnante comme envers les mouvements plus ou moins hétérodoxes dont eux-mêmes s'étaient servis pour assurer leur propre triomphe.

A l'extrémité occidentale de leur domaine, l'Espagne avait ainsi servi de refuge à un survivant de la famille umayyade, échappé au massacre d'Abû Futrus en Palestine et aux divers guets-apens que lui tendit ensuite la police abbasside. Ce petit-fils du calife Hishâm, connu dans la suite sous le nom de 'Abd al-Rahmân « l'immigré », trouva chez les Arabes de cette région quelques soutiens fidèles qui l'accueillirent en 755 et lui permirent de s'assurer bientôt la possession de Cordoue *, résidence des gouverneurs musulmans de la province. Puis il sut peu à peu, grâce à son habile et énergique politique personnelle, affermir l'indépendance de l'émirat umayyade qu'il avait fondé. En même temps il organisait le territoire islamique de l'Andalus *, définitivement détaché, lorsqu'il mourut en 788, d'un État abbasside impuissant à le reconquérir.

De semblable façon l'Afrique du Nord, où l'individualisme berbère n'avait jamais été complètement réduit par l'autorité centrale et où les mouvements kharidjites s'étaient développés en toute liberté pendant la période trouble de la « révolution abbasside », ne devait plus faire partie intégrante de l'empire. Seule l'Ifrîkiya, correspondant à la Tunisie et au Constantinois actuels, fut amenée à reconnaître de nouveau l'autorité de Bagdad. Plus à l'ouest, une semi-anarchie régnait et ne fut que passagèrement transformée par la constitution, ici ou là, de petits royaumes appuyés sur le soutien local des tribus et libres de toute obédience envers le souverain abbasside. Il y eut ainsi l'État des Rustamides *, fondé en 761 à Tâhart *, au sud de l'actuelle Alger *, par Ibn Rustam, un ancien gouverneur de Kairouan, d'origine persane et de convictions kharidjites. Un peu plus tard, en 788, la région de Volubilis au Maroc * fut choisie par un rebelle alide venu d'Orient pour abriter l'essor d'une nouvelle dynastie, celle des Idrissides *, et c'est là que sous son successeur Idrîs II devait être fondée Fès *.

Ce phénomène de sécession des régions marginales de l'empire, particulièrement sensible en Occident, était également perceptible en Orient où la mort d'Abû Muslim avait été suivie d'agitations prolongées. L'exécution, en 754, du fidèle partisan qui avait fait triompher d'abord la révolution abbasside, puis le calife al-Mansûr lui-même sur son oncle 'Abd Allâh, s'expliquait fort bien par des raisons d'État ; mais elle ne pouvait que provoquer dans les provinces qu'il avait longtemps régies un mécontentement diffus. Le désir de venger Abû Muslim ainsi que l'espérance, entretenue par certains, de voir revenir le chef qui avait su se concilier les faveurs des propriétaires zoroastriens * à peine convertis, furent à l'origine de plusieurs mouvements de révolte dont le plus grave fut celui d'al-Mukanna ', « le voilé ». Celui-ci prétendit, pendant une dizaine d'années, être la dernière incarnation de l'essence divine qui s'était déjà manifestée chez des prophètes ou des « guides » antérieurs et il fit régner la terreur en Transoxiane contre les propriétaires musulmans. Son action fut brisée par les expéditions que mena le calife al-Mahdî, mais la longue rébellion qui s'était ainsi manifestée dans l'Est iranien, les soulèvements moins importants qui s'étaient produits dans les régions encore mal islamisées du sud de la mer Caspienne démontraient la fragilité de l'emprise abbasside sur ces régions.

En même temps se maintenait l'ancienne rivalité opposant l'empire conquérant de l'Islam à la puissance byzantine, de nouveau rétablie après les coups violents que lui avaient portés les attaques umayyades contre Constantinople. Les premiers califes abbassides poursuivirent les incursions périodiques en territoire byzantin, mais, en dépit de quelques succès spectaculaires, notamment sous al-Mansûr, n'obtinrent de cette activité militaire aucun résultat définitif.

Ces difficultés marginales n'empêchaient cependant pas la domination abbasside à la fin du règne d'al-Hâdî, petit-fils d'al-Mansûr, qui mourut en 786, de s'étendre encore de manière effective à un vaste ensemble de territoires. Le mérite en revenait sans nul doute à deux souverains dont on ne peut passer sous silence les personnalités différentes, animées toutes deux par le souci de faire face aux problèmes que posait l'organisation de l'empire. Le premier, al-Mansûr (754-775), avait été le véritable fondateur, peu scrupuleux mais efficace, de la dynastie dont il défendit l'existence contre de multiples dangers ; violent et perfide à l'occasion, il avait exercé son métier de souverain avec intelligence et constance. Son fils al-Mahdî (775-785), plus attiré par le luxe, plus frivole en apparence, tenté aussi d'utiliser des méthodes conciliantes que son père réprouvait, n'en avait pas négligé pour autant ses devoirs de prince et donna tous ses soins à l'œuvre d'élaboration des services centraux en même temps que de pacification des provinces. L'un et l'autre, dans une ambiance d'instabilité toute proche encore de celle qu'avaient connue les Umayyades, avaient ainsi posé les jalons du tout-puissant autocratisme qui allait à la période suivante caractériser le pouvoir abbasside, quelles que fussent alors les querelles dynastiques et religieuses, les exigences de l'armée et les tentatives séparatistes.

•

L'accession au pouvoir de Hârûn al-Rashîd *, le calife dont le nom a traversé les siècles grâce aux contes des *Mille et une nuits*, peut être choisie pour marquer le début de la période éclatante du califat abbasside, celle qu'on identifie souvent avec l'âge d'or de la civilisation islamique et dont les fastes se perpétueront dans les traditionnelles amplifications des poètes et des littérateurs. La Cour souveraine résidant en Irak était alors le centre d'une vie éblouissante et prodigue où les dépenses de caractère somptuaire étaient à la mesure des richesses de l'empire et où l'excès de luxe comptait parmi les moyens choisis pour frapper l'imagination des sujets et leur inspirer le respect du pouvoir califien. L'accroissement démesuré de cette Cour, dû à la multiplication des éléments de l'administration comme à l'importance nouvelle des milices de mercenaires, s'accompagnait d'un égal afflux de populations actives, emplissant aux abords de la résidence royale les quartiers populeux qui abritaient les ateliers des artisans et qui vivaient en même temps de l'intense trafic commercial nécessité par les besoins de la capitale.

Cependant les bourses d'or que le calife distribuait autour de lui et qui alternaient avec l'intervention brutale de sa puissance arbitraire ne faisaient que masquer la réalité des problèmes subsistant au sein de l'État abbasside, problèmes dynastiques aussi bien que religieux d'abord, mais aussi problèmes politiques, sociaux et surtout financiers. L'opulence dans laquelle se mouvaient les dirigeants et qui constituait le trait caractéristique de l'époque ne fut en effet que temporairement gagée sur des ressources réelles. Maintenue ensuite au prix d'expédients de plus en plus coûteux, tandis que se restreignait le domaine contrôlé par le pouvoir central et que grandissaient du même coup les charges militaires imposées par le maintien de l'ordre, elle ne fut bientôt plus qu'une brillante façade, propre certes à stimuler l'essor des foyers provinciaux où les modes bagdadiennes se perpétueront, mais incapable d'imposer, en face de mouvements sécessionnistes de plus en plus entreprenants, le respect de califes dépourvus peu à peu des attributs réels de leur autorité.

C'était là un mouvement quasi irréversible et engendré par la nature même de la puissance abbasside. Certains efforts n'en furent pas moins dépensés pour l'enrayer, sous l'impulsion de quelques souverains ou de quelques personnalités éminentes de leur entourage. Ils aboutirent seulement à de passagers moments de plein essor, contrastant avec des périodes de troubles de plus en plus graves. Mais les règnes à la fois grandioses et mouvementés que l'on peut ainsi distinguer contribuèrent à donner sa couleur à une époque de vie intense, où la confrontation avec des difficultés aiguës toujours renaissantes demeura comme auparavant le lot du gouvernement islamique suprême, mais où le rayonnant éclat d'une forme de société parvenue à son apogée réussissait à faire oublier aux dirigeants eux-mêmes les difficultés de leur charge.

Le premier de ces règnes, celui de Hârûn al-Rashîd, se distingue avant tout par le rôle qu'y jouèrent des ministres, les fameux Barmakides *, qui avaient apparemment substitué leur pouvoir à celui de leur maître et qui furent néanmoins évincés, au bout de dix-sept ans de domination, par une condamnation soudaine et tragique. L'importance prise par ces administrateurs habiles, iraniens d'origine et convertis de fraîche date, était une nouveauté : jusqu'alors les califes abbassides avaient bien pris à leur service comme secrétaires et comme conseillers des clients dont certains avaient reçu, au moins sous al-Mahdî, le titre particulièrement honorifique de vizir ; mais ces personnages n'avaient jamais eu la haute main sur le gouvernement. Seul Hârûn al-Rashîd, proclamé calife à vingt-trois ans, allait pendant un temps s'en remettre, pour trancher les questions délicates et pour contrôler l'ensemble des services administratifs de la capitale, à l'homme expérimenté, Yahyâ ibn Khâlid, qui l'avait si efficacement aidé à monter sur le trône. Les deux fils de ce dernier, al-Fadl et Dja'far, dont le second devait en outre réussir à se lier au calife par une amitié passionnée et légendaire, allaient en même temps bénéficier de cette ascension et partager ce que certains historiens appelèrent la « puissance souveraine » d'une famille tout entière.

Cette puissance ne fut cependant pas aussi illimitée qu'on a bien voulu le dire. Hârûn, qui ne tarda pas à prendre au sérieux son rôle personnel, restait pénétré de l'éminente supériorité du calife arabe sur ses serviteurs étrangers et conservait ses propres idées sur les questions vitales touchant l'orientation religieuse et la sauvegarde du régime. A la tendance barmakide qui aurait été de favoriser une réconciliation avec les prétendants alides s'opposa toujours sa susceptibilité ombrageuse, occasionnant des heurts plus ou moins violents entre sa volonté et celle de ministres contraints de se plier à ses ordres, entraînant même le désaveu public de l'attitude d'al-Fadl lorsque celui-ci eut jugé bon de gracier un personnage que son maître entendait sacrifier. De même Hârûn condamnait-il, en vertu de ses conceptions fidéistes, l'attitude et les idées libérales d'hommes cultivés que certains taxeront d'impiété, mais qui en fait se plaisaient seulement à encourager les libres discussions, sur des sujets politiques ou religieux, entre les représentants des diverses tendances doctrinales. Aussi bien la fidélité rigoriste du calife à ses devoirs de chef de la Communauté, qui lui faisait diriger alternativement le Pèlerinage à la Mekke et les expéditions guerrières saisonnières menées en territoire byzantin, s'accompagna-t-elle d'une croissante méfiance à l'égard des Barmakides, finalement disgraciés.

Ce dernier événement, spectaculaire et brutal, frappa les imaginations au point de susciter chez les chroniqueurs bien des récits romanesques sans fondement. Soigneusement préparé par le calife, et sans doute de longue date, il ne fut en fait que le résultat de désaccords préalables, accentués par la gravité des problèmes qui ne cessaient de se poser au souverain abbasside et qui allaient survivre à la chute des Barmakides, tel le problème du maintien de l'ordre dans les provinces orientales qu'agitaient de violents ressentiments contre les exactions des gouverneurs. A cet égard d'ailleurs la situation ne devait faire qu'empirer avec la disparition de ministres originaires de Balkh qui se montraient résolument protecteurs des sujets iraniens. Leur chute aggrava le mécontentement des populations de ces régions, en même temps qu'elle parut un affront à tous ceux qui s'efforçaient d'armer la théologie musulmane contre les infiltrations d'un manichéisme toujours vivant.

Une autre décision de Hârûn al-Rashîd, celle qu'il avait prise concernant sa succession à la veille de la disgrâce des Barmakides, ne devait pas contribuer davantage à résoudre le problème khurasanien. Il s'était en effet agi pour le calife de choisir entre ses deux fils les plus âgés dont l'un, fils d'une femme arabe de noble origine, paraissait moins doué pour le pouvoir, mais était soutenu par un groupe important de notables, et dont l'autre, le mieux préparé apparemment aux tâches gouvernementales, présentait le défaut, grave aux yeux de certains, d'être le fils d'une concubine persane. Après avoir beaucoup hésité devant des désignations qui risquaient d'aboutir à un partage de l'empire, Hârûn se résolut à faire de son fils « arabe », le futur al-Amîn, son premier héritier et de l'autre, le futur al-Ma'mûn *, son second héritier chargé en même temps du Khurâsân. Il entendait sans doute préserver par cet arbitrage les droits de l'un et de l'autre et il fit de son vivant établir des actes par lesquels les deux frères s'engageaient solennellement à respecter les décisions de leur père, actes qui furent, au cours d'un célèbre Pèlerinage à la Mekke, exposés à l'intérieur de la Ka'ba. Ces précautions devaient toutefois être sans effet contre les événements et la mort de Hârûn, survenue à Tûs en 809 au cours d'une expédition dirigée contre un rebelle de Transoxiane, fut bientôt suivie d'un conflit entre al-Amîn, reconnu calife à Bagdad, et al-Ma'mûn installé désormais à Marw *, la capitale de sa province.

Une véritable guerre civile ayant alors éclaté, l'empire se trouva coupé en deux tronçons et, si l'on a pu, à ce propos, parler d'un conflit entre Arabes et Iraniens, ses effets semblent avoir été grossis par certains historiens modernes : les Arabes en effet ne manquaient pas dans les rangs de l'armée d'al-Ma'mûn et al-Amîn ne fit qu'en dernier ressort appel aux sentiments « arabes » de certains chefs. Il paraît néanmoins certain qu'al-Ma'mûn, conseillé par un Iranien récemment converti qui exerçait sur lui une autorité presque dictatoriale, ne se contenta pas de favoriser une école politico-religieuse, le mu'tazilisme *, qui allait jouer dans l'avenir un rôle de premier plan ; il eut aussi pour meilleur appui les populations du Khurâsân qui reconnaissaient en lui un défenseur efficace. Des provinces orientales où il comptait de nombreux partisans venaient les troupes aguerries qui allaient faire triompher sa cause en envahissant l'Irak et en conquérant Bagdad à la suite du long siège de 812-813, qui laissa dans les annales le souvenir de luttes affreuses. Al-Amîn y perdit la vie, après avoir essayé tous les moyens de défense possibles, et l'empire tout entier tomba aux mains du nouveau calife al-Ma'mûn, sans que cependant ce fût encore la fin des troubles.

Le règne qui s'ouvrait dans des conditions aussi dramatiques allait être alors dominé par une tentative originale destinée à résoudre le problème shi'ite et à mettre fin à la guerre inexpiable que se livraient depuis soixante-dix ans Abbassides et Alides. Al-Ma'mûn résolut en effet de prendre pour héritier un descendant d'al-Husayn en la personne de 'Alî al-Ridâ *, homme pieux et effacé qui vivait à Médine et qu'il fit venir tout exprès à Marw en déclarant qu'il était, de tous les Hashimides, le plus digne d'accéder au califat. En même temps était adoptée comme emblème du régime la couleur verte qui fut substituée à la couleur noire des Abbassides et qui devait servir, semble-t-il, de symbole à la réconciliation et à la paix retrouvée. Ce projet audacieux, que les historiens modernes éprouvent quelque peine à interpréter correctement, impliquait de la part des Abbassides une surprenante renonciation au pouvoir, de fait, sinon de droit, puisque le mode de succession n'était pas précisé. Ou bien il correspondait à une ruse supposant chez le calife une hypocrisie peu en accord avec ce que nous savons par ailleurs de sa personnalité. Mais il eut pour premier résultat de jeter le désarroi dans les populations irakiennes et d'y déclencher une opposition aboutissant à la proclamation d'un autre prince de la famille abbasside, Ibrâhîm fils d'al-Mahdî, tous événements qui furent d'abord cachés à al-Ma'mûn par son entourage, mais le décidèrent, aussitôt leur divulgation, à regagner Bagdad au plus vite. Au cours du voyage moururent à point nommé, assassinés ou empoisonnés avec ou sans l'assentiment du calife, les deux piliers de la précédente politique, le vizir al-Fadl ibn Sahl et le malheureux ʿAlî al-Ridâ.

Le retour de la Cour à Bagdad ramena le calme en Irak, sans qu'al-Ma'mûn abandonnât cependant son idée d'aboutir à une réconciliation des Abbassides et des Alides ainsi que de leurs partisans. Ce fut alors que, tout en prenant diverses mesures destinées à rallier à sa cause les shiʿites, il envisagea de fonder le régime sur une nouvelle base doctrinale fournie par le mouvement muʿtazilite, base qui aurait dû selon lui pouvoir être acceptée par l'un et l'autre parti. La doctrine du « Coran créé » fut dans ce dessein officiellement proclamée et, pour la faire reconnaître, le souverain tenta d'établir son autorité d'*imâm* * sur les hommes de religion réfractaires à tout compromis avec le shiʿisme. Ses représentants ne réussirent toutefois point à faire céder le plus opiniâtre de ces traditionnistes *, le célèbre Ibn Hanbal *, et « l'épreuve » *(mihna *)* imposée aux docteurs sunnites continua durant les deux règnes suivants, quoique de manière moins sévère, tandis que manifestations et révoltes populaires prouvaient l'opiniâtreté farouche des divers défenseurs de l'Islam traditionnel. Aussi bien l'un des successeurs d'al-Ma'mûn, le fastueux al-Mutawakkil *, se décida-t-il en 848 à céder à l'opinion publique et à prendre un nouveau tournant en condamnant le muʿtazilisme et en pourchassant ses partisans, ce qui consacrait l'inutilité des efforts déployés par al-Ma'mûn pour réconcilier les deux grands groupes hostiles de la communauté musulmane. Le problème alide, qui ne suscitera plus à l'avenir de tentatives de solution aussi sérieuses ni aussi spectaculaires, restait après sa mort aussi brûlant qu'auparavant.

●

La période qui avait vu, sous l'impulsion d'al-Ma'mûn, le temporaire triomphe du muʿtazilisme était aussi celle de l'arrivée en Irak des mercenaires turcs * que l'on enrôlait désormais pour constituer la garde * personnelle des souverains et qui allaient de ce fait jouer un rôle grandissant dans les intrigues du pouvoir. Le premier calife à se pourvoir d'une garde d'esclaves achetés par ses soins fut al-Mu'tasim *, le frère et successeur direct d'al-Ma'mûn, qui, après la tragique expérience du siège de Bagdad, avait senti la nécessité pour le prince de disposer d'une force armée dévouée, étrangère d'origine et généreusement payée, qui pût se montrer inaccessible à la propagande des factions. Sans doute aussi les conséquences fâcheuses de la politique mu'tazilite qu'il poursuivait à l'instar de son frère n'étaient-elles pas étrangères à sa décision.

Celle-ci eut finalement pour résultat le transfert de la capitale califienne de Bagdad à Samarra *, résidence fondée sur les bords du Tigre à plus de cent kilomètres en amont de la grande métropole irakienne. Ce fut en effet al-Mu'tasim qui décida de quitter la ville frondeuse et agitée où des heurts se produisaient entre les soldats turcs récemment immigrés et les membres des traditionnelles milices antérieures. Ce fut lui aussi qui choisit le nouveau site, au vrai celui d'un véritable « camp » où l'on assigna aux militaires des quartiers déterminés et où ils demeurèrent groupés par unités sans pouvoir se mêler à la population arabe ou arabisée, tandis que dans le voisinage immédiat de leurs « concessions » se dressaient le palais califien de la ville ainsi que la grande mosquée destinée à servir de cadre au déploiement des cérémonies officielles. Travaux de lotissement et de construction furent menés à bien avec tant de rapidité que, dès 836, al-Mu'tasim put installer sa famille, sa Cour, sa garde et les bureaux centraux de l'administration au sein de sa nouvelle résidence qui devait croître avec les fondations des califes suivants, notamment d'al-Mutawakkil, jusqu'à devenir le colossal groupement de résidences privées et de monuments officiels sur lequel portent témoignage les informes mais innombrables vestiges du champ de ruines actuel.

Cependant les nouveaux contingents de mercenaires-esclaves, dont les effectifs ne cessaient de grandir et dont les chefs, rapidement affranchis, se trouvaient en mesure d'accéder aux emplois les plus importants, devenaient pour la dynastie abbasside, au lieu de la renforcer, une cause certaine d'affaiblissement. Les officiers de cette armée, divisés à leur tour par le jeu des luttes d'influences et des querelles politico-religieuses, se mêlèrent en effet bientôt des affaires palatines comme du gouvernement, prirent leur part de tous les conflits et en vinrent à détrôner et proclamer des califes qui pour un temps ne furent plus que de simples jouets entre leurs mains. Si la principale crise, ouverte par l'assassinat d'al-Mutawakkil en 861 et marquée d'une période d'anarchie qui vit périr de mort violente trois sur quatre de ses premiers successeurs, finit par être conjurée au bout de quelques années, l'influence des chefs militaires d'origine servile n'en continua pas moins à se faire sentir dans l'entourage immédiat des souverains qui ne purent jamais complètement se libérer de leur tutelle.

L'autorité des califes était d'ailleurs à l'époque durement mise à l'épreuve par les effets d'actions séditieuses qui se produisirent, vers la fin du IXe siècle, au cœur même de l'Empire abbasside, révolte des Zandj *, puis soulèvements dits « karmates * », et qui exigèrent l'intervention de forces armées importantes. La première révolte fut le résultat d'une situation sociale, celle du Bas-Irak, dont le califat ne s'était pas jusque-là suffisamment préoccupé. Dans cette région en effet les princes abbassides et divers dignitaires disposaient de grands domaines où l'on pratiquait la culture de la canne à sucre et où l'on utilisait de nombreux esclaves noirs originaires d'Afrique orientale, dont la condition était peu enviable. En 869, un homme nommé 'Alî et qui prétendait descendre du gendre du Prophète prit la tête de la rébellion qui fut d'autant plus difficile à réprimer que les Zandj étaient installés dans un pays de canaux, propres à entraver toute opération militaire. De là les révoltés firent des incursions dans le Khuzistân *, massacrant et saccageant tout sur leur passage, interceptant le commerce entre Bagdad et Basra qui n'échappa pas au pillage, occupant même Wâsit. Seule la mise en œuvre d'énormes moyens permit quatorze ans plus tard, en 883, la prise et la ruine de la « capitale » des Zandj, célébrées comme un triomphe qui valut à ses artisans, le « régent » al-Muwaffak * et son énergique secrétaire, d'exceptionnelles marques de distinction.

Encore plus dangereux devaient d'ailleurs se montrer, dans la même région, les effets de ces mouvements révolutionnaires passablement obscurs que l'on désigne habituellement sous le terme de mouvements « karmates ». Déclenchés par un personnage nommé Hamdân Karmat (d'où la dénomination précédente) et apparemment rattachés, en dépit des doutes exprimés par certains savants, à la propagande de cette branche du shi'isme que l'on appelle l'isma'ilisme et dont les fidèles attendaient le retour du VIIe imâm Ismâ'îl ou de son fils, ces mouvements eurent en fait leur existence propre, tant en Irak et en Arabie qu'en Syrie, et se montrèrent toujours très indépendants les uns des autres. La première révolte, qui bénéficia du soutien d'anciens rebelles zandj, commença à la fin du règne d'al-Mu'tadid * et eut pour théâtre les alentours de la route du Pèlerinage entre l'Irak et l'Arabie ; elle s'interrompit après la mort du calife en 902 et son chef Abû Sa'îd dut s'installer au Bahrayn * où il organisa, dès cette époque, un véritable petit État, de base communautaire, qui devait durer plusieurs dizaines d'années.

Ce fut ensuite en Syrie que porta principalement l'effort de bandes karmates dont on ignore les liens avec les révoltés du Bas-Irak, mais dont on sait qu'elles semèrent la terreur dans le pays. Elles occupèrent plusieurs villes importantes, notamment Damas, avant d'être battues par une armée califienne qui ramena prisonnier à Bagdad leur chef Sâhib al-Khâl, ou « l'homme au grain de beauté » — bientôt supplicié dans la capitale sous les yeux de la foule —, et qui réussit à faire entrer de nouveau les régions troublées dans l'orbite du pouvoir abbasside.

Aussi bien les tentatives de sécessions provinciales s'étaient-elles multipliées depuis le début du IXe siècle, surtout dans les territoires orientaux de l'empire, et les graves révoltes des Zandj et des Karmates n'étaient-elles que venues s'ajouter aux menaces pesant sur le califat à la suite d'événements plus lointains. La plus grave fut sans doute l'aventure des Saffarides *, qui se développa de 867 à 900 et inquiéta le gouvernement abbasside au moment même où celui-ci était aux prises avec la guerre servile du Bas-Irak. Dirigé à l'origine par un ancien artisan chaudronnier nommé Ya'kûb al-Saffâr, ce mouvement d'émancipation revêtit un caractère populaire qui lui permit de s'étendre très vite à tout l'ensemble du Sîstân * qui faisait alors partie du domaine de gouverneurs semi-autonomes, les Tahirides *. Les bandes d'al-Saffâr et de ses successeurs réussirent ensuite à s'emparer du Khurâsân et remportèrent même quelques succès sur les troupes califiennes, jusqu'au moment où elles durent s'incliner à leur tour devant les forces des Samanides *. Ceux-ci s'étaient installés en Transoxiane et y avaient repris la suite des Tahirides qui avaient dominé l'histoire de l'Iran extrême de 821 à 873, tout en demeurant sous la menace d'une révocation du pouvoir central. Faisant un pas de plus dans le chemin de l'indépendance, les Samanides, vainqueurs des Saffarides en 900, continuaient de reconnaître la domination suprême du calife, mais ne lui rendaient pratiquement plus de comptes et disposaient de leur propre administration comme de leur propre armée ainsi que de leur autonomie financière, ce qui diminua sérieusement l'importance du domaine soumis au contrôle bagdadien et susceptible d'alimenter les caisses de l'État abbasside.

A leur action s'était encore ajoutée la tentative d'émancipation du gouverneur de la province d'Égypte, l'officier turc Ibn Tûlûn qui, sans se déclarer indépendant, avait réussi dès 871 à nommer des directeurs des finances qu'il contrôlait, à utiliser à son profit les ressources d'un pays jusque-là exploité par le gouvernement central, à posséder son armée personnelle et à transmettre son pouvoir héréditairement à son propre fils. Il ne fallut rien moins qu'une expédition militaire ordonnée bien plus tard par l'énergique souverain al-Muktafî * pour que les agents califiens reprissent pied en Égypte et que la dynastie toulounide * s'effondrât en 905.

•

A ce moment le califat abbasside retrouvait son prestige, grâce aux efforts d'al-Muktafî, dont le règne court (902-908) fut néanmoins important. Les chefs turcs une fois assagis, les Toulounides éliminés, les Karmates contenus en Arabie et les provinces iraniennes calmées par leur semi-autonomie, la crise la plus grave se trouvait conjurée. Intérieurement, le pouvoir central brillait de son plus vif éclat. Le vizir, auxiliaire et conseiller du calife, y avait la haute main sur l'administration ainsi que sur l'armée; de complexes systèmes de bureaux, un personnel abondant et hiérarchisé contrôlaient aussi efficacement que possible la gestion financière des provinces; le Trésor califien, rétabli par al-Mu'tadid après qu'il eut tout spécialement souffert des coûteuses expéditions contre les Zandj, semblait encore suffire aux besoins de l'État et de la Cour et la prodigalité souveraine continuait à se manifester dans de somptueuses constructions, notamment pour l'aménagement des nouveaux palais que le calife, réinstallé à Bagdad, avait choisi d'habiter sur la rive orientale, au sud de l'agglomération.

Le seul danger inquiétant pour l'avenir tenait à l'influence croissante qu'exerçaient désormais, au sein de l'organisation gouvernementale, des secrétaires shi'ites, intrigants et sans scrupules, qui joignaient à une extrême compétence technique une totale absence de fidélité pour les maîtres du moment. S'ils ne militaient plus en effet dans des mouvements révolutionnaires actifs, devenus inutiles depuis qu'eut disparu avec le XIIe imâm des duodécimains * le seul prétendant au trône des Abbassides dont la secte pût soutenir la cause, ils n'hésitaient point à pratiquer à leur propre profit, comme à celui de leur parti toujours subsistant, des détournements d'argent parfois considérables. Le manque de loyalisme d'une bonne partie du personnel administratif était ainsi, à l'aube du xe siècle, l'un des plus graves problèmes auquel le gouvernement central eût à faire face, d'autant plus grave que l'impasse budgétaire exigeait périodiquement le recours à des emprunts privés lorsque le Trésor était vide et que l'on devait envisager de pressantes dépenses, notamment pour le paiement des troupes. Les secrétaires shi'ites, liés par leurs attaches politico-religieuses à nombre de marchands-banquiers, se trouvaient particulièrement bien placés pour des opérations de ce genre, compensées, pour ceux qui fournissaient les avances, par la promesse d'être associés à de fructueuses malversations ultérieures. Eux-mêmes en retiraient la possibilité d'exercer sur le souverain de véritables chantages et l'on vit ainsi le calife al-Muktafî, qui avait dû accepter de tels services d'un habile secrétaire shi'ite, Ahmad ibn al-Furât, en sentir

8. L'EMPIRE ABBASSIDE
ET SES PROVINCES
AU IXe SIÈCLE

(*D'après* Historical atlas of the Muslim peoples.)

L'Empire abbasside fut toujours constitué d'un agrégat de provinces aux limites plus ou moins floues, modifiées en fonction des révoltes locales et des tentatives de sécession. Il n'était pas rare en effet qu'un gouverneur étendît son autorité à des régions dont il n'avait pas officiellement la charge. Mais les réalités géographiques et historiques permettent de proposer une restitution schématique du contour des principales circonscriptions.

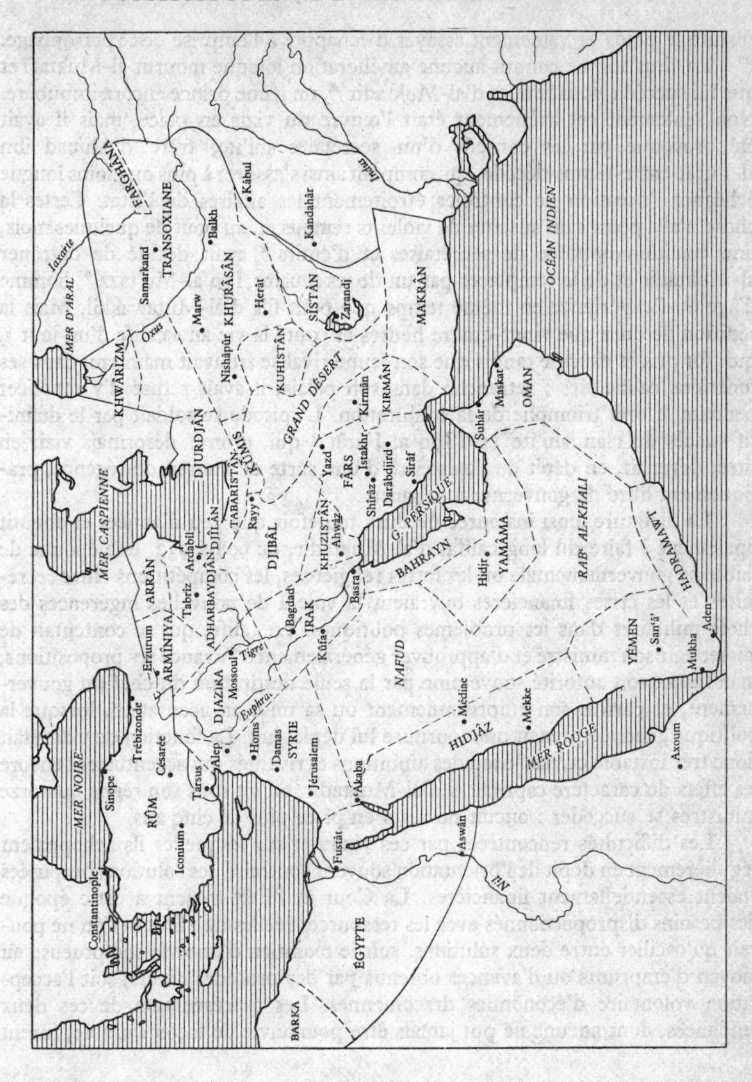
MER NOIRE
Constantinople
Sinope
Trébizonde
RŪM
Iconium
Césarée
Tarsus
Alep
Erzurum
ARMĪNIYA
ARRĀN
MER CASPIENNE
DJAZIRA
Mossoul
Tigre
Euphrate
ADHARBAYDJĀN
Tabriz
Ardabīl
DJĪLĀN
TABARISTĀN
KŪMIS
DJURDJĀN
Rayy
DJIBĀL
Bagdad
IRAK
Kūfa
Basra
KHUZISTĀN
Ahwāz
Homs
Damas
SYRIE
Jérusalem
Akaba
Fustāt
ÉGYPTE
BARKA
Aswān
Nil
NAFUD
Médine
Mekke
HIDJĀZ
MER ROUGE
Axoum
Mukha
Aden
YEMEN
San'ā'
HADRAMAWT
RAB' AL-KHALI
YAMĀMA
Hidjr
BAHRAYN
G. PERSIQUE
Sīrāf
Darābdjird
Shīrāz
Istakhr
FĀRS
Yazd
Kirmān
KIRMĀN
Suhār
Maskat
OMAN
GRAND DÉSERT
KUHISTĀN
Nīshāpūr
KHURĀSĀN
KHWĀRIZM
MER D'ARAL
Oxus
Marw
Herāt
SĪSTĀN
Zarandj
MAKRĀN
OCÉAN INDIEN
Kandahār
Kābul
Indus
Balkh
Samarkand
TRANSOXIANE
FARGHĀNA
Iaxarte

ensuite le poids et vainement essayer d'échapper à l'emprise de ce personnage.

La situation ne connut aucune amélioration lorsque mourut al-Muktafî et que lui succéda, sous le nom d'al-Muktadir *, un jeune prince encore impubère. Non seulement cet avènement était l'œuvre du vizir en place, mais il avait été provoqué par les conseils d'un secrétaire shi'ite, frère d'Ahmad ibn al-Furât entre-temps décédé, qui comptait ainsi s'assurer à plus ou moins longue échéance l'occasion de contrôler étroitement les affaires de l'État. Certes la chose n'alla point sans susciter de violents remous et, au bout de quelques mois, une coalition opposée de secrétaires et d'émirs * avait décidé de détrôner al-Muktadir et de le remplacer par un de ses cousins, Ibn al-Mu'tazz *, homme d'âge et d'expérience en même temps que petit-fils d'al-Mutawakkil. Mais la sédition ne dura que vingt-quatre heures et coûta la vie au « calife d'un jour », qui fut pris et exécuté tandis que son jeune rival se trouvait maintenu dans ses fonctions califiennes : retranché dans son palais, il avait refusé d'y renoncer pendant le bref triomphe de la conjuration. L'épisode se soldait par le définitif succès du clan shi'ite et d'Ibn al-Furât * qui, promu désormais vizir en titre, devenait, en dépit de l'existence d'une sorte de conseil de régence, pratiquement libre de gouverner à sa guise.

La dictature ainsi instaurée ne dura toutefois que peu d'années et aboutit finalement à faire du long califat d'al-Muktadir, de 908 à 932, une époque de faiblesse gouvernementale où les luttes religieuses, les compétitions entre secrétaires et les crises financières ouvraient la voie à de nouvelles ingérences des chefs militaires dans les problèmes politiques. Le calife, qui se contentait de laisser agir son ministre et d'approuver généralement à l'avance ses propositions, manifestait son autorité souveraine par la seule destitution du chef du gouvernement, et parfois son emprisonnement ou sa mise en accusation, lorsque la politique générale prenait une tournure lui déplaisant. La fonction de vizir était donc très instable et, par le jeu des ambitions et rivalités qui accentuaient encore les effets du caractère capricieux d'al-Muktadir, on vit sous son règne quatorze ministres se succéder : aucun ne resta en place plus de cinq ans.

Les difficultés rencontrées par ces vizirs et sur lesquelles ils achoppaient régulièrement en dépit de l'orientation souvent contraire des solutions proposées étaient essentiellement financières. La Cour et l'État avaient à cette époque des besoins disproportionnés avec les ressources réelles de l'État et l'on ne pouvait qu'osciller entre deux solutions, soit le maintien d'une vie somptueuse au moyen d'emprunts ou d'avances obtenus par des procédés divers, soit l'acceptation volontaire d'économies draconiennes. Les représentants de ces deux tendances, dont aucune ne put jamais être poursuivie de façon durable, furent

Ibn al-Furât et 'Alî ibn 'Isâ *, le premier déjà connu par son goût des habiles manœuvres et le second surnommé « le bon vizir » en raison de ses préoccupations « morales » et de son austérité. Tous deux spécialistes des finances, ils avaient des personnalités bien distinctes et des options politiques opposées, appuyées pour chacun d'eux sur tout un réseau de relations personnelles dans le monde des banquiers. Ils firent preuve néanmoins d'un souci commun, celui de toujours lutter pour la prééminence de leur charge contre des chefs militaires prêts à la mettre en cause.

Ces derniers se montraient en effet de plus en plus indisciplinés face à un pouvoir civil auquel ils essayaient de substituer leur propre autorité. Un nom d'émir domine ainsi à l'époque toute l'histoire du califat, celui de l'ambitieux eunuque Mu'nis, préfet de police à Bagdad, qui en arriva à jouer le rôle de commandant des armées et trouva l'occasion de triomphes répétés dans les expéditions militaires nécessitées par le maintien de l'ordre dans l'empire. Au début du règne ce fut d'abord le Fârs, occupé indûment par un Saffaride, qu'il s'agissait de reconquérir. Il fallut ensuite contenir les Karmates qui menaçaient Basra et entamer avec eux diverses négociations, puis défendre l'Égypte contre les offensives des Fatimides * installés en Ifrîkiya et décidés à faire de cette province une base de départ pour leurs entreprises orientales, mettre à la raison Ibn Hamdân, le gouverneur de Mossoul * révolté, toutes actions qui se succédèrent à un rythme rapide. Ce fut alors le gouverneur d'Adharbaydjân, Ibn Abî l-Sâdj, qui tenta d'outrepasser ses pouvoirs en cessant de verser le tribut auquel sa province était assujettie. Peu après, les Karmates du Bahrayn, rompant la trêve qui était observée depuis quelques années, assiégèrent Basra en même temps qu'ils pillaient à diverses reprises les caravanes du Pèlerinage en direction de la Mekke. A Mu'nis revint encore le soin de briser leurs attaques, surtout après qu'une tentative vizirale, celle de lancer contre eux les troupes indisciplinées d'Ibn Abî l-Sâdj, se fut montrée totalement inefficace. A ce moment les Karmates allèrent jusqu'à menacer Bagdad, où la panique envahit la population en 927, et la suprématie de Mu'nis, devant qui Ibn al-Furât avait déjà dû s'incliner en 924, ne fut plus contestable. Ce fut le général en chef qui, dès lors, fit et défit les vizirs, lui aussi qui provoqua la révolution de 929 et fit ensuite échouer ce mouvement qui avait pour but de remplacer al-Muktadir par son frère al-Kâhir, lui enfin qui déclencha les troubles qui devaient avoir pour conséquence la mort du calife en 932.

Si ensuite le nouveau souverain eut raison de ce personnage dangereux, ce fut pour nommer à sa place un autre commandant en chef, puis pour confier le contrôle du gouvernement à un chambellan, également maître des armées.

Finalement al-Râdî remit les fonctions décisives à un émir qui prit le titre de « grand émir » et l'entrée solennelle à Bagdad, en 936, de cet Ibn Râ'ik, qui allait exercer réellement le pouvoir au nom d'un calife privé de toute efficacité, consacrait un important changement dans l'organisation politique de l'empire.

Aussi bien l'insubordination de nombreux gouverneurs, jointe à l'effet de révoltes aussi spectaculaires que celles des Karmates, avait-elle, par la coûteuse nécessité des expéditions militaires de répression, acculé l'État abbasside à la déroute financière, accélérée par les détournements des secrétaires et les habitudes de faste de la Cour. Le principe avait certes été jadis observé de ne jamais confier le gouvernement d'une province et la direction de ses finances à un seul et même personnage; mais cette sage mesure de précaution n'avait pu être maintenue dans les régions périphériques où le désordre allait croissant et où il avait fallu laisser à certains gouverneurs le soin de prélever eux-mêmes les impôts. La part revenant alors au Trésor central avait été souvent diminuée, parfois même retenue, sans que le souverain pût obtenir gain de cause.

Les difficultés d'argent avaient alors amené le califat à se procurer des avances, non seulement par des emprunts, mais encore grâce à l'habitude de concéder des « fermes » d'impôts à des directeurs financiers capables de les acheter moyennant le versement préalable d'une somme importante. Ces directeurs en profitaient ensuite pour susciter des troubles à la faveur desquels ils espéraient accéder au pouvoir. Les abus furent tels que l'on dut, en 919, interdire à tout dignitaire d'accepter une ferme d'impôts. Cependant le calife, qui n'avait jamais pu se résoudre à réaliser les économies suggérées par un ministre tel que 'Alî ibn 'Isâ, se retrouvait bientôt à la merci des mêmes personnages, les seuls capables d'écarter la banqueroute perpétuellement menaçante.

Tous ces affrontements pour des décisions difficiles se déroulaient en outre au milieu des luttes de factions religieuses qui ne désarmaient pas et envers lesquelles les vizirs choisis par le calife adoptaient le plus souvent des attitudes différentes. Il y eut par exemple la psychose de peur créée dans les milieux bagdadiens par le phénomène karmate, psychose qui poussa certains à dénoncer, dans la capitale même, les méfaits des isma'iliens tenus pour complices des Karmates et à s'attaquer sous ce prétexte à des hommes par ailleurs puissants. Certes, aucun ministre en place ne semble avoir trahi dans cette conjoncture le califat sunnite ni tenté avec les Karmates autre chose que des négociations, destinées à écarter la menace que faisait peser la présence de ces rebelles aux portes de l'Irak et à proximité de la route du Pèlerinage. Mais l'accusation de pro-karmatisme n'en fut pas moins lancée, et souvent avec succès, contre bien des personnages que leurs ennemis souhaitaient éliminer.

Surtout continuait, dans un climat d'hostilité croissante, la rivalité existant depuis déjà quelques décennies entre secrétaires shi'ites et sunnites. Les premiers avaient comme chef de file le dangereux Ibn al-Furât ; 'Alî ibn 'Isâ représentait les seconds. Tous poursuivaient le dessein de déconsidérer l'adversaire en recourant pour ce faire à n'importe quelle intrigue et l'on peut en prendre pour exemple les attaques menées contre 'Alî ibn 'Isâ lorsqu'il eut réussi à traiter avec les Karmates et à obtenir d'eux une trêve. Mais la concorde ne régnait pas davantage parmi les sunnites : les hanbalites * rigoristes et violemment anti-shi'ites devaient chercher auprès du vizir al-Khâkânî le soutien qu'un 'Alî ibn 'Isâ n'était nullement pour sa part disposé à leur accorder.

Ces divisions, qui agitaient gravement les cercles dirigeants, se prolongeaient d'ailleurs dans les classes populaires où ne cessaient de se manifester les signes d'une constante fermentation, sensible lors du déroulement d'un procès aussi fameux que celui du mystique al-Hallâdj *, ce soufi * épris d'extase qui s'était conduit également en sermonnaire populaire et qui, en tant que tel, avait pris parti pour Ibn al-Mu'tazz et prêché une réforme du califat. Poursuivi par Ibn al-Furât, arrêté quelques années plus tard et traduit en jugement après de longs mois de détention, accusé par les uns de doctrines shi'ites hétérodoxes et de propagande karmate, par les autres de charlatanisme, al-Hallâdj devait être finalement condamné à mort par l'un des cadis de Bagdad et exécuté sur l'ordre du calife sans que personne eût osé intervenir en sa faveur, tant il avait semblé nécessaire de calmer par quelque exemple l'agitation des esprits.

Mais les dissensions d'origine religieuse, qui sévissaient à tous les étages de la société et que les derniers califes indépendants s'étaient en vain efforcés de calmer, devaient prendre de bien plus graves proportions lorsque les souverains abbassides eurent finalement remis la réalité de leur pouvoir à des émirs le plus souvent de convictions shi'ites. Le morcellement territorial qui achevait alors de s'accomplir, celui d'un empire que le chef traditionnel de la communauté islamique était devenu impuissant à commander, accentuait les tendances aux divisions religieuses depuis longtemps à l'œuvre, mais devenues plus pressantes à mesure que chaque nouvelle dynastie régionale adoptait dans son territoire son propre système doctrinal. Sunnisme et shi'isme commençaient ainsi à se partager le monde islamique, tandis que les éléments iraniens et turcs affirmaient de plus en plus leur domination sur les régions orientales et que les provinces occidentales, rebelles par nature à l'autorité bagdadienne en même temps que profondément travaillées par les mouvements sectaires, se préparaient à jouer soudain, avec l'éclosion de la puissance fatimide, un rôle de premier plan dans l'histoire ultérieure de l'Islam.

CHAPITRE III

FOYERS PROVINCIAUX ET DISLOCATION DE L'EMPIRE

(900-1260)

La dynastie abbasside s'était pendant deux siècles identifiée avec l'Empire islamique sur lequel ses souverains régnaient en principe de manière autocratique. Sous son égide, le pouvoir califien avait brillé d'un éclat incomparable tout en connaissant les aléas d'une histoire mouvementée qui, vue de l'Irak, se réduisait essentiellement à des tentatives toujours renouvelées d'organisation plus efficace du pouvoir central. Peu à peu néanmoins les provinces avaient commencé à vivre de leur vie propre, même lorsque Bagdad restait la capitale incontestée de l'empire et n'était pas encore devenue pour trois siècles la retraite d'une fiction califienne menacée. Elles avaient vu, dès la fin du IXe siècle, leur importance économique et culturelle s'accroître aux dépens de l'équilibre impérial et permettre à leurs foyers urbains originaux de jouer à leur tour un rôle dans l'évolution de la société islamique. Les révoltes locales qui ruinaient inéluctablement l'autorité abbasside avaient en fait cessé d'être motivées par les seuls mécontentements de populations pressurées et inquiètes. Elles étaient devenues l'expression de nouvelles réalités historiques, reflétant l'originalité des pays où elles s'étaient développées, en fonction de rapports chaque fois différents entre musulmans autochtones et arabisés.

L'hétérogénéité foncière du monde islamique n'avait cessé en effet de s'accentuer après la provisoire unification due aux efforts des Umayyades et des premiers Abbassides. Des infiltrations de peuplades nouvelles y avaient encore compliqué la situation de ce qui mérite d'être appelé une véritable mosaïque de peuples. Aux Iraniens qui occupaient toute la partie orientale de l'empire, à l'exception du Sind, se mêlaient déjà, dans les parties proches du Turkestan, des Turcs parmi lesquels étaient recrutés en bonne partie les mercenaires de la

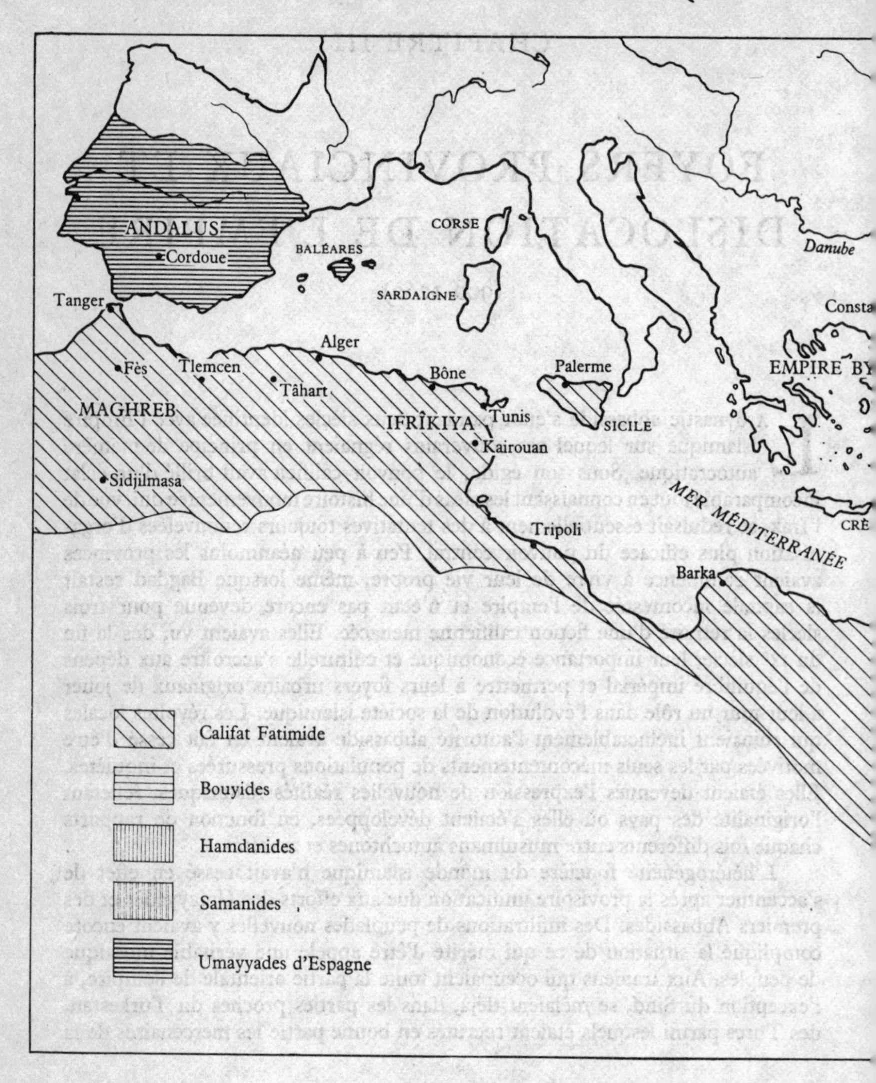
ANDALUS
Cordoue
BALÉARES
CORSE
SARDAIGNE
Danube
Consta
Tanger
Alger
Fès
Tlemcen
Tâhart
Bône
Palerme
EMPIRE BY
MAGHREB
IFRÎKIYA
Tunis
SICILE
Kairouan
Sidjilmasa
MER MÉDITERRANÉE
CRÈ
Tripoli
Barka
Califat Fatimide
Bouyides
Hamdanides
Samanides
Umayyades d'Espagne

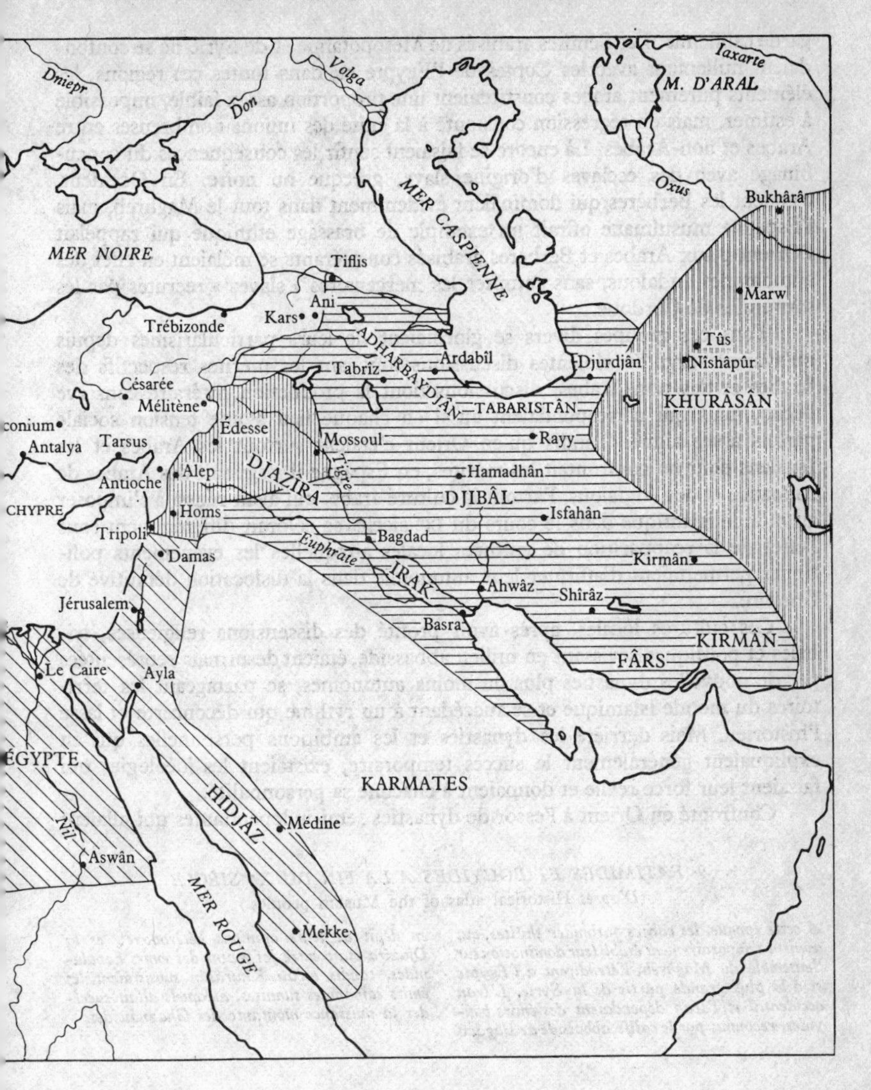

Dniepr
Volga
Don
Iaxarte
M. D'ARAL
MER CASPIENNE
Oxus
Bukhârâ
MER NOIRE
Tiflis
Marw
Ani
Kars
Trébizonde
ADHARBAYDJÂN
Ardabîl
Tûs
Nîshâpûr
Djurdjân
Tabrîz
Césarée
Mélitène
TABARISTÂN
KHURÂSÂN
conium
Édesse
Antalya
Tarsus
Mossoul
Rayy
Alep
DJAZÎRA
Tigre
Hamadhân
Antioche
CHYPRE
Homs
DJIBÂL
Isfahân
Tripoli
Bagdad
Euphrate
Damas
Kirmân
IRAK
Ahwâz
Shîrâz
Jérusalem
Basra
KIRMÂN
FÂRS
Le Caire
Ayla
ÉGYPTE
KARMATES
HIDJÂZ
Médine
Nil
Aswân
MER ROUGE
Mekke

garde califienne. Les Sémites arabisés de Mésopotamie et de Syrie ne se confondaient nullement avec les Coptes de l'Égypte et, dans toutes ces régions, les éléments purement arabes constituaient une proportion assez faible, impossible à estimer, mais en régression constante à la suite des unions nombreuses entre Arabes et non-Arabes. Là encore se faisaient sentir les conséquences du concubinage avec des esclaves d'origine slave, grecque ou noire. En Occident, c'étaient les Berbères qui dominaient évidemment dans tout le Maghreb, mais l'Espagne musulmane offrait un exemple de brassage ethnique qui rappelait l'Orient : aux Arabes et Berbères arabisés conquérants se mêlaient en effet des autochtones andalous, sans compter les mercenaires « slaves » recrutés par les souverains de Cordoue.

Tous ces groupes divers se glorifiaient de leurs particularismes depuis qu'avaient surgi de violentes discussions touchant les mérites respectifs des Arabes et des non-Arabes, discussions dont la production littéraire conserve l'écho, mais qui correspondaient aussi en chaque lieu à une tension sociale parfois assez aiguë. Tandis qu'en Orient c'étaient surtout les Arabes et les Iraniens dont on confrontait les mérites, en Espagne il s'agissait des Arabes de naissance et des Andalous. Partout la culture arabe, qui avait réussi à s'imposer au monde islamique dans le cours du IXe siècle, se colorait différemment sous l'effet de la réapparition de cultures locales auxquelles les événements politiques permettaient d'affirmer leur autonomie dans la dislocation définitive de l'empire.

Ces cultures locales, après avoir profité des dissensions religieuses, tribales et politiques sévissant en milieu abbasside, étaient désormais représentées par de nouvelles dynasties plus ou moins autonomes, se partageant les territoires du monde islamique et se succédant à un rythme qui déconcerte et lasse l'historien. Mais derrière les dynasties et les ambitions personnelles qui en expliquaient généralement le succès temporaire, existaient les idéologies qui faisaient leur force réelle et donnaient à chacune sa personnalité.

Confronté en Orient à l'essor de dynasties semi-indépendantes qui allaient

← 9. *FATIMIDES ET BOUYIDES A LA FIN DU Xe SIÈCLE*
(*D'après* Historical atlas of the Muslim peoples.)

A cette époque, les califes fatimides shi'ites, qui avaient temporairement établi leur domination sur l'ensemble du Maghreb, l'étendirent à l'Égypte et à la plus grande partie de la Syrie. L'Iran occidental et l'Irak dépendaient des émirs bouyides, reconnus par le calife abbasside de Bagdad en dépit de leurs opinions hétérodoxes, et la Djazîra était entre les mains des émirs hamdanides, tandis qu'au Khurâsân subsistaient les émirs samanides sunnites, auxquels allait succéder la puissance montante des Ghaznawides.

en se multipliant, le califat abbasside devait se heurter également à des califats rivaux mettant en cause sa propre légitimité, tels celui des Umayyades d'Espagne et surtout celui des Fatimides d'Égypte.

•

En Espagne, l'émirat dont on a vu plus haut les modestes débuts avait mené, pendant un siècle et demi, sa propre existence, sans que son chef eût éprouvé le besoin de se déclarer l'égal du calife abbasside. Les Umayyades, qui y régnaient en s'appuyant sur quelques clans arabes installés dans les régions les plus riches et en défendant au moyen de troupes berbères les frontières du nord toujours flottantes, n'avaient pas réussi sans peine à imposer leur autorité sur la population autochtone dont une partie seulement était convertie à l'Islam. A la fin du IXe et au début du Xe siècle notamment une révolte, animée par un chef local de la région de Malaga, avait mis à plusieurs reprises en danger l'autorité de Cordoue, tandis que les aristocrates arabes faisaient montre en diverses régions d'une inquiétante insubordination. Tout avait changé cependant avec l'apparition d'un nouvel émir à la forte personnalité, 'Abd al-Rahmân III *, qui conserva le pouvoir de 912 à 961 et sut imposer sa domination à l'ensemble de l'Andalus. Ce fut lui qui, en 929, décida de prendre le titre de calife, se posant ainsi en défenseur de l'Islam face au calife de Bagdad réduit à l'impuissance et face au calife fatimide récemment apparu en Ifrîkiya. Ce fut lui aussi qui assura l'essor d'une brillante civilisation, marquée de traits suffisamment originaux pour mériter, en dépit de ses nombreux emprunts à l'Orient (écoles de droit et de théologie, mouvements littéraires, institutions politiques et usages de société), d'être considérée comme typiquement « andalouse ».

L'Islam hispanique fut en effet toujours plus monolithique que l'Islam bagdadien. Non seulement émirs et califes avaient dû, pour réaliser l'unité de leur royaume et galvaniser l'ardeur de ses combattants, rechercher l'appui des jurisconsultes et favoriser un rigorisme religieux et moral qui se traduisait par la faveur accordée au seul malikisme *, mais leur lutte contre le mouvement fatimide et par conséquent contre l'idéologie shi'ite avait entraîné l'exclusion de tous les mouvements de pensée qui pouvaient être soupçonnés de favoriser cette hérésie. En même temps, la permanence de traditions romanes colorait certains aspects de l'art et de la littérature, tandis que le souvenir de l'État umayyade de Syrie se maintenait plus fidèle qu'ailleurs dans l'organisation administrative et militaire du pays et qu'on reconnaissait même dans sa toponymie les noms de célèbres sites syriens.

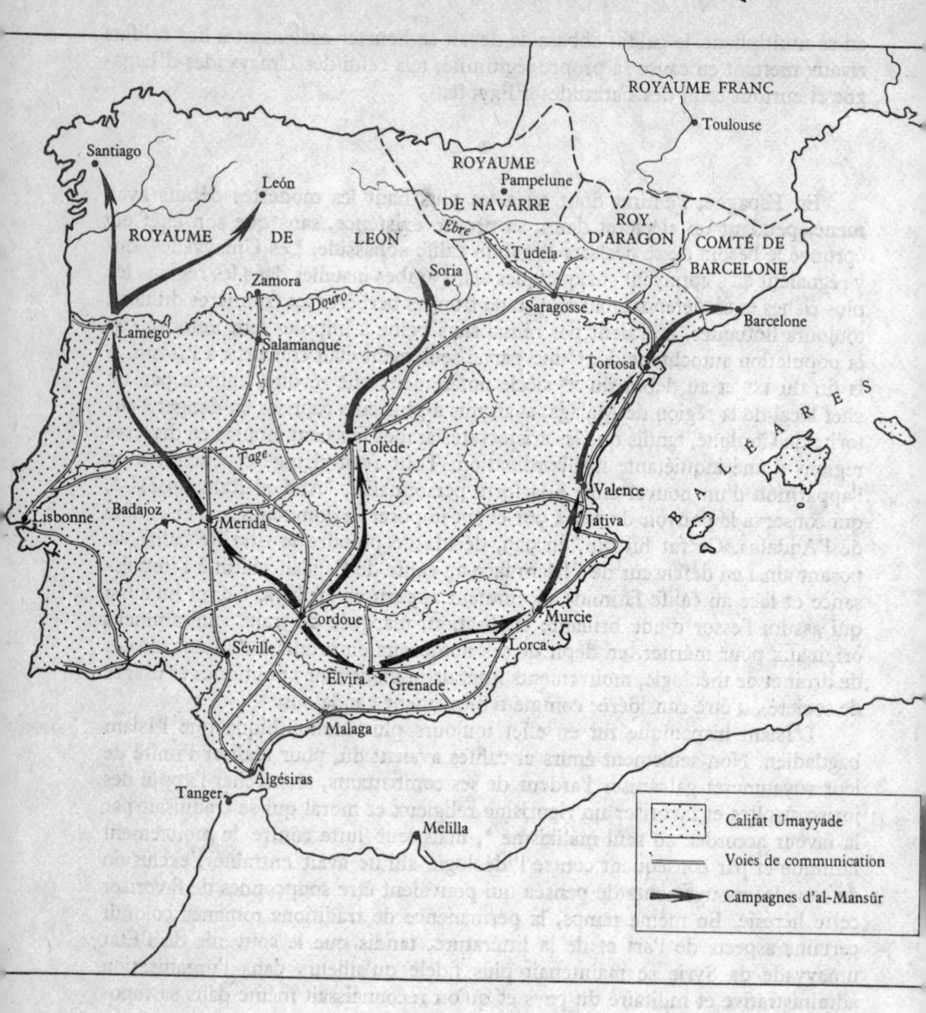

ROYAUME FRANC
Toulouse
Santiago
León
ROYAUME
Pampelune
DE NAVARRE
ROY.
D'ARAGON
COMTÉ DE
BARCELONE
ROYAUME DE LEÓN
Ebre
Tudela
Soria
Zamora
Douro
Saragosse
Barcelone
Lamego
Salamanque
Tortosa
B A L É A R E S
Tolède
Tage
Valence
Lisbonne
Badajoz
Merida
Jativa
Cordoue
Murcie
Séville
Lorca
Elvira
Grenade
Malaga
Algésiras
Tanger
Melilla
Califat Umayyade
Voies de communication
Campagnes d'al-Mansûr

Armé contre la subversion intérieure et extérieure, le califat de Cordoue n'en était pas moins très vulnérable en raison des rivalités qui s'y manifestaient comme ailleurs pour la conquête d'un pouvoir à base militaire. Dès la fin du xe siècle, un « maire du palais » d'origine andalouse, Ibn Abî 'Amir *, le fameux Almanzor des sources occidentales, accaparait l'essentiel du pouvoir des califes et le transmettait à son fils, provoquant un mouvement de révolte des milieux arabes. C'était en fait le début de l'émiettement de l'Espagne musulmane en une série de principautés, arabes, berbères et andalouses, celles des *reyes de Taifas* qui, de Saragosse * à Cordoue et de Valence à Séville *, ne purent résister ni à leurs querelles intestines, ni à la pression des rois chrétiens.

●

De son côté la dynastie fatimide, apparue en Ifrîkiya dès 909 et installée en Égypte dès 969, avait eu depuis le début l'intention de renouveler à son profit la « révolution » de 750 et d'asseoir à son tour l'autorité de ses membres sur les résultats d'une propagande subversive. Il s'agissait en effet dans son cas, non d'une famille de gouverneurs cherchant à profiter d'une situation troublée pour conquérir leur indépendance administrative et financière, mais d'une dynastie prétendant au pouvoir suprême et se considérant comme seule digne de l'occuper au nom même de sa propre doctrine religieuse.

A l'établissement de son pouvoir temporel avait travaillé, à l'aube du xe siècle, un émissaire du mouvement shi'ite isma'ilien du nom de Abû 'Abd Allâh, qui avait choisi le Maghreb comme la région la plus propre à abriter, au-delà des atteintes du gouvernement central, un mouvement séditieux profitant des mécontentements locaux. Réussissant, avec l'appui des Berbères Kutâma, à battre en brèche l'autorité des gouverneurs aghlabides * d'Ifrîkiya, puis à s'emparer de leur capitale, Rakkâda, il y avait fait proclamer le califat d'un personnage venu de Syrie, appelé 'Ubayd Allâh, qui prit le nom

← 10 *L'ESPAGNE VERS L'AN 1000 ET LES CAMPAGNES D'AL-MANSUR*
(*D'après E. Lévi-Provençal*, Histoire de l'Espagne musulmane.)

Le califat de Cordoue étant revenu au jeune prince Hishâm II, incapable de remplir ses obligations, le « maire du palais » al-Mansûr, à la fin du Xe siècle, s'empara du pouvoir et entreprit, entre 981 et 1002, une série d'expéditions militaires de harcèlement — une cinquantaine dit-on — destinées à briser les attaques projetées par les royaumes chrétiens contre l'Espagne musulmane. Les plus importantes de ces campagnes — qu'on peut prendre en exemple des guerres menées contre l'infidèle sur les frontières du monde musulman — eurent pour objectifs Simancas, Barcelone, León, Saint-Jacques-de-Compostelle et Cervero.

d'al-Mahdî * ainsi que le titre califien d' « émir des Croyants ». 'Ubayd Allâh se prétendait descendant d'Ismâ'îl, lui-même descendant d'al-Husayn, fils de 'Alî et de Fâtima ; d'où le nom de Fatimides que se donnèrent les membres de la dynastie.

A vrai dire, l'authenticité des prétentions fatimides a toujours été discutée : elle le fut par les contemporains et par les chroniqueurs postérieurs, d'esprit sunnite ; elle l'a été aussi par les savants modernes. Certains accusèrent très tôt 'Ubayd Allâh de n'avoir aucun lien de parenté avec les descendants de Fâtima. On admet aujourd'hui communément qu'il était seulement le représentant visible de l'imâm caché des isma'iliens, représentant lié à son imâm par une filiation spirituelle et qui, à ce titre, pense-t-on, put légitimement se présenter comme le *mahdî* * attendu. A 'Ubayd Allâh succéda un second personnage, Abû l-Kâsim al-Kâ'im, aux origines également énigmatiques quoique 'Ubayd Allâh l'eût toujours considéré comme son fils et l'eût présenté comme un descendant de l'imâm Ismâ'îl : il lui avait, dans ce dessein, volontairement conféré un rang supérieur au sien, matérialisé par le surnom *al-kâ'im (bi-amr Allâh)*, « celui qui prend en charge l'affaire de Dieu ». Mais l'obscurité qui règne sur un mouvement isma'ilien ésotérique, dont les adeptes usèrent toujours volontiers d'un langage figuré, empêche d'atteindre sur ce point la moindre certitude. On sait seulement que la nouvelle dynastie, tout en nourrissant d'ambitieuses visées sur le siège central du califat, commença par organiser son territoire maghrébin en fonction d'une idéologie originale, nettement différente de celle qui avait cours en Irak.

Ses premiers espoirs de renverser le pouvoir abbasside furent déçus tout d'abord, lorsque eurent été repoussées victorieusement, par des armées envoyées de Bagdad ou par le soin des gouverneurs de l'Égypte, des expéditions militaires tentées à trois reprises sur cette province. Elle se contenta ensuite pendant quelque temps de régner sur l'Ifrîkiya où avait été fondée en 920 la résidence fortifiée de Mahdiya *, la « ville du mahdî », mais où ne manquaient pas les difficultés propres à retarder les entreprises orientales. D'une part, les Berbères de la région étaient divisés en deux groupes rivaux et hostiles et les partisans du régime fatimide eux-mêmes, qui l'avaient adopté surtout par réaction contre la domination arabe des Aghlabides, n'étaient pas toujours d'une parfaite docilité. D'autre part se fit sentir bien vite la nécessité d'éliminer le royaume kharidjite de Tâhart et de réduire à l'état de « vassal » le prince idrisside de Fès. Enfin et surtout éclata, entre 943 et 947, la terrible révolte d'inspiration kharidjite dite « de l'homme à l'âne », facilitée par l'action des sunnites d'école malikite restés influents à Kairouan et par le soutien du souverain umayyade qui avait vu d'un mauvais œil s'établir en Afrique du Nord un État capable de rivaliser avec lui. Seul donc le quatrième calife fatimide, al-Mu'izz (953-975), réussit à étendre sa domination jusqu'aux rivages de l'Atlantique tout en arrêtant une offensive maritime des maîtres de Cordoue.

Ces tardifs succès militaires n'empêchèrent d'ailleurs pas le mécontentement de régner chez les Berbères, soumis aux abus d'une fiscalité qui avait bien vite dissipé leur enthousiasme des premiers temps. Leur mauvais vouloir hâta les préparatifs d'un retour vers l'Orient, sans que cependant la conjoncture politique favorisât toujours, comme au début du siècle, les rêves caressés par la nouvelle dynastie. Entre-temps, en effet, le morcellement intérieur de l'empire s'était accentué, comme on l'a vu plus haut, et la cause fatimide n'était plus seule à profiter des revendications shi'ites des populations, puisque s'étaient instaurés, ici ou là, des régimes de même orientation religieuse. Les efforts d'une active propagande isma'ilienne durent désormais se limiter à l'Égypte, au sein de la principauté des Ikhshidides *, qui avait succédé au gouvernorat semi-indépendant des Toulounides mais était tombée dans l'anarchie et les difficultés économiques après la mort du fameux régent noir Kâfûr *. La préparation idéologique fut suivie de la conquête du pays par les armes, que le général fatimide Djawhar réalisa en 969, et de la construction d'une nouvelle résidence, le Caire *, destinée, comme les autres capitales islamiques de l'époque, à abriter le souverain et ses troupes. Le premier essor de la ville s'accompagna de la création de la mosquée al-Azhar *, qui allait être pendant des siècles le centre de la propagande fatimide isma'ilienne et devenir ensuite l'un des plus importants centres d'enseignement de la doctrine sunnite. Mais le résultat le plus tangible de la victoire fatimide sur les anciens gouvernants de l'Égypte fut de dresser directement le califat shi'ite du Caire en face du califat abbasside de Bagdad, tandis que les territoires syriens s'étendant entre l'Irak et l'Égypte ne servaient plus que d'enjeu à de nouvelles luttes d'influences.

Au cours de ces luttes, les Fatimides réussirent d'abord à s'emparer de Damas dès 970. Mais ils ne purent jamais établir leur domination sur l'ensemble d'un pays où ils se heurtaient aux manœuvres abbassides ainsi qu'à des hostilités diverses. Non seulement ils devaient se défendre contre les Karmates du Bahrayn, qui mirent même en danger le Caire, mais ils se heurtèrent aussi aux Byzantins qui étendirent par moment une sorte de protectorat sur la Syrie du Nord. D'un autre côté l'indiscipline de tribus qui poursuivaient chacune ses propres ambitions et qui soutenaient des princes locaux appelés, tels les Hamdanides * et plus tard les Mirdassides *, à jouer un rôle historique important, ajoutait à la confusion de la situation. Alep * ne fut jamais que peu de temps aux mains des Fatimides ; Damas connut bien des renversements de puissance et bien des troubles, dont certains dus aux rivalités entre soldats maghrébins et orientaux, jusqu'au moment où elle fut définitivement arrachée à l'orbite égyptienne et occupée, dès 1079, par un émir saldjoukide *.

Pendant ce temps, les califes fatimides avaient laissé en Ifrîkiya comme leur représentant un émir berbère, qui fut le fondateur de la dynastie des Zirides *, et ils ne tardèrent pas à éprouver de ce côté aussi maintes déconvenues. L'action des docteurs * malikites poussa en effet les princes zirides à rompre toutes relations avec leurs maîtres et à rétablir le régime sunnite dans leur province : ce qui arriva en 1041, quand l'émir al-Mu'izz ibn Bâdis eut reconnu l'autorité du califat de Bagdad. A cette rébellion fit suite une réaction brutale, puisque le vizir du moment au Caire lança contre l'Ifrîkiya les bandes sauvages des Banû Hilâl, qui y causèrent des ravages considérables et obligèrent le successeur d'al-Mu'izz à accepter de nouveau, temporairement il est vrai, la suzeraineté fatimide. Mais la rupture n'en était pas moins consacrée entre l'Égypte isma'ilienne et le Maghreb sunnite, la domination fatimide ne se maintenant pas davantage sur cette riche île de Sicile * qu'avaient jadis conquise les Aghlabides et dont les souverains du Caire se désintéressaient peu à peu.

En fait ces derniers travaillaient surtout en Orient à organiser leur régime en imposant une idéologie dont on verra plus loin l'extrême originalité philosophique et religieuse. Pour combattre le sunnisme, qui persistait en Égypte comme auparavant en Ifrîkiya sous la forme malikite, et pour propager la « bonne doctrine », ils comptaient d'abord sur une propagande missionnaire qu'ils avaient érigée à l'état de système et pourvue d'une complexe hiérarchie d'initiés et d'exécutants, appuyée sur l'existence au Caire, à partir de 1005, d'un centre d'enseignement appelé la « maison de la Sagesse » *(dâr al-Hikma)*. Ils s'étaient même résolus, dans les premiers temps, à user de violence à l'égard de ceux qui refusaient d'observer les pratiques shi'ites et, au début du XIe siècle encore, allèrent jusqu'à prendre la décision d'expulser d'Égypte les juristes malikites. Il fallut attendre le XIIe siècle pour que se manifestât une période de relative tolérance pendant laquelle deux cadis sunnites furent autorisés à siéger au Caire à côté d'un cadi isma'ilien et d'un cadi imamite.

En ce qui concernait l'organisation même du gouvernement, l'idéologie isma'ilienne accordait au calife-imâm des qualités éminentes qui le plaçaient au-dessus des simples mortels et par conséquent lui donnaient une autorité dont n'avait encore disposé aucun souverain musulman. L'opinion publique en avait d'abord attendu l'ouverture d'une ère de paix et de justice, où la Loi antérieure aurait été abolie et remplacée par une Loi plus parfaite, et on pouvait penser que le nouveau régime serait ainsi à l'abri des troubles et difficultés qui étaient le lot commun des dirigeants islamiques.

En fait, le système isma'ilien ne reçut qu'un faible commencement d'application. Certes le calife fatimide, au lieu de tenir ses pouvoirs d'un semblant d'élection, les devait à la désignation secrète de son prédécesseur, désignation qui avait lieu dès l'avènement de celui-ci et généralement n'était connue que d'un de ses fidèles choisi comme dépositaire de sa décision. Mais les querelles de succession n'étaient pas éliminées pour autant. L'une, particulièrement grave, surgit à l'avènement d'al-Musta'lî, en 1094, et fut à l'origine du mouvement séparatiste des nizaris, partisans de Nizâr, le frère aîné du nouveau calife, évincé in extremis par le vizir. Quant à la doctrine isma'ilienne, elle resta finalement réservée aux initiés, alors que la vie religieuse et sociale continuait d'être réglée par les prescriptions courantes, à peine modifiées, que l'on trouve définies par exemple dans *les Piliers de l'Islam* du cadi al-Nu'mân *.

Les califes fatimides se conduisirent ainsi pratiquement comme les autres dynastes de la même époque, à l'exception du moins du calife al-Hâkim * qui régna de 996 à 1021 et qui, à la fin de sa vie, voulut se faire reconnaître dieu. Comme les autres souverains, ils perdirent peu à peu leur autorité. Tandis que, dans les premiers temps, ils gouvernaient avec l'aide d'un vizir ou d'un auxiliaire qui se contentait de les assister, ils en vinrent, à la fin du XIe siècle, à utiliser des « vizirs de délégation », qui étaient en fait des chefs militaires munis de pouvoirs étendus, et dont le plus célèbre fut l'affranchi arménien Badr al-Djamâlî *. Ces vizirs dirigeaient comme ailleurs une administration très centralisée et se trouvaient à la tête d'un corps de fonctionnaires aux attributions précises et exactement réparties. A chaque fonction correspondaient un insigne, une solde, une place dans les audiences solennelles. On distinguait fonctionnaires de sabre et fonctionnaires de plume, selon un usage qui se perpétuera ensuite en Égypte et qui rangeait dans la même catégorie sociale les administrateurs, les cadis, le grand « missionnaire », les récitateurs du Coran et divers dignitaires de la Cour. En dépit de fréquents changements dans les titres et les désignations, les divers services fonctionnaient avec régularité et assuraient la rentrée des impôts, ce qui contribua à maintenir dans un état de grande prospérité l'Égypte fatimide, qui bénéficiait par ailleurs des ressources fournies à la fois par l'or de la Nubie, par des productions agricoles remarquablement variées, par un artisanat actif et par le trafic avec les pays de la Méditerranée, comme avec l'Inde * plus lointaine.

Cette prospérité ne pouvait qu'assurer l'épanouissement d'une vie culturelle entretenue et favorisée d'autre part par l'activité de la Cour du Caire, où se donnaient des réceptions qui ne le cédaient en rien pour le faste à celles des califes abbassides ou des empereurs byzantins. Les souverains fatimides avaient naturellement leurs poètes thuriféraires, dont le plus célèbre fut Ibn Hânî', originaire de l'Andalus. Mais leur plus grande originalité fut de favoriser le développement de ces sciences dites étrangères qui, en pays sunnite, suscitaient toujours un peu la méfiance. Sous leur impulsion, on s'efforça de mettre en valeur et d'exploiter toute la « sagesse » ancienne au sens large. L'astronomie * fut à l'honneur, comme au temps de l'Abbasside al-Ma'mûn, ainsi que la médecine * ou les mathématiques *, mais aussi la philosophie, plus ou moins étroitement liée aux exposés de la pensée isma'ilienne qui aimait bien souvent à prendre un aspect théosophique. Dans l'art, la musique semble avoir été favorisée et la décoration fit appel plus qu'ailleurs à des représentations figurées, constatation qui tendrait à prouver que l'on était dans ce milieu sensible à une certaine conception du beau et de l'harmonie, héritée de l'Antiquité.

De même l'orientation idéologique du califat fatimide le rendit-elle, en général, tolérant à l'égard des non-musulmans qui pouvaient accéder à d'importants emplois (beaucoup de chrétiens furent vizirs, qui en portèrent ou non le titre) et qui se livraient sans entrave à de fructueuses activités commerciales. Il n'y eut qu'une temporaire et brutale persécution des chrétiens, due au calife al-Hâkim entre 1007 et 1014. La plus spectaculaire de ses mesures fut la destruction de l'église du Saint-Sépulcre à Jérusalem, qui eut un grand retentissement dans le monde occidental et fut, d'une certaine manière, à l'origine de l'idée de croisade. Mais les raisons qui avaient poussé ce souverain, au demeurant quelque peu déséquilibré, ne sont pas très nettes ; tout au plus peut-on dire que son action lui valut une renommée particulière dans les milieux sunnites, surtout dans un pays comme la Syrie qui avait subi à diverses reprises les attaques des Byzantins.

Aussi bien l'Égypte fatimide n'était-elle pas non plus constamment demeurée paisible et prospère. Son économie florissante à l'époque ne l'empêcha pas d'être à diverses reprises éprouvée par des disettes et des famines qui engendraient vols, crimes, épidémies, horreurs de toutes sortes et durèrent parfois plusieurs années de suite. Des séditions militaires éclatèrent aussi dans l'entourage des califes qui, tout comme leurs rivaux de Bagdad, confiaient leur propre défense à des mercenaires de nationalités diverses. Trois corps principaux, ceux des Berbères, des Turcs et Daylamites *, des Noirs soudanais enfin, entraient fréquemment en lutte, les Turcs prenant parti tantôt contre les Noirs, tantôt pour eux. Enfin, l'interprétation de la doctrine fatimide elle-même n'allait pas sans donner parfois naissance à de violentes manifestations, telle celle qui survint en 1020 lorsque al-Hâkim voulut se faire proclamer dieu par des « missionnaires » qui furent écharpés par la foule.

Les causes de faiblesse et de décadence s'accentuant à partir du XIe siècle à l'intérieur du pays, les maîtres de l'Égypte rencontrèrent en Orient de nouvelles difficultés dans des entreprises politiques où leur prestige diminuait. S'ils avaient vu en effet leurs relations s'améliorer avec Byzance à partir du traité de 1038, et cela en dépit de la destruction du Saint-Sépulcre, entre-temps remis en état, ils durent bientôt renoncer à leurs primitives prétentions impérialistes dans cette direction. De même, ils n'avaient pu imposer leur autorité à Bagdad et subirent au contraire, au XIe siècle, de la part des Saldjoukides, nouveaux protecteurs du califat abbasside, des attaques renouvelées visant à ramener la Syrie à l'obédience sunnite. Les croisés enfin étaient venus leur arracher, dès la prise de Jérusalem en 1099, leurs principales possessions palestiniennes sans susciter de leur part de réactions notables. Peu après, les intrigues nouées à la fois par le roi de Jérusalem Amaury et par le souverain de Damas Nûr al-Dîn * allaient finir par aboutir, après diverses péripéties, à la mainmise de Salâh al-Dîn, ou Saladin *, neveu d'un officier de Nûr al-Dîn, sur l'Égypte où cet homme énergique et habile politique mit fin en 1171 à l'État fatimide. Ce fut alors la naissance d'une nouvelle dynastie, celle des Ayyoubides *, qui devait marquer le définitif retour du pays à l'orthodoxie sunnite.

•

De cette puissance ayyoubide naissante il ne faut cependant pas oublier qu'elle allait bientôt appartenir à la Syrie comme à l'Égypte et façonner ses traits les plus caractéristiques au cours des luttes qu'elle mena dans cette dernière province, divisée, on l'a vu plus haut, par des oppositions religieuses et tribales également virulentes. Cette situation avait auparavant favorisé la naissance de petites dynasties, parmi lesquelles celle des Hamdanides mérite une mention spéciale, tant il est vrai qu'elle s'acquit une renommée contrastant avec les dimensions réelles des territoires qu'elle eut jamais à régir dans le cadre agité de la Syrie du Nord.

Son histoire, qui remonte à un certain Hamdân, de la tribu de Taghlib, et à son fils, qui se signalèrent d'abord en soutenant une rébellion kharidjite dans la région de Mossoul à la fin du IXe siècle, fut en effet marquée par le règne de Sayf al-Dawla *, qui réussissait dès 944 à dominer la Syrie septentrionale et à y faire reconnaître son indépendance par les Ikhshidides d'Égypte. Non seulement ce souverain se distingua par ses guerres contre les Byzantins, attaqués avec vigueur sur les frontières d'Anatolie jusqu'au moment où ils réussirent à prendre à leur tour l'offensive et à occuper Alep, sauf sa citadelle, en 962, mais il se rendit également célèbre par la Cour qu'il entretint dans sa capitale d'Alep et où vécurent de grands poètes tels que son propre cousin Abû Firâs * et surtout le fameux al-Mutanabbî *. Le prestige qu'il s'acquit par ses guerres contre l'infidèle et par le climat proprement « arabe » dans lequel les littérateurs de son temps renouèrent avec la tradition de « jactance » héritée de l'ère préislamique ne saurait toutefois dissimuler le triste état d'anarchie et de stagnation économique qui sévissait dans son « royaume », comme dans la Syrie tout entière, et qui se trouvait encore accru par les dissensions doctrinales. Les progrès du shi'isme imamite notamment, faisant suite aux efforts des doctrinaires isma'iliens et aux révoltes des Karmates, provoquaient des incidents presque aussi violents que ceux qui ensanglantaient Bagdad à la même époque et dont il sera question un peu plus loin. L'agitation des esprits était permanente et seule capable d'expliquer l'arrière-plan d'intrigues et de rivalités sur lequel s'étaient greffés les désordres engendrés dans le pays par des appétits extérieurs et par l'intrusion de puissances étrangères telles que l'État saldjoukide ou les diverses dynasties nées bientôt de sa désagrégation.

Entre-temps, en effet, le calife abbasside s'était vu contraint de remettre peu à peu la plus grande partie de ses pouvoirs aux Bouyides * d'abord, qui devaient exercer sur lui une tutelle directe tandis que les Samanides régnaient au Khurâsân et en Transoxiane, puis aux Turcs saldjoukides qui s'étaient substitués, dans la défense du sunnisme, à leurs prédécesseurs ghaznawides * en Iran. Dès 936, on avait vu dans l'ancienne ville impériale, Bagdad, réduite désormais au rôle de simple capitale de l'Irak, plusieurs grands émirs se succéder jusqu'à l'arrivée d'Ahmad ibn Buwayh, l'un des trois frères de la famille iranienne des Buwayhides, ou Bouyides, qui, depuis plusieurs années, avaient en combattant les lieutenants des Samanides réussi à mettre la main sur les provinces orientales du Fârs, des Djibâl *, du Kirmân * et du Khuzistân. La puissance acquise par les Bouyides permit à Ahmad de se faire reconnaître grand émir en 945 avec le surnom honorifique de Mu'izz al-Dawla *, « celui qui fortifie l'État », et d'inaugurer un régime nouveau qui devait durer jusqu'en 1055.

L'originalité de ce régime avait tenu d'abord à son caractère familial. Les principaux membres du clan bouyide, également comblés d'honneurs par le calife, travaillèrent, pendant deux générations au moins, avec un étonnant esprit de concorde qui leur permit à la fois de contrôler les affaires califiennes, c'est-à-dire en fait le gouvernement de l'Irak, et de maintenir leur domination sur les provinces où ils avaient réussi à implanter leur propre puissance. Ces diverses régions furent, selon les époques, séparées et soumises à des princes différents ou au contraire unies sous la domination d'un même maître, comme ce fut le cas sous 'Adud al-Dawla *, fils de l'un des trois frères, qui, de 977 à 983, fut le chef incontesté de la famille et reçut du calife, en marque d'estime supplémentaire, l'octroi du surnom « couronne de la Communauté », *Tâdj al-Milla*, qui lui fut décerné officiellement.

Tous ces princes — et ce sera là le second trait caractéristique du nouveau régime établi — obéissaient à des convictions shi'ites qui contrastaient avec celles du souverain sunnite au nom de qui ils exerçaient une partie de leur pouvoir. N'ayant pas en effet sérieusement tenté de remplacer le calife abbasside par un prétendant alide, ce qui aurait sans doute suscité des troubles graves, ils avaient choisi de reconnaître l'ancien maître de l'empire, quittes à écarter de son entourage les personnalités qui ne leur paraissaient pas suffisamment dociles. Mais ils favorisaient en même temps l'essor du shi'isme imamite, faisaient officiellement célébrer de nouvelles fêtes *, embellissaient les mausolées * érigés sur les tombes des Alides martyrs et encourageaient les efforts de tous ceux qui créaient des collèges destinés à répandre la doctrine imamite alors en voie d'élaboration. En même temps se développait grâce à eux, et à côté de l'activité des shi'ites, celle des mu'tazilites, libres désormais d'exposer leurs opinions. Cette situation n'allait cependant pas sans susciter de violentes réactions de la part des sunnites qui répondirent parfois par des émeutes aux manifestations shi'ites. Période de fermentation et de relative tolérance intellectuelle, la période bouyide fut aussi une période de troubles populaires, principalement à Bagdad.

En troisième lieu, le régime avait tenté d'établir le gouvernement sur une base quelque peu nouvelle. Si les institutions ne furent pas modifiées et si le vizirat notamment fut maintenu, tout en étant rattaché au grand émir et non plus au calife, l'organisation de l'armée, ou plutôt le système de rémunération des militaires, subit alors quelques transformations non dépourvues d'importance. La plupart des officiers se virent en effet octroyer de manière régulière des « concessions foncières » où liberté leur était laissée de percevoir les impôts canoniques, sans qu'ils fussent pratiquement astreints à verser au Trésor une redevance quelconque. Pareil procédé avait l'avantage de leur assurer une rémunération fixe ne dépendant pas des fluctuations financières, et par conséquent d'affermir leur loyalisme, si chancelant durant la période précédente. Il avait en revanche l'inconvénient de retirer au pouvoir central tout contrôle sur la levée et même l'assiette de l'impôt dans les territoires concédés et d'encourager à une indépendance croissante les détenteurs de tels fiefs.

La classe militaire, constituée maintenant non seulement de Turcs, mais aussi de Daylamites persans nouveaux venus, se trouva ainsi en mesure de jouer un rôle d'une efficacité accrue et de l'emporter sur les négociants-banquiers, ainsi que sur les scribes et autres administrateurs dont les conseils restaient néanmoins fort utiles aux émirs bouyides, eux-mêmes assez peu cultivés. Seuls les secrétaires eurent à cœur de tenir une place active de mécènes et furent parfois des lettrés de valeur, parmi lesquels figurèrent des personnages tels qu'Ibn al-'Amîd et Ibn 'Abbâd *.

A ces diverses transformations du système gouvernemental s'ajouta encore l'impulsion nouvelle donnée au développement de la région du Fârs où résidèrent souvent les émirs. Une ville comme Shîrâz * vit s'élever des constructions aussi importantes et luxueuses que les palais de Bagdad où l'on distinguait maintenant, à côté de l'ensemble des demeures califiennes, le palais émiral ou « royal ». Ce phénomène s'accompagnait de la résurgence de traditions artistiques locales et spécifiquement iraniennes, a-t-on pu dire, qui contribuèrent pour une bonne part à l'éclat de la période marquée par la domination des Bouyides. Aussi bien les difficultés intérieures qui surgirent dans une ville populeuse et intellectuelle comme Bagdad n'empêchaient pas la vie économique d'être alors florissante : les canaux furent remis en état en Irak et les routes utiles au commerce restaurées lorsqu'elles avaient été détériorées pendant l'anarchie régnant à la fin de la domination abbasside *stricto sensu*.

Originalement conçu et organisé, le régime bouyide ne réussit point malgré tout à se maintenir plus d'un siècle. Non seulement le dangereux système de la « concession », mais la situation religieuse instable et les rivalités d'ambitions qui opposèrent toujours les émirs entre eux et qui touchèrent même à la fin les membres de la famille, furent responsables de sa chute. Le calife sunnite, réduit durant la première période à une position défensive, s'enhardit à partir du début du XIe siècle à manifester davantage son autorité : ce fut alors que, soutenu par des juristes à large audience et disposant de l'appui d'un nouvel allié, le Turc Mahmûd * de Ghazna, qui s'était installé en Iran oriental, il osa condamner officiellement le shî'isme et le mu'tazilisme. Le résultat de sa tentative fut d'abord à Bagdad l'instauration, dans le deuxième quart du XIe siècle, d'un nouvel état de désordre marqué par l'autorité de milices populaires urbaines. Mais déjà progressaient, à partir de l'Iran extrême, les armées qui allaient promouvoir en Irak le rétablissement du sunnisme en même temps qu'elles aidaient le calife abbasside à reprendre sa place de champion d'une orthodoxie jusque-là battue en brèche. C'était l'inévitable réaction aux excès qu'avait engendrés, ici ou là, le développement de propagandes isma'iliennes ou plus généralement shi'ites appuyant les prétentions de personnages habiles et ambitieux. Mais c'était aussi la conséquence de l'évolution historique qu'avaient connue, pendant tout le xe siècle, des provinces iraniennes extrêmes où n'avait cessé de régner un climat fort différent de celui que l'on connaissait plus à l'ouest.

•

Les chroniqueurs arabes en effet s'accordent tous pour louer le gouvernement de la dynastie samanide dont on a vu plus haut les tentatives de domination de la Transoxiane et du Khurâsân se heurter à la résistance du gouvernorat semi-indépendant des Tahirides ainsi qu'aux ambitions du révolutionnaire pouvoir saffaride, alors en pleine expansion. La victoire à Balkh, en 900, d'Ismâ'îl ibn Ahmad sur le Saffaride 'Amr ibn Layth n'était pas seulement la dernière étape d'une patiente progression commencée vers 820, lorsque quatre frères descendant d'un propriétaire foncier nommé Sâmân-Khudât avaient obtenu, de la faveur du calife al-Ma'mûn, d'importants postes de gouverneurs locaux. Elle marquait surtout le triomphe d'une politique « traditionaliste * », opposée à l'habituelle attitude des petits souverains musulmans portés au pouvoir par la fortune de leurs armes. Ismâ'îl et ses successeurs eurent pendant plus d'un siècle pour principal mérite, aux dires des contemporains qui visitèrent leur royaume, de conserver leur autorité en maintenant d'une part les anciennes prérogatives des classes aristocratiques d'où ils étaient issus et en assurant d'autre part une place de premier plan aux juristes et hommes de religion dont ils aimaient à s'entourer. Faisant par exemple un vizir d'un docteur hanafite * comme Abû l-Fadl al-Sulamî, manifestant leur constant attachement au sunnisme et prodiguant des marques de respect au calife bagdadien dont ils sollicitaient officiellement l'investiture, ils avaient organisé leur État selon un système complexe, à la fois hiérarchisé et bureaucratique, dont on a vanté bien souvent l'efficace utilité sans qu'on puisse savoir exactement dans quelle mesure les propriétaires locaux y étaient associés.

Ce système s'inspirait de celui des Abbassides, car l'émir, qui portait le titre de « client du prince des Croyants », avait lui-même un vizir, assisté de divers chefs de service, un trésorier chargé de recueillir les impôts, un secrétaire des domaines privés, un chef de la chancellerie appelé « pilier du royaume » et un chef de la poste ou des services secrets. On relevait aussi, parmi les grands serviteurs de l'État, le cadi, le préposé aux biens de mainmorte, le *muhtasib* * et le chef de la garde. La Maison de l'émir, qui tenait une grande place, était essentiellement composée d'esclaves d'origine turque qui servaient d'abord au palais en qualité de valets et qui pouvaient ensuite, s'ils s'en montraient capables, devenir soldats et gravir les échelons de la hiérarchie militaire. La garde du souverain, essentiellement servile, était ainsi liée de manière fort étroite à sa personne.

Mais la prospérité du royaume tenait aussi à la richesse naturelle de la Transoxiane. Agriculture, artisanat et commerce y étaient également développés. Les villes avaient des relations fort intenses avec le Turkestan chinois ou les pays de la Volga d'une part, le reste du monde musulman de l'autre ; elles exportaient certains des produits qu'elles fabriquaient parfois selon des méthodes chinoises, le papier * notamment, et se livraient aussi au trafic de marchandises importées, au premier rang desquelles venaient les fourrures et auxquelles s'ajoutaient les esclaves de race turque ou slave. On comprend dans ces conditions l'admiration manifestée par la plupart des géographes * anciens pour ce pays de civilisation florissante et pour le développement, aussi bien religieux qu'intellectuel, qu'y connaissait à l'époque la pensée islamique.

La garde turque des Samanides, qui concourait apparemment de manière efficace à l'équilibre interne du royaume et ne paraît pas avoir été minée par les heurts de factions rivales semblables à celles qui partageaient les troupes mercenaires de l'État abbasside, devait cependant jouer son rôle dans le déclin final de leur puissance. Ce fut à des officiers de cette garde qu'il revint, à la fin du xe siècle, de renverser leurs anciens maîtres et de remplacer la dynastie de Transoxiane par une puissance nouvelle, d'origine turque cette fois, qui devait prendre pour base de sa domination les provinces iraniennes extrêmes faisant aujourd'hui partie du moderne Afghanistan *. Le premier de ces officiers, après avoir d'abord tenté sans succès, en 961, une ambitieuse manœuvre, avait dû se retirer, avec le corps des mercenaires qu'il commandait, à Ghazna où il exerçait les fonctions de gouverneur : ce fut là qu'il assura peu à peu sa demi-indépendance. Son successeur, un autre ancien officier, organisa un État autonome de fait et commença à lancer en territoire indien des expéditions fructueuses qui furent reprises par le premier souverain indépendant de la dynastie, le célèbre Mahmûd, qui régna de 998 à 1030 et au nom duquel on accole habituellement le nom de sa capitale et résidence préférée, Ghazna *. Mahmûd de Ghazna pénétra profondément dans l'Inde du Nord, intégrant ainsi à l'Empire islamique toute une vaste province occupée jusque-là par des « infidèles », mais étendit également son domaine vers l'ouest, sur l'Iran occidental où il enleva aux Bouyides les villes de Rayy * et Hamadhân *.

Ses successeurs, tout en continuant la même politique avec des succès divers et en subissant les assauts de compétiteurs acharnés aussi bien turcs qu'iraniens, devaient ensuite trouver dans leurs possessions indiennes la base la plus sûre de leur puissance. Non seulement ils s'appuyèrent sur leurs ressources dès 1050, après avoir pratiquement dû reconnaître le protectorat des Saldjoukides, mais ils y trouvèrent encore un répit temporaire de trente années après que leur capitale eut été définitivement mise à sac, en 1151, par l'un des fondateurs de la principauté naissante des Ghourides *. A l'importance des richesses qu'ils puisèrent de tout temps en Inde, on attribue d'ailleurs le plus bel éclat de leurs règnes, marqués, aux XIe et XIIe siècles, par des constructions palatines fastueuses et par un essor des arts mineurs ayant pour parallèle l'essor contemporain d'une nouvelle littérature poétique et épique en langue persane * représentée par un personnage tel que Firdawsî *.

•

Les Ghaznawides toutefois, lors même qu'ils menaient encore une vie de mécènes raffinés, avaient dû abandonner leurs prétentions dominatrices sur les provinces iraniennes et sur le califat abbasside lui-même. Ils l'avaient fait au profit d'une nouvelle puissance politique montante, celle des Saldjoukides, dont ils avaient précisément favorisé la croissance en permettant l'installation, dans les fertiles plaines du Khurâsân, de groupes de Turcomans * de la tribu Oghuz, que les Samanides et leurs rivaux turcs avaient déjà, en Transoxiane, utilisés comme mercenaires. Ce furent ces éléments, nomades à l'origine, mais déjà familiarisés avec les intrigues du monde islamique et fraîchement convertis à sa religion, qui allaient ensuite déferler sur les régions iraniennes et syro-mésopotamiennes sous l'appellation de Saldjoukides, qui évoquait le nom de leur héros éponyme, Saldjouk.

Ces bandes avaient plusieurs chefs. Mais les principaux d'entre eux furent deux frères qui réussirent à imposer leur autorité commune sans être séparés par trop de désaccords : Tchaghribeg et Tughrilbeg. Tughrilbeg *, qui joua le rôle le plus important et mérita d'être considéré comme le premier des trois souverains portant dans l'histoire le nom de Grands Saldjoukides, occupa dès 1038 la ville de Nîshâpûr *. En 1040, il infligea ensuite aux Ghaznawides la défaite qui fit de lui le maître incontesté du Khurâsân. Sunnite de conviction, il s'était immédiatement rallié au programme politico-religieux du calife de Bagdad, qui ne tarda donc pas à reconnaître sa prise de pouvoir. Il entreprit alors, non seulement de poursuivre en Iran la lutte contre les isma'iliens que

11. L'EMPIRE DES SALDJOUKIDES A LA FIN DU XIe SIÈCLE
(*D'après* Historical atlas of the Muslim peoples.)

A l'aube de la Ire Croisade, la dynastie saldjoukide étend sa domination du Syr Darya à Konya et à la Mekke. Bien des territoires de ce vaste empire sont cependant aux mains de branches collatérales ou de vassaux tentés par l'indépendance, et les descendants directs de Malikshâh ne dominent plus que les régions centrales de l'Iran.

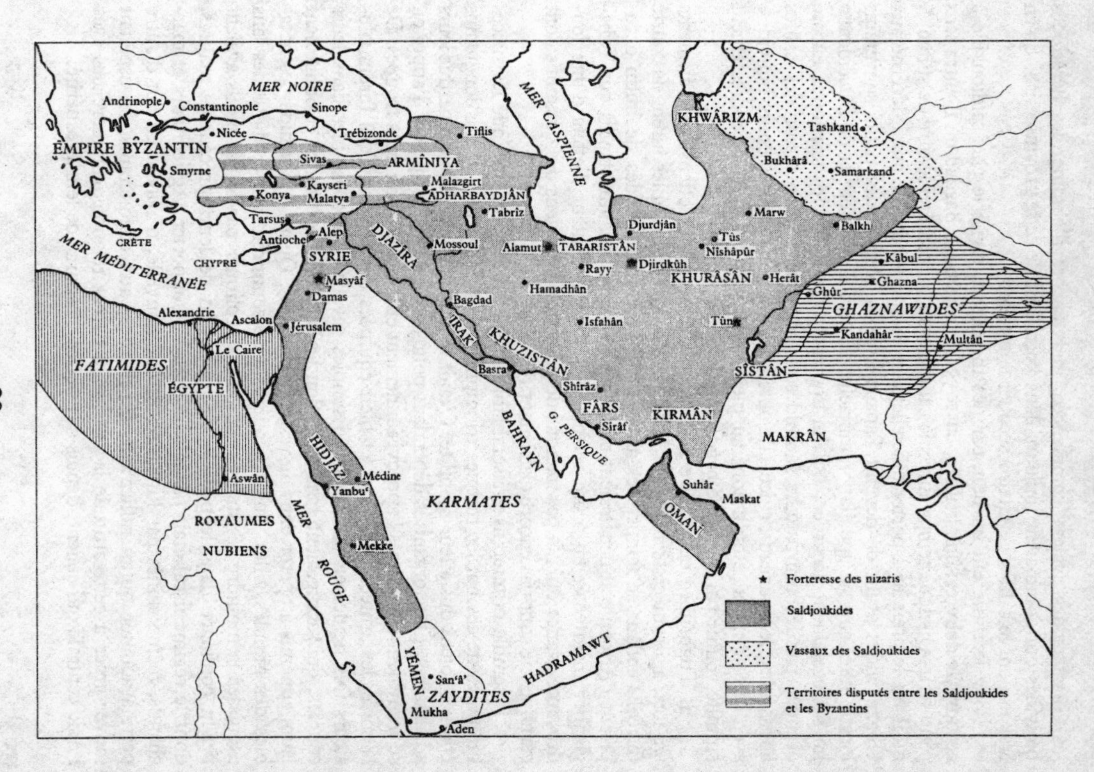

MER NOIRE
Andrinople
Constantinople
Sinope
Nicée
Trébizonde
Tiflis
EMPIRE BYZANTIN
Sivas
ARMÎNIYA
Smyrne
Kayseri
Malazgirt
Konya
Malatya
ÂDHARBAYDJÂN
Tabrîz
Tarsus
Alep
Antioche
CRÈTE
MER MÉDITERRANÉE
CHYPRE
SYRIE
DJAZÎRA
Mossoul
Masyâf
Damas
Alexandrie
Ascalon
Jérusalem
Le Caire
FATIMIDES
ÉGYPTE
Aswân
ROYAUMES
NUBIENS
MER ROUGE
HIDJÂZ
Médine
Yanbu'
Mekke
KARMATES
YÉMEN
San'â'
ZAYDITES
Mukha
Aden
HADRAMAWT
MER CASPIENNE
Bagdad
'IRAK
Basra
KHUZISTÂN
BAHRAYN
G. PERSIQUE
Alamut
TABARISTÂN
Djurdjân
Rayy
Djirdkûh
Hamadhân
Isfahân
Shîrâz
FÂRS
Sîrâf
KIRMÂN
OMAN
Suhâr
Maskat
MAKRÂN
KHWÂRIZM
Tashkand
Bukhârâ
Samarkand
Marw
Balkh
Tûs
Nîshâpûr
KHURÂSÂN
Herât
Kâbul
Ghazna
Ghûr
GHAZNAWIDES
Tûn
Kandahâr
Multân
SÎSTÂN
Forteresse des nizaris
Saldjoukides
Vassaux des Saldjoukides
Territoires disputés entre les Saldjoukides et les Byzantins

les Ghaznawides avaient commencée, mais encore d'éliminer les hérétiques bouyides qui dominaient toujours dans l'occident de cette province ainsi qu'en Irak et dont le calife cherchait à secouer la tutelle.

Que le calife eût ou non, par des messagers, invité le chef saldjoukide à accourir le délivrer, Tughrilbeg, en 1055, se présenta à Bagdad où il entra sans coup férir. Quelque temps après, le calife devait lui conférer le titre de sultan *, qu'il fut le premier à porter officiellement et qui devait être aussi décerné aux Ghaznawides avant de devenir l'apanage de la plupart des petits souverains locaux ultérieurs. L'appellation officielle de « roi de l'Orient et de l'Occident » lui fut également accordée, qui lui donnait pouvoir sur les territoires encore occupés par les usurpateurs fatimides. Libérateur et protecteur des califes abbassides, le nouveau prince saldjoukide prenait la suite des émirs bouyides, avec cette différence qu'il adhérait pleinement à la politique de redressement sunnite voulue par le maître bagdadien de l'empire.

Si Tughrilbeg eut à faire face en Irak à un retour offensif des éléments shi'ites, agissant cette fois pour le calife fatimide, ces troubles furent de courte durée. Pendant ce temps, des armées de Turcomans avides de butin occupaient l'Arménie et pénétraient même en territoire byzantin, tandis que Tchaghribeg maintenait un ordre relatif au Khurâsân. Autant d'effets d'une foudroyante avance qui n'a pas manqué de poser aux historiens des questions dont certaines ne sont pas encore clairement résolues.

Il semble néanmoins vraisemblable aujourd'hui d'admettre que les succès militaires de ces hordes turques triomphant de principautés depuis longtemps établies soient dus à leur mobilité. C'était là une qualité qu'avaient perdue leurs adversaires, États organisés dépendant pour leur défense des points d'appui où se trouvaient concentrés l'approvisionnement et le matériel de leurs troupes. De la sorte, les armées puissantes et bien équipées des Ghaznawides furent plusieurs fois tenues en échec par de simples cavaliers, insaisissables dans leurs courses, qui saccageaient sans hésitation les meilleurs territoires et obligeaient leurs ennemis à opérer dans des espaces dévastés. Quant à l'attitude des notables des grandes villes, qui généralement se soumirent aux Saldjoukides sans esquisser la moindre résistance, elle peut s'expliquer par le fait qu'ils avaient perdu confiance dans le pouvoir de protection de leurs précédents maîtres, dont le régime fiscal était par ailleurs lourd à supporter. Agriculteurs et marchands, même ruinés par l'invasion turque nouvelle, n'avaient en fait d'autre parti à adopter qu'un ralliement, fût-il forcé, aux conquérants, en espérant sauver grâce à cette attitude la possibilité de ces relations commerciales avec l'Asie centrale qui étaient, depuis des siècles, la source de leur prospérité.

Atteignant dès lors de respectables dimensions, l'Empire saldjoukide allait continuer de s'étendre sous les deux souverains suivants, Alp Arslân *, fils de Tchaghribeg, et Malikshâh *, fils d'Alp Arslân. L'œuvre d'Alp Arslân consista surtout dans la destruction des défenses byzantines, à la suite d'assauts réitérés menés chaque année par des bandes de Turcomans contre les armées de Byzance. En 1071, après la bataille de Manzikert (ou Malazgirt *) qui faisait échec au retour offensif du basileus, vaincu et prisonnier, l'Anatolie était ouverte à ces nomades pillards qui s'installaient peu à peu dans un pays désorganisé, laissé sans administration et abandonné en partie par la population autochtone : ce fut le point de départ du peuplement de la « Turquie » actuelle. Des émirats se constituèrent en divers points sous la direction, soit de parents des Grands Saldjoukides tels que Sulaymân ibn Kutulmush, soit d'officiers de leurs armées tels que Malik Danishmend. L'anarchie régnait partout et il fallut attendre le milieu du XIIe siècle pour que le fils de Sulaymân, Kilidj Arslân, réussît à unifier le pays en fondant la dynastie dite des « Saldjoukides de Rûm * », le mot Rûm désignant le territoire anciennement occupé par les Byzantins, ces héritiers traditionnels de Rome. Entre-temps d'ailleurs la région avait achevé de devenir turque, sous l'afflux de Turcomans nomades, batailleurs et peu disciplinés, que repoussaient encore vers l'Occident les débuts de l'invasion mongole * et que les souverains iraniens préféraient canaliser vers une région frontière où ils pouvaient s'employer utilement à repousser les attaques soit des Byzantins, soit des croisés. Entre-temps encore le règne de Malikshâh, qui se contenta de soutenir quelques expéditions contre des parents rebelles en Transoxiane et de raffermir son autorité dans la Syrie occupée depuis Alp Arslân, avait marqué l'apogée et la plus grande extension de l'Empire saldjoukide, après que le Yémen lui-même eut été soumis.

Cet empire, résultant d'une invasion de nomades telle que l'Orient n'en avait pas connue depuis la conquête arabe, s'était organisé avec une rapidité surprenante en dépit de faiblesses qui furent cause de son démembrement. C'était là l'œuvre des administrateurs iraniens auxquels les souverains saldjoukides avaient fait appel, permettant à une aristocratie cultivée et depuis longtemps islamisée de déployer ses qualités en disposant d'un pouvoir non négligeable. Après al-Kundurî, ministre de Tughrilbeg, le fameux Nizâm al-Mulk * avait obtenu le vizirat et fut, surtout sous le règne de Malikshâh, le véritable chef du gouvernement, tandis que les souverains saldjoukides ne s'occupaient de rien d'autre que des opérations militaires.

Parmi les problèmes qu'il eut à résoudre se posa au premier chef celui de l'armée et de ses rapports avec les anciennes tribus nomades qui étaient à l'origine de l'empire. Les solutions adoptées furent efficaces. Tandis que les Turcomans étaient fixés surtout, comme on l'a vu, dans des régions frontalières telles que l'Anatolie et l'Adharbaydjân, l'armée de mercenaires, turcs eux aussi le plus souvent, que les Saldjoukides voulaient conserver à leur disposition, fut soumise à une hiérarchie précise. Ses officiers, chargés de pourvoir eux-mêmes à l'entretien de leurs troupes, reçurent en concession temporaire des domaines sur lesquels ils avaient le droit de percevoir l'impôt foncier canonique. Ainsi était résolu, grâce à un procédé qui avait été déjà utilisé par les Bouyides, le problème de la rémunération de cette armée importante que l'on a parfois évaluée à soixante-dix mille hommes. Ce système féodal d'un type un peu particulier, qui s'intégrait dans l'héritage des traditions administratives antérieures, surtout iraniennes, dont s'était fait l'écho le fameux *Livre du gouvernement* laissé par Nizâm al-Mulk, permit à la fois de satisfaire les exigences normales des troupes, de maintenir leur encadrement et de favoriser la renaissance des campagnes.

L'administration centrale qui comptait, sous des noms un peu différents, les mêmes services principaux que les administrations antérieures, abbasside ou samanide, était doublée d'une administration provinciale encore plus solide, avec des pouvoirs civils et militaires soigneusement distincts. Le souci dominait de ne jamais laisser autorité aux chefs de garnisons des villes sur les préfets chargés de collecter les impôts. Enfin des magistrats s'occupaient spécialement de rendre cette justice extraordinaire qui était, selon la Loi islamique, le privilège du souverain, mais qui correspondait aussi à un usage cher aux tribus turques. Ce qui permit au sultan saldjoukide, profitant des efforts de ses administrateurs, de se faire une réputation de souverain modèle régnant sur un État policé.

Cet État à la forte structure militaire et administrative était en outre un État sunnite dont les chefs avaient entrepris de lutter contre l'hérésie shi'ite. Tandis que la Syrie méridionale était reprise aux Fatimides par une opération militaire couronnée de succès, Nizâm al-Mulk organisa la formation des savants et des administrateurs en favorisant le développement d'un nouveau système d'enseignement. Les sciences religieuses, dispensées jusque-là par des professeurs privés, dans les grandes mosquées ou les oratoires *, à des étudiants qui ne jouissaient d'aucune allocation, le furent désormais dans des établissements réservés à cet effet et appelés *madrasa* *, dont les premiers avaient vu le jour à Nîshâpûr sous les Ghaznawides. Nizâm al-Mulk créa lui-même une série de madrasas, dites « Nizâmiya », qui portaient son nom en Iran, mais aussi à Bagdad et en Haute-Mésopotamie.

Dans les collèges de ce type, le professeur titulaire était nommé et rémunéré par le gouvernement qui d'autre part assurait l'entretien des étudiants. Un contrôle étroit de l'enseignement était ainsi assuré par le pouvoir et on a suggéré que la création de nouvelles madrasas répondait à la prétention du vizir de s'arroger des prérogatives sultaniennes, sinon califiennes. De fait, les Saldjoukides et leurs ministres intervinrent dans les querelles doctrinales et la défense du sunnisme qu'ils avaient organisée n'alla pas sans heurts. Tughrilbeg, qui se ralliait en cela au programme califien, avait d'abord adopté le hanbalisme. Par la suite l'ash'arisme devait l'emporter auprès des dirigeants et Nizâm al-Mulk soutint lui-même ce mouvement, sans d'ailleurs réussir à imposer à Bagdad la doctrine correspondante.

Mais, tandis que le pouvoir encourageait juristes et théologiens qui tenaient dans le gouvernement une place de plus en plus importante, les classes populaires se laissaient plutôt séduire par des confréries * mystiques qui les encadraient mieux que ne pouvaient le faire des institutions urbaines souvent désorganisées et qui leur présentaient une religion plus vivante. Le soufisme à cette époque se vulgarisait et il trouva un défenseur de talent en la personne du célèbre al-Ghazâlî * qui, tout en combattant avec acharnement philosophes et isma'iliens, entreprit de vivifier l'attitude religieuse en l'intériorisant selon ses méthodes.

Il s'agissait toujours, dans le cas de l'enseignement doctrinal comme dans celui de la revivification mystique, d'une lutte contre les sectes hétérodoxes qui continuaient cependant d'exister. Si en effet le shi'isme fatimide déclinait, l'isma'ilisme, dont on verra plus loin les efforts, se manifestait avec vigueur à l'intérieur du territoire dominé par les Saldjoukides. Sous les coups d'un « terroriste » de ses adeptes, le vizir Nizâm al-Mulk périt en 1092 peu avant que mourût son maître Malikshâh, disparition qui fut une perte considérable pour le souverain et l'empêcha de régler sa succession de manière à sauvegarder l'unité de l'empire.

En dépit de l'organisation sévère de l'État saldjoukide, certains traits propres au caractère turc y subsistaient en effet, parmi lesquels une conception familiale du pouvoir qui apparaît souvent chez les peuples nomades ou d'origine nomade et selon laquelle la direction du groupe peut revenir à plusieurs frères ou être assurée par un ancien de préférence au jeune fils du chef disparu. D'où les contestations sans fin et les luttes pour le pouvoir auxquelles durent se livrer aussi bien Tughrilbeg, que menaçait un demi-frère, qu'Alp Arslân, en butte à la rivalité d'un demi-frère, d'un frère aîné et d'un cousin de son père, et que Malikshâh lui-même, inquiété par son oncle Kawurd. Nizâm al-Mulk avait su soutenir de manière efficace les droits d'Alp Arslân, puis ceux de son fils. Après sa mort, la disparition du troisième Grand Saldjoukide ouvrit une crise qui devait aboutir au morcellement final de l'empire. Des trois fils qui se disputèrent le pouvoir pen-

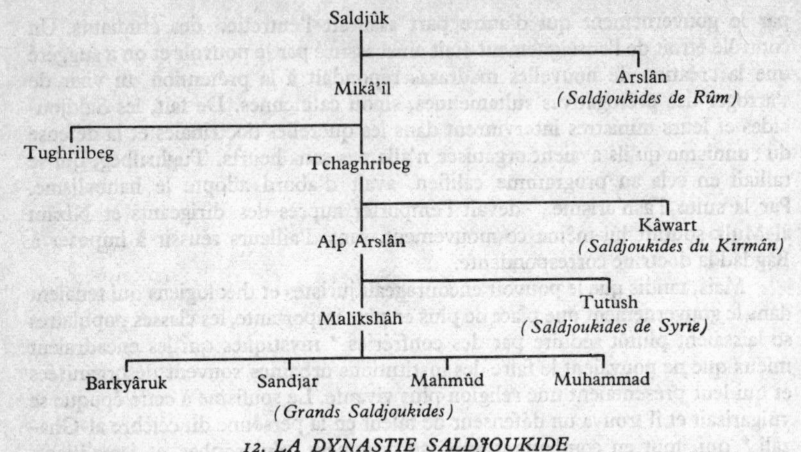

12. LA DYNASTIE SALDJOUKIDE

dant plusieurs années, celui qui réussit à se faire reconnaître en 1118 comme chef de la famille, et qui s'appelait Sandjar, dut laisser le gouvernement de diverses régions occidentales de l'empire à des représentants de branches collatérales.

●

Ainsi apparurent les Saldjoukides d'Irak, qui régnèrent jusqu'en 1194, les Saldjoukides du Kirmân, qui dominèrent cette région de l'Iran jusqu'en 1186, et les Saldjoukides de Rûm, déjà signalés, qui, après avoir accepté le protectorat mongol, devaient régner jusqu'en 1307. En Syrie également s'était établie une branche saldjoukide différente, inaugurée par Tutush, le frère de Malikshâh, auquel devaient succéder ses deux fils, l'un à Alep, l'autre à Damas. Dans cette région cependant, les dynastes saldjoukides allaient être rapidement supplantés par les officiers qui leur servaient de « conseillers », sous le nom d'*atabeg* *, et qui constituèrent à leur tour de nouvelles et éphémères dynasties indépendantes, les Bourides * à Damas et les Zankides * d'Alep et de Mossoul.

Ces épigones des Saldjoukides gardèrent en grande partie les méthodes de gouvernement définies par les premiers représentants de la dynastie, en même temps qu'ils en conservaient fidèlement l'orientation politico-religieuse. Pays arabes et iraniens n'en évoluèrent pas moins à partir de cette époque de façons sensiblement différentes. L'iranisation, qui avait commencé sous les Samanides pour se poursuivre sous les Ghaznawides, marqua certains pays de l'empire où la langue arabe cédait peu à peu la place pour se trouver bientôt réservée aux seuls ouvrages de caractère érudit, qu'ils fussent religieux, philosophiques ou scientifiques. Non seulement en effet les traditions iraniennes incarnées dans la fameuse épopée du *Livre des rois* de Firdawsî étaient à nouveau cultivées pour exalter un idéal quelque peu étranger à l'idéal purement islamique, mais on recourut également dans les mêmes régions au persan pour la composition d'œuvres littéraires non poétiques, tel le traité déjà cité de Nizâm al-Mulk. Pareille évolution fut sensible en Iran. Elle s'étendit à l'Anatolie où une littérature turque devait également bientôt naître mais où les inscriptions des monuments restaient, comme partout ailleurs à cette époque, rédigées en arabe. Elle différenciait ainsi ces régions des provinces complètement arabophones du Proche-Orient dont l'intégration à l'Empire saldjoukide n'avait jamais été marquée que sur le plan politique, religieux ou artistique.

Cependant, les Saldjoukides s'étaient, on l'a vu, heurtés à l'action révolutionnaire des isma'iliens. Ceux-ci étaient représentés dans leurs territoires par un groupe de shi'ites extrémistes, liés à l'origine au mouvement fatimide, quoique très tôt séparés de lui, qui s'étaient installés depuis 1090 dans la forteresse iranienne d'Alamut, au sud de la mer Caspienne. Ce sont ces nizaris qu'on appela en Occident les « Assassins * ». Ils lancèrent un appel à la révolte contre les Saldjoukides. De la région d'Alamut où ils avaient formé un État indépendant et où se succédèrent jusqu'en 1162 huit « maîtres », ils s'efforcèrent de harceler le régime saldjoukide en s'emparant de quelques points d'appui et en pratiquant l'assassinat politique. Mais à partir de la fin du XIIe siècle, l'activité de ces sectaires, dont les représentants étaient d'ailleurs impitoyablement mis à mort dans les villes où ils tentaient de s'infiltrer, ne fit que décliner en Iran.

Les nizaris s'étaient également implantés, avec la complicité de chefs locaux, en Syrie où ils avaient réussi, à la faveur des luttes contre les croisés, à s'emparer de certaines places fortes. Ils y eurent pour « maître » au XIIe siècle le fameux Sinân (1140-1192) qui lui aussi, comme les chefs du mouvement iranien, se prétendait divinement inspiré, mais qui ne réussit jamais, malgré les attentats individuels qu'il organisait, à imposer son autorité en dehors de son noyau de forteresses. Dans les villes ses partisans furent, au début du XIIe siècle en Syrie, massacrés systématiquement comme en Iran et, au cours du XIIIe, on vit les isma'iliens de ce pays abandonner leur doctrine illuminative, puis se laisser enlever leurs forteresses, tout en continuant à former une communauté vivant à l'écart.

L'activité des isma'iliens en Syrie s'expliquait en partie par les troubles dont ce pays fut le théâtre à l'époque des croisades. On connaît les étapes et les épisodes des diverses entreprises franques qui se succédèrent depuis la prise de Jérusalem en 1099 jusqu'à la perte d'Acre en 1291. Durant trois siècles, des royaumes latins plus ou moins importants, organisés le plus souvent autour des villes littorales, subsistèrent en face des royaumes musulmans issus de l'Empire saldjoukide. Un état de guerre presque permanent s'instaura dans cette partie du monde islamique pendant toute cette période, situation qui y eut pour conséquence un raidissement de l'Islam et un renforcement matériel et moral des petites dynasties locales.

Dans les premiers temps toutefois, on ne saurait affirmer que les souverains de Syrie aient été animés par un esprit de Guerre sainte farouche. Au début du XIIe siècle, les Bourides de Damas étaient plus occupés par leurs querelles personnelles avec leurs rivaux de Syrie septentrionale que par la lutte contre les Francs dont ils acceptaient le voisinage et recherchaient même parfois l'alliance. Ce fut seulement l'atabeg de Mossoul, Zankî *, qui entreprit la contre-croisade en attaquant le royaume d'Édesse, dont la chute entraîna la IIe Croisade. Lui-même et son fils Nûr al-Dîn n'eurent plus d'autre pensée que de lutter contre les Francs. Peu à peu, au cours de ces règnes, un certain nombre de positions et de territoires perdus furent repris. La contre-croisade s'accompagna d'une renaissance sunnite qui donna sa coloration à la civilisation de l'époque, tandis que de nouvelles madrasas étaient créées à Alep ou à Damas pour des professeurs réputés originaires de Haute-Mésopotamie ou d'Iran, les uns shafi'ites *, les autres hanafites. Le souverain d'autre part se posa en prince juste, défenseur de l'Islam et protecteur des opprimés, ainsi qu'en fait foi sa titulature, travailla à la fortification des villes syriennes et gouverna avec l'appui d'un groupe d'émirs auxquels il avait distribué en concession les territoires qu'ils devaient défendre grâce à une armée entretenue sur le revenu desdits territoires.

Ces deux règnes zankides ouvrirent la voie à la dynastie des Ayyoubides, fondée par le Kurde Salâh al-Dîn dont on a déjà vu plus haut la forte person-

13. LA SYRIE AU TEMPS DES CROISADES →
(*D'après le* Westermanns Atlas zur Weltgeschichte.)

Dans la Syrie troublée de l'époque saldjoukide, des principautés avaient été créées par les Francs à la suite de la Ire Croisade, tandis que l'intérieur du pays restait seul aux mains des musulmans. Ces principautés groupées autour d'Édesse, d'Antioche, de Tripoli et de Jérusalem furent bientôt l'objet des attaques de souverains actifs tels que Nûr al-Dîn, puis Saladin. Progressivement Saladin réussit à conquérir la plus grande partie du royaume de Jérusalem, dont la capitale fut reprise en 1189.

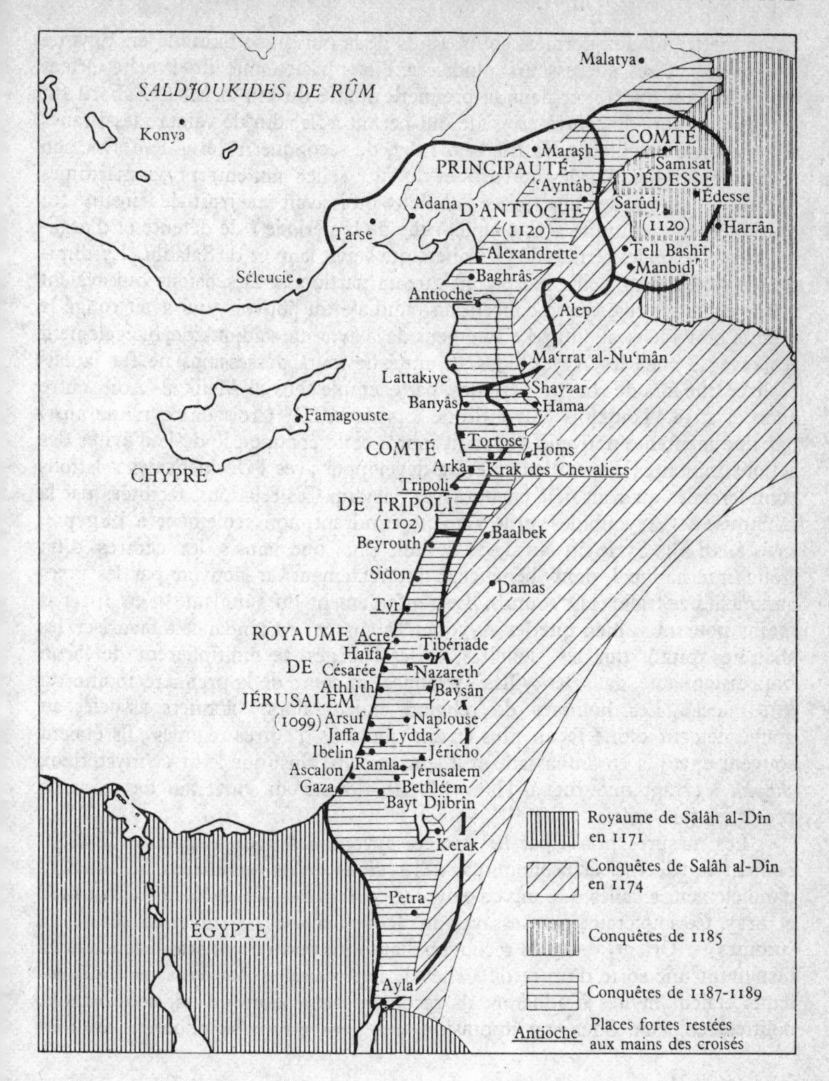
Malatya
SALDJOUKIDES DE RÛM
Konya
COMTÉ
Maraṣh
Samısat
PRINCIPAUTÉ
'Ayntâb
D'ÉDESSE
Édesse
Adana
D'ANTIOCHE
Sarûdj
(1120)
(1120)
Harrân
Tarse
Alexandrette
Tell Bashîr
Manbidj
Séleucie
Baghrâs
Antioche
Alep
Ma'rrat al-Nu'mân
Lattakiye
Shayzar
Banyâs
Hama
Famagouste
Tortose
COMTÉ
Homs
Arka
Krak des Chevaliers
CHYPRE
Tripoli
DE TRIPOLI
(1102)
Baalbek
Beyrouth
Sidon
Damas
Tyr
ROYAUME
Acre
Tibériade
Haïfa
DE
Césarée
Nazareth
Athlith
Baysân
JÉRUSALEM
(1099)
Arsuf
Naplouse
Jaffa
Lydda
Ibelin
Jéricho
Ascalon
Ramla
Jérusalem
Gaza
Bethléem
Bayt Djibrîn
Kerak
Petra
ÉGYPTE
Ayla
Royaume de Salâh al-Dîn en 1171
Conquêtes de Salâh al-Dîn en 1174
Conquêtes de 1185
Conquêtes de 1187-1189
Antioche
Places fortes restées aux mains des croisés

nalité mettre fin aux derniers soubresauts de la puissance fatimide en Égypte. Lui-même et ses successeurs modelèrent la physionomie du Proche-Orient arabe à la fin du XIIe et dans la première moitié du XIIIe siècle. D'abord fut continué l'effort de contre-croisade qui permit à Saladin de vaincre les Francs à la fameuse bataille de Hattîn * en 1187, de reconquérir Jérusalem avec son armée de cavaliers kurdes ou turcs et de faire échec aux entreprises maritimes byzantines ou occidentales, grâce à la flotte qu'il avait reconstituée. Ensuite fut pratiquée une politique plus souple, celle de la période « de détente et d'organisation », selon les termes de C. Cahen, qui suivit la mort de Saladin. La diminution de l'ardeur belliqueuse était due en partie aux dissensions qui avaient éclaté entre ses fils, car la conception familiale du pouvoir, qui avait rongé le régime bouyide et abouti à l'éclatement de la dynastie saldjoukide, fit également ses ravages chez les Ayyoubides. L'unité de leurs possessions ne fut jamais réalisée que lors de courtes périodes, par exemple sous al-Malik al-'Adil, entre 1200 et 1218. Toutefois leur attitude lors de la IIIe Croisade s'explique aussi par une mentalité nouvelle qui se fit jour à cette époque : le désir d'éviter des actions militaires dispendieuses et de développer avec l'Occident des relations commerciales qu'avait déjà encouragées Saladin. Ces relations, facilitées par la mainmise des Ayyoubides sur le Yémen, permirent, non seulement à l'Égypte, mais aussi à la Syrie du Nord, de devenir plus que jamais les centres d'un trafic international dont bénéficiait indirectement le pouvoir par les taxes auxquelles ce trafic était soumis. Le renforcement du sunnisme n'en fut pas moins poursuivi, bien que les Ayyoubides eussent eu tendance à favoriser les shafi'ites plutôt que les hanafites, et les collèges se multiplièrent de façon impressionnante dans les villes syriennes au cours de la première moitié du XIIIe siècle. Les hommes de religion étaient alors volontiers associés au gouvernement d'une façon plus étroite que sous d'autres régimes ; ils étaient souvent envoyés en ambassade et il leur arrivait, ainsi que le fit ce mystérieux *shaykh* * errant que fut al-Harawî *, de donner au souverain des conseils pratiques fort précis.

Les mesures prises par les princes ayyoubides pour assurer le développement intellectuel et économique des régions qu'ils dominaient se situaient parallèlement à celles que mit en œuvre le calife abbasside al-Nâsir * entre 1180 et 1225. Ce souverain, pour essayer de réconcilier sous sa direction shi'ites et sunnites en Orient, tenta de recouvrer l'autorité perdue par ses devanciers en instaurant une sorte d'ordre de « chevalerie * » auquel des dynastes indépendants étaient invités à adhérer; ils reconnaissaient alors de fait son prestige politico-religieux. Sous son impulsion, des liens étroits se nouèrent avec les

Ayyoubides. Il mourut néanmoins sans avoir pu mener à bien son entreprise, alors que déclinait également la puissance des derniers Ayyoubides, incapables de mettre fin aux dissensions qui divisaient leur famille. L'initiative de l'un d'entre eux, qui avait cru devoir recruter un nouveau corps d'esclaves turcs mercenaires, aboutit finalement, en 1250, au renversement de la dynastie à laquelle allait succéder en Égypte ce régime étrange des Mamlouks *, ces souverains « esclaves », ou du moins d'origine servile, qui devaient parcourir les étapes d'un *cursus honorum* extrêmement strict, mentionnées dans leurs titres et dans les blasons * qui éventuellement les accompagnaient. Le Proche-Orient arabe se trouvait ainsi dans un état de moindre défense quand déferlèrent sur lui les hordes mongoles qui ravagèrent la plupart de ses villes et furent arrêtées seulement en Syrie méridionale par lesdits Mamlouks à la fameuse bataille de 'Ayn Djalût *, en septembre 1260.

•

Quant à l'Occident islamique, à la même époque, on considère souvent qu'il constituait une entité bien différente du monde oriental et qu'à partir de l'époque des Saldjoukides, comme l'a écrit J. Sauvaget, « l'Orient et le Maghreb se tournèrent le dos ». Cette affirmation, qui repose sur d'indiscutables évidences puisque l'Occident ne connut pas alors les mêmes transformations politiques et sociales que les régions soumises à l'influence saldjoukide directe, demande toutefois à être nuancée car les liens ne furent jamais rompus aussi nettement qu'on l'a dit entre les deux parties du monde musulman. Au contraire, des analogies frappantes apparurent dans leur histoire pour la période qui s'étend du XIe au XIIIe siècle.

Tout d'abord le mouvement de restauration sunnite accompli en Ifrîkiya sous l'égide des Zirides au début du XIe siècle rappelle à certains égards l'évolution contemporaine qui se dessinait dans les provinces orientales de l'Empire abbasside. Dans les deux cas par exemple, ce furent des dynasties non arabes, l'une turque et l'autre berbère, qui prirent la défense de l'Islam sunnite. Même si l'invasion des Banû Hilâl, qui a si fortement marqué un auteur postérieur comme Ibn Khaldûn * et modifié à l'époque l'équilibre ethnique, politique et économique de l'Ifrîkiya, acheva, comme l'a dit G. Marçais, de libérer la Berbérie de la « tutelle orientale », cette rupture se situa surtout sur le plan politique. Les dynasties berbères apparues au Maghreb dans les décennies qui suivirent restèrent en fait, par leurs programmes politiques et religieux, proches des mouvements de pensée orientaux.

Les Almoravides * d'abord, frustes nomades du Sahara vivant en communauté dans des « couvents militaires », prônèrent une stricte discipline inspirée

14. L'OCCIDENT MUSULMAN AU DÉBUT DU XIIIe SIÈCLE
(*D'après* Historical atlas of the Muslim peoples.)

Les Almohades, après avoir supplanté les Almoravides et étendu leur domination sur l'ensemble du Maghreb, tentèrent vainement de défendre, contre les offensives des rois chrétiens, les territoires d'Espagne restés entre les mains d'émirs musulmans. Avec la désagrégation de leur empire disparaît la suprématie islamique sur le bassin occidental de la Méditerranée.

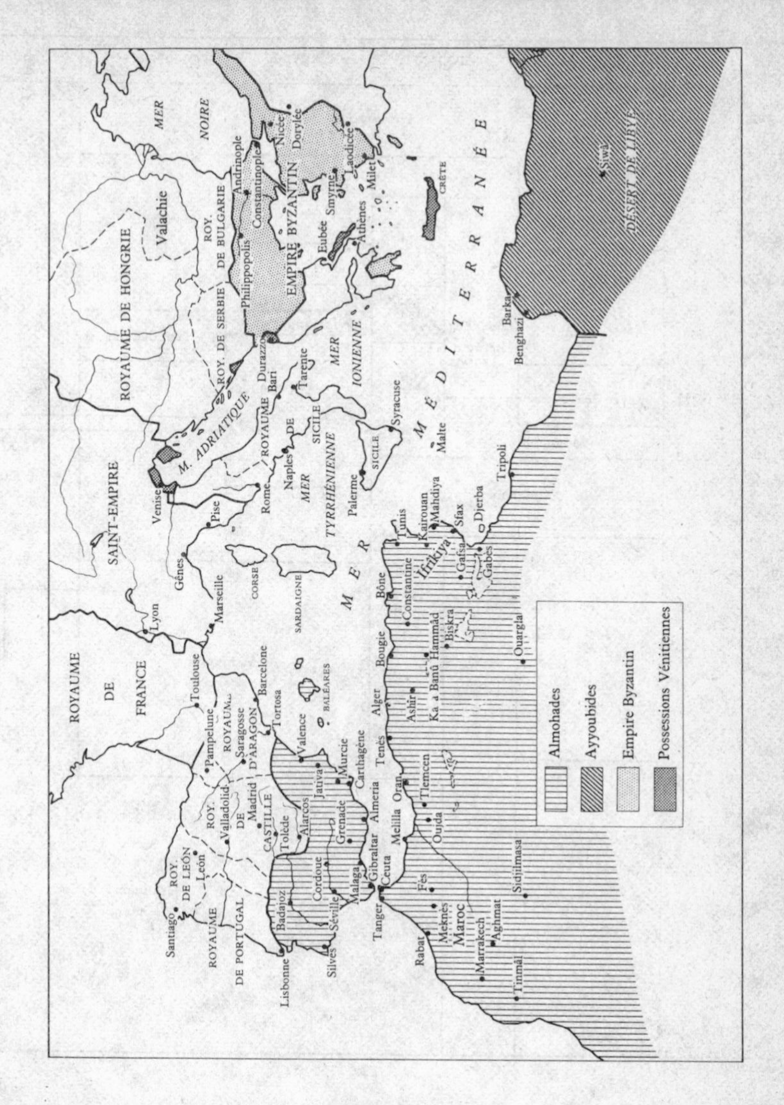
ROYAUME DE FRANCE
SAINT-EMPIRE
ROYAUME DE HONGRIE
Valachie
ROY. DE BULGARIE
ROY. DE SERBIE
MER NOIRE
EMPIRE BYZANTIN
Andrinople
Constantinople
Nicée
Dorylée
Philippopolis
Smyrne
Laodicée
Milet
Eubée
Athènes
CRÈTE
M. ADRIATIQUE
Venise
Pise
Gênes
Marseille
Lyon
Toulouse
Rome
Naples
ROYAUME DE SICILE
Bari
Durazzo
Tarente
MER IONIENNE
MER TYRRHÉNIENNE
Palerme
SICILE
Syracuse
Malte
CORSE
SARDAIGNE
BALÉARES
MER MÉDITERRANÉE
Tunis
Kairouan
Mahdiya
Sfax
Djerba
Gabès
Gafsa
Ifrîkiya
Tripoli
Barka
Benghazi
Siwa
DÉSERT DE LIBYE
Bône
Constantine
Biskra
Bougie
Ouargla
Alger
Ashîr
Ka a Banû Hammâd
Tenès
Oran
Tlemcen
Ouida
Melilla
Fès
Sidjilmasa
Ceuta
Tanger
Meknès
Maroc
Rabat
Marrakech
Aghmat
Tinmâl
ROYAUME DE PORTUGAL
Lisbonne
Silves
Séville
Badajoz
Cordoue
Malaga
Gibraltar
Grenade
Almeria
Carthagène
Murcie
Jativa
Valence
Tortosa
Barcelone
Saragosse
ROYAUME D'ARAGON
Pampelune
ROY. DE CASTILLE
Madrid
Tolède
Alarcos
Valladolid
ROY. DE LEÓN
León
Santiago
Almohades
Ayyoubides
Empire Byzantin
Possessions Vénitiennes

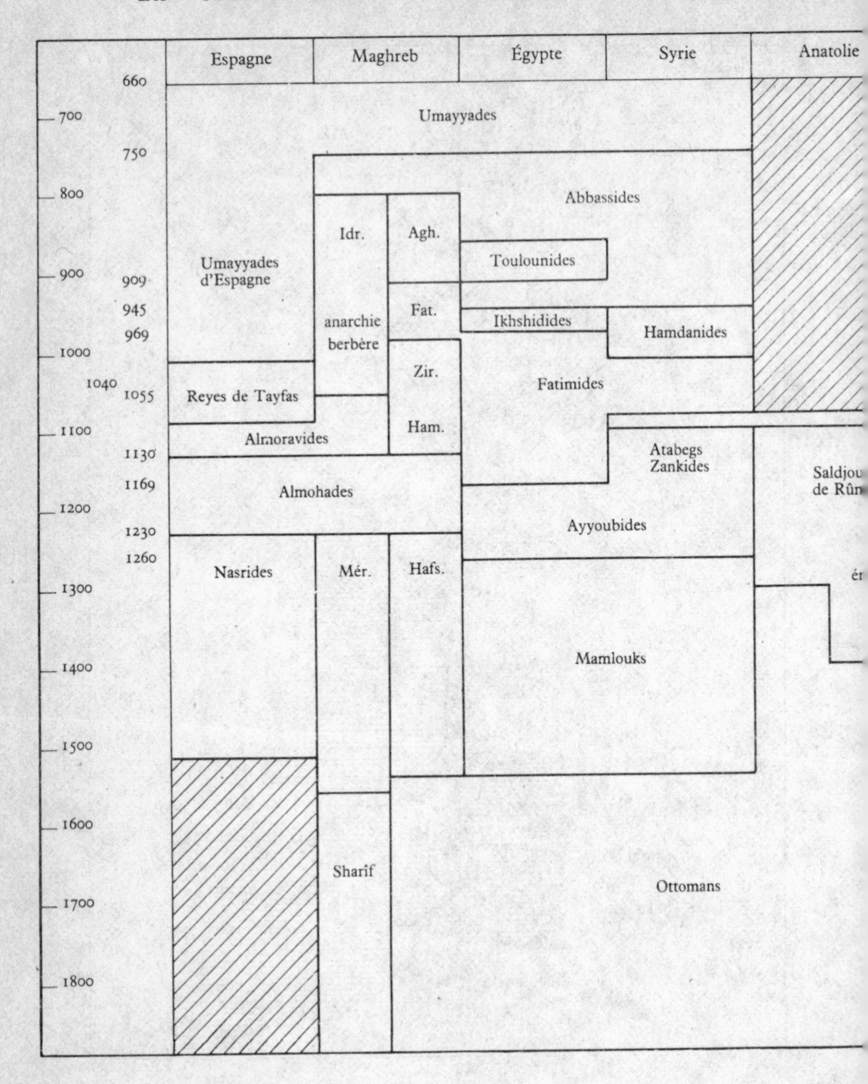

15. TABLEAU GÉNÉRAL DES PRINCIPALES DYNASTIES

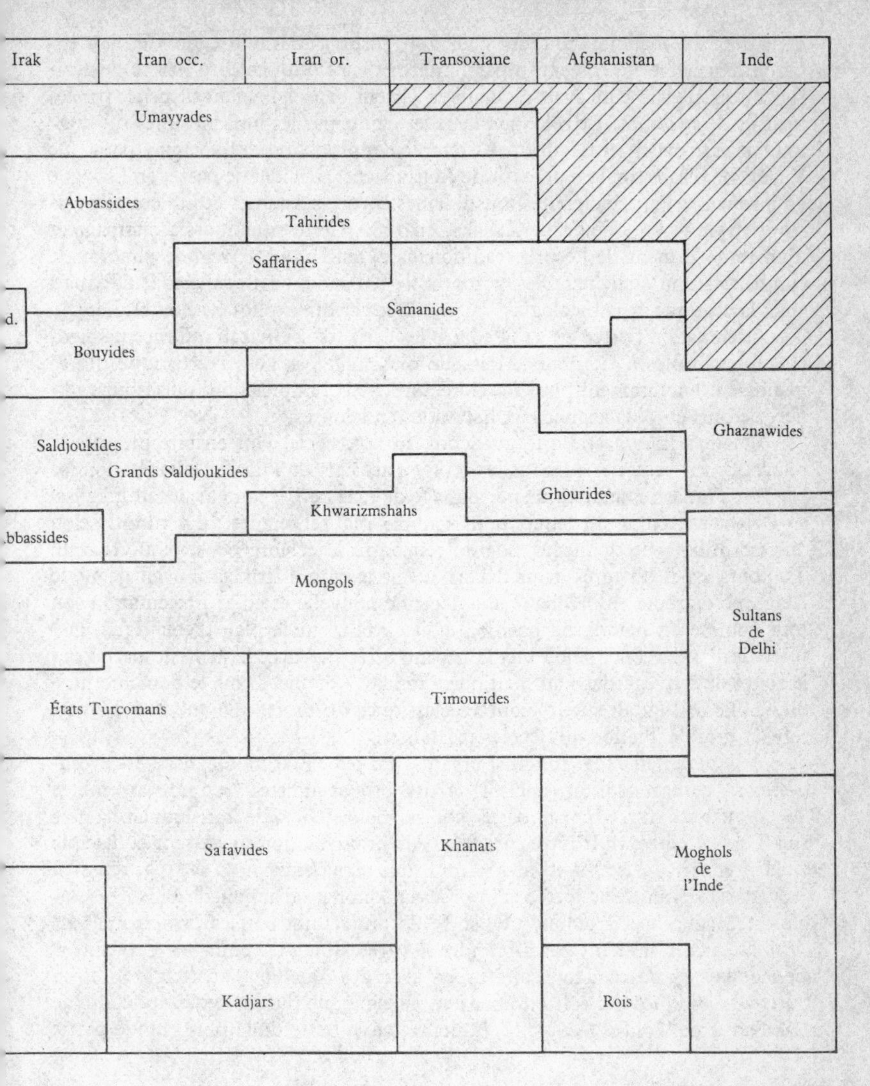
Irak
Iran occ.
Iran or.
Transoxiane
Afghanistan
Inde
Umayyades
Abbassides
Tahirides
Saffarides
Samanides
d.
Bouyides
Ghaznawides
Saldjoukides
Grands Saldjoukides
Ghourides
Khwarizmshahs
bbassides
Mongols
Sultans
de
Delhi
États Turcomans
Timourides
Safavides
Khanats
Moghols
de
l'Inde
Kadjars
Rois

de la doctrine malikite dont leur chef, Ibn Yâsin, s'était imprégné. Cette orientation leur avait été transmise par l'intermédiaire d'un célèbre juriste de Kairouan, qui de son côté avait recueilli en Orient l'enseignement dispensé par les maîtres de ce temps. Le rôle joué dans le régime par les jurisconsultes fut donc toujours important et il fallut par exemple l'approbation des docteurs pour que Yûsuf ibn Tâshufîn, le fondateur de Marrakech *, décidât de passer en Espagne où il renversa les principautés musulmanes encore existantes et infligea aux rois chrétiens la sévère défaite de Zallaka, en 1086. Cette situation s'accompagnait d'un renforcement de l'esprit traditionaliste, tandis que le régime almoravide combattait non seulement les vestiges de shi'isme ou de kharidjisme, mais aussi la pratique de la théologie * dogmatique : ce qui explique, selon H. Laoust, la condamnation portée en 1109 contre les écrits d'al-Ghazâlî qui furent solennellement brûlés à Cordoue. Mais elle n'excluait pas l'essor artistique qui se manifestait, notamment pour l'architecture, sous l'impulsion d'une Cour raffinée, de plus en plus gagnée aux habitudes andalouses.

Quant à la dynastie qui, au début du XIIe siècle, vint ensuite prendre la relève, ce fut celle des Almohades * ou « partisans de l'unicité divine » fondée par Ibn Tûmart, énigmatique personnage de race berbère qui avait fait lui aussi en Orient un séjour sur lequel nous sommes mal renseignés : il y aurait, selon une tradition sans doute légendaire, rencontré le célèbre penseur al-Ghazâlî. Toujours est-il qu'après avoir débarqué sur la côte d'Ifrîkiya il avait gagné le Maghreb extrême en prêchant une doctrine nouvelle et en se présentant à son tour comme un mahdî. Sa position était en fait, sur le plan théologique, inspirée de l'ash'arisme, sinon même du mu'tazilisme avec lequel elle partageait le souci de sauvegarder l'authentique « unicité » divine. Dans le domaine juridique elle se fondait sur les sources classiques du droit, quoique Ibn Tûmart refusât toute affiliation aux écoles existantes.

A Tinmâl, en 1124, fut ainsi organisé un petit État montagnard et révolutionnaire comprenant un conseil de dix propagandistes * et une assemblée de cinquante autres personnages choisis pour leur zèle missionnaire. Puis Ibn Tûmart entreprit la lutte contre les Almoravides. Son successeur et disciple de la première heure, 'Abd al-Mu'min, qui régna entre 1130 et 1163, réussit à renverser la dynastie abhorrée, à imposer la domination almohade dans l'ensemble du Maghreb et à établir une sorte de protectorat sur les principautés de l'Andalus, en n'hésitant pas à prendre le titre califien d'« émir des Croyants ». Cependant ses descendants, aux prises avec des rébellions au Maghreb et en butte aux attaques des rois chrétiens en Espagne, ne purent éviter la défaite de Las Navas de Tolosa * en 1212, qui entraîna la perte de la plus grande partie des territoires musulmans, à l'exception du royaume de Grenade *. C'était la fin d'une période qu'avait surtout marquée l'intensité d'une vie savante et intellectuelle encouragée par les souverains, tandis qu'un style pétri d'influences orientales se faisait jour dans le décor ou la conception des monuments et que la pensée philosophique se signalait par un renouveau bref autant qu'éclatant. L'Empire maghrébin ne tarda pas ensuite à se disloquer, pour faire place aux trois royaumes berbères des Mérinides * à l'ouest, des Abdalwadides de Tlemcen * au centre et des Hafsides * en Ifrîkiya, tous États entièrement autonomes et relativement prospères quoique la prétention des Hafsides à se faire reconnaître califes peu avant la chute de Bagdad dût rester sans lendemain.

D'autres dynasties, non moins jalouses de leur indépendance, mais limitées à un domaine étroitement circonscrit du point de vue géographique et exposées toujours à des attaques extérieures venues soit de l'Orient, soit de l'Europe en pleine expansion, allaient ensuite leur succéder, tandis que l'emprise islamique sur l'Espagne se réduisait peu à peu à l'existence de la seule principauté des Nasrides *, célèbre surtout par les vestiges de son palais-citadelle de l'Alhambra, à Grenade, et par les derniers feux qu'y jetait un art hispano-mauresque finissant. On assistait alors à un lent repli sur elle-même de la civilisation arabe d'Occident, soucieuse de conserver, sous une forme imparfaite et durcie, mais néanmoins le plus souvent reconnaissable, les traits fondamentaux de la civilisation classique de l'Islam arabe.

•

En Orient au contraire cette même civilisation, que l'invasion saldjoukide avait contribué déjà à transformer, allait continuer de subir, de siècle en siècle et selon les régions, de complètes mutations, tout en conservant volontairement sous ses nouveaux aspects le reflet de ce qu'elle avait jadis été dans son haut Moyen Age impérial. Trois ensembles notamment, on pourrait même dire trois mondes, devaient peu à peu s'y distinguer, à la suite des invasions turques renforcées par l'invasion mongole du XIIIe siècle. Il y avait désormais, à l'est de la frontière marquée par l'Irak, l'ensemble iranien et indo-iranien où apparurent, après des années de troubles sous la domination des Il-Khâns * et de leurs épigones, les dynasties des Safavides * et des Moghols *, régnant chacune sur une moitié de cet immense domaine. Dans l'ensemble turc s'imposèrent les Ottomans *, qui construisirent pour des siècles un nouvel empire mi-européen et mi-asiatique après qu'ils eurent triomphé des diverses principautés anatoliennes tribales au milieu desquelles leur puissance avait d'abord grandi. Enfin l'ensemble arabe du Proche-Orient, demeuré jusqu'au XVIe siècle soumis aux Mamlouks, conserva, même sous l'emprise ottomane, l'originalité de sa culture uniquement arabophone.

Mais le fait le plus frappant reste que dans ces divers ensembles les principes de gouvernement et d'organisation sociale propres à la civilisation islamique, loin de disparaître, ne perdirent jamais leurs droits et surent s'adapter à des unités ethniques et géographiques où ils se contentèrent de subir les changements appropriés. D'où l'élaboration, en milieux turc et persan, de formules à bien des égards semblables à celles qui avaient été en vigueur en milieu arabe médiéval et qui en arrivèrent à se heurter avec brutalité, dans le cours du XIXe siècle, aux conceptions occidentales.

L'histoire des civilisations islamiques du XIIIe au XIXe siècle, dominée par la volontaire et nostalgique imitation de la société abbasside impériale, est en fait celle de réajustements matériels, toujours recommencés et toujours insuffisants. Dans les domaines de la technique, de l'organisation sociale et de la formulation intellectuelle, un Orient moins sclérosé que le Maghreb, mais prisonnier lui aussi de son passé, se laissait peu à peu distancer par un monde non musulman considéré par lui comme trop foncièrement étranger pour qu'il réagît jamais sur son évolution autrement qu'en des affrontements parfois tragiques. La religion islamique n'était pas touchée pour autant et devait continuer de s'ouvrir pacifiquement de nouveaux territoires, l'Afrique noire d'un côté et de l'autre l'Indonésie *. Mais la civilisation islamique ne devait plus jamais retrouver le triomphant cadre médiéval dans lequel elle avait su s'élaborer comme un tout et surmonter ses divisions internes dans la conscience d'une supériorité alors incontestée.

DEUXIÈME PARTIE

RELIGION ET SOCIÉTÉ

CHAPITRE IV

LE DONNÉ RÉVÉLÉ ET SON APPROFONDISSEMENT

(VIIe-VIIIe SIÈCLE)

RELIGION révélée, l'Islam, dans son acception médiévale, régissait toutes les activités de l'homme, sa vie spirituelle et morale comme son attitude sociale et politique. Il n'exigeait pas seulement une adhésion à des vérités, il imposait aussi un ensemble de prescriptions qui réglaient l'organisation temporelle de la Communauté des croyants. C'était donc sur ce donné révélé que reposait la vie du musulman et c'était autour de lui que s'étaient organisés, dès une époque ancienne, le monde islamique impérial et sa civilisation.

Sans doute d'autres éléments d'origine profane entrèrent-ils dans cette dernière élaboration. Les traditions des pays conquis par les premiers musulmans, par exemple, ne furent pas éliminées de manière définitive, que ce fussent des traditions artistiques, littéraires et philosophico-religieuses ou des usages coutumiers. Elles ressurgirent sous des formes plus ou moins vivantes, parfois en conformité avec les nouveaux principes religieux, plus souvent en opposition avec eux, si bien que l'on ne peut affirmer, loin de là, que le donné révélé ait jamais commandé tous les aspects de la civilisation grandie sous l'égide de l'Islam. Ce donné toutefois constitua la base sur laquelle s'édifia la vie nouvelle de la communauté islamique, jalouse de ce qui faisait son originalité par rapport aux sociétés antérieures, et là même où il parut peu à peu battu en brèche, il demeura un élément dont la résistance continua de s'affirmer et dont on ne peut négliger le rôle primordial.

Ce donné est beaucoup moins facile à définir qu'on pourrait le croire et il ne se présenta jamais avec cette simplicité monolithique dont on fait trop aisément crédit à la foi mulsumane. Fourni par un texte coranique au sujet duquel se firent jour diverses hésitations, il fut l'objet de précisions successives qui très tôt provoquèrent l'éclatement dans la Communauté de controverses ou même de divergences souvent fort graves qu'a déjà laissé deviner un exposé historique pourtant simplifié. Facteur d'unité, il fut aussi et resta facteur de division, dans la mesure où il fut l'objet d'interprétations différentes et où ces interprétations furent liées à des mouvements politiques empreints chacun de fanatisme.

Du Coran d'abord, qui s'identifiait par définition dans l'esprit des croyants avec la Parole de Dieu et qui constituait donc la règle essentielle de leur comportement, il ne faut pas oublier que les versets, « récités » par Muhammad, ainsi qu'on l'a vu plus haut, sur un ordre impératif auquel il n'était pas maître de se soustraire, ne se présentèrent que tardivement comme un intangible dépôt, fixé dans l'ordre et la forme que nous connaissons actuellement. Leur texte sacré a son histoire, sans laquelle on ne saurait comprendre bien des discussions des premiers siècles.

Selon la tradition musulmane elle-même, ils ne furent point consignés par écrit sous le contrôle de Muhammad, qui ne les réunit jamais comme un tout, et se contenta d'annoncer peu de temps seulement avant sa mort la fin d'une Révélation échelonnée sur une longue série d'années. Ils avaient en outre été communiqués par fragments successifs à la faveur de circonstances changeantes au cours de l'existence du Prophète, sans que jamais celui-ci se sentît lié par une affirmation antérieure : « Nous abrogeons un verset ou le faisons oublier, nous en apportons un meilleur ou un semblable », est-il dit par exemple au verset 100 de la sourate II.

L'initiative de quelques Compagnons explique seule que divers passages en eussent été progressivement notés de manière non systématique et sur des matériaux de toutes sortes, le plus souvent fort rudimentaires (feuilles de palmiers, tessons ou fragments d'os), puis regroupés jusqu'à donner naissance à de véritables copies sur parchemin. Plutôt qu'à ces feuillets, on se fiait cependant davantage à la mémoire d'auditeurs dont on disait que certains « réunissaient la Révélation dans leur poitrine ». A de tels personnages revint donc ensuite, selon des témoignages qu'il n'y a pas lieu de récuser, la tâche de mettre par écrit ou plutôt de dicter leur propre recension des sourates coraniques. Le cousin de Muhammad Ibn al-'Abbâs, son autre cousin et gendre 'Alî, de célèbres traditionnistes tels que Ubayy et Ibn Mas'ûd * furent ainsi responsables de versions personnelles, tandis que les premiers califes Abû Bakr et 'Umar faisaient exécuter la même tâche par Zayd, ancien affranchi du Prophète, qui avait vécu dans son entourage immédiat et lui avait même, selon certains, servi de « secrétaire ». Cette dernière recension fut ensuite choisie, au temps du troisième calife 'Uthmân et sur son ordre, pour avoir seule autorité et devenir la « vulgate », officiellement copiée en divers exemplaires que l'on envoya dans chacune des grandes villes du monde musulman telles que Damas, Kûfa, Basra et la Mekke.

Cette dernière mesure, qu'il paraît difficile de mettre en doute, suffirait à prouver que le texte sacré ne fut pas immédiatement établi de façon irrévocable. Elle n'empêcha d'ailleurs point les habitants de Kûfa de rester fidèles à la version d'Ibn Mas'ûd, dont certaines variantes nous sont parvenues, et elle n'effaça pas non plus le souvenir du *corpus* de 'Alî, qui présentait les sourates dans un ordre différent et qui contenait en outre des chapitres supplémentaires dont certains ouvrages conservent le texte. Aussi bien trouve-t-on trace encore de l'imprécision avec laquelle fut fixée la Révélation dans les titres divers que donnent à quelques sourates les recensions officielles, appelant par exemple le même chapitre ici « l'Aide » et là « la Controverse ».

Des « lectures * » différentes du texte établi restèrent d'autre part longtemps possibles en raison, non seulement de l'absence de signes marquant les voyelles dans la graphie arabe primitive, mais aussi de la polyvalence de certaines lettres de cette écriture lorsqu'elles sont dépourvues de points diacritiques, ce qui était le cas dans les plus anciennes copies où le même signe pouvait par exemple être lu *b*, *n*, *t*, *th* ou *y*. Plusieurs systèmes de lecture coranique se répandirent ainsi dans les premiers temps de l'Islam et on attendit le xᵉ siècle pour fixer à sept le nombre des lectures autorisées, lectures entre lesquelles les différences restaient généralement minimes, mais qui n'en faisaient pas moins l'objet de discussions parfois passionnées en raison des interprétations tendancieuses qu'elles pouvaient introduire. La vérité est qu'il reste difficile de distinguer entre « lectures » et « variantes », les lectures d'Ibn Mas'ûd par exemple, encore utilisées au début du xᵉ siècle et demeurées surtout en faveur dans les milieux shi'ites, comportant parfois des additions qui les apparentent plutôt à des variantes.

Un exemple de divergence de lecture peut être fourni par le texte du verset 56 de la sourate XXXIII, où la phrase : « Dieu et Ses anges *prient* [*yusallûna*] sur ['*alâ*] le Prophète [*al-nabî*] » était lue par Ibn Mas'ûd : « Dieu et Ses anges *unissent* [*yasilûna*] 'Alî ['*Aliyan*] au Prophète [*bi-l-nabî*] », ce qui introduisait la personnalité de 'Alî, particulièrement chère aux shi'ites, dans un contexte où selon d'autres elle n'avait que faire.

Un exemple d'addition peut être demandé au verset dit « de la Lumière » (*Coran*, XXIV, 35) où, au lieu de : « Dieu est la Lumière des cieux et de la terre. Sa Lumière est à la ressemblance d'une niche où se trouve une lampe... », Ibn

Mas'ûd lisait : « Dieu est la Lumière des cieux et de la terre. Sa Lumière est à la ressemblance de la lumière de celui qui croit en Lui et aime les gens de la famille de Son Prophète ; elle est comme une niche où se trouve une lampe... »

Dans les deux cas cités, l'allusion est manifeste au rôle éminent de 'Alî et au devoir d'aimer les descendants du Prophète, selon les exigences de la doctrine shi'ite. Mais il existe aussi des variantes moins « orientées », à l'instar de celle qui concerne le début de la sourate CIII, lu aujourd'hui : « Par le Destin, l'homme est en perdition, sauf ceux qui ont cru », tandis qu'Ibn Mas'ûd lisait : « Par le Destin, certes Nous avons créé l'homme pour sa perdition. »

Les versions d'Ibn Mas'ûd furent condamnées officiellement à Bagdad au début du xe siècle, ce qui montre qu'elles étaient encore à ce moment ouvertement conservées dans certains milieux. Quant aux lectures coraniques autorisées, elles avaient alors chacune leur zone d'influence, l'une Damas, l'autre Basra par exemple, et il était d'usage de toujours diriger la Prière, dans une ville déterminée, en récitant le Coran selon une même lecture. On sait ainsi qu'en Syrie, d'après un géographe du xe siècle, régnaient les lectures d'Abû 'Amr, partout sauf à Damas où dans la grande mosquée on ne pouvait diriger la Prière que si l'on savait la lecture d'Ibn 'Amir. L'intérêt porté à ce genre de divergences dépassait beaucoup le domaine des simples spéculations pour toucher celui de la vie religieuse quotidienne, comme en témoigne une anecdote vivante du même auteur, al-Makdisî *, racontant comment il avait suscité à Zabîd, dans le Yémen, l'étonnement d'un cadi pour la lecture qu'il avait adoptée.

Ces variations textuelles s'ajoutaient aux nombreuses obscurités du Livre sacré pour expliquer que le Coran eût fait dès une époque ancienne l'objet de commentaires de caractères très divers et non dénués d'intentions polémiques. A côté des explications purement grammaticales, nécessaires pour la compréhension d'une langue archaïque, y figuraient à l'occasion des interprétations parfois symboliques, destinées à justifier telle ou telle doctrine. Au sens obvie des versets, certains commentateurs opposaient par exemple un sens « caché », considéré comme le seul vrai. Tandis que les traditionalistes restaient fidèles au sens obvie, les rationalisants ou les tenants de doctrines ésotériques défendaient avec âpreté cette signification nouvelle.

On comprend qu'une telle exégèse ait rencontré dans les premiers temps des détracteurs. Mais les efforts de caractère moins tendancieux suscitaient également des réticences, car l'explication du texte révélé menait trop souvent à y découvrir des contradictions et à tenter de les résoudre en faisant appel à des raisonnements où l'opinion personnelle et le souci de la logique tenaient une grande part. On considérait donc ces tentatives comme des impiétés et l'on préférait d'abord penser que Dieu avait exprimé sa pensée correctement et clairement; un verset ne déclare-t-il pas en effet : « Si tu vois ceux qui cherchent à approfondir Nos signes [*ayât*, mot qui à ce sens ajoute encore celui de « verset coranique »], détourne-toi d'eux » (*Coran*, VI, 67).

La science des commentateurs ayant néanmoins conquis peu à peu droit de cité, on discuta ensuite des règles à suivre, les uns exigeant que les interprétations fussent appuyées sur des traditions remontant au Prophète ou aux Compagnons, les autres faisant intervenir des réflexions extérieures à ce cadre. En fait, les conditions dans lesquelles le texte du Coran avait été recueilli et conservé avaient ouvert la voie à nombre d'incertitudes réclamant des enquêtes approfondies. D'un autre côté, tous les mouvements religieux ou politico-religieux qui se manifestèrent en Islam ne pouvaient qu'éprouver l'inéluctable nécessité de justifier leur doctrine par un recours plus ou moins subtil à leur propre interprétation du texte de la Révélation, demeuré pour eux aussi la base de leurs constructions nouvelles. Significatif est par exemple le fait que le mu'tazilisme, école souvent qualifiée de rationalisante et à laquelle on fait parfois crédit d'un « système philosophique », bien que cette dernière expression soit abusive, ne dédaigna point de démontrer sa thèse du « Coran créé » en recourant à des versets coraniques. Même les adeptes de doctrines ésotériques croyant à une vérité cachée inaccessible au vulgaire continuèrent à voir dans le Coran l'enveloppe externe qu'il suffit de savoir percer pour être conduit à la connaissance de la réalité profonde.

Autant de traits, en définitive, qui concoururent à mettre en relief la place exceptionnelle occupée dans la civilisation musulmane par un écrit dont tous — à de rares exceptions près — s'accordaient à reconnaître l'unique « inimitabilité ». Le style du Coran n'avait ni ne pouvait avoir pour eux de semblable. Ce caractère particulier demeurait le seul authentique miracle qui eût confirmé la vérité de la religion du Prophète. Aussi bien sa « révélation », dans cette langue arabe qui n'avait pas auparavant atteint le niveau d'une langue de culture, allait-elle devenir le premier fondement du sentiment de supériorité qui s'empara des habitants de l'Arabie à partir de la prédication de Muhammad et ne devait jamais abandonner complètement ces arabisés volontaires que restèrent longtemps les adeptes de l'Islam.

Le Coran en effet conféra une qualité prééminente à la langue qu'il utilisait et qui, se trouvant par là même vouée à un usage liturgique bien fait pour la valoriser, resta la langue véhiculaire par excellence de la nouvelle civilisation, destinée à se perpétuer dans les sciences religieuses lors même que certaines régions eurent, à partir du XIe siècle, fait renaître leurs langues et leurs littératures locales. Aux yeux des grammairiens * arabes par exemple, elle resta toujours le modèle auquel il était nécessaire de se référer en toute occasion. Ce fut elle que s'efforçaient d'expliquer les études philologiques qui commencèrent de fleurir aux VIIIe et IXe siècles et qui recouraient pour la comprendre, soit à la poésie dite préislamique que l'on se mit alors à recueillir, soit au parler des bédouins qui étaient réputés conserver dans toute sa pureté l'idiome arabe le plus ancien. En dépit de l'évolution et de l'assouplissement considérables qu'allait connaître la prose artistique aux premiers temps de l'Empire musulman, le Coran fut toujours regardé comme la norme grammaticale, tandis que ses lyriques adjurations demeuraient le modèle parfait de la beauté littéraire, modèle que seuls des poètes irrespectueux comme al-Ma'arrî * osèrent essayer de surpasser.

En même temps que cette langue cristallisée dans son irréfragable pureté, la révélation coranique contribuait à diffuser une culture proprement arabe, celle que constituaient des traditions, anecdotes et proverbes remontant à l'époque antéislamique comme aux toutes premières années de l'Islam. Ce fut cette culture que l'on opposa, avec un succès parfois variable, mais avec une constante ténacité, aux héritages dits « étrangers », ceux de l'hellénisme et surtout de l'iranisme, que certains éléments tentaient progressivement d'assimiler au patrimoine musulman. Les gouvernants qui soutinrent cette lutte savaient en effet que mettre en cause la culture arabe équivalait à porter atteinte, d'une part à la Révélation, « arabe » par définition, d'autre part aux mérites du peuple arabe qui avait été choisi comme son dépositaire. Il faudra attendre la période que nous appellerons post-classique pour que soient officiellement admises des œuvres littéraires échappant à cette tradition linguistique et culturelle née de l'admiration du Coran.

Pareil climat de vénération domina évidemment l'orientation des études coraniques anciennes et il va sans dire que les efforts des exégètes et philologues musulmans de diverses tendances pour préciser le sens exact du texte sacré ne s'apparentèrent jamais que de très loin à ceux des historiens occidentaux modernes. Ceux-ci ont, à leur tour, moins cherché à interpréter les sourates coraniques qu'à les comparer et à les classer pour déterminer l'ordre chronologique dans lequel elles avaient dû jadis être révélées. La recension adoptée par les premiers califes rangeait en effet les chapitres par ordre de longueur, les plus longs au début, à commencer par la sourate II, qui suit « la Liminaire » et comporte deux cent quatre-vingt-huit versets, les plus courts à la fin où certaines sourates comptent moins d'une dizaine de versets. D'après la Tradition, les chapitres mekkois, les plus anciennement révélés, auraient été généralement les plus courts, tandis que les chapitres médinois étaient au contraire assez longs ; de la sorte, l'ordre actuel serait en gros inverse de l'ordre chronologique. Mais, dans le détail, bien des problèmes se posent à qui veut tenter une reconstitution chronologique qu'il serait important de connaître pour pouvoir retracer les diverses étapes de la Révélation.

Les mêmes orientalistes modernes se sont d'autre part intéressés aux questions posées par une langue qu'ils se refusent à considérer uniquement comme l'image du parler mekkois des Kuraysh, mais qu'ils veulent rapprocher de la *koiné* poétique répandue, semble-t-il, en Arabie et même dans les régions syro-mésopotamiennes dès le VIe siècle. Leurs efforts en ce sens n'ont cependant encore débouché sur aucune conclusion ferme, tant il reste difficile d'établir des rapports entre la langue du Coran, celle des rhapsodes d'Arabie et celle des milieux arabes chrétiens où l'écriture * arabe elle-même aurait vraisemblablement pris naissance à partir des variantes cursives des autres écritures sémitiques plus anciennes alors en usage. Sans doute la *koiné* utilisée pouvait-elle être, au VIIe siècle, nettement plus évoluée que l'on a eu parfois tendance à le penser. Mais les vestiges qui nous en sont parvenus ne permettent point de s'en faire une idée précise et on ne sait dans quelle mesure les textes de la poésie préislamique en particulier n'ont pas été, lors de leur compilation à l'époque abbasside, adaptés à ce que l'on considérait alors comme la norme « classique ».

●

Sans entrer ensuite dans le détail des discussions auxquelles donna lieu l'étude du texte coranique, parmi les exégètes ou philologues musulmans comme parmi les historiens de notre temps, il est possible de présenter les principaux thèmes de la prédication qui nourrit la pensée médiévale avant de demeurer jusqu'à nos jours la base de toute pensée islamique. Ces thèmes peuvent être illustrés par un certain nombre de citations dont la traduction en français ne donne cependant qu'une idée lointaine, tant ils revêtent en arabe une forme expressive et, on pourrait même le dire, une véritable force incantatoire.

Toute une série de sourates, parmi lesquelles les plus courtes et vraisemblablement les plus anciennes, proclament, dans un style heurté et imagé, l'approche imminente du Jugement dernier * dont on trouve une description caractéristique dans *Coran*, LXXXIV, 1-12 :

Quand le ciel se déchirera,
et écoutera son Seigneur, selon son devoir,

quand la terre se nivellera,
rejetant tout ce qui est sur elle et se vidant,
et écoutera son Seigneur, selon son devoir,
alors, ô Homme, qui fais tous tes efforts vers ton Seigneur,
tu Le rencontreras.
Celui qui recevra son livret en sa main droite
sera jugé avec douceur
et s'en retournera vers sa famille, dans la joie;
celui qui recevra son livret derrière son dos
appellera la destruction
et brûlera dans le brasier.

Ces sourates font craindre aux hommes le châtiment final qu'accompagneront de frappantes manifestations de la puissance divine à l'heure « fracassante » où « les hommes seront comme papillons dispersés, où les monts seront comme flocons de laine cardée » (*Coran*, CI, 4-5) ; à ce moment, en effet, « quand le ciel s'entrouvrira, quand les planètes se disperseront, quand les mers seront projetées hors de leurs rivages, quand les sépulcres seront bouleversés, toute âme saura ce qu'elle aura amassé pour ou contre elle » (*Coran*, LXXXII, 1-5). Autant d'appels réitérés à une réforme morale et religieuse, d'exhortations à régler la vie d'ici-bas en fonction de l'au-delà, qui s'adressaient surtout à l'origine, semble-t-il, aux riches marchands mekkois coupables d'opprimer les faibles et les pauvres, mais qui devaient conserver dans la suite une valeur de menace exprimée notamment par la sourate XCII :

Par la nuit quand elle s'étend!
Par le jour quand il brille!
Par Ce qui a créé le mâle et la femelle!
En vérité, les résultats de votre effort sont divergents.
Celui qui donne, qui est pieux
et déclare vraie la Très Belle Récompense,
à celui-là Nous faciliterons l'accès à l'Aise Suprême.
Celui qui est avare, empli de suffisance,
et traite de mensonge la Très Belle Récompense,
à celui-là Nous faciliterons l'accès à la Gêne Suprême
et à rien ne lui servira sa fortune, quand il ira à l'abîme.

Lors du Jugement, chacun sera jugé selon ses actes : « Qui aura fait le poids d'un atome de bien, le verra. Qui aura fait le poids d'un atome de mal, le verra »

(*Coran*, XCIX, 7-8). Après avoir connu une « résurrection » dont la réalité est affirmée par nombre de versets, les bons jouiront du plaisir du paradis : « Leur récompense sera, auprès de leur Seigneur, les jardins d'Éden sous lesquels couleront les ruisseaux, où ils resteront, immortels, en éternité. Dieu sera satisfait d'eux, et ils seront satisfaits de Lui » (*Coran*, XCVIII, 7-8). De leur côté, les mauvais seront envoyés dans l'enfer, la « fournaise », « le Feu de Dieu allumé qui dévore jusqu'aux entrailles, qui est sur eux refermé en longues colonnes de flammes » (*Coran*, CIV, 6-9). Et, tandis que l'écho de ces thèmes continuera de se faire entendre pendant la vie entière de Muhammad, les descriptions de la récompense ou du châtiment promis atteindront parfois une minutieuse précision qui n'excluera pas le souffle poétique. La sourate LVI, 26-43, après avoir évoqué le sort particulièrement enviable de certains élus qui sont « les Proches du Seigneur », s'attache ainsi à présenter le sort des Compagnons de la Droite ou de la Gauche :

> *Les Compagnons de la Droite (que sont les Compagnons de la Droite!)*
> *seront, parmi des jujubiers sans épines*
> *et des acacias alignés,*
> *dans une ombre étendue,*
> *près d'une eau courante*
> *et de fruits abondants,*
> *ni coupés, ni défendus,*
> *couchés sur des tapis élevés au-dessus du sol.*
> *Des houris que Nous avons formées, en perfection,*
> *et que Nous avons gardées vierges,*
> *coquettes, d'égale jeunesse,*
> *appartiendront aux Compagnons de la Droite,*
> *multitude parmi les Premiers*
> *et multitude parmi les Derniers!*
> *Les Compagnons de la Gauche (que sont les Compagnons de la Gauche!)*
> *seront dans un souffle torride et une eau bouillante,*
> *sous une ombre de fumée ardente,*
> *ni fraîche, ni bienfaisante.*

A côté de ce message à la fois eschatologique et moral, dont le contenu simple et les images violentes ne fournissent cependant pas de règle de vie, apparut très tôt le trait majeur de la prédication muhammadienne, à savoir la proclamation de l'unicité d'un Dieu qui commande à l'univers et qui conduit les hommes selon sa volonté. Une sourate, la sourate CXII, dont on traduit souvent le titre par sourate « du Culte sincère », en constitue l'expression la plus parfaite, sentie comme telle par les musulmans qui se sont plu à la reproduire dans des inscriptions monumentales de caractère religieux ainsi que sur les plus anciennes monnaies :

Dis : Il est Dieu, unique,
Dieu le Seul.
Il n'a pas engendré et n'a pas été engendré.
N'est égal à Lui personne.

Un verset, le verset 16 de la sourate III, où Dieu lui-même témoigne de son unicité, constitue encore à cet égard un témoignage abondamment répété : « Dieu atteste ainsi que les anges et les possesseurs de la science qu'il n'est de divinité que Lui, se dressant avec l'équité, nulle divinité que Lui, le Puissant, le Sage. » Mais la relation existant entre un dieu tout-puissant et l'homme qu'il a créé est surtout exprimée par la sourate dite « Liminaire » *(Fâtiha)*, seul texte d'oraison que contienne le Coran et qui pour cette raison joue dans la liturgie un rôle éminent :

Au nom de Dieu, le Clément, le Miséricordieux.
Louange à Dieu, Seigneur des mondes,
Clément, Miséricordieux,
Souverain du jour du Jugement!
C'est Toi que nous adorons, Toi dont nous demandons l'aide :
conduis-nous dans la voie droite,
la voie de ceux à qui Tu as donné Tes bienfaits, qui ne sont
ni l'objet de Ton courroux ni les Égarés.

Ce Dieu unique, nommé en arabe *Allâh* (d'un mot qui signifie à l'origine « le dieu »), était un dieu personnel, le Seigneur de chaque créature, pourvu de nombreuses qualifications qui apparaissent de façon plus ou moins régulière dans les divers versets et que l'on a très tôt recueillies pour en faire une liste, celle des Noms * de Dieu, au nombre de quatre-vingt-dix-neuf. Les savants modernes se sont à ce sujet demandé dans quelle mesure cette conception s'était peu à peu enrichie et transformée au cours de la Révélation à partir d'un noyau primitif. On a pu notamment former des hypothèses sur l'ancienneté de la notion du Dieu « miséricordieux » qui apparaît dans la formule précédant chaque sourate, « Au nom de Dieu, le Clément, le Miséricordieux ». Mais il est bien évident que pour le musulman du Moyen Age, comme pour le croyant d'aujourd'hui, pareille préoccupation n'avait aucun sens et qu'il lui suffisait de trouver dans le Coran une image de Dieu aux aspects complémentaires qu'il tenait pour également importants.

Cette image était d'abord celle d'un Dieu créateur, qui a non seulement créé le monde, comme dans la tradition judéo-chrétienne, « Celui qui, en six jours, a créé les cieux et la terre et ce qui est entre eux, puis S'est assis en majesté sur le trône » (*Coran*, XXV, 60), mais qui continue à créer tout ce qui se meut et vit sur terre. Il est le principe de toute vie, embrasse et connaît toute chose, comme l'affirme un verset fréquemment reproduit : « Dieu — nulle divinité excepté Lui — est le Vivant, le Subsistant. Ni somnolence ni sommeil ne Le prennent. A Lui ce qui est dans les cieux et ce qui est sur la terre. Quel est celui qui intercédera auprès de Lui, sinon sur Sa permission ? Il sait ce qui est entre les mains des hommes et derrière eux, alors qu'ils n'embrassent de Sa science que ce qu'Il veut. Son trône s'étend sur les cieux et la terre. Le conserver ne Le fait point ployer. Il est l'Auguste, l'Immense » (*Coran*, II, 256).

De la toute-puissance de Dieu, de son omniscience et de sa clémence, découlent ses principaux aspects. Dans sa clémence il a donné la Révélation, pour permettre aux hommes de suivre la voie droite et il pardonne à ceux qui viendraient à s'égarer. Mais, tout-puissant, il conduit en même temps les hommes selon son bon plaisir et peut « égarer qui Il veut », rendre croyant ou incroyant qui il veut : « Celui que Dieu veut diriger, Il lui ouvre la poitrine à l'Islam. Celui qu'Il veut égarer, Il lui rend la poitrine étroite, le met à la gêne comme s'il montait au ciel. Ainsi Dieu fait peser le courroux sur ceux qui ne croient point » (*Coran*, VI, 125). La responsabilité humaine, affirmée par les versets relatifs au Jugement dernier, se trouve ainsi limitée par d'autres passages qui semblent s'être d'abord appliqués à l'égarement incompréhensible dans lequel se complaisaient les Mekkois lorsqu'ils refusèrent d'adhérer à l'Islam. La ressource essentielle reste dans ce cas Dieu lui-même, à qui le musulman n'a qu'à se confier en lui demandant refuge.

Transcendant et unique, le Dieu « à qui rien n'est semblable » (*Coran*, XLII, 9) s'intéresse néanmoins aux hommes, ses créatures. C'est à eux qu'il a communiqué son Ordre sous la forme de la Révélation, qui est ainsi sa Parole. Il assiste les croyants de son Souffle ou Esprit, sinon même de sa Présence, s'il faut ainsi comprendre le terme *sakîna*, plutôt employé par les commentateurs comme signifiant « sérénité, calme », qui apparaît dans des versets de la période médinoise tels que celui-ci : « C'est Lui qui a fait descendre la présence divine dans les cœurs des croyants, afin qu'ils ajoutent une foi à leur foi » (*Coran*, XLVIII, 4). Mais la présence de Dieu est plus souvent symbolisée par sa Lumière qu'évoque le célèbre verset 35 de la sourate XXIV : « Dieu est la Lumière des cieux et de la terre. Sa Lumière est à la ressemblance d'une niche où se trouve une lampe ; la lampe est dans un récipient de verre ; le verre brille comme un astre étincelant. Elle semble allumée d'un bois béni, olivier qui n'est ni de l'Orient ni de l'Occident, dont l'huile serait capable d'éclairer d'elle-même, même si nul feu ne la touchait. Lumière sur Lumière. Dieu vers Sa Lumière dirige qui Il veut. »

Dieu a d'autre part pour serviteurs et envoyés des anges, créés de lumière, auxquels s'opposent les démons, créés de feu et commandés par Iblîs *. Iblîs serait un ancien ange qui se serait rebellé et aurait refusé de se prosterner devant le premier homme en disant : « Je suis meilleur que ce que Tu as créé. Tu m'as créé de feu alors que Tu l'as créé d'argile » (*Coran*, XXXIX, 77). Entre les anges et les démons subsistent les djinns *, hérités des croyances antéislamiques.

Avec les hommes, les « fils d'Adam », Dieu a conclu un Pacte * avant même qu'ils eussent été créés : « Et rappelle-leur quand ton Seigneur tira une descendance, des reins des fils d'Adam, et qu'Il les fit témoigner à l'encontre d'eux-mêmes : « Ne suis-je point votre Seigneur ? » Les descendants des fils d'Adam répondirent : « Oui ! nous en témoignons ! » (*Coran*, VII, 171). Mais il a laissé à Iblîs le pouvoir de séduire les hommes et, pour maintenir ces derniers dans le droit chemin, il a envoyé des révélations successives à divers peuples qui ont refusé de les écouter. Ainsi fit le peuple de Noé, de même que les ʿAd * et les Thamûd *, peuples légendaires d'Arabie, qui avant les Mekkois furent coupables d'un refus du message et d'une infidélité stigmatisés dans certaines sourates : « Avant eux, le peuple de Noé a crié au mensonge. Ils ont traité de menteur Notre serviteur. Ils ont dit : « C'est un possédé ! » Il fut repoussé. Il implora son Seigneur : « Je suis vaincu, secours-moi ! » Nous ouvrîmes alors les portes du ciel à une eau torrentielle ; Nous fîmes jaillir la terre en sources et les deux flots se rejoignirent selon un ordre décrété [...] Le peuple des ʿAd a crié au mensonge. Comment furent Mon tourment et Mes avertissements ? Nous avons déchaîné contre eux, en un jour néfaste, interminable, un vent mugissant qui arrachait les hommes comme des stipes de palmiers déracinés [...] Les Thamûd ont traité de mensonges les avertissements. Ils s'écrièrent : « Un seul homme » sorti de nous, le suivrons-nous ? Nous serions certes alors dans l'aberration et » la démence ! L'édification a-t-elle été jetée en lui, parmi nous ? Non point. C'est » un imposteur insolent ! » Ils sauront demain qui est l'imposteur insolent ! » (*Coran*, LIV, 9-12, 18-20 et 23-26).

D'autres exemples analogues sont tirés de l'histoire du peuple hébreu. Ainsi Abraham * a vainement essayé de détourner les siens d'adorer les idoles : « Ils se détournèrent de lui, montrant le dos. Il se glissa alors auprès de leurs divinités et leur dit : « Quoi ! Vous ne mangez pas ? Pourquoi ne parlez-vous » point ? » et il se rua sur elles, les frappant de la dextre. On se précipita vers lui, en courant. « Adorez-vous, demanda-t-il, ce que vous sculptez, alors que c'est » Dieu qui vous a créés, vous et ce que vous avez façonné ? — Construisez pour » lui un four, répondit-on, et jetez-le dans la fournaise ! » (*Coran*, XXXVII, 88-95). Quant à Moïse *, il a conduit son peuple vers la Terre promise, mais tandis qu'il recevait sur la montagne sainte les ordres de Dieu, son peuple se façonna une idole qu'il se mit à adorer, « quand Moïse dit à son peuple : « O mon peuple ! » vous vous êtes lésés vous-mêmes par le fait d'avoir pris le Veau d'or comme idole. » Revenez à votre Créateur et tuez-vous ! Cela sera mieux pour vous aux yeux » de votre Créateur et Il reviendra de Sa rigueur contre vous. En vérité, Il est le » Révocateur, le Miséricordieux » (*Coran*, II, 51). Et d'autres envoyés encore, Lot, Joseph, Élie, Élisée sont mentionnés comme témoins de la toute-puissance divine à laquelle nul ne peut échapper. Muhammad apparaît ainsi comme le dernier de ces prophètes que Dieu a envoyés à l'humanité infidèle et présomptueuse, celui aussi qui apporte aux hommes le moyen de salut définitif. Le récit des châtiments encourus par les peuples qui ont repoussé ses prédécesseurs emplit les versets de la seconde période mekkoise, correspondant aux démêlés les plus âpres entre Muhammad et les Kuraysh.

A la fin de la lignée que clôt l'apparition de Muhammad se situe la figure de Jésus, appelé ʿIsâ *, dont le Coran reconnaît la naissance virginale et à qui il attribue des prodiges, mais sans faire de lui plus qu'un prophète : « Rappelle quand les anges dirent : « O Marie ! Dieu t'annonce un Verbe émanant de Lui, » dont le nom est le Messie, Jésus, fils de Marie, qui sera illustre dans la vie » immédiate et dernière et parmi les Proches du Seigneur. Il parlera aux hommes, » au berceau, comme un vieillard, et il sera parmi les saints » (*Coran*, III, 40-41). Aussi bien Muhammad, parlant sur l'injonction d'une Voix qu'il avait identifiée avec celle de l'ange Gabriel, n'avait-il point la prétention de prêcher une religion nouvelle. La doctrine qu'il proclama était pour lui la religion d'Abraham le hanîf, que les juifs et les chrétiens avaient altérée et qu'il était chargé de restaurer dans son intégrité. D'où ses appels réitérés aux « détenteurs de l'Écriture » pour leur faire accepter la Révélation authentique et abandonner leurs erreurs : « O détenteurs de l'Écriture ! Pourquoi travestissez-vous la vérité au moyen du faux ? Pourquoi tenez-vous secrète la vérité, alors que vous savez ? » (*Coran*, III, 64). « O détenteurs de l'Écriture ! Ne soyez pas extravagants, en votre religion !

Ne dites, sur Dieu, que la vérité! Le Messie, Jésus, fils de Marie, est seulement l'Apôtre de Dieu, Son Verbe jeté par Lui à Marie et un Esprit émanant de Lui. Croyez en Dieu et en Ses Apôtres et ne dites point : « Trois! » Cessez! Cela sera un bien pour vous. Dieu n'est qu'une divinité unique. A Lui ne plaise d'avoir un enfant! A Lui ce qui est dans les cieux et ce qui est sur la terre. Combien Dieu suffit comme protecteur! » (*Coran*, IV, 169).

Abraham, dans cette perspective, était le fondateur du temple de la Mekke identifié avec la Ka'ba : « Et rappelez-vous quand Nous fîmes du temple de la Mekke un lieu de visitation et un asile pour les hommes, quand ceux-ci firent du lieu de station d'Abraham un lieu de prière! Nous fîmes pacte avec Abraham et Ismaël en leur disant : « Purifiez Mon temple pour ceux qui font la circumam-» bulation, pour ceux qui font retraite pieuse, pour ceux qui s'inclinent et se pros-» ternent » (*Coran*, II, 119). « Rappelez-vous quand Abraham, avec Ismaël, élevait les assises du temple de la Mekke, disant : « Seigneur! Accepte ceci de nous! » Tu es l'Audient, l'Omniscient! » (*Coran*, II, 121). La Mekke était ainsi considérée comme le berceau de la Révélation éternelle, communiquée désormais par Muhammad en arabe, car elle s'adressait d'abord au peuple arabe, choisi par Dieu pour la recevoir.

Cet enseignement plein de souvenirs judéo-chrétiens, où l'on retrouvait des accents dignes des prophètes bibliques et des passages comparables à des hymnes syriaques, voisinait dans les appels de Muhammad avec les prescriptions qui réglaient désormais la vie de la nouvelle communauté. Il s'agissait d'abord des prescriptions rituelles touchant l'accomplissement de la Prière, du Jeûne et du Pèlerinage, obligeant le croyant à s'acquitter de l'Aumône légale et correspondant à l'attitude de soumission à Dieu déjà définie. Mais on y trouvait aussi des prescriptions sociales touchant le mariage *, l'héritage et l'esclavage, dont le but était en général de corriger les anciennes coutumes des Arabes bédouins ou caravaniers, notamment en ce qui concernait la protection des femmes et des orphelins. Significatifs sont à cet égard certains passages de la sourate dite « des Femmes », dont les versets furent révélés après la bataille d'Uhud qui s'était soldée par la mort de nombreux croyants : « Donnez leurs biens aux orphelins! Ne rendez pas le mal pour le bien! Ne mangez pas leurs biens, à côté de vos biens! Le faire est grand péché. Si vous craignez de n'être pas équitables à l'égard des orphelins ... Épousez donc celles des femmes qui vous seront plaisantes, par deux, par trois, par quatre, mais si vous craignez de n'être pas équitables, prenez-en une seule ou des concubines! C'est le plus proche moyen de n'être pas partiaux » (*Coran*, IV, 2-3). Dans la même sourate on peut encore lire : « O vous qui croyez! N'approchez point de la Prière, alors que vous êtes ivres, avant de savoir ce que vous dites! N'en approchez pas en état de pollution — exception faite pour ceux qui font route — avant de vous être lavés! Si vous êtes malades ou en voyage, ou si l'un de vous vient du lieu secret, ou si vous avez caressé vos femmes et que vous ne trouviez pas d'eau, recourez à du bon sable et passez-vous-en sur le visage et les mains! Dieu est indulgent et absoluteur » (*Coran*, IV, 46).

Ces conseils souvent très minutieux, notamment en ce qui touche les règles de succession, se situaient sur un plan pratique et se distinguaient des adjurations de caractère théologique tout en n'atteignant que rarement à une véritable portée morale, sensible cependant dans un verset tel que celui qui s'efforçait de définir la piété en disant : « La piété ne consiste point à tourner votre face du côté de l'orient et de l'occident, mais l'homme bon est celui qui croit en Dieu et au dernier jour, aux anges, à l'Écriture et aux Prophètes, qui donne du bien — quelque amour qu'il en ait — aux proches, aux orphelins, aux pauvres, aux voyageurs, aux mendiants et pour l'affranchissement des esclaves, qui accomplit la Prière et donne l'Aumône. Et ceux qui remplissent leurs engagements quand ils ont contracté un engagement, les constants dans l'adversité, dans le malheur et au moment du danger, ceux-là sont ceux qui ont la foi et ceux-là sont les pieux » (*Coran*, II, 172). On peut en rapprocher le tableau que l'on trouve ailleurs des qualités exigées par Dieu du croyant : « Adorez Dieu et ne Lui associez rien! Marquez de la bienfaisance à vos père et mère, au proche, aux orphelins, aux pauvres, au client par parenté, au client par voisinage, au compagnon par voisinage, au voyageur et à vos esclaves! Dieu n'aime pas celui qui est insolent et plein de gloriole. Il n'aime pas ceux qui sont avares, qui ordonnent aux hommes l'avarice, qui taisent la faveur que Dieu leur a accordée. Nous avons préparé, pour les infidèles, un tourment avilissant. Il n'aime pas ceux qui dépensent leurs biens ostensiblement devant les hommes, sans croire en Dieu ni au dernier jour. Celui qui a le Démon comme acolyte, combien détestable est pour lui cet acolyte! » (*Coran*, IV, 40-42).

●

Dominés donc par la crainte du pouvoir arbitraire du Créateur et par une confiance assez vague en sa miséricorde, les thèmes principaux du Coran demandaient à être explicités pour fournir les bases d'une véritable règle de vie. Cette tâche fut d'abord assumée par Muhammad lui-même, qui guida avec une attention jamais en défaut les premiers développements de sa petite communauté médinoise et qui demeura pour l'avenir l'interprète idéal de la Révélation, celui dont les actes et les paroles, précieusement conservés par les Compagnons sous une forme orale, puis écrite, constituèrent l'indispensable guide des juristes et théologiens ultérieurs. Tel était en effet le respect dont ne devait cesser d'être entourée, dans toute l'histoire de l'Islam, la personne du Prophète que sa « conduite » personnelle ou sunna, reflétée dans la Tradition relative à ses dits, faits et gestes, ou *hadîth*, fut toujours considérée comme une sorte d'illustration parfaite et permanente de la doctrine trop souvent ambiguë de la Révélation. L'imitation de cette sunna inspira par exemple certains aspects de l'Islam ultérieur que la révélation coranique ne saurait seule expliquer, notamment son caractère volontiers guerrier à l'imitation de la vie de Muhammad et de ses efforts pour trouver dans le triomphe des armes la preuve de la vérité de sa mission.

Les usages pratiqués par Muhammad correspondaient cependant à une situation sociale déterminée qui, en dépit des effets d'un esprit nouveau, restait plus ou moins commandée par les habitudes propres à l'Arabie préislamique. Ils ne pouvaient suffire à répondre aux questions qu'allaient successivement se poser, dans un contexte historique transformé, les membres d'une communauté islamique en pleine croissance, agitée par ses dissensions internes et vivifiée par ses contacts avec les civilisations byzantine et sassanide qu'elle avait supplantées. Les principaux problèmes qu'eut à résoudre, dès la disparition du Prophète et au fur et à mesure d'un certain nombre de crises politiques et religieuses, la réflexion des premiers croyants donnèrent donc naissance à des solutions divergentes correspondant à autant d'interprétations de la doctrine musulmane et expliquant, dans les divers domaines de la théologie, du droit ou de la mystique, la naissance de véritables écoles de pensée distinctes et parfois opposées.

Le domaine théologique, où surgirent tout de suite des questions aussi graves que celles de l'imamat * et du statut des croyants, fut sans doute le premier touché par les efforts de cette progressive prise de conscience. Dès la mort du Prophète, en effet, s'étaient affrontées, au milieu des ambitions contraires des prétendants à sa succession, plusieurs attitudes dont on a vu déjà les conséquences historiques et qui portaient en germe de véritables options dogmatiques. L'une avait été celle des Compagnons qui refusèrent tout d'abord de croire à sa mort, estimant que la Révélation n'était pas close et que leur guide était peut-être parti, tel Moïse, rencontrer son Seigneur, attitude qui fut rapidement abandonnée mais qui allait correspondre plus tard à une position fondamentale de certains groupes de musulmans. L'autre avait été celle des croyants ralliés à l'idée qu'il fallait remplacer Muhammad par un homme capable de guider à son tour la Communauté. Parmi ces croyants, les divergences existant entre Auxiliaires médinois, qui revendiquaient le pouvoir pour eux-mêmes, et anciens Expatriés mekkois, qui réussirent à faire proclamer l'un d'eux, Abû Bakr, et à éliminer le plus proche parent de Muhammad, en la personne de son cousin et gendre 'Alî, engendrèrent à leur tour une véritable querelle de principes : le califat devait-il revenir aux membres de la famille du Prophète, quelle que fût leur compétence, ou aux membres les plus qualifiés du clan de Kuraysh ?

Cette question primordiale était destinée à se poser avec une acuité sans cesse croissante lors des discussions qui agitèrent les quatre premiers califats et sous-tendirent une suite d'événements bien connus. Elle était liée à la définition du pouvoir en pays d'Islam, problème de caractère religieux autant que politique puisqu'il s'agissait du pouvoir d'un personnage succédant au Prophète et portant le titre de « représentant » de l'Envoyé de Dieu. Son importance ne fit que croître lors de la Grande Division qui suivit le meurtre du troisième calife, le Kurayshite 'Uthmân, coupable selon certains de ne s'être pas conformé à la Loi coranique, tenu par d'autres, selon la thèse défendue par le « vengeur de son sang », son cousin Mu'âwiya, alors gouverneur de Syrie avant de devenir le fondateur de la dynastie umayyade, comme une victime injustement sacrifiée par ses adversaires.

Les accusations que ses ennemis, à savoir les partisans de 'Alî évincé pour la troisième fois, n'avaient cessé, de son vivant, de porter contre lui, concernaient ses innovations blâmables — constituer un Trésor au lieu de répartir le produit du butin entre les combattants, conformément aux prescriptions primitives par exemple — ainsi que la manière dont il avait réservé les postes importants aux membres de sa famille, considérés par lui comme plus sûrs et plus compétents. Pour juger de sa culpabilité, il fallait d'abord préciser si le calife devait s'en tenir strictement aux prescriptions coraniques ou s'il pouvait, pour le bien de la Communauté, introduire des règlements qui en modifiaient en fait l'application.

En face de la conception primitive défendue par 'Alî, et qui consistait à conserver intégralement l'organisation de type égalitaire instaurée par le Prophète, se dressait un tout autre système répondant désormais à la nécessité de fonder un État qui eût sa structure propre et ses défenseurs assurés. Pour les uns dominait le respect de l'organisation matérielle ancienne liée aux dispositions primitives de la Révélation, à Muhammad, à son souvenir et au prestige de sa famille; pour les autres importaient d'abord les exigences pratiques de la naissance et du maintien d'une nouvelle forme de société, échappée depuis longtemps au cadre de ses manifestations médinoises. Ainsi exprimées pour la première fois, de telles options sur la nature et la possibilité d'instituer un ordre social islamique qui répondît plus à l'esprit qu'à la lettre du texte coranique affirmaient dans toute sa complexité le problème de la légitimité du pouvoir garanti par la nouvelle religion : s'il était reconnu licite par la plupart que fût condamné à mort un calife coupable, il n'en restait pas moins difficile de savoir comment évaluer en l'occurrence les conditions d'une pareille infidélité.

En même temps les croyants se trouvaient amenés à se prononcer sur une question théologique qui les intéressait peut-être encore plus directement, celle de leur statut de membres, légitimes ou non, de la Communauté. La bataille sanglante dite du Chameau, survenue alors entre Compagnons, fut à l'origine d'un débat dont on retrouve l'écho dans maint écrit et qui ne cessa d'alimenter la réflexion des docteurs et juristes : lequel des deux partis était à cette occasion dans son droit et quel jugement devait-on porter sur les responsables d'un tel engagement? Tous les partisans de ce drame fratricide ne devaient-ils pas être englobés dans la même condamnation? On ne pouvait le savoir qu'après avoir déterminé dans quelles circonstances la lutte à main armée constituait une faute grave et qu'après avoir réfléchi sur le sort réservé au croyant coupable d'une telle faute. Les réponses qui semblent avoir été proposées dès ce moment à cette question, vitale pour la Communauté dont il s'agissait de définir la composition exacte et importante aussi pour le comportement individuel des musulmans confrontés au problème de la foi et des œuvres, ne nous sont pas exactement connues. Elles furent néanmoins à l'origine d'élaborations qui prirent forme plus tardivement et dont les divergences suffiraient à témoigner de leur variété.

Mais les plus intéressantes interprétations qui commencèrent dès lors de se faire jour sur le plan théologique furent sans doute celles du kharidjisme et du shi'isme, tels qu'ils apparurent bientôt parmi des partisans de 'Alî irréconciliablement divisés et soucieux de trouver à leurs attitudes politiques une justification doctrinale. Les kharidjites les premiers, après avoir fait, comme on l'a vu, sécession dès 657 en proclamant : « Le jugement n'appartient qu'à Dieu », s'étaient révoltés contre 'Alî pour incarner une conception intransigeante de l'Islam qui séduisit toujours certains groupements. S'ils n'eurent jamais sur le plan temporel une action très importante ni très étendue, ils allaient jouer un grand rôle dans l'histoire de la pensée islamique en l'aidant à définir certaines notions demeurées confuses ; leurs opinions, même récusées, furent à la naissance de bien des systèmes fleurissant dans les années postérieures.

La thèse essentielle défendue par le kharidjisme primitif était que la Communauté comprenait uniquement les croyants qui obéissaient avec fidélité à la Loi de l'Islam, à l'exclusion des autres qui devaient même, selon la doctrine primitive, être impitoyablement mis à mort. Pratiquement, c'était la condamnation sans appel de plusieurs Compagnons, à commencer par 'Uthmân, à continuer par Talha et al-Zubayr ainsi que par 'Alî lui-même, qui tous devaient, selon cette conception, être considérés comme des « infidèles », voués à l'enfer éternel sans qu'aucun pardon ni aucune intercession pussent intervenir en leur faveur. Il en résultait aussi que le chef de la Communauté lui-même devait obéir rigoureusement à la Loi, méritant s'il s'en écartait la déchéance et la mort, et que le califat devait revenir par définition au meilleur et non au membre de telle famille ou tel clan. D'où un califat uniquement électif et en aucune manière héréditaire, pour lequel nulle considération de naissance ni de race ne devait entrer en ligne de compte, ni entraver la désignation du plus digne, fût-il un esclave abyssin.

Cette doctrine, rigoriste à l'extrême, mais d'une logique irréfutable, trouvait sans doute sa justification dans la violence des compétitions qui avaient suivi la mort du Prophète et qui ne faisaient d'ailleurs que continuer la politique de lutte inexpiable menée par Muhammad contre ses anciens contribules mekkois à partir du moment où il se fut établi dans son propre domaine. Elle ne se maintint que difficilement par la suite, car on pouvait seulement l'appliquer dans des territoires où les thèses kharidjites étaient admises par tous. Si ce fut le cas, à la fin du VIIe siècle, dans le Fârs et en Arabie, ces embryons d'États ne tardèrent pas à disparaître et les kharidjites, disséminés parmi les autres croyants, durent atténuer la sévérité de leur doctrine, en même temps qu'ils renonçaient aux méthodes terroristes et brutales qui avaient d'abord caractérisé leur insurrection. Seuls subsisteront quelques groupes, tel celui des ibadites * au Maghreb, tandis que s'y maintenait de leur doctrine le principe fondamental qui consistait à lier étroitement foi et œuvres et qui continuera longtemps d'être objet de discussions entre les croyants.

D'un tout autre côté cependant, le mouvement du shi'isme, ce « parti » de 'Alî qui fut très actif à l'époque umayyade, se développait théologiquement dans deux directions, correspondant à deux conceptions du légitimisme alide. On sait qu'après la mort tragique d'al-Husayn à Karbalâ' en 680 et le ralliement de son frère al-Hasan au régime, des soulèvements avaient eu lieu en faveur de Muhammad ibn al-Hanafiya et que ces soulèvements avaient été dirigés, à la fin du VIIe siècle, par un aventurier du nom d'al-Mukhtâr. L'échec de ces tentatives donna naissance à diverses doctrines : selon les unes l'imâm, ainsi qu'on appelait le prétendant incarnant les espoirs de telle ou telle cause alide, n'était pas mort, mais seulement disparu, et devait revenir pour triompher de ses ennemis ; selon les autres, chacun de ces imâms avait, avant de mourir, désigné un successeur sur le nom duquel les avis divergeaient. Le propre des groupements clandestins qui se constituèrent alors était de confier la direction de la propagande, non à l'imâm lui-même qui devait éviter de se manifester, mais à son représentant, parfois appelé vizir, que l'imâm devait s'être attaché personnellement par un lien d'adoption spirituelle. Certains shi'ites attribuaient d'autre part déjà à leur imâm des qualités supra-humaines qui le plaçaient hors de la condition des simples mortels. L'idée d'une révélation incomplète dont le parfait achèvement incombait à des personnages inspirés, détenteurs de secrets et de connaissances qu'ils se transmettaient les uns aux autres, commençait à se faire jour de manière plus ou moins nette, venant modifier sur un point essentiel la prophétologie jusque-là admise.

Mais un esprit encore différent allait animer, dès la fin de l'époque umayyade, les autres révoltes shi'ites qui furent menées par Zayd et son fils Yahyâ, descendants d'al-Husayn. Leur mouvement, qu'on appellera plus tard zaydite *, prêchait le soulèvement à main armée et réservait le titre d'imâm à un descendant de 'Alî capable de se distinguer par ses qualités guerrières, sa science et sa piété. Il était donc fondé à la fois sur le principe légitimiste et sur le mérite personnel, au sens large, d'un prétendant qui était censé n'apporter aucune modification à la Révélation elle-même. Ses adhérents n'en étaient pas moins farouchement hostiles aux dynasties régnantes, umayyade d'abord, puis abbasside, et leurs divergences sur la définition du pouvoir légitime entraînèrent de nouvelles scissions parmi les musulmans pour qui la conception de l'imamat faisait partie intégrante de la foi.

Aux kharidjites et aux shi'ites, issus les uns et les autres de la fraction de la première communauté musulmane favorable à 'Alî, s'opposaient les tenants d'un mouvement politico-religieux qui soutenait les souverains umayyades et qui paraît avoir pris naissance vers la fin du VIIe siècle. Ce fut le murdjisme *, ainsi appelé, semble-t-il, parce que ses adhérents, soutenant que nul ne pouvait préjuger de la décision que Dieu prendrait au dernier jour au sujet des croyants coupables de fautes graves, préconisèrent de « remettre » *(irdjâ')* le jugement sans tenir compte des fautes que les uns ou les autres paraissaient avoir commises. Ainsi la foi seule suffisait pour qualifier le musulman digne de ce nom. Pareille doctrine avait une incidence politique non négligeable : elle permettait à la nouvelle dynastie califienne des Umayyades d'échapper aux accusations d'impiété que ses adversaires shi'ites, kharidjites ou piétistes lançaient contre elle, tantôt en qualifiant ses souverains d'usurpateurs, tantôt en leur reprochant d'avoir pris, comme jadis 'Uthmân, des mesures non conformes aux prescriptions coraniques et d'avoir transformé le califat en un bien familial.

Mais d'autres discussions théologiques envisageaient à la même époque une tout autre question, celle du libre arbitre, sur laquelle les textes coraniques manquent de précision. Essayer de la définir, c'était s'efforcer d'établir si l'homme est responsable de ses actes ou si au contraire ceux-ci sont entièrement déterminés par le Décret divin ou *kadar*. Les partisans de la « prédétermination », ou djabrites, qui empêchaient les critiques dirigées contre les califes umayyades par l'opinion publique, trouvaient alors un soutien auprès de la dynastie régnante. Mais leur position doctrinale, qui paraît avoir été ancienne et très courante dans les milieux d'hommes de religion, fut brusquement battue en brèche par des personnages dont la propagande parut dangereuse au pouvoir et qui furent bientôt inquiétés, parfois même mis à mort.

Ces novateurs appelés, d'un terme quelque peu méprisant, kadarites *, à savoir ceux qui restreignent la portée du décret divin en affirmant la responsabilité personnelle de la créature, développèrent sans doute leurs théories sous l'influence des polémiques existant alors avec les chrétiens qui reprochaient à l'Islam ses conceptions déterministes et qui l'accusaient de laisser bien peu de place à la responsabilité humaine. On sait en effet que des discussions de ce genre avaient eu lieu, pendant la période umayyade et au début de l'époque abbasside, entre représentants de l'Islam et du christianisme. Les réserves formulées sur l'authenticité de telle réfutation ou de tel récit n'enlèvent rien à la réalité de ces contacts. Mais on peut aussi se demander si la réflexion philosophique qui continuait d'être pratiquée à Djundîshâpûr *, en Iran, par les adeptes de l'ancienne école péripatéticienne qu'y avait exilés Justinien, n'exerça pas de son côté une influence sur les controverses de l'époque. Ce serait pour se défendre contre les réfutations de l'Islam provenant de ces milieux étrangers, imprégnés souvent d'idées gnostiques et de méthodes rationalistes, que certains penseurs musulmans auraient été alors amenés à nuancer les interprétations théologiques qui avaient prévalu dans les premiers temps de l'Islam.

A ces kadarites assez mal connus paraissent encore s'être joints, à la fin du califat umayyade, les partisans d'un mouvement qui devait avoir sur la pensée islamique une influence considérable, mais dont les origines restent difficiles à connaître. Ce fut celui des muʿtazilites ou « scissionnistes attentistes » qui se « mirent à l'écart », dans des circonstances plutôt obscures, dès l'époque des premières guerres civiles, en déclarant s'abstenir de prendre parti entre ʿAlî et ses adversaires successifs. Leur attitude « neutraliste » fut qualifiée par le terme d'*iʿtizâl*, qui avait alors une portée surtout politique, mais qui déjà peut-être répondait à un état d'esprit religieux. Elle précéda sans doute la justification de leur prise de position au moyen d'une doctrine qui comportait des éléments peu cohérents, mais qui allait réserver essentiellement au croyant coupable d'une faute grave, telle que la participation à une guerre civile, une situation « intermédiaire » lui laissant la possibilité de se repentir et de rentrer au sein de la Communauté.

Le mu'tazilisme primitif se serait ainsi situé dès le début à mi-chemin entre le kharidjisme et le murdjisme, comme le relate d'ailleurs la tradition suivante : « Quelqu'un s'approcha un jour d'al-Hasan al-Basrî * et lui posa cette question : « Toi qui as autorité en matière de religion, tu sais que de nos jours s'est » manifesté un groupe de musulmans traitant d'infidèles ceux qui ont commis une » faute grave, car ils considèrent que la faute grave est un acte d'infidélité excluant » de la Communauté ; ce sont les kharidjites, partisans de la menace divine. Un » autre groupement en revanche s'abstient de juger les coupables d'une faute » grave, car il considère que la faute grave ne peut nuire si on a la foi et que l'acte » ne fait pas partie intégrante de la foi, de sorte que la désobéissance ne nuit pas, » si on a la foi, et que l'obéissance ne sert de rien si on ne l'a pas ; ce sont les » murdjites. Quel jugement portes-tu donc à ce sujet ? » Tandis qu'al-Hasan réfléchissait, Wâsil ibn 'Atâ' le devança en disant : « Moi, je déclare que le » coupable d'une faute grave n'est ni absolument croyant, ni absolument infidèle, » mais qu'il se trouve dans une situation intermédiaire entre celle de croyant et » celle d'infidèle. » Puis il se leva et se mit à l'écart près d'une colonne de la mosquée. « Wâsil s'est écarté de nous », dit alors al-Hasan », ce qui valut à Wâsil et à ses partisans l'appellation de scissionnistes ou mu'tazilites.

A cette position, le mu'tazilisme aurait ajouté l'adhésion à l'opinion kadarite qui justifiait une sévérité relative à l'égard des pécheurs. Il aurait également adopté une thèse qui paraît s'expliquer par une influence des idées néo-platoniciennes et qui consistait à nier le caractère éternel du Coran, Parole de Dieu, thèse attribuée à un personnage du nom de Djahm qui se révolta contre les Umayyades et fut exécuté en 746. Il défendait donc des positions théologiques nouvelles qui seront développées par la suite et intégrées dans un système de pensée organisé. Mais il était né d'abord d'une réflexion sur les luttes politiques et il avait subi l'influence indéniable du kharidjisme dont il partageait en partie le rigorisme en ce qui concerne les devoirs du chef de la Communauté. Hostile au régime umayyade déclinant qu'il considérait comme corrompu, il insistait sur les qualités exigées de l'imâm et, si l'on ne peut affirmer qu'il fut lié au califat abbasside, car on sait que certains de ses partisans participèrent à des soulèvements shi'ites, il sut au moins par son attitude exigeante influer sur sa politique. Il inspira même au début du IXe siècle l'initiative originale du calife al-Ma'mûn dont on a vu plus haut l'échec. A ce moment, son importance sera telle qu'il sera devenu l'un des éléments dominants de l'évolution philosophique et intellectuelle au sein de la société islamique.

•

Tandis que le dogme était ainsi l'objet de discussions souvent vives où l'on s'appuyait non seulement sur les versets coraniques, mais aussi sur les paroles attribuées au Prophète ou à ses Compagnons les plus éminents, l'ensemble du droit islamique, s'appliquant à la fois aux pratiques du culte et aux relations sociales, s'élaborait lui aussi progressivement. Les prescriptions primitives en effet s'étaient rapidement révélées insuffisantes pour servir de base aux décisions des gouvernants ainsi que des magistrats chargés d'arbitrer les litiges ou de fonder les relations entre particuliers. Les plus importantes améliorations furent apportées par les premiers califes, qui constituaient l'autorité suprême en cette matière. ʻUmar précisa ainsi certaines dispositions du culte et du droit pénal ou successoral. L'Umayyade ʻUmar II prit un rescrit concernant les questions fiscales particulièrement délicates qui se posaient de son temps. Mais pour d'autres questions, c'étaient les juges ou cadis qui étaient amenés à interpréter les prescriptions coraniques ou à les compléter sans que les décisions prises par eux eussent force de loi. A un cadi embarrassé, le calife ʻUmar II aurait répondu : « Rien ne m'est parvenu sur ce sujet; je te laisse donc prononcer un verdict conforme à ton opinion. » Chaque juge se référait ainsi à son bon sens, tenant souvent le plus grand compte de la coutume locale, et aucune régulation juridique n'existait en dehors des prescriptions du Coran, de divers propos prêtés à Muhammad ou à ses Compagnons et de quelques décisions califiennes.

Les cadis des diverses régions ne s'efforçaient pas moins de définir une « pratique » qui finissait par s'imposer localement. Il y eut ainsi, au début de l'époque abbasside, de nombreuses « pratiques » différentes et Ibn al-Mukaffaʻ * les dénonça au calife dans un mémorandum célèbre où il lui conseillait d'unifier lui-même de façon autoritaire des usages qu'il décrivait en disant : « Une des questions qui doivent retenir l'attention du Prince des Croyants, touchant la situation des deux métropoles [Basra et Kûfa] ainsi que d'autres villes et régions de l'empire, est le manque d'uniformité marquant les jugements hétéroclites qui y sont rendus. Ces divergences présentent un sérieux caractère de gravité en ce qui concerne les meurtres, les femmes et les biens. A Hîra, le meurtre et l'adultère sont licites alors qu'ils sont illicites à Kûfa ; on constate semblable divergence au cœur même de Kûfa où l'on juge licite dans un quartier ce qui est illicite dans un autre. Pourtant, en dépit de leur fantaisie, de telles sentences sont applicables aux musulmans, puisqu'elles sont rendues par des cadis dont l'ordre et la décision sont valables [...] Celui qui se base sur son jugement personnel est conduit, par son attachement à ses idées, à émettre, sur telle affaire importante concernant les musulmans, un avis qui n'est partagé par aucun de ses coreligionnaires ; son isolement cependant ne l'émeut point et il applique la sentence, tout en reconnaissant que c'est une opinion personnelle qui ne s'appuie ni sur le Coran, ni sur la Tradition.

« Si le Prince des Croyants jugeait opportun d'ordonner que ces sentences et ces jugements divergents soient réunis, puis lui soient soumis dans un dossier, accompagnés des arguments, puisés dans la sunna ou dans le raisonnement inductif, en vertu desquels ils ont été rendus ; si le Prince des Croyants examinait ensuite ces documents et exprimait, à propos de chaque affaire, l'avis que lui inspirera et imposera Dieu ; s'il interdisait aux cadis de rendre des sentences contraires, s'il en faisait un *corpus* applicable d'office, nous pourrions avoir l'espoir de voir ces jugements, où l'erreur se mêle à la justice, constituer, par la grâce de Dieu, un code unique et juste. »

En fait, le calife se garda d'imposer sa volonté au corps des docteurs qui commençait, au milieu du VIIIe siècle, à manifester son indépendance d'esprit. Bien au contraire, un souverain tel que Hârûn al-Rashîd recommandait à ses gouverneurs de consulter, en cas de doute, « ceux qui étaient versés dans la religion de Dieu » et qui constituaient donc à cette époque des autorités reconnues en matière de droit. Ce furent eux qui proposèrent peu à peu des solutions aux questions les plus pressantes.

Parmi les problèmes fondamentaux dont les docteurs eurent alors à traiter figurèrent celui des coutumes locales et celui de la règle à suivre dans l'exercice du jugement personnel *. Dans le premier cas les discussions durent être âpres. Cent ans plus tard, les avis étaient encore partagés sur la place à accorder à la coutume, si l'on en croit l'historien al-Balâdhurî * écrivant alors : « Abû Yûsuf est d'avis que, s'il existe dans un pays une coutume non arabe que l'Islam n'a ni modifiée ni abolie et si le peuple se plaint au calife que cette ancienne coutume soit dure pour lui, le calife n'est pas en droit de la modifier ; mais Mâlik [...] est d'avis qu'il peut la modifier, même si elle est ancienne, parce qu'il devrait [dans des circonstances analogues] supprimer toute coutume valide introduite par un musulman, sans parler de celles qui sont introduites par des incroyants. » Autrement dit, certains continuaient d'estimer que le droit devait correspondre à des exigences d'équité et être modifié en conséquence, tandis que d'autres s'inquiétaient de ces transformations et souhaitaient un maintien de la pratique, même si celle-ci n'était pas parfaite et ne s'inspirait pas directement du Coran.

Mais plus graves avaient sans doute été les discussions relatives à la méthode à suivre pour résoudre les problèmes nouveaux, méthode dans laquelle on faisait largement usage du jugement personnel jusqu'à ce qu'une réaction commençât à se faire jour au VIIIe siècle, surtout dans les milieux médinois. Voulant alors limiter le caractère parfois arbitraire de ces décisions, les spécialistes de la Tradition affirmèrent la nécessité de les fonder toutes sur des paroles de Muhammad à qui ils attribuaient les sentences suivantes : « Heureux l'homme qui entend mes paroles, les retient, les garde et les transmet ; maint transmetteur de droit n'est pas juriste lui-même et mainte personne transmet le droit à qui est meilleur juriste que lui. »

Le résultat de ces inquiétudes fut la naissance des écoles de droit qui se constituèrent au cours du VIIIe siècle, en Irak, spécialement à Kûfa, et en Arabie. Leur apparition coïncida avec l'élaboration de magistrales œuvres juridiques qui virent d'abord le jour, à la fin du siècle, dans l'école d'Abû Hanîfa * et dans celle de Mâlik *. Dans la première école allaient faire autorité les œuvres du grand cadi Abû Yûsuf *, auteur d'un livre sur l'impôt foncier, et celles d'al-Shaybânî * qui, également au temps de Hârûn al-Rashîd, esquissa une ébauche de droit international en même temps qu'il s'efforçait de justifier l'activité d'une classe de commerçants de plus en plus importante. Dans la seconde école apparut le fameux *Muwatta'* ou *le Bien aplani* de Mâlik, qui exposait la doctrine de l'école médinoise et qui sera par la suite le bréviaire des malikites du Maghreb. Mais d'autres chefs de file se manifestaient aussi, qu'on a tendance aujourd'hui à oublier parce que leurs « systèmes » n'ont pas survécu et qui cependant furent à l'époque des savants écoutés : nommons le Syrien al-Awzâ'î * et l'Irakien Sufyân al-Thawrî *.

Dans les écoles d'Abû Hanîfa et de Mâlik on élabora des concepts quelque peu flous où l'on cherchait le critère du jugement personnel, concepts d'*istihsân* ou « recherche de la solution la meilleure » et d'*istislâh* ou « recherche de la solution la plus conforme à l'intérêt général ». Mais la situation se transforma quand apparurent les nouvelles personnalités d'al-Shâfi'î * et d'Ibn Hanbal. Le premier, dans son *Épître*, remit en question le fondement du raisonnement juridique et prétendit l'établir, non sur des opinions arbitraires, mais sur des dits prophétiques garantis. Aux partisans de l'opinion personnelle s'opposaient désormais les partisans de la Tradition, qui reprirent l'enseignement d'al-Shâfi'î et ramenèrent le jugement personnel au raisonnement par analogie * exercé sur les textes. Quant à Ibn Hanbal, qui devait être surtout un traditionniste, il fit école par son souci de s'en tenir lui aussi strictement aux paroles du Prophète et des Compagnons, manière de traiter les problèmes juridiques qui fut adoptée par un groupe de savants jusqu'à devenir à son tour l'un des systèmes juridiques officiels du sunnisme. En fait les uns comme les autres s'en remettaient à l'opinion commune, à ce *consensus* * des docteurs qui aidera à intégrer dans le domaine juridique comme dans le domaine théologique des pratiques ou idées jusque-là considérées comme des innovations * blâmables.

On verra plus loin dans quel esprit furent alors précisées des régulations extrêmement minutieuses de la vie sociale et privée. Le fait important à signaler est le style particulier adopté dès cette époque par une littérature juridique qui demeurait toute proche de la science de la Tradition, à laquelle elle empruntait une partie de ses données. Quel que fût en effet le rôle dévolu dans chaque école aux références fondamentales fournies par la sunna du Prophète, l'habitude était déjà prise de citer les autorités antérieures en se contentant de juxtaposer, en dehors de toute construction systématique, des opinions attribuées chacune à leur garant et appuyées les unes sur les autres en vertu d'un lien subtil que rien n'indiquait d'abord au lecteur. D'où une apparente absence de logique interne qui donna à ces premiers ouvrages de droit leur aspect rebutant pour un esprit occidental moderne, mais qui n'empêcha pas les traditions choisies ou même parfois forgées pour les besoins de la cause de répondre en fait à l'élaboration de positions doctrinales très précises.

•

Les problèmes de la vie morale et spirituelle commencèrent également de retenir, durant les deux premiers siècles, l'attention des musulmans. Très tôt en effet parmi eux certains personnages s'étaient consacrés à la méditation et à l'ascèse où ils voyaient les meilleurs moyens de se « rapprocher » de Dieu. Leur ambition était d'accéder au rang de ces privilégiés qui seront au paradis les Proches de Dieu et qui y jouiront d'une récompense supérieure (*Coran*, LVI, 11). Ils cherchaient à approfondir leur foi et à réaliser la parfaite « soumission » à Dieu au-delà de la seule observance des prescriptions rituelles, qui leur paraissait insuffisante pour atteindre l'état « supérieur » auquel ils aspiraient. Les versets relatifs au Jugement dernier et ceux condamnant l'usage de la richesse alimentaient surtout leur réflexion, tandis qu'ils aimaient évoquer l'exemple des prophètes, tels Muhammad et avant lui Moïse et Jésus, qui auraient prêché et pratiqué le recours à de volontaires privations.

La première application de telles idées fut simplement le renoncement aux biens de ce monde, dont témoigne une fameuse lettre adressée par al-Hasan al-Basrî au calife umayyade ʿUmar II pour lui prodiguer les conseils suivants : « Garde-toi de ce monde avec toute ta prudence ; il ressemble au serpent, doux au toucher mais dont le venin est mortel. Détourne-toi de tout ce qui t'enchante en lui, pour le peu de temps que tu as à passer dans sa compagnie [...] Garde-toi de ce monde, car ses espoirs sont mensonges et ses attentes faussetés. Sa facilité n'est que difficulté, sa limpidité que boue. Voilà où est le danger : ou félicité éphémère, ou calamité soudaine, ou douloureuse affliction, ou ruine sans remède. Dure est la vie d'un homme qui est prudent, dangereuse s'il est à l'aise, à l'affût sans cesse de la catastrophe, assuré de sa perte finale. Le Tout-Puissant n'eût-il pas porté condamnation sur le monde, ni inventé pour cela une parabole, ni ordonné aux hommes de s'en abstenir, le monde seul suffirait à éveiller le dormeur et à secouer l'étourdi ; à combien plus forte raison, quand Dieu lui-même nous a adressé une mise en garde contre lui et une exhortation à son propos. Car ce monde n'a ni poids ni valeur devant Dieu ; il est si léger qu'il ne pèse même pas devant Dieu autant qu'un galet ou une motte de terre ; comme il a été dit, Dieu n'a rien créé qui Lui soit plus odieux que ce monde et, du jour où Il l'a créé, Il ne l'a plus regardé, tant Il le hait. »

Au cours du VIIIe siècle, en Irak, le mouvement ascétique gagna de nombreux adeptes qui commencèrent alors, semble-t-il, à porter le froc de laine *(sûf)* qui est à l'origine du nom de soufi donné par la suite, dans les pays d'Islam, aux mystiques et aux dévots pratiquant la pauvreté. Ce fut aussi au cours de ce VIIIe siècle que l'idéal ascétique se transforma en ouvrant la voie à la recherche de l'amour divin. A Ibrâhîm ibn Adham, ascète originaire de Balkh, que sa vie vagabonde mena jusqu'en Syrie où il mourut en 777, on doit, outre des exhortations à craindre Dieu et à rejeter l'amour du monde qui « rend l'homme aveugle et sourd et le réduit en esclavage », une définition du « service de Dieu » compris comme « la méditation et le silence, sauf pour la mention de Dieu ». Alors commença cette pratique de la répétition de son nom ou plutôt de ses divers noms, qui tint par la suite une si grande place dans l'activité des confréries mystiques. Et, tandis qu'un disciple d'Ibn Adham insistait sur la nécessité de l'abandon à Dieu, une femme mystique de Basra, Rabîʿa (m. 801), non contente de mener une existence de pauvreté et de renoncement, vivait dans l'attente de la présence divine et définissait pour la première fois la doctrine de l'anéantissement du moi et de sa persistance éternelle en Dieu. Ainsi répondait-elle à ceux qui la demandaient en mariage : « Le contrat de mariage est pour ceux qui ont une existence phénoménale. Dans mon cas, cette existence n'est pas. Car j'ai cessé d'exister et suis morte au moi. J'existe en Dieu et suis entièrement sienne. Je vis dans l'ombre de Son commandement. C'est à Lui qu'il faut demander le contrat de mariage et non à moi. » Ce fut elle également qui composa sur le thème de l'amour divin le poème si souvent cité par la suite : « Je T'aime de deux amours : amour visant mon propre bonheur, et amour vraiment digne de Toi. Quant à cet amour de mon bonheur, c'est que je m'occupe à ne penser qu'à Toi et à nul autre. Et quant à cet amour digne de Toi, c'est que Tes voiles tombent et que je Te voie. Nulle gloire pour moi, ni en l'un ni en l'autre, mais gloire à Toi, pour celui-ci et pour celui-là. »

La doctrine soufie, greffée sur les premières tendances ascétiques, faisait ainsi son apparition, et il est évident que dans son élaboration et sa formulation avait dû intervenir l'influence de bien des idées étrangères. Rappelons qu'un Ibn Adham avait connu le bouddhisme en Bactriane et avait fréquenté en Syrie des anachorètes chrétiens, ce qui le mit en contact avec les mouvements ascéto-mystiques non musulmans. Mais cette influence n'avait sans doute fait que développer ce qu'on a pu appeler, selon une formule de L. Massignon, les « germes coraniques » du mysticisme musulman, né d'abord de la méditation de certains versets de la révélation muhammadienne et fait pour continuer de trouver sa justification dans des passages du Livre sacré, lors même qu'il se sera enrichi de théories parfois peu orthodoxes.

●

Les premiers courants de la pensée islamique avaient donc, dans leur approfondissement du donné révélé, subi l'action de facteurs étrangers qui furent manifestes à la naissance du mouvement ascétique, mais également sensibles dans l'évolution théologique ou même dans l'élaboration d'un droit codifié qui faisait une assez large place aux usages locaux antérieurs à l'Islam.

Les musulmans s'étaient en effet trouvés en contact, aussitôt après les conquêtes, avec les idées qui servaient alors de base à l'activité religieuse et intellectuelle des pays occupés. C'était tantôt la pensée chrétienne qui, en dépit des conversions, restait vivante en de nombreux centres, tantôt la pensée iranienne dont les tenants étaient très actifs dans les régions orientales, tantôt et surtout la pensée grecque dont l'influence se fit sentir à travers les traductions que conservaient ou qu'exécutaient des éléments autochtones cultivés.

On sait qu'à l'époque umayyade les chrétiens formaient encore des groupes importants et que beaucoup d'entre eux servaient dans l'administration califienne. Tel fut par exemple le cas de Jean Damascène dont l'autorité théologique est par ailleurs bien connue et qui s'attacha notamment à réfuter les hérésies et doctrines erronées parmi lesquelles à ses yeux l'Islam prenait place. A l'époque abbasside encore, nombre de scribes nestoriens peuplaient les bureaux, démesurément grandis, de la capitale bagdadienne, tandis que se manifestaient également, parmi leurs coreligionnaires, divers talents de polémistes. En Irak comme en Syrie, le dessein de ces polémistes était de démontrer la supériorité du christianisme sur l'Islam, soit dans des écrits qui nous sont parvenus sous une forme parfois peu authentique, soit dans des controverses publiques. Les notions de toute-puissance divine, d'attributs * et de noms divins, de libre arbitre enfin, étaient alors débattues par des théologiens qui avaient, de la logique aristotélicienne, une pratique non encore acquise par les penseurs musulmans.

Plus insidieuse sans doute était la « propagande » iranienne, voire manichéenne, qui s'exerça, au début de l'Empire abbasside, par l'intermédiaire d'auteurs rompus à la pratique du pehlevi et de l'arabe, dont le plus représentatif fut sans conteste Ibn al-Mukaffa'. Les populations iraniennes n'avaient pas encore toutes à ce moment abandonné leurs anciennes religions, le zoroastrisme et le manichéisme. La première n'exerçait plus qu'une influence limitée. Mais la seconde, dont certains préceptes tenaient de la morale indienne et dont la cosmologie, tout en restant imprégnée d'anciennes idées iraniennes, n'en révélait pas moins d'évidents rapports avec le gnosticisme, se présentait comme une religion de salut universelle. Elle demeura ainsi beaucoup plus active et les historiens musulmans accusèrent, au début de l'époque abbasside, les adeptes du manichéisme d'avoir voulu saper l'Islam en introduisant dans la culture arabo-musulmane naissante des notions propres à leur religion.

Dus à Ibn al-Mukaffa', les deux monuments de la pensée irano-arabe marqués par cette tentative furent le *Livre de Kalîla et Dimna*, traduction adaptée des fables de Bidpay, elles-mêmes traduites anciennement en pehlevi, et le *Livre sur la conduite*, où se retrouvait une conception de la vie très voisine de celle qui inspira *Kalîla et Dimna*. Plus peut-être que la fameuse préface du médecin Burzoe, dont un passage sur la relativité des religions fut attribué jadis à une interpolation d'Ibn al-Mukaffa' et parfois « monté en épingle » d'une façon excessive, l'esprit même de ces deux ouvrages est révélateur d'une mentalité qui, tout en respectant apparemment les prescriptions islamiques, fondait l'éthique sur les éléments d'une sagesse tout humaine : recours à la raison, usage de l'amitié et modération du désir qui permettent seuls à l'homme d'échapper au mal et au danger qui le menacent de toute part, pour réaliser ainsi l'idéal de « dignité », ou *muruwwa* *, auquel il est appelé. Sans reconnaître là une propagande manichéenne ouverte, on y décèle les traces d'une orientation qui devait être fort périlleuse pour l'Islam unitaire et contre laquelle certains esprits, certains souverains même, décidèrent de réagir vigoureusement : ce fut la condamnation de la *zandaka* *, ainsi appelée d'un mot iranien qui désignait des hétérodoxes et qui devint, dans le monde musulman, synonyme d'impiété et d'ignorance.

Mais les attaques dont fut alors l'objet cette attitude d'esprit ne l'empêchèrent pas de pénétrer peu ou prou la mentalité islamique ambiante où elle introduisit le goût de certains raffinements tant matériels qu'intellectuels. En même temps que les traités de caractère éthique, étaient en effet traduits de l'iranien divers ouvrages didactiques relatifs à l'art de gouverner ou d'administrer, ouvrages considérés avec beaucoup moins de méfiance que les essais de caractère philosophique et qui furent donc plus facilement intégrés au patrimoine culturel abbasside.

Enfin l'influence de l'hellénisme, fort différente, mais non moins profondément ressentie, s'exerça presque uniquement, il faut le souligner, à travers des ouvrages philosophiques ou scientifiques qui avaient été précédemment étudiés et utilisés dans les centres de culture chrétienne. Très tôt, semble-t-il, les califes avaient encouragé la traduction en arabe d'ouvrages d'Aristote *, notamment ses traités de logique, ainsi que d'écrits de Platon * ou de Ptolémée *, sans craindre un danger quelconque de ces œuvres anciennes. Ils considéraient en effet comme nécessaire, pour les penseurs musulmans chargés de réfuter des doctrines telles que le manichéisme ou le christianisme, de se familiariser avec les méthodes d'argumentation qui étaient à l'époque les seules valables, et sans doute accueillaient-ils favorablement, avec une arrière-pensée d'apologétique, un apport étranger que, par la suite, on jugera parfois néfaste. Le résultat ne s'en fit cependant pas attendre.

L'époque suivante, marquée par une activité intellectuelle grandissante, allait être celle des théologiens imprégnés de ces ouvrages antiques. Raisonnant à leur tour avec subtilité sur l'Islam et sur ses fondements, ils devaient ajouter au trouble régnant déjà dans les esprits. Les causes de fermentation sociale et politique dont on vient de voir les premiers effets, au sein d'une Communauté agitée par tant de rivalités, allaient sous leur impulsion donner naissance à cette pluralité de visages, d'écoles de pensée, de sectes en un mot, qui restera sans doute le trait le plus frappant de l'Islam classique dans sa maturité.

CHAPITRE V

ÉLABORATION DOCTRINALE ET MOUVEMENTS RELIGIEUX

(IXe-XIIe SIÈCLE)

Les courants de pensée qui s'étaient dessinés, durant les deux premiers siècles de l'Islam, dans les trois grands domaines théologique, juridique et mystique précédemment définis, ne cessèrent ensuite de se développer et souvent de se ramifier. Parmi eux, ceux qui conditionnèrent la vie politique et sociale des musulmans durant la période médiévale ainsi que, dans une moindre mesure, leur vie quotidienne, furent assurément ces mouvements théologiques aux profondes résonances politiques que l'on est obligé d'appeler, faute de mieux, « politico-religieux » ou que l'on qualifie de « sectes » quand il s'agit de mouvements schismatiques. Précisons dès maintenant que ce terme de secte, qui implique une idée d'hétérodoxie, est en ce sens parfaitement impropre à l'époque qui nous occupe : si à une date tardive, que l'on peut situer aux alentours du XVe siècle, le monde musulman se partagea en deux parties sensiblement égales dont la plus importante, où régnait le sunnisme, se déclara seule orthodoxe, les anciens aspects de l'Islam étaient beaucoup plus divers et mouvants et la notion d'hétérodoxie revêtait alors un caractère essentiellement relatif.

Il n'en reste pas moins que, dès ce moment, l'évolution du monde et de la société islamiques se trouvait dominée par la lutte entre les shiʿites et leurs adversaires que nous appellerons plutôt traditionalistes que sunnites. Avant que cette lutte se terminât dans le Proche-Orient, aux alentours du XIIe siècle, par la défaite des premiers, elle avait au Xe siècle si violemment secoué les esprits qu'un juriste et homme de religion tel qu'Ibn Batta pouvait alors écrire, en défendant des positions rigoristes qu'il jugeait tristement battues en brèche : « Les passions les plus abominables, les opinions les plus exécrables — ainsi que j'ai pu le constater —, la déformation de la sunna, l'altération de la religion se sont si largement répandues parmi les hommes, elles s'y étalent si ouvertement et ont établi sur eux si solidement leur empire qu'ils en sont arrivés à les trouver belles et qu'elles ont eu pour conséquence d'engendrer parmi eux l'esprit de parti *, de leur ouvrir toutes grandes les portes de l'épreuve, d'aveugler leurs cœurs, de semer la discorde parmi eux et de diviser la Communauté.

« Ils en sont arrivés à dédaigner le Livre de Dieu et à prendre pour maîtres des êtres ignorants et égarés, alors que leur Seigneur leur a donné la science. Ils engagent des disputes pour défendre leurs prétentions, renoncent aux témoignages pour de vaines présomptions, tirent argument d'allégations mensongères et suivent aveuglément des hommes dénués de tout savoir, adoptant ainsi des idées qui n'ont aucune preuve dans le Livre de Dieu ni aucun fondement dans le consensus de la Communauté.

« A ces nombreuses hérésies que les démons mettent dans la bouche de leurs frères les négateurs, à ces propos erronés, à ces phrases fallacieuses, à ces innovations qui jettent la confusion dans les esprits et glissent une insidieuse séduction dans les cœurs, ne peuvent faire front et résister — j'en jure par Dieu! — que ceux que Dieu protège par Sa science et qu'Il fortifie par la constance et la grandeur d'âme. »

En fait, c'était le mouvement muʿtazilite dont on a vu plus haut les signes annonciateurs qui avait jeté le trouble dans la communauté musulmane traditionnelle au début du IXe siècle. C'est lui dont il convient donc de considérer d'abord la doctrine, en n'oubliant pas qu'il s'agissait primitivement d'un mouvement religieux faisant partie de ces « factions » dont les hérésiographes traditionalistes dénoncèrent à l'envi les erreurs.

Une grande obscurité règne, on le sait, sur ses origines et sur la manière dont ses premiers adeptes avaient combiné différentes conceptions qui étaient apparues à la fin de l'époque umayyade. Cependant, le muʿtazilisme une fois constitué en tant que mouvement était généralement défini, par ses partisans eux-mêmes, comme la doctrine des cinq principes : l'unicité de Dieu, la justice de Dieu, la menace et la promesse divines, la situation intermédiaire et le commandement du bien.

Il présentait ainsi une théodicée où ses adversaires verront une innovation répréhensible, mais qu'il entendait faire reposer sur un verset coranique jugé fondamental : « Rien n'est semblable à Lui » (*Coran*, XLII, 11). Défenseur de la transcendance divine que rien ne peut altérer, il insistait sur l'unicité de Dieu qui, par sa divinité même, ne peut supporter aucune analogie même lointaine avec le monde créé et qu'il est inconvenant de représenter pourvu d'attributs rappelant les activités ou les qualités de l'homme, simple créature. C'était donc au figuré, selon lui, que le Coran parlait de la « main » de Dieu ou de sa « face » pour faire allusion à sa bienveillance, au figuré aussi qu'il mentionnait le « trône » sur lequel Dieu se tient. L'emploi par le texte sacré de ces expressions dites anthropomorphiques avait amené les muʿtazilites à déclarer que les termes coraniques ne devaient pas être tous pris au pied de la lettre, mais qu'il fallait les interpréter.

Il résultait de cette conception que le fidèle ne pouvait attribuer au Dieu un et transcendant les qualités qu'il était tenté de déduire de ces expressions, telles la vue, l'ouïe, la science et la puissance. Ces qualités n'étaient point des attributs destinés à la divinité et éternels comme elle, mais seulement des aspects de l'essence divine, non séparables de cette essence. Les termes qui les désignaient s'expliquaient par l'incapacité humaine à connaître véritablement ce qui est éternel, mais ne correspondaient à aucune réalité : « Si Dieu est savant, vivant, puissant, audient, voyant et éternel, c'est en vertu de Son essence même, non en vertu d'une science, d'une vie, d'une puissance, d'une ouïe, d'une vue et d'une éternité », disait al-Nazhzhâm. Ou encore, disait Abû l-Hudayl, « la science du Créateur, c'est Lui-même ».

Cette position d'une rigoureuse logique n'en allait pas moins confronter à des problèmes délicats ceux qui l'avaient adoptée. Voulant éviter le panthéisme qui aurait consisté à identifier à Dieu tout ce qui émane de lui, certains muʿtazilites hésitèrent sur la manière de concevoir une volonté divine ayant un double objet, le monde créé par ordre divin et la loi morale prescrite par Dieu. En revanche, sur la nature du Coran, ils adoptèrent sans discussion la doctrine qui considérait la Parole de Dieu, révélée dans le temps et matérialisée sous la forme de mots que l'on écrit ou que l'on prononce, comme contingente et créée. La Parole de Dieu ne pouvait être, à leurs yeux, attribut éternel de Dieu, car, cet attribut étant nécessairement distinct, le considérer comme éternel aurait abouti à donner à Dieu un « associé ». La doctrine du Coran créé, corollaire de la conception muʿtazilite de l'unicité divine, constituait l'aspect le plus marquant du nouveau mouvement et celui qui devait heurter le plus les traditionalistes. Il s'y ajoutait la négation de la « vision » béatifique dans l'au-delà, interprétée comme une perception purement intellectuelle.

Notons aussi que, parallèlement, les muʿtazilites avaient été amenés à expliquer la nature et la transformation de ce monde créé, considéré comme sans analogie avec Dieu, et à adopter des théories, philosophiques cette fois, empruntées plus ou moins directement aux penseurs de l'Antiquité. Mais là les divergences furent grandes parmi leurs principaux représentants, les uns tenant pour une conception atomiste du monde, les autres faisant appel, pour rendre compte du mouvement, à une théorie curieuse du « saut », destinée à résoudre les problèmes qui jadis arrêtaient les Éléates, la plupart s'orientant vers des conceptions déterministes qui permettaient d'expliquer la permanence du monde sans recourir à la notion de création continue.

Le deuxième principe mu'tazilite était constitué par la croyance en la justice absolue de Dieu, d'où découlaient en fait les trois derniers principes — ce qui explique que les tenants de cette doctrine aient été souvent appelés les partisans de « l'unicité et la justice », sans autre précision. La notion de « justice divine » entraînant nécessairement l'impossibilité pour Dieu de causer le mal — « Dieu est sage et juste, disait Wâsil, on ne peut lui rapporter aucun mal ni aucune injustice » —, il en résultait une conception optimiste selon laquelle le mal n'était qu'apparent, tout étant ordonné par la providence en vue d'une fin bonne par définition, quoique souvent cachée. D'où l'affirmation du libre arbitre de l'homme, seul responsable du mal qu'il pouvait être amené à faire, car il avait été doué par Dieu d'une raison lui permettant de connaître la loi morale et d'une volonté lui permettant de l'appliquer. D'où enfin l'affirmation que cette loi morale, tout en étant prescrite par Dieu, correspondait à un bien absolu auquel Dieu lui-même devait se conformer : position extrême à laquelle étaient conduits les mu'tazilites, mais que certains essayaient toutefois de nuancer pour préserver l'arbitraire divin.

Défenseurs de la liberté humaine, les mu'tazilites durent en tout cas fournir des explications des versets coraniques qui semblaient la contredire et ils affirmèrent que les actes prêtés à Dieu n'étaient que des jugements portés par lui sur ceux qui étaient croyants ou égarés. Selon leur opinion, l'homme bénéficiait entièrement de la promesse divine, s'il faisait le bien, et subissait intégralement la menace de Dieu, s'il commettait le mal ; il n'y avait pas de pardon possible de Dieu, ni d'intercession possible de la part du Prophète, en dépit de ce qu'auraient laissé croire certaines expressions du texte sacré. Quant au croyant qui avait commis une faute grave, s'il n'était pas exclu de la Communauté, il devait, en attendant qu'il se fût repenti, y être maintenu dans une « situation intermédiaire ». Pour être musulman il fallait donc non seulement croire, mais aussi observer les prescriptions.

La bonne doctrine ainsi comprise devait être respectée par tous et imposée à tous, à commencer par l'imâm, chef de la Communauté ; c'était là l'obligation de « commander le bien ». Aussi l'imamat ne devait-il être confié qu'à un homme dont la croyance fût juste : le mérite personnel tendait à devenir le fondement de l'imamat, dont le détenteur devait par ailleurs agir avec fermeté pour maintenir les fidèles dans l'authentique Islam. En revanche, la révolte était généralement autorisée dans le cas où l'imâm manquait à sa mission.

Tel était donc l'essentiel de la pensée muʿtazilite. Mais que représentait le mouvement lui-même qui surgit en pleine lumière en Irak au temps du calife al-Ma'mûn et qui a parfois été identifié avec un simple « système philosophique »? En fait, comme l'a dit H. Nyberg, avec les muʿtazilites « nous n'avons pas affaire à des libres penseurs philosophes, pas plus qu'à des ascètes éloignés du monde, mais à des apologètes et à des missionnaires orientés théologiquement et agissant pratiquement ». Sans doute ces muʿtazilites avaient-ils, de façon plus ou moins sensible et plus ou moins directe, subi l'influence des philosophes grecs auxquels ils avaient emprunté visiblement les méthodes d'argumentation et les catégories qui dominaient alors presque toute la pensée médiévale, tant en Orient qu'en Occident. Sans doute aussi avaient-ils été amenés à accorder à la raison humaine un rôle que les penseurs traditionalistes n'étaient pas portés à lui donner. Il n'empêche qu'ils étaient d'abord des esprits religieux cherchant à défendre leur religion contre le christianisme et surtout — on en a des preuves indiscutables — contre le manichéisme, s'efforçant donc de présenter leurs croyances d'une façon aussi cohérente, sinon logique, que possible. Loin de se détacher du donné révélé, ils cherchaient au contraire à lui insuffler plus de vigueur et de force persuasive en s'appuyant sur quelques versets fondamentaux dont ils tiraient leur conception intellectualiste de la divinité et en interprétant ceux qui leur paraissaient contraires à une telle version.

Apologètes, ils avaient entrepris de répandre dans la communauté islamique leurs conceptions et furent des « propagandistes ». Si l'on sait peu de chose sur le rôle des émissaires qu'ils auraient envoyés dans les diverses provinces de l'empire à la fin de la domination umayyade, il apparaît néanmoins que ces derniers participèrent parfois à des révoltes alides, même s'ils ne soutinrent pas à proprement parler le mouvement abbasside auquel on a voulu un moment les lier. Toujours est-il qu'ils furent souvent, au début de l'époque abbasside, réduits à se cacher tout en élaborant leur doctrine. Pourchassés au temps de Hârûn al-Rashîd, ils réussirent néanmoins à gagner dès ce moment des soutiens influents, surtout parmi les clients iraniens qui jouaient un grand rôle à la Cour et jusqu'en la personne d'un fils du calife, le futur al-Ma'mûn.

Ainsi s'explique la place que tinrent ensuite certains muʿtazilites notoires, installés avec le jeune calife à Marw. Il est difficile d'attribuer directement à leur influence la décision prise par ce dernier de choisir un héritier alide. On ne peut néanmoins manquer de constater qu'ils entouraient al-Ma'mûn lors de cet épisode qui troubla profondément la Communauté et qu'ensuite à Bagdad les docteurs que le souverain aimait consulter appartenaient à la même tendance. Ce fut sur leurs conseils, assurent certains chroniqueurs, que furent exécutées par ordre califien des traductions d'ouvrages philosophiques et scientifiques apportés de Byzance. Bien plus, ce fut pour leur complaire qu'al-Ma'mûn décida, dans les dernières années d'un règne dont il ne prévoyait pas la proche et soudaine fin, d'imposer la doctrine mu'tazilite sous sa forme la plus frappante — c'est-à-dire le dogme du Coran créé — en même temps qu'il affirmait la « supériorité » de 'Alî sur Mu'âwiya, essayant par là de mater la faction pro-umayyade faisant obstacle à une réconciliation entre Abbassides et Alides.

Le mu'tazilisme apparaît ainsi dans l'histoire comme la doctrine à laquelle le calife avait eu recours pour introduire une nouvelle politique de neutralisation et de ralliement du shi'isme. Celle-ci fut en fait le point de départ d'une véritable inquisition *, connue dans les milieux traditionalistes sous le nom de l'Épreuve, la Mihna. Al-Ma'mûn, alors retenu en Syrie par les opérations militaires qu'il dirigeait contre les Byzantins, avait ordonné à son représentant à Bagdad, le préfet de police Ishâk ibn Ibrâhîm, d'interroger les cadis de la ville et de la région en les sommant d'adhérer à la croyance au Coran créé ; les cadis devaient eux-mêmes soumettre à un semblable examen les témoins qui les assistaient dans leurs jugements.

Le calife, dans la lettre qu'il adressa à Ishâk, manifestait ses prétentions justifiées à maintenir la religion dans la voie droite, mais s'arrogeait aussi des droits qu'aucun de ses prédécesseurs n'avait jamais jusque-là revendiqués et s'exprimait pour ce faire en des termes particulièrement frappants. « Dieu est en droit, disait-il, d'attendre des imâms et des califes musulmans qu'ils s'efforcent de maintenir solidement la religion qu'Il leur a demandé de conserver, l'héritage de la prophétie qu'Il leur a léguée et la science qu'Il leur a remise en dépôt. » Se livrant ensuite à une violente critique des gens du commun et du vulgaire qui « en toutes régions et contrées n'ont ni jugement ni réflexion [...] et forment une masse qui ignore Dieu, trop aveuglée pour Le voir, trop égarée pour pouvoir atteindre à la vraie religion, confesser l'unicité de Dieu et croire en Lui », il s'attaquait aux hommes de religion qui « mettent sur le même plan Dieu et le Coran qu'Il a révélé » et qui « abusent les ignorants ». Puis il s'efforçait de démontrer la vérité de la thèse du Coran créé en se fondant sur un verset coranique, « Nous en avons fait un Coran en arabe » (*Coran*, XLIII, 2), où le verbe signifiant « fait » est le même que celui qui est employé ailleurs pour dire que Dieu a « créé » les cieux et la terre (*Coran*, VI, 1), et en citant les textes qui prouvent que le donné révélé a été « divisé » en versets (*Coran*, XI, 1). C'était ensuite aux cadis que le calife s'en prenait expressément, comme aux seuls personnages qui exerçassent dans l'État islamique une fonction officielle dépendant directement du calife, car les prescriptions de Dieu, disait-il, ne peuvent être exécutées « qu'à l'aide du témoignage de gens qui ont une conception sincère de l'unicité divine ». Enfin, après avoir accusé les docteurs de son temps d'avoir entraîné le peuple dans une mauvaise voie et de s'être écartés de la sunna et du Livre de Dieu, il appelait sa communauté à restaurer la religion corrompue avec une véhémence d'accents qui évoquait par moments la façon dont le Prophète adjurait ses contemporains de « réfléchir » et d'ouvrir leurs cœurs.

On ne connaît pas exactement le résultat de cet appel qu'avait suivi la première inquisition; mais il ne dut pas être pleinement satisfaisant, puisque al-Ma'mûn convoqua ensuite à Rakka sept personnages réputés, des traditionnistes cette fois-ci et non plus des cadis. Il s'agissait d'obtenir l'adhésion des hommes de religion dont l'autorité était grande sur le peuple et qui, aux dires de certains contemporains, obtempérèrent aux injonctions du calife, mais parfois sous l'emprise de la peur. Parallèlement, l'opposition s'organisait, surtout dans certaines villes d'Irak ou de Syrie; elle obligeait le calife à adresser à son préfet de police une seconde lettre qui présentait de nouveaux arguments en faveur de la thèse et invitait Ishâk à soumettre encore à des interrogatoires juges, jurisconsultes et traditionnistes. On vit alors Ibn Hanbal refuser obstinément d'acquiescer à la doctrine ainsi définie et en discuter les arguments, puis être arrêté et envoyé, avec un autre réfractaire, à la Cour du calife dont il apprit à Adana la mort soudaine, survenue à Tarsus. Ramené à Bagdad où il fut interrogé et soumis à la torture par le successeur d'al-Ma'mûn, puis finalement libéré, l'intraitable personnage n'avait point adhéré à la doctrine mu'tazilite de l'unicité divine, mais au contraire continué de professer que le Coran, faisant partie de la science divine, ne pouvait être créé. D'autres docteurs avaient été mis en prison et y étaient morts, notamment le shaykh syrien Abû Mushir que le calife avait accusé de travailler pour un mahdî umayyade.

L'inquisition mu'tazilite avait ainsi fait éclater au grand jour le conflit qui opposait, au début du IXe siècle, un calife imbu d'idées nouvelles, avide de grandeur et d'autorité, et des hommes de religion traditionalistes à qui le peuple faisait en général confiance. La réaction de l'opinion fut certainement plus violente que le calife n'avait pu le prévoir et le traitement infligé par al-Wâthik, le frère et successeur d'al-Ma'mûn, au rebelle Ibn Nasr, au nom de qui une révolte populaire avait éclaté, ne calma pas les esprits, bien au contraire. De même dans les provinces se multiplièrent les remous violents. En Égypte surtout on procéda à des emprisonnements et l'inscription que les autorités firent graver sur les murs de la grande mosquée de Fustât : « Il n'y a d'autre divinité que Dieu, maître du Coran créé », eut pour résultat de faire déserter l'édifice par tous les hommes de religion, suivis en cela par les gens du peuple qui leur obéissaient aveuglément. Le profond fossé qui se creusa alors dans la société musulmane aurait correspondu, si l'on en croit le témoignage littéraire et un peu partial d'un écrivain et polémiste d'opinion mu'tazilite comme al-Djâhiz *, à la ligne de partage séparant alors deux classes distinctes : une élite intelligente et susceptible de raisonner d'une part, qui constituait essentiellement l'entourage du calife, la masse populaire d'autre part, qui était vouée à ces travaux manuels et serviles lui faisant encourir le mépris des gens cultivés, mais qui était aussi capable de s'enflammer soudainement à la suite de meneurs habiles et de faire alors trembler les détenteurs du pouvoir. Un sentiment de crainte à l'égard des agitations de la foule, particulièrement dangereuse lorsqu'on s'avisait de toucher à ses convictions religieuses les plus chères, transparaît ainsi dans l'épître d'al-Djâhiz consacrée à la « négation de l'anthropomorphisme ».

Les tenants de cette doctrine, y lit-on en effet, auraient dû toute leur puissance « à l'obéissance de la foule et à la faveur du peuple et des basses classes, car l'élite reste sans pouvoir sur la masse et les notables sans influence sur les rustres », gens que désignent ensuite les citations les plus désobligeantes. 'Alî ibn Abî Tâlib n'a-t-il pas dit à leur propos : « Nous demandons secours à Dieu contre le peuple qu'on ne peut que mépriser lorsqu'il s'assemble et ignorer lorsqu'il se disperse » ? De même la formule de Wâsil ibn 'Atâ' : « Ces gens ne se groupent jamais sans faire du mal ni ne se séparent sans qu'on en tire bénéfice », n'a-t-elle pas été glosée par lui-même dans les termes suivants : « C'est qu'alors le potier retourne à son argile, le tisserand à son métier à tisser, le batelier à son bateau, l'orfèvre à son travail du métal, bref chaque homme à sa profession, ce qui est tout bénéfice pour les musulmans et tout avantage pour ceux qui sont dans le besoin » ? De fait, poursuit al-Djâhiz, « la masse populaire est plus facile à contrôler lorsqu'elle est dispersée et son agitation, alors, est plus brève. Mais si elle a un chef habile, un organisateur obéi, un guide reconnu, alors cesse l'espoir, meurt la justice et périt celui qui prétend la défendre. »

A la suite de ces réactions populaires, méprisées de l'élite, mais apparemment efficaces, l'inquisition officielle prit fin sur l'ordre d'al-Mutawakkil. Le mu'tazilisme cessa alors de jouer un rôle officiel, même s'il eut encore des penseurs, parmi lesquels al-Djubbâ'î, maître d'al-Ash'arî *, et s'il compta également des adeptes éminents qui versèrent dans la philosophie aristotélicienne et allèrent jusqu'à nier la création du monde en soulevant la réprobation de leurs anciens confrères, tel Ibn al-Râwandî.

Cependant, au xe siècle, s'en réclamaient encore des théologiens dont les œuvres, très élaborées, nous sont partiellement parvenues, tels l'exégète al-Rummânî ou le cadi de Rayy, 'Abd al-Djabbâr *, qui non seulement définit de façon précise la théodicée mu'tazilite, mais entama aussi de longues polémiques dirigées à la fois contre le shi'isme extrémiste et contre le christianisme. De même, sous les Bouyides, une incontestable influence mu'tazilite s'exerça sur l'essayiste al-Tawhîdî * ou sur le ministre Ibn 'Abbâd, autre lettré distingué, à une époque où les diverses tendances de la pensée musulmane bénéficiaient d'un exceptionnel climat de tolérance intellectuelle. Mais si le mu'tazilisme conservait alors des adeptes actifs en Irak et en Iran, il était d'autres régions, comme la Syrie, où un partisan de cette doctrine, au dire du géographe al-Makdisî, ne pouvait même se montrer. On comprend ainsi que les mu'tazilites se soient particulièrement soutenus et que leur esprit d'entraide ait pu passer en proverbe.

Là même où le mu'tazilisme se maintenait, il fut en tout cas toujours considéré par les traditionalistes comme un dangereux essai de compromis avec le shi'isme, qu'il combattit pourtant âprement, surtout sous sa forme extrémiste, mais auquel il avait parfois fourni ses thèses théologiques. Aussi bien s'accordait-il avec lui sur la reconnaissance de certains points, tels que l'esprit d'autorité, le droit à la révolte, l'interprétation figurée (plus ou moins poussée selon les écoles) du texte coranique et l'indifférence aux traditions qui remontaient aux Compagnons. Il n'en fallait pas plus pour qu'il fût particulièrement visé dans la proclamation du calife al-Kâdir * en 1017, qui ouvrait l'ère de la restauration « sunnite » ou traditionaliste. A partir de ce moment son importance ne fit que décliner, mais il ne disparut pas totalement, fournit notamment quelques éléments à la « théologie » ash'arite qui se développa par la suite en Irak, puis en Syrie, et resta pour quelques esprits, jusqu'à l'époque actuelle, un mouvement intellectualiste doué d'un certain attrait dans la mesure où il proposait des solutions aux difficultés rencontrées par les théologiens et apologètes.

•

De son côté, le shi'isme, avec lequel le califat avait renoncé en principe à tout essai de rapprochement après l'échec de l'expérience d'al-Ma'mûn, devait connaître à cette époque une activité nouvelle, parfois agressive et révolutionnaire. Ce fut à la fin du IXe siècle que les nouveaux États zaydites apparurent, au milieu du xe que les émirs bouyides favorisèrent l'imamisme en Irak, à la fin du xe que l'isma'ilisme s'installa en Égypte.

On se souvient que le shi'isme avait comporté, dès son apparition à l'époque umayyade, un grand nombre de ramifications s'émiettant et s'affaiblissant toujours davantage. Le problème fondamental étant en effet pour les partisans shi'ites la désignation de l'imâm ou prétendant du moment, l'absence, dans la famille islamique, d'un principe analogue à celui du droit d'aînesse en Occident entraînait des discussions, des hésitations et des divisions après la mort de chaque prétendant. Selon l'un des deux courants qui se dessinèrent bientôt, l'imâm était désigné par son prédécesseur au moyen d'une recommandation testamentaire ; selon l'autre, l'imâm s'imposait de lui-même par ses qualités propres. Cette distinction allait opposer le zaydisme à l'imamisme dont l'isma'ilisme entre-temps devait se séparer.

•

Le zaydisme n'avait pas été le premier à se manifester. Ce fut lui cependant qui avait inquiété le plus fortement le califat sunnite dès le VIIIe siècle. Non seulement il y avait eu, on l'a vu, les révoltes de Zayd et de son petit-fils Yahyâ, mais d'autres soulèvements s'étaient succédés en Irak, en Iran et en Arabie même, dont les chefs avaient été, à tort ou à raison, considérés comme des imâms du zaydisme : tels, dès le règne d'al-Mansûr, les deux fils de 'Abd Allâh, Muhammad et Ibrâhîm, qui s'étaient rebellés successivement à Médine et dans la région de Basra pour être l'un et l'autre vaincus et tués en 762 ; tels encore ces autres membres de la famille alide qui, privés par le calife al-Hâdî de leurs pensions, s'étaient révoltés près de la Mekke aux côtés d'al-Husayn ibn 'Alî et avaient été massacrés en 786. Sous le règne de Hârûn al-Rashîd apparut ensuite ce prétendant du nom de Yahyâ ibn 'Abd Allâh qui se rendit au Daylam grâce à la complicité de personnages haut placés, tenta sans succès d'y implanter son autorité, puis fit sa soumission moyennant une promesse de sauvegarde et fut néanmoins jeté dans un cachot où il mourut. Puis ce fut le tour de Muhammad ibn Tabâtabâ et Muhammad ibn Muhammad, au nom de qui se révolta en Irak, sous al-Ma'mûn en 815, un chef qui mit en échec pendant quelques mois les armées califiennes, de Muhammad al-Dibâdj qui provoqua un soulèvement à la Mekke peu après, d'Ibrâhîm ibn Mûsâ enfin qui réussit à gagner le Yémen, mais ne put s'y maintenir.

Très virulent donc dans sa lutte contre le régime établi, le zaydisme ne défendait cependant pas de doctrine foncièrement opposée à celle qui était répandue parmi les hommes de religion du moment : la preuve en est que certains docteurs, qui ne furent jamais considérés comme étrangers au sunnisme, soutinrent ses révoltes. On comprend ainsi que la tentation ait été grande pour al-Ma'mûn d'essayer une réconciliation politique entre Abbassides et Alides en fondant l'imamat sur la valeur personnelle qui avait été mise à l'honneur par la conception zaydite, mais pouvait être comprise d'une manière moins absolue. L'entreprise ayant échoué, les tentatives d'insurrection armée qui avaient cessé au cœur même de l'empire reprirent en deux régions éloignées d'où le califat ne jugea pas indispensable d'extirper les nouveaux États indépendants, alors beaucoup moins dangereux pour le pouvoir central que certains mouvements révolutionnaires en plein essor. L'un fut celui du Tabaristân *, fondé aux abords de la mer Caspienne par un prétendant hasanide en 864, alors que les califes étaient aux prises avec leurs remuantes milices turques, et destiné à se maintenir dans cette région montagneuse pendant un siècle et demi. L'autre était celui du Yémen où un autre Hasanide, encouragé par le précédent succès, réussit, grâce à l'attitude relativement bienveillante du calife al-Mu'tadid, à s'implanter en 901 et à fonder cette fois autour de San'â' * une dynastie qui devait durer jusqu'à nos jours. En Irak même l'influence du zaydisme restait limitée et ne connut point de nouveau développement durant le xe siècle. Tout au plus peut-on signaler que l'un des premiers émirs bouyides, Mu'izz al-Dawla, envisagea de faire appel à un prétendant zaydite pour lui confier le califat, projet qu'il abandonna ensuite très rapidement de peur de se trouver obligé d'obéir trop strictement à un pareil maître. De même connaît-on l'appartenance zaydite d'un auteur aussi célèbre qu'al-Isfahânî *, l'auteur du *Livre des chansons*, qui s'attacha à distiller dans ce recueil poétique des anecdotes de tendance shi'ite.

Dès le IXe siècle, lors de la fondation de l'État zaydite du Tabaristân, le mouvement avait adopté des positions fort précises, tant en ce qui concerne les pratiques cultuelles que la doctrine théologique. Les instructions envoyées aux représentants de la nouvelle autorité en témoignent : « Tu dois exiger de tes subordonnés, y était-il dit, qu'ils considèrent comme règle à suivre le Livre de Dieu et la Tradition de son Envoyé, de même que tout ce qui est rapporté authentiquement du commandeur des Croyants 'Alî ibn Abî Tâlib pour les doctrines fondamentales de la religion et pour les branches qui en dérivent. Tu dois exiger aussi qu'ils confessent publiquement la précellence de 'Alî sur toute la communauté croyante. Tu dois leur défendre de la façon la plus rigoureuse de croire à la fatalité absolue, ainsi qu'à des représentations anthropomorphistes, et de se révolter contre la croyance à l'unité de Dieu et à sa justice. Il doit leur être interdit de transmettre des traditions dans lesquelles des privilèges sont attribués aux ennemis de Dieu et aux ennemis du maître des vrais croyants, 'Alî. Tu dois leur commander de réciter à haute voix la formule *bismillâh* en commençant la prière ; de réciter la supplique à la prière du matin ; de répéter cinq fois dans la prière funéraire la formule *Allâh akbar ;* de cesser de frotter leurs chaussures en guise d'ablutions ; d'ajouter à l'appel à la Prière la phrase : « Venez à la meilleure des œuvres. »

A cette époque, le mouvement zaydite se définissait par le fait qu'il reconnaissait imâm quiconque, appartenant à la descendance de 'Alî et de Fâtima, que ce fût par la branche hasanide ou la branche husaynide, appelait à la révolte et prenait les armes pour conquérir un pouvoir dont le rendaient par ailleurs le plus digne ses qualités personnelles de piété et de savoir. Le descendant de 'Alî méritant de lui succéder devait donc être un docteur pieux, militant, chef de guerre et, en tant que savant, le plus qualifié pour interpréter la Loi islamique. Aucun autre pouvoir ne lui était cependant reconnu : s'il succédait au Prophète, aucune qualité prophétique ne lui était conférée ; rien non plus n'empêchait que deux imâms se manifestassent à la même époque en deux régions différentes et fussent tenus pour également légitimes. D'autre part, les théoriciens zaydites, dont les plus importants furent, au IXe siècle, al-Kâsim al-Rassî et son petit-fils Yahyâ, reconnaissaient en général la légitimité des premiers califes, Abû Bakr, 'Umar et 'Uthmân, tout en considérant que 'Alî était plus qualifié qu'eux pour remplir leur fonction. Ils honoraient donc ces trois Compagnons du Prophète dont le califat fut justifié, à leurs yeux, par la nécessité de ne pas créer de divisions au sein de la Communauté naissante. C'était là reconnaître l'imamat de « ceux qui sont surpassés en mérite », attitude qui distinguait le zaydisme des autres mouvements shi'ites auxquels on appliqua communément le terme — parfois différemment interprété — de « rafidisme » ou « refus de la légitimité des trois premiers califes ».

Du point de vue du droit, les zaydites, qui avaient adopté une théodicée d'inspiration mu'tazilite (doctrine du Coran créé, négation des « attributs » divins, libre arbitre), admettaient de nombreuses prescriptions communes aux divers mouvements shi'ites. Mais ils contribuèrent surtout à répandre les traditions relatives au mérite exceptionnel de 'Alî, fondé à la fois sur l'ancienneté de sa conversion à l'Islam, sur le soutien qu'il fournit au Prophète durant l'Hégire ou à l'occasion de divers autres épisodes, enfin, sur son courage légendaire. Ainsi 'Alî devint-il, dans les vers de certains poètes, une figure d'épopée qui n'avait plus grand rapport avec le personnage historique évoqué par les récits des chroniqueurs, même favorables au shi'isme. De même furent mises en valeur, sous leur impulsion, les traditions qui prescrivaient d'aimer et de vénérer les « membres de la Famille » et qui reposaient parfois sur des interprétations tendancieuses du texte coranique.

•

Tandis que les zaydites ne gardaient bientôt d'influence que dans les petits États périphériques qu'ils avaient fondés, le xe siècle fut, en Irak, surtout marqué par le développement de ce qu'on appelle communément l'imamisme duodécimain. Ce mouvement, favorisé par les émirs bouyides qui agirent en maîtres de l'Irak et des provinces iraniennes limitrophes de 945 à 1047, était celui des partisans shi'ites admettant que l'imamat se transmît par désignations successives, dans la seule descendance d'al-Husayn, jusqu'au jour où à Samarra, lieu de résidence des prétendants alides depuis le règne d'al-Mutawakkil, disparut mystérieusement en l'année 874 le tout jeune fils du XIe imâm, appelé depuis ce moment Muhammad al-Muntazar, « l'attendu ». D'où la clôture de la liste des imâms au douzième et l'appellation de duodécimains appliquée aux tenants de cette croyance.

Le propre des duodécimains était donc d'admettre l'idée d'une disparition temporaire du dernier imâm dont le retour attendu assurerait le triomphe de la vérité sur l'erreur et de la justice sur l'injustice. Cette tendance messianique était apparue très tôt, dès l'époque umayyade semble-t-il, dans la secte attachée au nom de Muhammad ibn al-Hanafiya. Là, on avait assisté, après la mort de cet imâm, à des divisions analogues à celles qui se produisirent périodiquement à l'époque abbasside chez les imamites. Ce ne fut cependant qu'après la disparition du XIIe imâm que les idées d'occultation et de retour devaient devenir des conceptions fondamentales de l'imamisme duodécimain. Elles encouragèrent à l'inaction un mouvement où l'on était déjà très porté à renoncer à des entreprises immédiates. De plus, à la « petite occultation » dont le point de départ avait été marqué par la disparition du XIIe imâm, succéda bientôt, en 942, la « grande occultation » marquée, elle, par la mort du dernier représentant visible de l'imâm dont les ultimes paroles auraient été : « Désormais l'affaire n'appartient plus qu'à Dieu. »

Le shi'isme duodécimain, persécuté en Irak par les califes abbassides qui furent sans doute responsables, d'une façon plus ou moins directe, de la disparition du XIIe imâm, ne cessa pour autant d'exister ni de se développer. Il avait bénéficié, temporairement, de la sympathie du calife al-Ma'mûn qui, tout en recourant à des conceptions zaydites, avait adopté ou envisagé d'adopter certains détails du rituel duodécimain et empêché de châtier ceux qui se permettaient d'insulter les deux premiers califes, habitude caractéristique des shi'ites non zaydites : déjà, sous Hârûn al-Rashîd, le poète al-Sayyid al-Himyarî * ne manquait pas une occasion d'insulter ceux qu'il appelait « les deux égarés », et un peu plus tard on nous raconte qu'un shaykh avait l'habitude de rosser son âne en prétendant que cet animal avait Abû Bakr et 'Umar dans le corps !

Au xe siècle ensuite, le mouvement, qui représentait dans le centre de l'empire une secte déjà influente, gagna de nombreux adeptes parmi les émirs de toute origine. Dès le début du siècle, un lieutenant du fameux général Mu'nis tenta, à la suite d'un coup de force qui resta sans lendemain, d'imposer ses convictions shi'ites en faisant maudire officiellement la mémoire de Mu'âwiya. A cette époque aussi les administrateurs des services califiens lui étaient en grand nombre ralliés et appartenaient à des mouvements ou même à des « cellules » qu'ils s'efforçaient d'enrichir aux dépens du Trésor califien. Peu après, l'émir hamdanide Nâsir al-Dawla commença, en 943, à favoriser ouvertement à Bagdad le développement d'un culte qui présentait des particularités déjà fixées et la mosquée de Barâthâ fut alors utilisée par les shi'ites de la ville comme une grande mosquée venant s'ajouter aux trois autres déjà existantes.

Un nouvel essor fut encore marqué sous les Bouyides qui soutinrent l'imamisme sans pour autant travailler au retour d'un imâm tombé en occultation pour une période dont nul ne connaissait la durée. Ce fut l'émir Mu'izz al-Dawla qui, en 963, fit célébrer publiquement à Bagdad de nouvelles fêtes commémorant les épisodes les plus significatifs de l'histoire du shi'isme : au mois de dhû l-hidjdja l'épisode de l'Étang de Khumm, au cours duquel le Prophète aurait effectivement désigné 'Alî comme son successeur en prononçant ces paroles : « Celui dont je suis le maître, 'Alî en est aussi le maître »; et le 10 muharram, la mort d'al-Husayn à Karbalâ'. Cette dernière solennité fut la fête de 'Ashûrâ, ensemble de cérémonies de deuil au cours desquelles on voyait défiler, devant les boutiques fermées, hommes et femmes se livrant à des lamentations funèbres. En raison des incidents qui se produisirent souvent, la célébration de la fête de 'Ashûrâ fut par moments interdite, jusqu'à ce que l'arrivée des Turcs saldjoukides eût mis fin pour quelques siècles aux solennités shi'ites officielles à Bagdad.

Des guerres d'inscriptions eurent également lieu sous Mu'izz al-Dawla, guerres qui portaient toujours sur la mémoire des Compagnons et des premiers califes que les shi'ites maudissaient autant que leurs adversaires les vénéraient. Enfin, à cette époque se répandit à Bagdad la pratique du pèlerinage aux tombes des imâms, qui était auparavant en usage de manière quelque peu clandestine dans les milieux shi'ites. Il y avait longtemps en effet, semble-t-il, que l'on se rendait en visite pieuse à Karbalâ' et le calife al-Mutawakkil avait, en 850, dû prendre la décision de faire raser en ce lieu le mausolée d'al-Husayn et d'y interdire les rassemblements. De même un émir hamdanide avait fait, au début du siècle, ériger un mausolée sur la tombe retrouvée de l'imâm 'Alî à Nadjaf, près de Kûfa. Sous les Bouyides s'ajouta à cette coutume celle de vénérer les tombes des deux imâms enterrés à Bagdad, au cimetière de Kuraysh où fut bâti un tombeau monumental qui porta le nom d'al-Kâzimayn ou les deux Kâzim, Mûsâ et son petit-fils, connus respectivement comme les VIIe et IXe imâms des duodécimains. A la même époque encore fut alors visité à Samarra le souterrain où avait eu lieu la disparition du XIIe imâm. En Iran, où le shi'isme n'était pas à cette époque très répandu, une petite communauté d'adeptes de la secte alla jusqu'à se former à Kumm * autour du mausolée d'une certaine Fâtima, fille du VIIIe imâm 'Alî al-Ridâ, communauté qui fut souvent prise à parti par les autorités sunnites, mais que défendirent efficacement les émirs bouyides. Près de Tûs enfin, en un lieu qui devait prendre par la suite le nom de Meshhed *, « le Mausolée », grandissait la renommée de la tombe de 'Alî al-Ridâ lui-même, qui devint elle aussi centre de culte et de pèlerinage et auprès de laquelle fut édifié un sanctuaire particulièrement remarquable que signale le géographe al-Makdisî.

Dans le courant du xe siècle encore, l'imamisme fut adopté officiellement par les émirs hamdanides de Djazîra * et de Syrie du Nord et l'on vit ses pratiques les plus caractéristiques se répandre dans les villes de cette principauté. La formule shi'ite de l'appel à la Prière * retentit ainsi à Alep. Et des lieux de pèlerinage shi'ites y apparurent également, tel le *mashhad* * de l'Estrade (monument recouvrant les restes d'un fils d'al-Husayn) qui fut édifié par l'émir Sayf al-Dawla en 962, tandis qu'une branche extrémiste aux origines mal connues, celle des nusayris *, s'implantait dans certaines régions montagneuses de la province.

Au milieu de ces divers succès d'ordre politique, les croyances propres aux duodécimains, notamment celles qui touchaient à l'imâm devenu invisible, furent élaborées par leurs théoriciens, tel le théologien al-Kulaynî *, en une doctrine très particulière comportant nombre d'éléments étrangers à l'Islam traditionnel et destinée à être précisée au xie siècle par des auteurs comme le shaykh Sadûk ou le shaykh al-Mufîd, contemporains du poète al-Sharîf al-Râdî. Selon cette doctrine, l'imâm dont on attendait le retour, comme du reste les imâms qui l'avaient précédé, jouissait de qualités supra-humaines, telle l'impeccabilité, et possédait des secrets d'origine divine qui justifiaient ce rang supérieur. Ces secrets, qui complétaient la Révélation ou plutôt en constituaient le sens intérieur *(bâtin)* et la vérité profonde, avaient été l'objet, selon les shi'ites, d'un verset coranique (XXXIII, 72) : « Nous avons proposé le dépôt de nos secrets aux cieux, à la terre et aux montagnes ; tous ont refusé de l'assumer, tous ont tremblé de le recevoir. Mais l'homme accepta de s'en charger ; c'est un violent et un inconscient. » Des déclarations attribuées au VIe imâm Dja'far al-Sâdik précisaient même encore : « Notre cause [...] est le secret, et le secret de quelque chose qui reste voilé, un secret qui se suffit d'un secret. »

L'imâm, ainsi admis à la connaissance des vérités profondes, était un « ami » de Dieu et se trouvait gratifié d'un état privilégié qui prolongeait l'état de « prophétie », dont avaient bénéficié Muhammad et ses prédécesseurs. Il en résultait que, aux yeux des imamites, la prophétie était en quelque sorte continue : elle avait débuté avec la création d'Adam * que Dieu fit à l'image de sa propre forme, elle s'était poursuivie avec les prophètes dont le dernier fut Muhammad, puis avec les imâms. On voit comment cette doctrine, destinée à justifier le rang exceptionnel des imâms, fut amenée à se rapprocher des doctrines, inspirées par la philosophie hellénistique, selon lesquelles le monde était dirigé par une Intelligence suprême, émanation divine à laquelle certains sages pouvaient accéder. Les imâms s'identifiaient ainsi avec ceux qui avaient accès à l'esprit ou à la lumière divine et le dernier imâm, la Preuve, bénéficiait d'une connaissance privilégiée qui faisait de lui un véritable médiateur.

La vérité secrète que détenait l'imâm invisible et qui dépassait la révélation « exotérique » constituée par le texte du Coran était considérée comme une sagesse éternelle qui résumait toutes les sagesses humaines antérieures et était l'œuvre d'une raison émanant en partie de l'esprit divin. L'imâm était en même temps le plus grand des sages de l'humanité, le plus grand philosophe, le meilleur roi ; tous les philosophes et rois des temps antérieurs devenaient ses précurseurs, presque au même titre que les prophètes. Ainsi s'explique que les auteurs shi'ites imamites aient accordé tant d'attention aux doctrines et aux idées répandues dans le monde avant l'Islam, que ce fût en Arabie, dans l'Inde, en Iran ou même en pays chrétiens, et que les œuvres appartenant à des patrimoines littéraires non islamiques aient été mieux accueillies souvent dans leur milieu qu'ailleurs. On ajoutera que leurs penseurs s'inspirèrent souvent de certaines conceptions propres à la philosophie hellénistique dont la diffusion se trouva ainsi favorisée. Les idées politiques d'un Fârâbî *, dont on verra plus loin l'incidence sur l'évolution de l'idée de gouvernement dans l'Islam médiéval, étaient imprégnées non seulement de philosophie antique, mais de shi'isme, et son gouvernant idéal tenait à la fois du sage, du philosophe et de l'imâm attendu.

Le rôle d'exception attribué à l'imâm s'accompagnait en même temps d'un attachement sentimental à sa personne et à sa famille, exprimé surtout dans la méditation des malheurs qui n'avaient cessé d'atteindre, au cours de leur existence terrestre, 'Alî, Fâtima et leurs descendants. Pieuses visites à leurs tombeaux et célébration de la fête de 'Ashûrâ aidaient notamment les fidèles à se remémorer les souffrances et le martyre de la plupart des imâms qui auraient tous péri de mort violente, empoisonnés lorsqu'il n'y avait pas de signe plus visible de leur tragique destin. L'accent était mis tout particulièrement sur le drame de Karbalâ' qui avait causé la mort d'al-Husayn, ainsi que de nombre de ses enfants et de ses cousins, et qui avait été suivi de l'épisode également spectaculaire de l'acheminement de ses femmes et des survivants prisonniers, le long de la route de l'Euphrate, jusqu'à la résidence damascaine du calife umayyade. Toute la littérature religieuse des duodécimains restera dominée par le rappel de ces grands thèmes, destinés à donner même naissance plus tard à de vraies représentations théâtrales de la « passion » d'al-Husayn, les *ta'ziye* persanes, qui fleuriront dans l'Iran des Safavides et dont on connaît encore des exemples à l'époque actuelle.

Les duodécimains, qui se distinguaient ainsi de leurs adversaires par la vénération qu'ils vouaient aux imâms et par la haine qu'ils nourrissaient à l'égard des premiers califes, ne suivaient pas non plus, dans leur vie religieuse, exactement les mêmes règles que les membres de la communauté majoritaire. Chez eux les traditions reçues des imâms tenaient et devaient continuer à tenir une place importante dans les sources du droit, à côté du Coran et des traditions prophétiques. Et dans le détail des prescriptions juridiques et cultuelles se faisaient sentir également les effets de leur haine des premiers califes : tout ce que ces derniers ordonnèrent était par eux interdit, tout ce qu'ils interdirent était au contraire pour eux licite. Ainsi s'expliquait notamment leur formule particulière d'appel à la Prière, qui affirmait implicitement la supériorité de la Prière sur la Guerre sainte, à l'encontre de ce qu'avait soutenu le deuxième calife 'Umar. Ainsi s'expliquait encore l'autorisation du mariage temporaire dont l'interdiction, disait-on, remontait aussi à 'Umar. D'une manière générale, le refus des pratiques simplifiant l'ablution *, la récitation de la formule *bismillâh* * à haute voix dans la Prière, la répétition des formules d'adoration lors des prières funéraires, constituaient des habitudes particulières que les imamites partageaient avec d'autres shi'ites, mais qu'ils ne réussirent jamais à implanter en pays sunnite. Il fallait qu'un souverain de leur secte prît le pouvoir, comme ce fut le cas par exemple à Alep sous les Hamdanides, pour que ces usages fussent reconnus et que les cadis acceptassent de juger selon leur droit.

La conception de l'Islam propre aux duodécimains ne s'en répandit pas moins peu à peu, indépendamment des actions politiques et militaires, grâce à leurs efforts de propagande intense. En Irak, à l'époque bouyide, un vizir créa par exemple dans ce dessein une institution, appelée Maison de la Science et pourvue d'une importante bibliothèque *, qui était destinée à diffuser les traditions remontant aux imâms ainsi que la doctrine élaborée par les grands docteurs du shi'isme duodécimain; installée à Bagdad dans le quartier shi'ite du Karkh vers 991, elle eut pour directeur un poète shi'ite célèbre, al-Sharîf al-Murtadâ *, et fut fréquentée par le poète syrien al-Ma'arrî avant d'être détruite par un incendie en 1055. Ailleurs en pays shi'ite, ce fut, comme il était normal, à la grande mosquée que se donnait l'enseignement et que se diffusait la « bonne doctrine » : ainsi en allait-il à Alep sous les Hamdanides par exemple.

En pays sunnite cependant les duodécimains pouvaient être, non seulement jetés hors d'une mosquée et mis au ban de la Communauté, mais faire aussi l'objet de poursuites et de châtiments sévères destinés à réprimer l'essor des sectes et croyances hétérodoxes au sein de la société islamique médiévale. Lorsque le pouvoir interdisait leurs pratiques jugées hérétiques, ils dissimulaient leurs convictions pour éviter les poursuites, et ceci en vertu d'un principe de « prudence » largement observé et qu'on faisait reposer sur le verset : « Que les croyants ne prennent point les infidèles comme affiliés, à l'exclusion d'autres croyants. Quiconque fera cela ne participera de Dieu en rien — à moins que vous ne *redoutiez* d'eux quelque fait redoutable » (*Coran*, III, 27). Ce principe devait, selon leurs théoriciens, être appliqué par tous les adeptes dans les périodes de persécution. C'était une nécessité impérieuse destinée à permettre à leur secte de subsister. Il autorisait le faux témoignage, le faux serment, les restrictions mentales. Il explique qu'une mentalité hypocrite se soit développée dans certaines communautés particulièrement menacées. Il explique aussi que les sympathisants du mouvement aient évité les déclarations franches et se soient contentés dans leurs écrits de procéder par allusions et insinuations que comprenaient les seuls initiés. D'où la difficulté aujourd'hui de discerner, à travers les œuvres de certains lettrés, si leur vénération pour 'Alî correspondait à une véritable appartenance imamite ou traduisait seulement le respect que bien des esprits, même traditionalistes, gardaient alors pour le gendre et cousin du Prophète. Le seul indice à peu près sûr à cet égard doit être cherché dans un signe extérieur tel que la propension à insulter les Compagnons ou Mu'âwiya.

Le même principe de prudence explique enfin que les imamites disparussent rapidement, en apparence du moins, quand le régime politique changeait. Ainsi les familles shi'ites d'Alep se rallièrent-elles au XIIe siècle, après la conquête saldjoukide, à l'école hanafite qui était, des quatre écoles juridiques officielles du sunnisme, celle qui avait le plus d'estime pour les paroles de 'Alî, celle aussi qui avait grandi en Irak, à Kûfa, celle enfin qui, sur le plan politique, restait la plus neutre et évitait de porter des jugements tranchés sur 'Alî et 'Uthmân. Mais le secret des consciences restait difficile à pénétrer et l'équilibre socio-politique instable, tandis que chez les imamites restés fidèlement attachés à leurs convictions se développait presque toujours un complexe de frustration et de refus. Non seulement ce sentiment les entraînait à se lamenter sur les épreuves subies par leurs malheureux imâms et à adopter à leur égard une attitude de « compassion » apparaissant surtout au grand jour dans les cérémonies commémoratives de la mort d'al-Husayn; mais il lui arrivait de se transformer, à la moindre occasion favorable, en explosions de haine et de vengeance fanatiques qui pouvaient dégénérer, devant la réaction des milieux traditionalistes, en véritables guerres civiles sans aboutir cependant à aucune politique constructive.

●

A la même époque l'isma'ilisme se présentait, parmi les mouvements shi'ites, sous une forme beaucoup plus active que le zaydisme ou l'imamisme. Ses partisans s'étaient distingués en attribuant l'imamat, en 765, après la mort du VIe imâm Dja'far al-Sâdik, au fils déjà décédé de ce personnage, un certain Ismâ'îl qu'ils considéraient comme le mahdî en état d'occultation ou bien dont ils vénéraient le fils Muhammad comme le dernier imâm visible. Le fait d'arrêter la liste des imâms visibles au septième de ces descendants de 'Alî, pour les uns Ismâ'îl, pour les autres Muhammad (ce qui supposait qu'en ce dernier cas on fît de 'Alî le légataire du Prophète et non le premier imâm), leur a valu encore le nom de septimains, qui les distingue essentiellement des imamites duodécimains. Mais il ne faut pas oublier qu'au VIIe imâm ainsi disparu ils admettaient en fait, selon l'opinion la plus répandue parmi eux, des descendants « cachés » susceptibles de se manifester un jour ou l'autre et de jouer alors un rôle politique important.

On connaît mal l'histoire de la secte pendant le premier siècle de son existence; on sait seulement qu'elle constituait alors un groupement clandestin envoyant des émissaires dans différentes régions pour tenter, ici de rallier à la cause isma'ilienne des souverains, là de susciter des séditions populaires. On sait aussi que, dès une période ancienne, les partisans de l'imâm Ismâ'îl, notamment Abû l-Khattâb et Maymûn al-Kaddâh, « l'oculiste », avaient adopté des doctrines que les docteurs sunnites qualifièrent d' « excessives », dans la mesure où elles témoignaient d'une vénération exagérée pour l'imâm. Elles faisaient en effet de lui un prophète assisté par l'Esprit saint et étendaient sa qualité d'imâm à divers personnages, étrangers à la famille alide, qui auraient joué à côté des imâms traditionnels, qualifiés de « silencieux », un rôle de représentants actifs, les « parlants ». La lignée de ces imâms « parlants » n'aurait été interrompue par aucune occultation semblable à celle qu'avait subie la lignée des imâms « silencieux » en la personne du fils ou du petit-fils de Dja'far al-Sâdik. Abû l-Khattâb poussait l'exagération jusqu'à se considérer lui-même comme un prophète-imâm auquel devait obéir l'humanité entière.

La secte organisée par Abû l-Khattâb paraît n'avoir point duré, mais celle qui reconnaissait pour son fondateur Maymûn al-Kaddâh eut plus de succès. Ce fut elle qui, semble-t-il, entra en action à la fin du IXe siècle quand un de ses propagandistes quitta la petite ville de Salamiya en Syrie et réussit à gagner le Maghreb où, avec le soutien de la tribu berbère des Kutâma, il proclama l'avènement du mahdî et fonda l'État fatimide. Le mahdî était en l'occurrence, à ce que l'on croit savoir, un descendant de Maymûn, imâm « dépositaire » ou « parlant » représentant l'imâm « caché » ou « silencieux » en vertu du principe des deux lignées d'imâms que reconnaissaient alors les isma'iliens.

Tandis que s'organisait le califat fatimide, né donc directement de la propagande shi'ite isma'ilienne, d'autres émissaires dont on connaît mal les opinions, mais qui appartenaient vraisemblablement à l'origine au même mouvement révolutionnaire, réussissaient à fomenter des rébellions en Syrie, en Irak, et à fonder en Arabie un État, l'État du Bahrayn, que les califes abbassides renoncèrent à extirper. Cet État, quelles que fussent les discussions qui eurent lieu au Xe siècle entre ses dirigeants, successeurs de Hamdân Karmat qui lui avait donné son nom, fut un État communautaire où les prescriptions de la Loi islamique n'étaient pas toujours respectées. Ce fut aussi une base de départ pour des raids audacieux et parfois sacrilèges : raids contre Basra et Bagdad, raids surtout contre la Mekke, d'où fut enlevée la Pierre noire de la Ka'ba. A ce titre, les Karmates furent considérés par certains comme de vrais infidèles qui ne méritaient pas autre chose que la mort et avec qui l'on ne pouvait négocier. Les Bagdadiens par exemple voyaient dans l'activité de leurs bandes une subversion ayant pour but la destruction du califat et cette opinion explique pour une bonne part la psychose de peur dont on a déjà signalé les ravages dans la capitale lorsque les hordes karmates s'enhardirent jusqu'à envahir le Nord de l'Irak.

A vrai dire, du point de vue religieux et doctrinal, on ignore ce qu'était exactement la position des Karmates, si tant est qu'ils en aient eu une. Ce que nous savons d'eux permet toutefois de retenir que leur mouvement s'adressait aux classes populaires ou déshéritées, recrutant notamment une partie de ses adhérents parmi les esclaves employés dans les grands domaines de l'Irak méridional, qui n'en étaient pas à leur premier soulèvement contre le pouvoir califien. Comme tout mouvement révolutionnaire shi'ite, il annonçait et promettait la fin des injustices sociales, ce qui lui valut un succès particulier à une époque où l'écart était devenu très grand entre le niveau de vie des simples travailleurs et le luxe opulent des notables des grandes villes.

Le fatimisme de son côté s'attachait à gagner le petit peuple artisan des villes. Mais il ne s'en présentait pas moins sous la forme d'une philosophie religieuse très élaborée et absolument opposée aux conceptions musulmanes traditionnelles. On y distinguait les grandes lignes de ce qui deviendra la doctrine isma'ilienne classique. Comme l'imamisme duodécimain, cet isma'ilisme attribuait aux imâms des connaissances et des pouvoirs supra-humains qui les rendaient « impeccables » et faisaient d'eux les dépositaires d'une vérité cachée ayant eu la Révélation pour forme extérieure. Avec lui se développèrent donc encore des croyances ésotériques, mais à l'ésotérisme beaucoup plus accentué que dans l'imamisme : l'interprétation symbolique ne s'y appliquait pas seulement aux quelques versets coraniques où les shi'ites croyaient tous reconnaître des allusions secrètes et voilées à la mission des imâms, mais allait plus loin et correspondait à une conception du monde entièrement confondue, cette fois, avec celle de la philosophie hellénistique.

Les connaissances de l'imâm étaient dans cette perspective justifiées par un système cosmique émanatiste où le Prophète, assimilé à la Raison universelle, émanation de l'Ordre divin, était lui-même assisté par le premier imâm 'Alî, le « légataire » qui représentait, lui, l'Ame universelle. Toute une hiérarchie était ainsi établie entre la multiplicité de la création et l'Un divin en passant par l'homme qui, à travers ses efforts pour atteindre la vérité, pouvait se rapprocher du principe premier, mais de manière inégale selon les facultés et les connaissances de chacun ; d'où l'existence, dans la société humaine, d'un ordre fondé sur l'esprit d'autorité et sur la reconnaissance de grades d'initiation, attribués à ceux-là mêmes que leur accession à certains secrets distinguait de la masse ignorante et vulgaire. L'action humaine était elle-même une action cosmique et l'histoire du monde comportait un cycle de sept périodes prophétiques successives qui devaient être caractérisées chacune par l'apparition d'un prophète suivi d'un imâm, le premier prophète ayant été Adam dont l'imâm fut Seth, le sixième étant Muhammad qui vint après Noé, Abraham, Moïse et Jésus, et le septième devant être l'imâm de la Résurrection, qui révélera dans sa totalité le sens caché de la Révélation et qui préparera l'arrivée d'un nouveau Prophète. L'histoire n'était donc plus marquée par quelques événements uniques et déterminants, tels que la prédication de Muhammad, mais par des répétitions cycliques comportant des alternances d'épiphanies et d'occultations. L'apparition du mahdî n'était plus elle-même qu'un épisode de cet ensemble et les déceptions des isma'iliens sur le plan de l'action politique trouvaient leur compensation immédiate dans une construction philosophique qui rendait les adeptes de la secte relativement indifférents aux vicissitudes quotidiennes.

Pareil système n'était évidemment pas destiné à être divulgué, mais seulement révélé progressivement aux initiés à la suite d'un long enseignement personnel et secret. Aucune allusion n'y était faite par exemple dans les ouvrages de droit alors rédigés pour le public, tel le traité de droit du cadi al-Nu'mân, qui se distinguait seulement des traités sunnites de même objet par quelques détails et par l'introduction, au nombre des « piliers de la religion », du principe de la *walâya* *, c'est-à-dire de la croyance au rang exceptionnel de 'Alî et de ses successeurs. Et si la walâya impliquait pour les initiés la croyance à une hiérarchie cosmique, elle se réduisait, pour le peuple, à la simple justification de la vénération des imâms.

Quelques écrits cependant nous sont parvenus qui étaient réservés aux initiés. Parmi eux, le plus connu et le plus éclairant est sans doute l'*Encyclopédie* rédigée en Irak à la fin du xe siècle par un groupe de sectateurs qui se nommaient eux-mêmes les « Frères sincères » et en qui on reconnaît des isma'iliens. Cette série d'épîtres sur des sujets extrêmement variés se signale en particulier par son souci « de tout expliquer, de tout rationaliser, de tout systématiser » (Y. Marquet). L'imamat y est rattaché à des lois cosmiques en vertu de l'astrologie et la vie spirituelle définie comme une épuration de l'âme, une libération de la matière et un retour vers l'Intellect. Ainsi Loi prophétique et philosophie se rejoignent; l'au-delà, but de la vie humaine, s'identifie à la réalité profonde et on en arrive à des réflexions telles que celle-ci : « Quiconque n'accepte pas les conditions de l'Intellect, celles que nous lui avons recommandées, ou qui en sort après y être entré, nous lui enlevons notre amitié et nous nous désolidarisons de lui; nous ne faisons pas appel à lui, nous n'avons pas de rapports de familiarité avec lui, nous ne lui parlons plus de nos sciences et nous lui cachons nos secrets. » Il en ressort que les isma'iliens formaient des groupes étroitement solidaires, mais n'admettaient en leur sein aucun fidèle non initié. C'était l'opposé de l'égalitarisme pratique et de l'esprit de « communauté » défendus par le sunnisme.

Aussi bien l'isma'ilisme fut-il, surtout lorsqu'il lutta pour la prise du pouvoir, sans indulgence pour ses adversaires. On rapporte qu'un muezzin qui avait omis, à Kairouan, la formule spécifiquement shi'ite de l'appel à la Prière, fut exécuté. De même, les prières traditionnellement accomplies, depuis le calife 'Umar, durant les nuits du mois de ramadan furent-elles interdites avec la dernière rigueur en Ifrîkiya fatimide, puis plus tard en Égypte. Certains califes fatimides n'hésitèrent point, par ailleurs, à faire maudire officiellement « la Caverne * et ses occupants », voulant atteindre par là la mémoire d'Abû Bakr et sans doute aussi celle des plus anciens Compagnons qui, selon certaines traditions, auraient assisté le Prophète lorsqu'il reçut ses premières révélations.

L'isma'ilisme ne manqua pas non plus d'utiliser, pour la diffusion de ses idées, la Maison de la Sagesse qu'avaient créée au Caire les Fatimides et qui, dirigée par le chef suprême de la propagande, réunissait périodiquement les savants versés dans leur doctrine. Si le calife al-Hâkim, qui avait pourvu cet institut d'une nouvelle installation dans le palais lui-même, autorisa pour les sunnites une fondation parallèle, cette preuve de tolérance ne fut qu'éphémère : au bout de trois ans les deux docteurs malikites qui dirigeaient l'institut sunnite furent mis à mort sans autre forme de procès. Les manifestations de fanatisme de l'isma'ilisme fatimide étaient cependant sans commune mesure avec celles du mouvement karmate qui n'hésita pas, dans sa lutte contre le califat abbasside, non seulement à molester et même massacrer les pèlerins qui se rendaient à la Mekke, mais encore à profaner au cours d'un raid audacieux la vénérable Ka'ba.

De l'isma'ilisme fatimide devaient dériver non seulement la secte des druzes *, mais aussi un parti dissident, celui des nizaris ou Assassins, qui lança en Orient une nouvelle « propagande ». Selon cette doctrine, de tendance plus philosophique encore, l'imâm trouvait sa justification dans la logique interne de son appel, répondant aux besoins de l'humanité. Mais le mouvement se distingua surtout dans l'histoire par son action « terroriste » et par les meurtres politiques auxquels ses adeptes se livrèrent, au cours des XIe et XIIe siècles, en Iran et en Syrie où ils avaient réussi à occuper de solides places fortes. A ce moment, l'isma'ilisme tenait une place importante dans la vie politique et religieuse des villes syriennes où la population, de conviction shi'ite, se signalait de temps à autre par des activités perturbatrices. Ne vit-on pas à Alep, au début du XIIe siècle, les habitants démolir pendant la nuit les murs que l'émir faisait élever pour aménager un collège destiné à l'enseignement du droit sunnite ? Mais ces manifestations restaient alors volontairement semi-clandestines. Le mouvement lui-même, touché par le déclin de la puissance fatimide, n'allait plus sortir que rarement de l'ombre où le maintenaient l'orthodoxie des nouveaux maîtres saldjoukides et la condamnation portée contre lui par les partisans des idées traditionalistes. Vivant désormais dans des milieux restreints d'initiés qui s'en transmettaient les secrets, il méritait plus que jamais ce nom de *bâtiniya*, « mouvement ésotérique », sous lequel il est généralement connu et qui met en relief le trait le plus frappant de sa doctrine et de ses méthodes insidieusement convaincantes.

●

Face aux divers mouvements shi'ites, dont les positions politiques ne pouvaient être admises par le gouvernement abbasside et dont la pensée, dans la plupart des cas, se fondait sur des théories cosmiques très éloignées de l'enseignement du Coran, les partisans de l'Islam traditionaliste ne cessaient cependant de réagir vigoureusement du point de vue dogmatique. Nous avons vu plus haut avec quelle agressivité un Ibn Batta, qui se considérait comme le porte-parole d'une de leurs branches les plus actives, s'en prenait à toutes les idées et attitudes qui lui paraissaient correspondre à des nouveautés condamnables. Le sentiment auquel il faisait ainsi appel, la peur de l'innovation, c'est-à-dire d'un déviationnisme susceptible d'entacher la saine doctrine de l'Islam, était depuis longtemps sous-jacent à l'évolution première de la Communauté. Au moment où s'affirmait de plus en plus la virulence nocive des divergences doctrinales dégénérant en de véritables divisions politiques, il devait prendre une force nouvelle comme principe régulateur tempéré cependant par le jeu du consensus et différemment coloré selon les cas par les réactions individuelles. Tandis que certains docteurs refusaient toute compromission aussi bien que toute discussion avec l'adversaire, les autres se laissaient entraîner à la controverse et entreprenaient de présenter l'Islam traditionnel sous un jour qui pût convaincre des esprits déjà séduits par des idées philosophiques étrangères ou déjà initiés à la dialectique. D'où l'existence de deux mouvements traditionalistes défenseurs du califat dit sunnite, le mouvement fidéiste d'une part, représenté surtout par le hanbalisme, celui des « raisonneurs » ou « gens du *kalâm* * » de l'autre, qui se recrutèrent principalement dans l'école ash'arite.

Ibn Hanbal, de qui se réclamaient les membres de l'école juridique et théologique hanbalite, avait, on s'en souvient, résisté aux tentatives du calife al-Ma'mûn pour instaurer la doctrine mu'tazilite et à son « inquisition ». Sa position, telle qu'on peut la connaître d'abord par ses écrits (recueils relatifs à la Tradition et consultations juridiques), ensuite par les récits qui nous ont été conservés de l'épisode de la Mihna, était restée à peu de chose près celle que ses disciples défendront durant des siècles. Ce juriste et docteur, que ses adversaires considéraient, non sans quelque mépris, comme un simple compilateur de la Tradition, avait en fait une conception très précise de l'Islam, qui reposait sur deux bases : la valeur des données scripturaires d'une part et la nécessité d'autre part d'éviter à la Communauté toute dissension dommageable.

Ibn Hanbal et ses premiers disciples professaient la croyance à l'unicité divine, mais sans se poser de questions sur la nature des attributs possédés par Dieu. Il faut, disaient-ils, croire que Dieu est « comme Il s'est décrit Lui-même », croire donc que Dieu siège sur son trône, a un visage, des mains, qu'il voit, entend et qu'il pourra être vu par les élus après le Jugement dernier, croire surtout au caractère incréé du Coran, Parole de Dieu, représentant sa science. Il faut aussi croire à la toute-puissance de Dieu, auteur du mal comme du bien (la question de la responsabilité humaine restant sans réponse), croire aux épisodes du Jugement dernier tels qu'ils sont décrits dans le Coran, notamment à la balance où seront pesés les actes des hommes, à la vasque où le Prophète exercera son intercession, au pont qui mène au paradis et d'où les damnés seront précipités en enfer, croire aussi au châtiment de la tombe, que subiront aussitôt après la mort les hommes coupables de manquements.

Ibn Hanbal imposait également de croire que la foi, qui ne vaut pas sans les œuvres, est susceptible de croître lorsqu'on fait le bien ou de diminuer lorsqu'on fait le mal. Par là il résolvait le problème que s'étaient posé dès les premiers temps kharidjites, murdjites, et mu'tazilites. Mais, s'il affirmait la nécessité de faire le bien pour être un croyant complet, il estimait en même temps que les manquements, tout en diminuant la foi, n'enlevaient pas la qualité de croyant et sa doctrine, qui restait rigoriste, sauvegardait néanmoins l'unité de la Communauté. C'était en vertu de ce principe qu'il ordonnait à tous de prier derrière un imâm impie et condamnait toute révolte contre le pouvoir établi, de même que toute manifestation de guerre intestine et tout esprit de discussion pouvant engendrer une rupture de la Communauté.

Cette position amenait à considérer les quatre premiers califes comme parfaitement légitimes et à estimer que l'ordre de leurs règnes correspondait à leur valeur respective : ainsi 'Alî n'était pas exclu du nombre de ceux qui avaient mérité le califat, mais remis à sa vraie place, la quatrième. Après lui, les Umayyades avaient été des souverains légitimes, comme le furent ensuite les Abbassides, tous investis par l'accord des musulmans. On voit ici comment la cohésion de la Communauté et le respect du régime au pouvoir allaient de pair avec une certaine conception de la foi, elle-même plus ou moins liée à une théodicée déterminée.

Si les hanbalites insistaient sur la toute-puissance de Dieu, ils soulignaient aussi son pouvoir de miséricorde et l'intérêt qu'il prend au sort des humains. Puisque c'est à son image que Dieu a créé le premier homme, Adam, il y a analogie lointaine, mais analogie tout de même, entre Dieu et une humanité souvent pécheresse à laquelle il est prêt à pardonner. Chaque nuit, déclaraient-ils, il descend jusqu'au « ciel le plus proche » pour écouter les demandes de pardon que les hommes lui adressent et les quelques personnages qui ont fait preuve d'une vie exemplaire se trouvent de façon certaine au paradis. Contrariant quelque peu les principes de l'égalitarisme sunnite, une hiérarchie était ainsi établie parmi les membres de la Communauté en tête de laquelle se plaçaient, après le Prophète, les quatre premiers califes et les six Compagnons jugés aussi dignes qu'eux de lui succéder, puis les Expatriés et les Auxiliaires. Ces personnages avaient mérité dans le paradis la place privilégiée justifiant la vénération dont ils étaient devenus l'objet au sein des milieux traditionalistes. En revanche, aucun de ceux qui priaient en se tournant vers la *kibla* * n'était exclu de la Communauté ni ne devait perdre l'espoir de bénéficier du pardon divin ou de l'intercession du Prophète.

Les hanbalites d'autre part, s'en tenant au texte du Coran et de la Tradition, refusaient tout usage du raisonnement dialectique ou kalâm. Pour eux, discuter avec l'adversaire était inévitablement se laisser gagner par ses raisons. Mais, plus profondément, c'était une profanation que de chercher à justifier des textes sacrés se suffisant à eux-mêmes et ayant en eux-mêmes leur justification. A cette attitude fidéiste en théologie s'ajoutait le goût d'une vie religieuse personnelle fondée sur la prière et l'invocation, mais ce dernier trait marqua moins les membres du mouvement que leur opposition à toute entreprise raisonneuse ou que la vigueur de leur loyalisme politique.

L'attitude ainsi définie était d'ailleurs apparue avant Ibn Hanbal. Déjà au temps de Hârûn al-Rashîd les tentatives du kalâm avaient été condamnées par les hommes de religion qui fréquentaient la Cour califienne. Et au temps d'al-Ma'mûn, des heurts s'étaient produits entre les traditionalistes et les mu'tazilites sans qu'on puisse savoir exactement qui avait engagé les hostilités. Si le mu'tazilisme avait reçu à cette époque un soutien vigoureux du califat et adopté apparemment une attitude agressive, il n'en accusait pas moins, lui aussi, le parti adverse de s'être livré à des excès. Il semble en tout cas que le traditionalisme ait alors donné naissance à des groupements politico-religieux quelque peu extrémistes, telle cette *Nâbita*, ou « mauvaise herbe », qu'al-Djâhiz dénonce avec ardeur dans ses écrits polémiques. Cette secte, que le célèbre essayiste accuse d'anthropomorphisme, était aussi un parti politique qui paraît s'être confondu avec celui des « partisans de 'Uthmân ». C'est dire que ses adeptes avaient une position politique durcie : affirmant la supériorité de 'Uthmân sur 'Alî, ils poussaient les califes abbassides à suivre la voie antérieurement tracée par leurs prédécesseurs umayyades et leur tendance domina pendant le règne d'al-Mutawakkil qui professait, dit-on, le plus grand mépris pour 'Alî et tenait au contraire, semble-t-il, en grande estime les califes syriens.

Par comparaison à ces premiers groupes, Ibn Hanbal et ses disciples observaient une position modérée qu'ils s'efforcèrent de faire prévaloir, non pas tant sous al-Mutawakkil que durant la fin du IXe siècle. A leur action peut être imputée la condamnation du kalâm portée par al-Mu'tadid au début de son règne, en 892, ainsi que la reconnaissance à ce moment, dans la réglementation de l'héritage, de ces droits des parents par les femmes que défendait l'école hanbalite. Puis, ce fut au début du Xe siècle que le mouvement, dirigé alors par un certain al-Barbahârî, s'efforça à Bagdad d'imposer ses conceptions par le moyen de manifestations populaires déclenchées en des occasions diverses, telles la mort de l'exégète et historien al-Tabarî *, accusé de sympathies pour shi'isme ou kadarisme, ou la mise en jugement du lecteur de Coran Ibn Shannabûdh, accusé de propager des variantes remontant à des partisans de 'Alî. Les partisans d'al-Barbahârî ne manquaient point par ailleurs de faire respecter la moralité publique en s'attaquant aux marchands de vin, en brisant les instruments de musique, en dénonçant la mauvaise tenue de certaines femmes, en molestant aussi les docteurs de l'école shafi'ite, coupables d'observer dans leur rituel un usage propre au shi'isme. Leurs violences furent telles que le calife al-Râdî dut, en 935, condamner en termes sévères la doctrine hanbalite et les activités des partisans d'al-Barbahârî. « Vous prétendez, dit-il alors, que l'apparence de vos visages laids et affreux est à l'image du Seigneur des mondes et que votre aspect horrible rappelle Son aspect. Vous parlez de Sa paume, de Ses doigts, de Ses deux pieds, de Ses deux sandales dorées, de Ses cheveux crépus, de Sa montée au ciel et de Sa descente vers ce monde — Dieu transcende de beaucoup ce que disent les égarés et les négateurs. Vous attaquez les meilleurs de la Communauté ; vous accusez d'impiété et d'égarement les partisans de la famille de Muhammad ; vous invitez les musulmans à adopter dans la religion des innovations manifestes et des doctrines perverses inconnues du Coran. Vous réprouvez la visite des tombes des imâms et accusez leurs visiteurs d'innovation, alors que vous-mêmes vous vous réunissez pour visiter la tombe de tel homme du commun qui n'a ni noblesse, ni naissance, ni lien avec l'Envoyé de Dieu, ordonnant qu'on visite sa tombe, lui attribuant les miracles des prophètes et les prodiges des saints. Que Dieu maudisse Satan — ce séducteur — qui vous a inspiré ces pratiques abominables ! L'émir des Croyants jure devant Dieu par un serment solennel que si vous n'abandonnez pas votre doctrine blâmable et votre méthode erronée, il vous accablera de coups, vous dispersera, vous tuera, vous disséminera, fera tomber le sabre sur vos nuques, le feu sur vos demeures et sur vos résidences. »

Al-Râdî interdit en conséquence toute réunion de partisans dont l'activité lui paraissait nuire à l'ordre public. Ces derniers n'en désarmèrent point pour autant et on les vit bientôt tenter à deux reprises de détruire la mosquée shi'ite de Barâthâ. Réduits ensuite à la défensive pendant les premières décennies de la domination bouyide, ils se contentaient le plus souvent d'effacer pendant la nuit les inscriptions injurieuses à l'égard d'Abû Bakr ou de 'Umar que les shi'ites avaient fait graver pendant le jour sur des monuments. Mais à la fin du xe siècle, ils s'enhardirent, grâce au soutien du calife, et contre-attaquèrent en faisant célébrer de nouvelles fêtes qui répondaient aux fêtes shi'ites, telles en 998 la commémoration à Bagdad de la mort de Mus'ab, le vainqueur du rebelle shi'ite al-Mukhtâr, ou à la fin de cette même année la fête du Jour de la Caverne.

Puis, au début du xie siècle, des difficultés graves éclatèrent sous forme d'émeutes que l'on a vues plus haut opposer à Bagdad les sunnites et leurs adversaires. Des incendies furent allumés dans divers mausolées révérés par les shi'ites ; le quartier shi'ite du Karkh fut attaqué et pillé. En 1051 enfin, à la suite du meurtre d'un sunnite et de son enterrement près de la tombe d'Ibn Hanbal, une émeute éclata qui se termina par le pillage et la destruction du sanctuaire shi'ite vénéré de Kâzimayn.

A cette époque le hanbalisme avait été adopté officiellement par le calife al-Kâdir qui, en 1017, fit lire publiquement au palais, devant les cadis, les jurisconsultes et les membres de la famille hashimide, des proclamations par lesquelles il définissait la doctrine que chacun devait professer sous peine d'être considéré comme « infidèle et pécheur ». On y remarquait les affirmations suivantes : « Dieu créa le trône sans avoir besoin et Il S'y installa selon Son dessein et Sa volonté [...] Il est Puissant en vertu d'une puissance, Savant en vertu d'une science prééternelle non acquise, Audient en vertu d'une ouïe, Voyant en vertu d'une vue [...] Parlant avec des paroles, non pas avec un moyen créé, comme celui des créatures [...] Chaque attribut qu'Il S'est attribué ou que Son prophète Lui a attribué est réel et non point métaphorique [...]

« La Parole de Dieu est increéée, Dieu a effectivement parlé avec cette Parole et Il l'a révélée à Son apôtre par l'intermédiaire de Gabriel, le porte-parole. Celui-ci, l'ayant entendue de Lui, l'a récitée à Muhammad qui, à son tour, l'a récitée à ses Compagnons qui, à leur tour enfin, l'ont récitée à la Communauté. Cette Parole ne devint pas créée en vertu de sa récitation par les créatures, car elle demeure la Parole même que Dieu a parlée. Elle demeure donc increéée dans quelque état qu'elle soit : qu'elle soit répétée, retenue dans la mémoire, écrite ou entendue. Quiconque dit qu'elle est créée dans quelque état que ce soit est un infidèle dont l'effusion de sang est licite s'il s'obstine à ne pas faire une rétractation publique [...]

« La foi consiste en l'énonciation, les œuvres et l'intention [...] Elle varie, augmentant avec l'observance de la Loi et diminuant avec la non-observance [...] L'homme ne sait pas le destin que Dieu lui réserve, ni quelle fin lui sera accordée [...] L'homme doit aimer tous les Compagnons du Prophète et savoir qu'ils sont les meilleures des créatures après l'Envoyé de Dieu [...] Personne ne doit dire que du bien de Mu'âwiya [...] Il ne doit pas déclarer un autre infidèle pour l'omission d'une quelconque obligation, sauf la seule Prière prescrite dans le Livre de Dieu. »

Pareille proclamation, dont l'existence même prouve le besoin qu'avait alors la Communauté d'une direction ferme pour lutter contre sa désagrégation interne, condamnait à la fois le mu'tazilisme, qui niait les attributs divins, et le shi'isme, qui refusait de reconnaître la légitimité des premiers califes. Mais elle visait aussi la nouvelle théologie ash'arite qui établissait des distinctions entre différentes catégories d'attributs divins et qui nuançait la thèse du Coran increé. Comme prise de position doctrinale, elle s'accompagna d'une nouvelle inquisition dont furent surtout victimes les jurisconsultes de tendance mu'tazilite, astreints à des rétractations publiques et empêchés de se défendre dans des séances de libre discussion. Le hanbalisme en effet, bénéficiant de l'appui du calife, puis de celui des premiers souverains saldjoukides, attaquait vigoureusement les représentants de cette école de pensée, notamment en la personne d'un certain Ibn al-Walîd qui ne put continuer son enseignement que chez lui, dans une maison du quartier shi'ite du Karkh.

Mais le hanbalisme fut aussi en butte, à partir de la fin de la première moitié du XIe siècle, à l'hostilité de la nouvelle école ash'arite. Si des sermonnaires traditionalistes, tel Ibn al-Djawzî, connurent à la fin du XIIe siècle à Bagdad leur heure de gloire et si l'école hanbalite réussit à s'établir solidement à Damas pendant l'époque ayyoubide, les XIe et XIIe siècles allaient être marqués en Orient par le développement d'un autre enseignement, qui accordait une plus grande place au raisonnement et qui était destiné à laisser des traces profondes sur l'évolution ultérieure de la pensée religieuse islamique.

•

C'était l'école ash'arite qui devait ainsi l'emporter finalement dans l'évolution du sunnisme. Son nom venait de celui d'un théologien mu'tazilite, al-Ash'arî qui, vers 910, abandonna la doctrine enseignée par son maître al-Djubbâ'î pour se rallier à la position traditionaliste définie par Ibn Hanbal et placer sous son patronage sa nouvelle profession de foi connue sous le nom d'*Ibâna*, « Exposé ». La pensée d'al-Ash'arî, volontairement liée ainsi à celle du maître de l'école hanbalite, n'allait pas moins s'en trouver au point de départ d'un mouvement sunnite absolument distinct du hanbalisme et même opposé à lui sur de nombreux points.

Une certaine obscurité règne sur la nature des idées d'al-Ash'arî, à qui l'on paraît avoir postérieurement prêté des affirmations qu'il n'avait sans doute pas lui-même soutenues et attribué des opuscules qu'il n'avait pas dû écrire. Il est certain toutefois que ce penseur conserva, de son ancienne formation mu'tazilite, une attitude intellectuelle qui n'était pas celle des hanbalites et qui consistait essentiellement à reconnaître la légitimité du recours à la discussion et aux arguments rationnels pour convaincre l'adversaire lorsque cela était nécessaire. Ainsi le vit-on dans son traité de théologie, qui est le plus ancien traité de ce genre écrit dans l'Islam sunnite, s'efforcer de prouver, au cours de son premier chapitre, l'existence du Créateur en se fondant non seulement sur les textes, mais encore sur des raisons que nous pourrions appeler de bon sens, analogues en quelque sorte au fameux argument de Voltaire.

Or discuter, c'est raisonner sur l'objet de la foi. De là à adopter une position intermédiaire entre le mu'tazilisme et le hanbalisme, à adhérer à la doctrine du second en admettant les méthodes du premier, il n'y avait qu'un pas qui fut franchi, sinon par al-Ash'arî lui-même, qui resta d'une grande prudence, du moins par la plupart de ses disciples. Ceux-ci en vinrent à transformer très sensiblement la position doctrinale initiale de leur maître et à fonder ainsi une école nouvelle, celle des *mutakallimûn*, ou « raisonneurs », qui pratiquaient le kalâm ou raisonnement dialectique en vue de poser les bases d'une théologie dogmatique.

Les opinions défendues par al-Bâkillânî *, un siècle environ après al-Ash'arî, illustrent bien le développement pris par ce mouvement de pensée. A cette époque, l'ash'arisme combattait les mu'tazilites à qui il reprochait de ne croire ni aux attributs divins (entendons attributs « éternels et distincts de l'essence »), ni au Coran créé, ni à la « vision » de Dieu par les élus, ni à la prédétermination, ni à l'intercession du Prophète dans l'au-delà. Il combattait aussi avec la même vigueur les traditionalistes qualifiés par lui d' « anthropomorphistes » et accusés d'interpréter les attributs divins d'une façon trop littérale. Le problème du Coran créé ou incréé demeurait toujours au cœur de la discussion, si l'on en croit le précis théologique d'al-Bâkillânî, l'*Insâf*, dont le tiers lui était consacré. Pour les ash'arites, le Coran était incréé, mais sans que l'on pût dire que les mots du Coran, tels qu'ils étaient prononcés par chaque fidèle, fussent incréés : il y avait lieu de distinguer nettement entre le contenu de la « récitation » et les mots « récités », distinction à laquelle les hanbalites répugnaient généralement. Conscients d'autre part des difficultés que suscitaient pour la raison certaines positions traditionnelles, notamment la croyance aux attributs physiques de Dieu tels que sa main, sa face, etc., les mêmes docteurs déclaraient qu'on devait y adhérer malgré tout « sans se demander comment » *(bilâ kayfa)*, formule qui allait caractériser par la suite l'ash'arisme.

En fait, cependant, les adeptes de ce mouvement proposèrent peu à peu des solutions aux questions théologiques embarrassantes. C'est ainsi qu'ils en vinrent à admettre la distinction, d'origine mu'tazilite, qui opposait parmi les attributs divins les attributs de l'essence et les attributs d'action, dont les derniers ne se manifestaient qu'en certaines occasions. Ils en vinrent aussi à accepter l'interprétation métaphorique des versets coraniques concernant la « main » de Dieu. Ils tentèrent de sauvegarder le libre arbitre humain en développant la théorie de l'appropriation par l'homme des actes déterminés par Dieu, théorie dont le germe se trouvait déjà chez al-Ash'arî. En outre, on les vit élaborer une conception de la connaissance dont l'exposé, placé régulièrement en tête des traités, prouvait bien l'importance que les ash'arites accordaient à la dialectique. Cette conception, qui reposait notamment sur la distinction entre éternité et contingence ou entre substance et accident, utilisait, comme toutes les théories dominantes de la scolastique médiévale en Orient ou en Occident, les catégories définies anciennement par la philosophie hellénisante. De la sorte, l'école produisit une série d'ouvrages de théologie où les méthodes et certaines des thèses défendues jadis par le mu'tazilisme se trouvaient peu à peu assimilées au patrimoine islamique traditionnel.

Un nouveau pas en avant fut accompli par le célèbre al-Ghazâlî, disciple d'al-Djuwaynî *, qui, tout en combattant sans faiblesse les thèses des philosophes musulmans hellénisants dits *falâsifa*, adopta lui aussi certaines méthodes d'inspiration aristotélicienne pour les faire servir à la défense de l'Islam. C'était l'ouverture dans le kalâm d'une voie nouvelle qu'Ibn Khaldûn qualifiera de « voie des modernes ».

Mais les ashʿarites ne limitèrent point là leurs efforts. Il est caractéristique de noter qu'ils se consacrèrent aussi à réfuter les erreurs de leurs adversaires, que ceux-ci fussent muʿtazilites, shiʿites, « anthropomorphistes » ou même chrétiens, juifs ou manichéens. En dépit du caractère plus ou moins polémique des traités d'hérésiographie qui virent ainsi le jour, l'intérêt porté à des doctrines erronées, qu'elles fussent ou non islamiques, correspondait chez eux à une attitude fondamentale de prosélytisme et à la prétention de gagner à l'Islam de nombreux convertis. Si vivace était même cette prétention que sermonnaires et propagandistes de leur tendance organisaient par exemple à Bagdad, à l'occasion de conversions qu'ils avaient obtenues, de véritables cérémonies suivies de parades.

Enfin le mouvement ashʿarite, qui se présentait apparemment sous les aspects d'une école théologique, fut aussi un mouvement que l'on a parfois, à juste titre, qualifié de « socio-politique ». Il prit en effet nettement position en faveur du régime établi et en faveur d'un regroupement communautaire fondé sur le respect des traditions des Anciens et sur la hiérarchie des Compagnons. Tout en étant accusés par les hanbalites de sympathies muʿtazilites, ses membres se déclarèrent les véritables « partisans de la sunna et du regroupement communautaire », ou *ahl al-sunna wa-l-djamâʿa,* expression dans laquelle le second terme compte autant, sinon plus, que le premier.

Au milieu des remous des xe-xie siècles, ce fut surtout finalement contre les hanbalites que les ashʿarites durent engager la lutte, car les représentants du traditionalisme rigoriste exerçaient alors sur la vie religieuse, ainsi qu'on l'a vu plus haut, une domination que les « raisonneurs » ne pouvaient supporter puisqu'elle leur interdisait, par exemple, de prêcher à la grande mosquée d'al-Mansûr. Sans doute les ashʿarites n'en avaient-ils pas moins déjà réussi à acquérir quelque autorité à Bagdad. La preuve en est que les hanbalites avaient alors éprouvé le besoin de faire condamner leur doctrine par le calife al-Kâdir et que peu après, en 1038, certains docteurs ashʿarites s'enhardirent jusqu'à lancer une attaque contre le hanbalite Abû Yaʿlâ qui recourut de nouveau au calife al-Kâ'im pour faire réaffirmer la profession de foi officielle. Mais les progrès restaient lents, tandis qu'une rivalité constante ne cessait de se manifester entre les deux « partis » se taxant mutuellement d'« infidélité ». Pendant une courte période, les ashʿarites furent même contraints de quitter la capitale. Néanmoins, leur doctrine s'était répandue en Iran où elle se heurta aussi, dans les premiers temps de la domination saldjoukide, à l'hostilité du pouvoir — Tughrilbeg en effet commença par la faire condamner en 1053 à Nîshâpûr —, mais où elle rencontra ensuite l'appui du célèbre vizir d'Alp Arslân, Nizâm al-Mulk.

Ce remarquable homme d'État se décida en effet à défendre de tout son pouvoir, quoique avec plus ou moins d'efficacité selon les moments, l'ash'arisme, qui lui paraissait plus apte que le hanbalisme à lutter contre le shi'isme extrémiste, particulièrement menaçant. Sous sa protection, qui favorisa le développement de nouveaux collèges officiels appelés madrasas, les ash'arites en vinrent à essayer d'imposer leurs conceptions à Bagdad. Dix ans après la fondation de la madrasa Nizâmiya de la capitale, en 1067, un professeur de droit, Ibn al-Kushayrî, osa dans un sermon attaquer la doctrine hanbalite et la qualifier d'anthropomorphiste. Peu après, les ash'arites défilaient dans la ville aux côtés de leurs nouveaux convertis. Les étudiants de la madrasa attaquaient les milieux hanbalites. Un ash'arite se permettait de faire un sermon à la grande mosquée d'al-Mansûr où seuls les hanbalites jusque-là se montraient. Toutes ces audaces déclenchaient des réactions hanbalites, les unes populaires et brutales telles que la lapidation d'un sermonnaire ash'arite à la grande mosquée, les autres politiques. Nizâm al-Mulk, devant la violence de l'opposition locale, cherchait à apaiser les esprits. Mais en vain. Comme le disait un des représentants du hanbalisme : « Comment nous réconcilier ? La paix se rétablit seulement entre deux partis qui sont en rivalité pour une charge d'État, ou pour les biens de ce monde, ou pour une part plus grande d'un héritage, ou enfin pour l'accession au pouvoir. Mais ces gens-là prétendent que nous sommes infidèles et nous, de notre côté, prétendons que sont infidèles ceux qui ne professent pas les mêmes doctrines que nous professons nous-mêmes. Comment donc nous réconcilier ? »

Nizâm al-Mulk dut alors renoncer à soutenir dans la capitale, autant qu'il l'aurait souhaité, l'ash'arisme qui allait se développer surtout hors d'Irak, en Syrie où il pénétra avec les professeurs shafi'ites, d'origine iranienne le plus souvent, que Nûr al-Dîn et ses successeurs installèrent à Alep et à Damas, au Maghreb aussi où ses idées se diffusèrent à partir du XIe siècle, parmi certains représentants du juridisme malikite.

L'ash'arisme n'était d'ailleurs pas seul. Un mouvement analogue avait progressé, en Iran surtout, sous l'impulsion d'un contemporain d'al-Ash'arî, al-Mâturidî *, qui vécut au Xe siècle à Samarkand. Le maturidisme était lui aussi une école de théologie apologétique et dogmatique qui avait adopté certaines méthodes du mu'tazilisme et qui s'était appliquée à insister sur la notion de la responsabilité humaine en admettant non pas seulement l'appropriation par l'homme de ses actes, mais l'existence d'une véritable liberté humaine de choix. Parallèlement, d'autres systèmes doctrinaux encore avaient vu le jour, notamment en Occident. Mais tandis que la pensée, à Cordoue, d'un Ibn Hazm *, pensée originale par son double souci de rester fidèle au sens littéral des textes et d'éviter les interprétations « anthropomorphistes », ne devait pas exercer d'influence directe sur la vie politique, celle du Berbère Ibn Tûmart, centrée sur l'affirmation de l'unicité divine bien comprise, allait aboutir à la fondation de la dynastie maghrébine des Almohades. Nouvelle illustration de la collusion ayant toujours existé, dans l'Islam médiéval, entre l'essor d'une doctrine religieuse originale, qu'elle fût hétérodoxe ou sunnite, et la fortune d'un pouvoir temporel utilisant à ses propres fins le dynamisme des adeptes de ladite doctrine.

●

Mais l'appartenance au sunnisme ne consistait pas seulement dans l'adhésion à un certain nombre de thèses théologiques traditionnelles parfois réinterprétées par leurs défenseurs. Elle se traduisait aussi par l'adoption d'un des systèmes juridiques officiellement admis dont nous avons vu plus haut l'individualisation au cours du VIIIe siècle. Ces systèmes ne divergeaient entre eux que de façon minime sur le détail des prescriptions cultuelles ou sociales propres au droit islamique, mais ils se caractérisaient chacun par certaines manières de présenter le donné fondamental fourni par le Coran et la Tradition, dont les discussions en cours, qu'elles fussent théologiques ou juridiques, avaient alors encouragé une étude approfondie. Tels avaient été en particulier l'effet de la réaction d'al-Shâfi'î contre l'usage de la réflexion personnelle et aussi l'effet de la position traditionaliste d'Ibn Hanbal. Sous cette impulsion étaient apparus alors plusieurs recueils de « dicts » du Prophète, classés généralement par matières. Parmi eux l'ouvrage d'al-Bukhârî * connu sous le nom du « Véritable », le *Sahîh*, et l'ouvrage de même titre dû à Muslim étaient venus s'ajouter au *Musnad* d'Ibn Hanbal où les mêmes « dicts » étaient rangés d'après leurs garants.

En même temps que se développait la science de la Tradition, le nombre des systèmes juridiques en usage tendait à se fixer. Les trois plus importants connaissaient un succès grandissant, qui variait avec les régions. Si les shafi'ites dominaient en Arabie où ils occupaient les principaux offices de cadis et de prédicateurs, ils étaient peu nombreux en Irak et ils se heurtaient en Iran à la rivalité des hanafites ; ils s'étaient en revanche fortement établis en Syrie, puis en Égypte où leur système avait rencontré le malikisme, puissant en ce pays avant l'occupation fatimide, et où il allait bénéficier par la suite de l'appui officiel des Ayyoubides. Le hanafisme s'était solidement implanté en Irak où la plupart des cadis lui appartenaient au xe siècle et où il coexistait avec le hanbalisme; il était puissant aussi en Iran où il tendait à supplanter le shafi'isme. Le malikisme enfin, qui comprenait quelques représentants en Irak, avait progressé surtout au Maghreb, où il était bientôt devenu le système prédominant. Quant aux petites écoles, celles d'al-Awzâ'î, de Sufyân al-Thawrî et de Dâwûd al-Isfahânî *, elles étaient en déclin. Seule l'école dawudite, appelée aussi zahirite * parce qu'elle s'en tenait strictement au sens littéral *(zâhir)* des textes, devait réussir à se maintenir quelque temps, notamment en Espagne où elle s'était répandue après s'être imposée en quelques villes d'Orient et où Ibn Hazm fut son représentant le plus notable. Mais les deux autres, auxquelles on peut joindre celle qu'avait fondée l'exégète et historien al-Tabarî, disparurent rapidement.

La situation précédemment si confuse était donc simplifiée et allait continuer à évoluer dans le même sens. On considéra dès lors qu'il n'y avait plus lieu d'autoriser de nouveaux efforts personnels de réflexion * *(idjtihâd)* susceptibles d'encourager de nouvelles tendances : le rôle des juristes devait se limiter à suivre les avis de leurs prédécesseurs et à déterminer les conditions d'application d'un droit déjà élaboré. C'est ce qu'on appela la « fermeture de la porte de l'effort de réflexion ». Cette « fermeture » ne se fit toutefois que progressivement et n'empêcha pas certains juristes de protester contre l'esprit d'imitation trop servile qui dominait chez leurs confrères, ni d'apporter d'intéressantes améliorations aux systèmes existants. Elle ne les empêcha pas non plus de parfois réclamer pour eux-mêmes la qualité de « penseur indépendant » *(mudjtahid)*, comme le fit le réformateur Ibn Tûmart. En vertu de ce processus, le hanbalisme par exemple, qui avait été seulement considéré auparavant comme une simple école théologique, devait obtenir, grâce à son activité, droit de cité à côté des trois grandes écoles précédemment mentionnées. La normalisation se fit tacitement au nom de l'accord commun, de ce consensus qui joua toujours un rôle important dans l'élaboration du droit.

Les systèmes ainsi reconnus restaient historiquement liés, de manière plus ou moins étroite, aux mouvements politico-religieux qui en avaient aidé la diffusion. Le cas est particulièrement net pour le hanbalisme qui fut à la fois mouvement théologique et système juridique et au sein duquel on vit peu de dissensions. Mais le shafi'isme demeura de son côté imprégné d'ash'arisme, car ce fut parmi ses adeptes que les ash'arites répandirent leur doctrine; ce fut de lui et des collèges réservés à son enseignement qu'ils se servirent pour propager leurs propres idées, comme cela se produisit par exemple à Bagdad peu après la fondation de la madrasa Nizâmiya. Certains malikites aussi avaient été gagnés par l'ash'arisme, soit en Irak, soit surtout en Occident où le malikisme adopta plus souvent des positions traditionalistes proches de celles du hanbalisme et destinées à en faire l'adversaire le plus dangereux d'un isma'ilisme longtemps triomphant. Quant aux hanafites, ils profitèrent généralement des progrès du maturidisme qui défendait sans doute la doctrine théologique la moins éloignée du mu'tazilisme : pour cette raison, les mu'tazilites trouvèrent refuge, au Xe siècle, dans ce système qui devait également accueillir, après la défaite du shi'isme en Orient, des partisans de ce dernier mouvement, de même qu'auparavant certains hanafites s'étaient laissés gagner par l'idéologie fatimide.

Ces affinités entre sectes religieuses et systèmes juridiques qui influaient les uns sur les autres sans cependant se confondre, tenaient essentiellement à la similitude de méthodes de raisonnement appliquées, selon les cas, soit aux fondements de la religion, ou *usûl al-dîn*, soit aux fondements du droit, ou *usûl al-fikh*. Mais, en dehors du hanbalisme qui se présenta toujours sous un aspect quelque peu monolithique, les écoles juridiques n'imposaient pas nécessairement à leurs membres une option théologique particulière et il n'était pas rare de rencontrer des esprits originaux qui adoptaient des positions personnelles en combinant des notions d'origines différentes. Les correspondances régulières qu'allait encourager l'organisation d'un enseignement officiel pour chaque système, dispensé dans des collèges spécialisés, furent surtout le fait d'un Islam plus tardif, définitivement divisé en quelques familles religieuses à valeur socio-politique, les unes hétérodoxes et les autres sunnites, en même temps que se durcissait la séparation entre les quatre rites sunnites.

•

Entre le IXe et le XIe siècle, lorsque des options doctrinales et théologiques en pleine évolution restaient au premier plan des préoccupations des hommes de religion et provoquaient parfois des heurts violents, le soufisme ne perdait pas non plus de son influence et contribuait lui aussi à entretenir l'agitation des esprits. Sans doute un mystique comme al-Muhâsibî, ce contemporain d'Ibn Hanbal qui fut l'auteur d'un des premiers traités sur l'amour divin, restait-il dans la ligne des anciens ascètes. Il se contentait de prêcher la pratique de l'examen de conscience, d'où son surnom, ainsi que la méditation prolongée ; il prônait aussi l'abandon complet de soi comme moyen de rencontrer Dieu et d'obtenir son amour. Par là il ne heurtait pas les traditionalistes, qui reconnaissaient à Dieu une certaine capacité de compassion. Mais, au cours du IXe siècle, des notions nouvelles étaient apparues dans le langage des mystiques. Ce fut ainsi que le Persan al-Bistâmî *, découvrant Dieu dans son propre cœur et proférant des paroles telles que : « Gloire à moi, que grande est ma Majesté ! », heurta alors vivement les milieux traditionalistes qui n'étaient pas davantage disposés à admettre l' « ivresse » de Dieu qu'il proclamait dans son enseignement. Ses propos extatiques frisaient en effet le monisme et, à partir de ce moment, la pratique du mysticisme commença de poser un problème doctrinal islamique au lieu de se cantonner dans le domaine des pratiques morales et des règles de vie.

Certes al-Djunayd * s'était efforcé de sauvegarder la transcendance divine et d'éviter toute divinisation de la personne humaine, tout en visant au dépouillement total du moi et à l'anéantissement de l'homme en Dieu. La définition du soufisme était pour lui que « Dieu fait mourir l'homme à son moi pour le faire vivre en Lui ». Il justifiait cette prétention en recourant à la notion coranique du Pacte prééternel conclu entre Dieu et les hommes avant que l'histoire eût commencé. « Dans ce verset [VII, 166-167], disait-il, Dieu a affirmé qu'Il a parlé aux descendants d'Adam alors qu'ils n'avaient pas d'existence formelle. Cela est possible parce que Dieu les saisit dans leur existence spirituelle. Cette existence spirituelle implique qu'ils connaissent Dieu spirituellement sans aucunement postuler qu'ils soient conscients de leur propre individualité. » Il s'agissait donc pour l'homme de revenir « à l'état où il était avant d'être », pour permettre à son individualité d'être transformée par Dieu et en accord avec la vérité, au cours d'instants toujours trop brefs.

Mais le célèbre al-Hallâdj, qui mourut supplicié à Bagdad en 922, devait être moins prudent dans ses propos extatiques et se faire remarquer par son active propagande comme par son indifférence aux critiques. Prêchant dans les marchés et les mosquées à la manière des sermonnaires populaires, dans les provinces d'Iran qu'il parcourut pendant cinq ans, puis dans la capitale, il exhortait chacun à la réforme morale, invitait ses interlocuteurs à méditer sur l'unicité divine et à se conformer à la volonté divine pour réaliser l'union avec Dieu. « Ivre » de Dieu lui aussi, il concevait cette union comme un lien intime entre Dieu et l'âme, lien qui lui permettait de s'écrier : « Si vous ne reconnaissez pas Dieu, reconnaissez du moins Son signe. Je suis ce signe. Je suis la Vérité créatrice parce que, par la Vérité, je suis une vérité éternellement. »

Tandis que par de telles expressions il scandalisait les docteurs qui lui reprochaient de prétendre à la divinité, il fut également accusé de propagande subversive en faveur soit du réformisme hanbalite qui avait inspiré la conspiration d'Ibn al-Mu'tazz, soit du shi'isme extrémiste; il lui arrivait en effet d'employer des formules qui rappelaient celles que les partisans shi'ites appliquaient à l'« incarnation » de l'esprit divin en l'imâm. Arrêté pour des raisons surtout politiques, mal défendu par les quelques protecteurs qu'il s'était acquis dans l'entourage du calife, il fut ensuite jugé et condamné à mort pour un chef d'accusation qui reposait en fait sur une phrase interprétée de façon trop littérale : « Ce qui compte, c'est de tourner sept fois autour de la Ka'ba de son cœur », phrase où l'on voyait un dénigrement de la pratique du Pèlerinage. Il accepta alors avec sérénité, comme un signe de son expérience unique et incommunicable, le tourment sur le gibet qu'il avait lui-même prédit lorsqu'il avait déclaré : « C'est dans la religion du gibet que je mourrai; Mekke et Médine ne me sont plus de rien. » Cette dernière formule explique, mieux que toute autre, comment al-Hallâdj avait pu donner à ses contemporains l'impression de dédaigner et même de rejeter les prescriptions légales de l'Islam, position qui le plaçait ainsi hors de la Communauté.

Cette condamnation, qui montrait une fois de plus combien en Islam la vie spirituelle restait liée à la vie politique et sociale, devait amener les adeptes du soufisme à réfléchir sur la voie dans laquelle il convenait d'orienter désormais le mysticisme. Un clivage se fit entre ceux qui s'efforçaient sincèrement d'éviter tout heurt avec les théologiens et ceux qui, au contraire, cherchaient seulement à dissimuler, sous des habillages plus ou moins réussis, des théosophies d'inspiration franchement moniste.

Parmi les premiers, le plus célèbre fut al-Kushayrî * qui écrivit en 1046 son *Épître aux soufis* où il décrivait de façon détaillée l'itinéraire spirituel du croyant vers Dieu. L'itinéraire, qui comportait un certain nombre d'étapes restées classiques, commençait par la « conversion » et l' « effort vers la vie mystique » pour se terminer par la « connaissance de Dieu », l' « amour » et le « désir ardent » d'être auprès de Dieu. Al-Kushayrî était le contemporain du Persan al-Hudjwirî *, qui écrivit de son côté en langue persane vers 1057 un important ouvrage théorique sur le soufisme, et d'un autre Persan d'appartenance hanbalite, 'Abd Allâh al-Ansârî, dont les ouvrages firent également autorité par la suite. Les efforts de ces deux personnages pour présenter les expériences des soufis de manière cohérente et pour les rendre compatibles avec le dogme traditionnel allaient trouver leur couronnement dans l'œuvre d'al-Ghazâlî dont la *Revivification des sciences de la religion* s'efforça précisément d'exposer un idéal de vie spirituelle inspiré du mysticisme et seul capable, aux yeux de l'auteur, d'assurer une vie religieuse complète et authentique.

Al-Ghazâlî dont on a évoqué plus haut la place dans le kalâm a été souvent présenté comme un théologien qui, après avoir enseigné les sciences religieuses à la madrasa Nizâmiya de Bagdad, de 1091 à 1095, reconnut l'insuffisance des prescriptions rituelles ainsi que des raisonnements dogmatiques pour se « convertir » en quelque sorte au soufisme. Il aurait laissé de fait une prétendue autobiographie * où il déclarait avoir successivement étudié, puis rejeté les doctrines des théologiens, celles des philosophes et celles des shi'ites isma'iliens avant d'avoir trouvé dans le soufisme la voie du salut. Or, s'il combattit effectivement, dans quelques-uns de ses écrits, philosophes et shi'ites extrémistes, il ne rejeta jamais le droit ni la théologie, mais resta jusqu'à la fin de sa carrière, on l'admet aujourd'hui, un juriste et un théologien. Son originalité fut de déclarer d'abord que le savoir théologique demandait à être complété par un élan vers Dieu, un désir ardent qui, au terme d'un itinéraire spirituel analogue à celui qu'avait décrit al-Kushayrî, procurait une connaissance intuitive du Dieu unique. Elle fut aussi de définir la valeur spirituelle des rites de l'Islam qu'il convenait, selon lui, d'accomplir, non seulement par esprit d'obéissance, mais en vue d'obtenir le pardon du Dieu miséricordieux et de se rapprocher toujours davantage de lui. Ainsi se trouvait conseillée la pratique de ces litanies * que répétaient les soufis et de ces récitations qui devaient accompagner tous les actes de la vie quotidienne. Par là al-Ghazâlî, comme on l'a maintes fois souligné, replaçait le soufisme dans les sciences religieuses et le vulgarisait en conseillant à chacun de suivre, plus ou moins complètement selon ses obligations professionnelles, la voie propre d'abord aux mystiques.

Au milieu du XIIe siècle apparurent alors ces confréries soufies qui allaient jouer dans l'Islam postérieur un rôle si important et qui constituaient déjà, à la veille de l'invasion mongole, un de ses aspects les plus caractéristiques. A vrai dire, il avait existé depuis une date ancienne des « cercles » d'ascètes, mais ces cercles étaient réservés à un petit nombre d'initiés qui recevaient, lors de leur admission, un habit spécial et qui se tenaient à l'écart de leurs contemporains. Au Xe siècle seulement avait été signalée l'existence à Bagdad de « couvents * », appelés *ribât*, qui étaient occupés par des soufis de tendance soit hanbalite, soit ash'arite, ainsi que celle à Jérusalem de couvents appelés ceux-là d'un mot persan *khankâh* et destinés aux membres du mouvement mi-théologique mi-soufi appelé karramite. Bien plus tard encore se manifestèrent les grandes confréries dont la première connue fut celle des *kâdiriya* *, fondée par un Persan qui était venu à Bagdad où il mourut en 1166, après être passé du hanbalisme au soufisme, et qui avait réuni autour de lui en quelques années un grand nombre de disciples. D'autres suivirent, parmi lesquelles celles que fondèrent l'Oriental al-Suhrawardî (mort en 1234) et le Maghrébin al-Shâdhilî (mort en 1250); mais la plus célèbre allait être, à partir du XIIIe siècle, l'importante confrérie des *mawlawiya* *.

Ces ordres, largement ouverts aux classes populaires, recouraient non seulement aux litanies, mais aussi à certaines pratiques anciennes réputées favorables à l'extase qui allaient, telle la danse pivotante des fameux derviches tourneurs mawlawiyas, acquérir une célébrité croissante et qui tenaient déjà leur place dans la vie musulmane au Xe siècle, si l'on en croit les sarcasmes du hanbalite Ibn Batta. Celui-ci, tout en admettant un ascétisme modéré, dénonçait en effet les excès et les extravagances auxquels se livraient alors maints adeptes du soufisme. Non seulement il rappelait cette parole attribuée à un traditionniste réputé : « Tous ces gens qui se sentent défaillir quand ils entendent citer le nom de Dieu, mets-les au sommet de murs élevés ; récite-leur alors des versets du Coran et tu verras s'ils tombent ! », mais il critiquait d'une manière plus générale ses contemporains imbus d'ascétisme en disant : « Il est une catégorie de gens qui se livrent ouvertement à des pratiques de mortification, qui se font une règle de se réunir pour écouter des poèmes afin de distraire leurs âmes et d'émouvoir leurs cœurs ; il en est, parmi eux, qui s'adonnent à la danse, frappent des mains ou lacèrent leurs vêtements. Ils disent dans leur jargon : « Dieu a dit » [...] Or ce sont là des choses que Dieu n'a pas dites, dont on ne trouve nulle trace dans aucune tradition [...] Il n'y a là qu'innovation, mensonge et imposture. Il est une autre catégorie de gens qui font étalage d'esprit de renoncement et de dévotion et qui s'interdisent la recherche de tout gain et de tout moyen d'existence. Ils estiment qu'ils doivent, sans crainte d'être importuns, pratiquer la mendicité et solliciter la charité. Ils prétendent arriver au désir et à l'amour en tuant en eux toute crainte et toute espérance. C'est là une pure innovation. L'homme qui professe de semblables doctrines ne peut être que haï et détesté des gens de science et de connaissance. »

Quant au courant théosophe qui séduisait d'autre part un certain nombre de mystiques et qui se développa surtout aux XIIe et XIIIe siècles, il exerça sur la vie sociale une influence beaucoup plus réduite. A lui se rattachèrent un poète tel qu'Ibn al-Farîd * et surtout le célèbre Ibn al-'Arabî * qui, né à Murcie, mourut à Damas après avoir élaboré une doctrine de l'union divine fondée sur un parfait monisme : l'homme était selon lui un microcosme, reflet du macrocosme, à qui il suffisait d'approfondir son moi pour y découvrir Dieu, à la fois transcendant et immanent, unique source de toute existence. Violemment attaqué, Ibn al-'Arabî n'en fut pas moins, plus tard, vénéré comme un véritable saint.

Sous ses divers aspects, orthodoxe ou moniste, le mysticisme encouragea en effet un aspect particulier de la religion musulmane, le culte des « saints * », car les soufis étaient portés à situer dans cette catégorie leurs représentants les plus éminents à qui ils attribuaient des « prodiges », sinon de ces véritables miracles qui restaient l'apanage des prophètes. Les fondateurs d'ordre notamment étaient pour leurs disciples l'objet d'une révérence particulière. Non seulement ces divers personnages étaient traités avec respect de leur vivant, mais on rendait ensuite visite à leurs tombes en espérant bénéficier des pouvoirs exceptionnels dont devaient disposer de tels « amis de Dieu », ou *walî*.

Le culte des saints dont les soufis élaborèrent la théorie rencontra une vogue d'autant plus grande qu'il avait été favorisé, au départ, par plusieurs autres tendances, parfois idéologiquement opposées. On a vu plus haut les sentiments d'attachement passionné des imamites à leurs imâms « martyrs » entraîner la vénération de leurs lieux de sépulture. Les traditionalistes de leur côté, fidèles à la mémoire des Umayyades, avaient fait construire à Damas, dans le courant du xe siècle, un mausolée marquant la tombe du calife Muʿâwiya. D'autres disciples d'Ibn Hanbal, tout en condamnant les visites des shiʿites aux tombes de leurs imâms, rendaient un culte semblable au monument de leur maître ainsi qu'à quelques autres. Hanbalites et ashʿarites d'autre part attribuaient des mérites particuliers aux Compagnons, notamment aux premiers d'entre eux, dans la conduite desquels ils cherchaient un modèle à suivre. Par là s'expliquent à la fois la multiplication et la variété, au xiie siècle, de ces lieux de culte secondaires qui étaient aussi des lieux de pèlerinage, pourvus parfois de leur propre rituel, et dont certains remontaient même à un lointain passé. Ils étaient fréquentés par la foule aussi bien que par les mystiques dont les goûts d'errance s'accommodaient parfois volontiers d'une vie d' « ascètes vagabonds » allant d'un sanctuaire à l'autre à l'instar du voyageur et pèlerin syrien al-Harawî. Ils donnèrent même naissance à une abondante littérature et les listes qui en furent alors dressées, sous forme de guides locaux du pèlerin ou de nomenclatures plus vastes, reflètent pour nous encore aujourd'hui leur étonnante force d'attraction en même temps qu'elles nous permettent de discerner les origines fort diverses de ces tombes de « saints », qui pouvaient avoir été ici ou là celles d'un prophète biblique, d'un Compagnon, d'un Alide, d'un mystique ou même d'un jurisconsulte réputé. Toujours cependant s'y manifestaient les effets de la même piété qui en reliait le culte à celui des lieux sacrés anciennement connus dans chaque région et peu à peu intégrés sous une forme ou une autre au patrimoine religieux de l'Islam.

•

Distincts enfin des soufis comme des théologiens avec lesquels pourtant ils n'étaient pas sans rapport, d'autres penseurs musulmans de l'époque classique peuvent se ranger sous l'étiquette des philosophes d'inspiration hellénistique appelés *falâsifa*. C'était, semble-t-il, au IXe siècle que l'on avait vu pour la première fois des musulmans adopter les principes de la philosophie grecque, ou du moins ce que l'on en connaissait par les traductions faites à cette époque, et tenter de les concilier avec le dogme islamique qui pouvait y trouver un nouveau soutien. La philosophie ainsi mise à l'honneur était en fait, d'après le choix des ouvrages traduits, celle qui avait eu cours dans les écoles grecques de la basse Antiquité et qui avait été exposée dans des écrits faussement attribués le plus souvent à Aristote, comme sa fameuse et prétendue *Théologie*. On y trouvait un mélange de conceptions aristotéliciennes et néo-platoniciennes que les penseurs musulmans recueillirent sans pouvoir, comme de juste, y opérer la moindre distinction critique. Les traits essentiels de l'héritage portaient sur la notion d'un monde éternel régi par un ordre cosmique rigoureux et dérivant d'une cause première qui correspondait à Dieu, l'Un et éternel Créateur, puis sur la notion d'un « intellect actif » servant d'intermédiaire entre le monde spirituel et le monde humain, enfin sur la possibilité d'une connaissance surnaturelle chez certains humains privilégiés. Autant de traits dont on a déjà souligné l'influence sur certaines constructions doctrinales des sectes shi'ites extrémistes, mais qu'il faut également garder présents à l'esprit pour comprendre les problèmes qui se posaient aux « philosophes » musulmans. Si en effet cette philosophie hellénisante s'accommodait bien du monothéisme et pouvait rendre compte de l'existence de prophètes, elle n'admettait ni la création du monde ni la résurrection des corps et concevait difficilement une survie personnelle de l'âme.

Al-Kindî *, « le philosophe des Arabes », dont l'activité se situa au temps des califes mu'tazilites du début du IXe siècle et fut encouragée par eux, adopta à cet égard une attitude que suivirent presque tous ses successeurs en déclarant, d'une part, que la vérité philosophique se trouvait déjà chez les anciens Grecs et d'autre part, qu'il ne pouvait y avoir opposition ni même divergence entre la Révélation et le raisonnement philosophique. C'était là une position antifidéiste qui se situait parallèlement à l'effort mu'tazilite. Elle obligea al-Kindî à modifier quelque peu le système hellénisant pour rattacher l'émanatisme néo-platonicien, qui expliquait le développement du monde, à l'acte créateur de Dieu créant ex nihilo la plus haute sphère de ce monde.

La pensée d'al-Kindî devait ensuite servir de base à d'autres élaborations. Indépendamment d'elle toutefois, un penseur original, le philosophe et médecin persan al-Râzî *, connu en Occident sous le nom de Rhazès, conçut, à partir de sources qui ne nous sont pas bien connues, un système où l'on distingue des réminiscences de la gnose manichéenne. Il admettait en effet l'existence de cinq principes éternels, le Démiurge, l'Ame universelle, la Matière, l'Espace et le Temps, tout en niant la mission prophétique et en reconnaissant au contraire au seul philosophe le pouvoir de délivrer l'âme du monde corrompu où elle était emprisonnée. Ce système ne pouvait être accepté par les docteurs de l'Islam, même de tendance intellectualiste, et il fut d'un autre côté âprement combattu par les isma'iliens.

A la base hellénisante classique recourut au contraire un peu plus tard le Turc al-Fârâbî qui passa une partie de son existence à la cour de Sayf al-Dawla à Alep et à qui la philosophie musulmane dut certaines de ses doctrines demeurées longtemps en faveur. Al-Fârâbî précisa des points tels que la distinction entre l'essence et l'existence, distinction qui fait de Dieu le seul Être nécessaire, et la théorie des Dix Intelligences émanant les unes des autres dont la dernière, l'Intelligence active, transforme dans l'homme l'intellect possible en un intellect acquis. Il défendit encore une conception particulière, celle du prophétisme qui, développée dans son célèbre traité d'inspiration platonicienne, *la Cité parfaite*, faisait du chef de la Cité un prophète et un sage uni à l'Intelligence active, soit par l'intellect, soit par l'imagination. Al-Fârâbî réinterprétait ainsi l'Islam d'un point de vue philosophique en plaçant la théologie naturelle au-dessus de la théologie révélée avec laquelle elle se trouvait néanmoins nécessairement en accord.

Le xe et le début du xie siècle furent ensuite marqués par une nouvelle floraison de la pensée philosophique, que favorisait le régime instauré en Irak et en Iran par les émirs bouyides. A cette époque, le lettré shi'ite Miskawayh *, d'origine iranienne, se plut à recueillir les maximes des anciens, grecs, iraniens ou indiens, pour présenter ce qu'il nommait la « Sagesse éternelle ». Il composa de même un traité de morale où l'influence de la pensée antique était manifeste. Mais ce fut surtout Ibn Sînâ *, connu en Occident sous le nom d'Avicenne et mort à Hamadhân après une vie mouvementée consacrée autant à la politique qu'à la science ou à la méditation, qui illustra à l'époque l'effort philosophique des musulmans. Reprenant la métaphysique de l'essence et la théorie des Intelligences hiérarchiques définies par al-Fârâbî, Avicenne les compléta par une philosophie qu'il appela « orientale » dans la mesure où pour lui l'Orient était le symbole de cette source de lumière ou d'illumination que l'intellect humain rencontre en l'Intelligence active, d'où émane toute connaissance.

Les positions avicenniennes, dont le succès en pays d'Islam explique l'acharnement mis par al-Ghazâlî à les combattre, engendrèrent également excès et réaction. La réaction fut l'œuvre d'Ibn Rushd *, ce penseur andalou connu sous le nom d'Averroès qui, pour restaurer ce qu'il considérait comme l'aristotélisme authentique, rejeta l'émanatisme avicennien et fut ainsi amené à nier l'existence d'une cause créatrice, à restreindre le rôle formateur de l'Intelligence active et à attribuer enfin à la matière le principe d'individuation. En conséquence l'union avec l'Intelligence active, qui restait selon lui possible, n'était finalement « que l'Intelligence agente qui se perçoit elle-même en se particularisant momentanément dans une âme humaine comme la lumière se particularise dans un corps » (H. Corbin). Ce nouveau système rendait parfaitement compte, selon son auteur lui-même, des articles de la foi musulmane, mais l'interprétation philosophique desdits articles ne pouvait sans danger être divulguée à tous : d'où le souci qu'eut Ibn Rushd, jurisconsulte et cadi en même temps que philosophe, de distinguer toujours entre le sens externe et le sens interne des textes sacrés, distinction qui sera à l'origine de la doctrine de la « double vérité », elle-même destinée à caractériser plus tard l'averroïsme latin.

En opposition à cet esprit précis et rigoureux qu'était Ibn Rushd et au « péripatétisme arabe » qu'il défendit, se dressa l'Iranien al-Suhrawardî * qui mourut, exécuté semble-t-il, à Alep en 1191 et qui sera connu comme « le maître de la théosophie illuminative ». « Éveille-toi à toi-même », faisait-il dire par exemple à Aristote. Selon lui en effet la connaissance de soi menait, par une initiation progressive, à une « illumination présentielle que l'âme, comme être de lumière, fait se lever sur son objet » (H. Corbin). Cette philosophie de « l'Orient des lumières », qui prolongeait la philosophie orientale ébauchée par Avicenne, se rattachait aussi à la sagesse iranienne et aux anciennes traditions religieuses de l'Iran. En même temps elle rejoignait les efforts qu'avaient déployés certains soufis comme al-Bistâmî pour défendre l'anéantissement dans l'union avec Dieu.

On a souvent discuté de la vraie nature de cette philosophie à laquelle certains refusent la qualification d'islamique, tant ils considèrent que les philosophes « arabes » n'auraient fait que poursuivre l'œuvre de leurs prédécesseurs hellénisants. Il apparaît pourtant clairement que, si ces penseurs furent souvent combattus par les théologiens, voire même condamnés à mort par les autorités comme ce fut le cas pour al-Suhrawardî, ils n'en restèrent pas moins toujours guidés par le souci d'approfondir le vrai sens de ce donné coranique qui est à l'origine de l'Islam. Particulièrement significatif demeure le fait que tous, philosophes, théosophes et mystiques, rattachaient leur doctrine de l'union avec la divinité ou l'Intelligence active au verset fameux par lequel Dieu dit à Moïse : « Tu ne Me verras pas ; regarde plutôt cette montagne ; si elle reste » immobile à sa place, tu Me verras. » Mais lorsque Dieu se manifesta sur la montagne, Il la réduisit en poussière, et Moïse tomba évanoui » (*Coran*, VII, 139). Significative encore est d'ailleurs la place que tenaient, dans ces divers systèmes, les problèmes de la création du monde, de l'immortalité de l'âme et surtout de la prophétologie.

En outre la *falsafa* au sens large ne manqua pas d'exercer une certaine influence sur la religion islamique. On sait déjà qu'elle avait séduit nombre d'esprits depuis que les muʿtazilites avaient cru nécessaire d'utiliser ses méthodes pour mieux défendre le dogme mal compris. Ce fut aussi le plus souvent contre elle que la théologie dite orthodoxe aima préciser ses positions, comme le montrent les entreprises d'un Ghazâlî ou d'un Shahrastânî *. Ce dernier par exemple prit toujours soin, dans son traité de théologie, de réfuter les doctrines erronées des philosophes, non sans que leurs problèmes eussent réagi sur sa propre manière de raisonner.

Ajoutons que les philosophes ne restèrent pas étrangers aux luttes idéologiques qui sévissaient de leur temps : al-Fârâbî travailla, à ce qu'il semble, en liaison avec les théoriciens du shiʿisme ; Avicenne au contraire réagit contre la poussée ismaʿilienne et adopta de ce fait une prophétologie différente de celle d'al-Fârâbî. Ils ne manquèrent pas non plus, tel Avicenne, d'assumer d'importantes responsabilités politiques. Nombre de souverains et hommes d'État, au xe siècle notamment, furent ainsi imprégnés de ces idées philosophiques, tantôt aristotéliciennes, tantôt néo-platoniciennes, qui étaient en vogue de leur temps et qui alimentaient la polémique des sectes. C'est dire que le mouvement philosophique ne resta pas en dehors de la vie politique ni sociale, voire même religieuse, mais tint une place active parmi les courants de pensée de l'Islam.

A la philosophie étaient étroitement liées les sciences qui avaient été empruntées à la civilisation antique et dans lesquelles les musulmans, selon l'expression de R. Arnaldez, s'attachèrent à « confronter les concepts grecs avec l'expérience ». Que ce fût dans les sciences dites exactes ou dans les sciences physiques et naturelles, les savants réussirent, sans renouveler les méthodes anciennes et en continuant à utiliser des classifications quelque peu formelles, à faire fructifier de façon remarquable l'héritage hellénistique et romain. Tandis que des techniciens obtenaient des résultats en arithmétique (adoption des chiffres « indiens », invention du zéro « marqué par un point » qui permettait d'écrire n'importe quel nombre selon le système décimal, invention de l'algèbre * attribuée à al-Khwârizmî *), en astronomie (mensuration du méridien, mise au point de l'astrolabe *), en trigonométrie, en cartographie, en mécanique (construction des automates *) et en optique *, des savants qui furent aussi des philosophes s'étaient intéressés à la médecine, où ils firent des observations cliniques nouvelles, ainsi qu'à la chimie dont certains d'entre eux essayèrent de poser les bases en la dégageant de son substrat magique.

Les sciences dites occultes tentaient en effet alors bien des penseurs soucieux de comprendre la signification profonde des choses. L'alchimie * fut surtout illustrée par la grande collection mise sous le nom de Djâbir * et se rattacha à un courant gnostique qui honorait Hermès comme un prophète, celui qui aurait enseigné aux hommes les secrets de la création. L'astrologie, qui avait encouragé la prolifération des ouvrages descriptifs consacrés aux constellations et aux signes dont il s'agissait de déchiffrer l'influence sur le destin des hommes, avait des prolongements peut-être encore plus marqués dans le domaine de la magie * et de la rédaction des talismans *, auquel touchait par exemple la science des lettres à valeur numérique. Toutes ces sciences occultes reposaient sur un système de correspondances reliant l'apparence des choses à un monde caché que les sens ne pouvaient percevoir ; c'était donc encore un aspect de l'ésotérisme qui tendait à se développer dans certains milieux musulmans, surtout de tendances shi'ite ou mystique.

Dans les milieux traditionalistes en effet, si l'on admettait les efforts des savants, justifiés par les versets coraniques exaltant les mérites du « savoir » dans un sens général, et si l'on encourageait certaines recherches bien particulières, on n'en concevait pas moins une extrême méfiance à l'égard de toute prétention à connaître le « mystère » du monde. « N'étudie pas trop les astres, disait le hanbalite al-Barbahârî, si ce n'est pour t'aider à déterminer les heures des prières ; au-delà cela conduit à l'impiété. » D'où la condamnation portée contre les diverses espèces de divination et les pratiques de magie. L'astrologie toutefois eut toujours en fait un grand rôle, puisque aucune ville n'était fondée sans qu'on en eût au préalable pris l'horoscope.

●

La pensée islamique de l'époque classique resta donc marquée par un aristotélisme et une influence gnostique dont elle ne cessait de s'imprégner, même lorsqu'elle leur opposait, avec un succès variable, un fidéisme plus ou moins strict. Les courants rationalistes et gnostiques inspirèrent alors un poète comme al-Ma'arrî qui, en des vers célèbres, alla jusqu'à accabler de ses âpres moqueries les adeptes des religions révélées. S'il protestait par moments de sa foi dans le Créateur, il n'en considérait pas moins la raison comme le seul principe de connaissance, « la meilleure des conseillères », et fondait sur elle sa morale personnelle, originale en même temps qu'empreinte d'une profonde amertume.

Aussi bien ni les accusations fréquentes de zandaka, c'est-à-dire d'impiété et de libre pensée, qui avaient été lancées périodiquement dès le début de l'époque abbasside contre tel poète ou tel philosophe trop audacieux, ni les inquisitions qui avaient été organisées en certaines régions et en certaines circonstances pour imposer à tous une interprétation déterminée du dogme islamique n'avaient-elles empêché les esprits de mettre en cause les valeurs de ce donné révélé qui les avait nourris et de les réinterpréter à l'occasion. Mieux encore, à cette intégration d'éléments conceptuels et scientifiques, ou prétendus tels, hérités du monde antique, ne se limitait même pas une vie intellectuelle marquée également par des préoccupations plus profanes dont nous verrons plus loin l'expression littéraire et artistique refléter les divers aspects. Tous les courants ne cessaient de se mêler. L'exemple déjà cité d'un Ma'arrî peut paraître éminemment caractéristique, mais il ne faut pas oublier qu'un domaine aussi proche de la réalité quotidienne que celui de la passion amoureuse et des écrits qu'elle animait, était, lui aussi, l'objet de toute une réflexion mi-religieuse mi-philosophique, imbue notamment de lointains souvenirs platoniciens, en même temps que s'y faisaient jour, dans un tout autre registre, les accents d'une sensualité souvent exacerbée.

Sans doute, sur ce dernier point lui-même, des orientalistes distingués ont-ils voulu justifier par une influence du dogme et de la philosophie islamiques certains aspects de l'épicurisme qui éclatait alors dans tant d'œuvres littéraires arabes et notamment dans la poésie. Les arguments ne leur manquent pas. Il est vrai par exemple, comme on le verra plus loin, que certains hommes de religion s'intéressèrent à la passion amoureuse en s'efforçant de la canaliser d'une manière ou d'une autre. Il est vrai aussi que la part prise par l'idée de Dieu dans la pensée islamique réduisait en contrepartie le monde ambiant à n'apparaître plus que comme une réalité passagère et presque irréelle. Mais cette méditation sur la vanité de ce monde n'était sans doute pas nécessaire pour ajouter quoi que ce soit à un plaisir de vivre qui ne se raisonnait guère et qui sut au contraire s'enrichir de tous les perfectionnements apportés à la vie matérielle. L'humanisme arabe médiéval, dont nous avons vu l'aspect doctrinal et religieux tout entier livré aux discussions des penseurs et des docteurs, connaissait en fait un autre visage profane qui demande à être à son tour considéré dans sa spécificité. La base de cet humanisme était certes rapportée à Dieu et à un message révélé déterminant l'attitude que l'homme se devait d'adopter pour assumer pleinement sa destinée et jouer son rôle au sein de la création. Mais par ailleurs le goût plus ou moins sublimé de la jouissance, goût qui correspondait à une fort ancienne sensibilité orientale et trouvait une de ses expressions les plus parfaites dans les raffinements des arts plastiques, y animait les œuvres qui ne restaient pas cantonnées dans le domaine de la science ou de l'érudition. C'était là une tendance areligieuse, sinon anti-religieuse, que les docteurs furent impuissants à réprimer. Seuls peut-être certains penseurs imprégnés de philosophie hellénistique réussirent à l'intégrer à leur système, mais au prix d'une transposition si radicale que la doctrine première de l'Islam en avait perdu chez eux toute sa rigueur.

CHAPITRE VI

DROIT, INSTITUTIONS POLITIQUES ET MORALE

Le droit musulman de l'époque classique ne fut élaboré, on l'a vu, que progressivement. Son influence n'en fut pas moins très tôt contraignante et les prescriptions minutieuses selon lesquelles il régla dès lors la vie quotidienne en pays d'Islam restèrent, d'une école ou d'un système à l'autre, remarquablement uniformes, en dépit des divergences fondamentales qui s'étaient affirmées dans le domaine de la théologie. S'ajoutant au contenu des professions de foi *, ces prescriptions formèrent ce qu'on devait appeler la Loi révélée islamique, ou *sharī'a*, qui déterminait les comportements religieux et sociaux des croyants.

Le droit ainsi compris visait essentiellement à sanctionner de façon précise les divers actes de la vie individuelle ou collective, pourvus chacun d'un statut déterminé. Il s'agissait d'une science des statuts, tenant compte du fait que le croyant lui-même possédait une existence légale depuis que les futurs « fils d'Adam » avaient, selon le Coran et avant même la création, reconnu Dieu comme leur Seigneur en vertu d'un Pacte prééternel. Ce pacte, que les soufis utilisaient de leur côté pour justifier leur doctrine de l'union mystique, établissait en effet que les hommes, créatures de Dieu et croyants, devaient être soumis comme tels aux obligations énoncées par le droit. Plutôt qu'un droit au sens européen du terme le droit musulman se présentait comme la formulation d'un programme religieux et moral qui devait également faire une place aux problèmes liés à l'exercice de l'autorité gouvernementale. En bien des cas la réalité pouvait être assez différente de l'idéal prescrit sans que l'opinion se scandalisât jamais outre mesure du décalage constaté, car il existait, entre l'obligation et la défense strictes, tout un domaine, non pas indifférent à la Loi, mais où celle-ci se contentait d'énoncer des conseils. Aux notions de licite et d'illicite, d'obligatoire et d'interdit s'étaient donc ajoutées les positions intermédiaires de l'acte recommandé sans être obligatoire et de l'acte réprouvé sans être interdit.

Pareille échelle de valeurs n'avait pu s'établir qu'à travers l'appréciation de nombreux cas d'espèce et les discussions de ce genre, continuellement répétées en vue de défendre ou d'autoriser tel ou tel comportement, avaient peu à peu imprégné la manière de raisonner des juristes et autres hommes de religion. Toujours préoccupés de classer et de qualifier, tout en étant inévitablement confrontés aux problèmes que posaient soit les nécessités économiques de l'instant, soit les exigences politiques des souverains, ils s'appliquèrent bien souvent à trouver, par quelque artifice subtil, le moyen de justifier un acte que condamnait l'interprétation obvie du texte ou au contraire à condamner une attitude qui déplaisait aux puissants de l'heure. Leurs massives constructions doctrinales ne servaient donc parfois qu'à dissimuler les effets d'une évolution lente et cependant indéniable, surtout en ce qui concernait le droit public. Ce fut en effet dans le domaine des institutions que la base coranique du droit se révéla être le plus fragile, la plupart des problèmes qui se posèrent à la Communauté grandissante n'ayant pu être envisagés par Muhammad, et ce fut là que les jurisconsultes durent faire la part la plus large à la pratique des premiers souverains ainsi qu'aux habitudes locales antérieures. Mais le domaine de l'éthique devait être également touché par une réflexion étrangère à l'Islam.

●

Du droit islamique le plus formel relevait d'abord l'énoncé d'un certain nombre d'actes cultuels à l'exécution desquels se réduisait l'essentiel de la religion. L'obligation en remontait à la prédication muhammadienne, même si certaines modalités de détail n'en furent souvent précisées que dans les années qui suivirent.

La première des prescriptions que l'on qualifiait généralement de « piliers de la religion » était la récitation de la Profession de foi ou *shahâda*. Cet acte, par lequel on devenait « musulman » et qui se présentait donc comme la seule obligation imposée à quiconque lors de sa conversion, consistait à affirmer l'unicité de Dieu ainsi que le caractère prophétique de la mission de Muhammad. En principe, les controverses théologiques ne pouvaient le concerner. En fait, la Profession de foi que chacun récitait avait un contenu implicite correspondant à l'option religieuse du fidèle. Si tous les musulmans s'en tenaient à la même formule simple et concise, ils lui donnaient des interprétations souvent différentes, estimant par exemple, les uns que l'unicité divine entraînait le caractère « créé » du Coran, les autres qu'elle impliquait son caractère « incréé ». De même la sincérité et la justesse de cet « acte de foi », suffisant en principe à assurer au musulman la qualité de « croyant », n'empêchaient-elles point que cette foi pût, selon l'opinion la plus répandue, croître ou diminuer en vertu d'une plus ou moins grande fidélité aux autres prescriptions légales.

Outre la Profession de foi, les « piliers de la religion » étaient la Prière, le Jeûne, le Pèlerinage et l'Aumône légale. Ces obligations, dites fondamentales, qui pesaient sur tous les musulmans à titre individuel ou collectif, se confondaient pratiquement avec des actes extérieurs de la vie et exigeaient certaines conditions préalables. L'une d'elles était la formulation, tout intérieure celle-là, de l'intention de l'exécutant. L'autre correspondait, pour certaines obligations, à la nécessité d'un état de pureté rituelle * qui jouait un rôle essentiel dans le culte islamique — la « moitié de la foi », selon une parole attribuée à Muhammad — et qui était en conséquence longuement défini au début des traités de droit. Diverses étaient en effet les circonstances, détaillées à plaisir par les ouvrages techniques, qui entraînaient pour le fidèle un état d'impureté majeure ou mineure l'obligeant à supprimer la souillure par des ablutions importantes ou réduites. Impuretés mineure et majeure rendaient invalides la Prière ou les rites du Pèlerinage et empêchaient de toucher le Coran ; l'impureté majeure annulait également le Jeûne. D'où l'importance des ablutions auxquelles le musulman rigoriste était contraint de se livrer chaque jour et même plusieurs fois par jour.

Une fois remplies les deux conditions préalables d'intention et de pureté légale, les prescriptions du droit exprimaient une triple attitude d'adoration, d'imploration du pardon et de besoin de purification. En même temps, elles apparaissaient liées pour la plupart à des pratiques de sacralisation qui rappelaient les anciennes traditions religieuses sémitiques.

La Prière rituelle consistait dans un ensemble de gestes et de paroles rigoureusement fixé, qui comportait des inclinaisons du corps et des prosternations, commençait par une formule de sacralisation et se terminait par un salut de désacralisation. Le fidèle, qui l'accomplissait à cinq moments déterminés de la journée, devait, à cette occasion, se tourner dans la direction de la Mekke marquée par ce qu'on appelait la kibla. Dans son attitude il se distinguait ainsi des anciens Arabes adonnés aux cultes astraux, des juifs qui se tournaient vers Jérusalem et des chrétiens qui se tournaient vers l'Orient. Il pouvait exécuter sa Prière en tout lieu lorsqu'il avait délimité sur le sol un espace le séparant du monde extérieur, mais la mosquée ou oratoire *(masdjid)* était l'emplacement idéal de cet acte du culte et la Prière solennelle du vendredi à midi devait être plus spécialement célébrée dans la mosquée communautaire ou « grande mosquée », le *djâmi'* de la ville. Cette Prière du vendredi était précédée d'un sermon *. Puis les fidèles groupés en rangs serrés imitaient les gestes de l'imâm qui dirigeait la Prière après s'être placé devant la niche du *mihrâb* *. L'assistance y était obligatoire pour les hommes, à condition qu'il y eût un nombre minimum de participants, de douze à quarante selon les écoles. L'heure de la Prière était annoncée par le muezzin qui, cinq fois par jour, répétait une série de formules commençant par « Dieu est grand » *(Allâh akbar)*. On connaît mal l'origine de cet appel à la Prière qui a toujours caractérisé la vie socio-religieuse en pays d'Islam, mais on remarquera qu'il se différenciait nettement des usages chrétiens ou même juifs selon lesquels on recourait plutôt à des instruments sonores qu'à la voix humaine pour appeler au culte. A côté de la Prière du vendredi d'autres Prières, dont celles des Deux Fêtes qui solennisaient les deux points culminants de l'année islamique, correspondaient à des devoirs d'obligation collective ; elles se célébraient sur l'oratoire en plein air, et le plus souvent extérieur à la ville, appelé *musallâ* *.

Des allègements à la Prière étaient prévus en faveur du malade et du voyageur, mais il existait en revanche un certain nombre de Prières particulières, comme la Prière dite de la Crainte, que l'on récitait au cours d'expéditions militaires. Il était en outre recommandé d'accomplir des Prières surérogatoires soit individuellement, soit en groupe. Telles étaient les Prières nocturnes du mois de ramadan, attribuées, dit-on, au calife ' Umar et non pratiquées par les shi'ites, la Prière dite de l'Éclipse, qui paraît avoir été récitée régulièrement à l'époque classique lors de l'apparition de phénomènes de ce genre, et la Prière dite des Rogations, contre la sécheresse, que devaient précéder certaines œuvres pies et qui comportait des rites d'origine ancienne, tel le retournement des vêtements. On peut y ajouter la Prière de Consultation qui consistait à demander conseil à Dieu avant une entreprise importante. Enfin, la Prière funèbre faite sur le mort et régulièrement observée possédait son rituel particulier qui faisait l'objet de divergences entre sunnites et shi'ites.

Les juristes avaient prévu avec minutie les diverses manières dont les fidèles pouvaient réparer les erreurs commises par inadvertance dans l'exécution de la Prière. Ainsi, écrivait Ibn Kudâma *, « le fidèle, qui se rend compte de son erreur au cours de l'inclinaison supplémentaire, doit aussitôt s'asseoir ; il achèvera sa prière, si celle-ci est exempte de toute omission, et procédera ensuite à la prosternation de l'oubli [...] Le fidèle qui se rend compte de l'omission d'un devoir d'obligation stricte au moment où, après avoir fait la première Profession de foi, il commence à se relever, revient à sa position première et accomplit l'acte qu'il a omis ; mais s'il est déjà entièrement relevé, il ne peut revenir à sa position première pour s'acquitter de l'acte omis [etc.] »

Les juristes recommandaient encore aux fidèles, pour l'accomplissement de la Prière, d'observer une attitude particulièrement digne et grave ; ils devaient s'y rendre « en marchant à pas réguliers et sans entrecroiser les doigts », récitant en surplus des oraisons ou Prières de demande * qui étaient indépendantes du rituel canonique, mais l'accompagnaient utilement. Telle était l'oraison recommandée à cette occasion par le hanbalite Ibn Kudâma : « O mon Dieu, je Te demande de me sauver du feu et de me pardonner mes fautes, car Tu es seul à pouvoir me pardonner mes fautes. » En revanche, l'usage de se déchausser en entrant dans une mosquée n'était anciennement ni prescrit ni recommandé par les juristes.

Après la Prière venait le Jeûne, obligatoire durant le mois de ramadan, qui consistait à s'abstenir totalement dans la journée d'aliments et de boissons, ou plus exactement à ne laisser pénétrer alors quoi que ce fût dans le corps, fût-ce de la fumée ou un parfum, ainsi qu'à s'abstenir de relations sexuelles. On y a reconnu l'influence d'habitudes religieuses juives et chrétiennes, transformées toutefois par une volonté certaine d'originalité. Le mode de détermination de la durée du Jeûne était un sujet favori de discussions entre les juristes, mais restait étroitement lié au calendrier lunaire qui fut rétabli par le Prophète dans son intégrité par opposition aux adaptations admises à cet égard par les anciens Arabes. Selon la tradition la plus communément reconnue, seule l'observation du croissant de la nouvelle lune permettait de fixer le début et la fin du mois du Jeûne pour la détermination duquel on n'utilisa le calcul astronomique, durant la période médiévale, que dans l'État des Fatimides.

Les juristes avaient dû naturellement étudier en détail les cas de rupture du Jeûne dans un esprit légaliste qu'illustre par exemple la citation suivante : « Les femmes qui, en filant le lin, prennent les fils pour les réunir avec la bouche, peuvent-elles exercer ce métier durant le jeûne du ramadan ? Si c'est du lin d'Égypte, cela est permis ; cela serait défendu si c'était du lin de Dimma, car il a un certain goût, qui se répand dans la bouche. Aussi cela ne peut être permis que s'il s'agit de femmes pauvres. Si, en filant, la femme sent une saveur saline au fond de son palais, son jeûne devient inefficace. » De semblables problèmes se posaient encore par exemple au sujet de la poussière fine qui s'échappe de la farine, du gypse, du tanin, du charbon, du lin, etc.

Mais les obligations que ces mêmes juristes imposaient en cas de rupture volontaire du Jeûne sont peut-être plus importantes pour indiquer le caractère profond de ce rite : « Le fidèle qui rompt le jeûne par commerce charnel, écrivaient-ils, doit recommencer son jeûne, à titre réparatoire, après le mois de ramadan et doit, en outre, affranchir un esclave. S'il ne trouve pas d'esclaves, il jeûnera pendant deux mois consécutifs. S'il est incapable de faire ce jeûne de deux mois, il nourrira soixante pauvres. S'il ne les trouve pas, il sera dispensé de l'expiation prescrite. » En cas de rupture involontaire due à un état d'impureté, pour les femmes notamment, un Jeûne compensatoire devait être également accompli.

Manifestation de renoncement aux biens de ce monde et de solidarité envers les pauvres, le Jeûne se terminait par une fête qui était une des principales fêtes officielles de l'Islam et portait cependant le nom de Petite Fête par opposition à la Grande Fête liée aux rites du Pèlerinage. Sa Prière spéciale était suivie de la distribution aux pauvres d'une aumône *, dite volontaire, de rupture du Jeûne. Des Jeûnes surérogatoires étaient encore recommandés, ainsi que la récitation, au cours des nuits de ramadan, de certaines prières parmi lesquelles les prières dites « à pause ».

La quatrième grande obligation rituelle était le Pèlerinage à la Mekke, obligation que le fidèle devait remplir une fois dans sa vie, mais seulement s'il en avait la possibilité, physique et pécuniaire — c'était là souvent une cause de dispense, tant à l'époque classique la sécurité des routes restait précaire et le voyage en Arabie empêché bien souvent par les guerres et les rébellions. Le Pèlerinage majeur, ou *hadjdj*, était accompli collectivement à une époque déterminée de l'année — au mois de dhû l-hidjdja ou dernier mois de l'année islamique — et se distinguait du Pèlerinage mineur, ou *'umra*, qui pouvait se faire à tout moment comme une pratique pieuse simplement recommandée.

L'origine du Pèlerinage majeur remontait à l'époque préislamique. La Mekke avait alors été, on le sait, un centre de foires ainsi qu'un lieu de célébrations religieuses pour lesquelles la Ka'ba servait de sanctuaire. Si Muhammad détruisit les idoles païennes qui s'y trouvaient, il renforça la sainteté de l'édifice qu'il rattacha à la légende d'Abraham en prétendant restaurer, contre les juifs, l'authentique religion de ce prophète. Les musulmans rendirent donc visite à la Ka'ba parce qu'elle était la « maison » du Seigneur, édifiée sur ordre divin par le père de leur ancêtre Ismâ'îl lui-même qui avait dû, pour en terminer les murs, grimper sur une pierre restée depuis lors vénérable sous le nom de Station d'Abraham. Quant aux rites dont ils accompagnaient cette visite et qui s'effectuaient à la Mekke et aux alentours, rites de la tournée rituelle, de la course entre Safâ et Marwa, de la station au mont 'Arafa *, de la lapidation des bornes et du sacrifice terminal, ils se rattachaient à des usages anciens, même si une nouvelle signification leur avait été donnée après l'apparition de l'Islam. De même en allait-il des rites du Pèlerinage mineur qui consistait uniquement à accomplir les tournées rituelles autour de la Ka'ba et la course entre Safâ et Marwa.

Parmi les caractéristiques du Pèlerinage figuraient les conditions de sa validité. Le territoire de la Mekke était considéré comme sacré, *haram*, et de ce fait il était interdit d'y tuer des animaux ou d'y couper des plantes ; les hommes aussi y jouissaient d'un droit d'asile reconnu. En vertu de ce caractère, le fidèle qui voulait accomplir le Pèlerinage devait se mettre dans un état spécial de sacralisation : il abandonnait, dès qu'il pénétrait dans le territoire sacré, tous ses vêtements cousus pour revêtir un costume simplement composé de deux pièces d'étoffe et, durant toute la durée des cérémonies, il devait respecter diverses interdictions, notamment celles de se couper les ongles, les cheveux ou la barbe et d'avoir des relations sexuelles. Cet état était symbolisé par la formule que le pèlerin répétait alors constamment : « Me voici [ô mon Dieu] » *(Labbayka)*, jusqu'au moment où, ayant achevé les rites, il se désacralisait en se faisant raser.

Le dernier rite du Pèlerinage majeur était la Fête du sacrifice, qui avait lieu le 10 dhû l-hidjdja et à laquelle s'associaient les musulmans du monde entier lorsque les pèlerins sacrifiaient le mouton dans la vallée de Minâ : c'était la Grande Fête. Elle consistait essentiellement en une prière suivie d'un sacrifice, celui d'un ovin de préférence, que le chef de famille faisait pour lui et les siens. L'offrande de caractère purificatoire pratiquée au cours du *hadjdj* couronnait ainsi un ensemble de cérémonies auxquelles les docteurs de l'Islam attribuaient une efficacité toute particulière pour qui voulait demander à Dieu le pardon de ses fautes.

Quant à la cinquième obligation, parfois placée au troisième ou au quatrième rang, c'était l'Aumône légale, destinée elle aussi à une purification des biens de ce monde. Elle consistait, selon les prescriptions coraniques, à abandonner chaque année une partie de ses biens au chef de la Communauté. Son produit devait être distribué, entre autres, aux pauvres, aux endettés pour une cause pieuse et aux volontaires de la Guerre sainte. Il s'agissait donc en principe d'une dîme prélevée sur les riches pour être répartie entre les nécessiteux, c'est-à-dire d'un devoir de solidarité envers les membres de la Communauté. Mais son versement ne tarda pas à se transformer rapidement en un système fiscal qui n'avait plus qu'un lointain rapport avec l'obligation ancienne.

A côté de ces « cinq piliers » de l'Islam, la Guerre légale appelée souvent

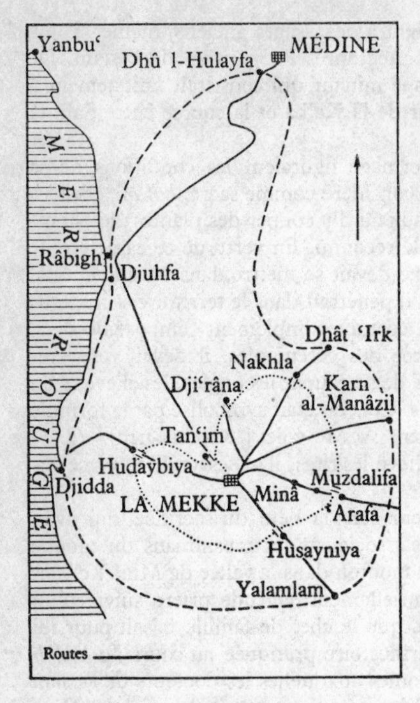

← *16. LIMITES DU TERRITOIRE SACRÉ DE LA MEKKE*
(*D'après* les Pèlerinages.)

Le tireté marque les limites du territoire sacré à l'entrée duquel les pèlerins effectuant le Pèlerinage majeur doivent se sacraliser et abandonner leurs vêtements habituels pour revêtir un costume spécial. Ceux qui viennent de Syrie effectuent généralement ce rite à Dhû l-Hulayfa et ceux qui viennent d'Irak à Dhât 'Irk. Le pointillé relie les emplacements où doivent se sacraliser les pèlerins qui, se trouvant déjà à la Mekke, revêtent le costume rituel pour entreprendre le Pèlerinage mineur. Tan'îm est en ce dernier cas le lieu le plus souvent choisi.

17. SITE DE LA MEKKE → ET TRAJET DU PÈLERINAGE MAJEUR
(*D'après* les Pèlerinages.)

Le trajet suivi par les pèlerins à cette occasion ne revêt pas de caractère sacré, mais est imposé par la configuration du terrain. C'est à l'extrémité du parcours, au mont 'Arafa, que se situe le rite de la Station, rite essentiel du Pèlerinage, qui est aussi le plus pénible en période de grande chaleur. Des rites secondaires sont effectués le long du parcours à Muzdalifa et Minâ par exemple. Autour de la Mekke se trouvent par ailleurs divers lieux de visite, monuments ou sites historiques, auxquels se rattachent des épisodes de la vie de Muhammad.

18. MOSQUÉE DE LA MEKKE ET RITES DU PÈLERINAGE →
(*D'après E. Rutter*, The Holy cities of Arabia.)

Le tireté indique d'une part le trajet de la tournée rituelle autour de la Ka'ba, d'autre part celui du parcours entre les éminences de Safâ et de Marwa, aujourd'hui environnées de constructions. Les points indiquent l'emplacement des « colonnes vertes » entre lesquelles doivent passer les pèlerins. Il est recommandé aux pèlerins, bien que ce rite ne soit pas obligatoire, de boire de l'eau du puits de Zamzam, eau, selon la Tradition, bénéfique à quiconque en boit.

Guerre sainte, qui consistait à combattre sans relâche l'infidèle jusqu'à ce qu'il adhérât à l'Islam ou acceptât sa domination, n'était qu'un devoir de caractère collectif. Elle n'en joua pas moins, comme on le verra, un rôle important dans les rapports existant entre le monde de l'Islam et celui des non-musulmans.

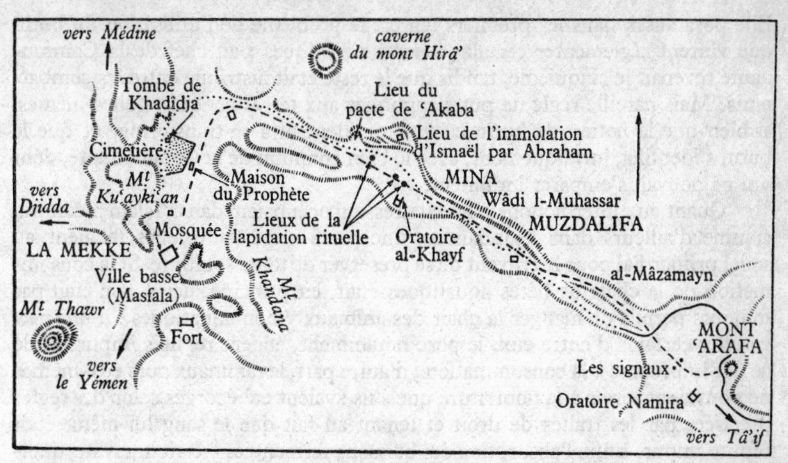
vers Médine
caverne du mont Hirâ'
Tombe de Khadîdja
Lieu du pacte de 'Akaba
Lieu de l'immolation d'Ismaël par Abraham
Cimetière
Mt Ku'ayki'an
Maison du Prophète
MINA
vers Djidda
Wâdi l-Muhassar
Lieux de la lapidation rituelle
Mosquée
Oratoire al-Khayf
MUZDALIFA
LA MEKKE
Mt Khandana
Ville basse (Masfala)
al-Mâzamayn
Mt Thawr
Fort
MONT 'ARAFA
vers le Yémen
Les signaux
Oratoire Namira
vers Tâ'if

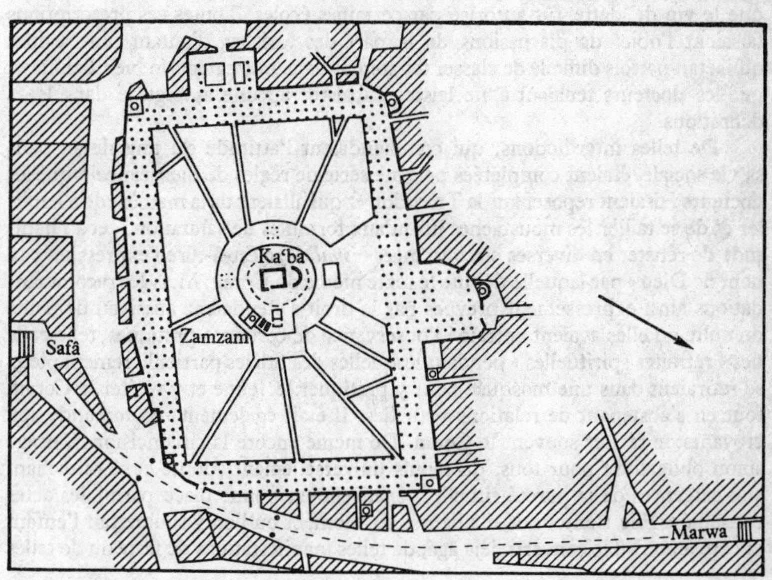
Ka'ba
Zamzam
Safâ
Marwa

Elle posa aussi, dans les premiers temps, le problème de l'utilisation du butin que vinrent réglementer certains versets coraniques : au chef de la Communauté revenait le cinquième, tandis que le reste était distribué entre les combattants. Mais pareille règle ne put s'appliquer aux terres conquises elles-mêmes, si bien que la notion de butin en vint rapidement à se transformer et que le butin s'identifia, juridiquement, avec le bien commun de la Communauté, dont nul ne pouvait s'emparer indûment.

Quant aux interdictions alimentaires qui occupaient dans l'Islam médiéval, comme d'ailleurs dans le judaïsme, une place importante, elles tenaient au souci primordial pour le croyant de se préserver de toute souillure. Si la consommation de la chair de bêtes aquatiques était, en principe, licite, il n'était pas toujours permis de manger la chair des animaux * non aquatiques : d'une part en effet certains d'entre eux, le porc notamment, étaient réputés impurs et de ce fait impropres à la consommation ; d'autre part, les animaux purs eux-mêmes ne pouvaient servir à la nourriture que s'ils avaient été égorgés selon des règles précisées par les traités de droit et tenant au fait que le sang lui-même était réputé impur. Enfin l'absorption des boissons fermentées était interdite, quoique le vin de datte fût autorisé par certaines écoles. Toutes ces prescriptions faisaient l'objet de discussions de la part des juristes, d'autant plus ardues qu'il était parfois difficile de classer tel animal dans une catégorie bien définie et que les docteurs tenaient à ne laisser subsister aucune ambiguïté dans leurs définitions.

De telles interdictions, qui commandaient l'attitude du musulman dans sa vie sociale, étaient complétées par une série de règles de bienséance * que les docteurs faisaient reposer sur la Tradition et qui allaient de la manière de s'habiller et de se tailler les moustaches jusqu'aux formules de salutation et à l'habitude de répéter en diverses circonstances *bismillâh*, c'est-à-dire l'expression « au nom de Dieu » par laquelle débute le texte même du Coran. Mais les recommandations ainsi expressément prévues par le droit s'étendaient aussi au domaine du culte où elles avaient entraîné l'observance de certaines pratiques, telle celle des « retraites spirituelles » pendant lesquelles des fidèles particulièrement pieux se retiraient dans une mosquée pour y pratiquer le Jeûne et y réciter le Coran, tout en s'abstenant de relations sexuelles. Il était également recommandé aux croyants de réciter souvent le Coran. De même encore la circoncision *, usage sinon obligatoire pour tous, du moins universellement adopté et se rattachant aux exigences de la pureté rituelle, venait-elle en bonne place parmi les actes conseillés. Elle s'entourait d'ailleurs, au moment où l'on y soumettait l'enfant encore jeune ou le converti déjà âgé, de telles manifestations de faste ou de telles réjouissances qu'elle en vint très tôt à caractériser le musulman aux yeux des chrétiens des pays voisins et plus tard également aux yeux des Européens.

D'autres pratiques populaires, qui entraient plus ou moins bien dans le cadre défini par les docteurs, mais étaient généralement justifiées soit par la Tradition, soit par le consensus, s'étaient également imposées dès une époque ancienne à l'occasion de certains événements familiaux. Des visites à des lieux saints autres que la Mekke avaient été très tôt recommandées par la Tradition en vertu d'une parole attribuée au Prophète : « On ne se met en route que pour visiter trois mosquées, la mosquée sacrée, la mosquée lointaine et ma propre mosquée. » Sans doute ce *hadîth* pouvait-il être entendu dans un sens restrictif. Il n'en avait pas moins ouvert la voie à la vénération de lieux de pèlerinage devant cette qualité au fait qu'ils conservaient le souvenir du Prophète : Médine parce que s'y trouvait son tombeau et Jérusalem parce qu'il y aurait rencontré les anciens prophètes et en serait parti pour son Voyage nocturne. La vénération de ces souvenirs du Prophète ne pouvait que motiver à son tour la pratique d'autres visites pieuses * destinées à commémorer le souvenir des imâms, des Compagnons et des autres prophètes ou pieux personnages dont la révérence allait constituer l'essentiel du culte des saints. Les mêmes sentiments de dévotion au Prophète devaient également se traduire, surtout à partir du XIIe siècle, par la célébration de l'anniversaire de sa naissance, le *mawlid al-Nabî* *, qui rencontra auprès des foules un succès croissant. Enfin des traditions d'origine parfois obscure attribuaient une importance toute spéciale à certaines nuits comme la nuit * de ramadan où se fixait, dit-on, le destin de chaque homme, nuits au cours desquelles la prière individuelle ou collective était source de mérites particuliers. Autant de manifestations religieuses qui fournissaient au croyant de multiples occasions d'exprimer une piété sur laquelle on reviendra plus loin.

●

Les obligations cultuelles par lesquelles le droit islamique entendait faire respecter les « droits de Dieu » avaient pour corollaires les « droits des hommes » qu'il défendait par un certain nombre de règles sociales. Celles-ci, qui reposaient sur des versets coraniques, mais tenaient également compte d'usages anciens en partie conservés, portaient essentiellement sur la répression des délits, l'organisation de la vie familiale et les limitations du droit de propriété.

Les fautes et délits, répartis en trois catégories, appelaient des châtiments divers dont certains s'étaient trouvés explicitement énoncés par le Coran. Les plus graves sanctionnaient l'homicide ou la blessure volontaires qui donnaient droit comme jadis en Arabie à l'exercice de la vengeance, mais à un exercice désormais « réglementé » : le coupable seul, et non plus ses parents ou contribules, devait être frappé, et ceci sous le contrôle du cadi ; en fait le plus souvent l'exercice de la vengeance était remplacé par une rançon. En vertu d'un principe analogue, l'homicide et la blessure involontaires justifiaient une composition pécuniaire. Par ailleurs des délits bien définis, mais dont la liste variait selon les écoles, étaient frappés de peines * légales précises : le vol, puni de l'ablation de la main droite ; le brigandage, puni de mort ; la fornication , punie de cent coups de fouet ou de lapidation, selon la situation des coupables, quand elle pouvait être établie ; la fausse accusation de fornication, punie de coups de fouet ; l'apostasie, punie de mort ; l'usage du vin et de toute boisson fermentée, puni de quarante coups de fouet. Ces délits concernaient ainsi, non seulement la vie sociale, mais la vie sexuelle et la pratique religieuse.

Les délits mineurs n'appelaient que des peines moins fortes ou des réprimandes dont l'appréciation était laissée aux magistrats chargés de faire respecter les bonnes mœurs, c'est-à-dire le plus souvent au muhtasib dont on verra plus loin les fonctions exactes. Mais il ne faut pas oublier que la rébellion et tout acte de nature à troubler l'ordre public pouvaient être châtiés arbitrairement par l'autorité et suscitaient l'action de la police répressive. Le code pénal n'était donc pas organisé selon une conception d'ensemble, mais comportait d'une part des règlements typiquement islamiques et respectés comme tels en vertu d'une législation d'origine religieuse, d'autre part des lois nouvelles édictées en fonction des circonstances et selon des méthodes empiriques que contrôlait la volonté du souverain.

La vie de la famille * au contraire était essentiellement régie par les préceptes du texte révélé, même si ceux-ci n'avaient fait souvent que consacrer, en les modifiant, bien des coutumes antérieures. L'autorisation de la polygamie, illimitée quand il s'agissait de concubines esclaves, mais assortie cependant de l'interdiction coranique de prendre plus de quatre épouses légitimes, en constituait un des éléments majeurs, dominant le comportement individuel comme l'organisation intérieure de la cité musulmane où survivaient ainsi certains usages de l'Arabie préislamique. Sans doute quelques orientalistes ont-ils émis l'hypothèse contraire en supposant qu'à Muhammad revenait l'originalité d'avoir introduit cette législation polygame dans une société auparavant matriarcale, et ceci à la suite des pertes subies par les croyants durant les premiers combats et du nombre croissant des veuves sans soutien qui en était résulté. Mais leur hypothèse ne semble reposer sur aucun indice sérieux. En tout état de cause, Muhammad paraît avoir cherché à améliorer plutôt qu'à diminuer encore la situation ancienne de la femme en Arabie, jugée par lui trop précaire.

Si, en effet, il dota l'homme à certains égards d'une puissance illimitée et incontestée sur la femme que celui-ci pouvait notamment chasser de sa demeure à son gré par la répudiation *, les droits de l'épouse, qui disposait de l'indépendance financière, n'en étaient pas moins sauvegardés par diverses mesures. Le mari devait être par exemple d'une parfaite équité envers ses femmes lorsqu'il en avait plusieurs. La répudiation n'était effective que si le mari avait prononcé trois fois de suite la formule voulue ; en outre le douaire, versé par le mari lors du contrat de mariage, était conservé par l'épouse en cas de répudiation. Le mari, de plus, n'avait la possibilité de revenir sur sa décision et de reprendre sa femme que si, entre-temps, cette dernière avait contracté un nouveau mariage et avait été de nouveau répudiée, condition qui était de nature à éviter des décisions irréfléchies. L'épouse, quant à elle, gardait la possibilité de demander, pour raisons graves, l'annulation du mariage, qui était alors prononcée par le cadi. Ajoutons que les juristes étaient unanimes pour prescrire que dans le mariage les deux partis fussent « assortis », entérinant ainsi une pratique coutumière antérieure à la Révélation. Ils recommandaient aussi l'usage du « banquet » de noces offert aux hommes des deux familles et faisant partie des réjouissances que les habitudes populaires multipliaient à cette occasion. Par ailleurs, ils estimaient pour la plupart que la femme vierge, même majeure, devait être, lors du contrat de mariage, assistée par un « tuteur », ceci en raison de la retenue qui devait marquer la conduite d'une future épouse.

Rien dans tout cela n'équivalait à une juridiction posant les bases d'une cellule familiale organisée. Non seulement le contrat * qui constituait l'élément essentiel du mariage islamique restait toujours exposé à la rupture unilatérale de la répudiation, mais la multiplicité des épouses et l'autonomie financière qui leur était reconnue empêchaient en droit comme en fait la constitution d'une communauté conjugale à laquelle s'opposaient aussi les recommandations coraniques tendant à la stricte séparation des sexes. Une extrême décence était en effet prescrite aux femmes par certains versets, sur lesquels on se fonda pour justifier le port du voile et pour leur interdire de s'entretenir avec tout homme qui ne fût ni leur mari, ni leur propre parent, tandis que la valeur réduite attribuée en justice à leur témoignage * accentuait encore l'état d'infériorité dans lequel les maintenaient ces habitudes de semi-réclusion.

La naissance d'un enfant ne donnait lieu à aucun acte obligatoire, mais seulement à des coutumes recommandées par la Tradition comme remontant au Prophète ou à ses Compagnons. Telle était la coutume d'immoler une victime dont une partie était distribuée aux pauvres ou celle de réciter, dans l'oreille du nouveau-né, la formule de l'appel à la Prière. L'éducation du jeune musulman n'était ensuite soumise à aucune règle précise. Toutefois il était d'usage que l'enfant, après être resté jusqu'à sept ans environ dans l'entourage des femmes, apprît ensuite le Coran, soit auprès d'un précepteur, soit dans une école, et on a déjà vu que sa circoncision, acte simplement recommandé, était solennisée d'une manière propre à en souligner l'importance comme acte religieux. Quant à la mort d'un croyant, elle obligeait son entourage à certains devoirs, non définis par le texte coranique, mais précisés par la Loi en vertu de la Tradition : récitation de la Profession de foi à la place du malade, toilette funèbre, Prière des morts accomplie à la mosquée selon un rituel donnant lieu à quelques divergences selon les écoles, ensevelissement enfin au cimetière musulman.

La situation du personnel domestique était elle aussi réglementée par le droit qui reconnaissait la légitimité de l'esclavage. Tout esclave, homme ou femme, était propriété du maître, acquis donc ou transmis comme tout autre bien matériel; il ne pouvait lui-même rien posséder. Normalement appelées à servir de concubines en sus des épouses légitimes, les femmes esclaves, lorsqu'elles donnaient à leur maître un enfant, bénéficiaient toutefois de certains privilèges et étaient alors souvent affranchies. Aussi bien l'affranchissement des esclaves était-il recommandé par de nombreux versets coraniques et considéré comme une œuvre pie. L'affranchi *, qui entrait dans le groupe des clients, restait lié à la famille de son ancien maître et y avait certains droits.

Le droit de propriété enfin, reconnu aux hommes et femmes de condition libre, musulmans ou non, faisait l'objet de prescriptions qui en limitaient l'exercice. Le Coran tout d'abord avait édicté, en matière d'héritage, des règles minutieuses qui visaient à préserver les droits de certaines catégories d'héritiers, et particulièrement des femmes. Ce système avait entraîné l'existence de « parts » privilégiées qui devaient être distribuées en priorité et dont l'estimation était parfois fort délicate. Il en avait également résulté l'interdiction de distraire par testament plus d'un tiers de l'ensemble de la succession.

Le texte du Coran était d'autre part le fondement d'un système fiscal particulier, engendré par l'obligation qui incombait à tout musulman, ainsi que nous l'avons déjà vu, de verser annuellement une Aumône légale par laquelle il s'acquittait de sa dette vis-à-vis de Dieu, vrai propriétaire des biens de ce monde, tandis que le non-musulman était astreint à un impôt plus élevé. Le maintien de ce système, avec notamment la distinction entre les croyants et les non-musulmans, n'empêcha pas les juristes de définir, au cours des deux premiers siècles, de nouvelles taxes frappant soit les récoltes des propriétés foncières, soit la richesse personnelle, soit les marchandises.

L'usage des biens était d'ailleurs encore limité par l'interdiction de l'usure qui constitua un des traits les plus caractéristiques du droit islamique. Certes cette interdiction ne fut pas toujours rigoureusement appliquée, et ce grâce à l'intervention d'artifices juridiques divers : dès le VIIIe siècle, les hanafites avaient indiqué comment on pouvait, par un procédé de « vente fictive », percevoir un intérêt sur une somme prêtée. Mais la pratique de l'usure par les musulmans n'en restait pas moins difficile. La Loi islamique autorisait et réglementait seulement la commandite, pour favoriser l'activité commerciale.

Il était également recommandé de constituer des biens de mainmorte, ou *wakf* *, remis à Dieu selon la définition des juristes, dont le revenu était affecté à quelque fondation pieuse et géré par l'intermédiaire du cadi. Cette habitude devait connaître dans le monde islamique un développement considérable et y influer sur l'organisation économique. Distincte en effet d'une donation pure et simple, elle permettait de mettre à l'abri des confiscations et autres aléas divers des biens familiaux dont les revenus ne devaient être affectés à des fondations pieuses que dans un avenir indéterminé. De la sorte toute une série de biens immobiliers échappaient à tout transfert de propriété et un certain nombre d'emplois étaient de même assurés, tels ceux des boutiquiers locataires ou ceux des agents attachés au service des édifices cultuels constitués wakfs. Il résultait cependant du système une tendance à la stagnation économique qui ne fit que croître avec l'extension de ce genre de pratique.

Les transactions commerciales étaient de leur côté rigoureusement réglementées pour que fût sauvegardée la justice et respecté l'esprit du précepte coranique : « Faites bon poids et mesure équitable. » Parmi les conditions mises à la licéité d'une vente, que celle-ci fût verbale ou notifiée par écrit, il y avait par exemple la nécessité de définir l'objet vendu sans en dissimuler les défauts éventuels ainsi que l'obligation pour l'acheteur d'avoir pris parfaitement connaissance de la nature et de l'état de l'objet. L'accord auquel étaient arrivées les deux parties devait être explicité. Toute vente comportant un élément d'incertitude et par conséquent pouvant laisser place à une fraude éventuelle était, de ce fait même, interdite.

La minutie des actes dressés pour porter témoignage de toute acquisition, comme d'ailleurs pour certifier toute déclaration, répondait à des usages juridiques précis exposés dans de nombreux traités de droit et appelant diverses séries d'expressions traditionnelles. Ces formules, connues à la fois par les manuels et par les documents d'archives *, suffiraient à montrer comment une civilisation aussi imbue de la valeur de la transmission orale que l'était la civilisation islamique fut en même temps une civilisation qui ne pouvait se passer du document écrit et qui demandait la présence, à côté des juristes théoriciens, de témoins instrumentaires, scribes et autres personnages habilités à assumer la rédaction des actes.

Aucun contrôle des prix n'était cependant juridiquement exercé, du moins à l'époque classique. Le droit se contentait d'interdire l'accaparement, source de cherté de vie, mais n'intervenait pas directement dans la vie économique, sauf nécessité pressante. Il faudra attendre une époque postérieure pour que ses principes, encore rudimentaires mais cohérents, puissent servir de base à une réflexion portant spécialement sur les faits économiques.

Ajoutons que le droit prévoyait avec précision la place que devaient tenir, dans la société islamique, les non-musulmans astreints, en vertu d'un passage du Coran, à s'acquitter d'un impôt spécial nommé *djizya*. Ce versement correspondait à leur situation inférieure, mais leur permettait de bénéficier de la protection de la Communauté. Juifs et chrétiens, en tant que détenteurs de livres révélés reconnus par l'Islam, bénéficiaient de ce statut privilégié de tributaires, accordé également par extension aux zoroastriens, moins nombreux semble-t-il, ainsi qu'aux sabéens * de Harrân *. Ils jouissaient par ailleurs de la liberté de culte, mais devaient respecter certaines interdictions remontant à une époque ancienne, semble-t-il, bien qu'on ne possède à ce sujet aucun document sûr : ils ne devaient pas monter à cheval, ne pouvaient être enrôlés dans l'armée et ne devaient pas porter non plus les mêmes vêtements que les musulmans.

●

Cette organisation sociale, familiale et économique en vigueur à l'époque classique, dont la base était religieuse mais qui n'en avait pas moins pour but de sauvegarder les droits essentiels de chaque individu, était appliquée dans le cadre d'institutions publiques qui se précisèrent avec le temps. Leur fonctionnement empirique, cependant commandé bien souvent par des opinions théologiques préalables, fit l'objet d'exposés, tantôt juridiques, tantôt philosophiques et tantôt pragmatiques, qui se cristallisèrent d'abord autour des problèmes touchant à l'exercice de l'autorité ou plus précisément à l'organisation de l'État.

Dès les débuts de l'histoire de l'Islam, l'autorité avait reposé sur le principe de l'imamat, dont la nature exacte avait été aussitôt ardemment discutée. A la conception kharidjite qui faisait de l'institution califienne l'émanation de la Communauté toute-puissante s'opposaient les théories shi'ites de l'imamat de droit divin. De ces dernières, les plus originales étaient, ainsi qu'on l'a vu, intimement liées aux constructions des penseurs qui s'étaient efforcés d'adapter au monde islamique l'héritage des philosophes grecs, notamment aux constructions d'al-Fârâbî qui s'intéressa le plus vivement peut-être à la « science politique ». Ce personnage, auteur de *la Cité parfaite* et des *Aphorismes politiques*, y avait d'abord voulu montrer comment se grouper en sociétés était pour les hommes une nécessité inhérente à leur nature, le seul moyen leur permettant de survivre en ce monde ou d'y atteindre le bonheur. Il y avait classé ensuite les États organisés en plusieurs catégories, depuis l'État parfait jusqu'à l'État le plus défectueux, et s'était inspiré pour ce faire des réflexions de Platon. Précisant en vertu de l'émanatisme néo-platonicien les qualités requises du gouvernant idéal qui pour lui était à la fois prophète, philosophe, imâm et roi, il en avait fait les qualités du Prophète-législateur de l'Islam, détenteur d'une Vérité religieuse qui était identique à la Sagesse universelle. Des termes grecs et islamiques, de signification très différente, s'étaient trouvés fondus dans ses exposés, sans qu'on sût exactement quelle définition il leur donnait. Mais l'image conçue par ses soins d'un roi-philosophe illuminé par l'Intellect, seul capable de mener la société humaine vers la félicité ici-bas et dans l'autre monde, seul transmetteur aussi d'une Révélation qui était en même temps une loi pratique, rappelait davantage le gouvernant modèle décrit par une certaine pensée antique que la personnalité historique du Prophète de l'Islam. A ce roi-philosophe devaient ensuite, dans la même perspective, succéder des souverains possédant les qualités intellectuelles qui leur permettraient de compléter et éventuellement continuer l'œuvre du « premier gouvernant » en demeurant encore, bien qu'à un moindre degré, philosophes, prophètes et législateurs.

La théorie dans son ensemble était cohérente et, fait important à noter, fut reprise par les « Frères sincères » qui répétèrent presque mot à mot, pour préciser les qualifications de leur imâm, les termes employés par al-Fârâbî pour décrire son gouvernant idéal. La concentration dans une série de personnages allant de Muhammad au dernier imâm shi'ite de connaissances secrètes transmises par la divinité, selon un processus philosophiquement explicable, ne pouvait en effet que justifier la prétention de ces imâms à établir un gouvernement purement autocratique qui ne tînt aucunement compte de l'opinion des gouvernés. Dans la suite cependant les théories politiques d'inspiration philosophique ne furent pas aussi nettement favorables au shi'isme. Ibn Sînâ par exemple corrigea de façon significative l'interprétation d'al-Fârâbî en situant au-dessus du philosophe, comme aussi du dévot ou de l'ascète, le Prophète indispensable au bonheur humain et à l'organisation de l'État idéal et en établissant les fonctions du calife et de l'imâm conformément aux exigences de la doctrine traditionaliste.

A cette dernière doctrine, accompagnant une pratique du pouvoir qui représenta un moyen terme et qui exista dans les faits avant de recevoir une justification intellectuelle, devait en effet correspondre une conception théorique s'opposant aux conceptions kharidjite et shi'ite. Cette conception sunnite ne fut définie qu'à une date relativement tardive, après que les premiers souverains de l'Islam se furent contentés de suivre, selon les circonstances du moment, un usage qui avait été progressivement admis et que la Communauté accepta comme tel. Il faut donc pour la comprendre tenir compte d'une lente évolution historique.

Le calife était en effet d'abord apparu comme l'exécutant de la Loi établie par le Prophète. Si, dès les premiers temps, il s'était chargé lui-même de compléter les dispositions de cette Loi pour les cas où les prescriptions coraniques paraissaient insuffisantes, il avait abandonné bientôt cette prérogative aux docteurs et aux hommes de religion, vrais spécialistes du droit. Mais il était resté le gardien du dogme. C'était lui qui condamnait les hérésies, comme on le vit à l'époque abbasside pendant les règnes d'al-Ma'mûn et d'al-Mutawakkil. Même au temps où le pouvoir fut remis aux mains d'un émir, l'émir bouyide, il se réservait de décider des déviations doctrinales.

Le calife avait d'autre part toujours été lié de façon fort étroite à la Communauté qu'il dirigeait. C'était d'elle qu'il ne cessa de tenir ses pouvoirs : un calife n'était reconnu comme tel qu'après la prestation du serment d'obéissance par les notables et principaux dignitaires d'abord, l'ensemble de la population ensuite, c'est-à-dire en fait la population de la capitale, car il ne pouvait être question que la population entière de l'empire procédât à cette cérémonie. Il s'agissait pratiquement d'une adhésion plus ou moins explicite des plus représentatifs parmi les croyants : membres de la famille régnante, hommes de loi, administrateurs et gouverneurs de province. Cette aristocratie intervenait souvent aussi dans la désignation du nouveau ou du futur calife, à l'instar de ce qui s'était pratiqué déjà dans les premiers temps. Selon la tradition musulmane en effet, le successeur du Prophète, Abû Bakr, avait été désigné par les Médinois et proclamé chef de la Communauté par eux : si ensuite Abû Bakr choisit lui-même son propre successeur 'Umar, ce dernier, avant de mourir, s'était contenté de désigner les six « électeurs » dignes du califat qui devaient choisir l'un d'entre eux pour lui succéder à la tête de l'État. Si donc la prestation de serment fut toujours, dès le début, considérée comme indispensable, la désignation connut, elle, des modalités variables. C'est ce qui explique la facilité avec laquelle les Umayyades d'abord, les Abbassides ensuite purent faire accepter le principe dynastique, sans toutefois établir de règles précises de succession puisqu'il n'existait pas dans la société islamique de droit d'aînesse reconnu. L'imamat, sous la dynastie abbasside, reposait sur un compromis entre le principe communautaire et le principe dynastique, compromis qui laissait en fait d'énormes pouvoirs à l'aristocratie du moment.

Le calife, une fois désigné et reconnu, ne pouvait être déclaré déchu en raison de sa conduite. Umayyades et Abbassides avaient réussi à faire admettre cette notion, contraire à la conception kharidjite et contraire même à un point de vue rigoriste qui conserva toujours quelques partisans, principalement chez les sympathisants muʿtazilites. Le calife ne pouvait donc être destitué, à moins qu'il n'acceptât d'abdiquer. En certaines circonstances il valait mieux pour lui signer l'acte d'abdication qu'on lui présentait, mais cela ne suffisait pas toujours à lui garantir la vie sauve. S'il résistait, il arrivait qu'on le mutilât en lui crevant les yeux pour le rendre physiquement inapte au califat : procédé cruel, mais auquel on trouvait, à la même époque, des parallèles dans le monde byzantin. Seule pouvait être en effet mise en question, avant comme après sa nomination, son aptitude physique et mentale pour laquelle on tenait compte également de son âge, car il ne convenait pas que la Communauté fût guidée par un enfant.

Aussi bien le calife n'était-il pas seulement le gardien du dogme. Il était encore le guide visible de la Communauté, guide qui devait diriger effectivement la Prière des musulmans en certaines circonstances, prononcer le sermon à la Prière du vendredi, diriger le Pèlerinage, commander les armées en remplissant le devoir recommandé de la Guerre légale, répartir le butin entre les combattants, c'est-à-dire contrôler l'utilisation des revenus en même temps qu'il présidait à la distribution des biens des musulmans, s'assurer du bon fonctionnement de la judicature, procéder aux nominations des gouverneurs, préfets fiscaux et cadis, exercer enfin une juridiction spéciale, celle des abus * ou plus exactement du « redressement des torts », par laquelle tout musulman pouvait en appeler à sa décision lorsqu'il estimait avoir été victime de quelque injustice. Son rôle de chef des Croyants s'affirmait dans le « droit de sermon », selon lequel l'allocution prononcée le vendredi dans les grandes mosquées devait nécessairement comporter une invocation en sa faveur. Cet usage qui se pratiquait dans toutes les provinces, dans les villes d'Irak et dans la capitale même si le calife n'y présidait pas lui-même la Prière, était un moyen d'affirmer sa loyauté au souverain. Omettre une telle invocation constituait de la part d'un gouverneur un acte d'émancipation qui pouvait lui coûter cher. Associer au nom du calife celui d'un émir, dans la capitale même, pouvait valoir au prédicateur, au début du xe siècle, la révocation immédiate. Ce droit de sermon se maintint longtemps en milieu sunnite et le calife continua d'être à cet égard respecté par ses vassaux nominaux d'époque post-saldjoukide, mentionnant son nom dans leurs inscriptions officielles en même temps qu'ils s'y targuaient de titres propres à souligner leur dépendance à l'égard de l'émir des Croyants. Les mêmes titres devaient figurer sur les monnaies que les dynastes locaux investis par le calife faisaient frapper dans les provinces.

Le calife, comme on le voit, détenait donc pratiquement, à l'époque classique, des pouvoirs importants. Ses auxiliaires étaient ses délégués, chargés de fonctions définies par lui-même et constamment modifiables : même la juridiction du cadi, responsable normalement de l'application des peines canoniques, pouvait varier selon la volonté qui s'exprimait dans l'acte de nomination du magistrat.

La seule restriction à l'exercice de son autorité tenait à l'obligation où il se trouvait de se conformer lui-même à la Loi et de ne pas infliger de châtiments arbitraires. Dans les cas graves, lorsqu'il s'agissait de punir un hérétique, un « faux prophète » ou un apostat, le calife se devait de consulter les docteurs les plus éminents de son entourage ; la peine capitale n'était appliquée que si ces personnages s'étaient prononcés dans ce sens, lors des réunions de hautes cours qui jouaient le rôle de tribunaux d'État et où le calife, qui les présidait, n'intervenait en principe que comme exécutant de la décision finale. Mais il arrivait aussi que le calife fît mettre à mort par le chef de la garde ou le préfet de police tel rebelle ou individu quelconque qu'il jugeait dangereux ou qu'il accusait de trahison, et ceci au nom du maintien de l'ordre public ou de la sauvegarde de la dynastie et de l'empire. Par ce biais le calife disposait de pouvoirs quasi illimités et l'on comprend qu'il lui fût facile, en certaines occasions, d'obtenir des juristes la décision qui lui plaisait, bien qu'on assistât parfois à des mouvements de résistance se manifestant dans le domaine judiciaire comme dans le domaine doctrinal. L'épisode de la grande inquisition du ixe siècle démontre en effet de quelle force morale disposaient les hommes de religion soutenus par une opinion qu'ils avaient contribué à former. Avec le procès d'al-Hallâdj, on découvre encore comment le calife, ou du moins son auxiliaire le vizir, devait en certaines circonstances biaiser, manœuvrer et profiter par exemple de l'absence de cadis peu dociles pour obtenir la condamnation qu'il souhaitait.

En fait ce n'était point chez les docteurs que le calife rencontrait l'opposition la plus redoutable, mais, comme on pouvait s'y attendre, chez les chefs militaires. Ces derniers, mettant chaque fois à profit les troubles particularistes qui sévissaient dans les provinces, réussirent peu à peu à accroître leur autorité tandis que déclinait le prestige personnel du souverain. Ils finirent même par obtenir du calife la remise des pouvoirs militaire et financier, devenant alors les chefs réels de l'État, jusqu'à ce que leur fonction fût en quelque sorte consacrée par l'octroi du titre de sultan.

Le sultanat apparut dès lors, à côté du califat, comme une institution essentielle de l'Empire islamique : il correspondait à un pouvoir de fait, obtenu par la force, mais reconnu par le calife. La question se posant toutefois de savoir comment ce sultanat était justifié du point de vue doctrinal, on vit paraître les premiers traités de droit public, dominés par le souci de faire respecter d'anciens principes considérés comme intangibles et de préciser la nature des rapports qui s'étaient peu à peu établis entre le calife et les émirs nouvellement investis de charges exceptionnelles. Le grand théoricien du droit public islamique que fut al-Mâwardî *, sous les Bouyides, s'efforça ainsi de justifier la situation historique qui existait de son temps, tout en souhaitant un renforcement des pouvoirs réels du calife. Le résultat de ses réflexions mérite d'être spécialement considéré.

Le premier point mis en valeur par al-Mâwardî était la valeur éminente de l'imamat dont la nécessité reposait, selon lui, sur un texte révélé (*Coran*, IV, 62) et non, comme l'avaient laissé entendre les philosophes, sur une raison d'ordre naturel. « L'imamat a été établi pour remplacer la prophétie dans la défense de la foi et l'administration du monde », écrivit-il par exemple. Cet imamat, conféré par la Communauté, reposait sur un contrat entre celle-ci et l'imâm. Il était la source de tout pouvoir légitime. C'est pourquoi l'émir qui s'était emparé du gouvernement devait faire consacrer officiellement sa fonction pour pouvoir être regardé comme un souverain légitime. Fiction peut-être, mais fiction qui obligeait l'intéressé à tenir compte des volontés de l'imâm légitime et qui, par ailleurs, permettait seule de maintenir l'unité de la Communauté. Tous les théoriciens sunnites devaient en effet insister sur le mal foncier que représentait pour eux la division, germe de guerre civile. Pour l'éviter, il leur fallait prêcher un respect absolu à l'imâm, respect qui condamnait toute rébellion et qui impliquait aussi l'obligation pour les sujets de se soumettre à tout émir vainqueur. D'où la position ambiguë des docteurs à une époque où le calife n'était plus que le garant d'une autorité qu'il avait laissé exercer par d'autres.

Voulant d'un autre côté préciser le mode de désignation de l'imâm, al-Mâwardî s'attacha à justifier l'usage établi qui conciliait le principe du libre choix de la Communauté avec l'idée dynastique. Mais ce dernier principe n'était, tout au plus, qu'autorisé sans que le califat abbasside fût considéré comme le seul légitime : al-Mâwardî reconnaissait aussi la légalité des califats antérieurs qui avaient été obéis de la Communauté. Aucune autre condition de naissance ne lui paraissait en effet exigible que celle d'une appartenance kurayshite, selon une nécessité admise par shi'ites et sunnites, mais différemment interprétée par les uns et par les autres qui firent tantôt des Abbassides les seuls représentants de l'ancien clan du Prophète, tantôt des Alides les plus dignes descendants de l'ancêtre Muhammad.

En somme les qualités nécessaires à la reconnaissance d'un calife, selon al-Mâwardî, étaient seulement au nombre de sept : l'intégrité morale et religieuse ; la connaissance de la Loi ou Savoir ; la santé physique et mentale ; le courage physique et la détermination ; l'origine kurayshite, sans que celle-ci impliquât pour autant la pureté de sang arabe, rarement observée chez les califes abbassides qui furent pour la plupart des fils de concubines affranchies, ellesmêmes d'origine soit grecque, soit iranienne, soit africaine. Ces qualités exigées correspondaient pratiquement aux principales fonctions califiennes qui ont été définies plus haut, mais sans préciser le rôle effectif de l'imâm dans le domaine juridique. Les juristes en effet attribuaient volontiers au calife la qualité de jurisconsulte, c'est-à-dire de docteur capable de prendre et d'imposer une décision fondée sur sa réflexion personnelle chaque fois que le texte révélé et la Tradition n'indiquaient aucune solution précise. Or, on l'a vu, les califes ne se prévalurent jamais de cette attribution qui était demeurée pour eux lettre morte, se contentant de posséder une connaissance du droit qui leur permît de se poser en arbitre et de discuter éventuellement avec les docteurs les plus éminents des problèmes qui pouvaient se présenter. De même ne firent-ils que rarement preuve de leurs aptitudes militaires et laissèrent-ils presque toujours à des chefs d'armée le soin de diriger effectivement les expéditions guerrières. Finalement la seule condition réellement exigée était, avec l'origine kurayshite, la santé physique et mentale, impliquant un âge raisonnable sur la détermination duquel d'ailleurs on professait des opinions divergentes.

Les principaux points de vue adoptés ainsi par al-Mâwardî et les théoriciens de son époque allaient se transmettre aux époques ultérieures tout en se modifiant parfois selon les circonstances. Al-Ghazâlî dut par exemple accepter la réalité du sultanat saldjoukide qui préservait l'institution califienne et l'unité de la Communauté. Il considéra donc avec plus de réalisme qu'al-Mâwardî les conditions requises pour la validité du pouvoir de l'imâm, admettant que les principales qualités du chef de la Communauté devaient être réunies en la personne de son chef réel, le sultan, et non nécessairement en la personne de l'imâm qui n'était plus autre chose que le symbole de cette Communauté et le garant théorique de l'efficacité du détenteur de l'autorité, encore que, dans le domaine de la Loi, il dût consulter les hommes compétents. La limitation du pouvoir de l'imâm à des fonctions purement religieuses n'allait pas cependant jusqu'au point d'affirmer une séparation entre temporel et spirituel, qui ne fut jamais réalisable en pays d'Islam : le calife de cette époque conservait encore un pouvoir temporel dans la mesure où il investissait les gouverneurs ; le sultan de son côté pouvait exercer une influence réelle dans le domaine dit spirituel, lorsqu'il lui plaisait de favoriser tel mouvement juridique ou politico-religieux.

Plus tard encore le réalisme des juristes musulmans trouva sa plus parfaite expression dans les réflexions d'un Ibn Khaldûn qui, tout en établissant à son tour une théorie de l'État musulman, analysa l'évolution des dynasties qu'il connaissait et en dégagea des principes et des idées où certains savants modernes veulent voir une ébauche de sociologie. Mais on ne doit pas négliger davantage les observations d'un Ibn Taymiya * qui sut lui aussi tenir compte, quoique d'une autre manière, des conditions nouvelles dans lesquelles s'exerçait de son temps le pouvoir.

Quels que fussent en tout cas leurs pouvoirs théoriques et réels, les califes de l'époque classique s'étaient efforcés de conférer à leur charge aussi bien qu'à leur personne un caractère sacré dont les détails du cérémonial et de la vie souveraine nous feront sentir plus loin toute l'efficace et matérielle réalité. Les docteurs n'insistèrent pas sur ce point, qui était d'ailleurs contraire au mode de vie rustique des premiers successeurs du Prophète. Mais dans la pratique l'attitude abbasside ne saurait faire de doute. Certains de ces califes sunnites furent même amenés, pour faire échec à la propagande shi'ite, à se donner des titres officiels qui les rapprochaient en un sens des prétendants isma'iliens ou imamites.

Circonstances politiques et nécessités pratiques avaient ainsi conduit le califat à prendre une position qui n'était pas toujours en parfaite conformité avec les principes dérivés du Coran. Lié à un ordre religieux, le régime politique des pays musulmans au Moyen Age s'apparentait plutôt en fait à un despotisme légalisé par la personne du chef qui symbolisait l'unité de la Communauté et garantissait l'intégrité de la foi. Despotisme dont le poids se fit si lourdement sentir qu'un Ghazâlî ira jusqu'à admettre, contrairement à toute la Tradition ancienne, le principe de la désignation du futur calife par le sultan et qu'un Ibn Taymiya se contentera de défendre, sans autre exigence, la nécessité de tout gouvernement rendu « légal » par son respect de la Loi islamique et par son souci de la faire appliquer. Mais despotisme qui restait tempéré par l'influence de l'aristocratie agissante que constituaient alors pratiquement les hommes de religion.

Ce régime que les théoriciens s'efforcèrent d'adapter aux circonstances historiques continuait peut-être pour une part l'antique despotisme oriental qui avait eu pour origine, selon certains, l'organisation de sociétés agraires dominées par le problème de l'eau et par ses strictes exigences. Pénétré d'anciennes coutumes qui devaient même se faire jour dans le droit islamique traitant par exemple des droits d'irrigation, il avait été également modelé par le souvenir d'une littérature savante antérieure, principalement iranienne, qui inspira certains traités techniques et surtout les innombrables manuels connus sous le noms de « miroirs des princes ». Ces derniers ouvrages se composaient le plus souvent de sentences ou de conseils pratiques destinés soit au souverain, soit aux courtisans, pour permettre à l'un de gouverner avec une plus grande efficacité ou de se faire mieux respecter, aux autres de gagner la faveur de leur maître et d'éviter sa disgrâce. La sagesse ainsi prônée était donc dominée par la notion de l'arbitraire gouvernemental qu'exerçait un personnage tout-puissant et capricieux dont il fallait craindre à tout instant la colère, roi sassanide des anciens temps qui se comportait en monarque absolu et dont l'autorité n'était jamais discutée, mais aussi souverain islamique dont le pouvoir, en dépit des limitations très réelles qu'il connaissait, fut toujours assimilé à celui de ses devanciers orientaux. D'où les conseils de prudence prodigués à l'entourage de ce souverain ; d'où aussi les avertissements d'ordre éthique donnés au prince pour qu'il s'imposât lui-même une certaine retenue ; d'où enfin les sages maximes de consolation distribuées aux sujets qui ne trouvaient de protection contre la toute-puissance royale que dans la morale ou dans la religion.

Par son esprit même cette littérature ne faisait qu'encourager les tendances naturelles d'un calife que tout incitait à imiter, dans son attitude extérieure, les anciennes habitudes de prédécesseurs iraniens ou byzantins qu'il souhaitait égaler, sinon éclipser. Mais l'héritage culturel auquel il faisait ainsi appel comportait de nombreux éléments propres à l'aider également dans l'exercice du gouvernement, lorsqu'il s'agissait surtout pour lui de régler des questions sortant du domaine strictement concerné par le droit. Ainsi se dégagea une notion de « politique » ou de « manière de gouverner » *(siyâsa, tadbîr)*, indépendante de la religion proprement dite. Il était admis qu'en tout ce qui touchait le maintien de l'ordre public le calife avait une entière liberté d'action et que l'administration générale de l'Empire islamique faisait l'objet d'une science profane spécialisée, recourant le plus souvent au fruit d'expériences antérieures pour traiter des problèmes militaires, financiers et économiques qui continuaient de se poser. Même si la Loi comportait en effet des principes généraux relatifs à la perception des impôts et à l'utilisation des revenus, de tels principes avaient dû être complétés par une organisation précise dont le calife était responsable et il en allait de même des questions qui pouvaient se poser au niveau de la mise en valeur des campagnes ou des rapports des provinces avec le gouvernement central.

Le plus ancien auteur ayant traité de cet aspect des problèmes gouvernementaux avait été l'Iranien Ibn al-Mukaffa' qui mourut au début du règne d'al-Mansûr, assassiné sur ordre du calife pour avoir dénoncé trop ouvertement les maux dont souffrait le régime naissant. Son épître sur *l'Entourage du souverain*, qui dénonçait l'insubordination de la nouvelle armée ainsi que la variété des pratiques judiciaires régnant dans les villes d'Irak, abordait en même temps le problème posé par l'accroissement, dans la société islamique, du nombre des clients d'origine étrangère et surtout iranienne. Puis, dans le dessein de renforcer l'autorité du souverain, cette épître lui conseillait de s'entourer de membres de la famille princière et de s'appliquer à « codifier » lui-même les applications de la Loi. En même temps s'y exprimait la distinction nécessaire entre deux domaines bien différents : celui de la religion et des prescriptions cultuelles d'une part, où le calife devait se conformer uniquement à la Loi et n'être obéi que dans cette mesure ; celui de l'organisation d'autre part, où le calife devait se fonder sur sa réflexion personnelle et où l'obéissance des sujets devait être, comme on dirait aujourd'hui, inconditionnelle. Certes on ne saisit pas bien si la codification du droit réclamée par Ibn al-Mukaffa' ressortissait à l'un ou l'autre domaine. Il semble que cependant l'auteur iranien ait eu tendance à confiner la religion dans un secteur très limité et à donner au souverain une grande liberté d'action pour régler par exemple le mode de perception des impôts ou bien le statut de l'armée.

De semblables réflexions sur les problèmes de gouvernement ne firent que renforcer la tendance autocratique des souverains musulmans. Aussi bien le pouvoir en Islam évolua-t-il constamment à l'époque classique entre une souveraineté absolue de caractère oriental et une « théocratie laïque », comme on a appelé ce type de gouvernement. Théocratie, puisque l'État était fondé sur une Loi révélée, théocratie laïque puisque l'Islam ne connut ni classe sacerdotale ni magistère doctrinal indépendant. Le calife en effet, qui était le chef théorique de la communauté religieuse, ne pouvait rien sans les docteurs qui réglaient bien des aspects de la vie en société, appartenaient à plusieurs écoles et prenaient donc des décisions divergentes que lui-même devait se contenter d'arbitrer. En un mot, il commandait aux hommes de religion mais s'appuyait sur eux sans que ni lui-même ni les autres pussent réellement l'emporter, dans le système sunnite du moins. Cet équilibre marquait les limites du despotisme sous-jacent qui constituait malgré tout le trait dominant de l'organisation de l'État dans le Moyen Age islamique.

•

Détenteur de l'autorité suprême, le calife déléguait, comme on l'a vu, ses pouvoirs à des auxiliaires chargés, les uns de l'exercice de la justice au sens large, les autres de l'administration, notamment fiscale, d'autres enfin du maintien de l'ordre et de la guerre extérieure. Ces auxiliaires étaient, à l'époque classique, étroitement spécialisés. Certains d'entre eux, les juges ou cadis à qui la connaissance du droit religieux était d'abord nécessaire, devaient leur formation à la classe des docteurs dont ils étaient issus ; d'autres, les secrétaires de l'État, formaient une caste forte de sa compétence technique et conservaient dans leurs méthodes l'héritage d'habitudes bien antérieures à l'Islam ; les derniers enfin étaient les émirs, ou chefs militaires, auxquels on peut adjoindre les préposés à la police, qui tenaient une place intermédiaire entre les cadis et les émirs. Il existait donc ainsi un véritable appareil gouvernemental, bien que le calife pût à tout moment intervenir, soit en agissant par lui-même, soit en modifiant à son gré les usages jusque-là reçus.

Dans cet ensemble, l'organisation judiciaire était à la fois importante et assez mal structurée. Le cadi dont nous verrons ensuite les rapports avec l'autorité centrale avait des fonctions étendues qui pouvaient toucher à divers aspects de la vie sociale, tout en correspondant d'abord à celles d'un magistrat chargé de prononcer des peines contre certains délinquants et d'arbitrer les litiges. Quand il appliquait les châtiments prévus par la Loi dans divers cas d'infraction bien déterminés, il faisait respecter l'aspect pénal du droit islamique. Quand il réglait les litiges intervenant entre deux musulmans, il touchait parfois à des aspects de l'existence privée quotidienne et c'était au cadi par exemple que venait se plaindre l'épouse maltraitée ou négligée par son mari.

Pour toutes ces activités, le cadi devait s'assurer l'aide de témoins réputés pour leur intégrité morale et religieuse, qui garantissaient l'exactitude des déclarations et donnaient valeur légale aux jugements rendus. Bien que la preuve en droit islamique, on l'a souvent souligné, fût essentiellement orale, encore fallait-il qu'elle eût été entendue et enregistrée par des hommes dignes de foi. Le recrutement, si l'on peut dire, de ces témoins n'allait pas sans poser des problèmes. Si au début le cadi fut entièrement libre d'utiliser les services de qui bon lui semblait, on prit ensuite l'habitude d'enquêter sur la qualité des homme « aptes » à une fonction qui exigeait une indispensable honorabilité. Rapidement les cadis en vinrent alors à limiter, non sans susciter des protestations, le nombre de ceux qui étaient admis à les assister dans leur charge et qui devinrent désormais des témoins attitrés, distincts par définition de ceux qui pouvaient occasionnellement être conduits à déposer dans des procès. Ce système, destiné à sauvegarder l'équité, n'en laissait pas moins en fait la porte ouverte à la corruption. La fonction de témoin, permettant de se faire remettre de substantiels « pots-de-vin », était volontiers briguée et ni le personnage chargé des enquêtes de moralité ni le cadi lui-même ne se montraient insensibles aux avantages matériels que leur procuraient certains candidats. Ajoutons que les plaideurs devaient pratiquement avoir recours le plus souvent à des avocats dont la malhonnêteté a été dénoncée par divers auteurs. Certes le droit islamique n'obligeait point un prévenu à se faire défendre par un tiers, mais il l'autorisait à se faire « représenter » et, à mesure que se répandait l'instruction, le métier attira de plus en plus de monde, jusqu'à ce qu'au XIIe siècle la prolifération de ces avocats, souvent sans causes, fût devenue, dit-on, une véritable plaie sociale.

Le rôle du cadi était surtout local. Dans chaque ville, son action était indispensable au bon ordre de la société, mais ses décisions variaient en fonction de son appartenance à l'une ou l'autre des écoles juridiques reconnues. Les cadis, nommés à l'époque umayyade par les gouverneurs de province dont ils dépendaient étroitement et dont ils étaient les représentants, le furent à l'époque abbasside par les califes eux-mêmes, puis par le grand cadi qui se trouva être alors à la tête de l'ensemble de leur corps, en même temps qu'il pouvait être appelé à donner son avis au calife en matière de dogme autant que de droit appliqué. La situation réelle était toutefois un peu plus complexe que ne le laisserait supposer ce schéma simplifié. En effet, le grand cadi était traditionnellement l'un des cadis de Bagdad, celui du quartier correspondant à l'ancienne Ville ronde d'al-Mansûr. Mais il y avait à Bagdad un autre cadi dont la juridiction s'étendait aux quartiers de la rive est, et il arrivait que ce second personnage eût plus d'influence sur le calife que le cadi de la Ville ronde. Il faut ajouter à cela que la répartition des cadis des diverses écoles était loin d'être proportionnelle au nombre d'adhérents de chaque rite et subissait également le contrecoup de l'évolution politique, car l'école adoptée dans une région pour l'application de la Loi dépendait le plus souvent de la volonté du souverain. Ainsi dans la Syrie des XIe et XIIe siècles le passage de l'obédience fatimide à l'obédience saldjoukide s'accompagna d'une volontaire action, menée par les nouveaux émirs, pour choisir leurs magistrats successivement dans l'école hanafite, puis dans l'école shafi'ite. Cette évolution s'accompagna d'un renforcement de l'autorité locale des magistrats dans les régions où ceux-ci exerçaient et se montraient de fidèles soutiens du régime qui leur avait confié leur charge. A cette époque, chaque « royaume » possédait son propre grand cadi déléguant son pouvoir aux juristes avertis et loyaux qui s'étaient fait connaître par leur enseignement dans les madrasas officielles. A ce moment aussi étaient déjà apparues ces dynasties de cadis qui pouvaient avoir été amenées, dans une période de troubles, à assumer les destinées de quelque cité, comme ce fut le cas, vers la fin du XIe siècle, à Tripoli de Syrie prise entre les appétits divergents des Fatimides, des Francs et des atabegs de Damas.

Un élément important de l'organisation judiciaire était constitué d'un autre côté, et ce dès une époque ancienne, par un système de juridiction des abus qui fonctionnait de manière très large. Non seulement comme une simple possibilité d'appel pour tout musulman protestant contre la non-exécution d'un jugement ou n'acceptant pas ce jugement lui-même, mais comme le recours contre tout abus commis par quelque agent du pouvoir en cas de spoliation par un émir ou de levée d'impôts illégaux par exemple. C'était le moyen permettant de se pourvoir devant le calife contre les agissements des préfets de police, des préfets fiscaux ou même des émirs aussi bien que contre les décisions des cadis. Il y entrait aussi l'examen des cas où le souverain lui-même intentait l'action, au nom en quelque sorte de la communauté islamique, et faisait par exemple traduire, devant une assemblée de dignitaires, des chefs militaires ou des administrateurs coupables de malversations ou encore des faux prophètes et des mystiques accusés d'hérésie. On se trouvait donc là en présence d'une sorte de justice d'État dont le calife était le chef, avec l'obligation toutefois de s'entourer d'avis autorisés, et dont il confiait l'exercice à de véritables cours suprêmes tenant parfois de la commission d'experts ou intervenant au contraire dans les condamnations de personnages politiques et religieux particulièrement célèbres. La composition de ces cours pouvait varier selon l'affaire engagée, mais le grand cadi y tenait toujours un rôle prépondérant.

La simple adhésion à l'idéologie shi'ite, et notamment la pratique de l'insulte aux Compagnons, ou l'apologie du manichéisme avaient, au début de l'époque abbasside, suffi à déclencher de pareilles interventions de l'État. Mais les procès plus ou moins solennels provoqués par des questions d'ordre religieux et donnant l'occasion au gouvernement de réunir des conseils jouant le rôle de tribunal abondèrent surtout au cours des IXe et Xe siècles. Le plus célèbre de ces procès fut celui d'al-Hallâdj, dont l'instruction fut longue, car il fut difficile de trouver un chef d'accusation qui permît de condamner à mort l'accusé. La conclusion des débats mit en tout cas en valeur le rôle qu'y joua le grand cadi Abû ʿUmar : ce fut à la suite d'une de ses interpellations en pleine audience, lorsqu'il se fut adressé au prévenu en employant la formule « O toi dont il est licite de verser le sang », que le vizir lui demanda de mettre sa déclaration par écrit, que des témoins apposèrent à cette pièce leur signature et que l'acte d'accusation fut envoyé au calife qui répondit par l'ordre d'exécuter le condamné. L'issue des procès religieux jugés en cour suprême n'était cependant pas toujours aussi dramatique et ceux qui furent intentés au shiʿite al-Shalmaghânî ou au lecteur de Coran Ibn Shannâbûdh se terminèrent sans exécution capitale.

Parfois aussi, des questions administratives suffisaient à provoquer la réunion de tels conseils. L'un d'entre eux fut tenu par exemple à la suite de plaintes formulées par des habitants du Fârs, en Iran, agriculteurs qui déclaraient être accablés par des « taxes complémentaires » instituées dans des conditions peu régulières et propriétaires de vergers qui étaient depuis le temps du calife al-Mahdî dispensés de l'impôt foncier normal et prétendaient conserver leur privilège. Les deux parties intéressées se présentèrent et les agriculteurs, en un geste théâtral, tirèrent de leur manche des épis de blé brûlés, symbolisant la situation désespérée à laquelle ils étaient acculés en raison des charges fiscales qui pesaient sur eux, tandis que des fruits divers représentaient les récoltes qui n'étaient soumises à aucune taxe. A la suite de ces diverses interventions le vizir, sur l'avis de secrétaires anciens et expérimentés, exprima l'avis que le calife en tant qu'imâm pouvait et devait rétablir l'impôt foncier frappant les propriétaires de vergers. Une autre fois, ce fut un litige entre les cultivateurs des environs de Bagdad et des bateliers utilisant un canal traversé par un pont qui suscita la réunion solennelle d'une commission de secrétaires, de cadis et d'arpenteurs, présidée par le vizir et obligée même de se rendre sur les lieux pour comprendre la véritable portée de l'affaire. Les cultivateurs étaient en effet accusés d'avoir rétréci les arches pour faire barrage et obtenir une plus grande quantité d'eau destinée à l'irrigation de leurs terres. L'arbitrage rendu après de longues discussions imposa le maintien d'une arche principale suffisamment large pour laisser malgré tout un passage aux embarcations.

C'étaient encore, au début du xe siècle, de semblables hautes cours qui avaient à décider du sort de certains vizirs disgraciés accusés, soit de malversations, soit de trahison ou d'hérésie, soit encore d'incompétence. On vit à l'époque passer en jugement Ibn al-Furât qui, au bout de trois ans de vizirat, avait dû solliciter un emprunt au trésor privé du calife et que d'aucuns, au surplus, accusaient de vouloir renverser le régime. Un peu plus tard comparurent

'Alî ibn 'Isâ, soupçonné d'avoir négocié avec les Karmates, et al-Khâsibî, coupable d'avoir engagé, pour combattre ces mêmes bandes karmates, des troupes venues des montagnes du Daylam. Après des interrogatoires plus ou moins longs, des échanges de paroles parfois vifs, l'accusé était généralement libéré moyennant le versement d'une amende assez considérable. Parfois cependant l'affaire tournait mal et c'est ainsi que le calife fut contraint, en 924, de sacrifier à l'indignation populaire, après un procès de ce genre, le vizir Ibn al-Furât qui, durant son troisième vizirat, s'était signalé par des actes de vengeance particulièrement odieux. En pareil cas d'ailleurs la disgrâce du vizir était suivie de celle de son « équipe », soumise à des vexations ou à des amendes diverses avec le consentement tacite du calife.

Plus tard les souverains saldjoukides, zankides et ayyoubides, soucieux de leur réputation, organisèrent des tribunaux spéciaux présidés par les cadis et dont la fonction était de tenir en bride les grands du royaume tentés d'abuser de leur force. Mais l'importance revêtue à diverses époques par de semblables hautes cours ne doit pas faire illusion sur la rigueur du contrôle de la justice d'État dans la civilisation islamique classique : les procédures d'appel, qui dépendaient étroitement du souverain et de son bon plaisir, n'eurent jamais en fait qu'une organisation très flottante et les représentants de l'autorité, que ce fussent des administrateurs, des membres de la police ou des chefs militaires, disposaient de moyens de pression contre lesquels les sujets étaient généralement impuissants.

●

Totalement indépendante en son fonctionnement de l'appareil judiciaire était l'organisation administrative et financière, assurée par le corps des secrétaires et par des bureaux, ou *dîwân* *, dont le nombre s'était considérablement accru durant les deux premiers siècles du régime abbasside. A l'origine en effet il existait seulement un bureau de la Chancellerie, chargé de la rédaction des lettres diverses y compris des actes de nomination, et plusieurs bureaux des Finances, parmi lesquels un bureau des Dépenses joint au bureau chargé de la Paie des troupes et un ou deux bureaux chargés des Revenus, c'est-à-dire de la collecte des impôts. Bientôt on y avait ajouté un bureau chargé de l'information et de l'expédition des lettres officielles qui portait le nom de Poste califienne.

Cet ensemble relativement simple s'était compliqué à mesure que le calife ou son représentant, le vizir, avait cherché à mieux coordonner les activités des bureaux. Un service avait été créé, à une date qu'on ne peut préciser, mais sans doute dès le IXe siècle, pour centraliser les lettres et rapports émanant des provinces : c'était le bureau du Secret, qui devint plus tard le bureau du Palais. Recevant les documents, ce service assurait également la transmission des ordres du souverain qui se bornait à dicter des notes brèves appelées *tawkî'* indiquant quelle réponse ou quelle suite il convenait de donner à telle lettre, telle demande, tel rapport. Les mesures de destitution ou de nomination, les décisions financières ou militaires étaient ensuite prises par les services habilités à leur exécution après réception de la note brève émanant du calife.

Mais les services spécialisés eux-mêmes étaient au Xe siècle beaucoup plus diversifiés que dans les premiers temps. Du bureau de la Chancellerie se distinguait maintenant un service uniquement chargé d'apposer le sceau califien sur les documents nouvellement rédigés. Le bureau de l'Armée comprenait aussi plusieurs branches régissant les divers corps de cette armée, corps traditionnels d'Arabes ou de Khurasaniens en voie de disparition au IXe siècle ou corps de mercenaires de plus en plus nombreux. Surtout l'administration financière s'était perfectionnée avec les années.

Le système fiscal primitif n'avait en effet pu être maintenu, selon lequel les musulmans payaient, sur les terres qu'ils possédaient en Arabie comme dans les pays conquis, une somme correspondant au dixième de la récolte et considérée comme une forme de l'Aumône légale à laquelle ils étaient astreints, tandis que les non-musulmans versaient une redevance beaucoup plus importante sur les terres qu'ils continuaient à occuper. Pour résoudre, d'une manière qui n'était sans doute pas conforme aux prescriptions primitives, mais qui fut maintenue par la suite, le problème posé par la conversion à l'Islam de nombreux exploitants agricoles dès l'époque umayyade, on en vint à distinguer un impôt de capitation, dû par les seuls non-musulmans, et un impôt foncier, dit *kharâdj* *, qui était lié à la terre et que le nouveau converti continuait de payer. Ainsi s'étaient constituées deux grandes catégories de terres, celles de dîme et celles de kharâdj, dont l'impôt était fixé par des services différents, les terres de dîme dépendant d'un service dit des Domaines et les autres du bureau du Foncier.

Les bureaux centraux de la capitale contrôlaient en outre nécessairement l'activité des bureaux situés dans les provinces. Mais les terres données en concession avaient parfois des statuts variés. On distinguait des Domaines en général les Domaines privés de la Couronne, gérés par un bureau particulier et dont les revenus alimentaient le trésor privé du calife. Parmi les terres « concédées », certaines l'avaient été en outre à de grands propriétaires ou à des principicules locaux à qui l'on demandait le versement d'une redevance globale. C'était un premier pas vers le système de la ferme des impôts, destiné à s'étendre à la fin du IXe siècle et au début du Xe siècle quand les finances publiques furent en difficulté, système qui consistait à confier à un personnage n'étant pas normalement un agent de l'administration, mais plutôt un négociant ou un grand propriétaire, le soin de lever l'impôt dans une région déterminée, moyennant un versement anticipé forfaitaire. Le Trésor pouvait de cette façon se procurer les avances dont il avait en certaines circonstances un besoin urgent, même s'il s'ensuivait des conséquences politiques désastreuses, notamment en cas de ferme confiée à un chef militaire jaloux de son indépendance. Ajoutons qu'au Xe siècle on vit fleurir, à côté des grands services chargés de l'impôt, des bureaux secondaires chargés par exemple de l'administration des Biens confisqués, de celle des Domaines confisqués ou au contraire des Œuvres pies.

Le bon fonctionnement de l'ensemble était rendu d'autant plus difficile que la centralisation n'était pas complète. Les provinces conservaient en effet les sommes nécessaires au paiement des fonctionnaires qui y remplissaient un office ainsi que des troupes qui s'y trouvaient stationnées. De l'argent collecté sur leur territoire et affecté en premier à leurs propres besoins, c'était seulement le surplus qui était ensuite versé au Trésor et acheminé vers la capitale. D'où la complexité des enquêtes menées sur de lointaines gestions provinciales et habituellement réalisées par le système de périodiques « redditions de comptes » que l'on imposait au bénéficiaire de la ferme. Ces redditions de comptes, qui tenaient une grande place dans la vie financière de l'État et qui étaient laissées en partie à la discrétion du vizir, se traduisaient généralement par le versement d'une amende forfaitaire réclamée aux préfets fiscaux ou aux fermiers d'impôts au bout de quelques années ou même quelques mois d'exercice. Procédé empirique et arbitraire, auquel les meilleurs vizirs ne purent cependant jamais remédier et qui devait continuer de caractériser pendant des siècles la pratique gouvernementale des États islamiques.

Une autre difficulté de l'administration financière provenait du fait que les impôts dits fonciers ne pouvaient être levés qu'après la récolte, à une date fixe du calendrier solaire employé par les cultivateurs, qui ne correspondait à aucune date déterminée du calendrier hégirien lunaire. La collecte des impôts fonciers ne coïncidait donc pas avec le prélèvement des autres impôts et devait être périodiquement retardée puisque l'année hégirienne comptait onze jours de moins que l'année solaire.

Services financiers multiples et services de chancellerie dépendaient en tout cas au Xe siècle, et même dès la fin du IXe siècle, d'un personnage unique, le vizir, qui coordonnait leur action en même temps qu'il assistait et parfois suppléait le souverain dans ses tâches gouvernementales. Celui-ci en était en effet arrivé à avoir nécessairement recours à lui pour toutes les questions de politique générale, sociale, économique, diplomatique et religieuse, qu'il s'agît de prendre connaissance des dépêches envoyées des provinces, qui constituaient toujours pour le calife un grave sujet de préoccupation — tant furent nombreux les gouverneurs tentant avec des succès divers de s'émanciper ou parfois de fonder des dynasties pratiquement autonomes —, ou qu'il s'agît d'examiner les requêtes présentées en diverses circonstances et de prendre les résolutions dont certains exemples, particulièrement concis et bien tournés, furent recueillis par les anthologies . On a beaucoup discuté sur l'origine de sa fonction, qui apparut au début de l'époque abbasside après avoir été ignorée des Umayyades. Les premiers vizirs d'envergure ayant été de nationalité iranienne, on a par exemple soutenu la thèse selon laquelle le vizirat était une institution empruntée à la tradition de l'Iran sassanide et même selon laquelle le terme de vizir était iranien et non arabe. D'un examen plus attentif des données de ce problème il ressort que, d'une part, le terme de *wazîr*, déjà employé dans le Coran, se rattache normalement à une racine arabe et sémitique et que, d'autre part, l'institution du vizirat ne put guère être empruntée à des modèles antérieurs pour la bonne raison qu'elle ne se présenta point en ses débuts comme une institution définie.

Le vizirat fut d'abord une charge que le calife attribuait, quand bon lui semblait, à qui bon lui semblait et en la définissant comme bon lui semblait. Ce fut seulement au xe siècle que certains usages parurent être admis et que le vizir agit comme un véritable chef de gouvernement responsable d'une politique qu'il choisissait lui-même. Quant au terme *wazîr* appliqué d'abord dans le Coran à Aaron, soutien de Moïse, il avait été employé, dès la fin de l'époque umayyade, dans les milieux shi'ites pour désigner le représentant, le fondé de pouvoir d'un imâm qui n'agissait pas lui-même, et son utilisation avait été la même dans les mouvements révolutionnaires de tendance abbasside. Une fois la victoire remportée, l'ancien rôle révolutionnaire du *wazîr* n'ayant plus sa raison d'être, les califes avaient pris peu à peu l'habitude de conférer ce titre au personnage qui les assistait et qui, généralement, s'occupait de contrôler une administration financière dans laquelle il était expert.

Si le vizirat connut dès la fin du VIIIe siècle, avec les fameux Barmakides, ministres de Hârûn al-Rashîd, qui dirigèrent la vie politique pendant quatorze ans, un moment particulièrement prestigieux, il n'en éprouva pas moins de grandes difficultés pour s'imposer. La brutale disgrâce des trois Barmakides dont l'un fut exécuté, tandis que les deux autres, père et fils, étaient jetés en prison, montre combien fragile restait la position de ces auxiliaires recrutés parmi l'élément non arabe de la population. Ils eurent à lutter, au cours du IXe siècle, contre les chefs de la milice turque, qui avaient entrepris, non sans succès, de s'immiscer dans les affaires proprement politiques et d'imposer leurs volontés, non seulement aux ministres, mais aux souverains eux-mêmes qu'ils n'hésitaient point à démettre si ceux-ci ne se montraient pas suffisamment dociles. A d'autres époques, notamment au temps de la minorité d'al-Muktadir, il leur fallut défendre leur politique devant une sorte de conseil de régence qui comprenait, outre la mère et l'oncle maternel du calife, le trésorier, le préfet de police, le chef des eunuques et le chambellan. Enfin les califes eux-mêmes devaient tenter à diverses reprises de se passer de leur compétence et il y eut des périodes où le titre, semble-t-il, ne fut pas décerné : ainsi durant la deuxième moitié du règne d'al-Ma'mûn, puis au début de celui d'al-Mutawakkil. Presque deux siècles furent en fait nécessaires pour que le « soutien » par excellence du souverain réussît à imposer son autorité au point d'être habilité à transmettre les ordres au chef des armées, à avoir sur lui la préséance et à jouer un rôle de premier plan si le calife venait à mourir sans avoir désigné un héritier de façon explicite.

A ce moment le vizir, qui avait la libre disposition du sceau califien, détenait pratiquement le pouvoir, dirigeant l'administration, nommant les divers fonctionnaires financiers, les juges, les gouverneurs de province et les chefs militaires, contrôlant et taxant d'amendes sévères les agents accusés de malversations et soumis par ses soins à des redditions de comptes parfois violentes, disposant directement du courrier officiel, procédant lui-même à l'expédition des lettres, recevant éventuellement les ambassadeurs ou en envoyant parfois lui-même, suppléant le calife sur le plan diplomatique comme sur le plan militaire où il pouvait commander aux troupes et sur le plan judiciaire où il pouvait présider les hautes cours, prenant les décisions qui s'imposaient en tous domaines et ne consultant le calife que dans les cas graves. Mais ses rapports avec le calife restaient mal définis : pour tout ce qui touchait à la politique générale, il ne pouvait agir en principe sans en avoir référé au calife et son action restait donc dépendante de la liberté que le calife jugeait bon de lui laisser. Même un souverain faible tel qu'al-Muktadir, qui était tout disposé à approuver les avis de son vizir, se réservait le droit de le révoquer le jour où il estimait que sa politique avait échoué. En fait l'institution du vizirat, fondée en droit sur l'obligation où se trouvait le souverain de « consulter » les hommes compétents, permettait au calife de rendre ses subordonnés responsables des erreurs commises et de régner effectivement en les opposant les uns aux autres ou en profitant des rivalités existant entre les diverses coteries de secrétaires. Aussi bien le vizir, au début du xe siècle, tombait-il souvent en disgrâce et était-il alors soumis aux traitements vexatoires de son successeur qui examinait sans bienveillance la manière dont il avait géré les affaires des musulmans et le traduisait généralement devant une de ces hautes cours de justice dont on a vu plus haut les modalités de fonctionnement.

Le vizirat perdit ensuite de son importance lorsque le calife dut remettre ses pouvoirs à un grand émir puis à un sultan. Toutefois, ces représentants du calife avaient besoin, eux aussi, de conseillers administratifs qui portèrent encore le titre de vizir et qui en certains cas tinrent une grande place. Le calife de son côté conservait auprès de lui un vizir fantôme. Le vizirat fut donc tardivement, au XIe siècle, mis au rang des institutions de droit public islamique, même s'il ne correspondait pas pour autant à une fonction essentielle de l'État et s'il ne revêtait surtout jamais la même importance d'une époque et d'un lieu à l'autre. Deux sortes de vizirat devaient être distinguées par les théoriciens, le vizirat de délégation et le vizirat d'exécution. Distinction formelle, qui ne correspondait point à des titres officiellement décernés, mais qui rendait compte de la situation existant chaque fois et des pouvoirs dévolus en conséquence aux vizirs. D'une manière générale, l'organisation gouvernementale islamique continua de varier selon l'équilibre des forces en présence et selon l'importance relative des classes dirigeantes. Si le principal auxiliaire du calife avait été, chez les Abbassides, choisi parmi les administrateurs, c'est que cette dynastie régna sur un empire étendu au système bureaucratique développé. Ailleurs, chez les Fatimides ou chez les Umayyades d'Espagne par exemple, qui régnèrent sur des territoires plus restreints, le chef du gouvernement pouvait être également issu d'autres milieux et porter un titre différent, celui de chambellan *(hâdjib)* par exemple en Occident.

Le troisième aspect de l'organisation de l'État califien était enfin représenté par un appareil militaire qui reflétait sans doute plus que tout autre le caractère « despotique » du gouvernement islamique. L'armée avait été d'abord, au temps des conquêtes, formée de volontaires arabes qui s'étaient peu à peu installés, soit dans des villes-camps, soit dans des exploitations agricoles appartenant aux terres conquises. Ces volontaires, mobilisables dans le cadre des circonscriptions nommées djunds, recevaient une part du butin acquis au cours des combats. Puis, quand les bénéfices de la guerre étaient devenus plus rares, ils avaient été nantis d'une pension. Mais, déjà à l'époque umayyade, les contingents qui partirent à la conquête de l'Espagne avaient accueilli dans leur sein nombre de Berbères convertis, clients des premiers conquérants arabes. Le recrutement s'était donc élargi sans qu'il s'agît encore d'une armée de professionnels et, au début de l'époque abbasside, la nature de l'armée musulmane se transforma plus complètement.

Ce fut à l'aide de contingents permanents où entraient d'importants éléments iraniens que les Abbassides prirent en effet le pouvoir. Désormais les clients devinrent nombreux dans l'armée et un corps de soldats professionnels fut chargé de protéger la personne du souverain dans la capitale et de réprimer dans les provinces les révoltes qui pouvaient se produire, tandis qu'aux frontières veillaient d'autres corps formés des mêmes éléments.

Cette nouvelle armée, en grande partie d'origine khurasanienne, devait être ensuite remplacée, au début du IXe siècle, par des contingents d'esclaves irano-turcs d'origine auxquels se joignirent très tôt des Berbères. Leur milice constitua dès lors le noyau essentiel de l'armée islamique dont les éléments arabes ou même khurasaniens furent peu à peu exclus. Elle formait de petites unités commandées par des chefs appartenant aux mêmes groupes ethniques que leurs soldats et dont les califes attendaient une docilité parfaite. Ce dernier espoir fut cependant déçu. Les maîtres turcs s'érigeant souvent en arbitres des querelles politiques et cherchant à faire proclamer calife le candidat de leur choix, la nouvelle armée ne fut pas, loin de là, un élément de stabilité et contribua plutôt à affaiblir l'autorité des califes. Chacun de ses chefs tentait de grossir les troupes dévouées à sa personne, qui rejetaient au second plan les anciens contingents ; chacun cherchait à profiter de ses succès militaires pour asseoir son autorité ; l'indiscipline régnait à mesure que les rivalités intérieures minaient le pouvoir établi. Le processus recommença d'ailleurs avec chaque nouvelle petite dynastie semi-indépendante, en dépit des efforts déployés par des souverains comme les Bouyides pour maintenir un équilibre précaire entre contingents turcs et troupes de Daylamites ou par les Fatimides d'Égypte pour opposer Berbères, Noirs, Slaves, Turcs, et Arméniens de manière à les garder sous leur autorité.

A côté de l'armée existait aussi un appareil policier qui en était distinct. Des préfets de police, nommés par l'autorité centrale, étaient chargés de faire respecter l'ordre public dans toutes les agglomérations. Ils avaient à leur disposition de véritables troupes, parfois importantes, et on les voyait souvent associés aux expéditions militaires qui avaient pour mission d'assurer la paix dans les régions réoccupées. Dans les villes ils faisaient arrêter voleurs, ivrognes et « gens sans aveu », en même temps qu'assurer tout spécialement le « guet » durant la nuit. Parmi eux le préfet de police de Bagdad avait un rôle éminent, tenait la place d'un commandant militaire de la capitale et figurait au nombre des conseillers intimes du souverain, qu'il était parfois chargé de remplacer durant ses absences.

Du point de vue juridique, la police exécutait les peines légales prévues pour sanctionner les diverses infractions et infligées par le cadi ; elle appliquait aussi la peine du talion lorsque la victime le demandait ; mais en outre, elle pouvait infliger des peines corporelles arbitraires pour tout acte considéré comme de nature à nuire à l'ordre public. Par là le préfet de police exerçait le pouvoir répressif discrétionnaire que le souverain islamique a toujours conservé en toutes circonstances et en tous lieux et qui entraînait de fréquentes et sommaires exécutions capitales. Ces peines ainsi appliquées, dont les juristes reconnaissaient l'existence à côté des peines légales, pouvaient être très variées. Si le préfet de police recourait surtout en fait à la fustigation ou à certains châtiments ignominieux, il pouvait au besoin, avec l'accord du souverain, infliger la peine capitale. On comprend donc que la justice répressive en pays musulman eût été à l'époque marquée par un caractère nettement arbitraire, en dépit des précautions qui avaient été jadis prises par le texte coranique.

A côté du préfet de police figurait encore un magistrat dont le rôle n'est pas facile à définir, malgré les apparences, et qui tenait une place très importante dans la vie sociale. C'était le muhtasib chargé de cette fonction de *hisba* que l'on présente le plus souvent comme consistant à « ordonner le bien et interdire le mal ». Dans la pratique on pouvait le confondre avec un simple fonctionnaire urbain qui surveillait les mœurs, réprimait les fraudes commerciales et se livrait parfois à des contrôles très précis. Une série de manuels anciens de *hisba*, tous postérieurs au XIe siècle et qui furent écrits les uns dans l'Orient, les autres dans l'Occident musulmans, nous renseignent par exemple sur la manière dont le muhtasib et ses subordonnés exerçaient leur autorité en contrôlant surtout l'activité des artisans ou des commerçants, en réprimant les transactions malhonnêtes ou frauduleuses, en vérifiant l'exactitude des balances * et des mesures * utilisées dans les marchés *, en veillant à l'entretien des villes et en assurant la libre circulation dans les rues. Mais il ne faudrait pas conclure que la fonction d'un tel personnage, qui paraissait succéder dans les villes syriennes à l'agoranome des cités hellénistiques, eût été en quelque sorte islamisée de façon superficielle. En réalité ce surveillant des marchés avait aussi et surtout à s'assurer qu'un « bon esprit », comme on dirait aujourd'hui, régnait dans la population. C'était lui qui était chargé de la propagande lorsque s'instaurait un nouveau régime et qui devait veiller, par exemple au XIIe siècle dans la Syrie récemment arrachée à la domination fatimide par les épigones des Saldjoukides, à ce qu'on ne répétât pas de chansonnettes insultant la mémoire des trois premiers califes. Il tenait ainsi une place toute particulière dans l'organisation politique et sociale. S'il apparaissait parfois comme un auxiliaire spécialisé du préfet de police, il se montrait aussi un censeur qui pouvait se permettre d'adresser des avis ou des semonces au souverain lui-même, un arbitre des bonnes mœurs et des opinions justes qui, dans le domaine qui lui était propre, n'avait d'ordre à recevoir de quiconque, bref le gardien de l'ordre moral islamique : tout acte répréhensible, tout manquement extérieur à la Loi, toute doctrine condamnable relevaient de son autorité.

•

Le droit islamique, que prolongeaient à l'époque médiévale des institutions publiques inspirées en grande partie par ses principes généraux et devenues en tout cas partie intégrante de ses dispositions, informait d'abord, on l'a vu, le comportement individuel des musulmans. Le respect de ses règles et de ses préceptes était indispensable au croyant pour acquérir cette intégrité morale (*'adâla*) sans laquelle son témoignage ne pouvait être reçu en justice, ainsi que pour conserver, selon les uns, ou fortifier, selon les autres, une foi qui était son signe distinctif et son moyen de salut. Des prescriptions cultuelles et des obligations d'ordre social ou familial qu'il définissait devait donc nécessairement partir tout effort d'approfondissement religieux et moral.

Se greffant sur cette base solide, la piété personnelle pouvait s'exercer, on l'a vu, par l'adoption d'usages recommandés, dans le cas de la Prière et de ses pratiques surérogatoires comme dans celui du Jeûne par exemple. Mais elle pouvait aussi s'exprimer par une tendance qu'on rencontra dès une époque ancienne chez certains hommes pieux, notamment ceux qui étaient imprégnés de soufisme, et qui consistait à intérioriser les rites les plus courants. La meilleure expression de cette tendance est sans doute fournie au XIe siècle par l'œuvre d'un Ghazâlî, préoccupé de favoriser la « rencontre de l'âme avec Dieu » lorsqu'il souligna le sens profond qu'il convenait d'attribuer aux diverses obligations du droit et la manière dont il fallait les accomplir pour qu'elles fussent vraiment profitables. Son commentaire des actes du Pèlerinage est à cet égard particulièrement significatif. Si le pèlerin par exemple ne devait pas se livrer au négoce, c'était selon lui pour pouvoir librement « penser à Dieu ». La même raison expliquait qu'il ne dût pas davantage se plier aux exigences fiscales des émirs locaux, ni dépenser avec excès durant son voyage, s'abstenant volontairement de toute discussion et de toute conversation qui pussent le pousser à commettre des actes illicites, faisant le voyage à pied si possible, sinon à dos de mulet, et ne portant que de modestes vêtements. Ce qu'il lui fallait donc comprendre, c'était qu'il n'était pas possible de s'approcher de Dieu sans renoncer aux passions et aux plaisirs, ni d'accomplir les prescriptions du Pèlerinage sans le désir de voir la face de Dieu dans l'au-delà. L'essentiel était d'avoir auparavant réparé sincèrement les torts commis envers autrui et de s'être préparé au départ comme s'il s'agissait du dernier voyage, puis de se comporter au cours du Pèlerinage lui-même comme si l'on se trouvait en face de son Seigneur et d'éprouver alors au plus profond de son cœur la vénération, la crainte, l'espoir et l'amour : la « tournée » rituelle n'était-elle pas la « tournée du cœur en présence de la divinité » et la Maison de Dieu n'était-elle pas à la présence divine ce que le corps de l'homme était à son âme, tandis que la « lapidation » devait inciter le pèlerin à combattre Satan en son cœur avec autant d'ardeur qu'il en mettait à jeter les cailloux rituels ?

Mais la tentative d'al-Ghazâlî, malgré son désir de vulgariser les conceptions soufies, ne toucha que des milieux relativement restreints. En fait, de son temps comme auparavant, le sentiment religieux qui s'exprimait par des invocations souvent stéréotypées correspondait généralement à des intentions moins élevées. La vie religieuse personnelle était en effet surtout dominée par les simples notions de crainte de Dieu et d'espoir dans son pardon garanti par la foi. L'homme pieux était alors, par définition, celui qui craignait un Souverain aux décisions imprévisibles et parfois arbitraires, auquel on devait obéir et de qui il fallait implorer la miséricorde. Car l'autre volet du diptyque était que le mal existât en ce bas monde, Dieu ayant permis à Satan de tenter les hommes — même si l'Islam ne connaît pas la notion de « péché originel » — et Satan étant l'ennemi de l'homme. Contre cet ennemi il était donc nécessaire que tout fidèle demandât protection à Dieu, ainsi qu'il ressort de maintes formules contenues dans les prières personnelles ou gravées sur les monuments.

Le même sentiment se faisait jour dans les pratiques de piété populaire et parfois superstitieuse qui conduisaient à révérer lieux et objets sacrés et qui avaient concouru à introduire dans l'Islam la visite des tombes et le culte des saints. Il n'était pas jusqu'aux amulettes *, talismans et même procédés de magie qui ne fussent employés parfois dans ce dessein, en dépit de la condamnation portée contre eux par la plupart des docteurs.

La demande de pardon pouvait aussi agir en faveur d'un défunt. Tout acte de piété pouvait en effet être « offert » et cette pratique était reconnue non seulement par les milieux imprégnés de mysticisme, mais par des juristes traditionalistes eux-mêmes comme le hanbalite Ibn Kudâma qui justifiait à ce titre la « visite des tombes » et les prières que l'on récitait à cette occasion. C'était aussi en vertu de ce principe de réversibilité des mérites qu'un musulman pouvait, et même devait, en certains cas, faire le Pèlerinage pour un défunt qui ne s'était pas acquitté de cette obligation ou pour un fidèle vivant qui en était empêché.

Cette vie religieuse était donc fort éloignée en fait du fatalisme dont on gratifie volontiers la mentalité musulmane. S'il est vrai que la notion de toute-puissance divine restait dominante, elle n'étouffait pas nécessairement, au contraire, l'initiative individuelle; elle n'inhibait pas l'effort de chacun pour obtenir le salut, quelle que fût la justification théologique donnée chaque fois au libre arbitre. Aussi bien le fatalisme n'était-il pas une doctrine, mais seulement une attitude qui fit son apparition quand le monde musulman se trouva en état d'infériorité par rapport à ce qui l'entourait et qui se répandit, en conséquence, lors des contacts avec le monde occidental moderne. Ce ne fut jamais une position défendue par les docteurs et hommes de religion qui en aucune façon ne l'adoptèrent, soucieux qu'ils étaient plutôt d'attribuer tel cataclysme aux fautes que les hommes avaient commises et dont ils avaient, selon eux, à se repentir.

A ces pratiques de piété s'ajoutait encore le respect de principes éthiques généraux. Ceux-ci avaient été pour la plupart énoncés déjà dans des versets coraniques exaltant des vertus surtout « sociales », celles que devaient encore vanter dans la suite nombre de « dicts » du Prophète et de ses Compagnons. Car les ouvrages de la Tradition eux-mêmes, qui envisageaient surtout l'aspect juridique de la vie religieuse, ne négligèrent jamais de faire une part à la morale et de donner des conseils destinés à développer les préceptes coraniques. Mais à ces principes s'étaient ajoutés des éléments puisés à d'autres sources et la réflexion des penseurs musulmans avait abouti dès l'époque classique à l'élaboration d'une éthique qui, tout en reposant sur le texte révélé, n'en avait pas moins incorporé des idées venues du dehors.

Le premier fonds assimilé était originaire de l'Arabie antéislamique. Les bédouins avaient un système de valeurs fondé sur quelques vertus simples, la maîtrise de soi, la générosité, le courage, la fierté, toutes vertus qui correspondaient à la virilité ou muruwwa. Ces notions ne purent qu'être reprises par l'Islam, qui se contenta d'insister, par exemple, sur la constance dans l'épreuve que devait observer un véritable croyant et sur la confiance qu'il devait manifester, en toutes circonstances, dans la providence divine. La muruwwa ancienne eut ainsi son contenu légèrement modifié, mais resta en quelque sorte la qualité essentielle. Là où le bédouin se maîtrisait à la fois par dignité personnelle et pour éviter les conséquences fâcheuses que des actes impulsifs pouvaient entraîner pour lui-même et pour son clan, le croyant justifia sa retenue par la crainte de Dieu et sa confiance en son Créateur. Mais si la maîtrise de soi devint ainsi une vertu islamique, il n'en fut pas autant de la jactance, habituelle aux bédouins et qui constituait la contrepartie de leur tempérance : les moralistes lui opposèrent en effet la nécessité de l'humilité, de la modestie, sans d'ailleurs réussir à extirper l'attitude de fierté dont de nombreux poètes classiques se firent les chantres et dont la mentalité musulmane resta en quelque sorte imprégnée, se contentant le plus souvent de chercher à justifier, au nom de l'appartenance au peuple élu, un ancien sentiment né de la seule conscience de l'arabisme. Quant à l'esprit de clan, il fut remplacé par le devoir de fraternité entre musulmans, devoir qui n'empêcha pas l'esprit de division de reparaître parfois sous une autre forme, celle du sectarisme religieux.

La notion ancienne de muruwwa fut également renforcée et nuancée par la morale iranienne ou indo-iranienne qui s'était fait jour à travers des œuvres telles que les apologues de *Kalîla et Dimna*, traduits par Ibn al-Mukaffa' dès le VIIIe siècle, et les épîtres originales du même auteur. Cette éthique, qui était à la fois une sagesse pratique propre à régler les rapports sociaux et un idéal permettant à l'homme de promouvoir sa personnalité face aux dangers de toutes sortes qui le menacent dans un monde essentiellement mauvais, faisait une place de premier plan à la dignité personnelle, fondée sur la modération des désirs et des ambitions, ainsi qu'à la fidélité dans l'amitié. C'était là une éthique essentiellement humaniste et pessimiste qui, en dépit de ses fondements peu religieux, vint se fondre avec l'idéal islamique nouveau, comme en témoignent les diverses anthologies qui font une place de choix aux sentences iraniennes.

Une attitude différente devait encore apparaître chez les philosophes imprégnés d'hellénisme tels que Miskawayh. Celui-ci, pour échafauder une morale conforme aux exigences de l'Islam, prit pour base à la fois des conceptions aristotéliciennes et néo-platoniciennes et en vint à accorder une place de choix à quatre vertus cardinales — sagesse, tempérance, courage et justice — auxquelles se rattachaient des vertus secondaires. Les vertus principales étaient en outre considérées comme un juste milieu entre des vices s'opposant deux à deux.

De pareils recours aux sagesses antiques, iranienne ou hellénique, n'avaient en fait rien d'étonnant, car les vertus prônées par des penseurs imbus de traditions étrangères n'étaient pas en somme très différentes de celles qu'exaltaient les docteurs et traditionnistes eux-mêmes. Tout au plus peut-on dire que le contrôle des passions menait chez ces derniers, non seulement à rejeter le mensonge, l'avarice, l'égoïsme et la cupidité, à réprimer la colère et l'orgueil, à étouffer l'esprit de domination, mais aussi à pratiquer la tempérance, à n'user des biens de ce monde qu'avec modération, à craindre Dieu et à observer une attitude digne et calme. On vit même chez un Ghazâlî les tendances ascétiques islamiques se combiner à un héritage antique pour constituer une morale dont le fondement restait la crainte du Jugement dernier ainsi que le danger des désirs impulsifs inspirés le plus souvent par Satan, mais dont l'expression ne dépassait pas un idéal de vie sage dominée par le respect extérieur de la Loi.

Les moralistes de ce genre ne laissèrent pas d'ailleurs d'avoir recours aussi à leur jugement personnel et de s'interroger sur les conflits qui pouvaient surgir entre préceptes équivalents. Ce que fit par exemple al-Ghazâlî lorsqu'il examina les cas de conscience posés par l'interdiction du mensonge et s'y étendit longuement, indiquant en quelles circonstances le respect de la vérité nuisait au respect que l'on doit à autrui et méritait alors d'être négligé. Mais de pareilles réflexions ne mettaient pas en cause l'accord nécessaire entre la morale islamique et la raison qui était à la base de tous les systèmes proposés, accord dont on trouve une excellente formulation sous la plume du juriste al-Mâwardî : « Il faut suivre la raison en tout ce que la Loi ne défend pas et accepter la Loi en tout ce que la raison ne défend pas, car la Loi ne saurait rien prescrire qui soit défendu par la raison ni la raison rien commander de ce que défend la Loi. »

●

L'éthique musulmane peut donc être définie à l'époque classique comme le point de rencontre de trois courants apparemment différents : une morale révélée que venaient parfois nuancer des aspirations ascétiques, une morale d'inspiration philosophique appuyée sur la seule raison, et une sagesse pratique surtout sociale. Sur l'origine de ces trois courants que les moralistes admettaient de même manière et dont ils se contentaient de classer et de hiérarchiser les valeurs, à l'instar de ce que fit notamment un Mâwardî, les musulmans ne se posaient guère de questions. Attitude qui peut surprendre, mais qui s'expliquait en fait par le sentiment primordial de supériorité qui était alors leur apanage et qui restait le fondement de l'apologétique en même temps qu'il animait les moindres gestes de la vie privée.

C'était ce sentiment qui transparaissait dans l'exorde des ouvrages doctrinaux ou juridiques les plus techniques, à travers ces formules de louange à Dieu et à son Prophète, fondateurs de la communauté islamique, dont on peut demander à la profession de foi du hanbalite Ibn Batta un exemple caractéristique : « Le plus précieux des bienfaits que Dieu nous ait prodigués et la plus considérable des faveurs dont Il nous ait comblés, y lit-on en effet dès les premières lignes, est de nous avoir conduits à la connaissance que nous avons de Lui, de nous avoir amenés à reconnaître Sa puissance souveraine, d'avoir fait de nous les adeptes de la religion de la vérité et les membres de la communauté de la véracité. » Et les doxologies continuaient en énumérant chaque fois les qualités de la religion ainsi apportée aux hommes pour leur plus grand bonheur : « Louange à Dieu ! Nous Le louons et Le glorifions pour tout ce qu'Il a fait à notre égard. Il nous a conduits à l'Islam et nous l'a enseigné ; Il nous a donné le privilège de la sunna et nous l'a révélée ; Il nous a appris ce que nous ignorions. Grandes sont les faveurs de Dieu envers nous ! Que Dieu prie sur Muhammad Son Prophète agréé et Son Envoyé élu ! Dieu a envoyé Muhammad pour apporter la preuve [de Son existence], affirmer Son unité et lancer l'appel à Lui en usant de sagesse et d'exhortations bienveillantes. Louange à Dieu pour les lois pures, les traditions élevées et la morale sublime qu'Il nous a données. »

Le sentiment ainsi exprimé débordait encore le domaine proprement religieux et moral. C'était lui que l'on retrouvait dans cette conscience de l'islamité, en tant que monde séparé et fier de son originalité, qui existait également alors à un degré variable chez tous les musulmans et qu'il faut demander aux œuvres des anciens géographes de nous révéler dans toute sa vigueur. On y voit l'horizon de l'« homme islamique » se borner volontairement aux limites du monde dans lequel se mouvaient à l'aise — en dépit des guerres, des frontières intérieures et des dissensions religieuses ou politiques — marchands, artisans, lettrés et hommes de religion se reconnaissant d'abord comme membres de la communauté musulmane. Le goût que chacun avait d'y observer les caractères, les mœurs, la vie religieuse et économique avec la nette conscience d'une unité prévalant sur les divergences, est en soi-même remarquable. Mais il ne l'est pas moins de noter le manque de curiosité montré par les mêmes personnages lorsqu'ils abordaient des pays où ils se sentaient étrangers et dont ils ne franchissaient les frontières qu'avec un étonnement assorti de mépris et de crainte.

A cet état d'esprit nous devons les descriptions si colorées du monde islamique que nous ont laissées les géographes du xe siècle, lorsqu'ils réunissaient les données qu'ils avaient acquises en travaillant bien souvent pour les « services de renseignements » de tel calife ou tel autre dynaste. Du même état d'esprit relevaient, à l'opposé, les récits plus ou moins légendaires rapportés par les quelques voyageurs musulmans que leurs activités commerciales ou diplomatiques avaient amenés à se hasarder dans des régions plus lointaines et à visiter, soit l'Afrique orientale et l'Extrême-Orient où étaient installées quelques colonies de marchands musulmans, soit les pays slaves et le monde byzantin lui-même que personne ne traversait régulièrement en dépit de sa proximité et pour lequel on disposait surtout des relations d'anciens prisonniers. Ceci sans oublier bien sûr un Occident chrétien qui était encore plus difficile d'accès et que travestissaient à plaisir les descriptions les plus fantaisistes.

Cette manière de voir des géographes, faisant volontairement de l'Irak le centre de la terre habitée et le foyer de la civilisation par excellence, rejoignait en fait celle des savants et penseurs à l'orientation plus doctrinale ou juridique qui se bornaient pour leur part à discuter des divergences existant entre sectes islamiques et ne sortaient que rarement du cadre ainsi imposé dès l'abord à leurs réflexions. Certes, il en fut parmi eux qui entamèrent à l'occasion des polémiques ardentes avec les représentants des doctrines manichéennes ou chrétiennes ; d'où une certaine propension des théologiens, dès une époque ancienne, à prendre soin d'exposer, pour mieux les réfuter, des doctrines étrangères auxquelles vinrent, au XIIe siècle, s'ajouter les théories des philosophes grecs. Mais toujours se maintenait au fond de leur pensée la conviction qu'eux-mêmes appartenaient d'abord, par définition, au seul monde qui fût digne d'exister en vertu de la révélation divine et des victoires militaires qui en avaient garanti l'authenticité. Et cette conviction suffisait pour leur faire négliger le plus souvent tout véritable effort de compréhension des doctrines adverses, tandis qu'ils se contentaient d'affirmer et de réaffirmer, en face d'une chrétienté ennemie ou soumise, les principes autour desquels se regroupait leur propre Communauté.

TROISIÈME PARTIE

ÉCONOMIE ET MILIEUX SOCIAUX

CHAPITRE VII

PAYSAGES ET RESSOURCES DE L'EMPIRE

La civilisation islamique classique, dont on a vu plus haut la diversité des écoles de pensée et l'effort de réflexion juridique modeler la vie religieuse et sociale, fut aussi le reflet du monde dans lequel elle se développa. Sans doute s'épanouit-elle surtout grâce à une vie urbaine qui s'intensifia d'une façon remarquable avec l'expansion de l'Islam, la ville étant, comme on l'a maintes fois souligné, le cadre privilégié des diverses manifestations du culte et de la vie intellectuelle. Sans doute aussi fut-elle réservée, dans ses manifestations matérielles les plus spectaculaires, aux milieux riches et plus particulièrement aux milieux aristocratiques et souverains. Sans doute encore s'affermit-elle en opposition avec le bédouinisme, resté lié aux pratiques antéislamiques, et avec la vie campagnarde, apanage des populations conquises. Il n'en reste pas moins qu'elle demeura conditionnée par l'existence d'un empire aux vastes territoires et aux paysages variés, où l'existence de groupements humains ethniquement disparates, soumis à des facteurs naturels souvent divergents, échappa aux tendances unificatrices de l'Islam urbain.

Civilisation citadine certes, cette civilisation fut aussi une civilisation des zones désertiques et surtout une civilisation de l'eau ou plus exactement des régions vivifiées par l'eau et par l'irrigation. Dominée par la constante présence, autour de ses centres culturels les plus prospères, d'étendues vides et sauvages, pratiquement inassimilables à un État policé, quoique toujours destinées à infléchir son destin, elle fut en même temps et avec un relief, par opposition, d'autant plus frappant la civilisation des grandes terres nourricières peuplées et fertilisées grâce au travail humain. Elle n'avait été à cet égard que l'héritière d'autres civilisations, celles qui depuis des siècles, au long des mêmes fleuves abondants ou dans les mêmes oasis péniblement conquises sur la steppe, avaient avant elle exploité les mêmes vallées ou les mêmes plaines qui fournissaient la base essentiellement agricole de leur économie. Aussi bien cette pérennité d'anciens foyers de vie sédentaire, assurant la richesse du Moyen Age islamique comme ils avaient alimenté celle des royaumes orientaux de l'Antiquité, impliquera-t-elle la continuité de certains modes d'agir et de penser à l'intérieur d'une société transformée pourtant sous l'influence d'une religion à qui elle devait sa plus grande originalité.

L'importance du rôle ainsi joué par le maintien d'une agriculture * de type antique se fit même sentir lorsque l'essor artisanal et commercial y eut ajouté de nouvelles ressources et justifié le développement de cités parfois gigantesques aux croisements des voies commerciales. Celles-ci ne se développèrent en effet que dans les lieux où avaient été réalisées d'abord les conditions indispensables au travail du cultivateur et à la collecte des produits de première nécessité sur lesquels reposait la vie des agglomérations urbaines, produits qui continuaient alors de contribuer au rendement de l'impôt comme à l'enrichissement des citadins propriétaires des terres. Bagdad par exemple, qui fut une des capitales abbassides à prétentions d'abord impériales, n'aurait pu naître ni s'étendre ailleurs que dans ce terroir intensément cultivé du Sawâd, dont les revenus fournissaient l'essentiel de la cassette souveraine et dont la gestion constituait la tâche indispensable à l'apprentissage des secrétaires et grands commis de l'État.

Et les conséquences de cette nécessité économique initiale apparaîtront encore lorsque se manifestera le déclin démographique de telles villes, ruinées certes à la suite de faits historiques précis, mais après avoir subi aussi le contrecoup du déclin qu'avaient commencé à connaître les régions agricoles voisines, faisant peu à peu retour à la steppe et cessant de servir de support à la cité islamique traditionnelle. Ce qui revient à souligner la place de premier plan tenue, parmi les facteurs d'évolution de la civilisation classique de l'Islam, par les éléments constitutifs d'un espace qu'avaient d'abord délimité les frontières de l'empire.

●

Le premier de ces éléments était dû à la forte proportion, au sein de cet empire comme à son entour, de terres desséchées et désolées, parcourues seulement par des nomades pauvres et avides qui pesèrent de tout leur poids sur l'histoire de l'Islam comme sur la mentalité profonde de l'homme islamique au Moyen Age. Réalité géographique tellement évidente qu'elle n'a même pas besoin d'être démontrée à quiconque prend contact aujourd'hui encore avec la zone subdésertique, à la fois chaude et sèche, dans laquelle s'était située la première prédication de Muhammad et se développa ensuite le domaine de ses successeurs, à l'intérieur d'un même « climat » bien souvent décrit et vanté par les anciens géographes arabes. Qu'il s'agisse des hauts plateaux asiatiques ou africains, les solitudes inhospitalières y abondent toujours, où les difficultés de transport et de résidence commencent à peine à s'effacer grâce aux possibilités de la technique moderne. Étendues pierreuses nivelées par une érosion ancienne ou hérissées de plissements abrupts qui s'opposent à la pénétration des routes, steppes verdissant uniquement à la saison des pluies ou bien étendues de sable marquées par l'absence complète d'eau courante et la rareté des puits, de nombreuses régions islamisées continuent de ne connaître à l'époque actuelle d'autre type de peuplement que leur occupation temporaire par le voyageur ou le pasteur, l'un parcourant au plus vite des pistes depuis longtemps jalonnées, l'autre cheminant en fonction du temps et de la végétation pour faire profiter son troupeau des moindres pâturages favorables.

Et les conséquences historiques découlant de cette situation ne firent qu'affirmer, d'une période à l'autre, le danger que constituait pour la civilisation islamique le périodique retour, sous l'effet des mêmes causes, de scènes analogues de guerre et de destruction, provoquées par l'irruption, en territoire cultivé, de bandes nomades encore frustes, réitérant et exagérant les désordres qui avaient accompagné le premier essor de la puissance musulmane.

Né de fait sur les franges du désert, sinon accepté d'abord par des bédouins qui furent plus pour Muhammad de temporaires alliés que des néophytes convaincus, l'Islam, on le sait, avait été porté dans son extension triomphante par la ruée des tribus de l'Arabie, qui remplacèrent alors leurs luttes intestines par une commune entreprise de pillage et de conquête. Les steppes s'étendant entre la bordure méditerranéenne cultivée du territoire syrien d'une part et les riches plaines alluviales du Tigre et de l'Euphrate d'autre part, furent alors annexées à l'immense péninsule voisine. Livrées aux migrations des éleveurs de chameaux qui y avaient à l'occasion déjà pénétré dans leur quête saisonnière de pâturages ou dans leurs activités caravanières plus pacifiques et y avaient fait même parfois reconnaître l'autorité de leurs confédérations, mais sans y régner jamais en maîtres absolus, elles devinrent ainsi le lieu d'habitat normal de ces grandes familles bédouines qui devaient y préserver jusqu'à nos jours certains aspects traditionnels de leurs mœurs et de leurs modes de vie. En même temps se répandaient jusqu'aux confins de l'empire ces troupes de combattants arabes de la première heure qui allaient implanter, en Afrique du Nord comme en Transoxiane, les descendants de leurs plus fameuses tribus, arrondir leurs possessions personnelles par des terres nouvellement conquises qui constituaient pour une part leur butin, les islamiser enfin par leur présence comme par la symbolique dispersion, aux confins de ce monde, des tombeaux de Compagnons du Prophète tombés en martyrs * au cours de l'aventure.

Quelles que fussent dans la suite les rapides transformations subies par la majorité de ces conquérants, disséminés parmi des sédentaires et bientôt assimilés par eux, à l'écart du fonds tribal auquel les rattachait seul désormais l'orgueil de leur race, le phénomène de l'envahissement des mêmes territoires par de nouvelles vagues indisciplinées allait régulièrement se répéter. Parfois sous la forme d'incursions de médiocre ampleur aboutissant à la ruine d'une cité ou à l'établissement d'une petite dynastie locale comme celle des Mirdassides au XIe siècle, parfois sous celle d'invasions barbares se développant à l'échelle d'un continent comme les poussées des vagues turques ou mongoles.

Les circonstances précises varièrent chaque fois, en même temps que variaient des foyers d'origine qui, pour les mouvements importants, se situèrent le plus souvent en dehors de l'empire, dans ces solitudes de l'Asie centrale qui furent de véritables « réservoirs » de hordes conquérantes. Mais les moyens d'action devaient rester en chaque cas les mêmes, la mobilité de la troupe nomade formée de cavaliers compensant son infériorité numérique pour lui permettre de triompher en rase campagne des armées régulières avant que tombe bientôt entre ses mains le pays tout entier, y compris les villes d'abord protégées par leurs remparts. Et les conséquences matérielles, dommageables d'abord pour le sédentaire, demeuraient de même semblables.

Ainsi s'expliquent la naissance et le maintien, dans la pensée du paysan ou du citadin musulmans, d'un sentiment à peu près constant, cette grande crainte de l'homme du désert errant et rapace, destructeur de tout ce qu'il rencontre, dont l'expression la plus frappante se trouva dans les efforts de réflexion historique, « sociologique » même a-t-on pu dire, menés au XIVe siècle par un penseur comme Ibn Khaldûn. « Les bédouins sont en effet, écrivit-il dans des pages célèbres, gens de pilleries et de brigandage : tout ce dont ils peuvent se saisir sans lutte et sans danger, ils l'enlèvent, puis ils s'enfuient vers leurs pâturages du désert [...] Les tribus qui se retranchent contre eux dans les rochers des montagnes sont à l'abri de leurs rapines et de leurs violences, car ils n'escaladent point les hauteurs, ni ne s'engagent dans des terrains difficiles, ni ne s'exposent à des dangers pour les atteindre. Mais les plaines, s'ils peuvent s'en emparer du fait qu'elles sont mal gardées ou que le pouvoir gouvernemental manque de force, deviennent leur butin et la proie qu'ils dévorent : ils y multiplient leurs incursions, leurs pilleries et leurs violences, en raison de la facilité qu'elles leur offrent, si bien que leurs habitants finissent par tomber sous leur domination; puis ils se les passent les uns aux autres, et le désordre aboutit à la ruine de leur civilisation : Dieu a puissance sur Ses créatures; Il est l'Unique, le Coerciteur, et il n'est point d'autre Seigneur que Lui! Ces bédouins sont en effet un peuple farouche, chez lequel la rudesse de mœurs s'est ancrée au point de devenir leur tempérament propre et leur naturel ; et ils s'y complaisent, parce qu'elle leur permet d'échapper à l'emprise de l'autorité et à la sujétion à un gouvernement. Un tel naturel est incompatible avec la civilisation, et leur interdit de se développer, car errer et être les plus forts sont les seuls buts que leur assigne leur manière de vivre, ce qui interdit la vie citadine, de laquelle dépend la civilisation, et est incompatible avec elle. »

Ces paroles dures contiennent assurément une grande part de vérité. Motivées par un exemple précis qu'Ibn Khaldûn ne pouvait oublier, celui de la ruine de la prospère Ifrîkiya ziride par les hordes des Banû Hilâl et des Banû Sulaym venues de l'Orient, elles stigmatisent en fait des désastres récurrents tout au long du Moyen Age islamique dont les réalisations matérielles et la culture, fragile et raffinée, restaient exposées, dès la moindre faiblesse du pouvoir central, aux déprédations et aux assauts des nomades qui en avaient longtemps envié les trop visibles richesses.

Turcs, Berbères, Mongols et autres envahisseurs venus de la steppe pour fonder des dynasties appelées à briller ensuite d'un vif éclat, commencèrent tous par accumuler les ruines. Certains le firent plus brutalement encore que les troupes arabo-musulmanes de la conquête, qui s'étaient par endroits installées avec l'accord de populations locales souhaitant leur venue. Ils concoururent donc, comme le firent les Arabes nomades et peut-être plus encore qu'eux, à étendre les superficies propres à une existence pastorale primitive, aux dépens de bien des terres cultivées laissées désormais à l'abandon. Au point que l'on arrive à se demander aujourd'hui, non pas comment disparurent tant de monuments condamnés à l'ensevelissement sous leur propre poussière dès que leurs habitants les avaient quittés, mais comment purent survivre à ces désastres successifs tant de vestiges impressionnants et dont les plus significatifs n'ont pas encore été fouillés.

•

Aussi bien le nomade qui attendait avec impatience le moment de faire irruption ou de s'infiltrer dans les terres cultivées voisines était-il par définition un pillard aux dents longues qui n'avait jusque-là jamais réussi à amasser de biens durables. Avant même l'époque des grandes invasions qui transformeront si profondément le monde musulman à partir des XIe-XIIe siècles, c'est la figure qu'en connaissait déjà la littérature arabe classique où le bédouin était dépeint comme un être dépenaillé et perpétuellement affamé, condamné sans fin à l'errance, voyant s'effacer jusqu'aux traces de ses gîtes d'étape et de ses campements abandonnés « dans les replis des dunes » que balayaient « les vents du sud tourbillonnants et les tempêtes du nord », tous vestiges sur lesquels il aimait à pleurer dans des vers évoquant immanquablement le souvenir des jours d'antan.

Incapable d'échapper à une mentalité d'homme simple, éloquent et cupide, pour qui comptaient surtout la force calme, la ruse, ainsi qu'une ténacité formée à la lutte constante des éléments, ce bédouin n'avait d'autre fortune que son troupeau d'ovins ou de chameaux, d'autre nourriture que leur viande ou leur lait complétés du maigre rapport de ses chasses, d'autre demeure que sa tente grossière de poil de chèvre ni d'autres raffinements que les produits d'une industrie domestique familiale et rudimentaire. Il ne vivait point pour autant sans rapports avec le sédentaire. Lors même qu'il n'émergeait point du désert en conquérant pour lui faire sentir son joug, il lui demandait certains produits nécessaires à son existence frugale, tel son approvisionnement en farine, dattes et surtout armes ou harnachements. Il pouvait aussi lui rendre à l'occasion service comme berger, pourvoyeur de laine, mercenaire ou même guide et convoyeur. Ainsi aida-t-il par moments au développement d'un commerce qui se faisait au moyen de caravanes reliant, par-delà les zones inhospitalières, les divers centres citadins et qui justifie en un sens le nom de « civilisation du chameau » appliqué parfois à la civilisation arabo-islamique. Le dromadaire, qui fut toujours la richesse des troupeaux bédouins d'Arabie, fournissait en effet les moyens de transport indispensables aux voyageurs et aux marchands selon un système qui avait, avant l'Islam, assuré la prospérité de l'active bourgade de la Mekke où vécut Muhammad.

Mais cette participation aux activités commerciales elles-mêmes ne fut jamais le fait que d'un petit nombre de bédouins au milieu de tous ceux qui se contentaient de percevoir des droits sur certaines pistes habituelles ou plus simplement de saisir et de voler les marchandises à leur passage. Là encore le nomade agissait avant tout comme un ferment de désordre et contre lui durent être gagnées, à l'instar de ce qu'avait déjà fait Muhammad lui-même, les plus dures batailles de l'histoire ancienne de l'Islam. Il suffit d'en prendre pour exemple les troubles de l'époque umayyade où les efforts des gouvernants pour maîtriser l'esprit d'anarchie et la rudesse des premiers conquérants arabes permirent seuls d'asseoir l'État sur une base solide en même temps que naissait une société composite dans laquelle l'élément sédentaire l'emportait peu à peu. Et la même remarque vaut encore pour l'époque abbasside où le nomade arabe en vint parfois à inquiéter le gouvernement califien lui-même, lorsqu'un danger comme celui des Karmates tira par exemple son acuité de la collusion existant alors entre mouvements sectaires et troupes de brigands de grand chemin réfugiés dans des parties difficilement accessibles de l'Arabie.

En somme, le bédouin, qui ne produisait à peu près rien en dehors du rendement direct de son troupeau, et qui se contentait d'acheter sinon de s'approprier par la violence un maigre superflu, ne participait point directement à la vie d'une société sur l'économie de laquelle il n'influait que par le biais du contrôle des voies commerciales ou par la menace latente de ses déprédations, d'une société dont il ignorait aussi le plus souvent les recherches religieuses ou intellectuelles comme les réalisations d'ordre pratique ou artistique. Il existait cependant, beaucoup plus qu'on ne le pourrait croire, dans l'horizon mental de cette société. Ce fait, qui devait survivre à la profonde transformation de l'ancien Empire islamique à partir du XIe siècle sous l'action de nomades turcs et mongols essentiellement étrangers à la souche sémitique, mérite surtout d'être saisi en pleine époque classique.

Par un curieux paradoxe en effet, ou plutôt grâce à l'influence dominante d'un « arabisme » qui avait été véhiculé par l'Islam lui-même au moment où celui-ci s'implantait par la force et consacrait le triomphe du nomade sur le sédentaire, ce triple objet de crainte, de mépris et de raillerie qu'était alors l'homme du désert ne cessa de jouir d'un réel prestige en milieu abbasside. La gloire lointaine dont il était paré dans le souvenir des lettrés et chroniqueurs venait s'allier à la rigueur de ses propres prétentions en matière de pureté de langue et de généalogie. Le sentiment d'une noblesse antérieure à la religion musulmane était là pour justifier sa fierté, critiquée parfois, mais enviée aussi dès qu'on voyait en lui l'héritier de tout un patrimoine de récits légendaires qui constituaient le fonds commun de la poésie * arabe aussi bien que le matériel nécessaire à une compréhension profonde de la langue du Coran. Le fait d'une ascendance bédouine plus ou moins justifiée ne restait-il d'ailleurs pas le privilège dont aimaient à se parer les plus aristocratiques personnages du temps, accolant un ethnique purement arabe aux titres par lesquels ils s'étaient, d'un autre côté, illustrés ?

La force de cette emprise, sur un plan purement philologique et littéraire, était telle qu'elle devait se perpétuer jusqu'à l'époque actuelle. Non seulement tout un aspect de la langue arabe, volontairement archaïsante jusqu'à ces dernières années, en reflète les échos dans l'extraordinaire minutie concrète de son vocabulaire touchant aux plantes de la steppe ou à l'élevage du chameau, mais au même registre durable, qui informa d'abord la psychologie de tout arabophone médiéval, se rattachaient les clichés dominants d'une poésie lyrique que des tentatives « modernistes » apparaissant dès le IIe siècle de l'Hégire ne vinrent cependant jamais complètement remplacer. La course dans le désert, la quête et la razzia, les combats solitaires ou les affrontements entre tribus, l'orage, la tempête et les inondations balayant les corps noyés de bêtes sauvages comme « bulbes d'oignons arrachés » ou au contraire les pluies printanières amenant verdure et prospérité — tous thèmes qui avaient été empruntés au vieux passé arabe, en même temps que maints noms propres de lieux ou de personnages — étaient encore admirés et répétés à satiété par ceux-là qui depuis longtemps avaient échappé à un tel mode d'existence et n'en connaissaient plus qu'une artificielle nostalgie. On se trouve ainsi devant un cas particulièrement net de civilisation se nourrissant d'images étrangères à son cadre familier — celui dans lequel vivaient les classes de la société alors les plus nombreuses — pour mettre au contraire en valeur les richesses oubliées, et ici surtout linguistiques et poétiques, d'une fraction historiquement jadis importante, mais numériquement minime de la population.

Si l'on doit en effet admettre la constante géographique maintenant, alors comme aujourd'hui, dans les pays d'Islam l'existence de territoires impropres à tout autre peuplement que nomade ou semi-nomade, il ne faut pas oublier que le nombre relatif de ces bédouins dans l'Empire umayyade et surtout abbasside restait extrêmement faible. Un mouvement de migrations en provenance de l'Arabie avait certes suivi la proclamation de l'Islam ; mais ces troupes d'envahisseurs n'avaient jamais dû atteindre le chiffre des populations sédentaires à côté desquelles elles s'installaient. Bien plus, leur importance n'avait pu qu'aller diminuant, à mesure que les attraits d'une existence calquée sur celle de la basse Antiquité séduisaient progressivement les chefs de clans et de confédérations arabes, les incitant à abandonner leurs territoires de parcours pour s'installer dans des villes nouvelles en formation ou dans les propriétés foncières qui leur avaient été concédées. Première illustration de cet autre volet du diptyque que constituera, aux époques d'épanouissement de la civilisation islamique, le phénomène de fixation des nomades appelés à vivre bientôt au sein des régions fertiles avec lesquelles ils s'étaient d'abord contentés de relations épisodiques : d'où la naissance de nouveaux noyaux sédentarisés à la fois imbus des souvenirs légendaires propres à leur appartenance ethnique et pratiquement fondus avec les anciens autochtones par les effets croissants de la similitude de vie et de résidence.

Le processus d'assimilation ne devait d'ailleurs pas se faire partout ni toujours de même manière. Lors de la fixation de la première vague nomade arabo-islamique, ce furent les anciens habitants progressivement convertis qui se rallièrent à la religion de leurs maîtres en s'y attachant par les liens de la clientèle et de l'adoption. Aux époques ultérieures, les derniers arrivés se firent au contraire, comme les divers chefs de bandes turques et mongoles, les défenseurs d'une communauté islamique au sein de laquelle ils oublièrent volontiers leurs anciennes croyances. Du point de vue économique toutefois les conséquences furent les mêmes tant que l'élément nomade accepta de ne point ruiner de fond en comble l'ancien ordre existant. Il fallut une sorte de dégradation de ce processus, de plus en plus marquée à partir des troubles de la période post-saldjoukide, pour consacrer l'appauvrissement et la transformation parallèle, aussi bien religieuse qu'intellectuelle, du monde et de la société islamiques.

●

En raison de cette évolution, aux étapes encore mal connues, il est difficile de se représenter aujourd'hui ce que pouvait être, au moment de la conquête arabe et même plus tard, la superficie des terres cultivées qui abritaient alors, en Iran et Asie centrale comme dans le Proche-Orient ou même en Afrique du Nord, les groupements humains constituant l'essentiel de la population de l'empire. Ces régions de vie agricole intense avaient pour la plupart été créées artificiellement au prix d'efforts qui remontaient le plus souvent à un lointain passé, mais ne devaient jamais connaître d'interruption sous peine qu'en fût perdu définitivement le prix. Aussi bien ne s'étonnera-t-on pas de leur voir correspondre de nombreux territoires désolés du début de ce siècle, où non seulement des vestiges archéologiques peu à peu découverts et encore mal inventoriés sont là pour nous apporter la preuve d'une occupation ancienne, mais où aussi par endroits des initiatives modernes visant à faire « refleurir le désert » sont venues renouer les liens avec des traditions oubliées. Condamnation de l'hypothèse, en honneur au début de ce siècle et refusée désormais par les géographes, qui voulait voir des modifications climatiques à l'origine d'un changement suffisamment expliqué, dans la majorité des cas, par les conséquences de défaillances humaines renouvelées.

De ces terres fertiles, livrées ensuite à une transhumance pastorale qui devait en altérer profondément les paysages, l'exemple le plus significatif est sans doute fourni par cette vaste plaine d'Irak qui fut la province centrale de l'Empire abbasside après avoir commencé sous la dynastie précédente d'affirmer son importance à la fois politique et économique. Le pays de « l'entre-deux-fleuves », que sa situation entre le Tigre et l'Euphrate avait depuis les temps les plus reculés promis à une exploitation agricole prospère, resta intensément cultivé à l'époque islamique tant que son réseau de canaux demeura en bon état, c'est-à-dire put être constamment entretenu et amélioré par une population connaissant une relative sécurité.

De cette situation ancienne les textes arabes portent témoignage à travers les descriptions des géographes et surtout leurs données chiffrées détaillant le montant des taxes abbassides prélevées sur les revenus des agriculteurs de la région. Mais il est intéressant de pouvoir y ajouter les résultats d'investigations archéologiques modernes poursuivies tout récemment dans un district, celui de l'arrière-pays irakien de Bagdad, qu'arrosait le canal historiquement célèbre du Nahrawân *. Les cartes restituées des anciens travaux hydrauliques de cette région laissent comprendre ce que dut être jadis son intense vie agricole, alors que des canalisations * remontant pour une part à l'époque protohistorique, mais destinées à connaître leur efficacité majeure sous la domination des Sassanides et pendant l'apogée de l'Empire abbasside, permettaient à de nombreux villages, attestés surtout aujourd'hui par leurs ruines, de vivre de leurs récoltes de dattes et de céréales (toutes cultures traditionnelles conservées dans les rares secteurs du pays non retournés depuis lors à la steppe).

En même temps se trouvent ainsi précisées les conditions dans lesquelles survint la ruine de l'ensemble, non pas à la suite de quelque catastrophe historique exactement datée comme la prise de Bagdad par les Mongols, mais sous l'effet de difficultés croissantes d'entretien du réseau. A des causes naturelles de dépérissement, telles que l'exhaussement progressif du sol sous les alluvions et la diminution consécutive du débit des canaux, ne put faire face en effet une population diminuée, subissant le contrecoup des guerres de l'époque et ne recevant point du pouvoir central l'aide financière nécessaire à des travaux de grande envergure.

19. RÉSEAU D'IRRIGATION ET INSTALLATIONS SÉDENTAIRES → DANS L'ARRIÈRE-PAYS BAGDADIEN (637-1500)

(*D'après R. Mac Adams*, Land behind Baghdad.)

Les divers canaux issus du Tigre lui-même ou d'un de ses affluents, la Diyala, parmi lesquels le fameux canal du Nahrawân, permettaient alors la prospérité d'un grand nombre de localités représentées chacune sur cette carte par un point de plus ou moins grande importance. On remarquera à l'angle nord l'importance relative de la superficie jadis bâtie sur le site de Samarra.

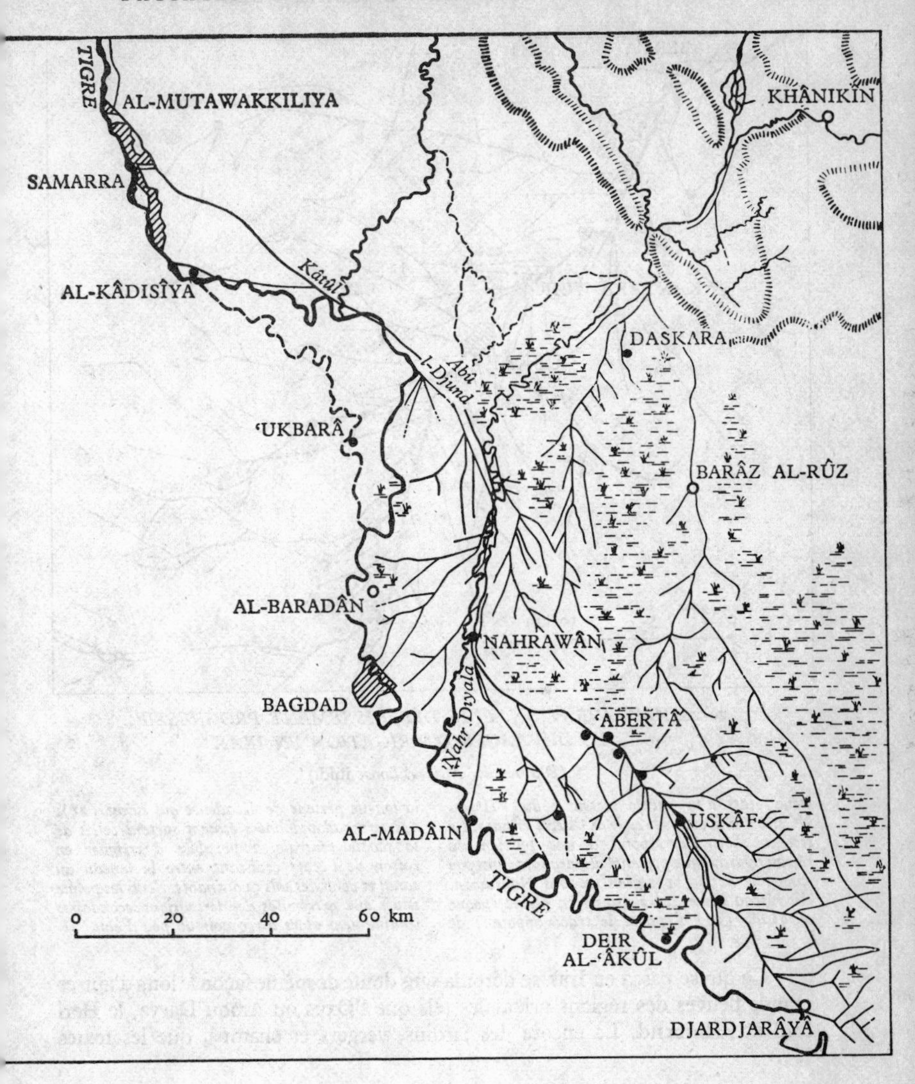
TIGRE
AL-MUTAWAKKILIYA
KHÂNIKÎN
SAMARRA
Kâtûl
AL-KÂDISÎYA
DASKARA
Abû l-Djund
'UKBARÂ
BARÂZ AL-RÛZ
AL-BARADÂN
NAHRAWÂN
BAGDAD
'ABERTÂ
Nahr Diyala
USKÂF
AL-MADÂIN
TIGRE
0 20 40 60 km
DEIR AL-'ÂKÛL
DJARDJARÂYÂ

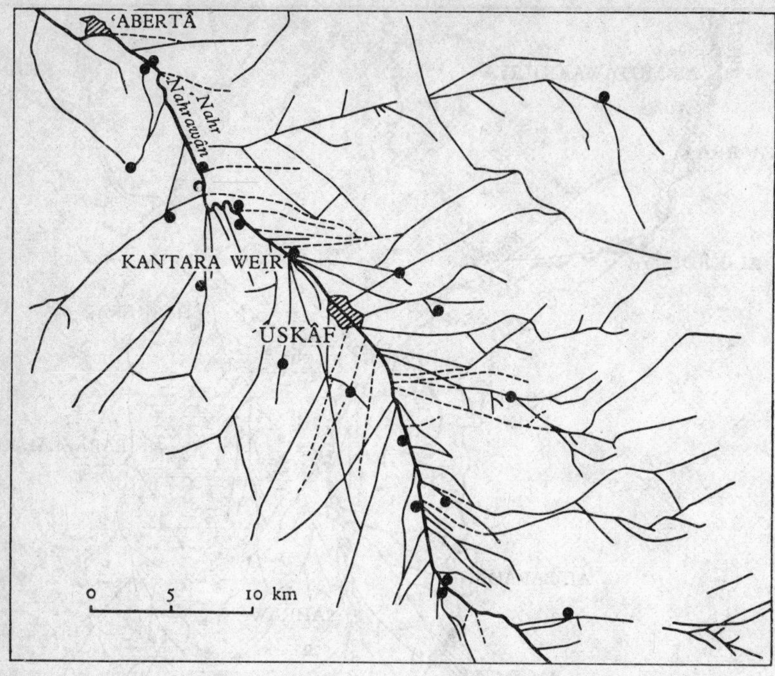

20-21. AMÉLIORATION, PUIS DÉPÉRISSEMENT PROGRESSIF DES OUVRAGES D'IRRIGATION EN IRAK

(*D'après R. Mac Adams,* ibid.)

Deux états d'un même secteur : du VIIe au Xe siècle d'abord, après le Xe siècle ensuite. Le secteur choisi correspond à une portion du réseau hydraulique présenté auparavant dans son ensemble (19), la région du bas Nahrawân. Au réseau assez dense attesté en pleine époque abbasside (20) s'oppose le tracé appauvri de la longue période de décadence qui suivit (21). Les terres abandonnées étaient surtout celles de la partie centrale, impossibles à irriguer en raison de l'écart croissant entre le niveau du canal et celui des sols avoisinants. Seuls les points situés aux extrémités des dérivations secondaires continuaient alors à recevoir un peu d'eau.

Ce qui se passa en Irak se déroula sans doute de même façon le long d'autres grands fleuves des régions orientales tels que l'Oxus ou Amou Darya, le Heri Rud et l'Hilmend. Là encore des jardins, vergers et champs, que les textes

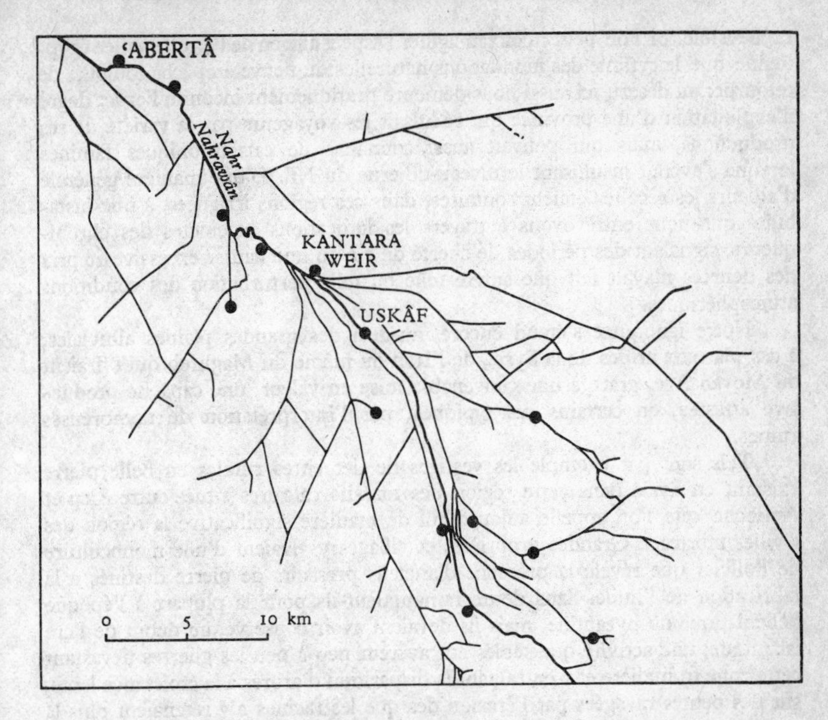

souvent nous mentionnent, disparurent pour laisser la place à des étendues désertiques parsemées seulement aujourd'hui des traces d'ouvrages grandioses. On se trouve renseigné dans un cas, celui du Khwârizm *, par des enquêtes archéologiques ayant récemment révélé l'ancienneté de l'habitat humain dans les terres irrigables voisines de la mer d'Aral. Mais on est loin de pouvoir encore dresser la carte des zones de sédentarisation et de culture intensive qui rayonnaient entre le VIIe et le Xe siècle et que nous connaissons surtout, à défaut d'évaluations méthodiques, par un effort d'intuition prenant pour point de départ des données littéraires qui manquent de précision. C'est seulement par le jeu du raisonnement que l'on réalise par exemple l'importance du rendement agricole obtenu par des provinces d'Iran et de Transoxiane dont le rôle, dans l'histoire de l'Islam umayyade, puis abbasside, resterait sans cela incompréhensible. Si l'on peut mieux imaginer l'aspect ancien de l'étroite vallée égyptienne que le rythme des inondations naturelles du fleuve empêcha toujours de retourner au désert, ici aussi nous demeure pratiquement inconnu l'exact degré d'exploitation d'une province qui séduisait les voyageurs par la variété de ses productions, mais qui pouvait aussi connaître de catastrophiques famines lorsque s'avérait insuffisant le niveau de crue du Nil. D'une manière générale d'ailleurs les récoltes étaient soumises, dans ces régions irriguées, à une instabilité que nous entrevoyons à travers les indications succinctes des chroniqueurs, signalant des périodes de cherté de vie où une hausse excessive du prix des denrées n'avait fait que suivre telle ou telle perturbation des conditions atmosphériques.

Notre ignorance s'étend encore, au-delà des grandes plaines alluviales, à ces plateaux arides de la Syrie, de l'Iran ou même du Maghreb qui offraient au Moyen Age, grâce à une convenable mise en valeur, une capacité productive attestée, en certains cas typiques, par l'interprétation de nombreuses ruines.

Tels sont par exemple les vestiges de demeures rurales en belle pierre existant en Syrie dans cette région des massifs calcaires située entre Alep et Antioche que l'on appelle aujourd'hui de manière significative la région des « villes mortes ». Grandes propriétés et villages y vivaient d'une monoculture de l'olivier que révèle la présence d'anciens pressoirs de pierre destinés à la fabrication de l'huile. Sans doute remontaient-ils pour la plupart à l'époque hellénistique ou byzantine, mais ils devaient avoir conservé, au début de l'ère islamique, une activité que seules entravèrent peu à peu les guerres dévastant cette zone frontalière et y entraînant la disparition d'arbres à la croissance lente, sur des pentes ravagées par l'érosion dès que les racines n'y retenaient plus la terre.

Tels sont surtout les restes de ces installations agricoles d'époque umayyade, fondées par les califes eux-mêmes ou par les principaux chefs de l'aristocratie arabe, qui ont été découvertes en territoire syro-palestinien depuis la fin du siècle dernier et sont progressivement apparues avec leur vrai caractère de grandes propriétés terriennes, après avoir été d'abord considérées comme de simples résidences d'agrément en bordure ou au sein du désert. De premières réactions d'étonnement avaient été en effet déclenchées par l'apparent contraste existant entre tel palais somptueux ou tel bain * orné de fresques * et le paysage désolé dans lequel ceux-ci se dressaient. Puis on réalisa — et ce fut le grand mérite de J. Sauvaget de l'exprimer le premier dans une théorie d'ensemble sur la colonisation arabe de la Syrie au Ier siècle de l'Hégire qu'il eut tout juste

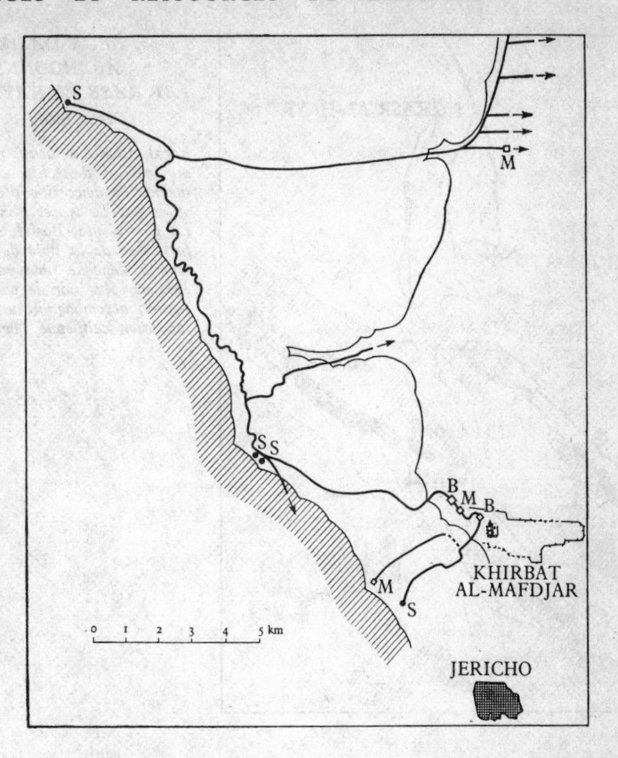

22. LE RÉSEAU D'IRRIGATION DE KHIRBAT AL-MAFDJAR

(Dessin inédit de J. Sauvaget.)

Plusieurs canaux alimentés par des sources de résurgence (S), au pied de la haute falaise calcaire qui domine la dépression de la mer Morte, convergeaient vers le site du château et de l'enclos protégé, tout en contribuant par des saignées secondaires à irriguer de plus vastes portions de la vallée du Jourdain situé lui-même en contrebas. On reconnaît les emplacements de bassins-citernes (B) et de moulins (M), ici moulins à canne à sucre et non moulins à blé, ainsi que des traces de l'enclos entourant le château.

le temps d'ébaucher avant sa mort prématurée — que les « châteaux du désert » ou prétendus tels ne méritaient ce nom que depuis la disparition des oasis cultivées qui jadis les entouraient et dont on peut chaque fois retrouver les principaux éléments encore en place : vastes enclos de brique * crue destinés à protéger les jardins et vergers aux cultures précieuses comme à Khirbat al-Mafdjar * ou aux deux Kasr al-Hayr * situés à l'ouest et à l'est de Palmyre *, systèmes d'irrigation perfectionnés comme en ces divers sites ou à ʿAndjar *, groupements de maisons secondaires destinées aux exploitants du domaine comme au Djabal Says * ou dans les « villes » de ʿAndjar et de Kasr al-Hayr l'Oriental, citernes et norias, greniers et autres bâtiments d'exploitation rurale comme

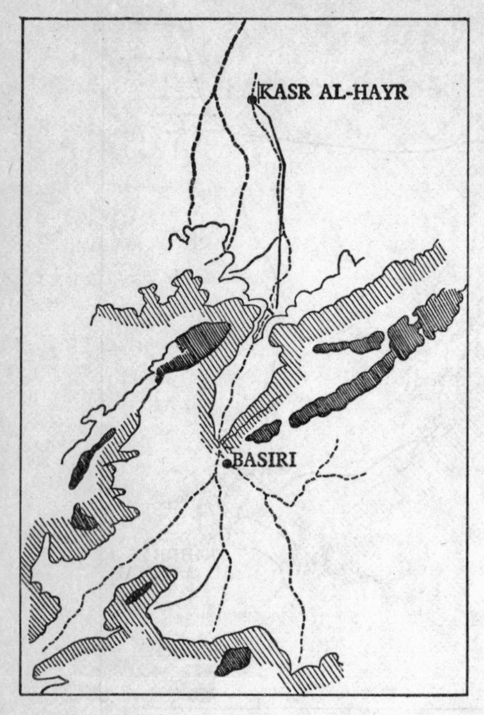

23. DEUX OASIS UMAYYADES ABANDONNÉES : BASIRI ET KASR AL-HAYR L'OCCIDENTAL
(Dessin inédit de J. Sauvaget.)

Localisation, à deux niveaux d'une vallée, aujourd'hui desséchée, de la steppe palmyrénienne, de deux sites d'oasis artificielles, marquées par les traces d'installations sédentaires. La plus élevée, Basîrî, entourait une ancienne forteresse de la voie de Dioclétien, remise en état à l'époque umayyade ; l'autre, dont on étudiera plus loin le complexe système d'irrigation, accompagnait un véritable château de fondation califienne (voir plan 25, p. 282).

dans la majorité de ces emplacements, sans oublier, bien sûr, en chaque cas, la présence conjuguée de terres arables quelquefois excellentes (notamment dans les vallées du Litani et du Jourdain) et d'une eau inutilement gaspillée maintenant dans des oueds au cours temporaire ou des dépressions fangeuses asséchées par l'été.

Les exemples cités ne sont d'ailleurs que quelques grands noms choisis parmi ceux de dizaines et dizaines de centres agricoles de médiocre importance que l'observation aérienne a permis de déceler partout dans la steppe syrienne et qui existaient aussi, si l'on en croit les résultats d'explorations malheureusement moins complètes, dans les solitudes méridionales du plateau de Transjordanie jusqu'aux confins du Néguev et de la mer Rouge. Autant de traces de l'exploitation jadis organisée, par des sédentaires, de cuvettes qui étaient climatiquement cultivables, puisque non privées de chutes saisonnières de pluie, mais restaient gratifiées toutefois d'un régime trop irrégulier pour que leur prospérité ne dépendît point de l'ingéniosité humaine dans le contexte privilégié de certaines époques de paix.

Ces oasis à la végétation méditerranéenne ou tropicale selon la région, où le dattier, le riz et la canne à sucre remplaçaient au sud de la mer Morte les oliviers, abricotiers, noyers et peupliers des vergers de la Damascène ou bien les vastes champs de blé du Hauran et de la Syrie moyenne, n'avaient fait d'ailleurs que continuer une tradition poursuivie dans les mêmes lieux depuis une époque reculée ou tout au moins depuis cette période de développement de la vie agricole qu'avait été pour le pays l'époque hellénistique puis romaine. Comme dans les grandes plaines déjà évoquées de l'Euphrate, du Tigre ou du Nil, les ouvrages hydrauliques qui allaient être remis en état ou parfois même perfectionnés sous l'impulsion des Umayyades, dans les steppes maintenant pacifiées des confins de l'Arabie, remontaient pour la plupart à l'Antiquité. Si les textes restent muets à ce sujet, l'archéologie nous le prouve et cette permanence des lieux d'habitat s'accompagnait d'une non moins sensible permanence des techniques d'irrigation et méthodes de culture, comme si la mise en œuvre de toutes ces terres, inventée par les hommes à l'aube de la civilisation pourrait-on dire, n'avait été destinée qu'à se perpétuer au long des siècles sans trace d'évolution notable.

●

De fait, et aussi éloignées de nous que paraissent aujourd'hui de telles images d'activité paysanne traditionnelle appliquées à des paysages desséchés qui ne gardent souvent plus rien de commun avec des greniers à blé ou avec des jardins de palmes, leur réalité profonde s'éclaire dès qu'on abandonne tout effort de délimitation précise de « l'espace rural » dans lequel grandit la civilisation islamique classique pour évoquer plutôt les traits dominants d'un tel espace. Celui-ci, tout en ayant aux derniers siècles considérablement rétréci, semble avoir conservé en certains points jusqu'à nos jours ses genres de vie commandés par des conditions naturelles. Il suffit par exemple de regarder travailler les fellahs courbés sur la terre d'Égypte ou bien les possesseurs de petites exploitations de l'oasis de la Ghûta autour de Damas pour réaliser les gestes qui, depuis un temps immémorial, animaient l'existence des campagnes orientales devenues islamiques. Chaque fois le problème de l'eau, avec les solutions diverses qui lui furent apportées selon la configuration du terrain, se retrouve à l'origine des gestes les plus caractéristiques.

Certes les cultures sèches existaient jadis comme aujourd'hui dans certaines régions relativement arrosées et constituaient par exemple, en Syrie comme au Maghreb, un élément fondamental de la production agricole, celui qui fournissait les indispensables bases nutritives constituées par le blé et l'orge. Mais ces cultures n'avaient pu se développer qu'autour de noyaux sédentaires, nécessitant eux-mêmes une alimentation en eau qui ne fût pas tributaire des seules pluies printanières. On se trouvait donc immanquablement obligé de recourir à des techniques dont les deux aspects essentiels consistaient à emmagasiner l'eau et surtout à aller la chercher partout où elle pouvait se trouver.

Du premier aspect relevaient ces citernes de tous genres, alimentées parfois par de longs aqueducs à ciel ouvert ou de non moins longs conduits souterrains, qu'en Syrie des califes umayyades purent s'enorgueillir — des inscriptions en témoignent — d'avoir construites et qui accompagnaient nécessairement tout système complexe d'irrigation, ne fût-ce que pour en régulariser le débit. Leurs spécimens les plus grandioses sont peut-être représentés par ces bassins des gouverneurs umayyades, puis aghlabides, qui étalent encore leurs miroirs d'eau calme auprès de la vieille capitale provinciale de Kairouan en Tunisie. A de telles citernes, dont les réserves étaient destinées à l'arrosage des terres, mais aussi à la consommation des agglomérations voisines, se rattachaient aussi des réservoirs couverts, de construction parfois monumentale, qui renfermaient les réserves d'eau des villes et citadelles ou qui jalonnaient les routes du désert les plus fréquentées, à l'instar de ceux qui furent réalisés par exemple en pleine époque abbasside le long de la route du Pèlerinage menant de Bagdad à la Mekke. On peut leur joindre encore des bassins traités dans les résidences princières comme autant de pièces d'eau d'agrément, bassins auxquels le palais aghlabide de Rakkâda tout près de Kairouan et l'un des palais construits par les Hammadides * dans leur Kal'a du Hodna doivent d'être restés connus comme des *Dâr al-Bahr*, c'est-à-dire des « palais du Lac » ou mieux « du Bassin ».

Mais la collecte des eaux demandait encore plus de soins et de travaux que leur emmagasinement. Il y avait d'abord le procédé relativement simple consistant à profiter d'une rivière pérenne en établissant des barrages * de dérivation qui s'aidaient de la pente du terrain pour faire rayonner à partir du courant principal autant de canaux secondaires alimentés par le simple principe de gravité. L'exemple typique en est fourni par une petite rivière de l'Anti-Liban, le Baradâ damascain dont les eaux, plus faciles à domestiquer que celles d'un grand fleuve, se séparent encore aujourd'hui en plusieurs ruisseaux en

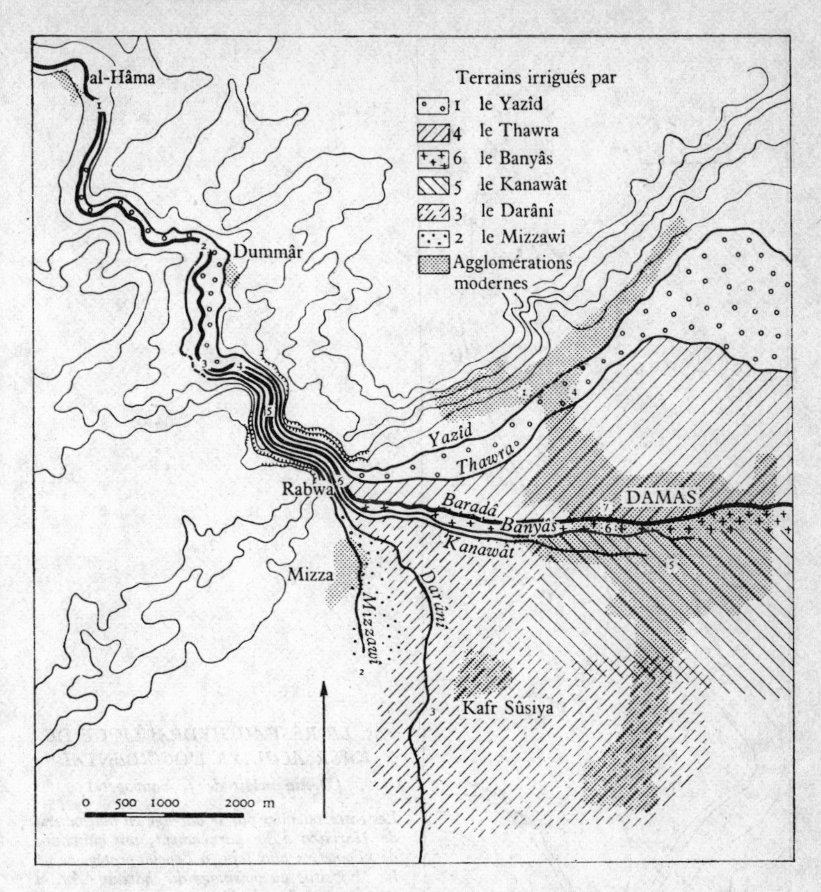

24. LES TERRES IRRIGUÉES DE LA GHUTA
(*D'après M. Ecochard et C. Le Cœur*, les Bains de Damas.)

Les canaux d'irrigation de l'oasis de Damas dérivent tous d'un petit cours d'eau, le Baradâ, dont ils se détachent successivement à des niveaux différents pour s'écarter ensuite en éventail à la sortie de la gorge de Rabwa. La plupart de ces canaux existaient dans l'Antiquité, comme en témoignent leurs noms d'origine araméenne. Certains furent creusés à l'époque islamique, notamment le canal Yazîd, dû à l'initiative du calife umayyade de ce nom.

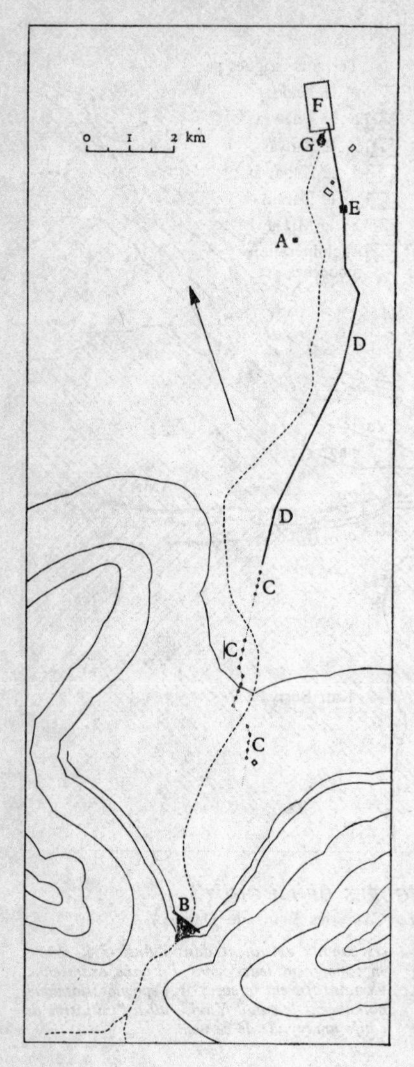

25. LE RÉSEAU HYDRAULIQUE DE KASR AL-HAYR L'OCCIDENTAL

(Dessin inédit de J. Sauvaget.)

Les eaux retenues par le barrage en maçonnerie de Harbaka (B) parvenaient, une quinzaine de kilomètres plus loin, à l'enclos protégé de 46 ha (F) situé au voisinage du château (A), et ce au moyen d'un double système : captation souterraine des eaux par une canalisation (C) émergeant à ciel ouvert (D), traversant une citerne (E), actionnant un moulin et alimentant les dérivations secondaires destinées soit aux habitations, soit aux cultures irriguées du thalweg ; collecte des eaux de ruissellement par un dernier ouvrage (G) situé sur l'ancien cours naturel du wâdî et relié lui aussi à l'enclos.

éventail, déterminés par le moyen d'épis de branchages ou de cailloux et coulant chacun à un niveau différent. Mais le système pouvait s'appliquer aussi à de grands fleuves dont les eaux étaient captées par des saignées successives pourvu que l'on se fût préalablement méfié de leur force et de leurs inondations toujours possibles.

Dans le cas cependant de cours d'eau temporaires ou trop irréguliers, une autre méthode devait intervenir, celle du barrage permanent qui permettait la formation d'un véritable lac de retenue. De typiques exemples syriens fonctionnant au Moyen Age islamique furent ceux du lac de Homs sur l'Oronte ou du barrage de Harbaka en Palmyrène, près de Kasr al-Hayr l'Occidental. Le premier, long de 850 mètres et haut de 5, était connu des géographes arabes et contient encore les eaux d'un énorme réservoir à demi naturel, tandis que le second, construit en maçonnerie sur une vingtaine de mètres de hauteur et 365 mètres de long, se dresse maintenant en pleine steppe derrière un énorme dépôt d'alluvions raviné ensuite par l'érosion. Certes il s'agit là d'ouvrages antiques dont le second seulement dut être complètement remis en état à l'époque umayyade, mais la technique en avait été si tôt adoptée en milieu musulman qu'on a pu trouver trace, dans des vallées désolées de l'arrière-pays mekkois et au voisinage de l'oasis anciennement cultivée de Tâ'if, de barrages rustiques umayyades dont un au moins porte une inscription historique de 677 au nom du calife Mu'âwiya. Nombre d'autres barrages encore plus tardifs, qui furent du point de vue de la construction quelquefois savamment élaborés, existent encore en Iran, parmi lesquels un spécimen dans la région de Kumm semble avoir été construit, dès le XIVe siècle, comme un barrage-voûte, plus raffiné donc de conception que les simples barrages-poids élevés jusque-là.

Le seul défaut de ces barrages de montagne tenait au volume de phénomènes d'alluvionnement, considérables dans ces régions, qui suffisaient pour combler rapidement leurs réserves d'eau utilisable. Toutefois, tant qu'ils fonctionnaient normalement, de leurs cuvettes de retenue comme des citernes ou des cours d'eau nés des barrages de dérivation prenaient ensuite naissance les ouvrages de distribution, notamment canaux, galeries et aqueducs destinés à arroser des terres situées parfois à bonne distance en contrebas. Un excellent exemple en est fourni par le conduit qui unissait le barrage de Harbaka aux cultures de Kasr al-Hayr l'Occidental et qui se poursuivait sur plus d'une quinzaine de kilomètres jusqu'au moment où il se ramifiait, au milieu d'un enclos de cultures, en de multiples branches secondaires pourvues de répartiteurs et réservées chacune à l'irrigation d'une parcelle.

Les diverses techniques de barrage ainsi utilisées demandaient cependant l'existence d'eaux visibles, alors que bien souvent prédominait dans les régions subdésertiques une aridité de surface contrastant avec la richesse de nappes souterraines auxquelles il s'agissait de puiser. Les procédés de captation, inventés eux aussi depuis des temps fort reculés, se classaient essentiellement en deux catégories. Si l'on excepte le cas, assez exceptionnel, de ces puits artésiens dont on connaissait déjà quelques exemples à l'époque d'Ibn Khaldûn, il y avait d'abord la série des procédés mécaniques qui dérivaient tous de la simple habitude de puiser l'eau dans quelque trou à l'aide d'une corde et d'un récipient approprié. Le système rudimentaire de l'élévateur à balancier, le *shadouf* des campagnes égyptiennes, y cédait généralement la place à la machine rustique à roue ou noria dont la chaîne de godets tournait sous l'effet de la traction animale. Évoqués souvent dans la littérature descriptive où le manège grinçant mû par un bœuf ou un chameau semble un accessoire indispensable du jardin d'agrément et y alimente constamment le bassin d'où s'écoule un filet d'eau, ces instruments encore en usage actuellement sont aussi attestés par leurs ruines — car ils nécessitaient quelques murs grossiers de soutènement — dans des sites umayyades de Transjordanie tels que Kusayr 'Amrâ *. Ils pouvaient encore être utilisés le long des fleuves encaissés dont le courant suffisait alors à les actionner, réalisations savantes dont les norias de l'Oronte, aux environs de Hama, sont demeurées les plus célèbres, mais qui toutes permettaient l'irrigation de terrains situés sans cela trop au-dessus du niveau moyen du courant pour pouvoir profiter de sa proximité.

Le rendement de tels instruments, que les ingénieurs musulmans férus d'automates se plurent souvent à compliquer à l'extrême, n'atteignait cependant jamais le débit que l'on pouvait demander à un autre système, extrêmement ingénieux, qui semble avoir été inventé en Iran dans l'Antiquité pour gagner ensuite les régions de même configuration géologique où il était également applicable. Il s'agissait de ces *kanat*, ou véritables « mines d'eau » comme on a pu les appeler, qui faisaient déboucher à la surface du sol les sources que leurs galeries avaient été chercher dans des zones d'infiltration situées le plus souvent au pied des chaînes de montagnes. Les orifices régulièrement espacés de leurs puits d'aération, entourés de monticules de déblais, se remarquent encore aujourd'hui en bien des points du territoire iranien où ils étaient apparus dès l'Antiquité. Mais il fallut la naissance de l'Empire islamique pour fournir le cadre favorable à l'adoption de leur technique en des régions plus lointaines, soit sous l'influence de dirigeants comme les Umayyades qui y firent appel dans certaines de leurs installations agricoles de la steppe palmyrénienne, soit sous l'effet de ces migrations d'artisans dont la mémoire populaire a gardé le sou-

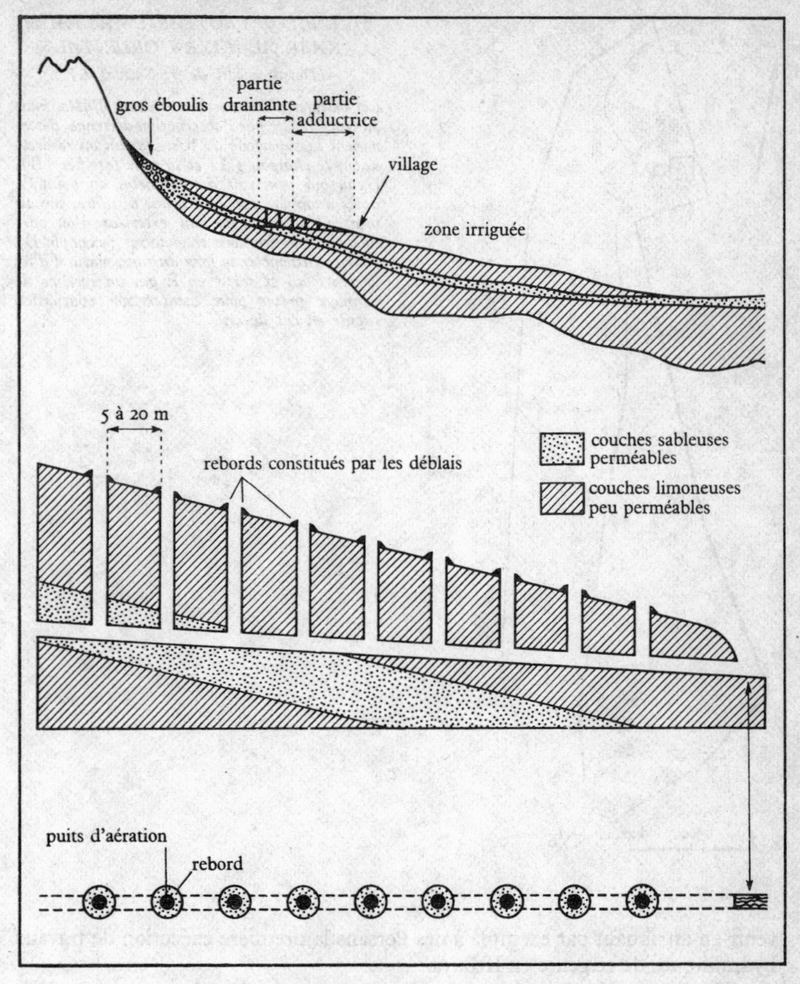

26. REPRÉSENTATION SCHÉMATIQUE D'UN KANAT
(D'après H. Goblot, in Annales, E. S. C., *1963, n° 3.)*

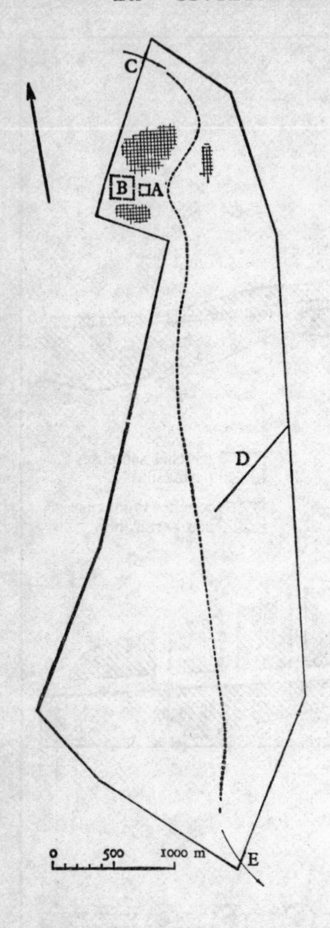

27. ENCLOS PROTÉGÉ UMAYYADE : KASR AL-HAYR L'ORIENTAL

(Dessin inédit de J. Sauvaget.)

Les vestiges d'une enceinte à demi effacée, mais au tracé révélé par l'observation aérienne, déterminent la superficie du vaste jardin où se dressaient le château (A) et la ville fortifiée (B). L'eau qui pénétrait dans l'enclos au point C, après avoir été captée à bonne distance, suivait vraisemblablement le mur extérieur d'où partaient des dérivations secondaires (exemple D) pour se rassembler le long du cours naturel d'un ancien wâdî et sortir en E par un système de vannage prévu pour assurer son évacuation rapide en cas de crue.

venir en attribuant par exemple à des Persans la première exécution de travaux hydrauliques de ce genre en Ifrîkiya.

Fournie par les kanats, par les norias ou par les simples canaux de dérivation issus des fleuves — dont certains servaient en outre à drainer des régions marécageuses impropres à la culture, comme l'atteste le célèbre exemple des travaux accomplis, à l'époque umayyade, dans les bas-fonds inondés de l'Irak méridional —, l'eau était immédiatement utilisée pour des cultures sous irrigation qui constituaient, partout où elles pouvaient exister, la principale occupation paysanne. Développées à l'intérieur de petits enclos que l'on peut appeler des « jardins » pour exprimer le caractère minutieux des soins dont ils étaient l'objet, ces cultures alliaient aux plantations d'arbres ou arbustes les semis de céréales ou de légumineuses au fort rendement. Mais elles n'existaient d'abord que parce qu'un système secondaire de petites rigoles au débit régi par des vannes y distribuait l'eau venue du courant principal, selon un réseau parfois compliqué, dessiné en fonction de la pente du terrain et encore déchiffrable aujourd'hui dans des sites abandonnés comme ceux des deux Kasr al-Hayr. Même des régions aussi humides que la côte syro-libanaise dépendaient, pour une exploitation rationnelle de leurs vergers d'agrumes ou de bananiers, de ce principe du quadrillage, établi à l'aide de levées de terre et de digues demandant surveillance. Le travail acharné qui s'ensuivait pour l'agriculteur resta de tous temps caractéristique d'une vie rurale qui connaissait certes le labourage peu rentable, avec un araire archaïque, des vastes espaces où des jachères improductives succédaient à de sporadiques récoltes, mais qui était surtout dominée par l'exploitation méthodique, avec la bêche du jardinier représentée sur certaines miniatures, de fertiles vergers-potagers.

•

Aussi bien le concept de *'imâra* ou « prospérité matérielle à base de peuplement humain intensif » demeurait-il à l'époque classique parmi les objectifs du maître responsable de toute fraction territoriale du monde de l'Islam. Ce maître souverain, loin de se désintéresser, comme on pourrait parfois le croire, de questions apparemment étrangères à un milieu palatin replié sur lui-même, savait que de ses initiatives en ce domaine dépendait au premier chef l'état de ses revenus. Certes la condition paysanne n'en était pas pour autant améliorée, à une époque où le rendement de l'impôt reposait, en dépit des recommandations contraires des hommes de loi, sur des mesures coercitives laissées le plus souvent à la discrétion de collecteurs sans scrupules. Mais les dirigeants les plus âpres à obtenir des versements en argent ou en nature, que leurs difficultés financières leur rendaient indispensable de collecter par tous les moyens, restaient cependant conscients de la nocivité à long terme de cette politique. Même à une époque où les théories libérales s'avéraient inapplicables devant la nécessité d'équilibrer à tout prix le budget déficitaire de l'État, un vizir abbasside comme Ibn al-Furât n'en était pas moins persuadé que la prospérité des campagnes aurait dû compter en premier. Il proclamait volontiers que la ferme des impôts était un procédé détestable dans la mesure où il conduisait au dépérissement d'une province, que la bienveillance envers les cultivateurs au moment de la remise de l'impôt pouvait seule les amener à améliorer le rendement de leurs terres, que l'entretien des digues et ouvrages d'intérêt public devait être ponctuellement assuré pour éviter les désastres coûteux et que même il y avait avantage à faire supporter par les finances gouvernementales les frais de réparation incombant normalement aux détenteurs de concessions, de manière à éviter toute négligence des intéressés. Réflexion lucide sur une situation qui commandait au premier chef la stabilité économique du califat et qui avait été déjà prise en considération par les souverains ou gouverneurs umayyades et abbassides antérieurs.

Ceux-ci par exemple avaient su quel profit on pouvait attendre de la mise en valeur de terres non encore cultivées ou provisoirement abandonnées à la suite de désastres naturels et de guerres. Ils connaissaient les avantages du système de « revivification des terres mortes » qui était expressément prévu par le droit et avantageait les nouveaux exploitants devenus de ce fait propriétaires. Eux-mêmes avaient eu soin d'entreprendre, dans un dessein lucratif, des travaux d'assèchement ou d'irrigation de grande envergure qui visaient à l'amélioration de certaines zones au réseau hydraulique dégradé ou qui menaient à la création de nouveaux domaines fonciers. Hishâm l'avait fait dans ses propriétés syriennes comme plus tard Hârûn al-Rashîd et les Barmakides dans ce qui allait devenir le site de Samarra : là avait été creusé un canal et inaugurée une exploitation pourvue d'un château qui fut appelé Abû l-Djund, « le père de l'armée », car ses revenus servaient à alimenter la paie des troupes. On verra ensuite au xe siècle, sous le calife abbasside al-Râdî, la reconstruction d'un barrage coûtant 3 000 dinars * être prise entièrement à charge par la cassette souveraine et confiée à un fonctionnaire du Palais qui mena ce travail à bien en cinquante jours. Le fait est significatif à la fois par lui-même et par le détail de circonstances dénotant l'incurie qui régnait alors à cet égard dans les services gouvernementaux : tout contrôle régulier de l'État sur le réseau irakien des digues et des canaux semblait avoir été déjà depuis longtemps abandonné et annonçait la ruine proche de ces installations.

Pratiquement, pour qu'il y eût prospérité, l'ingérence du gouvernement était nécessaire. Des initiatives qu'elle entraînait, initiatives techniquement ou financièrement impossibles à des individus isolés ou à de simples villages, dépendait l'essor de l'agriculture. Mais les modalités de cette ingérence, qui varièrent en fait avec les régimes locaux et les périodes, ne tenaient pas seulement à l'arbitraire des dirigeants ; elles étaient également liées à des dispositions juridiques précises. Des ouvrages comme le *Livre de l'impôt foncier*, écrit vers la fin du VIIIe siècle par Abû Yûsuf, en traitent sans oublier de se fonder sur quelques exemples et la citation d'un passage conseillant le calife en matière de « revivification » des terres suffira à montrer l'esprit dans lequel des initiatives de ce genre pouvaient être considérées par les docteurs et commentateurs de la Loi. « Quand des percepteurs de l'impôt foncier reçoivent la visite de certains de leurs ressortissants qui les informent de l'existence chez eux d'anciens canaux et de nombreuses terres incultes, y lit-on en effet, et ajoutent que la mise au jour et le creusement de ces canaux, en permettant l'irrigation, rendraient ces terres cultivables et augmenteraient le rendement de l'impôt, ils doivent, à mon avis, t'en informer. Prenant alors un homme de bien dont la religion et la loyauté méritent confiance, tu l'enverras examiner la situation, interroger les experts et hommes versés en la matière ainsi que les indigènes dont la religion et la loyauté méritent confiance, et consulter, en dehors des indigènes, des gens intelligents et instruits à qui des travaux éventuels ne pourraient ni procurer d'avantages personnels ni épargner les préjudices. Leur avis unanime étant que ces travaux sont avantageux et accroîtront le produit de l'impôt foncier, tu ordonneras de recreuser ces canaux en faisant payer les frais par le Trésor, et non par les indigènes ; il est en effet préférable que leur état soit plutôt prospère que misérable et qu'ils s'enrichissent plutôt que de se ruiner et d'être réduits à l'impuissance. Tout ce qui, pour les redevables de l'impôt foncier, est avantageux pour leurs terres et leurs canaux et dont ils réclament l'amélioration, doit leur être accordé quand cela est sans inconvénient pour ceux d'un autre canton ou d'un autre district du voisinage ; mais si cela nuit à d'autres, entraîne pour eux la perte de leurs produits et cause dommage à l'impôt foncier, qu'il n'y soit point fait droit. »

Les mêmes docteurs avaient pu faire une place dans leurs traités à des réglementations coutumières extrêmement minutieuses que l'on retrouve dans des ouvrages de droit public comme les *Statuts gouvernementaux* d'al-Mâwardî. Tels étaient les usages en vigueur pour l'utilisation d'une eau courante qui devait être, en chaque lieu, également partagée entre les membres de ce que l'on a pu appeler de véritables « communautés hydrauliques » ayant survécu parfois jusqu'à nos jours dans les territoires d'oasis irriguées. Le détail de ces droits d'eau, établis en général comme des quotes-parts d'un bien variant selon la saison avec le débit d'arrivée de l'eau, se combinait avec diverses autres servitudes pour constituer l'un des cadres fixes dans lequel se développa la société paysanne islamique. Dans cette société en effet, des règlements indispensables à la gestion d'intérêts de groupe s'exprimèrent presque toujours au moyen d'organismes simples et souples de surveillance, pouvant aussi se faire à l'occasion — comme on en a la preuve dans bien des anecdotes de l'histoire abbasside mettant en cause, en face du pouvoir central, les délégués paysans de tel village ou tel district — les interprètes des plaintes ou des requêtes du groupe tout entier. Ces règlements, inspirés le plus souvent par les nécessités de l'irrigation, se superposaient ainsi, dans la vie des sédentaires, aux conséquences découlant d'autre part d'un régime de la propriété qui tenait davantage aux circonstances historiques.

Par référence aux conditions régnant dans la société médinoise à l'époque du Prophète, le statut de propriété instauré lors des conquêtes islamiques avait fait en effet de la majorité des terres la possession indiscutée de nouveaux maîtres qui ne la cultivaient pas. A côté d'eux, la masse paysanne était devenue pour des siècles une masse d'exploitants assujettis à leur travail sans en retirer d'autre bénéfice que la petite part de la récolte qui leur était allouée par les termes de contrats divers de métayage ou qui leur restait, lorsqu'ils étaient eux-mêmes propriétaires, après le paiement d'impôts le plus souvent exorbitants. Sans oublier le cas de ces véritables esclaves qui travaillaient d'autre part dans des *latifundia* et dont les Zandj du Bas-Irak, célèbres par leur grande révolte du IXe siècle, fournissent l'exemple le plus typique. Physiquement asservis ou maintenus par le poids des dettes et des impôts dans un état voisin de la servitude, ces cultivateurs avaient en outre appartenu pour la plupart, pendant la période ancienne, à la classe des tributaires non convertis qui étaient par définition considérés comme inférieurs aux musulmans. Autant de raisons qui concoururent à diminuer la place tenue de manière effective, dans la société islamique classique, par ces gens pauvres, généralement étrangers à la religion et aux conflits de sectes ou d'écoles, menant une vie particulièrement dure et demeurant objets de contrainte et de mépris pour les citadins de toute espèce, même les moins fortunés.

L'indifférence ainsi manifestée par le monde musulman médiéval à l'égard des sédentaires pratiquant le travail de la terre n'était cependant pas sans s'accompagner — comme dans l'appréciation littéraire de la vie nomade, quoique avec moins de force — d'une lyrique admiration de cette même terre cultivée, porteuse d'ombrages et d'abondance. A côté de l'imagerie du désert et de ses innombrables motifs chers à la poésie préislamique, les thèmes de l'oasis et de ses eaux généreuses avaient fait leur apparition à l'aube de la période islamique elle-même, portés par le Coran qui y avait eu recours pour évoquer les délices du paradis. Le soin de les développer était ensuite revenu à la génération de poètes arabes grandis avec l'essor de la société abbasside et soucieux de mettre leurs vers en accord avec les plaisirs qu'ils aimaient. Certes ils devaient chanter ces paysages de verdure et d'eaux courantes dans un dessein particulier, celui de louer d'abord le charme des parties fines et les douceurs de l'oisiveté que les riches viveurs y goûtaient. Mais la constance avec laquelle revient dans leurs poèmes amoureux ou bachiques la description du cadre enchanteur constitué alors par le jardin en arrive à témoigner d'un véritable sens de la nature domestiquée et civilisée que symbolisent entre les hauts murs de l'enclos la fraîcheur de ses canaux et la calme régularité de ses parcelles verdoyantes, idéalisation définitive, dans la conscience du citadin raffiné, de ce résultat d'une longue tradition paysanne qu'était alors le « jardin oriental ». Admiré bientôt pour lui-même et devenu le sujet d'innombrables compositions artistiques, ce lieu privilégié de la détente et des loisirs aristocratiques n'était cependant pas sans refléter certains aspects d'une vieille tradition agricole, celle qu'on décèle par exemple sous les conseils plus pratiques que littéraires distribués à ce sujet par un poème agronomique andalou du XIVe siècle où l'on peut lire : « Qu'on choisisse, pour bâtir sa maison dans son jardin, le point dominant qui en facilite la garde et la surveillance. Qu'on l'oriente au midi, la porte tout à côté, et qu'on surélève un peu l'emplacement du puits et du bassin ; ou, mieux encore, qu'il y ait à la place du puits une canalisation d'eau qui coure sous les ombrages. Près du bassin, on plantera des massifs toujours verts, de toutes les espèces qui réjouissent la vue, et plus loin, des fleurs variées et des arbres à feuilles persistantes. Des plants de vigne borderont le domaine et, dans la partie centrale, des treilles ombrageront des passages qui ceindront les parterres comme d'une marge. Au milieu, on installera pour les heures de repos un kiosque qui s'ouvrira sur tous les côtés, on l'entourera de rosiers grimpants, de myrtes et de toutes les fleurs qui font la beauté des jardins ; il sera plus long que large, pour que l'œil n'éprouve pas de fatigue à le regarder. Tout en bas, on réservera un corps de logis pour les hôtes qui viendront tenir compagnie au maître du lieu ; il aura sa porte, son bassin caché de loin à la vue par un bouquet d'arbres. Si l'on installe encore un colombier et une tourelle habitable, tout n'en sera que mieux. »

●

Les campagnes cultivées dont l'empire devait tirer longtemps l'essentiel de sa richesse et les terres désertiques qui séparaient entre elles ces zones de culture modelaient donc à l'époque classique la variété de « l'espace islamique ». La diversité des productions répondait à cette variété naturelle. Appartenant en effet à des ensembles géographiques très différents, vallées irriguées par de grands fleuves comme en Égypte, Mésopotamie ou Transoxiane, hauts plateaux désertiques parsemés d'oasis comme en Syrie, en Iran, au Maghreb ou en Espagne, montagnes arides, bandes humides et parfois de végétation tropicale le long de côtes généralement peu favorables à la navigation *, les diverses régions continentales et maritimes habitées alors par les musulmans présentaient des ressources complémentaires, fondées à la fois sur l'exploitation du sol et du sous-sol, qui permettaient des industries spécialisées et qui favorisèrent éminemment le développement du commerce.

L'importance réelle et même relative de ces diverses productions reste évidemment aujourd'hui très difficile à évaluer. Certes les géographes arabes des IXe et Xe siècles eurent à cœur d'inventorier d'une façon plus ou moins complète les avantages respectifs des divers territoires qu'ils s'étaient assigné de décrire et ils s'attachèrent parfois aussi à mentionner la nature de leurs exportations. Mais les données quantitatives manquent dans leurs exposés et manqueront sans doute toujours, faute d'avoir été consignées pour cette période ancienne dans des pièces d'archives qui aient été conservées en nombre suffisant. Tout au plus est-il possible de dresser une liste succincte des principales cultures alimentaires et industrielles attestées en divers lieux, auxquelles s'ajoutaient des produits de ramassage ou de cueillette et quelques produits miniers. Toutes ces ressources pouvaient faire l'objet d'échanges, illustrés par l'exemple de la Palestine exportant ses fruits justement réputés vers Basra, elle-même célèbre pour ses dattes, ou par les liens unissant des régions aussi différentes que l'Arabie du Sud d'une part, et l'Iran et la Transoxiane ou bien le golfe Persique de l'autre.

Les ressources agricoles tout d'abord étaient primordiales, en dépit de la pauvreté de bien des sols. Elles faisaient une place aux céréales, cultivées notamment en Égypte où l'on trouvait du blé ainsi que dans les plaines de Syrie, de Haute-Mésopotamie ou du Maghreb. L'Arabie du Sud, de son côté, connaissait le millet. Mais plus rentables encore étaient les cultures de riz, situées dans des régions chaudes et bien irriguées, au Fayyûm *, en Haute-Égypte, dans la vallée du Jourdain, dans les environs de Basra en Irak, sur les bords de la mer Caspienne ou dans la vallée de l'Amou Darya. On y ajoutera l'abondante production maraîchère des jardins et vergers.

A côté de ces légumes et autres denrées destinées à une consommation immédiate, des récoltes susceptibles souvent d'être transportées d'une province à l'autre étaient constituées par des fruits abondants et d'une grande diversité, raisins que l'on faisait souvent sécher et qui étaient particulièrement savoureux à Jérusalem, dattes du Bas-Irak ou des oasis africaines de Haute-Égypte et du Sahara, olives réputées en Syrie ainsi qu'au Maghreb, figues de Jérusalem mais aussi d'Irak, pommes de Syrie et de Palestine, abricots, coings, grenades, citrons, bananes, melons, etc.

L'élevage, qui allait parfois de pair avec ces cultures, mais se pratiquait aussi en des lieux plus déshérités, n'était nulle part très développé. En quelques régions existaient des bovins, représentés surtout par ces énormes troupeaux de buffles, appréciés pour leur lait plus que pour leur viande, qu'on voit encore aujourd'hui dans les vallées du Nil, du Jourdain ou du Tigre, mais aussi par des vaches qu'on rencontrait notamment en Égypte et qu'on faisait éventuellement travailler. Les ovins et caprins, élevés dans les secteurs moins favorisés, étaient surtout nombreux au Maghreb et dans la Syrie-Palestine, tandis que l'élevage du cheval, la monture noble et rapide par excellence, se localisait de préférence en Haute-Mésopotamie et en Arabie ainsi qu'en Égypte ou en Espagne, dans la plaine du Guadalquivir ; on s'intéressait encore aux ânes et aux mulets, plus beaux en Égypte qu'ailleurs, disait-on, mais partout utilisés comme animaux de bât et de selle. Les chameaux et dromadaires, indispensables aux grands nomades et aux caravaniers, peuplaient surtout, les uns la Transoxiane, les autres l'Arabie et les steppes syro-mésopotamiennes voisines. Mais une mention toute spéciale doit être faite de l'élevage des pigeons pour leur engrais, élevage pratiqué en Espagne comme en Orient où la colombophilie avait partout ses adeptes et où les pigeonniers, interprétés parfois comme de hautes et massives tours de brique, constituaient un élément dominant du paysage rural.

A ces produits se joignaient ceux de la pêche pratiquée sur les côtes, dans les grands fleuves ou dans certains lacs. C'était là une industrie fort prospère de l'Andalousie par exemple, mais un port comme celui de Shihr, près d'Aden, sur la côte méridionale de l'Arabie, était de son côté réputé pour la grosseur des poissons que ses marins pêchaient et exportaient. Le poisson était également fort goûté des Égyptiens qui appréciaient ceux du Nil. On en pêchait aussi dans le lac de Tibériade et dans le lac d'Urmia, mais on est moins bien renseigné par les auteurs anciens sur les ressources de la côte syrienne et d'un fleuve tel que l'Oronte où pourtant aujourd'hui les silures abondent dans la dépression du Ghâb.

Parmi les cultures dites industrielles, l'une des plus anciennes était celle de la canne à sucre, cultivée surtout au xe siècle sur la côte syro-palestinienne et dans la vallée du Jourdain, mais aussi en Égypte, au Yémen, dans le Bas-Irak et dans certaines régions de l'Iran. La culture du mûrier et l'élevage du ver à soie commençaient en revanche tout juste à se répandre alors dans les pays islamiques où on les pratiquait, selon les géographes arabes, dans la région de Bardhaʿa, à l'ouest de la mer Caspienne, ainsi que dans le Djurdjân *, sur la rive orientale de la même mer. Puis venait le cotonnier répandu en Syrie septentrionale et Haute-Mésopotamie, en Iran dans la région de Rayy, en Transoxiane et en Égypte sans doute aussi dès cette époque. Ajoutons-y la culture du lin dans l'oasis égyptienne du Fayyûm, du papyrus * dans la même province, du sésame en Irak et au Khurâsân, de diverses plantes tinctoriales — parmi lesquelles l'indigotier de Palestine, du Yémen, du delta égyptien et du Kirmân, le crocus producteur de safran, qu'on rencontrait au Yémen et en Iran occidental, l'arbuste du henné qui était cultivé en Arabie du Sud ainsi qu'à Basra —, la culture enfin de plantes odoriférantes qui poussaient en Égypte, mais aussi en Syrie ou en Irak, ainsi que celle de diverses épices produites en Arabie du Sud.

Les produits de ramassage et de cueillette n'étaient pas moins nombreux. Certes le bois restait rare, certaines régions en étaient totalement dépourvues et on ne pouvait toujours l'employer à tous usages, quand il s'agissait par exemple du bois de palmier. Néanmoins les ressources de certaines forêts, notamment en Syrie, Kabylie ou Espagne, plus tard même en Anatolie, furent mises en coupe réglée pour la construction de véritables flottes. On rencontrait en plusieurs endroits du sumac, surtout en Syrie ou en Haute-Mésopotamie, et l'Arabie connaissait un arbre dont le bois servait spécialement à la fabrication des arcs. Les perles étaient pêchées dans le golfe Persique, au voisinage du Bahrayn et de l'île de Kharik, et des bancs de corail étaient exploités près des côtes du Maghreb et de Sicile. L'encens était récolté en Arabie du Sud, dans la région de Shihr, ainsi que l'ambre gris.

Le sol et le sous-sol fournissaient d'autre part leurs richesses. La pierre de taille, parfois de fort belle qualité, se rencontrait dans certaines régions, telles la Syrie septentrionale ou méridionale, la Palestine, la Haute-Mésopotamie, l'Égypte et l'Arabie centrale, mais faisait presque complètement défaut dans la région de Damas et surtout en Irak et en Iran où l'on utilisait de préférence la brique crue ou cuite. Le marbre se trouvait en Syrie et en Égypte. Des pierres précieuses même étaient extraites en Espagne, au Yémen, notamment l'onyx et la cornaline, en Transoxiane (turquoise et rubis) et en Haute-Égypte (émeraude et hématite).

Parmi les ressources minières signalées encore çà et là, on comptait l'or *, recherché en Arabie centrale, en Égypte, surtout au Soudan * (au sud d'Assouan précisent les textes), au Maghreb extrême ainsi qu'au Khurâsân et en Transoxiane, l'argent * produit dans le Fârs, le Khurâsân et la Transoxiane, ainsi qu'en Espagne et au Maroc, le fer exploité au Liban * ainsi qu'en Ifrîkiya, en Andalousie, en Haute-Mésopotamie et en Iran près de Shîrâz, le cuivre dans l'Oman, en Transoxiane, en Ifrîkiya ou en Andalousie, l'alun et le natron exploités ainsi que le vitriol dans les oasis égyptiennes, le plomb de Haute-Mésopotamie et de la région de Balkh, le sel gemme extrait de mines au Maghreb, mais dont la production limitée était complétée par celle de salines sur les bords de la Méditerranée, le mercure enfin, attesté au Fârs et en Andalousie. Ajoutons les sources dites de bitume, qui fournissaient le liquide appelé *naft* et qui étaient signalées en Haute-Mésopotamie, sur les bords de la Caspienne ainsi que çà et là en Iran.

Ces ressources naturelles permettaient nombre d'activités artisanales qui occupaient les travailleurs des villes et des villages et parmi lesquelles on notera d'abord des activités d'ordre alimentaire. La meunerie, par exemple, était pratiquée surtout dans des moulins à eau installés au bord des fleuves ou dans des moulins flottants signalés sur le Tigre à Mossoul. Des moulins et des sucreries, fonctionnant avec ce personnel réduit que l'on trouve par exemple détaillé dans tel papyrus égyptien d'époque umayyade, travaillaient la canne à sucre en Palestine, en Égypte et dans l'Ahwâz *. Il faut leur ajouter les fabriques de confiserie existant en Palestine et en Égypte notamment, tout en rappelant qu'on utilisait beaucoup, dans les milieux modestes, le miel d'abeille récolté en Arabie, Égypte, Palestine, Jordanie et Haute-Mésopotamie. Des huileries enfin utilisaient les olives ou le sésame en Palestine, Syrie, Égypte et Haute-Mésopotamie. Toutes ces techniques, auxquelles on ajoutera les activités plus proprement familiales de la cuisson du pain ou de la conservation des denrées périssables destinées à la consommation ou à l'exportation, ne mettaient en œuvre qu'un outillage rudimentaire qui devait continuer d'être utilisé jusqu'à nos jours, mais qui nous est également connu par des vestiges archéologiques — telles des cuves de pressoirs à huile creusées souvent à même le sol rocheux dans des villages abandonnés de la Syrie du Nord par exemple. Ces techniques étaient le plus souvent localisées dans les petites bourgades où elles s'intégraient au rythme de la vie paysanne.

On peut y joindre des industries chimiques élémentaires, celle du savon, fabriqué à partir de l'huile et de l'herbe à soude en Haute-Mésopotamie et en Syrie du Nord, à Rakka par exemple, en Palestine ainsi qu'au Fayyûm et dans certaines régions de l'Iran, Sîrâf * et Balkh notamment, celle encore du parfum, dont les produits étaient abondamment consommés dans le monde islamique.

A côté de l'encens et de l'ambre gris, on recherchait en effet les parfums aux essences de fleurs (rose, violette, jasmin, etc.) que l'on produisait en Syrie, Irak ou Égypte — l'essence de rose syrienne était, dit-on, particulièrement réputée — ainsi que d'autres variétés encore provenant des régions iraniennes de Shîrâz et de l'Ahwâz.

L'artisanat rural pouvait aussi produire des vêtements et des objets mobiliers de première nécessité, depuis les cordes, tissus et tapis, exécutés sur de pauvres métiers à l'intérieur de la maison du sédentaire comme de la tente du nomade, jusqu'aux œuvres grossières du charpentier-menuisier, du tanneur et du cordonnier, du forgeron, du dinandier ou du potier local, sans oublier parfois la transformation, sur une plus grande échelle, de certains produits de récolte tels que le coton et la laine traités de manière à alimenter, dans certaines régions, de multiples ateliers villageois de cardeurs, foulons, teinturiers, tisserands ou calandreurs.

•

Mais, d'une manière générale, les industries spécialisées se groupaient plutôt dans les villes, ou dans leurs alentours immédiats lorsqu'il s'agissait d'industries exigeant, comme les tanneries et les ateliers de potiers, de vastes espaces de travail ainsi que la proximité d'eaux courantes ou l'accès facile de matériaux lourds tels que la terre argileuse. Cette localisation citadine tenait d'abord à l'existence, dans des agglomérations souvent énormes, d'une main-d'œuvre facilement utilisable en même temps que d'une demande toujours accrue pour les produits d'un artisanat de luxe. Mais elle s'expliquait aussi par la collusion existant en milieu islamique entre la vente de détail et la fabrication confiées habituellement aux mêmes personnages mi-marchands et mi-ouvriers qui peuplaient les boutiques du souk.

De ces industries spécialisées à vocation urbaine la plus importante était sans doute celle des textiles de qualité qui constituaient à l'époque une véritable monnaie d'échange ainsi qu'une richesse bonne à thésauriser. La fabrication de ces tissus dépendait évidemment de l'abondance des matières premières, laine, soie, coton ou lin, dont on a vu plus haut la répartition selon les régions. Mais elle demandait surtout une extrême habileté d'artisans qui, avec des moyens là encore rudimentaires, réalisaient des chefs-d'œuvre propres à susciter l'admiration des contemporains et parfois parvenus jusqu'à nous grâce au fait qu'on les utilisait dans les pays européens du Moyen Age pour envelopper les reliques et enrichir les trésors des abbayes et cathédrales.

On sait que des étoffes de lin, de toile ou de laine, dont certaines d'une remarquable finesse tels les voiles et toiles de Tinnîs dans le delta, constituaient une des spécialités de l'Égypte, tandis que le Maghreb produisait plutôt des tissus de laine. La Palestine et l'Irak tissaient surtout la soie, mais on utilisait encore le lin dans la région de Basra. Des cotonnades réputées étaient fabriquées dans tout l'Iran oriental, à Marw, Herât, Nîshâpûr ou Samarkand, ainsi qu'au Yémen et en Haute-Mésopotamie. Certaines d'entre elles étaient pourvues de décors peints et imprimés selon un procédé peu coûteux et efficace, mais attestant une réelle perfection du travail des teinturiers. Les soieries de la Caspienne et de l'Ahwâz étaient également recherchées parmi ces soieries persanes dont la tradition remontait à un lointain passé et était demeurée fidèle, en pleine époque abbasside, à des motifs décoratifs typiquement iraniens, répétés sous forme de ces médaillons ornés de personnages affrontés et d'animaux fantastiques qui avaient jadis caractérisé les plus beaux tissus sassanides. Toutes ces étoffes chatoyantes et bigarrées, dont les sources arabes anciennes vantaient couleurs et dessins, portaient des noms différents qui désignaient des variétés techniques difficiles aujourd'hui à identifier, mais tendant, les unes et les autres, vers une somptuosité toujours accrue.

Avec ces tissus de toutes sortes un artisanat spécialisé exécutait des vêtements plus ou moins luxueux, les uns rayés comme ceux qui utilisaient des étoffes du Yémen, d'autres brochés et ornés des motifs animaliers et floraux déjà signalés, d'autres encore brodés ou garnis de précieuses fourrures importées, mais toujours considérés comme autant de pièces pourvues d'une durable valeur marchande, en même temps qu'ils satisfaisaient le besoin d'ostentation des gens des classes aisées. Les tailleurs et brodeurs travaillaient habituellement dans le souk. Cependant les vêtements officiels de cérémonie, richement tissés ou ornés de fils d'or, étaient fabriqués dans des manufactures d'État appelées *tirâz*, qui existaient dans presque toutes les grandes villes de l'empire ; l'utilisation de l'or, même pour cet usage, restait en effet un privilège souverain et les vêtements portés par les dignitaires aux audiences solennelles, vêtements qui leur étaient généralement offerts par le calife, ne pouvaient être produits que sous le contrôle gouvernemental, avec le plus souvent des marques d'authentification consistant en des inscriptions datées, au nom du prince régnant.

Art et technique étaient étroitement liés dans cette activité officielle ou privée qui était sans conteste une des plus importantes du monde islamique médiéval et qui permettait à ses ouvriers de faire preuve d'esprit créateur. Avant même que se soient développées les fameuses écoles safavides et ottomanes de brocarts et de velours dont les productions seront souvent importées et imitées en Europe, les chefs-d'œuvre des brodeurs fatimides et des tisserands iraniens ou syriens qui travaillaient la soie entre le IXe et le XIIIe siècle, et qui influencèrent profondément les artisans d'Espagne ou de Sicile, jouissaient déjà d'une juste renommée. La variété de leurs procédés décoratifs, venant s'ajouter à la diversité des types d'étoffes et des formes de vêtements utilisés, a été signalée par les géographes et les conteurs d'historiettes. Il reste cependant difficile de toujours savoir exactement à quoi correspondent leurs descriptions ou leurs allusions et l'histoire du costume * n'a pas encore pu atteindre, pour la période ancienne du Moyen Age islamique où les représentations figurées restent rares, la précision qu'on lui connaît dans l'histoire de l'Europe occidentale par exemple.

A côté de l'industrie des tissus précieux, l'art du tapis tenait une place importante, ainsi que la fabrication des tentures, tapisseries et nattes que l'on joignait aux premiers pour meubler palais * et maisons * à l'instar de ce qui avait constitué le seul luxe de la tente nomade. Leurs exemples les plus célèbres, de nature très variée dès une époque ancienne puisqu'il ne s'agissait pas toujours de tapis à point noué, venaient, les uns d'Égypte et d'Arabie, d'autres d'Irak, certains de Palestine (nattes de Tibériade), d'autres encore, les plus réputés et surchargés de broderies, du Nord de l'Arménie, sans que cependant nous aient été conservés de tout cet ensemble des spécimens anciens suffisamment nombreux et représentatifs. Seules les réussites ultérieures de la Turquie ottomane et de l'Iran safavide peuvent donner une idée de la somme de patience et d'art déployée dans l'Orient islamique pendant des siècles, pour cette activité artisanale, en tenant spécialement compte de la somptuosité des coloris et de la moelleuse douceur du matériau.

Le travail du bois, qui était lui aussi un art en même temps qu'une technique, était de même largement répandu, quoiqu'il exigeât des bois rares et précieux, teck, ébène et santal, étrangers au monde islamique et importés à grands frais notamment par l'Oman. Si les objets servant aux particuliers demeuraient assez simples, à l'exception de ceux que l'on trouvait dans les palais princiers, le mobilier des lieux de culte était particulièrement soigné. Il suffit de citer les *minbar* * ou parfois les mihrâbs portatifs en bois sculpté dont certains s'ornaient en outre de motifs de marqueterie et d'incrustations précieuses en nacre ou en ivoire, les grilles ajourées de *maksûra* * et les tribunes de mosquées ainsi que les portes de mausolées ou d'oratoires, les cénotaphes * et les supports de Coran souvent monumentaux. Ajoutons encore les bois insérés dans l'architecture *, tels que poutres et soffites visibles, et les fenêtres grillagées des maisons particulières, dont certains exemples particulièrement ornés, quoique d'époque plus tardive, ont été conservés en Égypte et illustrent l'habileté technique atteinte par ces tourneurs sur bois qui comptent encore aujourd'hui parmi les artisans les plus curieux à voir travailler dans les villes d'Orient.

De toute cette production et des ateliers qui en étaient responsables, les auteurs anciens parlent peu, si bien qu'il est difficile d'en localiser les centres les plus importants disséminés sans doute dans toutes les grandes villes de l'empire. En revanche on peut suivre, à partir de chefs-d'œuvre conservés en nombre encore appréciable, l'évolution d'un art qui présente à la même époque, d'une région à l'autre, de notables concordances d'ordre stylistique et qui connut à peu près les mêmes étapes que l'art de la sculpture sur pierre. D'abord influencé par l'habitude de la « taille oblique » qui serait venue de l'Asie centrale, il compta dès lors, en milieu abbasside et fatimide, quelques-unes de ses plus belles réalisations, y compris certains chefs-d'œuvre de l'art animalier. Le procédé consistant à morceler chaque surface en petits panneaux entourés de baguettes, qui étaient ajustés les uns aux autres et qui supportaient plus aisément l'effet des variations atmosphériques sans se fendre, apparut ensuite et fut surtout utilisé pour des bois sculptés saldjoukides en Anatolie et zankides ou ayyoubides en Syrie et en Égypte. Ceux-ci annonçaient d'ailleurs la cristallisation de méthodes artisanales que rien n'allait plus venir renouveler ensuite en pays islamique, même si les motifs décoratifs d'origine végétale subissaient ici ou là une transformation motivée par un goût nouveau pour des stylisations plus proches de la nature.

Aux artisans du bois on peut joindre ceux qui utilisaient l'ivoire soit pour le sculpter dans la masse ou le peindre, soit pour l'incruster ou pour en faire des travaux de marqueterie. A partir d'un matériau précieux essentiellement importé d'Afrique orientale, ils réalisaient des objets non moins admirables de style qui semblent avoir été exécutés de préférence, soit en Égypte selon une vieille tradition copte, soit dans les régions occidentales où tiennent la vedette les coffrets sculptés de l'Espagne umayyade ainsi que ceux d'une école, moins sûrement localisée, dont on situe habituellement les ateliers dans les territoires anciennement musulmans de la Sicile normande.

Le travail du cuir était naturellement plus répandu, car les peaux ne manquaient pas dans l'ensemble des pays islamiques et les objets ainsi fabriqués étaient indispensables à la vie quotidienne, notamment les sandales et les courtes bottes, les selles et autres harnachements des chevaux et chameaux qui se vendaient habituellement dans des souks réservés à cet effet, les ustensiles du nomade enfin qui comportaient, outre certaines tentes, des sacs et seaux de cuir à tous usages. Certaines régions se signalaient cependant par quelques fabrications particulières : besaces et tapis de cuir faisaient la renommée du Yémen, tandis que le cuir frappé et repoussé constituait la spécialité du Maroc et de Cordoue. Les cuirs d'Égypte étaient assez appréciés pour être expédiés dans divers pays. La Syrie, qui préparait ses peaux sur place tandis que l'Irak importait les peaux tannées de l'Arabie, avait également sa propre production et le travail du cuir était encore pratiqué en Iran occidental et oriental, à Rayy, Bukhârâ et Samarkand, ainsi qu'au Maghreb extrême, notamment à Fès. Une technique particulière, celle des reliures de cuir couvrant les manuscrits précieux, mettait en œuvre des procédés de décoration dont on a conservé à Kairouan de fort anciens spécimens, mais les textes nous parlent surtout des travaux de reliure renommés que l'on exécutait au Yémen et en Palestine.

Le travail des métaux était également primordial à cette époque, bien que l'outillage en fût resté à bien des égards rudimentaire. Le fer était par exemple utilisé pour fabriquer de solides portes de citadelles, telles qu'on en signalait en Arabie, au Sîstân, au Khurâsân ou en Ifrîkiya, ou plus simplement des chaînes qui servaient en diverses régions pour fermer les ports et pour retenir des moulins flottants ou des ponts de bateaux comme ceux du Tigre à Bagdad. Certaines pièces d'habillement, telles que les ceintures, et certains instruments étaient, semble-t-il, en fer : balances réputées par exemple en Haute-Mésopotamie, à Nisîbîn et Harrân, ou bien couteaux parmi lesquels étaient cités ceux de Mossoul. Mais les armes surtout exigeaient un acier spécial préparé à Samarkand et au Khurâsân selon des recettes que définissaient divers traités et qui permettaient de réaliser des lames d'une qualité exceptionnelle. Les artisans iraniens étaient, dès une époque ancienne, passés maîtres dans ce domaine, quoique nous connaissions surtout de leur production des chefs-d'œuvre tardifs, souvent signés, qui remontent pour la plupart aux époques mongole, timouride * et safavide. Mais les sabres du Yémen, fabriqués à partir de fer importé, étaient également appréciés. Certaines armes atteignaient en outre, grâce aux incrustations accessoires d'or et d'argent et même de pierres précieuses dont elles pouvaient être ornées, une richesse décorative leur donnant plus de prix.

Le cuivre, métal beaucoup plus répandu, était utilisé pour la plupart des ustensiles de ménage, si bien que chaque ville avait son souk de chaudronniers et de dinandiers, artisans aussi bien que marchands. Des objets d'art aussi étaient fabriqués dans ce même métal, notamment ces aiguières, coupes, plateaux et bassins de dimensions parfois imposantes, ces brûle-parfums et chandeliers monumentaux ou au contraire ces boîtes minuscules de toutes formes, ces lampes * et ces précieuses écritoires qu'on prit l'habitude, à partir du XIe siècle, d'incruster d'argent ou d'or selon une technique de damasquinage, empruntée à l'Asie centrale et pratiquée surtout à Damas et Mossoul, qui n'avait rien à voir avec le procédé spécial de production de l'acier utilisé pour la fabrication des lames dites de Damas. De semblables objets, ornés de même façon et relevant des mêmes écoles stylistiques, étaient également exécutés en bronze dont la sombre patine dissimule parfois aujourd'hui un décor, quasi indistinct à force de minutie quoique réservant à qui l'étudie dans le détail d'étonnantes découvertes : on y discerne non seulement d'admirables compositions abstraites alliant les ressources de la calligraphie * à celles de l'arabesque * florale, mais aussi de véritables scènes de genre où animaux et personnages sont esquissés avec le mouvement même de la vie.

Les artisans qui excellèrent dans ces incrustations sur cuivre et sur bronze appartenaient d'abord, dès le début de l'époque saldjoukide, aux lointaines provinces du Sîstân et du Khurâsân où ils faisaient la renommée de villes comme Herât, Marw, ou Nîshâpûr. Mais de célèbres ateliers illustrèrent ensuite la Haute-Mésopotamie zankide où fleurirent les dynasties familiales de bronziers et dinandiers de Mossoul, la Syrie ainsi que l'Égypte ayyoubides, puis mamloukes, le Yémen rassoulide * et même encore l'Iran mongol. Auparavant on avait seulement connu la technique vigoureuse des objets de bronze à décor sculpté en relief, technique qui avait été l'apanage des artisans iraniens fournissant les Cours umayyade et abbasside, puis avait été pratiquée en milieu fatimide, permettant de réaliser, à côté d'objets utilitaires comme miroirs et mortiers, des aquamaniles et des brûle-parfums en forme d'animaux qui comptent parmi les plus purs chefs-d'œuvre de l'art islamique. Les mêmes représentations figurées en ronde-bosse devaient d'ailleurs continuer de caractériser pour une part la production de l'Iran bouyide et saldjoukide avant de disparaître devant les progrès de modes plus ostentatoires. Seules continuèrent alors d'être réalisées en bronze simplement gravé des pièces comme les astrolabes, sphères armillaires et autres instruments d'astronomie et de navigation ou encore des balances de précision qui requéraient la compétence de véritables savants aussi habiles au calcul mathématique qu'au maniement de leurs outils.

De leur côté, l'argent et l'or, généralement utilisés pour de précieuses incrustations, servaient aussi à fabriquer entièrement des objets de grand prix, plats, coupes et parfois bouteilles à flancs arrondis, ornés de motifs gravés ou sculptés en relief, qui conservèrent longtemps vivante en Iran la tradition de l'argenterie et de l'orfèvrerie sassanides. Les mêmes joailliers exécutaient un peu partout dans l'empire de gracieux bijoux en or ou argent, surtout pendentifs et boucles d'oreilles, dont certains étaient de filigrane et dont on conserve nombre d'exemples fatimides et saldjoukides. Leur décoration faisait à l'occasion appel à des émaux colorés que l'on utilisait encore à l'époque saldjoukide, plus spécialement en Haute-Mésopotamie, pour concourir à l'ornementation d'objets de bronze tels que des plats de grand luxe.

Le travail du verre et de la céramique * était enfin représenté dans les activités artisanales de la plupart des villes. A côté de briquetiers fournissant un des matériaux de construction les plus habituels en pays d'Islam, des potiers satisfaisaient une abondante demande urbaine ou villageoise d'objets ménagers de première nécessité, alcarazas, cruches, jarres, gourdes, marmites et plats de cuisson, lampes à huile enfin ou braseros. Ces pièces ne demandaient comme matière première qu'une terre argileuse grossière, mais faisaient parfois preuve de recherche ornementale dans leur décor très simple, peint, gravé, façonné en relief ou même ajouré comme dans ces petits filtres de gargoulettes où se déployait souvent une agréable fantaisie décorative. Elles pouvaient être en outre recouvertes d'une glaçure brillante qui avait pour première fonction de les rendre imperméables lorsqu'il s'agissait, soit de récipients destinés à conserver le lait, l'huile ou d'autres liquides et à servir de bocaux à provisions, soit de cette vaisselle de table qui comprenait des assiettes, écuelles, bols et gobelets ainsi que les plateaux et parfois les tables destinés à les supporter.

Le même procédé de la glaçure transparente, alcaline, plombeuse ou alcalino-plombeuse, souvent transformée en un émail stannifère opaque et colorée à l'occasion par divers autres oxydes métalliques, était à l'origine des remarquables pièces de faïence décorée que réalisaient les céramistes les plus habiles et qui firent la gloire de certaines écoles régionales de poterie. De tels chefs-d'œuvre ne différaient des ustensiles ordinaires que par la qualité de leur pâte ou de leur décor et par la perfection de leur forme. Ils englobaient toutes les catégories d'objets déjà énumérées auxquelles s'ajoutèrent, à partir de l'époque saldjoukide, les briques émaillées sur la tranche, les carreaux de revêtement employés tels quels ou découpés ensuite au ciseau pour réaliser des panneaux de mosaïque *, et des éléments entiers d'architecture tels que niches de mihrâbs ou plaques en forme de stèles funéraires par exemple. Mais ils tiraient chacun leur originalité des heureuses variétés de couleur et de composition que l'on y observa selon les époques et parfois les lieux. Un de leurs traits communs fut de subir souvent l'influence stylistique des objets métalliques dont ils constituaient des répliques moins coûteuses et imitaient avec fidélité le profil ou le décor. En outre, la continuité que l'on décèle dans leurs types, leurs motifs ou même leurs modes de fabrication et de décor tenait à la mobilité d'artisans qui retrouvaient partout les quelques produits naturels indispensables à l'exercice de leur métier et qui se déplaçaient volontiers d'un pays à l'autre en fonction de circonstances historiques changeantes.

Avant l'essor saldjoukide, leurs centres de production les plus actifs, qui connaissaient presque tous le même genre de technique, mettaient en œuvre les possibilités de quelques types limités. Telles furent une céramique incisée sous glaçure monochrome ou transparente qui apparut également à Samarra, Ctésiphon, Suse et Rayy, ainsi qu'à Fustât pour le premier type et plus spécialement dans l'Iran oriental à Nîshâpûr et Samarkand dans le second cas ; une céramique à décor peint sous glaçure dont les créations les plus harmonieuses, avec décor en noir, violet manganèse et brun sur fond crème se situèrent à Nîshâpûr et Samarkand ; une céramique à reflets métalliques, fabriquée en Irak comme en Égypte ou dans les provinces occidentales de l'Iran, qui constitua l'une des réussites les plus originales des potiers islamiques ; une céramique blanche enfin à décor peint en bleu de cobalt sur couverte que l'on exécuta encore dans les mêmes centres. Autant de témoignages sur l'expansion d'un art qui ne fut jamais situé au rang des arts somptuaires et dynastiques, même si le talent individuel y aboutissait à la réalisation de ce que nous tenons aujourd'hui pour des réussites d'une rare qualité.

Aussi bien le contraste était-il grand avec l'art de la verrerie, qui restait l'apanage de certains ateliers spécialisés en Syrie, Irak ou Égypte et qui se développa seulement pour satisfaire les besoins des Cours abbasside et fatimide. Gobelets, coupes et flacons de verre taillé pour rivaliser avec leurs prototypes de cristal de roche encore plus précieux, ou de verre doré et émaillé selon une technique délicate qui connaîtra son apogée dans les lampes de mosquées des époques ayyoubide et mamlouke, furent toujours des pièces d'extrême valeur, fabriquées en petit nombre dans la ligne d'une tradition antique perfectionnée et exportées le plus souvent ensuite sous forme de cadeaux princiers.

A ces grandes branches de l'artisanat s'en ajoutaient encore d'autres dont les auteurs parlent peu et sur lesquelles nous ne possédons que de minces allusions. Leurs produits, tels les matériaux nécessaires à l'écriture, devaient pourtant tenir une place importante dans la vie sociale de l'époque, sinon dans son économie. Il y avait par exemple la préparation du parchemin *, depuis ses espèces les plus rudes jusqu'aux fines peaux de gazelle, parchemin qui était avant le XIe siècle abondamment demandé pour les actes et pour les manuscrits de toutes sortes. De son côté, le papyrus, apprécié dans les bureaux de l'État car il se prêtait moins bien que le parchemin aux falsifications, était obtenu en Égypte à partir des fibres de la plante du même nom et y faisait l'objet d'une industrie importante. Le papier surtout dont la fabrication commença, dit-on, au VIIIe siècle à Samarkand où se trouvaient des prisonniers faits en Transoxiane et connaissant la technique chinoise, fut produit en quantités de plus en plus grandes à mesure que sa fabrication s'étendit à Bagdad, puis à d'autres villes d'Orient et d'Occident. Il suffit de songer à l'abondance des ouvrages arabes anciens que renferment aujourd'hui les bibliothèques pour apprécier ce que dut être son utilisation dans la civilisation musulmane. Et sa production était seulement la première étape de ces tâches diverses que requéraient les arts du livre et pour lesquelles se dépensaient tant de copistes, calligraphes, enlumineurs et miniaturistes travaillant eux aussi à leur manière, avec leur calame ou leur pinceau, à la richesse du monde islamique ancien.

Non seulement en effet leurs œuvres étaient recherchées par ceux qui en faisaient commande et qui le plus souvent entretenaient autour d'eux les personnages ainsi chargés d'accroître leur collection de manuscrits, mais elles constituaient des pièces que l'on thésaurisait à l'égal des bijoux ou des brocarts et qui contribuaient elles aussi à la gloire des puissants nommément désignés dans leurs pages de titre. On en a encore la preuve aujourd'hui en admirant telle luxueuse copie exécutée sur l'ordre de tel personnage célèbre ou portant ses titres dans les marques de propriété qui étaient sans scrupule ajoutées et griffonnées dans les marges des plus beaux exemplaires. Ceux-ci se signalaient à la fois par la qualité de leur écriture et par les enluminures * délicates, rehaussées d'or et de brillantes couleurs, qui pouvaient s'y trouver disséminées pour séparer sourates et versets lorsqu'il s'agissait de copies du Coran ou qui, dans les autres cas, garnissaient surtout les premiers feuillets. A partir du XIIe siècle, certains d'entre eux offrirent même des illustrations encore plus précieuses sous forme de miniatures * véritables, exécutées d'abord par les représentants de l'école dite « de Bagdad » et destinées à devenir ensuite l'apanage des artistes persans et turcs des époques postérieures. Seules appartiennent à l'époque classique les miniatures de la première catégorie, que parfois on regroupe sous l'expression discutable de « peinture arabe », mais qui sont en fait l'expression d'un milieu beaucoup plus mêlé quoique géographiquement circonscrit, celui de la société bourgeoise islamique épanouie dans l'Irak et la Haute-Mésopotamie post-saldjoukides. On y retrouve à la fois, et sous des influences artistiques d'origines diverses mais surtout byzantines, le goût des motifs liés à l'illustration de la vie princière et celui des représentations tirées de la vie quotidienne pour enrichir de scènes parfois picaresques des ouvrages scientifiques — ouvrages médicaux ou livres d'automates notamment — ou bien des recueils de contes et de « séances * ».

Parallèlement s'étaient affirmés les traits distinctifs d'une calligraphie cursive à la fois souple et harmonieuse qui avait reçu dès la fin du IXe siècle ses lettres de noblesse après s'être peu à peu différenciée du coufique * ornemental. Ce dernier, employé tout spécialement pour les copies soignées du Coran sur parchemin, était né en effet de la transformation, sous des impératifs différents, de l'écriture arabe archaïque et anguleuse uniquement utilisée dans les premiers siècles islamiques. Mais c'était la forme cursive de cette même écriture qui allait ensuite évoluer vers une interprétation de plus en plus élégante et rythmée, destinée à trouver son aboutissement dans les caractères persans et turcs, tandis que l'usage du coufique se restreindrait peu à peu aux variations décoratives des inscriptions monumentales ou mobilières et des décors calligraphiques qui en étaient issus.

•

A côté de ces activités artisanales, qui avaient pour fonction de transformer les productions naturelles du monde islamique en biens de consommation courante ou en objets précieux, existaient encore de non moins remarquables activités de construction liées à l'essor de l'architecture.

Dans ce domaine le travail accompli était partout intense et nécessaire, d'autant plus nécessaire qu'une civilisation à la fois urbaine et palatine ne pouvait se passer d'ériger de multiples et souvent prestigieux édifices. Si les maçons étaient toujours livrés aux seules ressources de leurs connaissances traditionnelles, sous la direction de maîtres d'œuvre et non de véritables architectes dont la fonction n'existait pas à l'époque, leurs procédés variaient fort d'une région à l'autre selon les constructions projetées et surtout selon les matériaux existants. Tantôt la pierre prédominait, tantôt la brique crue ou cuite, le mortier ou même le pisé. On faisait éventuellement venir, pour les édifices importants et les demeures princières, des bois rares, des marbres précieux, du granit ou même de l'onyx. Mais les maisons ordinaires reposaient exclusivement sur les ressources locales, qu'elles fussent comme à Damas ou au Caire faites d'armatures de bois remplies de briques et de pisé ou, comme à Alep et Amida, bâties en pierres de taille bien ajustées, sans parler des habitations rurales pour lesquelles on se contentait parfois de simples huttes de roseaux ou de cônes de terre battue. Les plus riches monuments eux-mêmes devaient à la nature du matériau la variété de leurs structures, de leurs appareils * et de leurs décors *. D'un côté se dressaient les constructions de pierre aux appareils soignés, aux solides colonnades et aux parois enrichies d'ornements sculptés dans la masse dont les meilleurs exemples se trouvent sans doute dans la Syrie et l'Espagne umayyades, l'Égypte fatimide et l'Anatolie saldjoukide. De l'autre côté dominaient des édifices de brique à la fois massifs et fragiles dont les plus célèbres spécimens appartiennent sans doute à l'Irak et l'Iran abbassides et saldjoukides. Lourds piliers cantonnés parfois de colonnettes et contreforts y soutenant des murs épais, voûtes * et coupoles * majestueuses, moulures à grande échelle et décors couvrants allant des enduits de plâtre * et de stuc sculptés ou peints aux combinaisons géométriques obtenues par le simple jeu des assises de briques s'y unissaient non sans grandeur dans des réalisations exposées toutefois plus que d'autres au vieillissement et à la ruine.

Toutes ces formes architecturales et ornementales étaient obtenues par les recherches d'ouvriers doués le plus souvent de remarquables connaissances techniques, tant il est vrai que leur rôle, loin de se limiter à l'érection de bâtiments eux-mêmes plus ou moins complexes, englobait aussi des tâches que nous qualifierions aujourd'hui de tâches d'ingénieurs. Aménagements hydrauliques et sanitaires, établissement de systèmes de canalisations pour l'eau, la vapeur et la fumée — qui atteignaient dans les bains par exemple à un savant degré d'élaboration —, réalisation de ponts *, de barrages ou d'aqueducs s'ajoutaient aux problèmes de construction proprement dits. Et ces problèmes eux-mêmes demandaient une ingéniosité toute particulière dans des régions pauvres en bois : non seulement il y fallait en effet utiliser comme systèmes de couverture des voûtes et coupoles difficiles à équilibrer et surtout à raccorder aux murs qui les supportaient, mais l'impossibilité bien souvent de se servir d'échafaudages et notamment de cintres pour les arcs * à claveaux appareillés obligeait à avoir recours à nombre d'astuces de métier. La mise en œuvre de telles connaissances ne s'accompagnait pas nécessairement d'études théoriques. Les solutions adoptées étaient même de préférence empiriques et on a souvent insisté sur le fait que les édifices musulmans présentèrent au Moyen Age d'évidentes malfaçons, sensibles dès qu'on en dresse aujourd'hui des relevés exacts et tenant pour une bonne part aux improvisations des bâtisseurs au cours de la construction. Néanmoins l'utilisation d'épures préalables a été prouvée pour des plans aussi élaborés que celui de la Coupole du Rocher * à Jérusalem; elle était également justifiée pour l'établissement de tous ces systèmes compliqués d'alvéoles *, improprement appelés parfois stalactites, qui s'apparentaient aux jeux de polygones et d'étoiles servant de base aux entrelacs * de l'ornement couvrant. Aussi bien l'absence de traités anciens sur lesquels on puisse se fonder pour établir le degré de formation scientifique nécessaire jadis aux maîtres d'œuvre ne doit-elle pas dissimuler le goût profond de ces bâtisseurs pour des formes savantes d'architecture et de décor, dépendant de schémas géométriques préalables et tenant compte des résultats de vrais calculs mathématiques. Le sens de l'abstraction, toujours présent dans les recherches de penseurs musulmans portés vers l'algèbre et la géométrie algébrique, devait, ici encore, transparaître dans l'orientation du travail quotidien.

28. PLAN DU CARAVANSÉRAIL DE RIBAT-I SHARAF AU KHURASAN

(*D'après A. Godard*, l'Art de l'Iran.)

Cette somptueuse construction de brique, pourvue d'inscriptions au nom du sultan saldjoukide Sandjar qui régna sur l'Iran de 1118 à 1157, met en œuvre le plan typiquement khurasanien de la grande cour centrale quadrangulaire, pourvue de quatre iwâns disposés en croix et occupant le milieu de chacun des côtés. On rapprochera l'ordonnance de l'ensemble de celle des palais islamiques contemporains dans les provinces orientales, tels ceux de Bust et de Ghazna. L'importance accordée aux portails monumentaux de l'avant-cour et du bâtiment principal est également remarquable.

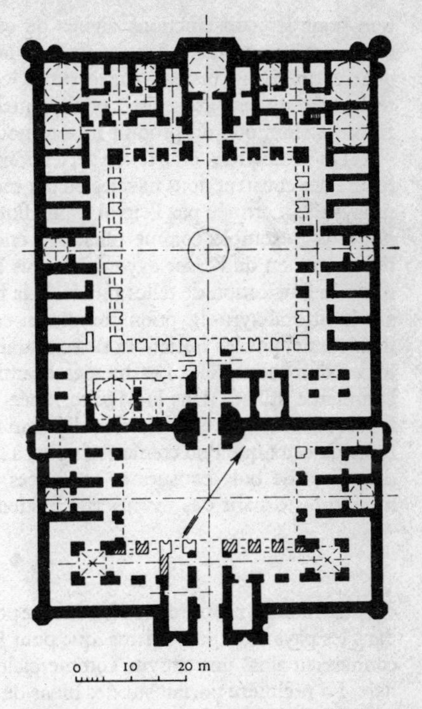

Les qualités scientifiques propres aux constructeurs et ingénieurs travaillant dans le monde islamique médiéval trouvaient encore à s'exercer dans le domaine particulier de la fortification * où ces hommes mirent au point des aménagements défensifs ou offensifs dignes de susciter aujourd'hui l'intérêt pour l'habileté de conception dont ils faisaient preuve. On en peut trouver des exemples dans les imposantes casemates ou les ingénieux dispositifs des citadelles et châteaux forts syriens des XIe et XIIe siècles, particulièrement bien adaptés chaque fois au site dans lequel ils s'élevaient. Les qualités d'une telle architecture militaire s'accordaient avec les progrès accomplis parallèlement par la balistique, notamment grâce à l'amélioration d'armes lourdes de jet telles qu'arbalètes à tour et mangonneaux. Une littérature spécialisée, plus riche en ce cas que pour les constructions civiles de caractère utilitaire, ne suffit cependant point à faire apprécier dans toute leur nouveauté les progrès de techniques de guerre qui nous restent par certains côtés encore énigmatiques, telle cette technique du feu grégeois pour laquelle on ne connaît avec précision ni la formule chimique du produit ni son mode de lancement.

De semblables efforts de perfectionnement étaient poursuivis dans le domaine des constructions navales où par moments l'activité fut intense, à l'époque umayyade marquée par l'envoi d'une flotte sous les murs mêmes de Constantinople par exemple comme plus tard encore à l'époque du califat umayyade d'Espagne ou de l'essor ayyoubide sous Saladin. Les arsenaux * où l'on procédait à la fabrication de telles unités de la marine de guerre étaient alors favorisés, sur le littoral syro-égyptien comme en certains points de la côte andalouse ou ifrikiyenne, par les initiatives de souverains préoccupés au premier chef de leur lutte contre l'infidèle. Les mêmes chantiers fabriquaient aussi des bateaux de commerce utilisés dans la Méditerranée comme dans l'océan Indien et le golfe Persique où les ports de Basra et l'Oman fournissaient des types de navire différents de ceux que l'on connaissait plus à l'ouest : navires uniquement construits de pièces de bois cousues et chevillées qui sont souvent représentés dans les miniatures ornant des manuscrits irakiens des XIIe et XIIIe siècles.

●

Ce monde, réputé donc plus encore pour ses objets manufacturés, recherchés dans les pays étrangers voisins, que pour la variété de ses productions naturelles, connaissait alors une activité commerciale intense, tant intérieure qu'internationale. La première portait sur des biens de consommation courante ou des matières premières inégalement réparties, l'autre sur des objets de luxe ou de demi-luxe appréciés surtout de l'aristocratie et exportés volontiers au-delà des limites de l'empire.

Le commerce dans son ensemble était tributaire d'un certain nombre de facteurs tenant, soit à la situation politico-économique, soit aux prescriptions de la Loi islamique. L'existence tout d'abord, sinon d'un vaste État unifié qui ne fut jamais réellement constitué, du moins d'un grand territoire où la même religion dominait, où les mêmes institutions et les mêmes modes de vie régnaient, où enfin pouvaient se déplacer librement tous ceux qui se réclamaient de l'Islam, avait nécessairement favorisé des échanges et un négoce qui avaient été jadis à l'origine de la puissance mekkoise. Encore fallait-il que ce territoire fût aménagé et que la sécurité y régnât.

Depuis longtemps diverses catégories de voies de communication, routes caravanières d'une part et vallées fluviales de l'autre, permettaient le transport sur montures, chameaux ou ânes et mulets, aussi bien que sur bateaux. L'absence de voitures à roues, souvent signalée, ne constituait pas un facteur de sous-équipement dans des régions surtout steppiques que ces voitures n'auraient pas été adaptées à traverser. En revanche, les conditions de sécurité restaient plus aléatoires, tant en raison de la fréquence des guerres ou révoltes locales que de la prééminence, en certaines régions, de l'élément bédouin. Il ne faudrait certes pas exagérer les conséquences du premier fait qui n'a jamais empêché, au temps des croisades, les marchands d'aller et venir entre les territoires francs et musulmans. Mais bien des itinéraires n'en subirent pas moins au cours des temps des modifications dues aux troubles politiques, à commencer par cet abandon de la route terrestre de la soie qui suivit au IXe siècle les difficultés sévissant à l'intérieur de l'empire de Chine. Des changements dynastiques doivent également être invoqués dans certains cas, telles cette apparition des Saldjoukides et cette chute du royaume samanide qui portèrent un coup fatal aux relations avec les pays slaves, florissantes au contraire entre le VIIIe et le XIe siècle. La domination des mers et la possession de flottes importantes constituaient également des facteurs d'évolution non négligeables, quoique leur influence s'exerçât avec un certain retard et que par exemple les activités des marchands musulmans en Méditerranée eussent continué longtemps après la disparition sur cette mer de leurs bateaux, supplantés au XIe siècle par les navires européens.

Mais l'organisation du commerce en pays d'Islam dépendait peut-être encore plus étroitement des dispositions du droit, de l'organisation monétaire et de la politique des souverains. On a vu que l'interdiction de l'usure, qui pouvait limiter les opérations financières, n'était pas toujours observée et que par ailleurs le droit prévoyait diverses formes d'association entre négociants ou commanditaires. Le système monétaire bimétalliste, qui comportait au demeurant de grandes variétés de pièces, ne simplifiait pas les paiements et si, depuis une époque ancienne, les marchands se servaient de « lettres de crédit » et de « bons de paiement » qui évitaient le transport des espèces, ces procédés relativement modernes ne pouvaient être utilisés que dans des zones limitées où circulaient des monnaies d'or ou d'argent d'un certain type. Quant à l'intervention du souverain, elle s'exerçait en principe dans des sens différents, en accentuant ou au contraire en allégeant la fiscalité.

Depuis que l'Aumône légale avait été en grande partie remplacée, soit par des taxes à la production sur l'artisanat, soit par des droits d'octroi uniformes levés à l'entrée et à la sortie de certaines villes importantes, l'État pouvait en effet agir sur la vie économique. Ce qui l'intéressait, c'était surtout de tirer les plus grandes ressources possibles des impôts versés par les éléments actifs de la population et il lui arrivait, dans ce dessein, d'accorder, comme il le fit au XIIIe siècle, des facilités aux commerçants étrangers qui désiraient disposer d'entrepôts dans certaines villes islamiques. De plus il monopolisait l'achat des produits nécessaires à la fabrication des navires, des armes ou des tirâz, parmi lesquels le fer, le bois et la poix, sans compter l'or. Il pouvait aussi, du moins dans l'Égypte du XIe siècle, se réserver la vente à ces mêmes étrangers de produits tels que l'alun et obliger les marchands musulmans à régler une partie de leurs achats extérieurs à l'aide de cette matière, de façon à restreindre la sortie des pièces d'or. Enfin une influence non moins sensible exercée par le souverain sur le commerce, comme d'ailleurs sur l'artisanat, tenait aux effets du luxe dont il s'entourait et dont se prévalaient également, à son imitation, les membres de l'aristocratie.

De l'entretien des voies de communication et surtout des facilités de gîte et d'étape qu'y rencontraient les marchands dépendait également l'intensité du grand négoce. Dès l'origine de l'Empire islamique, les services gouvernementaux de la poste, qui étaient chargés d'acheminer lettres officielles, documents et informations d'une extrémité à l'autre des territoires musulmans, possédaient un système de relais disposés sur les grandes routes, tous les deux ou quatre parasanges selon les régions, c'est-à-dire tous les douze ou vingt-quatre kilomètres. On ne connaît pas l'organisation matérielle de ces relais pour courriers rapides et on ne sait dans quelle mesure ils étaient liés aux édifices plus ou moins fortifiés qu'utilisaient les caravanes et qui avaient nom *khân* ou caravansérails *. Mais on sait que plus tard, lorsque la poste officielle, qui avait été désorganisée à partir du milieu du Xe siècle, fut à nouveau utilisée au XIIIe siècle, en Égypte et en Syrie, par les Mamlouks, ces relais furent aménagés de façon à favoriser également le trafic commercial. On peut donc supposer, même si rien ne le prouve, qu'il en était déjà ainsi à une époque plus ancienne. La construction des caravansérails résultait en tout cas souvent d'interventions souveraines comme en témoignent par exemple les inscriptions de monuments aussi fastueux que le caravansérail saldjoukide de Ribât-i Sharaf au Khurâsân ou que les immenses édifices jalonnant en Anatolie les routes sultaniennes voisines de Konya *. Leur érection correspondait à l'attitude, souvent attestée par les chroniques, qui faisait reposer sur l'autorité centrale ou sur celle des gouverneurs de province la protection des routes et la répression des attaques de pillards. A ces mêmes autorités revenait l'entretien des ponts dont les vestiges jalonnent encore bien des itinéraires et portent souvent des textes de construction au nom de leurs illustres fondateurs.

Mais le souverain n'était pas seul à améliorer par ses efforts la sécurité du commerce. Des marchands s'y employaient aussi eux-mêmes et on doit à leurs initiatives, ainsi qu'à celles de divers personnages essayant d'encourager un trafic qui les enrichissait, la fondation de nombreux caravansérails non « gouvernementaux », souvent d'aspect modeste, quoique organisés dans les pays peu sûrs en vue des possibilités de défense de ceux qui y faisaient halte — en Iran par exemple ils étaient distingués par ce terme de ribât qui était également utilisé pour les installations guerrières des frontières. Le type de ces divers édifices varia évidemment selon les régions et les époques. Ils n'en devaient pas moins comporter toujours les mêmes éléments principaux : logements pour les hommes, abris pour les animaux, locaux pour les marchandises et puits ou citerne permettant de trouver de l'eau après la traversée d'espaces arides. La cour intérieure autour de laquelle s'organisaient généralement ces divers corps de bâtiments cédait la première place, dans les montagnes au climat rude, à la grande halle centrale portée par des piliers selon un type illustré à maints exemplaires dans l'Anatolie saldjoukide. A ces indispensables gîtes d'étape s'ajoutaient encore les caravansérails des grandes villes qui portaient aussi le nom de *funduk* * et qui étaient parfois réservés à certaines catégories de marchands. Tout le réseau s'articulait en fonction des points fixes où s'écoulaient les marchandises ainsi transportées par caravanes, le long d'itinéraires qui correspondaient à ceux des grands courants commerciaux.

•

Les axes du commerce islamique médiéval convergeaient presque tous vers l'axe primordial de l'Euphrate reliant la Méditerranée aux régions asiatiques par Alep, Bâlis *, Bagdad et Basra, avant que se développât l'axe plus tardif allant de l'Anatolie et de la Syrie à l'Iran par Mossoul ou par Tabrîz * et Kazwîn *. Ils présentaient une importance d'autant plus grande qu'ils n'avaient pas été seulement tracés pour l'usage intérieur, mais se continuaient en fait depuis longtemps au-delà des frontières de l'empire califien, nécessairement franchies, en dépit d'obstacles réels, par les négociants soucieux de leur profit. On connaît par exemple dès le IXe siècle l'activité des marchands qu'un géographe arabe de l'époque appelle d'une part « russes », d'autre part « juifs rahdanites » et qui, venus en Proche-Orient par des voies diverses, maritimes ou terrestres, pour proposer leurs marchandises ou en acheter d'autres, poursuivaient ensuite

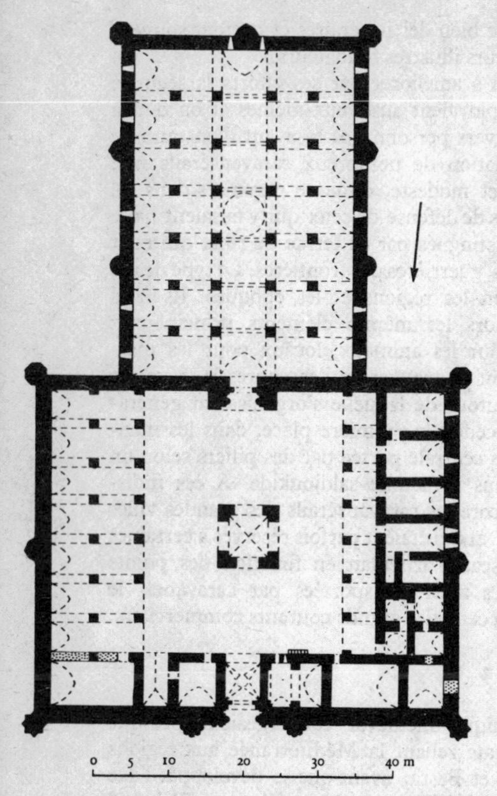

29. PLAN DU SULTAN HAN
(*D'après K. Erdmann*,
Das Anatolische Karavansaray.)

De cet imposant caravansérail royal, bâti en 1236 par un des plus puissants souverains de la branche des Saldjoukides de Rûm et situé en Anatolie sur la route de Kayseri à Sivas, on remarquera surtout le caractère à la fois fonctionnel et équilibré du plan. A une cour rectangulaire, précédée d'un portail monumental et pourvue en son milieu d'une petite mosquée, était juxtaposée une halle couverte à la particulière ampleur. L'ensemble se différenciait ainsi des types de caravansérail à cour centrale entourée de bâtiments sans profondeur, tels qu'on les rencontrait dans des pays au climat moins rude.

30. PLAN DE DEUX CARAVANSÉRAILS D'ÉPOQUE MAMLOUKE A ALEP →
(*D'après J. Sauvaget*, Alep.)

Un peu différents dans leur structure des gîtes d'étape isolés et fortifiés, les caravansérails urbains dont on connaît surtout des exemples tardifs étaient à Alep des immeubles de rapport d'une ordonnance rigoureusement uniforme : autour de deux cours de dimensions inégales se juxtaposaient, sous un portique couvert, les boutiques que louaient les négociants étrangers habitant des chambres à l'étage. Un entrepôt couvert servait en outre à abriter les marchandises et la rigidité de la formule type se tempérait de maintes recherches de détail.

leur route jusqu'en Chine. On a certes discuté de leur origine véritable et de l'affirmation qui les faisait venir d'Europe occidentale et même plus précisément de Narbonne ou de la vallée du Rhône. Mais quelles que soient les réserves avec lesquelles on doive accueillir certains détails peu vraisemblables les concernant, on ne saurait du moins mettre totalement en doute leur existence et n'y point voir une preuve de l'intensité du trafic « international » qui traversait les pays islamiques. On sait aussi d'une manière plus générale qu'à l'époque abbasside des caravanes mettaient en communication la Transoxiane

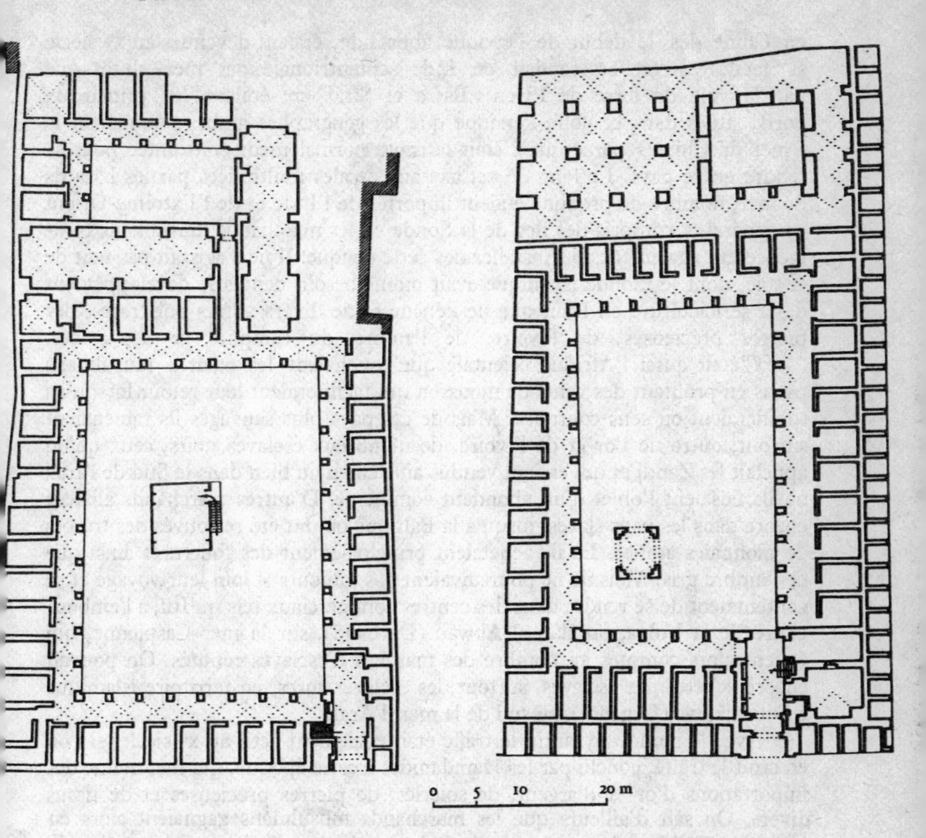

avec la Chine, le long de l'ancienne « route de la soie », ou bien le Khurâsân avec l'Inde, l'Adharbaydjân avec les pays de la Volga et de la Baltique, la Haute-Mésopotamie enfin avec le port de Trébizonde et Byzance. De même des navires sillonnaient la Méditerranée entre pays musulmans et chrétiens. Mais le fait le plus important à signaler reste sans doute le développement que connurent alors les relations maritimes entre l'Irak, l'Inde et l'Extrême-Orient, développement dont on verra plus loin les incidences littéraires. Ces relations, qui nous sont confirmées par l'existence de colonies de marchands musulmans en Chine dès le début de l'époque abbasside, étaient devenues au xe siècle si faciles qu'on se rendait en Inde septentrionale par mer plutôt que par la voie de terre de l'Iran. Basra et Sîrâf en étaient les principaux ports, situés dans ce golfe Persique que les géographes arabes nommaient la « mer de Chine » parce que c'était la route normalement empruntée pour se rendre en ce pays. Le long de cet axe aux escales multipliées par les hasards de mer, nombre de produits étaient importés de l'Inde et de l'Extrême-Orient en général, y compris des îles de la Sonde où les marchands musulmans commencèrent également de s'installer dès cette époque. Il ne s'agissait pas tant de la soie, dont le monde islamique avait moins besoin depuis le développement de la sériciculture en Iran, que de l'ébène et de divers autres bois rares, des pierres précieuses, de l'ivoire, de l'ambre, du camphre et des épices.

C'était aussi l'Afrique orientale que touchaient les navires musulmans partis en profitant des vents de mousson qui faciliteraient leur retour lorsqu'ils souffleraient en sens contraire. Mais de ces pays plus sauvages ils ramenaient surtout, outre de l'or et de l'ivoire, de nombreux esclaves noirs, ceux qu'on appelait les Zandj et qui étaient vendus au Yémen ou bien dans le Sud de l'Irak où ils faisaient l'objet d'un abondant commerce. D'autres marchands allaient encore dans les pays slaves, jusqu'à la Baltique où ont été retrouvés des trésors de monnaies arabes. Là ils achetaient principalement des fourrures ainsi que de l'ambre gris. Mais ils ne poursuivaient pas toujours si loin leur voyage et se contentaient de se rendre dans des centres commerciaux tels qu'Itil, à l'embouchure de la Volga, ou Bâb al-Abwâb (Darband), sur la mer Caspienne, qui étaient alors comptés au nombre des marchés d'esclaves réputés. On pouvait encore acheter des esclaves, surtout des esclaves turcs, en territoire islamique à Djurdjâniya (Urgendj), au sud de la mer d'Aral.

Avec le monde byzantin le trafic était également actif au xe siècle, si l'on en croit le traité, conclu par les Hamdanides à cette époque, qui mentionne des importations d'or et d'argent, de soieries, de pierres précieuses et de tissus divers. On sait d'ailleurs que les marchands musulmans gagnaient alors en personne Trébizonde, sur les bords de la mer Noire, ainsi que Constantinople où ils disposaient au xie siècle d'une mosquée.

Quant au commerce avec le monde occidental, avec les ports de Sicile et de l'Italie méridionale notamment où se rendaient des négociants islamiques, il est surtout connu par un traité fiscal égyptien récemment publié et étudié qui date du xiie siècle, mais semble se référer souvent à une situation antérieure. L'historien moderne à qui nous devons cette découverte a souligné que les produits importés ne consistaient pas seulement en produits de luxe, soieries siciliennes ou draps fins, mais aussi en produits de première nécessité dont les pays musulmans manquaient pour les constructions navales et qui étaient achetés directement par un organisme d'État. En échange l'Égypte exportait

31. LES RELATIONS MARITIMES AVEC L'EXTRÊME-ORIENT AU IXe SIÈCLE D'APRÈS LES SOURCES LITTÉRAIRES

(*D'après J. Sauvaget,* Relation de la Chine et de l'Inde.)

La fondation des capitales irakiennes abbassides, métropoles actives et villes royales où vivaient non seulement le calife et les membres de sa famille mais nombre de dignitaires et de militaires, d'origine iranienne ou turque, familiers avec les produits de l'Asie, donna un essor extraordinaire aux relations maritimes commerciales avec l'Extrême-Orient. Celles-ci nous sont principalement attestées par d'anciens récits de voyage qui furent intégrés dans les écrits savants des géographes comme dans les œuvres populaires des conteurs.

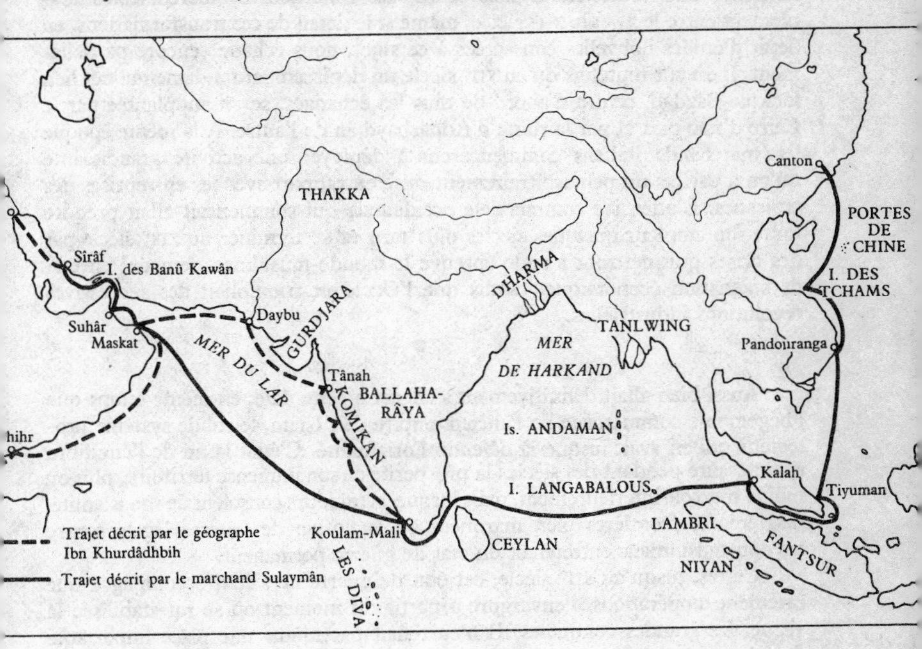

Voir page 511 la carte : les grandes voies commerciales dans le monde musulman médiéval.

l'alun, très prisé en Europe, des tissus fins de lin ou de coton, des sucreries, du sucre et sans doute, bien que cela ne fût pas précisé, des épices venues d'Arabie ou d'Extrême-Orient. Elle servait ainsi de lieu de transit entre les pays de l'océan Indien et la Méditerranée, et ce en dépit de l'absence de communications maritimes à travers l'isthme de Suez où un ancien canal existant avait été volontairement ensablé par les premiers califes de Bagdad, pour des raisons de sécurité, dit-on.

L'économie mercantile qui prédominait ainsi dans les grandes villes islamiques du Moyen Age y constituait une importante source de richesse sans empêcher toutefois les biens fonciers de demeurer le placement le plus solide et le plus apprécié. Mais il va de soi que le commerce n'était pas également florissant dans toutes les régions et que ses conditions évoluèrent considérablement entre le xe et le xiie siècle, même si le détail de ces transformations, en dépit d'études nouvelles consacrées à ce sujet, nous échappe encore partiellement. Il est sûr toutefois qu'au xiie siècle un déplacement fondamental eut lieu lorsque Bagdad, centre d'abord de tous les échanges, se vit supplantée par le Caire d'une part et par la route d'Adharbaydjân de l'autre. A la même époque les marchands italiens commencèrent à déployer une activité grandissante qu'on a parfois un peu arbitrairement mise en rapport avec les entreprises des croisades. L'offensive commerciale occidentale qui commençait allait prendre toute son ampleur quelques siècles plus tard et se terminer au xixe siècle par des crises qui mettront à rude épreuve le monde musulman demeuré en état de stagnation économique, tandis que l'Occident triomphait des successives révolutions industrielles.

•

Aussi bien allait définitivement s'effacer à cette date, en même temps que l'hégémonie commerciale de l'ancien empire de l'Islam, le solide système protecteur qui en avait jusque-là défendu l'originalité. C'était la fin de l'équilibre ayant assuré pendant des siècles la prospérité de son immense territoire, plus ou moins morcelé intérieurement, mais jusque-là toujours conscient de son islamité, derrière des frontières bien marquées où la notion de Guerre légale contre les non-musulmans entretenait un état de guerre permanent.

Certes, jusqu'au xiie siècle, cet état de guerre ne s'était accompagné que rarement d'opérations d'envergure à partir du moment où se fut stabilisée la vague des grandes conquêtes. Il n'en tenait pas moins une place importante dans la mentalité du peuple et des gouvernants, étroitement solidaires lorsqu'il s'agissait de mener de profitables expéditions de pillage et de razzias dans les régions ennemies voisines. L'habitude dominante était celle des petites incursions saisonnières, entremêlées à l'occasion de guerres soutenues sur un vrai front comme le front byzantin. Là par exemple le calife Hârûn al-Rashîd, qui prenait à cœur son rôle de chef d'armée, avait établi des places fortes, lesquelles étaient elles-mêmes protégées par d'autres places d'appui situées plus en arrière, que l'on appelait « les protectrices » *(al-ʻawâsim)* et qui formèrent en Syrie un district distinct du djund de Kinnasrîn. De même le front maritime était pourvu de positions fortifiées qui étaient organisées de manière à s'opposer à tout débarquement et se trouvaient donc reliées à de véritables réseaux de tours de guet et de signal. De l'époque de Hârûn al-Rashîd datent ainsi une série de fortins, ou ribâts, installés sur les côtes de Syrie et de l'Ifrîkiya. L'un d'eux fut à l'origine de l'actuelle ville de Beyrouth au Liban, port d'où partaient à l'époque umayyade des expéditions maritimes dirigées contre Byzance, mais qui fut réduit par la suite à un rôle surtout défensif. D'autres ont leurs emplacements marqués en Tunisie dans les villes de Sousse et de Monastir. Et c'est encore le souvenir d'une fondation de ce genre, quoique beaucoup plus tardive, que l'on retrouve au Maroc sous la dénomination de l'actuelle ville de Rabat. Mais les ribâts terrestres n'avaient pas moins d'importance stratégique ni de célébrité. Il en existait notamment en Haute-Mésopotamie ainsi qu'en Transoxiane et nous savons que leurs occupants, les *ghâzî*, jouissaient d'un grand prestige auprès des populations locales. Des villes frontières étaient également fortifiées, telle Bâb al-Abwâb, sur la Caspienne, dont le port était lui-même protégé contre d'éventuelles agressions maritimes.

Cette élaboration de lignes fixes de défense se combinait avec des tactiques de guerre mobile qui faisaient alors contre l'Occident médiéval la force des armées islamiques. Il est facile de les illustrer en se référant aux campagnes menées, de semblable façon, dans le Nord de la péninsule Ibérique par un souverain umayyade d'Occident tel que le calife ʻAbd al-Rahmân III ou sur le plateau anatolien par un chef arabe tel que le Hamdanide Sayf al-Dawla. Dans chaque cas la hardiesse et la rapidité primaient, grâce à une légèreté des troupes d'attaque qui ne sera surpassée que par l'action des bandes nomades venues de l'Asie centrale — contre lesquelles les armées abbassides restèrent sans défense — et qui sera encore la grande force des assaillants du royaume chrétien de Jérusalem lors de la conquête zankide et ayyoubide. C'est cette manière de faire qu'il est typique de retrouver décrite par le bon observateur que fut Bertrandon de La Broquière lorsqu'il nous dit : « Quand ils viennent ès lieux et places où ils veulent combattre [...] ils se mettent en plusieurs batailles, selon ce qu'ils sont de gens et s'ils sont en pays de bois ou de montagnes. Pour ce qu'ils se trouvent toujours en grand nombre, ils font une manière d'embûche et envoient gens experts à ce et bien montés, car ils sont légers, et quand ils ont trouvé les chrétiens mal à point, ils connaissent bien leur parti et le savent prendre. Et s'ils les trouvent en bataille en bonne ordonnance, ils vont courant au loin des batailles aussi loin que leurs flèches peuvent venir dedans la bataille des chrétiens, soit aux gens, soit aux chevaux. Et cela font-ils tant et si longuement qu'il a fallu que par force et par tenance, ils aient mis du desroi ; et incontinent que on fait semblant de les chasser qui ne serait que le quart moins de gens qu'ils ne sont au plus, incontinent ils fuient et se déportent. Et quand on les a voulu chasser, ainsi qu'ils fuient toujours, ont déconfit les chrétiens [...] car ils ont une manière de faire que, en fuyant, ils tirent très bien de l'arc et ne faudront point d'atteindre les gens ou les chevaux. »

Encore ne faudrait-il pas oublier que ces mêmes escadrons d'habiles cavaliers disposaient, quand le besoin s'en faisait sentir, du soutien de corps d'artificiers et de lanceurs de naphte ou d'engins divers qui participaient surtout au siège des villes et aux batailles rangées. C'était là l'utilisation, pour des conquêtes comme celle de la ville d'Héraclée par le calife Hârûn al-Rashîd en 803, de techniques guerrières liées au perfectionnement de l'architecture militaire et profitant des progrès accomplis par des savants et ingénieurs dont on verra plus loin l'importance dans la société islamique. Le déploiement majeur de cet armement * se fit à l'époque des croisades. On en trouve l'écho dans des récits comme ceux de Joinville évoquant des bombes incendiaires semblables chacune à « la foudre du ciel » ou à « un dragon qui volast par l'air ». Mais la réelle supériorité militaire dont le monde musulman devait si longtemps faire preuve dans les combats contre l'Occident n'empêchait pas les ruines consécutives à ces guerres de s'ajouter aux causes d'appauvrissement que connaissait par ailleurs l'empire, dévasté par les luttes entre principautés musulmanes rivales et par les retours successifs de ces invasions de nomades dont nous avons vu sur l'agriculture les conséquences à la longue si néfastes.

CHAPITRE VIII

LE PALAIS ET L'ENTOURAGE SOUVERAIN

A L'INTÉRIEUR d'un empire aux paysages si divers, la civilisation de l'Islam classique devait sans doute son unité la plus frappante à son imprégnation par une mentalité religieuse à la fois constructive et originale sur laquelle nous nous sommes longuement attardés. Mais elle fut aussi le reflet d'une société médiévale modelée par l'influence dominante de deux groupes sociaux particulièrement actifs, les milieux urbains commerçants et intellectuels d'une part, les milieux princiers d'autre part qui unissaient la possession des ressources matérielles à l'exercice effectif d'un pouvoir souvent absolu. On a vu plus haut comment le gouvernement « despotique », où l'autorité appartenait à un calife, gouverneur ou général heureux devenu à l'occasion roitelet indépendant, se conciliait avec la pensée théologique et les principes juridiques de l'Islam, dont les divisions doctrinales et les tensions internes avaient en fait toujours aidé à la justification d'une telle forme de souveraineté. Ce trait caractéristique de l'organisation politique aussi bien que religieuse avait eu ses répercussions sur l'activité économique, polarisée d'abord selon les exigences et les désirs d'une classe dirigeante pour laquelle travaillaient les sujets. Comme le dit en effet un ancien dicton iranien adopté par les « manuels du prince » islamiques, les sujets asservis par la justice considérée elle-même comme le lien par lequel se maintient l'équilibre du monde — ce qui aurait dû en principe garantir la sécurité desdits sujets — semblent surtout avoir pour première utilité de remplir les caisses du prince, car « le monde est d'abord un jardin bien cultivé dont la clôture est l'État, l'État un gouvernement dont la tête est le prince, le prince un berger qui est assisté par l'armée, l'armée l'ensemble des auxiliaires entretenus par l'argent et l'argent l'indispensable moyen fourni par les sujets ».

Les conséquences de cette situation se manifestèrent dans l'essor d'une littérature où naquit le « mythe » du prince comme dans l'épanouissement de floraisons artistiques essentiellement somptuaires et dynastiques. Tout le commerce et l'artisanat du monde musulman étaient en effet vivifiés par les commandes princières. Toute l'évolution du goût dépendait d'abord des habitudes de maîtres souvent frustes, venus parfois directement de la carrière militaire sinon de l'esclavage, mais toujours épris de luxe, d'ostentation et impatients de se conformer, d'une Cour et d'une capitale à l'autre, aux mêmes modes rapidement transportées et imitées. Au point que le plus parfait symbole de cette emprise du prince et de son prestige sur le monde islamique impérial tout entier doit sans doute être demandé aux témoignages de la vie palatine qui s'y développa du VIIIe au XIe siècle, vie dont les plus typiques aspects, reproduits ensuite dans toutes les provinces, s'organisèrent d'abord autour des califes abbassides.

•

Le palais souverain était alors par définition le lieu privilégié vers lequel convergeaient tous les revenus de l'État et duquel émanaient toutes les manifestations de sa puissance. Il était fait d'une part pour abriter la vie officielle du prince avec ses réceptions, son cérémonial, l'entourage de dignitaires qu'elle supposait et les organes gouvernementaux sur lesquels elle s'appuyait, d'autre part pour offrir à ce personnage les logements privés et les jardins d'agrément qu'il requérait pour lui-même et ses proches, sans oublier les nécessités d'une protection sérieuse reposant tantôt sur l'abondance des gardes et mercenaires, tantôt sur le caractère défensif des aménagements. Il ne pouvait être donc que l'expression la plus complète de toutes les recherches d'ordre utilitaire ou esthétique, le centre par excellence de ce que l'existence islamique pouvait offrir de plus parfait en matière de confort matériel ou de jouissance des sens et de l'esprit. Les cercles poétiques et les joutes oratoires se situaient à l'intérieur de ses murs aussi bien que les festins accompagnés de chants * et de danses, les beuveries et orgies, les réunions de gais convives ou même les discussions entre docteurs et philosophes convoqués par le détenteur de l'autorité. Les divertissements dans les pavillons et les jardins, de préférence auprès des eaux courantes ou des bassins qui constituaient en ces régions desséchées le bien le plus précieux, y devaient trouver place au même titre que les audiences solennelles, les parades militaires ou même les exercices physiques, représentés par le sport noble entre tous de l'équitation et par la pratique du jeu de polo. En même temps devaient s'y accumuler les objets les plus précieux destinés à constituer la base du trésor royal, les tissus ou les bijoux dont la valeur marchande faisait alors les éléments privilégiés des échanges ou des dons, les manuscrits bien entretenus et classés sous la direction d'érudits payés à cet effet, les archives d'États bureaucratiques et paperassiers dans l'acception la plus moderne du terme, les raretés enfin dont la qualité d'exception, s'appliquant aussi bien aux animaux extraordinaires conservés dans la ménagerie qu'à des pièces ouvrées allant de l'instrument de mesure astronomique à l'automate le plus étrange, avait justifié l'offrande au représentant sur la terre de la grandeur islamique.

C'est ce qui explique la place de choix tenue, à l'époque abbasside, par cette notion du palais immense et sans égal qui restait propre alors aux civilisations islamique et byzantine et n'éveillait dans le monde européen occidental que des images de légende. Siège du pouvoir et identifiée par là même avec la capitale de l'empire, la résidence califienne, dont le prestige s'étendait jusqu'aux confins du monde habité par des musulmans, était à elle seule une véritable cité, renforcée encore par la présence sous ses murs de la ville active, intellectuelle et marchande, qui se développait sous forme de quartiers étendus et avec laquelle elle vivait en symbiose. Là résidaient en effet certains membres éminents de l'entourage royal, tant civils que militaires, qui logeaient hors du palais, avec leur propre personnel et leur propre garde. Là se fabriquaient ou se vendaient tous les produits nécessaires à la vie de la Cour, mais s'agitait aussi, sous l'effet des factions politiques ou religieuses, une populace qui inquiétait le souverain et l'avait conduit à donner un caractère défensif autant que grandiose à l'installation personnelle où il aimait se sentir à l'abri. C'est pour échapper à l'influence de ces milieux urbains qu'avait été créé le fameux palais bagdadien d'al-Mansûr, qui porta le nom de Ville ronde et qui avait sa protection assurée par un double système d'enceintes circulaires et de fossés reliés aux canaux qui joignaient en ce lieu le Tigre et l'Euphrate. Il fut bientôt suivi de ceux des autres califes abbassides, dans ce même site de Bagdad comme à Rakka ou à Samarra. Tous ces édifices royaux, voisinant avec les vastes métropoles qu'ils avaient plus ou moins fait naître dans leur entourage, reposaient sur le principe de la création d'une demeure souveraine isolée, protégée, interdite à la foule et assez grandement organisée pour vivre de sa vie propre, demeure à partir de laquelle essaimaient, à chaque nouveau règne ou même au cours du même règne selon les caprices royaux et les aléas de la politique, d'autres « villes closes » du même type, réservées chacune aux fastes de son propre fondateur.

•

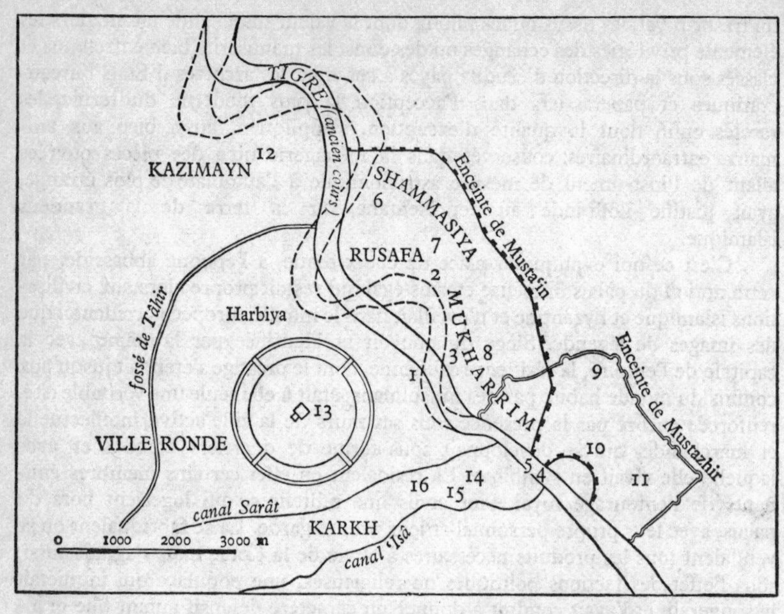

32. LES CENTRES SUCCESSIFS DE BAGDAD
(*D'après l'*Encyclopédie de l'Islam.)

1. Palais du Khuld. — 2. Palais d'al-Mahdî. — 3. Palais des sultans. — 4. Madrasa Nizâmiya. — 5. Madrasa Mustansiriya. — 6. Tombe d'Abû Hanîfa. — 7. Grande mosquée de Rusâfa. — 8. Grande mosquée des sultans. — 9. Mausolée d'al-Suhrawardî. — 10. Grande mosquée des califes. — 11. Mausolée d'al-Djîlanî. — 12. Mausolée de Kâzimayn. — 13. Palais d'al-Mansûr. — 14. Tombe du shaykh Ma'rûf. — 15. Tombe dite de Zubayda. — 16. Tombe du shaykh Djunayd.

Les rares vestiges archéologiques encore identifiables sur le site de l'ancienne Bagdad et les renseignements des textes permettent de se représenter de manière un peu hypothétique, mais claire, les déplacements des diverses villes royales. La capitale impériale occupa successivement, sur un sol mouvant traversé de canaux et transformé par de fréquentes inondations, tantôt la rive droite et tantôt la rive gauche du Tigre où ses quartiers étendus entouraient les palais califiens du moment.

Chaque souverain répugnait en effet à occuper la résidence de son prédécesseur, par une sorte de superstition existant également pour la simple demeure privée. De leur côté les princes héritiers avaient, du vivant de leur père, le souci de s'installer déjà dans leur palais personnel, comme le fit par exemple le futur al-Mahdî abandonnant la Ville ronde d'al-Mansûr et se transportant, avec ses gardes et les services nécessaires aux responsabilités dont il avait la charge, de l'autre côté du Tigre, sur cette rive orientale où son palais de Rusâfa allait devenir le centre d'une nouvelle agglomération. Enfin, les califes les plus jaloux de leur autorité et les plus soucieux d'en faire parade ne se contentaient même pas d'une seule résidence, mais prenaient plaisir à s'en faire successivement bâtir de mieux adaptées à leurs besoins. C'était pour eux l'occasion de changer complètement de capitale, comme firent al-Mansûr, Hârûn al-Rashîd ou al-Mu'tasim se déplaçant d'une extrémité à l'autre de l'Irak. Ou bien il s'agissait seulement, comme fit al-Mutawakkil à Samarra en fondant al-Dja'fariya, actuellement appelée Abû Dulaf, à une vingtaine de kilomètres au nord de l'immense palais royal de Balkuwârâ, d'implanter de nouveaux groupes de constructions non loin de ceux qui avaient été précédemment bâtis et habités.

Ainsi la vaste plaine alluviale du Tigre et de l'Euphrate, que les califes abbassides avaient en quelque sorte choisi de se réserver à l'instar d'un domaine personnel, devait-elle voir s'élever un nombre toujours croissant de demeures royales qui se situèrent surtout dans les trois centres principaux de Bagdad, Rakka et Samarra. Élevés chaque fois avec les mêmes moyens colossaux, dans une région sans pierre et dans les plus brefs délais, par des maîtres d'œuvre qui recouraient aux mêmes techniques efficaces et rapides — architecture de brique crue, on pourrait même dire de terre, renforcée aux endroits délicats par l'emploi de la brique cuite et intérieurement dissimulée aux yeux sous un brillant revêtement de plâtre peint et sculpté —, ces palais étaient faits pour imposer d'abord la crainte et l'admiration : à l'extérieur, par l'aspect massif et pesant de leur silhouette, derrière l'infranchissable barrière de leurs hauts murs aveugles, à l'intérieur, par l'accumulation d'éléments décoratifs demandés le plus souvent aux chefs-d'œuvre d'un artisanat de luxe dont on a vu plus haut l'étonnante vitalité. Ils disparurent ensuite aussi vite que les dynastes qu'ils avaient été chargés d'abriter ou de célébrer, après l'épanouissement d'une activité architecturale unique en son genre, mais plus exposée qu'aucune autre aux déprédations ultérieures. La fragilité de leurs constructions hâtives était grande en effet, encore que le climat sec de la région eût aidé à les conserver. Mais ils étaient surtout destinés à souffrir de la négligence et des atteintes destructrices volontaires réservées aux édifices de ce genre une fois qu'ils avaient cessé d'être habités. Comme l'écrit en effet un auteur arabe, « il est habituel aux rois de faire disparaître les réalisations de leurs prédécesseurs, de tout faire pour ternir le

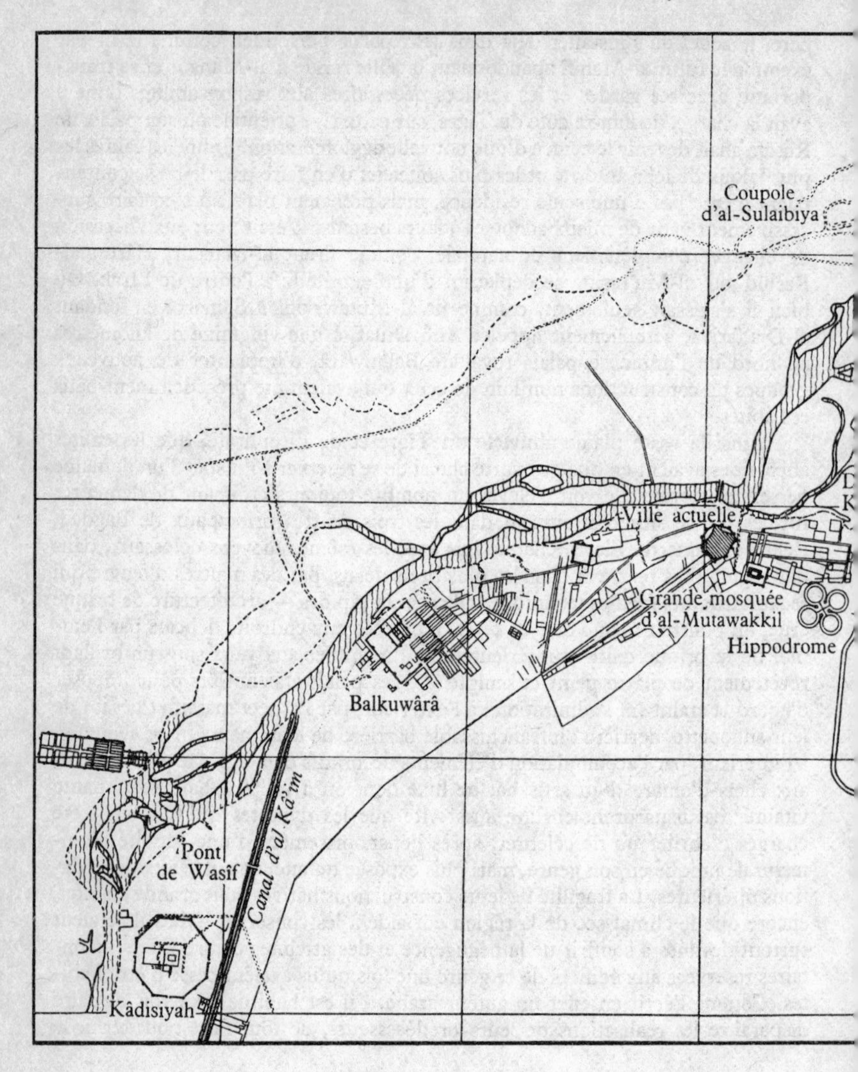
Coupole
d'al-Sulaibiya
Ville actuelle
Grande mosquée
d'al-Mutawakkil
Hippodrome
Balkuwârâ
Pont
de Wasîf
Canal d'al Kâ'im
Kâdisiyah

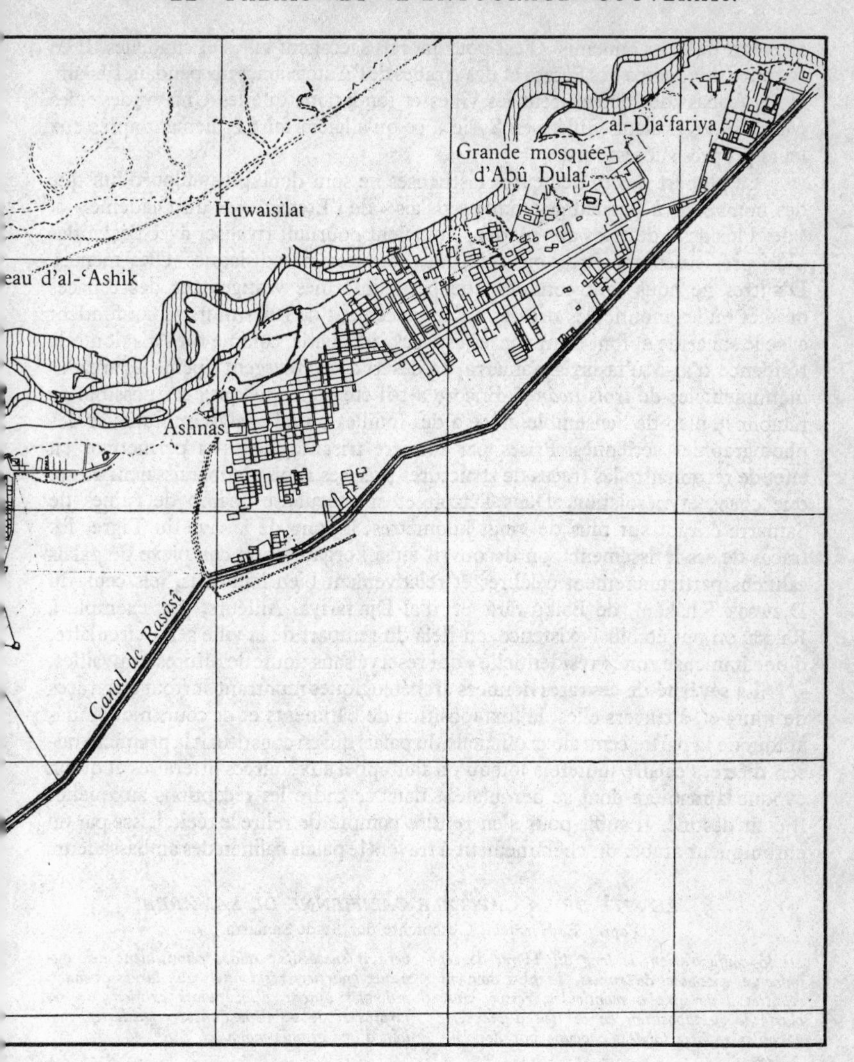
al-Dja'fariya
Grande mosquée
d'Abû Dulaf
Huwaisilat
eau d'al-'Ashik
Ashnas
Canal de Rasâsî

souvenir de leurs ennemis. C'est pourquoi ils saccagent villes et citadelles. Il en fut ainsi aux temps des Perses et des Arabes de l'Antéislam, puis pendant l'Islam, et les Abbassides détruisirent les villes et fondations que les Umayyades et les Marwanides avaient édifiées en Syrie », ce qu'allaient faire également après eux leurs propres successeurs.

La plupart de ces demeures fastueuses ne sont donc plus aujourd'hui que des noms, tels à Bagdad ces fameux palais « de l'Éternité », « du Diadème » et « des Pléiades » dont les appellations voulaient pourtant rivaliser avec l'éclat des plus précieuses matières ou celui des beautés paradisiaques elles-mêmes. D'autres ne nous sont connues que par d'informes vestiges sur des espaces désolés où les monticules dressés à l'emplacement de leurs murs se confondent avec le sol aride et font d'immenses espaces jadis bâtis, comme fut sans doute la résidence d'al-Mu'tasim à Samarra, un désert d'où émergent à peine les arcades monumentales de trois *îwân* *. Encore a-t-il été dans quelques cas possible de rétablir le plan de l'ensemble grâce à des fouilles ou à l'analyse minutieuse des photographies aériennes. Prises par lumière frisante, celles-ci permettent en effet de reconnaître les traces de structures précises là où n'apparaissaient au sol que chaos et désolation. Dans l'étroit et spectaculaire champ de ruines de Samarra étirant sur plus de vingt kilomètres, le long de la rive du Tigre, les traces de ses lotissements, on découvrit ainsi l'organisation complexe de palais califiens particulièrement célèbres et relativement bien identifiés, tels ceux du Djawsak Khâkânî, de Balkuwârâ et d'al-Dja'fariya. Ailleurs, par exemple à Rakka, on put établir l'existence, au-delà du rempart de la ville semi-circulaire, d'une immense zone « résidentielle » qui réserve sans doute de futures trouvailles.

La sévérité de ces rares données archéologiques montrant surtout des traces de murs et, à travers elles, la juxtaposition de bâtiments et de cours monotones autour de la partie centrale et officielle du palais qui en constituait la première raison d'être, s'éclaire toutefois lorsqu'on fait appel aux sources littéraires et qu'on évoque la manière dont se déroulaient dans ce cadre les réceptions auxquelles il était destiné. Il suffit pour s'en rendre compte de relire le récit, laissé par un chroniqueur arabe, du cheminement à travers le palais califien des ambassadeurs

← *33. LE SITE DE LA CAPITALE CALIFIENNE DE SAMARRA*
(*D'après E. Herzfeld,* Geschichte der Stadt Samarra.)

De la configuration, le long du Tigre, de cet immense ensemble de ruines, le plus souvent réduites à de simples monticules, ressort avec clarté la juxtaposition en ce lieu d'une série de villes royales fondées chacune par des souverains successifs ; toutes réunissaient de nouveaux quartiers résidentiels aux larges avenues, ordonnés autour d'un palais califien, de ses jardins et de ses dépendances immédiates, non loin d'une grande mosquée.

byzantins venus à Bagdad en 917 pour rencontrer al-Muktadir et admis en sa présence après qu'eût été déployé en leur honneur le plus grand faste possible.

Selon le texte même, le vizir « avait ordonné de masser dans tous les espaces, corridors et passages du palais des hommes avec armement complet, de couvrir tous les bâtiments de tapis et de les décorer complètement. Il s'était occupé personnellement de surveiller l'exécution de tout jusqu'au dernier détail. Le nombre des rideaux suspendus avait été, d'après la note préparée par le chef du magasin des tapis, de trente-huit mille, en soie à dessins dorés représentant des coupes ainsi que des figures de chameaux, d'éléphants et de bêtes rapaces. Le nombre des vêtements brodés avec motifs de calligraphie artistique s'élevait à douze mille cinq cents. Il y avait vingt-cinq mille cinq cents pièces de grands rideaux en soie de Chine, d'Arménie et de Wâsit, de tentures à dessins, de rideaux brodés de Dâbik et d'autre espèce encore. Les tentures marquées aux noms des califes al-Ma'mûn, al-Mu'tasim, al-Wâthik, al-Mutawakkil, al-Mu'tazz* et al-Muktafî, étaient au nombre de huit mille ; le reste aux noms des autres souverains. Quant aux grands et petits tapis, on en avait étendu vingt-deux mille pièces [...] disposées dans tous les passages et dans toutes les cours, foulées au pied par les commandants militaires et les ambassadeurs de l'empereur byzantin, depuis la nouvelle porte publique jusqu'à la salle d'audience du calife, sans compter celles qui se trouvaient dans les appartements et sur les sièges. En outre, on avait préparé une centaine de divans avec leurs accessoires en soie épaisse à dessins et les tapis nécessaires. Partout il y avait des canaux où l'eau coulait. On avait déployé tout ce qu'il y avait de beau dans les trésors en fait d'or, d'argent, de pierres précieuses, de perles et d'objets précieux fabriqués en bois de teck. »

Puis les envoyés byzantins qui avaient été logés à Bagdad, aux frais du calife, dans un hôtel royal appelé « l'hôtel de Sa'îd » et qui avaient, le jour de leur réception solennelle, suivi jusqu'au palais califien un chemin entièrement bordé de gardes à cheval, commencèrent à l'intérieur du palais une lente progression destinée à les éblouir davantage à chaque pas. Entrés par la grande porte publique, d'où ils avaient pénétré dans la Grande Écurie aux portiques soutenus par des colonnes * de marbre, ils y avaient circulé entre deux haies, « d'un côté de cinq cents chevaux avec autant de selles d'argent et d'or, de différentes sortes et sans couvertures, de l'autre de cinq cents chevaux avec autant de housses en soie à dessins et de voiles ». On les avait ensuite conduits « par des passages et des corridors jusqu'à l'espace des Bêtes sauvages, où il y avait toutes espèces de bêtes apprivoisées en troupeau, qui s'approchaient des gens, les flairaient et mangeaient dans leurs mains. Puis on les conduisit vers un palais où il y avait quatre éléphants [...] et deux girafes qui effrayèrent les ambassadeurs. Puis on les mena vers un édifice où se tenaient une centaine de bêtes rapaces et féroces, cinquante rangées à droite et cinquante à gauche, chaque bête tenue par un dompteur et portant des chaînes de fer. Puis on les conduisit vers le nouveau palais, pavillon entre les jardins, au milieu duquel brillait un bassin de mercure plus beau que l'argent poli, dont la longueur était de trente coudées ; en face de ce jardin s'en étendait un autre contenant quatre cents dattiers [...] entourés de cédratiers hauts, tous portant des fruits. Puis on les fit entrer dans le palais dit du Paradis où se trouvaient des curiosités et des étoffes à dessins multicolores en quantité telle qu'on n'aurait su les dénombrer, tandis que dans les corridors cinq mille cuirasses dorées étaient suspendues. On les conduisit ensuite par un long passage de plus de trois cents coudées, sur les côtés duquel avaient été déposés dix mille boucliers, casques en métal, cottes de mailles, cuirasses, carquois décorés et arcs : environ deux mille eunuques noirs étaient rangés à droite et à gauche. Puis on les conduisit, après les avoir promenés dans treize palais, dans la cour dite du Quatre-Vingt-Dixième où il y avait un grand nombre de valets, revêtus des armures les plus complètes et des plus beaux costumes, qui tenaient dans les mains des masses d'armes et des haches [...] Puis on les fit entrer dans le bâtiment dit pavillon du Salut où il y avait, ainsi que dans tous les autres pavillons, un grand nombre d'esclaves distribuant des sorbets, des boissons et des jus de fruit. Les ambassadeurs avaient été accompagnés, depuis l'endroit où ils avaient mis pied à terre, par des eunuques qui portaient des boissons glacées. Ils durent s'asseoir en sept endroits pour se reposer et se rafraîchir, surpris et stupéfaits quand ils virent tout ce qui se trouvait dans les cours, les passages, les pièces d'habitation et les trésors, ayant remarqué sur leur route le grand nombre des soldats en beaux costumes et armements complets. »

Le point culminant de leur visite avait ensuite été marqué par le cérémonial de l'audience califienne, dans un local plus somptueux encore que les autres où ils s'étaient trouvés en présence d'al-Muktadir lui-même après avoir traversé une dernière série de cours et de passages appartenant au palais dit du Diadème, que le souverain habitait alors et qui ouvrait sur le Tigre. Là le maître de toutes ces richesses, « vêtu d'étoffes brodées d'or, en soie dite *dâbikî*, était assis sur un *sarîr* * couvert de même étoffe et portait le manteau noir ainsi que le bonnet « long ». A la droite du sarîr on avait suspendu neuf colliers à grains réguliers et, à gauche, neuf autres comportant de plus grandes et de plus grosses pierres précieuses dont la lumière dépassait celles du soleil et du jour. Les gardes étaient tous présents aux places assignées selon leur grade. Le vizir [...] se tenait à côté du calife tandis que le chef eunuque et les autres eunuques inférieurs étaient debout à sa droite et à sa gauche. » Les deux ambassadeurs avaient alors baisé le sol et salué le calife. Ils se tenaient à l'endroit que le grand chambellan leur avait indiqué lorsqu'un ingénieux mécanisme mit en marche un de ces automates qui comptaient parmi les merveilles les plus appréciées à l'époque. Sur l'ordre d'al-Muktadir on vit en effet « sortir de terre par différents mouvements un arbre qui remplit la coupole et fit jaillir des jets d'eau de rose et d'eau de musc, tandis que des figures d'oiseaux chantaient dans ses branches ».

Ce dernier épisode de la visite avait dû se situer dans une salle appartenant à la partie la plus reculée de la ville royale qu'occupait alors la Cour califienne, sous une grandiose coupole abritant la personne du souverain et devant la perspective axiale d'un îwân largement ouvert. On sait en effet l'usage dévolu à la coupole dans les palais islamiques d'Irak. Le même rôle solennel était réservé aux structures du type îwân avec leurs grands berceaux voûtés construits en brique et recouvrant des pièces oblongues, ouvertes largement sur l'extérieur par leur quatrième côté tout en communiquant parfois avec une ou plusieurs salles situées par-derrière. Le modèle en avait été sans doute fourni par le palais sassanide de Ctésiphon dont les restes excitèrent longtemps l'envie des califes abbassides, au point d'être menacés d'une destruction totale si l'on en croit les historiens arabes. L'habitude s'en conserva ensuite, avec quelques variantes dans le dispositif, d'après les témoignages des ruines. Tantôt en effet un îwân ou trois îwâns accolés ouvraient sur une cour ou, comme au Djawsak Khâkânî, sur des jardins et escaliers descendant vers le Tigre. Tantôt quatre îwâns apparaissaient groupés dos à dos autour d'une salle centrale à coupole, selon un schéma cruciforme qui aurait pris d'abord naissance au Khurâsân, mais dont l'apparition en Irak n'est pas datée avec certitude. Sans doute le premier exemple s'en trouve-t-il seulement dans les palais de Samarra, en dépit de théories qui auraient voulu restituer sur ce plan le palais d'al-Mansûr dans la Ville ronde et qui viennent d'être récemment critiquées. Jamais l'îwân ne semble avoir été appelé à une autre fonction que celle de salle d'apparat où se groupaient les assistants privilégiés et où le souverain lui-même pouvait se tenir

34. PLAN DU PALAIS CALIFIEN D'AL-MU'TASIM A SAMARRA, OU DJAWSAK KHAKANI →

(*D'après K.A.C. Creswell,* Early Muslim architecture.)

Du plan de ce gigantesque ensemble, bâti de 836 à 838 sur une longueur de 1,5 km et dont reste seul debout aujourd'hui un groupe de trois îwâns (A) dominant le Tigre, il importe de préciser certains aspects longtemps mal compris. La porte principale du palais (B), à partir de laquelle on accédait à une succession de cours (C) et de bâtiments secondaires, se

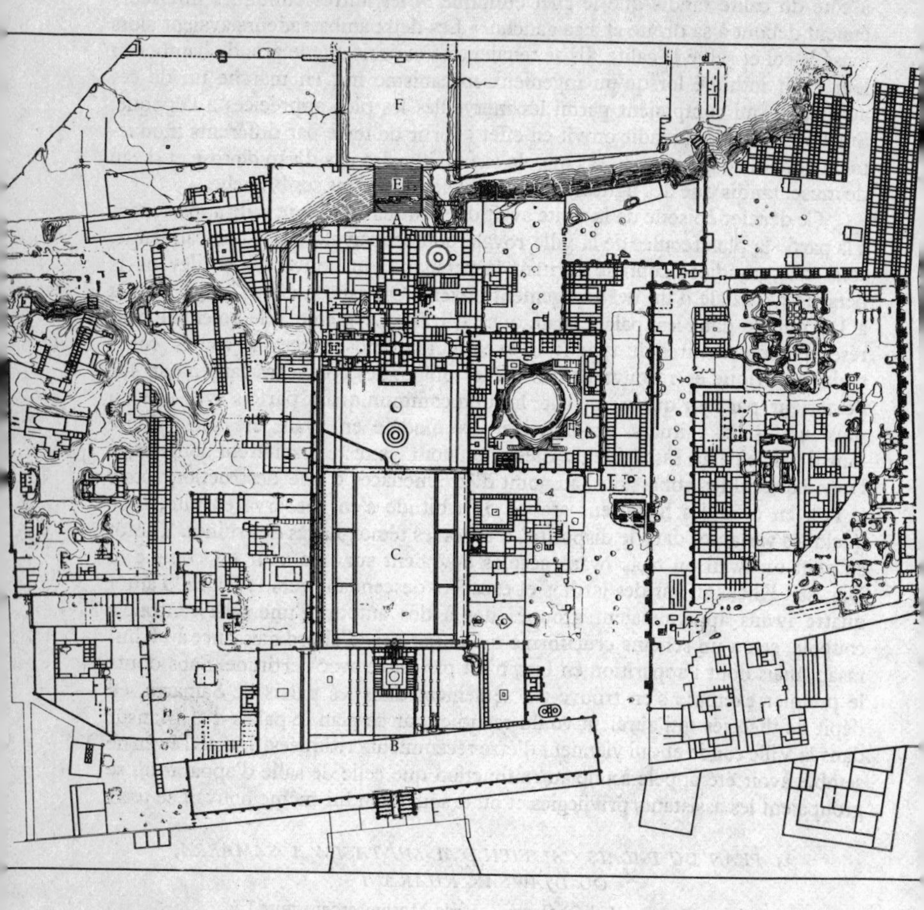

trouvait en effet à l'est et ne saurait se confondre avec le motif des trois îwâns déjà signalé. Celui-ci complétait, dans la partie proprement califienne du palais et derrière la salle d'audience à quadruple accès (D), des appartements de réception qui ouvraient ainsi directement sur un escalier monumental (E) et des jardins avec large bassin (F) sur les bords du Tigre.

pour recevoir ses intimes comme pour se montrer dans toute sa majesté. C'était là le cœur de ses appartements * royaux qui comprenaient en outre des salles moins officielles de réception ou de repos, ainsi que l'oratoire privé du souverain qui pouvait faire montre d'une extrême richesse décorative, mais restait de dimensions modestes, impossible donc à confondre avec la grande mosquée palatine éventuellement située dans l'enceinte du palais. On ne saurait en tout cas voir dans cet îwân, comme on a parfois à tort voulu le faire pour les îwâns du Djawsak Khâkânî, une quelconque porte d'entrée monumentale, même d'usage cérémoniel.

De cette utilisation « califienne » de l'îwân témoignerait encore, si besoin était, le récit, rapporté par al-Shâbushtî, de la fête donnée à Samarra dans le palais de Balkuwârâ par le souverain régnant, à l'occasion de la circoncision de son fils al-Mu'tazz. « Quand al-Mutawakkil résolut de faire circoncire Abû 'Abd Allâh al-Mu'tazz [...], raconte le chroniqueur, on étendit un tapis dans l'îwân et on installa, pour le calife, au milieu de l'îwân, un sarîr ; on disposa à côté de lui quatre mille tabourets dorés incrustés de pierreries portant des figures d'ambre, d'ambre gris et de camphre, les uns simplement incrustés de pierreries, les autres dorés et incrustés. Al-Mutawakkil prit place sur le sarîr et fit venir les émirs, les chefs militaires, les familiers et les divers dignitaires qui s'installèrent aux places correspondant à leur rang et devant lesquels on posa des plateaux dorés incrustés de diverses pierreries, qui portaient des boissons. On ménagea entre les plateaux, situés des deux côtés de la salle, un espace libre dans lequel les valets déversèrent des pièces d'or et d'argent contenues dans des corbeilles tendues de peau, jusqu'à ce que le tas de pièces fût aussi haut que les plateaux. Les serviteurs montèrent sur ce tas et ordonnèrent aux assistants, au nom du calife, de boire et de prendre, après chaque coupe, trois poignées de ces pièces. Dès qu'un espace se trouvait dégarni, on le remplissait à nouveau à l'aide de corbeilles. Des serviteurs, à l'extrémité de la salle, criaient : « L'émir » des Croyants vous dit de prendre ce que vous voulez. » Les assistants étendirent

35. PLAN DU PALAIS CALIFIEN DE BALKUWARA A SAMARRA →
(D'après K.A.C. Creswell, ibid.)

Le plan de ce palais, construit pour al-Mu'tazz pendant le règne d'al-Mutawakkil, était plus rigidement conçu encore que celui du Djawsak Khâkânî. A la suite d'une série de divisions tripartites, la partie réservée à l'usage califien s'y localisait, au centre et au fond, entre deux ailes de logements et derrière deux avant-cours (A) à portails monumentaux. Ordonnés autour du thème classique de la salle d'audience à quadruple accès (B), ces locaux de réception dominaient la rive du Tigre occupée par des jardins (C). Une grande mosquée (D) avoisinait la deuxième avant-cour.

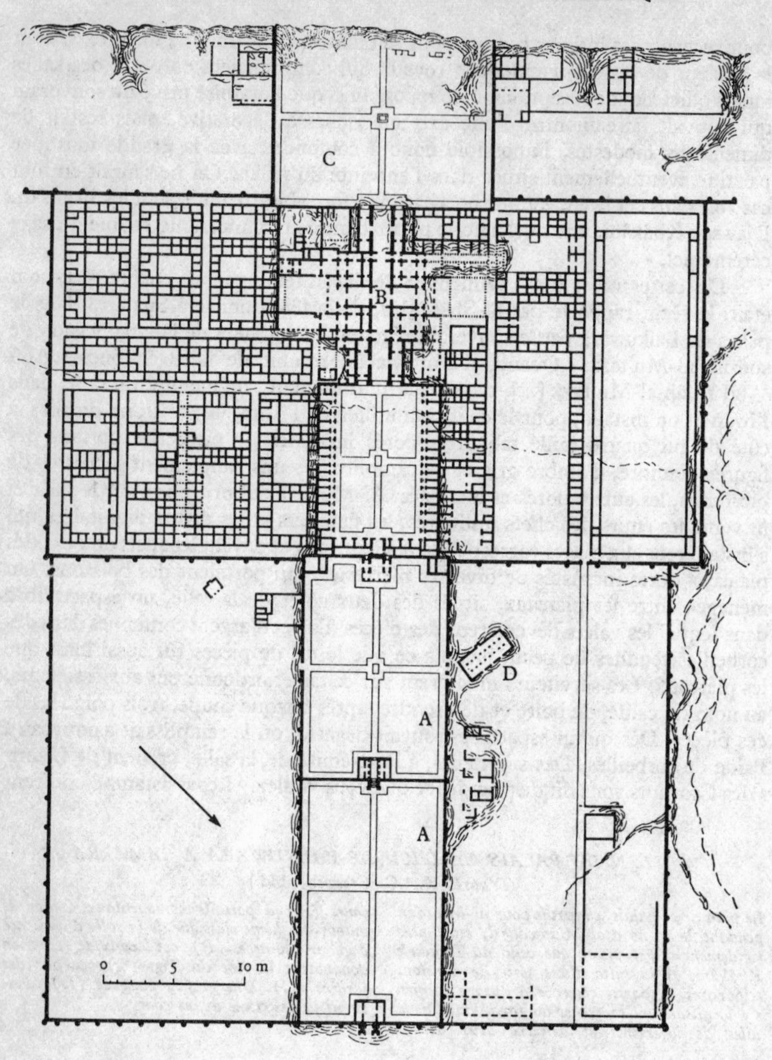
C
B
A
A
D
0
5
10 m

la main, prirent des pièces et quand l'un d'entre eux en avait sa manche alourdie, il sortait, les confiait à son serviteur, puis revenait à sa place. On remit en outre à chaque assistant, après la Prière de midi, trois belles robes d'honneur * correspondant à son rang. Après les Prières de l'après-midi et du crépuscule, de nouvelles distributions furent faites et, lorsqu'ils se retirèrent, les assistants reçurent des montures avec leur selle. Puis al-Mutawakkil affranchit, au nom d'al-Mu'tazz, mille esclaves et remit à chacun d'eux cent dirhams et trois vêtements. Il y avait dans la cour du palais, en face de l'îwân, quatre cents chanteuses d'Ubulla portant divers costumes et tenant un millier de plateaux d'osier couverts de fruits, cédrats, oranges — malgré leur rareté en cette saison —, pommes de Syrie, citrons, ainsi que cinq mille bouquets de narcisses et dix mille bouquets de violettes. Le calife ordonna qu'on distribuât aux chanteurs, aux serviteurs du palais et aux membres de sa Maison ce qu'on avait préparé pour eux, soit un million de dirhams. Kabîha, mère d'al-Mu'tazz, avait fait frapper un million de dirhams * portant la légende suivante : « Bénédiction de Dieu pour » la circoncision d'Abû 'Abd Allâh al-Mu'tazz », qui furent distribués au barbier, aux gardes et aux soldats, aux intendants du palais et aux serviteurs noirs et blancs. »

La section du palais ainsi décrite, et qui était réservée aux réceptions officielles, n'occupait évidemment qu'une infime superficie d'un ensemble d'édifices, de cours et de jardins qui pouvait s'allonger, comme au Djawsak Khâkânî, sur une distance de plus d'un kilomètre et demi. Tout autour se diversifiaient et s'enchevêtraient autant d'appartements distincts qu'il y avait de Maisons réservées au calife et aux membres de sa famille ou de locaux abritant les activités de certains fonctionnaires et dignitaires, en même temps qu'était toujours respectée l'opposition existant en pays d'Islam entre la partie d'une habitation ouverte aux étrangers et la section protégée du harem *.

Dans la partie largement ouverte figuraient, un peu à l'écart, les bibliothèques royales que fréquentaient les savants et pour lesquelles travaillaient les plus habiles copistes. Leur organisation méthodique nous est connue, sinon par des récits de chroniqueurs abbassides, du moins par les échos qu'un historien égyptien tardif comme al-Makrîzî nous a conservés en rappelant l'admiration dont était jadis objet la bibliothèque des califes fatimides au Caire, plus considérable peut-être que celles de Bagdad ou de Samarra, mais conçue inévitablement à l'imitation des précédentes : « Cette bibliothèque, écrit-il, était dans le grand palais et se composait de quarante pièces renfermant un nombre prodigieux de livres sur toutes sortes de matières. Un jour que l'on parlait devant le calife du *Livre du 'Ayn* d'al-Khalîl *, ce prince se fit apporter de sa bibliothèque plus de trente exemplaires de l'ouvrage et, entre autres, le manuscrit autographe [...] La bibliothèque elle-même était dans une salle de l'ancien hôpital. Le calife s'y rendait à cheval et mettait pied à terre devant l'estrade qui s'y trouvait et sur laquelle il s'asseyait. Le bibliothécaire [...] se présentait devant le prince et lui apportait les corans remarquables par la beauté des caractères ainsi que les autres livres qu'il demandait. Si le calife voulait examiner quelque ouvrage, il l'emportait et le renvoyait ensuite. La bibliothèque renfermait un grand nombre de placards rangés autour de la salle et séparés par des cloisons, dont chacun avait une porte bien solide, fermée de serrures et de verrous. On y comptait plus de cent mille volumes reliés et un petit nombre de brochés. On y voyait des ouvrages de jurisprudence religieuse, d'après les principes des différentes sectes, des recueils de traditions, des traités de grammaire, d'astronomie, d'alchimie, des chroniques, des histoires particulières d'un grand nombre de princes. Il y avait plusieurs exemplaires de chaque livre. On y voyait aussi des ouvrages que leurs auteurs avaient laissés imparfaits. Une feuille de papier collée à la porte de chaque armoire indiquait les manuscrits qu'elle renfermait. Les corans étaient placés à part dans une pièce située au-dessus de la bibliothèque. On y voyait des calligraphes célèbres. Deux copistes et deux valets étaient attachés à la bibliothèque. Le calife, avant de sortir, s'y promenait quelque temps pour la considérer et se retirait ensuite, après avoir fait à l'inspecteur un présent de vingt dinars. »

Quant aux communs et locaux secondaires du palais, auxquels devaient correspondre nombre de constructions dont le plan ne saurait toujours suffire à préciser la destination, ils occupaient, si l'on en croit les anciens témoignages, des surfaces énormes. Nous avons vu plus haut les fastes de la Grande Écurie du calife al-Muktadir à Bagdad. On trouve dans les écrits d'al-Makrîzî ou d'al-Kalkashandî * d'autres détails concernant les dépendances utilitaires de ce genre comprises à l'intérieur de l'enceinte des deux palais fatimides du Caire, depuis les diverses écuries de chevaux et de chameaux jusqu'aux moulins et aux réserves de denrées périssables, sans oublier les innombrables magasins dont les noms se passent de commentaire : la garde-robe qui se divisait en garde-robe publique et garde-robe privée, la sommellerie, les cuisines, la pâtisserie, la « dépense » ou magasin des provisions, le magasin des épices et matières odoriférantes, le garde-meubles, le magasin des bijoux, parfums et matières précieuses, la sellerie, le magasin des tentes, l'armurerie, le magasin des drapeaux, le magasin des pompes solennelles où l'on conservait les insignes et armes de luxe, la maison enfin de la « disposition », chargée de la décoration florale des différentes parties de l'édifice.

Les cuisines notamment pouvaient être fort étendues et certains textes précisent qu'au Caire elles se trouvaient pour cette raison en dehors du palais auquel les reliait un passage souterrain. C'était de là que provenaient les plats extraordinaires et les sucreries monumentales dont étaient tout spécialement parés les pavillons califiens lors de festins semblables à celui qui éblouit alors le voyageur Nâsir-i Khusraw * et dont il nous a laissé un récit où les splendeurs du sarîr royal s'accordaient avec les chefs-d'œuvre des confiseurs et pâtissiers exposés à l'entour, notamment « un arbre ressemblant à un oranger dont les branches, les feuilles et les fruits étaient en sucre et où l'on avait disposé mille statuettes et figurines également en sucre ».

Beaucoup d'obscurité subsiste d'un autre côté sur la nature de ces « pavillons » légers, mentionnés par le texte de Nâsir-i Khusraw, qui partageaient avec les îwâns l'honneur d'abriter les réunions présidées par le calife et dont les textes semblent signaler l'existence au milieu d'enclos verdoyants où il était particulièrement agréable de se récréer. Aucun indice archéologique ne nous précise exactement leur aspect. Il est permis de les imaginer à la semblance de ces kiosques de bois et de faïence qui peupleront les palais persans et turcs des époques ultérieures, mais ce ne sont là que simples conjectures.

•

Encore est-il heureusement possible de faire intervenir, dans tout effort d'interprétation des ruines abbassides, une comparaison avec des résidences umayyades qui, tout en étant notablement plus anciennes, furent moins éprouvées par les vicissitudes des siècles, peut-être parce qu'elles avaient été plus solidement bâties. Ces châteaux à demi utilitaires, quoique d'un aménagement déjà luxueux, dont nous avons vu plus haut le caractère de demeures rurales liées à la prospérité d'anciens domaines fonciers, représentaient en effet les premiers spécimens d'un genre qui allait triompher à Bagdad et à Samarra. Les plus remarquables d'entre eux, ceux qui surent tels Kusayr ʿAmrâ et Mshattâ * retenir depuis la fin du XIXe siècle l'attention des voyageurs ou ceux que de récentes fouilles ont fait tout à coup surgir de l'oubli, comme Kasr al-Hayr l'Occidental et Khirbat al-Mafdjar par exemple, montrent précisément la genèse du type monumental qui devait être porté, un ou deux siècles plus tard, à son magnifique apogée.

Élevés en pierre, en brique cuite et crue ou en blocage de moellons, décorés parfois de motifs sculptés dans la pierre ou le stuc, mais toujours cantonnés de tours massives, leurs hauts murs sans fenêtres se dressent encore

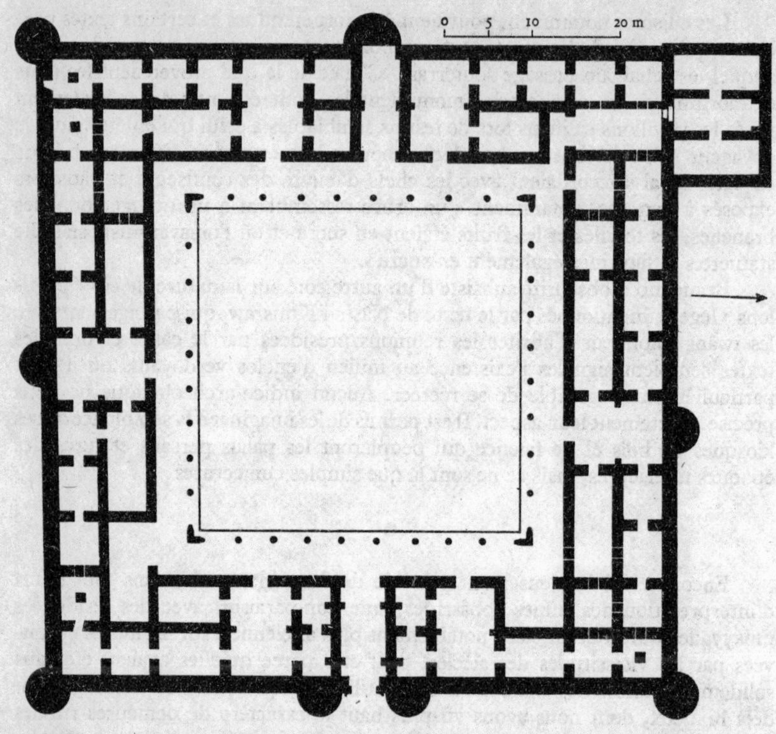

36. PLAN DU CHATEAU UMAYYADE DE KASR AL-HAYR L'OCCIDENTAL
(*D'après D. Schlumberger,* les Fouilles de Qasr al-Hair al-Gharbî.)

Plan typique de simple château résidentiel de cette époque, où l'on reconnaît les divers appartements indépendants accolés au mur d'enceinte et ouvrant vers l'intérieur sur une cour à péristyle. On y pénétrait par une entrée monumentale encadrée de deux tours semi-rondes. Les locaux de réception, situés à l'étage, étaient desservis par deux escaliers aux cages décorées par des fresques de pavement. La tour située dans l'angle nord-ouest appartenait à une construction préexistante, ancien couvent d'époque byzantine.

souvent en plein désert, pour témoigner de cette volonté d'isolement défensif qui trouvera son accomplissement dans l'enceinte de l'immense palais abbasside. Leur organisation interne autour d'une cour centrale à portiques, sur laquelle ouvraient tantôt des ensembles de cinq, six ou sept pièces que l'on qualifie généralement d'appartements, tantôt des salles plus vastes à l'ordonnance parfois basilicale, permet également de comprendre la formation des immenses ensembles ultérieurs répartissant à leur tour le long d'un plan axial les suites d'appartements privés, repliés chacun sur lui-même autour d'une pièce centrale, et les enfilades de salles, cours et corridors menant au local grandiose de l'audience ou de la réception califiennes.

Les variétés de détail des constructions umayyades étaient certes innombrables. Tantôt dominaient les traditions hellénistiques et romaines du camp rectangulaire fortifié ou de la simple maison syrienne à cour intérieure, comme en témoignent par exemple les plans typiques de Khirbat al-Minya * et de Kasr al-Hayr l'Occidental. Tantôt s'affirmait au contraire le souci d'imiter, dans la structure de groupes de pièces distincts et symétriquement répétés comme dans les techniques de construction des voûtes et des coupoles, ces habitudes sassanides auxquelles ont depuis longtemps fait songer des édifices comme Kasr al-Kharâna * ou Mshattâ. D'autres différences tenaient encore, soit à la disposition sur deux étages des pièces d'habitation, soit à la nécessité de ménager dans l'ensemble une place pour des greniers et magasins, soit encore aux exigences imposées par les dimensions selon qu'il s'agissait d'un petit édifice fortifié de trente-cinq ou soixante-dix mètres de côté ou d'un véritable palais atteignant cent quarante mètres. Enfin la variété de décors intérieurs faisant appel à toutes les ressources antiques et orientales de l'art de la fresque, de la mosaïque murale et de pavement ou de la sculpture en demi-relief, ajoutait à l'hétérogénéité de constructions qui ont excellemment manifesté le caractère éclectique du premier art islamique.

Mais toujours la rigueur de la composition tenait compte des exigences primordiales d'un cérémonial aulique qui commençait à se constituer sous une influence iranienne croissante et à remplacer graduellement la primitive simplicité de la société arabe tribale. C'était lui qui imposait l'exèdre arrondie des salles d'audience où siégeait désormais le souverain, parfois derrière un rideau. Lui seul expliquait aussi la disposition à la fois oblongue et tripartite de ces mêmes salles où devaient se ranger, de part et d'autre de l'allée centrale, les rangées de courtisans, de gardes et de dignitaires. Dans un dessein semblable était traité avec magnificence le thème de la porte d'entrée extérieure du château, par laquelle devaient entrer les visiteurs et courtisans. Embellie non seulement par la présence de deux hautes tours encadrant son ouverture centrale à simple linteau, mais encore par l'accumulation sur cet espace restreint de tout un choix extrêmement raffiné de motifs sculptés tant floraux que géométriques,

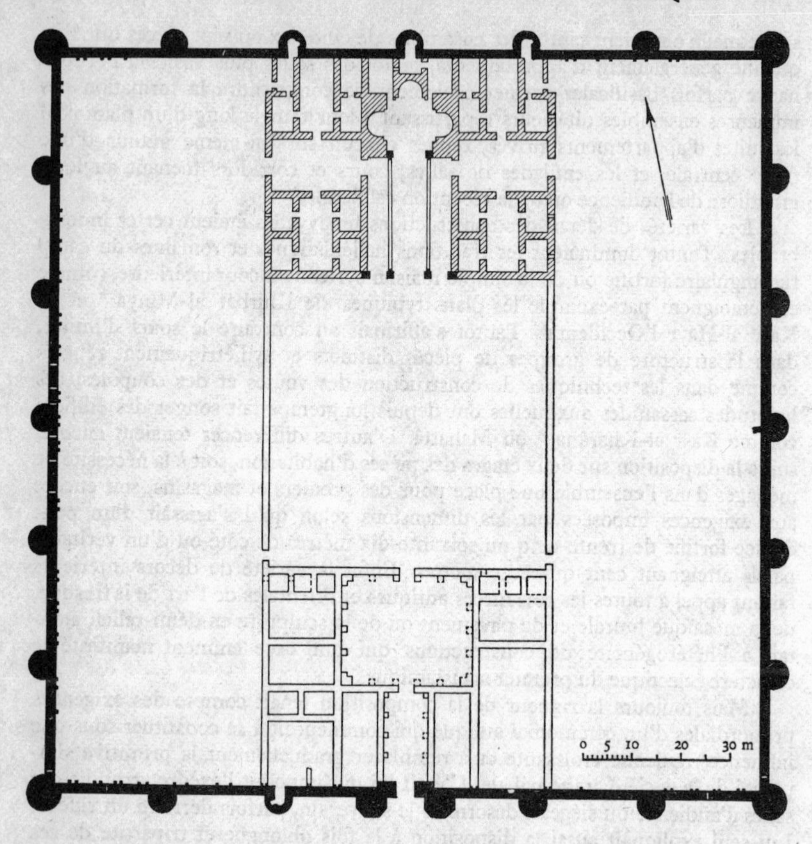

37. PLAN DU CHATEAU UMAYYADE DE MSHATTA

(*D'après* K.A.C. Creswell, *op. cit.*)

L'imposante construction de Mshattâ (carré de 144 m de côté) se singularise par ses dimensions et son plan au milieu des autres châteaux umayyades connus. Ce fut le premier exemple de palais à division tripartite (bâtiments annexes dans les ailes et partie centrale réservée à l'usage souverain, celle-ci seule achevée avant l'abandon des travaux). On y reconnaît l'ancienne salle d'audience basilicale traitée avec une somptuosité particulière et pourvue d'une triple abside ; mais on peut y voir aussi l'annonce des vastes et plus complexes réalisations palatines de l'époque abbasside.

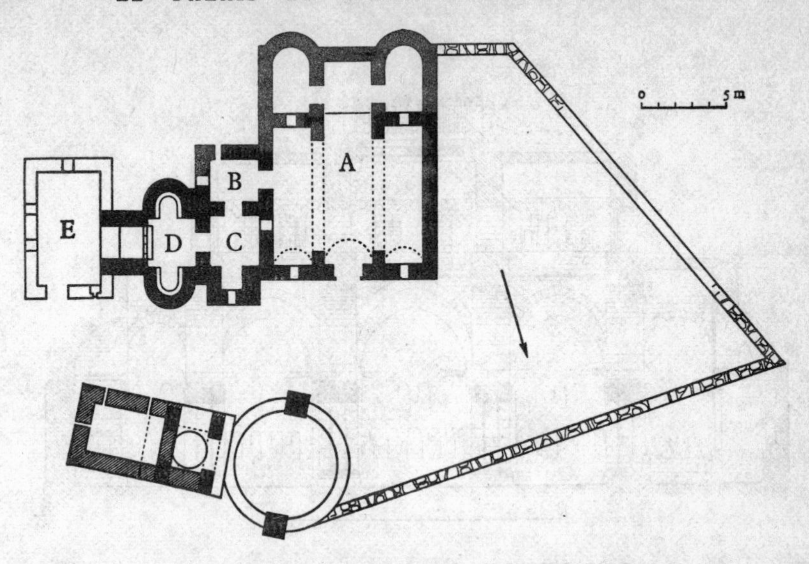

38. PLAN DU BAIN UMAYYADE DE KUSAYR ʻAMRA
(*D'après A. J. Jaussen et R. Savignac,* Mission archéologique en Arabie.)

A. Salle de repos et de déshabillage. — B. Salle tiède. — C. Salle chaude. — D. Étuve. — E. Chaufferie.
Ce plan, typique des premières imitations de thermes antiques réalisées au début de l'époque islamique pour des princes arabes syriens, fait ressortir la simplicité efficace d'un agencement qui se maintiendra ensuite pendant des siècles.
A l'utilisation comme local d'audience et de réception de la première salle répondait le choix de son décor de fresques, comportant notamment la figure d'un souverain siégeant en majesté. On notera, au nord, la présence du massif de maçonnerie qui supportait la noria à manège alimentant le bain.

encadrant parfois des séries d'arcades aveugles ou de panneaux décoratifs compartimentés, elle pouvait même porter la figure de quelque personnage royal s'y dressant en majesté, comme à Khirbat al-Mafdjar ou à Kasr al-Hayr l'Occidental par exemple.

En même temps se trouvèrent pour la première fois intégrés à la demeure princière islamique des bains imités des thermes gréco-romains, mais transformés déjà par de conscientes adaptations, qui allaient se maintenir sans grand changement dans les palais abbassides. Ce sont eux que nous révèlent sous une

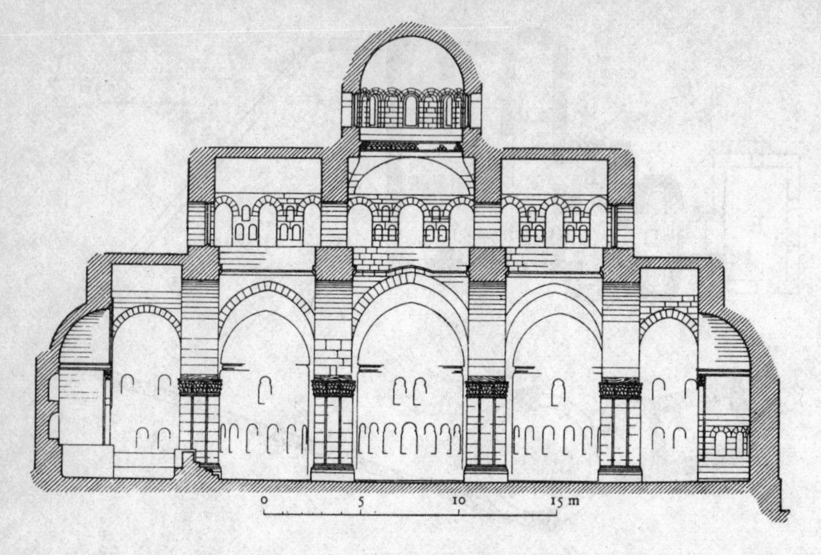

39. *LA GRANDE SALLE DE REPOS DU BAIN UMAYYADE DE KHIRBAT AL-MAFDJAR*
(*D'après R.W. Hamilton*, Khirbat al Mafjar.)

Local d'une ampleur de conception et d'une richesse décorative exceptionnelles à l'époque dans l'architecture des bains, cette immense salle carrée à piliers, pourvue d'exèdres semi-circulaires, devait être couverte par un système de coupoles dont on voit ici un essai de restitution. *A son rôle évident de salle de réception et de déshabillage, à l'imitation de l'*apodyterium *des thermes antiques, elle ajoutait quelques traits (présence d'une piscine) apparentés à ceux de l'ancien* frigidarium *et non représentés ordinairement dans les hammâms islamiques.*

forme plus ou moins développée les bains de Kasr al-Hayr l'Occidental ou de Kusayr ʿAmrâ par exemple comme le luxueux ensemble de Khirbat al-Mafdjar. Chaque fois y avaient été mises en œuvre des techniques anciennement éprouvées contribuant à la savante gradation de salles tièdes et chaudes comme à l'aménagement efficace d'étuves sur hypocaustes, réchauffées encore par une communication directe avec les vapeurs brûlantes provenant de la chaufferie. Chaque fois aussi, sauf à Khirbat al-Mafdjar, y avait été transformé en simple salle de repos et de déshabillage — éventuellement confondue avec le local

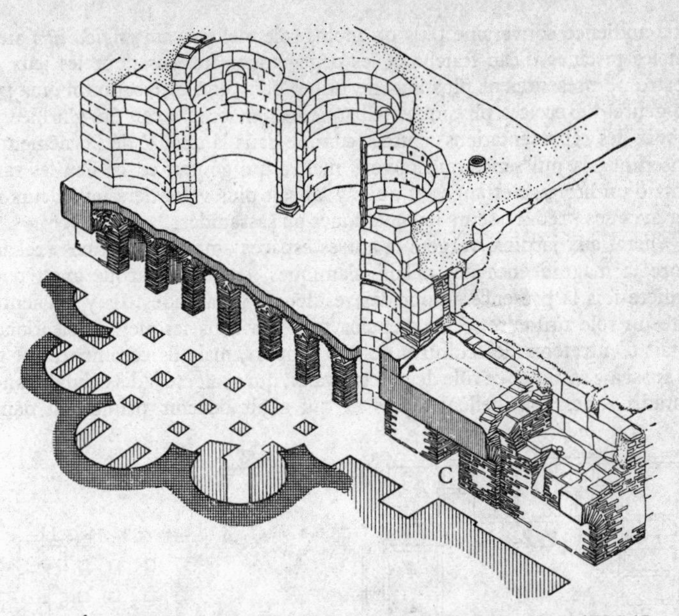

40. L'ÉTUVE DU BAIN UMAYYADE DE KHIRBAT AL-MAFDJAR
(*D'après R.W. Hamilton*, ibid.)

Cette petite salle circulaire aux murs agrémentés de huit profondes exèdres était comme toutes les étuves de bains de cette époque bâtie sur hypocaustes, selon une technique imitée de l'Antiquité qui sera abandonnée plus tard. Chauffée ainsi par le sol, elle était en outre remplie de vapeurs brûlantes provenant de la chaudière (C) qui était maintenue en ébullition constante dans une pièce contiguë.

41. PLAN DE LA RÉSIDENCE UMAYYADE DE KHIRBAT AL-MAFDJAR →
(*D'après R.W. Hamilton*, ibid.)

A côté d'une exploitation agricole dont on a vu plus haut l'imposant système d'irrigation, s'élevait, à l'intérieur d'une commune enceinte, un véritable complexe architectural comprenant un château (A) d'un type classique à l'époque — avec cour centrale, oratoire privé (B) et sirdâb (C) —, une grande mosquée (D) et un bain monumental (E), le tout se situant derrière une avant-cour (F) ornée d'un bassin carré (G) avec pavillon central octogonal. La richesse du décor sculpté dans la pierre et le stuc ajoutait à la magnificence d'un ensemble de conception équilibrée. On notera les dimensions exceptionnelles de la grande salle de repos du bain, accompagnée en outre d'une petite salle d'audience (H). L'étage supérieur du château comprenait des pièces d'habitation et de réception aujourd'hui disparues.

d'une audience souveraine plus ou moins solennelle — un *frigidarium* antique dont les piscines d'eau fraîche et les dégagements prévus pour les jeux de la palestre ne présentaient plus aucune utilité dans une civilisation moins portée à ce genre d'exercices physiques. Chaque fois encore y avait été glorifiée, dans le choix des représentations figurées comme dans la qualité de l'ornementation d'ensemble, la puissance du nouveau maître qui goûtait en ce lieu les raffinements d'un héritage étranger et qui s'y laissait plus volontiers qu'ailleurs identifier avec ses prédécesseurs hellénistiques ou sassanides.

Quant aux jardins, vergers et autres espaces ombragés destinés à rehausser encore la magnificence des palais islamiques, on en remarque aussi pour la première fois la présence autour des résidences umayyades. Ils y jouaient sans doute un rôle utilitaire, celui d'enclos protégés dans lesquels l'irrigation permettait d'entretenir des cultures de bon rapport, mais ils commençaient peut-être aussi à y assumer ce rôle de parcs royaux, qui avait été jadis celui des anciens « paradis » des rois hellénistiques et qui allait devenir primordial dans les

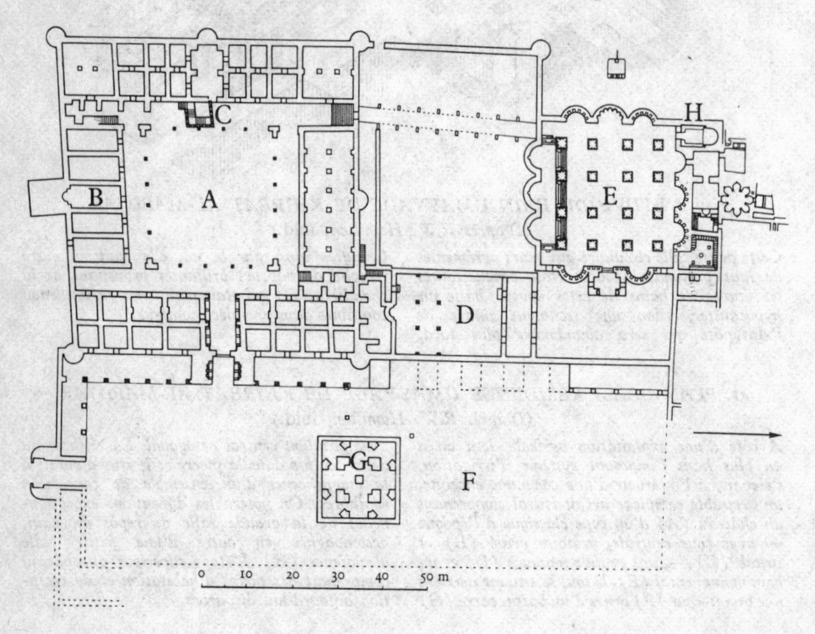

immenses résidences abbassides où ils seraient à la fois plantés d'essences rares et peuplés de gibier ou d'animaux sauvages. Même les esplanades et avant-cours destinées aux revues ou parades des troupes, qui allaient connaître leur déploiement majeur dans les villes royales d'Irak, caractérisaient déjà des compositions monumentales comme celle de Khirbat al-Mafdjar où elles étaient venues s'ajouter à la classique cour à péristyle située d'autre part dans l'intérieur du château.

•

A l'image de ces châteaux umayyades et des palais abbassides qui leur avaient succédé furent ensuite élevées dans les provinces de non moins fastueuses demeures qui cependant eurent elles aussi à souffrir des atteintes du temps et des hommes. Qu'il s'agisse au Khurâsân du fameux palais de Marw habité par al-Ma'mûn ou des constructions des Samanides à Bukhârâ, que l'on veuille évoquer, plus à l'ouest, la résidence d'Ibn Tûlûn près de Fustât, celle des Aghlabides aux portes de Kairouan ou encore la cité côtière fortifiée de Mahdiya qui servit de première base à la puissance fatimide en Ifrîkiya, leurs traces en sont aujourd'hui presque complètement effacées. Rien ne subsiste non plus des immenses palais fatimides du Caire, qui se dressaient au centre de la ville nouvellement fondée, de part et d'autre d'une place grandiose, et ce ne sont là que quelques cas cités au milieu de nombreux autres. Une fois quittée l'étonnante série des « châteaux du désert » syriens et des ruines abbassides d'Irak, imposantes au moins par leur étendue, on doit se contenter des indications des textes, à moins d'aller chercher quelques données archéologiques plus précises en Espagne dans la vallée cordouane du Guadalquivir, en Afghanistan sur les bords de l'Hilmend, ou même encore sur ces pentes désolées du Takarbust,

42. SITE ET PLAN D'UNE VILLE ROYALE ZIRIDE→ DANS LES MONTS DU HODNA

(*D'après L. Golvin*, Recherches archéologiques à la Qal'a des Banû Hammâd.)

1. Hauteurs d'environ 1 700 m. — 2. Fontaine. — 3. Palais des émirs ou palais du Bassin. — 4. Palais du Salut. — 5. Grande mosquée. — 6. Mur romain. — 7. Fontaine. — 8. Palais du Fanal. — 9. Anciens cimetières.

Le site aujourd'hui désolé de la Kal'a des Banû Hammâd, fondée en 1007 pour demeurer pendant un siècle une capitale ziride, s'apparente davantage à celui d'une forteresse que d'une ville royale conçue à la manière des résidences fastueuses de l'Orient. De nombreux palais néanmoins, parmi lesquels le palais du Bassin reproduisait une disposition abbasside et aghlabide traditionnelle, y attestaient le souci de luxe de petits souverains berbères établis dans une région difficilement accessible où ils échappèrent à l'invasion des Banû Hilâl. Des traces de citernes et d'installations hydrauliques témoignent également que la région n'était pas alors dépourvue de toute prospérité agricole.

0
500
1000 m
I
2
Takerbust
1418
1401
3
1015
8
7
1190
990
4
6
5
9
9

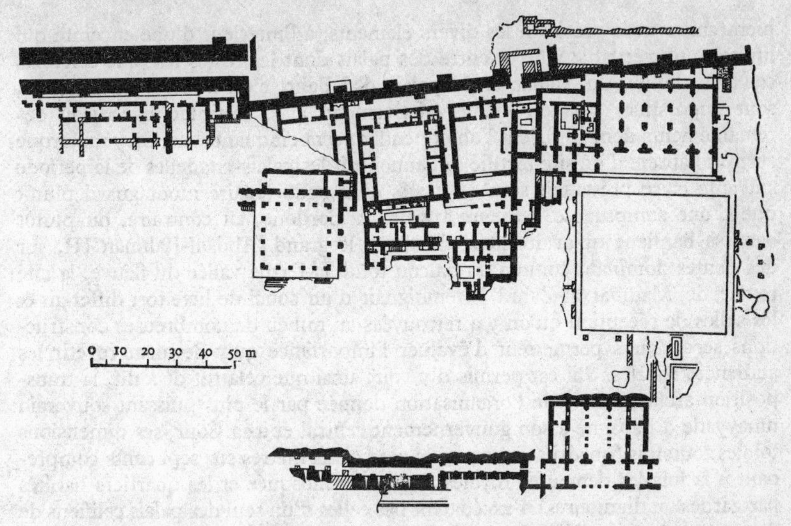

43. LA VILLE ROYALE UMAYYADE DE MADINAT AL-ZAHRA'
(*D'après L. Torres Balbás,* La Mezquita de Cordoba.)

A la disposition axiale et centrée des principaux palais élevés en Orient, aux époques umayyade et abbasside, s'oppose l'organisation moins rigide de la résidence califienne d'Espagne — dont ce plan montre les parties dégagées par les fouilles —, construite pour 'Abd al-Rahmân III en 936 et étageant simplement sur des terrasses se surplombant les unes les autres ses diverses catégories de logements et de locaux de réception. On remarque surtout, dans cet ensemble de constructions adossées au rempart fortifié extérieur, la présence de cours à portiques et de monumentales salles d'audience basilicales dont la décoration a révélé l'utilisation califienne.

au cœur du massif algérien du Hodna, où ce qu'on appelle toujours la Kal'a * ou « forteresse » des Banû Hammâd conserve le souvenir de cette branche de la dynastie ziride qui la fonda et s'y transporta au XIe siècle. Car, selon une règle paradoxale en apparence seulement, ce furent comme aux époques antérieures les résidences isolées dans les régions les moins accessibles qui purent plus que d'autres sinon nous être conservées dans leur ancienne splendeur, du moins nous demeurer partiellement accessibles sous des tells que de nouvelles constructions ne sont point venues recouvrir.

Il est cependant inutile d'insister sur un ensemble comme celui de la Kal'a des Banû Hammâd. Des fouilles insuffisantes ne permettent pas encore d'en hiérarchiser avec précision les divers éléments, à l'intérieur d'une enceinte qui limitait une véritable ville et entre des palais dont les restes les plus célèbres, ceux du donjon du Manâr et du palais d'al-Bahr, c'est-à-dire « du Bassin », sont impossibles à dater, même relativement, avec certitude en raison des remaniements dont ils furent l'objet pendant cent cinquante ans. On y remarque surtout l'âpreté d'un site fortifié qui annonçait les palais-citadelles de la période suivante et se présentait sous les traits d'un rude repaire montagnard plutôt que d'une somptueuse demeure royale. A Cordoue, au contraire, ou plutôt dans sa banlieue qu'avait choisi d'habiter le grand 'Abd al-Rahmân III, sur des pentes dominant comme un balcon toute la fertile vallée du fleuve, la cité royale de Madînat al-Zahrâ' * témoignait d'un souci de luxe fort différent et les salles de réception qu'on y a retrouvées au milieu de nombreuses constructions secondaires permettent d'évaluer l'importance qu'y devaient revêtir les audiences royales. S'il est permis d'y voir, ainsi que cela fut déjà dit, la transposition architecturale de l'organisation donnée par le plus puissant souverain umayyade d'Espagne à son gouvernement central et à sa Cour, ses dimensions totales toutefois (quadrilatère de mille cinq cents mètres sur sept cents comprenant à la fois les demeures royales, la grande mosquée et les quartiers habités par gardes ou dignitaires) n'excédaient pas celles d'un seul des palais califiens de Samarra, réduction d'échelle qui correspondait à la situation de la petite dynastie locale d'Espagne à côté des fastueux maîtres abbassides de l'empire. Dans les provinces ghaznawides de l'Iran oriental enfin, à Ghazna demeurée jusqu'à aujourd'hui un champ de ruines à peine touché et surtout à Bust où l'ensemble monumental de Lashkari Bazar * a déjà retenu l'attention, on trouve en revanche l'écho direct des fondations palatines de la grande floraison abbasside. Les édifices construits par Mahmûd et ses successeurs, dans un territoire désert que les anciens géographes vantaient pour la richesse de ses cultures irriguées et la prospérité de ses installations commerciales, perpétuaient exactement les dispositions typiques qui nous sont connues à Samarra, depuis la perspective axiale adoptée pour le palais royal jusqu'au principe de la juxtaposition, au milieu de jardins et d'esplanades, de demeures d'âges divers correspondant chacune au désir d'un nouveau prince. Les nécessités de la défense semblaient y peser fort peu à côté d'un souci conscient d'imitation des splendeurs plus anciennes et l'on y remarque par exemple des détails de construction typiquement iraniens tels que la disposition de quatre îwâns s'ouvrant en croix autour d'une cour centrale.

L'épanouissement simultané, au xe siècle, dans les plus lointaines provinces de l'empire, de nouvelles manifestations de cet art aulique qui avait

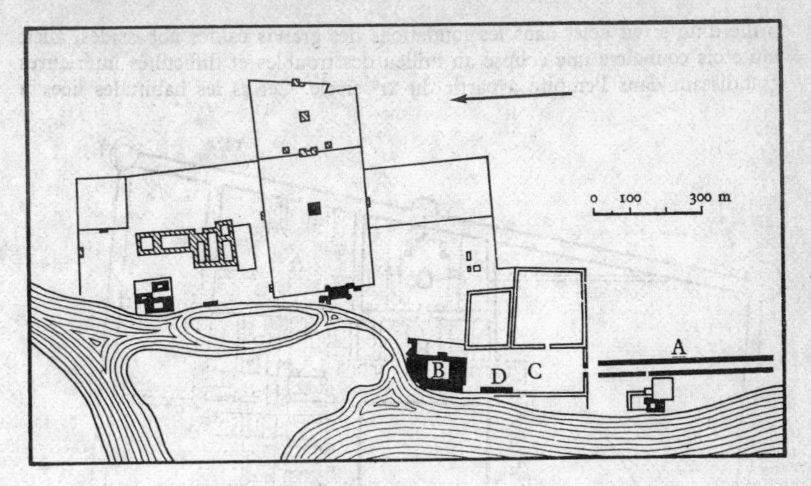

44. LA RÉSIDENCE GHAZNAWIDE DE LASHKARI BAZAR, EN AFGHANISTAN

(*D'après J.C. Gardin*, Céramiques ... de Lashkari Bazar.)

Sur la rive orientale de l'Hilmend et au nord de la ville de Bust à laquelle les reliait une avenue bordée de boutiques (A), les divers châteaux de Lashkari Bazar, entourés de vastes enclos et d'avant-cours monumentales, s'échelonnaient du sud au nord dans un site jadis verdoyant et retourné aujourd'hui au désert. C'est au plus important d'entre eux, celui du sud (B), pourvu de son avant-cour monumentale (C) et de sa grande mosquée (D), qu'appartiennent les éléments représentatifs les plus connus de l'art ghaznawide et ghouride du Sistân.

45. PLAN DU PALAIS GHAZNAWIDE DE MAS'UD III A GHAZNA →

(*D'après A. Bombaci*, The Kûfic Inscription... at Ghazni.)

Ce palais, récemment fouillé, est intéressant à comparer d'une part au palais ghaznawide de Lashkari Bazar, d'autre part aux vastes ensembles royaux des palais abbassides de Samarra. On y retrouve, interprétés à un niveau plus modeste, les traits essentiels des résidences califiennes d'Irak avec leurs appartements privés (A), leurs grandes mosquées (B) et leurs imposantes salles d'audience (C) situées dans l'axe de leurs entrées monumentales (D). Mais il est plus frappant d'y reconnaître le thème de cette cour centrale rectangulaire (E) pourvue de quatre îwâns (F) disposés en croix qui existait aussi à Lashkari Bazar et qu'on peut rapprocher de certaines habitudes de construction de la maison khurasanienne. L'importance de cette cour était ici soulignée par le rythme régulier de contreforts de brique enrichis de lambris sculptés et de décors épigraphiques.

brillé d'un si vif éclat dans les fondations des grands califes abbassides, allait toutefois connaître une éclipse au milieu des troubles et difficultés intérieures grandissant dans l'empire à partir du XIe siècle. Certes les habitudes liées à

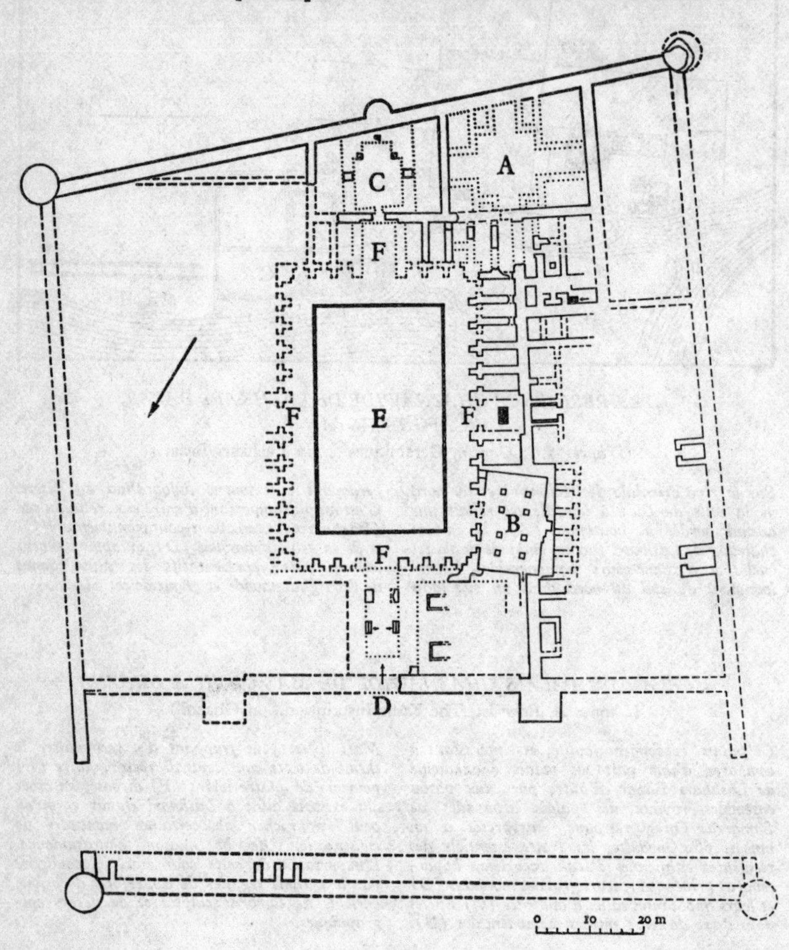

la glorification du souverain devaient se perpétuer ultérieurement en milieu islamique et les dynasties parvenues bien plus tard au faîte d'une puissance impériale allaient à leur tour reprendre, comme les Ottomans dans leurs sérails d'Istanbul, les Safavides dans leurs constructions royales d'Isfahân * ou encore les Moghols dans leurs immenses « forts » de Delhi * ou d'Agra, le thème du fastueux palais abbasside. Mais, avant ces renouveaux tardifs, les petits souverains locaux de l'époque post-saldjoukide s'étaient contentés d'occuper des résidences de superficie plus restreinte, aménagées certes en tenant compte de leur prestige princier, mais dans les limites assignées à ce déploiement par des impératifs de sécurité devenus de plus en plus contraignants. Ce fut alors le temps du palais-forteresse, beaucoup plus proche dans son organisation des châteaux forts élevés à la même époque en Europe occidentale que des imposantes villes royales auparavant familières à la civilisation islamique. Partout on en vit les exemples rivaliser de force défensive et de solidité, depuis les châteaux iraniens construits en brique dans de sauvages défilés montagnards, comme celui de Djâm (Fîrûzkûh) ou le fameux château d'Alamut, jusqu'aux citadelles en belle pierre qu'habitaient, en Syrie ou Anatolie, les maîtres de petites principautés nées de l'invasion turque. Ce sont elles qui nous ont été conservées, à Damas, Alep, Baalbek, Bosra, Amida, ou Kharpût par exemple comme autant de chefs-d'œuvre de l'architecture militaire, pourvues jusqu'à ce jour de leurs imposants systèmes de chemins de ronde et de tours, mais ne gardant plus que de fragiles traces des bâtiments intérieurs où le prince logeait avec sa Maison dans un cadre déjà fort différent de celui de l'époque abbasside.

•

En plein âge d'or du califat, l'habitude du souverain était en effet de vivre entouré d'une Maison fort importante, si importante même qu'au moment des difficultés de la dynastie abbasside, elle devint l'une des causes du déficit financier et ainsi du déclin de l'autorité. Cette Maison était d'abord constituée par la domesticité proprement dite du calife et de sa famille. Mais elle englobait aussi toutes sortes de personnages aux qualifications diverses, appelés par leurs fonctions à jouer un rôle dans la vie du palais, tandis que se pressaient d'autre part autour du calife courtisans ou dignitaires pourvus d'offices honorifiques et assistant de ce fait aux audiences solennelles où ils occupaient un rang déterminé.

Des activités diverses justifiant la présence, dans cet entourage, d'artisans appartenant aux corps de métiers les plus variés, il suffira de rappeler qu'elles étaient directement commandées par la vie de parade ou de divertissement du souverain ainsi que par les nécessités de son confortable bien-être. Pour sa garde-robe et son mobilier personnels, son trésor et les magasins où s'entassaient les présents destinés à être distribués sur son ordre, œuvraient sans relâche orfèvres, tisserands, brodeurs, tailleurs, cordonniers, menuisiers, bronziers et autres fabricants d'objets de luxe, tandis que copistes et enlumineurs augmentaient le nombre de manuscrits précieux conservés dans sa bibliothèque. Pour l'agrément de ses parcs et vergers rafraîchis d'eaux courantes travaillaient d'innombrables jardiniers. Pour ses chasses étaient entretenus les rapaces ou les félins qui requéraient les soins des fauconniers et des dompteurs capables d'en assurer le dressage. Pour ses sorties et ses jeux équestres les écuries devaient abriter de nombreux chevaux soignés par leurs palefreniers. Pour ses traversées et promenades sur le Tigre existait un véritable service de batellerie. Pour ses festins s'ajoutaient aux indispensables cuisiniers, pâtissiers, bouchers, porteurs d'eau et autres fournisseurs des cuisines, les diverses catégories de musiciens, danseurs, conteurs, baladins et autres amuseurs requis en de pareilles circonstances. Et les listes anciennes qui nous mentionnent tous ces noms y ajoutent encore par exemple ceux des médecins et astrologues qui étaient directement attachés à la personne du calife pour lui prodiguer leurs conseils et qui dépendaient eux aussi de l'intendant chargé de la bonne marche de l'ensemble.

A côté de ces « spécialistes » qui pouvaient avoir été recrutés parmi les hommes libres, l'abondante domesticité proprement dite du calife et de sa famille était d'origine surtout servile. Elle comportait notamment un grand nombre d'eunuques dont l'utilisation dans le personnel n'était pas, comme on le croit parfois, réservée au harem. Un principe courant à l'époque et appliqué également dans l'empire byzantin voulait seulement que les eunuques pussent, mieux que d'autres, devenir pour le souverain des serviteurs fidèles, loyaux et entièrement dévoués à sa personne. On leur réservait les emplois de confiance et ils étaient affranchis dès qu'ils atteignaient certains grades, accolant alors à leurs anciens noms d'esclaves, empruntés le plus souvent au répertoire des noms de pierres ou de matières précieuses (Yâkût ou « Rubis », Lu'lu' ou « Perle », Kâfûr ou « Camphre », mais aussi Badr ou « Pleine Lune »), le titre de « client du prince des Croyants ».

Il existait parmi ces eunuques du service privé une hiérarchie qui devait avoir ses règles impérieuses, mais que l'on ne connaît point pour Bagdad et dont on peut seulement se faire une idée en recourant aux sources mamloukes tardives traitant de la Cour fatimide. Là, d'après al-Kalkashandî, figuraient parmi les grands eunuques dits *muhannak*, non seulement le Premier Eunuque chargé d'enrouler en une sorte de couronne le turban du calife, mais encore le Maître de la Salle d'audience, le Porte-Messages, l'Intendant des Palais, le Directeur du Trésor, le Maître du registre du Conseil, le Porte-Écritoire, l'Intendant des parents proches du calife et le Maître de la Table. Les carrières les plus honorifiques étaient ainsi ouvertes à ces « domestiques » du souverain, y compris, dans la période de morcellement du califat, celle de dynaste indépendant régnant sur une province aussi riche que l'Égypte, et l'importance de leur rôle n'avait fait que se développer à mesure que le calife prenait parallèlement l'habitude d'utiliser dans son armée des milices serviles auxquelles il accordait sa préférence et dont souvent des eunuques assuraient, comme à Byzance, le commandement.

A côté de ces importants personnages, la plupart des domestiques esclaves habitant le palais étaient affectés eux aussi à des tâches précises. Tandis que certains s'occupaient de l'entretien des pièces et de leur ameublement, d'autres assuraient le service de la table, d'autres surtout servaient le souverain en particulier, l'aidant à se vêtir — comme cette femme qui portait dans le palais fatimide le titre de « Parure des trésoriers » et qui commandait à trente autres femmes —, lui facilitant la pratique des ablutions ou lui tenant l'étrier lorsqu'il montait à cheval. Ces multiples fonctions souvent aussi inutiles qu'honorifiques se perpétuèrent d'ailleurs dans les diverses Cours islamiques ultérieures où on les remarque à côté de véritables fonctions de gouvernement et où elles semblent avoir fait l'objet d'une hiérarchisation de plus en plus précise. Non seulement elles n'étaient pas réservées aux hommes, mais les esclaves féminines qui remplissaient autour du calife des activités variées, allant du service intérieur du harem à l'organisation des divertissements de musique et de danse, comptaient encore dans leurs rangs celles qui lui servaient de concubines et pouvaient être très nombreuses et influentes.

Sur ces esclaves et sur les eunuques du harem pesait à la fin du Xe siècle l'autorité sévère de la Grande Intendante, la *kahramâna* dont les chroniques du temps signalent à maintes reprises l'ingérence dans les intrigues du palais, voire même dans les affaires politiques. N'était-ce point elle par exemple qui jouait parfois le rôle d'intermédiaire entre le vizir et le jeune al-Muktadir, qui renseignait le calife sur les activités du vizir ou à qui l'on confiait la garde du vizir disgracié et accusé de malversations ? Elle pouvait être d'extraction noble puisque l'une d'entre elles, Umm Mûsâ, appartenait à la famille hashimide. Mais on ignore quels étaient ses rapports exacts avec le Grand Eunuque du harem dont on connaît par ailleurs l'existence, avec l'intendant qui assumait sans doute des responsabilités financières et avec le chambellan qui avait été jadis le seul maître de cette Maison devenue bientôt pléthorique, mais qui en avait sans doute perdu la direction effective tout en voyant croître sa place honorifique auprès du souverain.

Le chambellan apparaît en effet comme le plus ancien détenteur d'une de ces dignités hiérarchisées qui étaient nées des offices palatins et qui permettaient d'occuper aux audiences califiennes des places déterminées portant le nom de « rangs ». Ce dernier terme, qui pouvait avoir un sens abstrait et indiquer seulement, comme dans les dialogues de *Kalîla et Dimna*, le degré d'influence que l'on exerçait sur le souverain ou le degré d'intimité que l'on avait avec lui, avait aussi une signification matérielle : il indiquait une de ces places dans le protocole qui étaient assignées aux « officiers » du service privé comme aux chefs militaires, aux administrateurs, aux cadis, aux membres de la famille régnante et aux proches parents du souverain.

Premier serviteur du calife depuis l'époque umayyade, le *hâdjib* portait un nom significatif, puisque lié au mot *hidjâb* qui désignait le voile ou rideau utilisé longtemps pour séparer, lors des audiences, le souverain de la masse des assistants. Son rôle avait été alors apparenté à celui d'un huissier qui surveillait les entrées et ajoutait à cet office celui d'un bourreau éventuellement chargé d'éliminer par la violence les importuns. Chef en même temps des serviteurs du palais, il était souvent d'origine humble, généralement choisi au début de l'époque abbasside dans cette classe de clients non arabes qui avait tant contribué à l'avènement du nouveau régime. Aucune formation particulière ne lui était en principe demandée. A force de fréquenter les administrateurs qui assistaient son maître pour d'autres tâches, il lui arrivait néanmoins de s'initier parfois aux problèmes du gouvernement et de prétendre ensuite à des fonctions qui ne lui étaient point d'abord promises. C'est ainsi que le chambellan du calife al-Mansûr, un certain al-Rabî', simple fils d'esclave, fut à la fin du règne de son maître élevé à la dignité de premier ministre et que son fils, également chambellan, obtint la même promotion quelques décennies plus tard.

L'office de chambellan avait d'ailleurs lui-même changé de caractère à mesure que les éléments militaires prenaient une plus grande importance dans l'entourage du souverain. A l'époque de Samarra, il avait été confié à des émirs turcs et à la fin du IXe siècle, lorsque des contingents de gardes furent spécialement affectés à la protection du palais et de la personne du calife, le *hâdjib* devint leur chef de la même façon qu'il commandait à l'ensemble du personnel civil. Ce fut alors un véritable chef de guerre qui pouvait entrer en compétition avec les émirs, commandants d'armée ou gouverneurs, pour la conquête d'un pouvoir que le calife lui-même n'assumait plus réellement. Ce caractère militaire revêtu alors par le *hâdjib* devait se maintenir en Orient pour un rôle qui, en Espagne, allait plutôt devenir l'équivalent de celui d'un premier ministre.

En attendant les dernières étapes de cette évolution, le chambellan du xe siècle agissait à Bagdad à la fois comme maître de cérémonies et comme chef de la garde palatine et de la domesticité. Personnage remuant, il trempait dans toutes les intrigues, faisait parfois écran entre le calife et son vizir, donnait son avis sur le choix des ministres et avait surtout une attitude déterminante lors des révolutions de palais ou des tentatives de conjuration qui se produisirent en grand nombre à cette époque. Ce fut au dévouement de son chambellan que le jeune al-Muktadir, devenu calife à l'âge de treize ans, dut de rester à la tête de l'empire alors qu'un groupe de conjurés avait voulu le remplacer, en 908, par son cousin plus âgé Ibn al-Mu'tazz. Toutefois, à côté de ce rôle occulte, le *hâdjib* conservait la fonction qui avait été la sienne depuis les premiers temps et qui consistait à préparer les audiences officielles en assignant à chaque assistant la place due à son rang et en faisant ainsi office de chef du protocole.

Aucune responsabilité financière ne lui incombait en revanche. Ce n'était pas lui qui s'occupait des biens du calife ou biens de la « couronne », pourrait-on dire en employant une expression quelque peu impropre. Cette lourde tâche revenait à un trésorier qui avait à la Cour la charge toute spéciale de gérer, non pas le Trésor de l'État, mais le trésor des califes comprenant plus particulièrement ces bijoux, pierres précieuses, tapis, tissus et vêtements rares dont on a déjà vu l'abondance dans les « magasins » du palais. Le trésor proprement dit, la cassette califienne, était de son côté confié à un secrétaire habile, financier de formation dont le rôle restait effacé. Quant aux domaines privés, c'est-à-dire aux domaines dont bénéficiait le calife en tant que souverain, ils étaient eux aussi gérés par un secrétaire affecté à ce service et dont on connaît mal l'activité réelle. Le même système était employé pour les biens et les trésors de personnages importants tels que les membres de la famille califienne (reine mère, oncles ou frères du souverain, princes héritiers ses fils) ou les dignitaires parvenus au sommet des honneurs. Tous ces trésoriers avaient jusqu'au xe siècle des offices assez peu précis. Mais ceux qui étaient en rapport direct avec le souverain pouvaient à l'occasion et grâce à ses faveurs accéder à des charges plus importantes, comme ce jeune 'Ubayd Allâh, choisi d'abord par le calife al-Mutawakkil pour gérer spécialement les palais et divers bâtiments de la Cour, qui devint dans la suite le vizir du souverain. Aussi bien le vizir ainsi que les secrétaires qui l'accompagnaient et du rang desquels il était généralement sorti étaient-ils eux aussi des « serviteurs » du calife, faisant à certains égards partie de sa Maison et pénétrant en tant que tels dans son entourage immédiat.

•

De tout temps en effet les qualités exigées du vizir avaient été, non seulement la compétence technique et la connaissance des problèmes du gouvernement, mais aussi l'aptitude à « servir le calife », comme le disait expressément un personnage aussi averti que le vizir al-Kâsim ibn 'Ubayd Allâh et comme en témoignait par exemple le terme « service [du souverain] » appliqué parfois, en certaines régions comme l'Espagne, au corps des administrateurs. Premier serviteur du calife, bien qu'il n'eût aucun pouvoir direct sur la Maison, le vizir tenait à ce titre dans les audiences la première place et avait la préséance sur le chambellan et tous les autres dignitaires présents ainsi que sur les membres de la famille califienne à l'exception du ou des princes héritiers. Non seulement il se tenait debout à la droite du calife, mais dans certains cas exceptionnels, si le calife était trop jeune pour pouvoir prendre la parole en public, c'était lui qui parlait en son nom.

Cette situation honorifique ne lui avait cependant été que progressivement acquise, à mesure que son rôle d'abord personnel et temporaire auprès du souverain, celui d'un « serviteur par excellence », s'était peu à peu transformé en une charge reconnue. Dans les premiers temps le vizir, qui venait chaque jour travailler au palais avec les autres secrétaires, y rencontrait normalement le calife en compagnie des principaux chefs de service, lui présentait les « dossiers » au cours de séances que l'on peut appeler des « conseils » et où étaient prises les décisions importantes, notait enfin sous sa dictée ses ordres directs dont les brouillons étaient ensuite transmis pour ampliation aux services intéressés. Muni de son écritoire, il restait debout pour prendre les instructions qui lui étaient données et ne se vit adjoindre qu'au début du xe siècle un serviteur chargé de faciliter sa tâche en lui tenant l'écritoire.

Pour que de telles entrevues eussent à cette époque revêtu un caractère plus solennel, il avait fallu que le vizir fût devenu l'intermédiaire nécessaire entre le souverain et des secrétaires qui ne rencontraient plus le détenteur du pouvoir ; il ne travaillait même plus au palais ni dans son immédiate proximité, mais bien à l'hôtel viziral, véritable hôtel « de fonction » et centre administratif qui abritait les principaux bureaux. Le vizir, qui assumait entièrement la responsabilité de leur direction, n'avait plus désormais qu'à venir « consulter » de manière purement formelle le souverain, soit au cours de ses audiences régulières qui avaient lieu à date fixe, soit au cours d'entretiens privés plus ou moins fréquents qui lui permettaient d'examiner avec lui de plus graves questions et qui se déroulaient après un temps d'attente pour lequel le vizir disposait à l'intérieur du palais d'une pièce dont l'usage lui était réservé. Parfois il était spécialement appelé par le calife et cet appel pouvait être la marque de la disgrâce qui à cette époque fondait subitement sur lui, vizir tout-puissant tant qu'il était en place, mais personnage soumis encore plus que d'autres aux imprévisibles décisions de l'arbitraire califien. C'est pourquoi il arrivait au vizir ainsi convoqué de demander à l'envoyé du souverain : « Dois-je me présenter en tenue officielle ou en simple robe ? » La réponse l'éclairait sur la raison de la convocation : destitué de sa charge ou en passe de l'être, il s'abstenait de revêtir la tunique noire qu'il portait normalement en présence du calife.

Le second dignitaire était le commandant en chef des armées, qui, au début du xe siècle, se tenait à la gauche du souverain et y occupait une place éminente, quoique normalement inférieure à celle du vizir dont il ne reconnaissait point sans irritation la suprématie. Lui-même avait vu sa fonction et sa dignité se préciser peu à peu au cours du IXe siècle, tandis que le calife accordait une importance croissante à un préfet de police chargé, on l'a vu, de maintenir l'ordre dans la capitale. Ce fut ce poste clé de la préfecture de police qui assura bientôt la suprématie d'un émir commandant d'autre part aux chefs des divers contingents de la milice servile. Le premier à être investi de ces tâches fut un serviteur fidèle d'al-Muʿtadid appelé Badr. D'autres suivirent, qui avaient plus d'ambition, et l'unité de commandement établie ne pouvait qu'inciter un puissant militaire, à la fois gouverneur de Bagdad et général des armées, à se dresser désormais en face du vizir. En fait il allait suffire de l'apparition de graves dangers extérieurs requérant le secours des armes pour que le vizir, comme le calife du reste, se trouvât à la merci d'un tel personnage et se vît obligé de lui manifester une déférence non prévue par le protocole : ainsi Ibn al-Furât dut-il se déranger lui-même pour aller saluer l'émir Mu'nis qui revenait défendre la capitale contre les entreprises des Karmates.

A côté de cet émir et du vizir, un troisième personnage pourvu d'un office tenait enfin sa place dans l'entourage du souverain. C'était le « grand cadi », de qui dépendait pour une bonne part, ainsi que nous l'avons déjà vu, l'organisation judiciaire de l'État, mais qui intervenait moins fréquemment que les deux autres dignitaires dans la vie politique. Son office avait cependant connu une période de grandeur quand le calife al-Ma'mûn consultait régulièrement le grand cadi Ibn Abî Du'âd sur l'orientation de sa politique et prenait la décision de recommander par testament à son frère et successeur de se faire seulement assister par ce magistrat suprême de la judicature. Plus tard, au xe siècle, le vizir ʿAlî ibn ʿIsâ lui-même, impatienté par l'incapacité du calife à résoudre le problème budgétaire, en même temps qu'indigné par sa propension à faire de ses vizirs des boucs émissaires sacrifiés aux réclamations de sa Maison ou de sa garde, devait finir par conseiller au souverain de prendre pour vizir le grand cadi. Mais cette proposition fut sans écho et le maître de l'organisation judiciaire, malgré le prestige attaché à sa charge ou peut-être en raison de ce prestige qui inquiétait le calife, n'eut jamais dans l'État une dignité susceptible de rivaliser avec celle du vizir et du chef des armées.

Dans l'entourage du calife, à côté du vizir, de l'émir et du grand cadi paraissaient encore dans les audiences en tant que corps constitués les trois groupes des secrétaires, des commandants des troupes ou *kâ'id* * et des cadis régionaux.

Le premier de ces groupes, celui des secrétaires, se caractérisait par l'esprit de corps de ses membres, divisés certes par des rivalités internes touchant à leurs options politiques ou doctrinales, mais profondément imbus d'une originalité qui tenait à leur compétence et à la formation spécialisée que celle-ci supposait. Eux seuls en effet savaient rédiger les lettres officielles et les actes de nomination. Eux seuls connaissaient les procédés permettant d'établir l'assiette de l'impôt, puis de le percevoir. Eux seuls savaient apprécier la valeur des terres sur lesquelles reposait en grande partie l'économie de l'État abbasside. Eux seuls enfin pouvaient diriger les travaux d'intérêt public et régler les litiges administratifs qui survenaient par exemple entre cultivateurs et marchands comme entre contribuables et agents du fisc.

Toujours non-Arabes, ils formaient une classe bien distincte dont certains membres étaient d'origine iranienne et restaient fiers de cette ascendance, tandis que d'autres, moins nombreux, provenaient des milieux syro-palestiniens, mais manifestaient la même méfiance à l'égard de la culture islamique traditionnelle. Certes les uns et les autres n'étaient pas à proprement parler ignorants des règles du droit dont ils devaient tenir compte dans leur métier, surtout quand ils traitaient de l'organisation fiscale; mais ils étaient dans l'ensemble beaucoup plus sensibles aux effets d'une formation à la fois scientifique et littéraire de caractère moins islamique. C'est ce qui explique les diatribes dont ils furent l'objet à certaines époques, notamment au début du IXe siècle quand des auteurs comme al-Djâhiz ou Ibn Kutayba * dénoncèrent leur manque d'intérêt pour les sciences religieuses, en critiquant en même temps les modes vestimentaires par lesquelles ils cherchaient à se différencier du commun des mortels. « Dès l'instant, écrit al-Djâhiz, que le moindre de ces secrétaires porte une ample robe aux pans allongés, qu'il natte sur ses joues les mèches de ses tempes et qu'il coupe ses cheveux en V sur son front, il s'imagine qu'il est le maître et non le subordonné, le suzerain au-dessus du vassal. Pour peu qu'un scribe débutant foule le siège du pouvoir, ait obtenu accès au conseil du calife, ait placé une corbeille pour le séparer du commun et mis devant soi son écritoire, pour peu qu'il ait retenu de la rhétorique ses clichés les plus brillants et de la science ses traits les plus gracieux, qu'il ait appris les sentences de Buzurgmihr, le testament d'Ardashîr, les épîtres de 'Abd al-Hamîd * et le livre de savoir-vivre d'Ibn al-Mukaffa', pour peu qu'il ait fait du recueil de *Kalîla et Dimna* le trésor secret de sa sagesse », il se prend pour l'égal des grands penseurs de l'Islam. « Son premier soin est alors, continue al-Djâhiz, de déprécier la composition du Coran et de dénoncer ses contradictions. Puis il croit faire preuve de finesse d'esprit en démentant les faits historiques transmis par la Tradition et en récusant les traditionnistes [...] Preuve en est que l'on n'a jamais vu scribe faire du Coran son livre de chevet ni de ses Commentaires la base de son savoir, ni du droit canonique sa spécialité, ni de la connaissance de la Tradition le fondement de sa science. » Aussi bien rapporte-t-on qu'al-Fadl ibn Sahl, ministre du calife abbasside al-Ma'mûn, aurait osé déclarer, lorsqu'il eut décidé de se convertir et pris connaissance du Coran, que ce texte, par définition incomparable aux yeux des musulmans, était seulement « aussi beau que celui de *Kalîla et Dimna* ».

Cette formation essentiellement profane expliquait aussi que les secrétaires fussent, plus que d'autres, d'éminents lettrés, parfois attirés par la pensée rationalisante des mu'tazilites, plus soucieux en tout cas d'élégance stylistique que de discussions théologiques ou juridiques. Dans les documents de chancellerie sévissait donc cette prose fleurie et rimée où les faits importants étaient indiqués le plus souvent par des allusions si voilées qu'un non-initié ne pouvait les comprendre. L'art de la rhétorique * atteignait chez eux un tel degré de raffinement qu'on en vint à s'interroger sur son utilité réelle et à opposer à sa vanité l'efficacité des opérations comptables auxquelles se livraient les secrétaires spécialisés dans les affaires fiscales. Le thème des mérites respectifs du « rédacteur » et du « comptable », que traite un auteur comme al-Tawhîdî, trahit la désapprobation qui perçait alors dans l'opinion à l'égard de ce maniérisme excessif.

Non arabes de culture, les secrétaires étaient souvent aussi non musulmans, conservant la foi chrétienne, zoroastrienne ou manichéenne de leurs ancêtres, relevant ainsi de tendances « culturelles » et politico-religieuses qui variaient avec les périodes. Tandis qu'à l'époque umayyade et au début de l'époque abbasside figuraient surtout parmi eux des scribes héritiers des traditions byzantines, ce furent à l'époque abbasside les Iraniens qui d'abord dominèrent. Au cours du IXe siècle, on vit ensuite apparaître des secrétaires chrétiens qui, fait curieux, avaient été généralement introduits dans l'administration centrale par des émirs turcs chargés de gouvernements provinciaux où ils avaient, à cette occasion, constitué leur propre personnel d'administrateurs. Parmi eux certains adhérèrent toutefois assez rapidement à l'Islam et devinrent de fidèles serviteurs du califat. Si bien que l'on vit finalement la classe secrétariale à Bagdad se séparer en deux clans, l'un sunnite et loyalement attaché au régime existant, l'autre au contraire shi'ite, servant ce même régime, mais avec l'intention de le neutraliser et d'usurper le pouvoir. Toutes ces dissensions, mêlées aux conflits intérieurs qui agitaient alors continuellement le Palais, ne manquèrent pas d'avoir des répercussions immédiates sur la vie politique en attendant que diminuât peu à peu, avec le morcellement de l'empire et la disparition de l'administration centrale bagdadienne, la place occupée par les scribes de formation profane dans les milieux palatins. Les personnages qui avaient constitué, en pleine époque abbasside, une branche importante de la société aristocratique perdirent ainsi peu à peu leur originalité tandis qu'ils recevaient, au sein des nouvelles madrasas de l'époque saldjoukide, un enseignement comparable à celui des hommes de religion et que ces derniers eux-mêmes, souvent appelés par les princes à remplir des missions de confiance, devenaient à leur tour des lettrés experts en maniérisme, tel le fameux cadi al-Fâdil qui célébra les conquêtes de son maître Saladin.

De leur côté figuraient, parmi les dignitaires, des membres de la classe militaire qui n'eurent pas auprès du calife le même statut selon les époques, mais qui toujours accédèrent aux honneurs en vertu du pouvoir effectif dont ils disposaient. Aux chefs de tribu de l'époque umayyade avaient ainsi rapidement succédé les officiers des contingents de gardes mercenaires abbassides. Les troupes qu'ils commandaient portaient, au xe siècle, des noms évoquant soit celui de leur premier maître, soit la nature de leur fonction. Aux Bugha'ites, rassemblés au temps du calife al-Mutawakkil par un certain Bughâ, s'étaient ajoutés les Nasirites, qui avaient été recrutés par le régent al-Muwaffak connu sous le nom d'al-Nâsir, les Masaffites chargés, eux, de faire la « haie » lors des réceptions officielles ou les Hudjarites affectés à la garde des « salles » du palais. Les officiers de ces divers groupes étaient d'origine étrangère et le plus souvent d'anciens esclaves, connaissant mal la langue arabe et ayant en matière religieuse des notions superficielles, mais profitant de la nécessité où se trouvait le calife de s'en remettre bien souvent à la fidélité de sa garde pour exercer sur lui de constantes pressions. Confiants en leur force, ils se sentaient, en dépit de leur qualité d'affranchis, facilement portés à intervenir dans les problèmes de gouvernement les plus délicats et constituaient en leur genre une classe aussi remuante que celle des secrétaires. Ils se montrèrent en tout cas particulièrement turbulents au début du xe siècle, réclamant sans cesse leurs soldes souvent payées avec retard, soutenant éventuellement les révolutions de palais, prenant parti pour tel ou tel prétendant au califat. Le résultat en fut l'extermination successive des principaux corps de gardes califiens, les Masaffites d'abord, puis les Hudjarites, extermination opérée par les nouveaux émirs qui entendaient gouverner librement en lieu et place du calife et disposaient de leurs propres troupes. De la même façon, à la fin du XIIe siècle, la garde noire du calife fatimide fut exterminée par Saladin, substituant son propre pouvoir à celui du maître qu'il avait d'abord servi.

A ce moment le milieu des émirs s'était encore une fois profondément transformé, à mesure que les chefs militaires étaient devenus de véritables feudataires pourvus de leurs concessions foncières et suivis surtout des membres de leurs propres clans qui avaient été introduits en groupe dans l'Empire islamique lors de la prise du pouvoir par les Grands Saldjoukides. Turcomans et Kurdes avaient alors retrouvé le climat de luttes familiales, générateur de morcellements territoriaux, qui avait sévi jadis dans le milieu tribal arabe de l'époque umayyade. Mais le même recours classique du souverain à des troupes serviles destinées à garantir sa sécurité avait peu à peu limité les conséquences de ces rivalités. Dans les royaumes syro-égyptiens des XIIe et XIIIe siècles, un équilibre semble avoir été instauré selon lequel les émirs, qu'ils fussent hommes libres ou affranchis, assistaient le souverain dans ses tâches gouvernementales en prenant part régulièrement à ses conseils et tenaient donc dans son entourage une place plus importante qu'à l'époque abbasside. Ceci avant l'instauration du régime militaire original qui allait caractériser la période mamlouke.

Les cadis enfin représentaient aux audiences le milieu des hommes de religion, sans qu'on sût cependant en vertu de quelles fonctions exactes ils étaient ainsi admis à figurer aux réceptions califiennes. Aussi bien ne jouaient-ils pas dans ce cadre un rôle aussi important que les secrétaires et émirs.

Dans les réceptions tenaient encore une place particulière certains membres de la famille régnante, dont le prince héritier, ainsi que les descendants du Prophète ou de ses proches parents, ces Hashimides qui appartenaient, les uns à la lignée d'al-ʿAbbâs, les autres à celle de ʿAlî ibn Abî Tâlib. Très nombreux à la Cour — un chroniqueur nous assure qu'ils étaient près de quatre mille à la fin du IXe siècle —, jouissant de divers privilèges tels que l'exemption de l'Aumône légale et le droit à une pension plutôt symbolique, ils étaient représentés par un syndic nommé par le calife et habilité pour défendre leurs intérêts. Ce syndic comptait parmi les personnages importants et était généralement accompagné lors des audiences par certains membres du groupe. Sa fonction fut au début du Xe siècle, en raison de l'appartenance shiʿite des maîtres de l'heure, dédoublée : à côté d'un syndic des Abbassides en apparut un autre, représentant les Alides.

Également nombreux, les membres de la famille régnante jouaient autour du calife un rôle variable selon les époques. Parmi eux les princes héritiers, qui avaient la préséance sur les autres dignitaires, avaient, au début de l'époque abbasside, longtemps fait l'apprentissage du métier de souverain en gouvernant des provinces avec l'aide d'un homme de confiance qui éventuellement devenait leur vizir ; on le sait pour al-Mahdî, puis pour al-Rashîd et al-Ma'mûn par exemple. Mais cet usage se perdit quand la milice turque acquit la prépondérance et les jeunes princes demeuraient, à la fin du IXe siècle, cantonnés sur la rive opposée du Tigre dans un palais isolé des autres. Les frères du calife étaient également, sauf cas exceptionnels, tenus à l'écart et il arrivait rarement qu'ils se manifestassent : en pareil cas c'était pour accaparer la réalité du pouvoir, comme fit al-Muwaffak au temps de la révolte des Zandj. Les oncles du calife apparaissaient encore plus rarement et si l'un d'entre eux joua quelque rôle au début du Xe siècle sous al-Muktadir, son intervention dans les affaires politiques était en fait liée à celle de la reine mère du moment, « Madame ».

Les femmes en effet, quoique vivant enfermées dans les quartiers secrets du harem sans se montrer jamais au grand jour, tenaient une place non négligeable dans le palais. Une attention particulière était portée au choix de celles qui avaient droit au titre d'épouse légitime du calife ; ces dernières appartenaient généralement à la noblesse arabe dont les représentants étaient également seuls à recevoir en mariage les filles du souverain. Des exceptions étaient toutefois faites à cette règle en faveur de certains serviteurs de marque ou dans le dessein d'assurer des alliances matrimoniales fructueuses. Un exemple significatif est celui d'al-Ma'mûn épousant la fille de son ancien ministre al-Hasan ibn Sahl, Iranienne du nom de Bûrân qui reçut de son père un magnifique palais sur le Tigre, bientôt transformé en résidence califienne. Ainsi également al-Muktafî épousa-t-il la fille du gouverneur turc de l'Égypte, Khumarawayh, laquelle fut envoyée à Bagdad pourvue d'un trousseau dont le luxe est resté célèbre dans les annales. Ainsi donna-t-il lui-même en mariage sa propre fille à son vizir al-Kâsim, tandis que l'on vit plus tard un calife épouser, d'ailleurs contre son gré, la fille de l'émir bouyide ʿAdud al-Dawla. Mais il ne faut pas oublier qu'à côté des épouses légitimes existaient des concubines que la passion du souverain ou leur statut de mère, lorsqu'elles lui avaient donné un fils, pouvaient faire considérer à l'égal des premières.

Une fois qu'elles avaient pris pied dans le palais, les épouses, les concubines et les mères de calife réussissaient par moments à y nouer les fils de nombreuses intrigues relatées par les historiens. On manque certes de détails sur la manière dont elles assistaient par exemple à certaines cérémonies officielles ou à certains conseils, dissimulées derrière un rideau ou dans des pièces secrètes. Mais il est sûr qu'elles s'immisçaient souvent avec succès dans la vie politique. La mère d'al-Rashîd, une ancienne esclave yéménite nommée al-Khayzurân, sut ainsi faire monter son fils sur le trône en ne reculant même pas devant un assassinat ; elle s'occupa ensuite activement jusqu'à sa mort des affaires de l'empire qu'elle examinait en compagnie du vizir Yahyâ le Barmakide. L'épouse de ce même al-Rashîd, nommée Zubayda et Arabe de naissance, sut intervenir en faveur du règlement anticipé de la succession califienne en défendant les intérêts de son propre fils, al-Amîn, contre ceux du « fils de la Persane », al-Ma'mûn.

De telles intrigues de harem avaient d'ailleurs leur prolongement dans les rapports du souverain avec ses « compagnons de plaisir », les *nadîm*, qui participaient à ses réunions privées et approchaient de près sa personne dans son intimité. Parmi eux se distinguaient, depuis le règne de Hârûn al-Rashîd semble-t-il, ceux qui avaient reçu la qualification officielle de « commensaux » attitrés et qui, de ce fait, bénéficiaient eux aussi d'une place officielle parmi les « détenteurs d'offices » et autres courtisans autorisés à présenter régulièrement leurs hommages au calife.

●

Au sein de l'immense palais royal que peuplaient ainsi domestiques et courtisans, la majesté du calife commençait de se manifester le jour de sa première audience solennelle. Le serment des membres de la Communauté, que très souvent il avait reçu une première fois déjà lors de sa désignation comme héritier, lui était alors renouvelé. Ce serment, on l'a vu, pouvait être prêté en deux temps, d'abord par les membres de l'aristocratie, puis par le peuple : c'était d'abord le « serment privé », le second était « public ». Si le second n'était en général qu'une formalité, le premier ne pouvait être accompli qu'avec l'accord des principaux dignitaires de la Cour et membres de la famille califienne. Selon les époques, le vizir, le grand cadi ou l'émir avaient dans ce choix une opinion prépondérante. Les discussions avaient lieu surtout lorsque le calife mourait sans avoir désigné d'héritier, ce qui arriva par exemple à la mort d'al-Wâthik en 847, ou lorsque le calife mourant était pressé par ses intimes de désigner son successeur, ainsi qu'il advint quand l'autoritaire al-Muktafî tomba terrassé, en 908, par une maladie dont il ne devait pas se relever. Mais il fallait toujours que la désignation du calife reçût l'agrément de son entourage de parents ou de dignitaires, ainsi que celui de certains gouverneurs de province. Parfois même il était nécessaire d'obtenir la renonciation à ses droits d'un héritier antérieurement désigné, ce que dut faire par exemple al-Mahdî lorsqu'il prit son fils Mûsâ comme héritier à la place du cousin qu'il avait d'abord choisi.

Le serment engageant les deux parties contractantes, d'une part le nouveau ou futur calife, d'autre part ses sujets, avait été jadis prêté à l'intérieur de la mosquée. L'habitude se répandit ensuite, à l'époque abbasside, de le faire prêter au palais. Déjà en 777, quand al-Mahdî fit renouveler l'hommage de ses sujets pour obtenir en même temps la désignation de son fils Mûsâ comme héritier, il commença par convoquer en son palais les personnages les plus importants. Ensuite seulement, raconte l'historien al-Tabarî, il se rendit à la grande mosquée de Rusâfa et là s'assit sur le minbar, suivi de son fils qui s'assit un degré plus bas, tandis que 'Isâ, son cousin dépossédé, restait debout sur le seuil des marches.

Les détails donnés alors sur le déroulement de la cérémonie peuvent être considérés comme assez typiques pour mériter d'être rapportés. On y voit le calife remercier Dieu, le louer et invoquer prière et bénédiction sur le Prophète avant d'informer l'assistance que les membres de sa famille, ses clients, ses généraux, ses auxiliaires et autres Khurasaniens avaient décidé de destituer 'Isâ et de transférer son titre à Mûsâ, fils de l'émir des Croyants, choisi et agréé par eux-mêmes. S'abritant derrière l'opinion de ces divers personnages dont il voulait, disait-il, conserver les bonnes dispositions et ne point provoquer le désaccord, il avait été suivi par 'Isâ lui-même, acceptant de relever les sujets du serment qui pesait auparavant sur leurs nuques. A Mûsâ, qui appliquerait le Livre et la sunna de son Prophète de la manière la meilleure et la plus juste, revenait désormais la qualité précédemment dévolue à 'Isâ, et ce en vertu d'un acte émanant de l'émir des Croyants ainsi que des membres de sa famille et de ses clients. « Prêtez donc le serment, continuait le calife, vous tous qui êtes présents ; empressez-vous de faire ce que d'autres ont déjà fait avant vous, car le bien est tout entier dans le regroupement communautaire et le mal tout entier dans la division. Je demande à Dieu de nous accorder ainsi qu'à vous le secours de Sa miséricorde, la grâce de Lui obéir et de Lui plaire ; je Lui demande de me pardonner ainsi qu'à vous. » Mûsâ s'assit alors plus bas que son père, le visage découvert, et s'écartant du minbar pour que ne soient pas gênés ceux qui venaient prêter serment et lui toucher la main. 'Isâ pendant ce temps était demeuré debout à sa place et on lui lisait une lettre par laquelle il déclarait renoncer à ses droits de prince héritier et relever de leur serment tous ceux qui le lui avaient auparavant prêté, les en relevant de son plein gré, sans aucune contrainte, avec pleine satisfaction et sans aucune répulsion. Puis il monta lui-même prêter serment à al-Mahdî, lui toucha la main et se retira. Les membres de la famille d'al-Mahdî prêtèrent alors serment à leur tour, selon leur âge, à al-Mahdî et à Mûsâ en leur touchant la main à tous deux. Ils furent suivis des conseillers, des généraux les plus éminents et des clients jusqu'à ce qu'al-Mahdî descendît enfin du minbar pour se rendre à son palais, tout en laissant à Khâlid ibn Mansûr le soin de recevoir les serments des autres membres de l'aristocratie et du peuple.

La première cérémonie en vint plus tard, au début du Xe siècle, à se passer tout entière au palais. Elle était réservée aux « grands », mais sa durée pouvait être assez longue puisqu'en 908, lors de la conjuration d'Ibn al-Muʿtazz, la prestation du serment par les membres de l'aristocratie, Hashimides et dignitaires, se prolongea pendant un après-midi entier. Quant à la prestation du serment par la foule, dont on ne parlait guère car elle n'avait plus aucune importance, elle continuait de se faire à la grande mosquée, et sans doute par personne interposée.

Parfois, la désignation de princes héritiers s'accompagnait de déclarations supplémentaires par lesquelles chacun d'entre eux s'engageait à respecter la décision prise et à en observer les stipulations. Ce fut ce qui se passa par exemple lorsque Hârûn al-Rashîd, ayant décidé de partager le pouvoir entre ses deux fils, les futurs al-Amîn et al-Ma'mûn, procéda à une véritable séparation de l'empire, attribuant dès ce moment à al-Ma'mûn la partie orientale que celui-ci était destiné à conserver après l'accession de son frère au califat. Pour donner dans ce cas plus de solennité aux déclarations faites par les intéressés, les actes enregistrés par les témoins furent même exposés à l'intérieur de la Kaʿba à la Mekke. Un tel serment liait les parties d'une façon irrévocable et l'on ne vit qu'exceptionnellement des héritiers relever ensuite les croyants de l'engagement ainsi prêté.

Investi par cette forme de serment, le calife continuait ensuite à recevoir régulièrement les hommages, sinon les serments des membres de son entourage. Au temps d'al-Mansûr, nous dit-on, les « compagnons » du calife venaient le saluer chaque matin. Plus tard, le calife prit l'habitude de donner audience seulement deux jours par semaine, mais le principe de la cérémonie demeurait le même. Le caractère de ces audiences, sur lequel nous restons mal renseignés, paraît s'être d'ailleurs modifié peu à peu entre le VIIIe et le Xe siècle. A mesure que le calife se désintéressait du gouvernement et se déchargeait de ses tâches sur son vizir, les audiences devinrent à la fois plus solennelles et moins importantes pour la vie de l'empire.

Dans les premiers temps c'était, semble-t-il, à l'occasion de ces séances d'hommages que le calife s'informait de certaines questions ou qu'il s'entretenait par exemple avec tel ou tel courtisan désirant se charger d'un gouvernement de province ; c'était peut-être aussi à ce moment qu'il examinait les requêtes présentées. Rapidement cependant les audiences furent réservées à des cérémonies d'investiture ainsi qu'à la réception de gouverneurs, de chefs militaires ou d'ambassadeurs étrangers. Nul gouverneur de province ne pouvait prendre possession de son poste s'il n'avait été auparavant muni d'un acte de nomination solennellement remis par le calife et s'il n'avait reçu du souverain lui-même l'étendard blanc symbole de son commandement. Les chefs d'armée victorieux devaient de même être reçus par leur maître pour obtenir de lui les distinctions diverses auxquelles ils pouvaient prétendre, couronnes et ceintures incrustées de pierreries, auxquelles s'ajoutaient éventuellement colliers, bracelets et selles de cérémonie. Il est probable que le vizir lui aussi était investi de façon solennelle par le calife. Nous savons qu'une fois choisi et nommé il était reconduit à son domicile par les dignitaires qui lui faisaient une escorte d'honneur et qu'à cette occasion le calife le comblait de présents divers, dont vêtements d'apparat et plats raffinés. Les mêmes cadeaux, ainsi que des bourses pleines d'or ou d'argent, pouvaient être attribués à tout personnage que le souverain entendait récompenser, mais c'étaient surtout les « robes d'honneur » garnies parfois de fourrure, brodées d'or aux noms et titres du souverain et fournies par les ateliers officiels de tirâz qui étaient le plus généralement représentées parmi les largesses califiennes. Ajoutons que des audiences exceptionnelles, auxquelles étaient admises de nouvelles catégories de personnages, pouvaient être données par le calife, notamment lorsqu'il désirait faire proclamer solennellement une profession de foi. En revanche le calife ne présidait généralement pas les hautes cours pour lesquelles il se faisait représenter par le vizir et il se bornait, dans les cas importants, à écouter le déroulement du procès, dissimulé derrière un rideau.

Lors des audiences normales une tenue était exigée, qui semble avoir été fixée surtout à l'époque où les califes résidaient à Samarra. Cette tenue était, pour les militaires et les secrétaires, la tunique courte d'origine persane appelée *kabâ'* que l'on reconnaît par exemple sur les fresques du palais de Lashkari Bazar. Les cadis seuls étaient autorisés à conserver la robe longue dite *durrâ'a* et le voile de tête ou *taylasân* que les secrétaires portaient aussi dans le privé. Tous ces vêtements devaient être à la Cour abbasside de couleur noire, car le noir était depuis ses débuts la couleur officielle du régime, liée sans doute au caractère messianique de l'ancien mouvement révolutionnaire, s'opposant au blanc qui avait été jadis adopté par les Umayyades et que conservaient les émirs et califes de Cordoue. Quant à la tenue de majesté du calife, elle nous est surtout connue pour le début du Xe siècle. Le souverain portait lui aussi alors la tunique courte ; il était coiffé du haut bonnet appelé *kalansuwa*, parfois accompagné d'un turban ; il avait de courtes bottes, à l'instar, semble-t-il, de l'empereur de Byzance ; il était d'autre part muni des insignes de la souveraineté représentés par le manteau du Prophète ainsi que le sabre et la baguette de ce dernier et il avait devant lui un exemplaire du Coran qui avait été copié sur les ordres du calife ʿUthmân ; par ce dernier trait il entendait sans doute signifier aux émirs attirés par les doctrines sectaires qu'il entendait quant à lui sauvegarder une étroite orthodoxie.

Le cérémonial même de l'audience nous est décrit, à Bagdad, par certains récits qui nous montrent notamment le chambellan faisant entrer successivement les divers dignitaires par ordre de préséance : le prince héritier d'abord s'il y en avait un, puis les fils du calife, le vizir avec son escorte, le chef des armées, les directeurs de bureau, les secrétaires, les émirs, les Hashimides et les cadis. Le vizir et le commandant en chef devaient baiser le sol devant le calife — du moins au Xe siècle, car la prosternation ne fut pratiquée, au dire des chroniqueurs eux-mêmes, qu'à cette époque relativement tardive —, puis lui baisaient la main avant d'occuper les places qui leur étaient assignées à la droite et à la gauche du souverain. Les autres personnages se contentaient de saluer le calife « au bord du tapis » avant de gagner les leurs, de chaque côté de la cour sur laquelle ouvrait l'îwân où était installé le calife. L'armée enfin était admise et les soldats prenaient place eux aussi sur les deux côtés de la cour, derrière des cordes tendues pour laisser libre l'espace médian. Toutes ces entrées devaient se faire dans un silence respectueux et rigoureusement imposé.

Quand dignitaires et militaires étaient ainsi à leur place, le chambellan faisait entrer le personnage à qui le calife donnait audience et qui avait été parfois auparavant, comme on l'a vu plus haut pour les ambassadeurs byzantins reçus par al-Muktadir, conduit de salle en salle à travers toutes les merveilles du palais califien. Ce personnage, aussitôt introduit, devait se prosterner à plusieurs reprises tout en s'avançant entre les deux rangées d'assistants. Dans le cours du Xe siècle, la majesté du calife avait d'ailleurs été encore accrue par l'introduction d'une loge grillagée où il siégeait.

C'est cette loge que l'on retrouve dans un récit de Nâsir-i Khusraw évoquant avec admiration le sarîr fatimide exposé dans un pavillon du palais du Caire dont il occupait toute la largeur, trône ou plus exactement lit de repos garni de coussins sur lequel le calife se tenait assis à l'orientale ou parfois à demi couché. « Trois de ses faces, écrit notre auteur, étaient en or et on y avait représenté des scènes de chasse, des cavaliers faisant courir des chevaux et d'autres sujets. On y remarquait également des inscriptions tracées en très beaux caractères. Les tapis et les tentures de cette salle étaient en satin de Grèce tissé expressément à la mesure de la place où ils devaient être posés. Une balustrade en treillage d'or entourait le sarîr dont la beauté défiait toute description. Derrière lui, du côté du mur, étaient posés des degrés en argent. Ce trône était si merveilleux qu'un volume tout entier ne suffirait pas à le décrire dans tous les détails. » L'ensemble devait magnifier, à l'instar d'un baldaquin, la silhouette précieuse du souverain devant qui brûlaient en outre des cassolettes d'encens et s'inclinaient révérentiellement les somptueux chasse-mouches tenus par des esclaves.

Quand le calife recevait en privé, le cérémonial était évidemment plus simple, mais le souverain avait toujours droit à des marques particulières d'honneur et de respect. Ses visiteurs devaient le saluer de son titre d'émir des Croyants, lui baiser les mains et les pieds, ne pas lui adresser eux-mêmes la parole, sauf exception rarissime, mais observer le silence et demeurer debout en attendant ses ordres.

Toujours donc était mise en valeur la majesté d'un homme qui occupait, en pleine époque abbasside, une place vraiment unique à la tête de l'empire et qui surpassait de son prestige tous ceux qui s'efforçaient de rivaliser avec lui ou cherchaient à recueillir une parcelle plus ou moins grande de son immense pouvoir. Au cérémonial qui le magnifiait ainsi en public comme en privé s'ajoutaient encore les louanges hyperboliques de poètes et autres thuriféraires à gages pour qui aucune flatterie ne paraissait exagérée. Ces chantres officiels, exploitant bien souvent la veine typiquement arabe de l'orgueil personnel ou tribal, ne faisaient que continuer la tradition d'un genre littéraire bien connu dans l'ancienne Arabie, mais en reflétant les habitudes nouvelles de la Cour souveraine. Aux fameux poètes d'époque umayyade tels qu'al-Akhtal *, Djarîr * et al-Farazdak * avaient succédé à la Cour abbasside al-Buhturî * et Ibn al-Rûmî *. Leurs formules atteignaient un degré de lyrisme que l'on peut illustrer par les vers suivants d'al-Mutanabbî, d'autant plus frappants qu'ils s'adressaient à deux petits roitelets du xe siècle, l'eunuque noir qui régnait en Égypte au temps des Ikhshidides et le chef batailleur de la petite principauté hamdanide d'Alep.

Vous confondez le soleil, chaque fois qu'il paraît, en lui opposant votre visage, soleil brillant et noir...

disait le poète au premier, y ajoutant encore :

La peau n'est qu'un vêtement et la blancheur de l'âme vaut mieux que celle de la tunique...

pour finalement s'écrier :

Qui donc aidera les rois blancs à changer leur couleur pour la couleur et l'apparence de l'eunuque ?

Quant au morceau adressé au second, il puisait dans l'imagerie classique pour célébrer la générosité du prince à l'instar d'une pluie bienfaisante fertilisant l'univers. On y lit notamment :

La terre se séchera de cette ondée ; elle se fanera, la parure des fleurs qui en naîtra,
Tandis que ce siècle ne cessera, grâce à vous, d'être facile et que la pluie de vos bienfaits ne s'interrompra point de couler.
Les nuées nocturnes et matinales vous suivent, ainsi que les campagnes aimantes,
Car elles apprennent de vous la générosité et comme vous la pratiquent, sans cependant atteindre à vos manières bienfaisantes.

Les métaphores des panégyriques ne le cédaient que peu d'ailleurs aux titres officiels et officieux dont se parait, à partir du XIe siècle, tout prince islamique renchérissant, chacun dans sa propre Cour et dans son propre territoire, sur les usages honorifiques de la chancellerie abbasside. Ce vocabulaire restait volontairement sans rapport avec la réalité. Tout au plus les dénominations de saveur religieuse, situant le souverain par rapport à la communauté musulmane qu'il gouvernait et qu'il défendait, tenaient-elles dans les redondances de la titulature une place plus importante que dans les formules des versificateurs. Mais le goût de l'épithète noble s'y manifestait de même, ainsi que celui de la rime et de l'assonance, et s'ajoutait aux effets du rigide protocole qui permet de déterminer pour chaque époque la valeur d'expressions toujours plus exagérément flatteuses et successivement dépréciées.

A l'origine des titres de ce genre s'était trouvée la simple désignation du calife comme émir des Croyants, désignation qui visait à faire reconnaître son rôle de chef réel et qui suivait directement son nom, précédé lui-même de la formule « le serviteur de Dieu » comme l'attestent encore aujourd'hui les inscriptions umayyades. Très tôt le calife avait ensuite officieusement reçu le nom de « représentant de Dieu » *(khalîfa Allâh)*, substitué au titre originel de « représentant [ou successeur] de l'Envoyé de Dieu » *(khalîfa Rasûl Allâh)*, et certains califes abbassides devaient aller jusqu'à se prévaloir eux-mêmes de l'épithète « le pouvoir de Dieu sur terre », tandis qu'ils s'arrogeaient des « surnoms de règne » évoquant le soutien qu'ils recevaient de Dieu pour accomplir leur tâche. On les vit ainsi s'appeler al-Mansûr ou « celui qui reçoit le secours de Dieu », al-Mutawakkil 'ala Allâh ou « celui qui fait confiance à Dieu », al-

Muktadir bi-Allâh ou « celui qui tire sa puissance de Dieu ». La relative sobriété qui restait cependant encore de mise fut abandonnée au cours du xe siècle quand les califes essayèrent de compenser la perte de leur autorité réelle. On se mit à appeler le souverain « Sa Présence Sainte et Prophétique », tandis que les émirs investis de quelque puissance et les grands fonctionnaires eux-mêmes recevaient des surnoms de plus en plus développés.

L'enflure ne fit ensuite que croître, dans l'entourage du souverain de Bagdad comme dans celui du calife fatimide ou dans les États reconnaissant l'autorité nominale de l'un ou de l'autre. A la fin du xie siècle le grand sultan saldjoukide était déjà appelé « le sultan magnifié, l'auguste roi des rois, le seigneur des rois des nations, le roi de l'Orient et de l'Occident, le maître des Arabes et des Persans, le pilier de l'Islam et des musulmans, l'ennoblissement de ce monde et de la religion, le bras droit du calife de Dieu, prince des Croyants ». Moins d'un siècle plus tard, il faudra une innombrable série de titres simples et composés pour annoncer la gloire d'un simple petit souverain artukide * d'Anatolie, appelé en 1166 dans une inscription de Mayyâfârikîn « notre maître l'émir, le maréchal très illustre, le seigneur, victorieux, vainqueur, savant, juste, champion de la foi, l'étoile de la religion, la noblesse de l'Islam, la distinction de l'imâm, celui qui tient les humains sous son patronage, la lumière et la couronne de l'empire, la splendeur et l'ornement de la Communauté, l'orgueil et la majesté de la nation, le pôle des rois et des sultans, le défenseur des champions de la foi, le subjugueur des infidèles et des polythéistes, le porte-parole des armées des musulmans, le viatique du califat, le roi du Diyâr Bakr *, l'émir de l'Irak, de la Syrie et de l'Arménie, le parangon des marches, la sphère des hautes qualités, [...] l'étincelle de l'émir des Croyants ».

Parmi les formules ainsi utilisées dans les textes épigraphiques ou le vocabulaire des chancelleries, les plus significatives se retrouvaient également sur les monnaies que chaque dynaste local frappait à son nom tout en y reconnaissant la suzeraineté du calife.

●

La majesté du souverain ne se manifestait pas seulement lors des audiences où l'entouraient ses courtisans et panégyristes. Elle apparaissait aussi au-dehors du palais lors de sorties qui, à partir d'une certaine époque, étaient devenues aussi traditionnelles que les réceptions. Ces parades, liées à l'accomplissement par le calife de ses devoirs d'imâm, nous sont à vrai dire mal connues pour Bagdad et Samarra où l'on sait pourtant que le calife, lorsqu'il quittait son palais, passait à cheval entre deux haies de gardes, suivi de ses dignitaires et précédé du préfet de police portant la lance qui constituait un des insignes du pouvoir, pour arriver ensuite à la grande mosquée à la tête de son cortège et de ses troupes. Mais dans la capitale fatimide les défilés solennels, qui nous ont été décrits avec un vrai luxe de détails par les chroniqueurs, se déroulaient bien plus souvent. Aux sorties de caractère religieux qui marquaient le début du mois de ramadan ou bien la célébration de la Prière du vendredi tout au long de ce même mois comme aux deux fêtes de la Rupture du Jeûne et des Sacrifices, s'ajoutaient des processions civiles qui avaient lieu pour le premier de l'an, pour l'Onction du Nilomètre *, pour l'ouverture du canal au début de la période d'inondation du Nil et pour la fête shi'ite de l'Étang de Khumm. Ces processions donnaient au calife et aux gardes l'occasion de sortir les armes et les harnachements de parade qui étaient préparés longtemps à l'avance ; elles étaient suivies, derrière les rangs des eunuques de première catégorie et des dignitaires associés au cortège, d'une fanfare et d'un détachement d'environ cinq cents hommes d'armes qui donnaient à l'ensemble une allure militaire et ajoutaient à l'enthousiasme soulevé à cette occasion dans les rues du Caire. Mais là encore les renseignements d'ordre topographique manquent pour se représenter la scène avec précision et c'est seulement dans le cadre récemment étudié de la ville royale antérieure de Mahdiya que l'on peut proposer une restitution vraisemblable du trajet suivi par les processions triomphales.

Aussi bien les sorties souveraines varièrent-elles de fréquence et d'éclat selon les lieux et les époques. Dans les débuts de l'Islam par exemple la grande mosquée était contiguë au palais et le calife se contentait d'y accéder par une porte réservée pour y prononcer, selon la tradition du Prophète, le sermon rituel : le défilé proprement dit se trouvait donc réduit à sa plus simple expression. Plus tard, à Bagdad comme à Samarra, c'était une bonne partie de la capitale que le souverain devait traverser pour accéder à la mosquée et l'occasion s'offrait alors à certains plaignants de s'approcher de lui et de lui présenter des requêtes. A la fin du IXe siècle où il s'était renfermé de nouveau dans son palais, il y dirigeait la Prière dans une mosquée intérieure qui avait rang de grande mosquée sans que le peuple y eût accès. A partir du début du Xe siècle enfin, c'était de façon exceptionnelle qu'il prenait la parole dans cette mosquée elle-même, vivant alors à l'écart de l'aristocratie, prisonnier désormais des gens à qui il avait délégué, bon gré mal gré, la majeure partie de ses pouvoirs et qui allaient jusqu'à le séparer de ses anciens dignitaires.

Une autre occasion de paraître publiquement et d'affirmer devant le peuple sa qualité de chef de la Communauté était fournie au calife par l'obligation où il se trouvait de diriger en principe le Pèlerinage annuel à la Mekke.

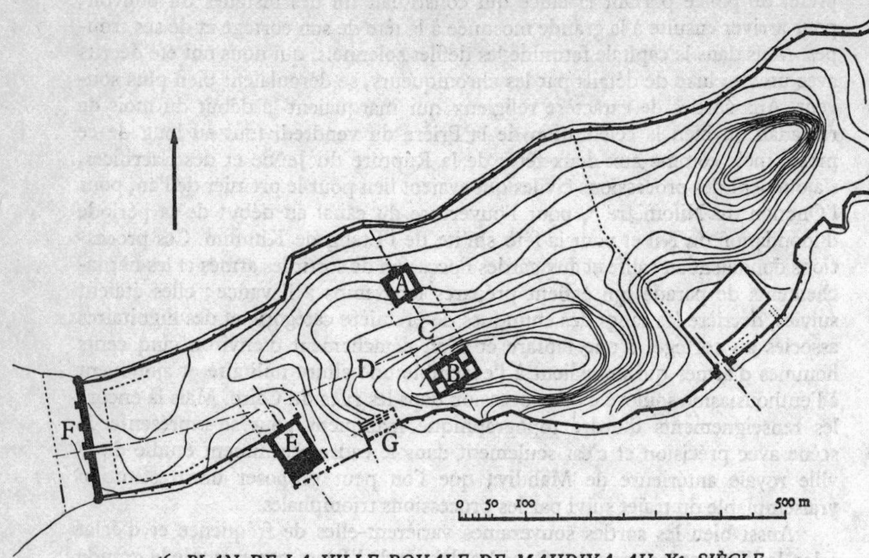

46. PLAN DE LA VILLE ROYALE DE MAHDIYA AU Xe SIÈCLE

(*D'après A. Lézine*, Mahdiya.)

Occupant une presqu'île de la côte tunisienne qu'il avait été facile de fortifier en barrant l'isthme et en élevant un rempart tout autour du rocher, la première résidence du mahdî fatimide se signalait encore par la disposition intérieure de ses palais. Les deux palais d'Abû l-Kâsim (A) et de ʻUbayd Allâh (B) devaient en effet occuper, d'après une toute récente restitution, les deux côtés d'une place monumentale (C) reliée par une large avenue (D) à la grande mosquée (E) d'une part et à la grande porte (F) de la ville d'autre part. Le tracé de la côte, aujourd'hui un peu modifié, permet néanmoins de reconnaître en outre sur ce plan les traces de l'arsenal (G), élément indispensable à la puissance de cette ville royale.

Sans doute ne s'en acquittait-il point de façon régulière. Seuls certains souverains abbassides eurent à cœur de se rendre dans la Ville sainte aussi souvent qu'ils le pouvaient : Hârûn al-Rashîd en particulier aurait eu soin, chaque année, de conduire alternativement la Guerre légale et le Pèlerinage. Mais lorsque le calife ne se dérangeait pas lui-même, il se faisait au moins représenter par un personnage qu'il désignait et qui devait recevoir vraisemblablement une investiture officielle au moment des solennités qui accompagnaient à Bagdad le départ de la caravane. Ce chef du Pèlerinage portait un titre peu à peu dévalué, mais qui avait été d'abord fort honorifique si l'on songe que le futur al-Mansûr l'avait revendiqué du temps que régnait son frère al-Saffâh : c'était en effet le représentant visible à la Mekke du calife. La présence morale du souverain était de plus symbolisée par un parasol, dont les Karmates réussirent à s'emparer en 930, et par des étendards califiens que nous voyons représentés encore, à l'époque du calife al-Nâsir lidin Allâh, sur des certificats de pèlerinage portant l'image du mont 'Arafa.

●

Les activités guerrières étaient encore pour le souverain une occasion de sortir du cadre étroit de la vie palatine. Dès l'origine, les califes assumant la responsabilité de la Guerre légale contre les infidèles ainsi que celle de la répression des révoltes avaient été en principe des chefs de guerre. A ce titre ils passaient régulièrement en revue les troupes qui recevaient alors leur paie. La cérémonie avait lieu généralement sur les vastes esplanades et avant-cours s'étendant au voisinage immédiat de la ville royale ou parfois encloses dans ses murs. Le fait est attesté à l'époque d'al-Mansûr, mais aussi d'al-Muktafî qui se rendait pour ce défilé sur la grande place qui servait aussi d'hippodrome.

Il était rare cependant, à l'époque abbasside, que le calife commandât en personne aux armées et l'exemple de Hârûn al-Rashîd, qui dirigeait lui-même, une année sur deux, les attaques contre les Byzantins et qui mourut à Tûs alors qu'il y allait combattre un rebelle du Khurâsân, ne fut pas souvent suivi. Ses fils néanmoins l'imitèrent en quelques occasions et al-Ma'mûn mourut lui aussi loin de l'Irak, à Tarsus d'où il surveillait les opérations en territoire byzantin, tandis qu'un peu plus tard al-Mu'tasim réussissait une campagne audacieuse en s'emparant d'Amorium. Au cours de semblables déplacements le prestige souverain ne perdait pas ses droits et on nous décrit l'immense tente noire où Hârûn, installé sur des divans et des coussins noirs également, entouré de ses auxiliaires et de ses principaux dignitaires, donnait encore audience peu avant de mourir. Mais en général, au IXe siècle, le calife ou bien déléguait un « régent », tel le fameux al-Muwaffak, pour mater les rebelles, ou bien chargeait le secrétaire à l'armée de préparer les campagnes militaires. Tout au plus al-Muktafî se dérangea-t-il lui-même pour accueillir à Rakka, en Syrie, les généraux vainqueurs des bandes karmates, à qui il décerna des distinctions et en compagnie desquels il rentra à Bagdad pour faire supplicier les vaincus. Il faudra par la suite, au début du Xe siècle, une situation désespérée pour que le calife al-Muktadir se décide à sortir lui-même de la capitale à la tête des troupes restées fidèles, et cette décision lui sera fatale. S'il n'en alla pas de même chez les Umayyades d'Espagne, émirs et califes, qui payèrent davantage de leur personne, à l'instar de leurs ancêtres de Syrie et en raison de leur établissement dans une marche-frontière de l'empire, les Fatimides ne montrèrent pas plus de zèle à défendre eux-mêmes leur cause par les armes.

Une autre tendance s'était manifestée toutefois dès l'apparition des premières dynasties provinciales indépendantes, appuyées comme celles des Samanides ou des Ghaznawides sur les victoires initiales de leurs fondateurs ainsi que sur le solide noyau des troupes d'esclaves et d'affranchis qui leur permettaient de maintenir leurs conquêtes. Les émirs et sultans qui régnèrent alors étaient avant tout des chefs militaires habitués à prendre l'initiative des opérations. La situation se perpétua avec l'immixtion de tribus turques constituées portant au pouvoir leurs propres chefs, et l'ardeur guerrière des Berbères, jointe aux ressources des corps de gardes d'esclaves, contribua de même à assurer en Occident, en Espagne comme au Maghreb, le triomphe de bien des pouvoirs locaux. Dès ce moment, et peut-être plus encore pendant cette période post-saldjoukide où des États islamiques rivaux eurent à la fois à lutter entre eux et à riposter aux entreprises de diverses croisades, on vit pour un temps les aptitudes militaires devenir les qualités essentielles de souverains qui s'apparentaient à leurs contemporains chrétiens grandis au sein des luttes de l'Europe féodale. Chacun s'appuyait d'abord sur son solide château fort ou sur la citadelle de sa capitale, propre à résister à une guerre de siège comme à servir de base aux coups de main offensifs. Chacun y méditait son triomphe à partir d'une politique personnelle de combats et de ruses diplomatiques, tout en justifiant son attitude par la valeur légale et religieuse de la Guerre sainte dont on n'avait jamais autant vanté la nécessité. Et le mythe princier de l'époque, si différent dans son incarnation pratique de celui que connaissait l'âge d'or impérial, apparaît excellemment dans un « manuel du prince » contemporain où l'on voit les premiers chapitres, rédigés dans l'esprit des anciennes traditions islamiques et orientales, céder bientôt la place à des conseils réalistes qui traitent en quinze points des difficultés rencontrées par chaque dynaste isolé dans sa principauté et devant y faire face aux ambitions extérieures à force de ruses diplomatiques et de stratagèmes guerriers. Les développements consacrés aux aspects pratiques de l'entretien et de l'équipement des forteresses y voisinent avec les ruses suggérées pour les temps de siège et l'ensemble reflète le climat de la Syrie divisée des croisades, dans laquelle luttèrent entre eux tant de petits princes locaux en attendant les efforts concertés de reconquête menés par un Nûr al-Dîn ou par un Saladin. Ce fut dans ces régions d'ailleurs qu'allait ensuite atteindre à une sorte de perfection l'organisation d'un État islamique à base militaire, celui des Mamlouks, qui allait pendant plus de deux siècles modeler la physionomie d'une classe dirigeante islamique constituée par des « hommes de sabre », choisissant elle-même, au milieu d'intrigues sanglantes, le souverain sorti de ses rangs.

Sans être le plus souvent chef militaire, le calife abbasside de la grande époque considérait néanmoins de son devoir de présider aux punitions exemplaires qui suivaient généralement tout triomphe remporté sur quelque groupe rebelle. Ces châtiments avaient lieu publiquement et occasionnaient de grands rassemblements de foule dans la capitale. C'est ainsi que le redoutable Bâbak, fait prisonnier sous al-Muʻtasim, fut amené à Samarra pour y être supplicié. C'est ainsi également qu'après la capture du chef karmate de Syrie, al-Muktafî décida de frapper les esprits en procédant à Bagdad à une série d'exécutions capitales dont les chroniqueurs ont gardé mention. Il ordonna aux chefs et aux hommes de troupe de se présenter devant l'estrade qu'il avait fait dresser. Une nombreuse foule arriva. Le préfet de police de Bagdad et le secrétaire à l'armée vinrent prendre place sur l'estrade et on fit approcher les prisonniers qu'al-Muktafî avait ramenés de Rakka, ainsi que des Karmates emprisonnés qui avaient été arrêtés à Kûfa ; ils furent suivis du Karmate al-Husayn et de son oncle, portés sur une mule. Un groupe de trente-quatre prisonniers furent alors exécutés publiquement, après qu'on leur eut coupé les mains et les pieds ; puis ce fut le tour du Karmate et de son oncle, et, en fin de journée, on mit à mort les autres prisonniers au nombre d'environ trois cents, dit-on. Pour terminer, le corps du Karmate fut exposé sur un gibet à l'entrée de l'une des portes de Bagdad, selon un usage habituellement suivi pour les condamnés à mort.

Maître du châtiment, le calife était libre aussi d'accorder sa grâce à un rebelle. Il délivrait alors un *amân* * ou promesse de vie sauve, qui cependant n'était pas toujours respecté. Celui qui sollicitait un tel amân prenait généralement la précaution d'exiger que l'acte fût effectivement signé du calife, comme fit le Alide Yahyâ ibn ʻAbd Allâh sous al-Rashîd. Mais cette garantie n'avait pas grande valeur et, en l'occurrence, la promesse dûment accordée n'empêcha point le calife de décréter quelques mois plus tard, après consultation d'une assemblée de cadis, que des faits nouveaux l'obligeaient à annuler l'amân : le malheureux Alide fut alors jeté dans une prison où il mourut.

●

Marqué par ses prérogatives et les diverses obligations qu'il devait assumer, l'emploi du temps du souverain islamique varia selon l'intérêt que les califes, émirs et sultans portèrent personnellement aux affaires de l'État, selon la possibilité aussi que les uns ou les autres purent avoir de gouverner réellement. On ne saurait en effet comparer la vie menée par le premier Umayyade Muʿâwiya, telle du moins que nous la décrit le chroniqueur al-Masʿûdî *, et celle de tel Abbasside de l'époque bouyide. Les tâches souveraines n'étaient plus, au milieu du xe siècle, comprises comme à la fin du viie et il n'était plus question pour le calife, à une époque où ses anciens subordonnés jouissaient à leur tour de leur propre pouvoir de décision, de recevoir par exemple lui-même, en cinq successives séances journalières, solliciteurs ou plaignants d'une part, courtisans, favoris et officiers de l'autre, tout en partageant ses heures entre les Prières rituelles et le soin de régler dans leurs moindres détails les affaires de l'empire et du gouvernement. Pas plus d'ailleurs ne lui convenait le programme idéal rempli, toujours selon des sources littéraires, par le deuxième Abbasside al-Mansûr qui, au viiie siècle, passait « tout le milieu de la journée à donner des ordres, à nommer et destituer des agents, à prendre des décisions pour la défense des frontières et pour la sécurité des routes, à contrôler les recettes et les dépenses, à améliorer la sécurité et le bonheur de ses sujets », puis lisait chaque soir la correspondance des provinces et prenait soin de demander conseil au personnage qu'il avait retenu à la Cour pour qu'il passât la nuit auprès de lui. C'était désormais le grand émir qui connaissait la vie active d'un souverain, recevant chaque matin, aussitôt après la Prière, son propre vizir, puis faisant décacheter les lettres récemment arrivées, les lisant une à une et indiquant ensuite à son secrétaire particulier les réponses à leur faire avant de les contrôler et de les signer lui-même au cours de ses divertissements de l'après-midi. Dernière étape d'une évolution qui avait auparavant été marquée par l'allègement progressif des obligations califiennes à mesure que s'institutionnalisait le rôle d'indispensable suppléant qu'était peu à peu devenu celui du vizir.

A moins donc que l'éminente personnalité du souverain réussît à s'imposer au milieu d'un système gouvernemental à la fois pesant et organisé, la plus grande partie de son activité se trouvait dérivée vers les modes variés de jouissance et de divertissement qui correspondaient à l'image que l'on se faisait alors de la dignité royale. Ces divertissements, décrits souvent dans les textes littéraires, fournissaient les thèmes du décor des habitations princières comme de celui des précieux objets manufacturés. C'est là qu'on en peut trouver des représentations caractéristiques, quoique souvent empreintes des réminiscences de civilisations antérieures.

Un des thèmes les plus fréquemment reproduits fut sans doute celui du souverain portant une coupe à ses lèvres au milieu de danseuses, musiciens, échansons et autres serviteurs. Il avait été directement emprunté à une tradition iranienne dont les œuvres stéréotypées furent parfois recopiées exactement à l'époque islamique. Néanmoins ses interprétations abbassides ou ultérieures devaient également refléter certains aspects des festins et scènes de beuverie qui constituaient une des habituelles occupations du prince et de son entourage.

D'après les récits des chroniqueurs, le calife se livrant à de tels plaisirs donnait ordre généralement qu'on ne le dérangeât sous aucun prétexte. Seuls quelques personnages conservaient l'exceptionnelle autorisation de se rendre auprès de lui lorsqu'il était entouré des commensaux chargés de le distraire et d'organiser la fête en réglant ses diverses entrées. Mais pour ces privilégiés eux-mêmes les difficultés ne manquaient pas lorsqu'il s'agissait de s'adresser au maître tout-puissant que l'ivresse rendait plus prompt à la cruauté ou aux décisions irraisonnées et qui pouvait aussi bien distribuer des largesses que faire exécuter séance tenante le convive qui lui avait déplu. Pour échapper à sa colère il fallait avant tout faire usage d'une courtoise et parfaite connaissance de la psychologie royale, louée par exemple dans tel récit bien connu où l'on voit le calife al-Mu'tasim apprécier l'élégance avec laquelle le cadi Ibn Abî Du'âd avait su venir lui présenter des requêtes au cours d'une réunion d'intimes, sans en altérer l'ambiance de détente et de gaieté. Le souverain, après son départ, ne s'était-il pas lui-même écrié : « Par Dieu, un homme pareil est un ornement : on est heureux de l'avoir près de soi ; il vaut des milliers de ses pairs. N'avez-vous pas remarqué comme il s'est présenté, comme il a salué, comme il a pris la parole, comme il a mangé et loué les mets ? Et cette aisance dans l'entretien ! Et comme il a su rendre gai notre repas ! A un homme pareil on ne refuse rien qu'il demande, à moins d'être vil et d'extraction vulgaire. Par Dieu, il m'aurait demandé, dans cette même assemblée où nous sommes, la valeur de dix millions de dirhams, que je ne les lui aurais pas refusés, car je sais bien qu'en retour il m'aurait gagné des louanges en ce bas monde et une récompense dans l'autre. »

Pour les détails de ces séances, il est ensuite facile de céder au lyrisme des descriptions imaginaires dont un orientaliste d'esprit pourtant aussi critique et sérieux que M. Gaudefroy-Demombynes a jadis donné l'exemple, en brossant le tableau suivant de l'une d'entre elles : « Une longue et mince pièce d'eau, lame d'argent lumineux où s'incrustent les nénuphars et les nymphées ; à droite et à gauche, des ifs et des cyprès s'y mirent avec un sourire grave ; à chaque bout, la montée de quelques marches de marbre ; deux pavillons jumeaux ferment, durant le jour, leurs larges vérandas derrière le voile des boiseries délicates, où la fantaisie recouvre si bien un fond géométrique impeccable que l'œil s'y perd comme en la complication infinie d'un songe; le soir, à l'heure où les parterres de fleurs achèvent d'exhaler leurs parfums, les panneaux s'ouvrent, sous la brise du crépuscule, aux bruits lointains du fleuve. » N'est-ce point d'ailleurs le même penchant pour une mièvrerie subtile dont témoignait déjà l'authentique récit d'un chroniqueur ancien comme al-Tabarî, nous contant par exemple : « Je fus introduit, dit un visiteur, auprès du calife, qui était assis en une salle tapissée d'une étoffe rose; elle s'ouvrait délicieusement sur un jardin d'où un arbre venait toucher de ses branches le vestibule extérieur de la salle. Cet arbre était vêtu de roses, de fleurs de pêcher et de pommier. Comme la tapisserie de la salle, tout cela était rose; jamais je n'ai vu rien de si beau », jusqu'à ce qu'entrât un jeune esclave qui était vêtu de rose comme la salle rose et l'arbre rose.

De fait rien ne devait être ménagé pour ces séances en matière de luxe. On y connaissait l'éclairage fastueux des jardins abritant les divertissements nocturnes, jardins comptés parmi les sujets préférés des descriptions des poètes qui aimaient à en louer les pièces d'eau peuplées d'oiseaux aquatiques, les jets d'eau et les « canaux d'irrigation au milieu de la verdure, des palmiers et de la vigne qui porte des raisins blancs et noirs ». Autour de la scène s'entassaient les étoffes précieuses, tentures et tapis qui revêtaient les murs ou le sol et qui portaient habituellement des figures propres à susciter l'admiration des assistants. Les costumes étaient coupés dans de lourds tissus brochés ou dans des soieries aussi impalpables que le légendaire châle rouge offert à al-Mutawakkil le soir de son assassinat. Les accessoires indispensables comptaient aussi bien des pièces d'orfèvrerie historiées dans la tradition sassanide que de précieux flacons de cristal et des plats en faïence chatoyante le plus souvent lustrée de reflets métalliques, les uns et les autres chantés en des vers célèbres où l'on retrouve par exemple « la coupe d'or, que la Perse orne de figures variées, au fond le chosroès et, sur les côtés, des vaches sauvages que les cavaliers guettent avec leurs arcs ». On consommait à profusion des mets variés et délicats, des boissons telles que « vin vieilli longtemps au fond d'une amphore, bouillonnant sans qu'on voit de flamme », fait pour réjouir l'œil par sa couleur et l'âme par sa chaleur généreuse. Il s'y mêlait les vapeurs odorantes des cassolettes et brûle-parfums, auxquelles on ajoutait encore la senteur d'objets sculptés dans le camphre ou l'ambre gris ainsi que celle des fleurs jonchant le sol ou même parfois déversées en pluie sur les convives selon une tradition classique déjà dans l'Antiquité. Des moyens de distraction pouvaient être demandés à de somptueux jeux de trictrac ou surtout d'échecs dont les pions avaient été sculptés dans l'ivoire et le cristal de roche. Les amuseurs ne manquaient pas non plus, parmi lesquels des acrobates et bouffons ou même ces bateleurs déguisés en animaux savants que nous font connaître certaines fresques. De coûteuses fantaisies étaient encore représentées par des fêtes de caractère exceptionnel, telles que fêtes nautiques avec barques chargées de musiciens et de chanteuses, qui comptaient parmi les plus prestigieux déploiements de luxe.

Ce raffinement du cadre s'accordait parfois avec le tour « littéraire » pris par certaines séances où avaient place de véritables « discussions dirigées » entre savants personnages ou bien de plus aimables concours de poésie qui valaient au triomphateur de généreuses récompenses. Mais il n'empêchait pas une grossièreté de mœurs dont il faut chercher la trace dans les libres expressions des vers bachiques arabes ou dans l'humour épais de bons mots et d'historiettes s'amusant à travestir en grotesques bouffons de savants et dignes personnages. Une brutalité cruelle y faisait aussi écho aux caprices de la toute-puissance souveraine et aux événements tragiques de la vie politique. Certes la présence du bourreau à l'arrière-plan n'empêchait pas les plaisirs califiens de ne guère différer en nature de ceux que prenaient les joyeux compagnons de l'époque dans des tavernes réputées, auprès de ces « corps gisants » d'amphores dont les ruines de Samarra nous ont conservé des vestiges gracieusement peints et dont un poète tel qu'Abû Nuwâs * sut si bien vanter les charmes en disant :

Dans la joie, je ne cesse d'aspirer l'âme de l'amphore
et de boire son sang au creux de sa blessure,
jusqu'à ce que je me sente double, deux âmes en un corps,
et qu'à mes côtés gise l'amphore, corps sans âme.

Certes encore les récits anciens qui nous sont parvenus — récits à prétentions historiques et non contes folkloriques plus tardifs semblables à ceux qui ont trouvé place dans le recueil des *Mille et une nuits* — sont presque tous faussés par les opinions de ceux qui nous les ont transmis dans leurs chroniques et anthologies. Littérateurs et rapporteurs obéissaient en effet à des desseins de propagande et aimaient à jeter le discrédit sur la mémoire de tel souverain, transformé par eux, pour n'avoir point appartenu à la même secte religieuse, en fantoche ou en ivrogne à l'image de l'autoritaire et orthodoxe al-Mutawakkil que se plurent à charger caricaturalement muʿtazilites et shiʿites. Il n'est point nécessaire non plus de prendre au pied de la lettre l'horreur de certains détails, comme la scène relatée par al-Isfahânî à propos du calife al-Saffâh se faisant servir un repas sur les corps des Umayyades qu'il avait fait massacrer et s'écriant ensuite que jamais il ne s'était délecté davantage.

Mais même en tenant compte de telles exagérations, le climat de bien des épisodes n'en demeure pas moins pénible lorsque les plaisirs des réunions joyeuses s'y entremêlent de scènes d'orgie et d'assassinat, ou se caractérisent au mieux par la douceur de « la détente faisant suite à l'angoisse », comme le rappelle le titre d'un célèbre recueil littéraire de l'époque. Rares sont les notes simplement sentimentales ou parfois mélancoliques que l'on trouve par exemple dans l'évocation de la tristesse d'une esclave chanteuse brisant son luth pour rester fidèle au souvenir de son premier maître ou dans les pressentiments de quelque favorite inquiète. De telles nuances disparaissent le plus souvent au profit de contrastes plus violents. Et les personnages féminins eux-mêmes, dont les charmes tenaient une grande place dans les divertissements — même si la beauté des éphèbes leur fut souvent préférée —, figurent dans les récits moins par le biais de telles évocations délicates que par celui des allusions lascives et des propos obscènes rapportés à l'envi par poètes et littérateurs.

A ces divertissements cachés dans le cadre fastueux du palais s'ajoutaient les plaisirs sportifs qui offraient au souverain l'occasion de faire paraître à l'extérieur, plus librement que dans les grandes sorties de parade, la magnificence de sa suite. Telle était la chasse, occupation « royale » s'il en fut, appréciée selon une tradition fort ancienne en Orient et spécialement illustrée par les innombrables représentations sassanides du roi tirant à l'arc sur oiseaux et gazelles ou bien se mesurant à pied, avec son glaive, à des fauves dressés. Distraction en même temps que manifestation symbolique de puissance, la chasse était également considérée comme un entraînement profitable pour un homme chargé de responsabilités gouvernementales. Non seulement elle lui valait la gloire et bien des souverains furent réputés dans les annales pour leur courage à traquer les bêtes fauves ; mais « à chasser constamment, dit un auteur ancien, le souverain retire de multiples satisfactions dont la moindre est de lui faire voir, à lui et à son escorte, les régions de son territoire favorables à la mise en valeur, avec ce qu'il y faudra ajouter ou retrancher [...] Il n'est point de souverain qui, sorti à la chasse, n'en soit revenu sans quelque profit. Qu'il s'agisse de ses montures, il les entraîne et les tient en main quand elles ont tendance à s'emballer ; quant à son appétit charnel, il l'oublie, les humeurs nocives de son corps, il les élimine, les articulations de ses membres, il les assouplit. S'il arrive que le cas d'un opprimé lui soit méconnu, la chasse donne à la victime la possibilité de rencontrer son seigneur et de lui exposer le préjudice qu'il a subi ; ainsi obtient-il réparation. Quand, enfin, le prince s'adonne à la poursuite du gibier, il augure, de sa réussite, de multiples avantages, sans la moindre idée de gain matériel. »

Cette passion de la chasse, qui s'adressait aussi bien à la chasse à courre qu'aux techniques de l'art de volerie, transparaît dans les traités écrits alors par des spécialistes comme dans les images plus lyriques de poèmes cynégétiques en honneur depuis l'époque préislamique. Elle entraînait la présence, dans la suite de tout prince, d'une troupe de piqueurs, fauconniers et autres organisateurs professionnels des chasses souveraines. Elle motivait l'aménagement, au sein des villes royales, de véritables jardins zoologiques où étaient rassemblés des animaux sauvages plus ou moins rares, selon un usage qui remontait, semble-t-il, aux souverains sassanides.

Il s'y ajoutait un goût non moins vif de l'équitation, des exercices de voltige et surtout de la pratique du jeu de polo qui offrait l'occasion de multiples prouesses en champ clos. Au voisinage de tout palais se trouvait ainsi un hippodrome, ou *maydân*, qui était parfois utilisé pour la revue des troupes, mais qui permettait aussi au prince de se livrer à son sport favori en compagnie de quelques intimes ou dignitaires. C'est à l'hippodrome par exemple que l'on vit en 908 des conjurés tenter sans succès d'assassiner le jeune calife al-Muktadir qu'ils cherchaient à éliminer de la scène politique. Là encore se situeront bien des épisodes de l'histoire ultérieure des émirs et sultans qui ne cesseront, eux non plus, de s'exercer à ce jeu, noble par excellence, que les traités écrits à l'intention des cavaliers et officiels mamlouks mentionneront toujours parmi les principales activités des classes militaires dirigeantes.

Mais si certains divertissements correspondaient à une activité sportive nécessaire pour un souverain digne de ce nom, la pratique des plaisirs et le goût du luxe constituaient surtout les indispensables attributs de la puissance et de la majesté princières, dans le dessein de faire impression sur les sujets comme sur les Cours étrangères. Ainsi s'explique en partie que les califes, lorsqu'ils furent en butte aux difficultés financières, n'admirent jamais de diminuer leurs dépenses somptuaires en « réduisant leur train de vie », pourrait-on dire, mais préférèrent considérer semblable éventualité comme le signe d'une inacceptable déchéance. Ainsi s'explique aussi qu'une fois privés de tout rôle gouvernemental, ils se fussent complus dans cette vie artificielle qui satisfaisait leur prestige et correspondait donc à l'idée très haute qu'ils ne cessèrent jamais de se faire de leur rôle de successeurs du Prophète et chefs indispensables de la Communauté.

CHAPITRE IX

LA VILLE ET LES MILIEUX URBAINS

A CÔTÉ du milieu palatin, le milieu urbain constituait le second élément important de la société islamique médiévale. Il comprenait certes la foule anonyme des travailleurs — cette *'âmma* que tant de textes anciens opposent à l'aristocratie des gens de qualité ou *khâssa* —, mais on y trouvait surtout, issus de la classe secrétariale comme de l'aristocratie marchande de la cité, les membres d'une véritable élite intellectuelle ainsi que les représentants par excellence de la communauté islamique en tant que telle, ces hommes de science et de religion, distingués à la fois par leurs connaissances théoriques et leurs talents personnels, que nous avons vus fréquenter à l'occasion la Cour du prince, mais garder le plus souvent à son égard une prudente méfiance.

Tous habitaient, non loin de la ville royale ou autour de l'hôtel du gouvernement qui était généralement intérieur à l'agglomération urbaine, la « ville islamique » au sens large, centre à la fois politique, économique, religieux, intellectuel et artistique, où confort et sécurité permettaient au musulman d'accomplir son idéal de vie. C'était là que se manifestait l'autorité du prince ou de son délégué, là que les marchands échangeaient et que les artisans travaillaient, là qu'on accomplissait la Prière rituelle, seul signe visible de l'unité de la Communauté, là qu'on élaborait les détails de la Loi, là qu'on écrivait, qu'on construisait et qu'on décorait, là aussi qu'abondaient eaux courantes et biens de consommation à côté de ces objets de visite et de dévotion sur lesquels reposait bien souvent le prestige légendaire et religieux de la cité. Et la ville islamique avait une plus grande importance encore du fait qu'en ces pays arides où l'Islam s'était répandu, l'habitat restait clairsemé et les petites bourgades souvent inexistantes. La ville, moyenne ou grande, concentrait, ainsi qu'on l'a vu en évoquant les productions artisanales ou industrielles, toute activité autre que le travail des agriculteurs et la transhumance nomade.

D'où cette idée, largement répandue, que de pareilles cités auraient toutes présenté un même visage typique et facilement définissable, répondant aux besoins précis de la société musulmane. Toutes par exemple se seraient caractérisées par la place que grandes et petites mosquées, madrasas, couvents, bains et autres organes liés à la vie religieuse non loin de souks ou bazars systématiquement groupés le long de rues étroites, y auraient tenue sous la protection d'une enceinte fortifiée, d'une résidence souveraine et parfois d'une citadelle abritant à l'occasion le palais princier. Le trait le plus frappant de ce tableau idéal aurait tenu à la fixité d'éléments fondamentaux, demeurés semblables à eux-mêmes à travers les siècles, à l'instar de cet appel à la Prière qui continue encore aujourd'hui de retentir cinq fois par jour au-dessus des maisons anciennes ou modernes et à l'instar aussi de cette langue arabe, la langue par excellence du culte et de la Révélation, qui reste commandée dans son évolution par la fixité de ses racines.

Pareille affirmation pourtant ne résiste point à sa confrontation avec la réalité des faits et avec les données archéologiques permettant de remonter ici ou là dans le passé de telle ou telle cité. Au cours des siècles, les villes islamiques furent multiples et différentes, variant d'une région et d'une époque à l'autre, même à l'intérieur de cette période médiévale qui fut continuellement dominée par l'emprise du religieux sur le social comme par la permanence d'un certain type d'économie. Elles grandirent en fonction de causes le plus souvent naturelles, marquées par les mutations et les grandes transformations historiques que connut le monde musulman lui-même. Il y eut parmi elles des villes méditerranéennes et des villes d'oasis, des villes commerçantes appuyées sur les avantages de leur cadre naturel et des villes refuges profitant au contraire de leur isolement, des capitales dynastiques vouées ensuite à un irrémédiable déclin et des villes sanctuaires continuant de jouir de leur ancienne célébrité. Elles naquirent et disparurent comme toutes les autres cités du monde, revêtant des aspects divers selon qu'elles avaient été créées de toutes pièces en quelque lieu jusque-là désert ou s'étaient au contraire superposées à d'anciens foyers actifs de civilisation.

L'existence de milieux urbains marqués par l'Islam et conservant en quelque période et quelque lieu que ce soit des manières de vivre et de penser profondément apparentées ne justifie en fait que dans l'abstrait la notion de cité islamique. Cette notion devient même source d'erreurs lorsqu'on l'identifie avec tel ou tel exemple de ville choisi arbitrairement. Aussi bien doit-on se méfier de la tendance qu'eurent certains à projeter dans le passé l'image de ces « médinas » populeuses et désordonnées que l'on voyait encore vivre au début du XXe siècle dans des pays islamiques lentement ouverts aux influences modernes. De même serait-il imprudent d'étendre indûment les résultats fournis par l'étude de cas urbains isolés, tels ceux qui ont montré par exemple l'impuissance des dirigeants islamiques à lutter contre une dégradation progressive des principes de l'urbanisme * antique, sans tenir compte des efforts positifs accomplis en d'autres cas par ces mêmes dirigeants. Et à tout exposé visant à préciser ce que purent être les traits fondamentaux de la cité islamique, car ils existent tout de même sous la diversité des réalisations concrètes, il sera sans doute bon de superposer des remarques plus précises visant à situer dans une perspective historique les visages originaux que cette même cité put revêtir au cours des siècles, sous l'effet d'une évolution lente, mais indéniable.

•

Centre politique, la ville islamique de la période classique possédait une résidence « émirale », siège de l'autorité d'un gouverneur plus ou moins indépendant. Cette résidence se trouvait le plus souvent au centre des villes neuves fondées après la conquête, mais pouvait aussi être abritée dans une citadelle contiguë, ainsi qu'on le remarque dans telle ville iranienne comme Nîshâpûr ou syrienne comme Alep ou Damas. Le dernier cas fut d'ailleurs la règle aux époques d'affaiblissement du pouvoir central, lorsque la ville s'identifiait à un ensemble protégé par un rempart dont certains de ses quartiers débordaient, mais dont la sécurité restait indispensable à ses organes vitaux. Mais la ville fortifiée n'ayant jamais acquis comme dans l'Europe médiévale une autonomie lui permettant de se libérer de la tutelle du prince, la première place y demeura toujours réservée à un « hôtel du gouvernement » qui occupa certes au cours des siècles des lieux fort divers ainsi qu'une plus ou moins grande superficie, mais qui ne cessa de symboliser le rôle effectif du prince ou de son représentant dans la vie de la cité.

A cet édifice officiel se rattachaient, peut-on dire, les hôtels particuliers qui abritaient, à l'intérieur de la ville et parfois sur des terrains concédés par le prince à cet effet, les principaux membres de l'aristocratie militaire, entourés eux-mêmes de leur propre Maison et de leur propre clientèle d'hommes d'armes. L'importance prise à l'époque mamlouke par exemple par de telles habitations, réservées à des gens que leurs fonctions et leur origine étrangère séparaient du reste de la population urbaine, concourait à modeler la physionomie de la ville où devaient être notamment prévus à leur intention de vastes esplanades et hippodromes, utilisés pour la revue des troupes ou l'accomplissement des exercices équestres, et des souks spécialisés, les souks dits « aux chevaux », où les cavaliers pouvaient se procurer tous les équipements nécessaires. D'un autre côté, l'hôtel du gouvernement, qui avait, dans les premiers temps, suffi à loger les divers offices liés à l'exercice du pouvoir direct ou par délégation, ne demeura pas toujours seul à concentrer l'activité politique de la cité : aux époques zankide et ayyoubide en Syrie par exemple, il devait lui être adjoint un « palais de justice » installé dans un bâtiment indépendant extérieur à la citadelle et destiné aux séances de « redressement des abus » qui s'étaient alors développées dans le sens d'une sorte de justice féodale.

Mais la cité islamique classique n'était pas seulement marquée par son rôle de centre politique. Intense foyer de vie économique, lorsqu'il s'agissait d'une ville digne de ce nom et non d'une simple place forte, elle comprenait des marchés qui lui valaient son aspect pittoresque et animé. Les boutiques, où des artisans vendaient les produits qu'ils fabriquaient eux-mêmes et où des marchands proposaient les marchandises qu'ils avaient achetées à l'extérieur, étaient groupées pour former ces souks que d'aucuns considèrent comme caractéristiques de la ville musulmane en insistant sur deux points quasi nécessaires à leurs yeux : spécialisation d'une part en tant que marchés réservés à tel ou tel commerce et localisation d'autre part au centre de la ville, c'est-à-dire près de la grande mosquée.

Que les souks fussent spécialisés, le fait est certain, affirmé par les auteurs anciens qui relatent par exemple la fondation de Bagdad ou celle de Samarra, confirmé par l'examen des quartiers marchands de villes contemporaines aussi éloignées l'une de l'autre que Damas et Fès par exemple. Mais il s'agit là d'un phénomène moins spécifiquement islamique qu'on ne veut parfois le croire. Peut-être hérité en partie d'habitudes antérieures, il résultait non de prescriptions juridico-religieuses, mais d'influences parmi lesquelles avaient dû jouer le type d'économie en vigueur à cette époque, le caractère encore très rudimentaire de l'organisation marchande, l'absence de distinction entre commerce de gros et commerce de détail puisque fabricant et vendeur étaient souvent confondus, l'usage même, très longtemps observé, de la vente aux enchères par l'intermédiaire de courtiers. Certes l'éthique islamique avait pu encourager le phénomène par son double souci d'assurer la liberté de choix du client et d'exercer sur les transactions un contrôle facilité par le regroupement dans un même lieu des marchés de même catégorie. Mais on n'en a pas de preuve tangible.

Ni la spécialisation ni la concentration des souks autour de la grande mosquée n'étaient d'ailleurs toujours parfaites, loin de là, et cela pour plusieurs raisons. D'abord certains produits ne pouvaient être stockés ni vendus ni même fabriqués que dans des emplacements ou des locaux spéciaux. Sans parler des ateliers de potiers, teinturiers ou tanneurs, il y avait le cas des « fruits et légumes » qui, à Alep et dès les premiers temps, occupaient un marché particulier, la « halle aux pastèques », installé à une porte de la ville pour que soit facilité le trafic quotidien des maraîchers. Le marché des tissus précieux de son côté se tenait, dès une époque ancienne en Syrie, dans un bâtiment fermé et tout particulièrement surveillé, la *kaysariya* *. Les orfèvres disposaient aussi, en général, d'un souk aménagé à leur intention et permettant une meilleure protection de leurs objets et métaux de valeur.

Il arrivait d'autre part que de nouveaux quartiers se fussent créés rapidement dans une ville, entraînant parallèlement la multiplication et la dispersion des marchés. Des cités telles que Bagdad ou le Caire, célèbres pour leurs continuelles transformations au gré des événements politiques, virent leurs souks se déplacer avec la même facilité. Ailleurs, lorsque le centre urbain demeurait le même, des faubourgs s'y ajoutaient bien souvent et des foyers commerçants secondaires, mais comprenant toujours les mêmes éléments essentiels, s'établissaient dans les quartiers neufs. En outre de nouveaux besoins pouvaient toujours apparaître, qui engendraient des activités artisanales auparavant moins en faveur, sinon même inconnues. L'installation de Turcomans dans les villes syriennes à l'époque saldjoukide eut par exemple pour conséquence de multiplier en ces lieux les « souks aux chevaux » déjà cités et ces nouveaux marchés se groupèrent non pas à proximité du centre, mais auprès de la citadelle ou dans les faubourgs excentriques qu'habitaient les nouveaux venus. De même vit-on à la même date s'installer à Damas, le long de la « route du Pèlerinage » qui sortait de la ville pour s'enfoncer vers le sud, nombre de marchands offrant aux pèlerins, dans le faubourg dit du Maydân, les objets de première nécessité que ceux-ci devaient acheter pour le voyage. Les souks étaient donc beaucoup plus mobiles qu'on ne le dit souvent et qu'il n'apparut aux historiens examinant la structure des villes musulmanes au début du XXe siècle. Nous venons de citer quelques exemples de transformations propres aux cités syriennes, mais ceux-ci ne furent pas isolés. Si l'organisation des quartiers marchands est moins bien connue dans des villes telles que Bagdad, les quelques renseignements des chroniques montrent que là aussi il y eut des déplacements suivant, sur chaque rive, les mouvements de la population.

Quant à la situation occupée de préférence par les souks à l'intérieur de la ville, elle n'était pas non plus aussi constante qu'on l'a cru. S'il arrivait souvent que les boutiques les plus importantes et les plus actives fussent groupées autour de la grande mosquée, dont les portes étaient alors désignées par les noms des allées sur lesquelles elles ouvraient — tel était le cas à Damas, par exemple, ou dans la première Samarra —, cette règle n'était pas toujours observée. C'est ainsi que dans la Bagdad d'al-Mansûr les artisans et commerçants avaient été rejetés hors de la Ville ronde qui comprenait la grande mosquée et le palais. Ailleurs, en Iran notamment, les souks pouvaient être établis, comme à Nîshâpûr, dans un faubourg distinct à la fois de la basse ville et de la citadelle ou, comme à Herât, auprès des quatre portes menant aux différents faubourgs. Ailleurs encore, comme en Espagne à Cordoue, les souks s'étendaient entre la grande mosquée et la porte orientale de la ville, du côté opposé au palais qui avoisinait le sanctuaire à l'ouest. Des solutions différentes étaient ainsi adoptées selon les nécessités locales et il est finalement très difficile de dresser de ce point de vue un schéma type de la ville islamique ancienne. Son organisation dépendait à la fois de sa nature, ainsi que de sa tendance à l'expansion ou au repliement, et de la place qu'y occupaient au début, et la mosquée, qui attirait les activités commerciales par son prestige de lieu de réunion, et la résidence princière, qui les écartait par crainte des mouvements populaires sans pouvoir pour autant se passer d'elles. Les souks n'étaient en fait proches de la grande mosquée que si cette dernière avait été construite loin du palais. Le groupement, que l'on a longtemps cru idéal, de l'ensemble des souks autour de l'association mosquée-palais, ne pouvait se maintenir dès que la ville atteignait un certain degré de croissance.

En revanche, se trouvait toujours en bonne place dans la ville islamique le monument indispensable à sa vie religieuse et intellectuelle et destiné à s'agrandir avec le développement de sa population qu'était la mosquée ou *djâmi'* utilisée pour la Prière commune du vendredi à midi. Toute agglomération importante devait être pourvue d'un tel édifice qui se distinguait des simples oratoires ou *masdjid*, fréquentés pour la Prière non solennelle, aussi bien par son rôle officiel que par l'ampleur de ses dimensions. L'importance qu'y revêtait chaque semaine le sermon de l'imâm y imposait la présence d'un minbar précieusement décoré, magnifié par le souvenir du temps où le calife y siégeait lui-même ou bien y envoyait son représentant pour haranguer ses sujets et recueillir à certaines occasions leurs doléances ou leurs prestations de serment. Le bâtiment lui-même restait fidèle, en dépit de variations locales, aux exigences du culte communautaire pratiqué du temps du Prophète dans la cour de son habitation en même temps qu'aux nécessités du faste princier qui

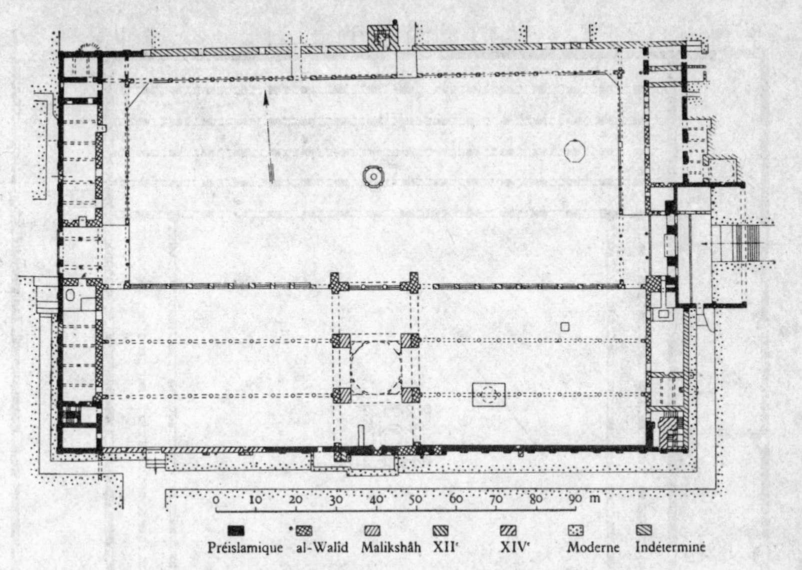

47. *PLAN DE LA MOSQUÉE DES UMAYYADES A DAMAS*
(*D'après K.A.C. Creswell*, op. cit.)

Œuvre du calife al-Walîd Ier qui la construisit en 705 de toutes pièces sur l'emplacement de l'ancien temple de Zeus Damaskènos, devenu entre-temps l'église Saint-Jean-Baptiste, la grande mosquée de Damas apparaît à la fois comme le prototype de la « mosquée umayyade basilicale » et comme un monument remanié bien souvent au cours des siècles. Sa nef axiale à toiture surélevée subit une complète transformation au moment où y fut insérée, en 1080-1083, une coupole centrale sur piliers massifs de type saldjoukide, remplacée à la suite de l'incendie de 1893 par une toiture moderne.

s'y déployait à l'époque classique. Une vaste salle de prière, interprétée en milieu umayyade comme une salle basilicale à nef axiale élargie et en milieu abbasside comme un majestueux ensemble de travées orientées parallèlement au mur du fond ou mur kibla, s'y accompagnait généralement d'une de ces cours à portique couvert périphérique dont le climat des pays subdésertiques fait apprécier l'agrément et la commodité. L'imitation de certains usages palatins y avait fait figurer la réduction d'abside devenue, sous le nom de mihrâb, l'emplacement privilégié vers lequel devaient se diriger les

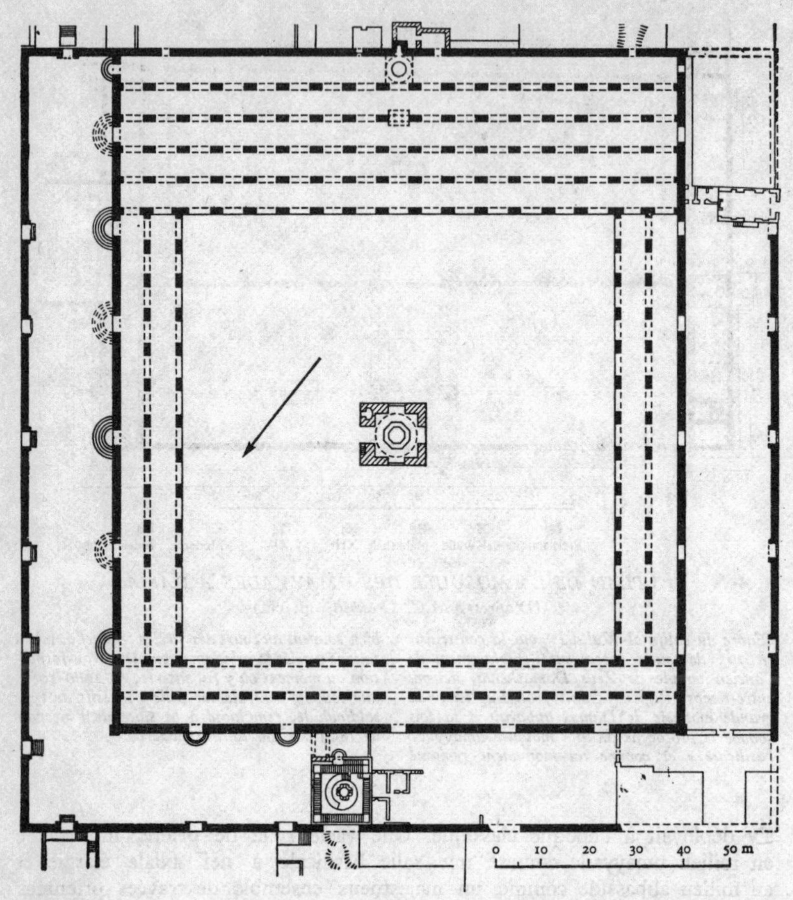

regards des croyants, pour imiter les gestes de l'imâm comme pour chercher dans cette niche vide un symbole de l'inaccessibilité divine. L'habitude de l'appel à la Prière s'était d'autre part combinée à d'anciennes réminiscences architecturales pour justifier la présence, à l'extérieur, d'une ou de plusieurs de ces tours, rondes ou quadrangulaires selon les régions et les époques, que

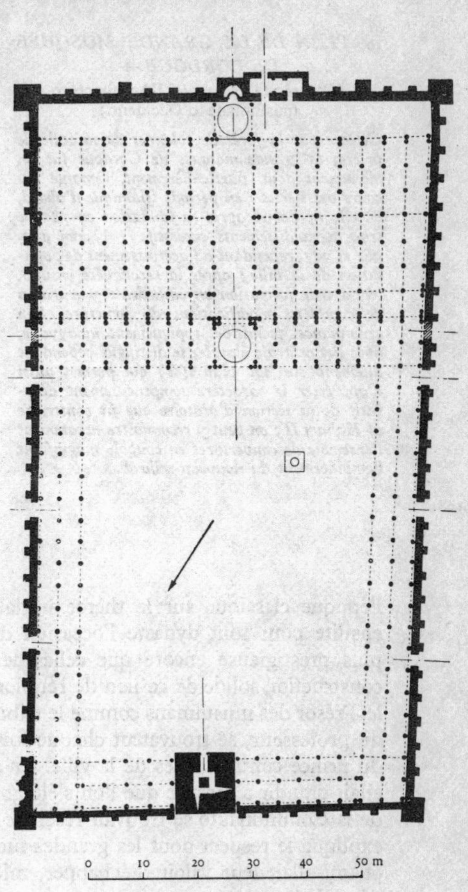

← *48. PLAN DE LA MOSQUÉE D'IBN TULUN AU VIEUX-CAIRE*
(*D'après K.A.C. Creswell*, ibid.)

Construite entre 876 et 879 par un ancien officier turc des Abbassides, devenu en Égypte un dynaste semi-indépendant, la mosquée de la ville royale d'al-Katâ'i', fondée par Ibn Tûlûn près de Fustât, reflète dans son plan l'imitation consciente de la mosquée d'al-Dja'fariya ou Abû Dulaf à Samarra. De dimensions moins imposantes, elle comporte en effet, à l'intérieur de deux enceintes successives, le même type de salle de prière peu profonde et de portiques à double rangée d'arcades, dont la couverture reposait sur de lourds piliers rectangulaires de brique cuite, cantonnés de colonnettes.

49. PLAN RESTITUÉ DE LA GRANDE MOSQUÉE DE KAIROUAN EN 862
(*D'après A. Lézine*, Architecture de l'Ifrîqiya.)

Ce spacieux édifice dont la salle de prière avait été légèrement agrandie par rapport à la première construction aghlabide de 836, superposée elle-même à une ancienne fondation de 774 aux dimensions vraisemblablement plus réduites, constitue un excellent exemple de mosquée de la période classique. Dans l'ordonnance d'une salle de prière à colonnes, mettant en œuvre un procédé habituel pour les monuments de pierre, on reconnaît le maintien de traditions umayyades telles que l'orientation des nefs perpendiculaires au mur kibla autour d'une nef axiale élargie et surtout l'utilisation de motifs de coupole déjà illustrés par l'exemple de la mosquée de Médine.

l'on appelle des minarets *. Enfin l'espace spécial réservé au souverain, ou maksûra, qui fut par moments conçu comme une sorte d'enceinte grillagée en bois, en arriva aussi à tenir dans la structure du monument une place importante et à commander certains aspects de son évolution ultérieure.

Nombreux furent en effet les chefs-d'œuvre architecturaux réalisés à

50. *PLAN DE LA GRANDE MOSQUÉE DE CORDOUE →*
(*D'après G. Marçais,* l'Architecture musulmane d'Occident.)

Célèbre par la forêt de colonnes de sa salle de prière, la grande mosquée de Cordoue fut un monument tout particulièrement remanié au cours des siècles : en période islamique d'abord, où elle fit l'objet après sa fondation en 785 de trois agrandissements successifs (A), en 833, 961 et 987, répondant à l'accroissement de population de la ville ; après la reconquête ensuite, où sa transformation en cathédrale y entraîna de complètes modifications de structure. Son ordonnance primitive typiquement umayyade, avec nef centrale élargie, se distingue cependant aisément sur un plan (B) qui permet aussi d'apprécier le caractère somptueusement décoratif de la section d'oratoire que fit construire al-Hakam II ; on peut y reconnaître notamment l'ensemble de couvertures en coupole magnifiant l'emplacement du nouveau mihrâb.

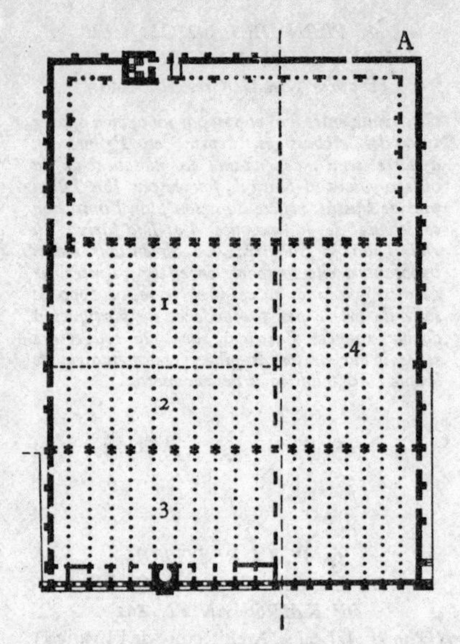

l'époque classique sur le thème initialement simple de la mosquée, devenu ensuite pour tout dynaste l'occasion de se singulariser par une construction plus prestigieuse encore que celles de ses prédécesseurs ou rivaux. Dans la construction solide de ce lieu de réunion par excellence, qui abritait à l'origine le Trésor des musulmans comme le tribunal du cadi ou le cercle d'enseignement du professeur, se trouvaient chaque fois matérialisées la grandeur et la richesse du prince comme celles de la ville. En même temps un sentiment du sacré qui allait grandir à mesure que l'on s'éloignait de l'Islam primitif et que la Maison de la Communauté se trouvait réservée à des fonctions uniquement religieuses explique le respect dont les grandes mosquées commençaient d'être entourées et qui allait leur valoir d'échapper, mieux que les palais, à la ruine et aux dégradations.

Certes il serait fastidieux d'évoquer dans le détail les plus célèbres de ces édifices, ceux qui, comme les mosquées de Damas, de Samarra, du Caire, de Cordoue ou de Kairouan, perpétuent le souvenir de l'art des premiers Umayyades, des grands Abbassides, des Toulounides et Fatimides, des Aghlabides et des Umayyades d'Espagne. Notons pourtant que, selon les régions, furent

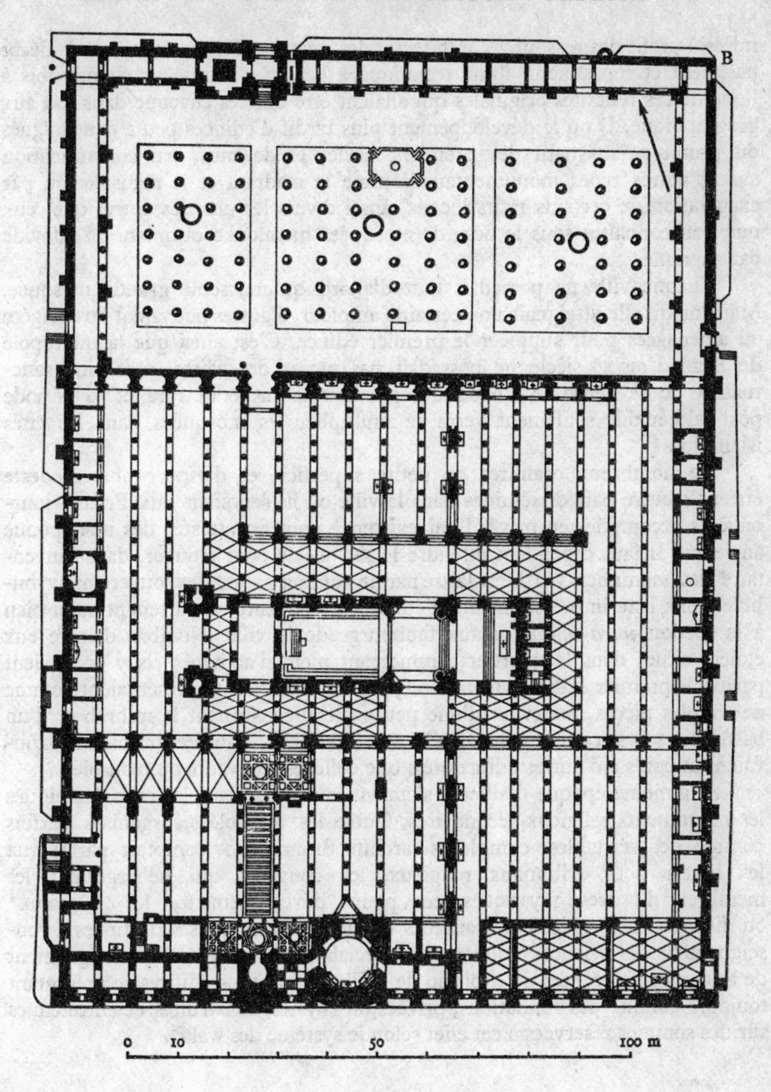
B
0 10 50 100 m

mises à profit des ressources architecturales diverses. Formes et types de décor passaient et repassaient d'une technique à l'autre, aboutissant chaque fois à l'une de ces réussites originales qui allaient être imitées chacune dans son aire géographique. D'où le développement plus tardif d'édifices peu à peu éloignés du prototype normatif des premiers siècles et devenus, par contamination avec d'autres types monumentaux comme la madrasa et le mausolée ou par exagération de certains traits locaux, aussi divers les uns des autres que ceux que l'on connaîtra sous le nom de mosquées mamlouke, ottomane ou safavide par exemple.

Chaque ville ne possédait tout d'abord qu'une seule grande mosquée. Mais lorsqu'elle atteignait une certaine ampleur, d'autres pouvaient être érigées ou aménagées pour suppléer le premier édifice. C'est ainsi que la métropole de Bagdad au xe siècle ne possédait pas moins de quatre, puis cinq sanctuaires de ce genre. A l'époque cependant le cas était rare et la période post-saldjoukide seulement verra se multiplier les mosquées dans les cités islamiques.

De nombreux oratoires de petite superficie et d'aspect plus modeste étaient d'autre part disséminés dans la ville où ils servaient aux Prières journalières accomplies en privé. Leur existence nous est attestée dès une époque ancienne. Il faut cependant attendre le XIIe siècle pour trouver, dans l'inventaire des monuments d'Alep laissé par un administrateur des souverains ayyoubides, une liste impressionnante d'édifices de ce genre, appartenant aussi bien à la section *intra muros* qu'aux faubourgs de la ville. Nombre d'entre eux étaient situés dans le quartier commerçant plein d'activité : ils y occupaient parfois le premier étage d'une maison ; parfois encore ils se présentaient comme de simples pièces, pourvues d'une petite niche constituant le mihrâb et d'un balconnet servant éventuellement à lancer l'appel à la Prière, ou bien se trouvaient intégrés à d'autres édifices tels que collèges, couvents ou mausolées.

A la même époque d'ailleurs s'étaient multipliés dans les cités islamiques les monuments religieux secondaires. Outre les mausolées, organisés parfois comme de véritables complexes architecturaux, on comptait parmi eux les hôtels pour tribunaux religieux, les couvents qui hébergeaient les membres d'ordres mystiques en plein développement, les hôpitaux* ou dispensaires, les écoles coraniques et surtout les madrasas destinées à l'enseignement des sciences religieuses et spécialisées chacune dans l'enseignement de branches différentes du droit ou de la Tradition, tous édifices se présentant toujours comme des fondations, privées ou royales, construites et entretenues sur des sommes réservées à cet effet selon le système des wakfs.

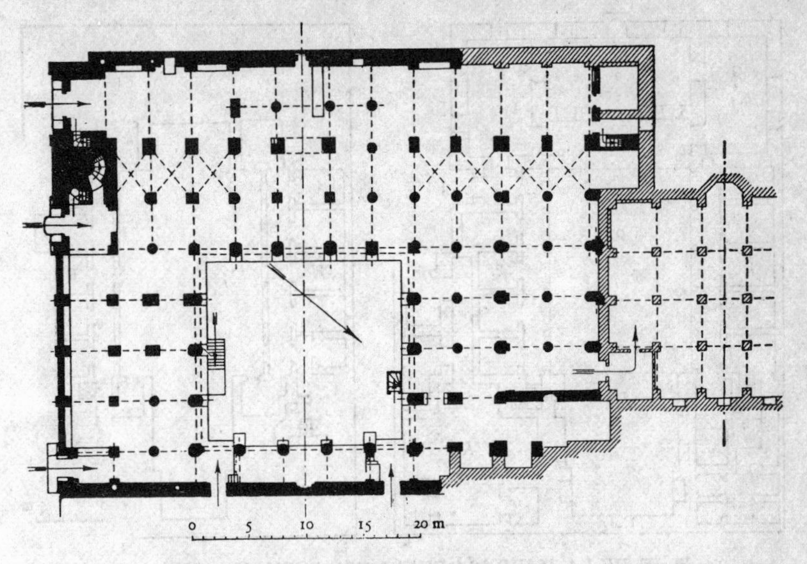

51. PLAN DE LA MOSQUÉE ABBASSIDE DE NAYIN
(D'après S. Flury, in Syria, *1930.)*

Ornée de décors de stuc dont le style a été invoqué pour permettre de dater du Xe siècle l'ensemble de la construction, la mosquée de Nâyin illustre la vitalité en Iran du type de la mosquée classique avec sa salle de prière à nef axiale élargie et ses profonds portiques entourant une petite cour quadrangulaire. Les colonnes ont été remplacées dans cette architecture de brique par des piliers massifs, parmi lesquels les plus anciens affectaient une forme circulaire.

Les constructions funéraires avaient été à l'origine limitées par les prescriptions interdisant de bâtir au-dessus des sépultures. D'où cet aspect dépouillé des premiers cimetières musulmans, vastes terrains parsemés de pierres dressées et situés au-dehors du périmètre bâti, qui allait se conserver dans certains pays pauvres et traditionalistes. Mais on n'avait pas tardé à voir apparaître en Iran des tombeaux monumentaux princiers, contemporains des premiers mausolées d'imâms shi'ites que l'on vénérait en Irak, et ces édifices qui pouvaient se dresser dans la solitude devinrent le plus souvent les noyaux de faubourgs habités ou même de localités nouvelles. En même temps s'était développé dans les cimetières le goût des tombes marquées par des éléments

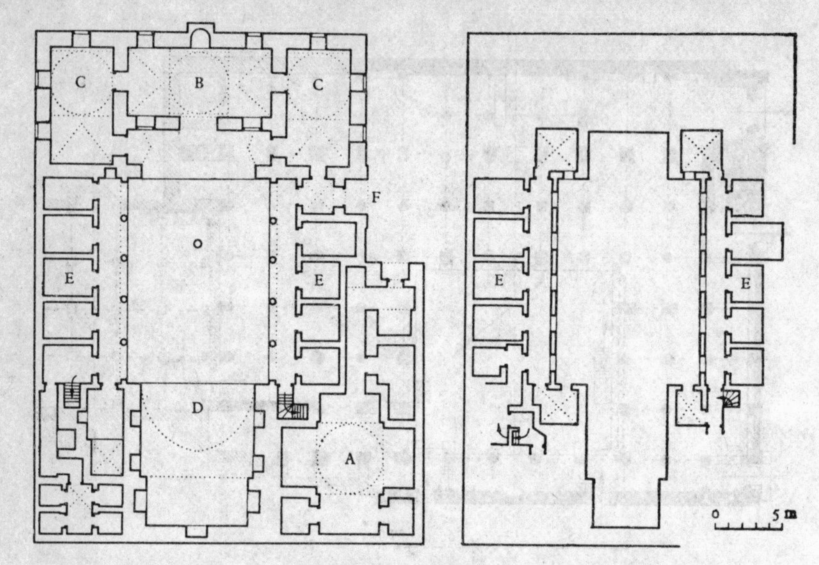

52. PLAN DE LA MADRASA FUNÉRAIRE D'IBN AL-'ADIM A ALEP
(*D'après J. Sauvaget*, Alep.)

Petite madrasa syrienne avec mausolée dont le plan, typique de l'époque ayyoubide, révèle le caractère fonctionnel et la sévère sobriété. A côté de la salle à coupole (A) abritant dans un angle du monument le tombeau du fondateur se reconnaissent, d'un côté le motif monumental d'une salle de prière à coupole (B) flanquée de deux salles de cours (C) couvertes de même façon, de l'autre un īwān (D) utilisé pendant la belle saison. Les cellules d'habitation (E), moins hautes de plafond, étaient réparties sur deux étages et le vestibule d'entrée (F) s'accompagnait d'un portail.

sculptés en forme de stèles, de cippes, de prismes ou de cénotaphes, recouverts eux-mêmes parfois de coupoles ou de ces tours cylindriques, parfois de plan étoilé et à toiture conique, dont les plus anciens spécimens se situèrent dans le Djurdjân et le Djilân . Tous ces monuments funéraires variés, qui devenaient ainsi peu à peu inséparables du paysage urbain, se combinaient en outre à d'autres édifices à mesure que les puissants ou célèbres personnages susceptibles de voir leur mémoire ainsi commémorée tenaient à profiter après leur mort du voisinage des madrasas, couvents ou hôpitaux dont ils avaient voulu s'acquérir les mérites en assurant leur construction.

Ces dernières fondations avaient introduit dans la ville, au milieu de maisons souvent légèrement bâties, les silhouettes de constructions plus durables sinon toujours plus somptueuses. Leurs plans assez simples à l'origine, puisqu'il s'agissait toujours de juxtaposer des cellules d'habitation pour étudiants, soufis ou malades et des pièces communes servant de locaux de réunion

53. PLAN DE L'HOPITAL D'ARGHUN AL-KAMILI A ALEP
(*D'après J. Sauvaget*, ibid.)

Œuvre mamlouke du XIVe siècle, cet édifice apparenté dans sa composition à une madrasa témoigne de recherches architecturales plus sérieuses, inspirées à la fois par les nécessités d'un fonctionnement complexe et par le désir d'imiter les riches fondations contemporaines du Caire.

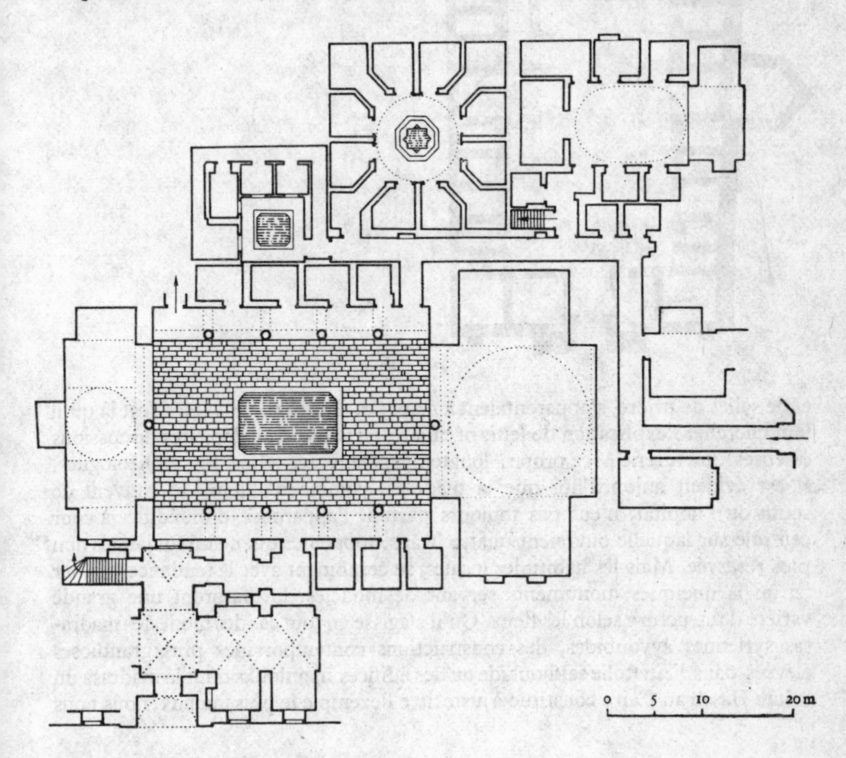

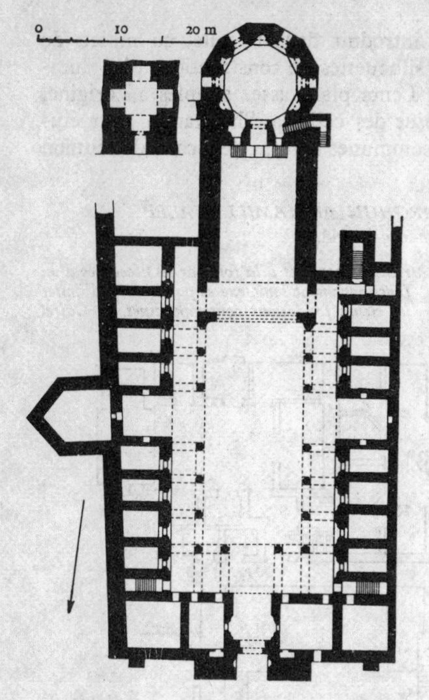

54. PLAN DE LA MADRASA ÇIFTE MINARELI A ERZURUM
(D'après R. H. Ünal, Monuments islamiques anciens d'Erzurum.)
Madrasa d'Anatolie élevée sans doute au début du XIVe siècle sous l'effet d'influences locales et iraniennes conjuguées. Son histoire est assez compliquée et ne permet pas de déterminer avec certitude si son premier état s'accompagnait de la présence d'un mausolée. Mais il est intéressant de remarquer l'ordonnance régulière de la cour centrale entourée de portiques interrompus par quatre îwâns disposés en croix. Une seconde série de cellules occupait le premier étage.

et de salles de prière, s'apparentaient à ceux des demeures privées. C'est là qu'il faut chercher l'explication de leurs premières structures, en dépit des discussions oiseuses qui furent à ce propos longtemps soulevées chez les archéologues. Il est évident aujourd'hui que la madrasa, comme d'ailleurs le couvent de soufis ou l'hôpital, n'eut pas toujours partout l'apparence d'un édifice à cour centrale sur laquelle ouvraient quatre îwâns, apparence qui ne lui fut jamais non plus réservée. Mais les habitudes locales, se combinant avec la tendance à imiter ici ou là quelques monuments servant de modèles, lui valurent une grande variété de structure selon les lieux. Qu'il s'agisse en tout cas des modestes madrasas syriennes ayyoubides, des constructions contemporaines plus grandioses élevées dans l'Anatolie saldjoukide ou des édifices mamlouks dont la madrasa du sultan Hasan au Caire constitue à juste titre l'exemple le plus fameux, nous nous trouvons toujours devant des monuments embellissant la cité post-saldjoukide par le soin avec lequel y étaient décorées leurs façades et transposé, pour de petites constructions urbaines répétées à de nombreux exemplaires, le thème du

55. PERSPECTIVE ISOMÉTRIQUE RESTITUÉE DU BAIN D'AL-SULTAN A DAMAS

(*D'après M. Ecochard et C. Le Cœur*, op. cit.)

La vue en élévation permet d'apprécier à sa vraie valeur architecturale un de ces monuments fonctionnels bien conçus, quoique extérieurement peu esthétiques, que l'on rencontrait en grand nombre dans la ville islamique post-saldjoukide. Il s'agit ici d'un bain public de belle qualité, construit en 1303 et amélioré encore au XVe siècle par le sultan mamlouk Ka'it Bây, qui alliait les caractéristiques des bains à plan centré et des bains à plan rectiligne représentés à l'époque. On y remarque, à la suite d'une salle de déshabillage particulièrement spacieuse, la succession de petites salles tiède, chaude et très chaude sous lesquelles passaient les conduits de fumée assurant le chauffage par le sol (la construction sur hypocaustes est alors abandonnée), tandis que l'étuve recevait en outre directement la vapeur d'une chaudière contiguë.

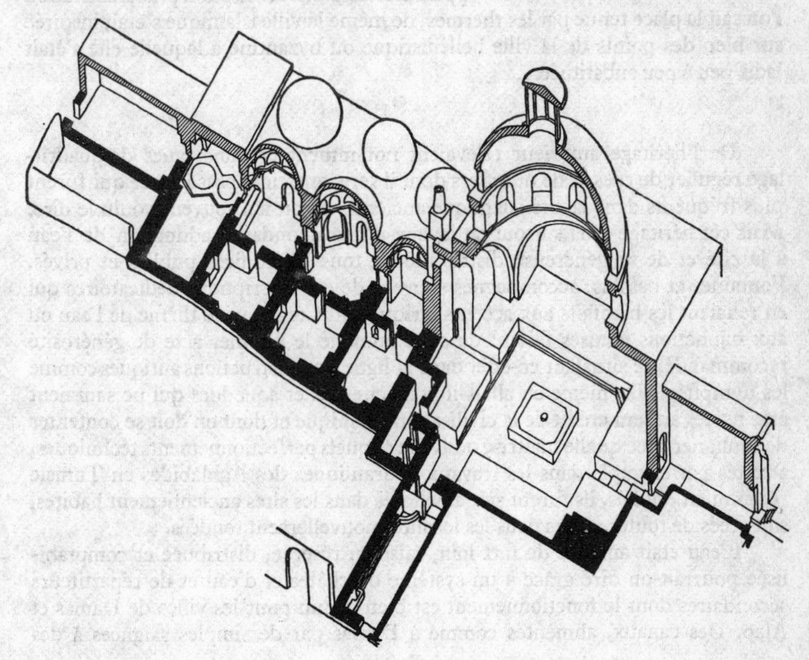

portail triomphal qui avait été longtemps réservé au palais ou à la mosquée. Ainsi ces divers édifices, qui étaient pourvus chacun d'un oratoire identifié parfois à une véritable mosquée, donnaient à la ville post-saldjoukide un de ses aspects les plus significatifs et commandaient en quelque sorte son urbanisme sans que leur essor dût être considéré comme typique de la ville islamique en général.

Auparavant la vie religieuse et intellectuelle ne connaissait en effet d'autre cadre que mosquées, oratoires et parfois maisons privées dans lesquels enseignaient les hommes de loi. Tout au plus peut-on attribuer encore à l'influence des prescriptions religieuses la multiplication des bains à étuve, ou *hammâm*, qui permettaient d'accomplir l'ablution majeure imposée avant la Prière en cas de souillure préalable et qui étaient donc considérés par certains comme de véritables annexes des lieux de prière. Mais, de même que les hammâms, avant d'être ainsi adoptés par l'Islam, appartenaient à une civilisation plus ancienne où l'on sait la place tenue par les thermes, de même la ville islamique s'était inspirée sur bien des points de la ville hellénistique ou byzantine à laquelle elle s'était jadis peu à peu substituée.

●

De l'héritage antérieur relevaient notamment certains types de quadrillage régulier de rues et de quartiers dont il sera question plus loin et qui furent plus fréquents dans la cité islamique ancienne qu'on n'a souvent voulu le dire. Mais cet héritage joua surtout en faveur d'une abondante adduction de l'eau à la cité et de sa généreuse distribution à tous les édifices publics et privés. Fontaines et bassins, accompagnés souvent de ces inscriptions dédicatoires qui en reliaient les bienfaits aux accents lyriques du Coran sur le thème de l'eau ou aux injonctions pieuses faisant de cette aumône le premier acte de générosité recommandé, se situaient en effet dans la ligne de constructions antiques comme les nymphées. De même en allait-il pour citernes et aqueducs qui ne sauraient être portés au seul crédit de la civilisation islamique et dont on doit se contenter de souligner avec quelle maîtrise nouvelle et quels perfectionnements techniques, attestés par exemple dans les travaux hydrauliques des Aghlabides en Tunisie récemment étudiés, ils furent soit améliorés dans les sites anciennement habités, soit créés de toutes pièces dans les localités nouvellement fondées.

L'eau était amenée de fort loin, mise en réserve, distribuée et comptabilisée pourrait-on dire grâce à un système de châteaux d'eau et de répartiteurs secondaires dont le fonctionnement est bien connu pour les villes de Damas et Alep. Des canaux, alimentés comme à Damas par de simples saignées à des cours d'eau ou comme à Hama par l'utilisation de machines élévatoires, canaux dont on a vu l'importance dans la mise en œuvre des terres, occupaient là encore une place de premier plan que venait parfois suppléer, dans certains sites urbains défavorisés, le recours au transport de l'eau par des bêtes de somme. Des règlements minutieux semblables à ceux que l'on connaissait pour l'irrigation des oasis assuraient la bonne marche de cette organisation plus marquée de préoccupations édilitaires, empruntées peut-être à l'Antiquité mais intégrées aux habitudes islamiques, qu'on ne le souligne habituellement.

Le même éclectisme pratique soucieux de faire fructifier un patrimoine antérieur s'était d'ailleurs également manifesté dans le domaine religieux. L'exemple le plus frappant en est fourni par le cas des « villes saintes » adoptées par l'Islam où l'on doit ranger aussi bien la Mekke, au Haram déjà sacré du temps du paganisme, que les cités palestiniennes révérées par la tradition juive et chrétienne, telles que Jérusalem ou Hébron *. Le cas de la Mekke est assurément unique, puisque l'islamisation du lieu de culte y fut l'œuvre du Prophète lui-même, superposant l'enseignement du Coran à des rites dont il assurait la complète transposition. Mais l'ambivalence des sentiments développés pendant le Moyen Age islamique à l'égard des « gens du Livre », dont bien des traditions scripturaires avaient été assumées sous une forme ou une autre par la nouvelle religion, aboutit à l'adoption également durable des sanctuaires auxquels se rattachaient des souvenirs juifs ou chrétiens.

Le cœur de la Jérusalem musulmane resta ainsi toujours constitué par l'ancienne esplanade du Temple, sur laquelle devaient s'élever, à partir du début du VIIIe siècle, les plus célèbres monuments religieux de l'Islam après la Ka'ba de la Mekke et la mosquée de Médine, à savoir cette Coupole du Rocher et cette Mosquée lointaine qui brillent encore aujourd'hui d'un incomparable éclat en dépit des destructions et des remaniements dont elles furent l'objet. Et le fait d'islamisation d'un lieu de culte préexistant, qu'on observe avec la même netteté dans le cas du Haram d'Hébron ou dans les divers sanctuaires des Sept Dormants *, dominait de même la structure des nombreuses autres agglomérations urbaines où la grande mosquée s'éleva tout naturellement, comme à Damas, à l'emplacement exact qui avait été celui de temples païens ou chrétiens antérieurement vénérés. Là encore cependant le tournant marqué dans l'évolution de la civilisation islamique par les transformations de l'époque post-saldjoukide devait avoir ses répercussions sur la physionomie de la cité. Ce fut à partir du XIIe siècle que se multiplièrent dans les agglomérations urbaines de toute origine les résurgences d'anciens sanctuaires ou lieux de pèlerinages. Vénérés par une piété populaire parfois superstitieuse, ils furent soit adoptés tels quels, quand il s'agissait de souvenirs bibliques, soit revêtus de noms nouveaux pour devenir autant de monuments commémoratifs continuellement visités. Et leur intégration allait de pair avec la vogue croissante que connaissaient par ailleurs les objets de dévotion ou d'intercession de caractère plus récent, que l'on comptait au nombre des titres de fierté d'une ville et qui se réclamaient du souvenir d'anciens combattants de la Guerre sainte, d'hommes de religion célèbres par leurs vertus, sinon par leurs miracles, et des nombreux imâms ou autres personnages du martyrologe shi'ite.

●

Aussi bien les éléments constitutifs de la cité islamique paraissent-ils ainsi s'être conjugués au cours des siècles selon les lois d'équilibres différents. Les premiers de ces équilibres furent ceux qui se manifestèrent, dès l'expansion de l'Islam, dans les deux catégories de villes qui prédominèrent alors, villes neuves d'une part et villes conquises adoptées par les nouveaux maîtres d'autre part. Dans le premier cas, impossible à séparer du processus bien connu de sédentarisation des nomades, on se trouvait en présence de fondations commandées par des besoins stratégiques et plus précisément par la nécessité, inhérente à toute campagne militaire prolongée, de faire hiverner les troupes en des lieux sûrs spécialement choisis à cet effet. Lorsque les combattants arabes commencèrent à séjourner dans les pays conquis, en Syrie, en Irak ou en Égypte, ils s'installèrent en effet dans des camps qui furent d'abord provisoires et qui leur servaient de bases de départ pour leurs expéditions saisonnières, en même temps qu'ils leur assuraient les moyens d'une liaison constante avec la capitale de l'empire toujours située en Arabie. Ces camps, où les guerriers étaient répartis par tribus, devinrent rapidement des établissements fixes : ce furent, en Irak, les nouvelles villes de Basra puis de Kûfa, en Égypte celle de Fustât, en Syrie celle de Djâbiya que cependant les conquérants abandonnèrent ensuite pour se fixer dans l'ancienne capitale syrienne ou même se disperser dans toute la province — la situation particulière de cette dernière fondation s'expliquant sans doute par le fait que les troupes arabes ne continuèrent pas longtemps en Syrie à guerroyer activement contre des armées byzantines parties se retrancher derrière l'Amanus après avoir évacué le pays sans lutte sérieuse. Un peu plus tard, en Iran et au Maghreb, d'autres camps furent créés à leur tour, tel Kairouan dans la plaine intérieure de l'Ifrîkiya, dont la prospérité grandit jusqu'à l'époque ziride, et tels ces centres établis dans les provinces iraniennes qui n'eurent jamais qu'une existence précaire au milieu des révoltes fréquentes de la population autochtone non convertie.

De tous ces camps, seuls ceux qui profitèrent ensuite de circonstances historiques favorables ainsi que des avantages d'un site bien choisi purent devenir de véritables agglomérations arabo-musulmanes. L'exemple typique est celui de Basra qui grandit comme centre actif d'une région de palmeraies et comme port sur le golfe Persique mettant en relation la Mésopotamie ou les provinces de l'Iran méridional avec l'Arabie et les lointaines côtes de l'Inde ou de l'Afrique. Mais d'autres encore connurent un destin brillant lié à l'essor de la région où ils avaient été implantés et par conséquent marqué de son originalité. Tous cependant n'en présentaient pas moins à l'origine nombre de traits communs qui se retrouvaient d'une fondation à l'autre et étaient dus à la similitude de vocation guerrière prévalant en chaque cas. Il y avait ainsi la présence nécessaire, au centre du camp, du lieu de la Prière commune voisinant avec la résidence de l'émir et bénéficiant de la protection des divers contingents militaires. Il y avait aussi le maintien, dans la disposition d'ensemble, d'une influence tribale dominante selon laquelle les quartiers bâtis, qui avaient succédé aux simples cercles de tentes nomades, restaient réservés chacun à un groupe de familles ou de clans apparentés.

Un type de « ville neuve » islamique, propre au Ier siècle, s'était donc répandu dans tout l'empire à côté des villes conquises. Mais les différences n'allaient pas tarder à s'estomper entre ces fondations artificielles, peuplées des seuls combattants arabes et de leurs familles, et les villes qui restaient en majorité livrées à leurs habitants non convertis. A mesure que l'islamisation produisait ses effets, à mesure que les villes nouvelles voyaient affluer vers elles des autochtones chassés comme en Irak par la ruine de leurs premières résidences, à mesure aussi que les anciennes cités conservées se laissaient gagner par le prestige de la religion islamique triomphante, les oppositions préalables disparaissaient. D'un côté des reconstructions de plus en plus monumentales en venaient à magnifier l'apparence des grandes mosquées ou des demeures émirales rustiques bâties d'abord dans les pauvres camps nomades de Basra et de Kûfa. D'un autre côté le centre de la ville se transformait peu à peu, comme on le vit à Damas où l'établissement d'une résidence princière au voisinage de l'église Saint-Jean-Baptiste fut bientôt suivi de la confiscation de l'église elle-même, reconstruite de fond en comble pour devenir une mosquée. Des mosquées imposantes furent ainsi érigées, sous l'impulsion du calife umayyade al-Walîd, dans les principales agglomérations syro-palestiniennes et y remplacèrent bientôt, comme à Alep, les médiocres oratoires fondés d'abord par les conquérants à l'entrée de chaque ville. Enfin, sous l'effet de tendances contraires, la population récemment convertie à l'Islam en vint à repousser, dans les villes anciennes, les non-musulmans dans les quartiers périphériques, tandis que, dans les villes nouvelles, les clients convertis se groupaient autour des tribus auxquelles ils s'étaient affiliés et que les non-musulmans eux-mêmes s'introduisaient dans ces villes-camps tout en s'y installant un peu à l'écart.

Aussi bien vit-on naître alors, par le fait d'une symbiose qui ne mit pas plus d'un demi-siècle à se réaliser, le type de la ville umayyade qui allait, comme le palais construit à cette époque, servir pour une part de modèle aux réalisations abbassides. Ses traits d'urbanisme les plus caractéristiques tenaient aux rapports l'unissant aux villes antiques qui l'avaient précédée, parfois sur le même site comme on l'observe par exemple à Alep, Damas ou Lattakiye qui conservent encore sous leur plan actuel des traces de leurs plans hellénistiques étudiées notamment par J. Sauvaget. Mais cette continuité d'une tradition syrienne antérieure est encore plus frappante à observer dans les cités créées alors par la seule volonté des nouveaux maîtres. On voit ainsi la petite ville umayyade de 'Ayn al-Djarr — l'actuel site de 'Andjar dans la haute plaine de la Bikâ' où l'on procède à des dégagements encore incomplets, mais déjà extrêmement suggestifs — reproduire le schéma d'une ville antique pourvue d'une enceinte rectangulaire et traversée par deux rues axiales se coupant à angle droit en un point central marqué d'un tétrapyle. Le groupe à cette époque indissociable du palais émiral et de la grande mosquée y occupait simplement un des quatre quartiers déterminés par le croisement des deux voies principales. Des lotissements imités des *insulae* antiques y regroupaient d'autre part les habitations moins luxueuses, tandis que l'ensemble était dominé par ce thème classique des avenues à colonnades bordées de boutiques, que l'on accuse bien souvent l'urbanisme musulman d'avoir négligé alors qu'on le voit ici utilisé dans son acception la plus classique.

56. PLAN DE LA VILLE UMAYYADE DE 'ANDJAR →
(Plan inédit dressé par l'ingénieur H. Kalayan.)

La permanence, en pleine époque umayyade, des traditions inspirées par l'urbanisme antique apparaît de manière saisissante sur ce plan dressé grâce aux récentes fouilles menées à 'Andjar par M. M. Chehab, Directeur général des Antiquités du Liban, qui nous l'a gracieusement communiqué. On y remarque la compartimentation régulière du terrain obtenue par la rencontre de deux avenues se croisant à angle droit, ainsi que la localisation dans la moitié orientale de la ville des bâtiments de caractère public ou princier. Le principal palais à double salle d'audience basilicale (A) avoisine la grande mosquée (B) non loin du carrefour central marqué par un tétrapyle. Des rangées de boutiques (C) bordent les avenues à colonnades, tandis que les habitations ordinaires sont groupées en insulae *(D). Deux bains apparaissent non loin de l'enceinte nord, l'un très simple (E) et l'autre vraisemblablement d'usage princier (F), caractérisé par les dimensions de sa salle de repos et de déshabillage.*

Certes l'exemple fourni en ce sens par 'Ayn al-Djarr est pour le moment unique et on doit le regretter. Il n'y eut pas de fouilles menées sur l'emplacement incertain de Ramla *, la création citadine plus tardive en Palestine du calife

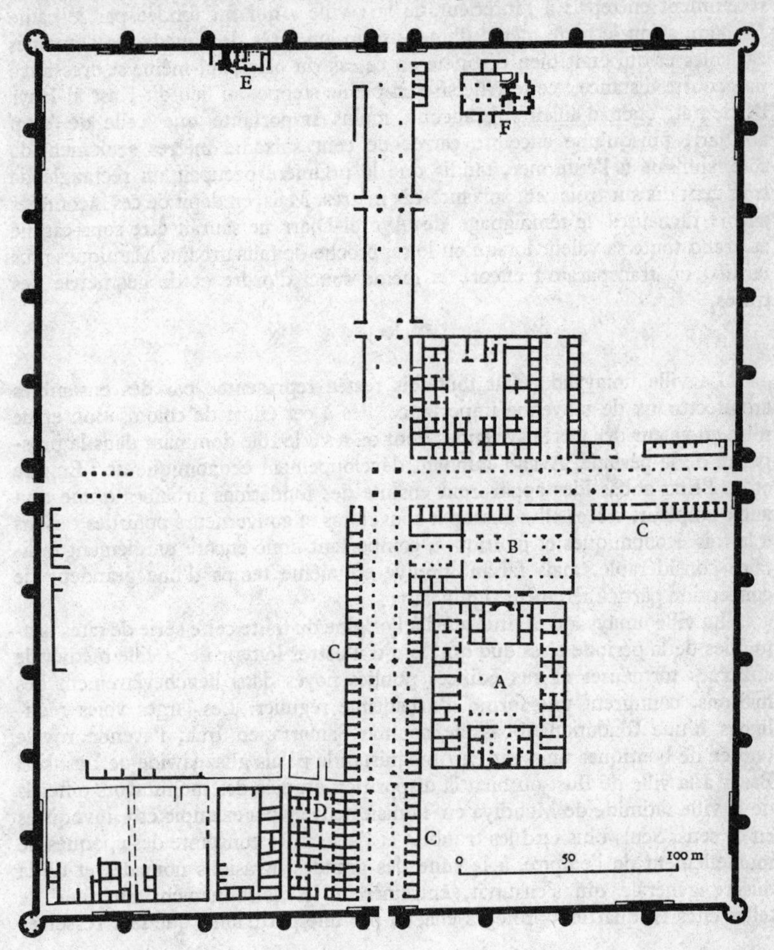

Sulaymân. Il n'y eut pas non plus d'investigation complète du site de Wâsit, place forte bâtie en Irak pour y abriter le gouverneur umayyade de cette séditieuse province. Il est trop tôt enfin pour enregistrer les résultats des travaux récemment entrepris à l'intérieur de la « ville » qui fut fondée par le calife Hishâm, selon le texte même d'une inscription, près de l'un de ses domaines agricoles et qui était bien distincte en ce cas du palais lui-même se dressant à une courte distance : cette ville sise en pleine steppe, au lieu dit Kasr al-Hayr l'Oriental, était d'ailleurs beaucoup moins importante que celle de 'Ayn al-Djarr, puisqu'une enceinte carrée de cent soixante mètres seulement de côté suffisait à l'enfermer, tandis que la première occupait un rectangle de trois cent dix sur trois cent soixante-dix mètres. Mais, en dépit de ces inconnues encore fâcheuses, le témoignage de 'Ayn al-Djarr ne saurait être sous-estimé et prend toute sa valeur lorsqu'on le rapproche de faits urbains islamiques plus tardifs, où transparaîtra encore le même souci d'ordre et de géométrie des tracés.

•

La ville umayyade était toutefois restée représentée par des ensembles architecturaux de moyenne importance, liés à cet effort de colonisation et de mise en valeur des terres syriennes dont on a vu le rôle dominant dans la prospérité de la période. Avec l'étonnant développement économique de l'Empire et de l'État abbassides apparurent ensuite des fondations urbaines d'une tout autre ampleur, créées elles aussi par souverains et gouverneurs pour des raisons à la fois économiques et politiques, comportant donc encore un élément militaire considérable, mais faisant preuve en même temps d'une grandeur de conception particulièrement significative.

La ville umayyade se situe ainsi à l'origine de toute cette série de cités islamiques de la période classique qui, loin d'illustrer le type de la ville médiévale aux rues tortueuses et aux édifices publics noyés dans l'enchevêtrement des maisons, connurent une forme d'urbanisme régulier. Les larges voies rectilignes d'une fondation abbasside comme Samarra en Irak, l'avenue royale bordée de boutiques unissant en Afghanistan le palais ghaznawide de Lashkari Bazar à la ville de Bust ou bien la disposition étudiée des monuments officiels de la ville fatimide de Mahdiya en Tunisie peuvent par exemple être invoquées en ce sens. Seuls plus tard les troubles et l'insécurité constante des époques de morcellement de l'empire, à la suite des grandes invasions nomades et de la misère générale qui s'ensuivit, entraînèrent le cloisonnement intérieur de telles cités en quartiers protégés chacun par une porte ainsi que leur resserrement à l'abri d'un château fort jouant à la fois le rôle de citadelle et celui de résidence royale.

Auparavant le premier exemple des cités abbassides avait été fourni par la fameuse Ville ronde d'al-Mansûr, dans la mesure où cette ville royale de plan géométrique fut un moment ouverte aux activités commerciales et artisanales destinées à essaimer dans ses alentours. Le destin de Bagdad se sépara ensuite de celui de la fondation d'al-Mansûr, bientôt réservée à l'usage souverain, puis pratiquement abandonnée et finalement ruinée par le siège désastreux qui entraîna la mort du calife al-Amîn. Ce fut le destin propre à l'agglomération gigantesque née en dehors de l'enceinte circulaire de connaître une existence particulièrement agitée, mais de survivre aussi, par-delà les siècles, aux derniers représentants de la dynastie abbasside. Son centre se déplaça peu à peu à l'ouest puis à l'est du fleuve, à la suite de la fondation de palais sur la rive gauche, puis du développement en ce lieu de quartiers urbains aux riches hôtels, que des ponts de bateaux reliaient désormais à la rive droite. Lorsque les califes, après avoir passé quelque trente ans dans leur ensemble de Samarra, revinrent au IXe siècle s'installer à Bagdad, ils établirent désormais leur résidence en fonction de la population nouvelle, dans un palais situé au sud de la rive orientale et loin des quartiers septentrionaux peu à peu délaissés. D'autres éléments monumentaux essentiels, tels que marchés ou lieux de pèlerinage, s'y étaient également transportés. Mais ces « Bagdad » successives, reconstruites non loin les unes des autres, superposées même au cours des siècles dans un espace relativement restreint, nous restent pratiquement inconnues, faute de vestiges archéologiques expressifs ayant pu survivre au développement, sur le même site, d'une ville moderne appelée à son tour depuis quelques décennies à une remarquable croissance.

Heureusement, deux autres fondations urbaines califiennes dans la même province d'Irak, celles de Rakka et de Samarra, nous offrent, sous des noms peut-être moins célèbres, des ruines plus lisibles pour quiconque les observe d'avion.

Des deux ensembles, Rakka n'a encore été que fort peu étudié. Samarra en revanche, fondée en 836 par le calife abbasside al-Mu'tasim et agrandie par les califes suivants avant de retourner pratiquement au désert, a fait l'objet de nombreuses investigations, même si celles-ci restent de peu d'importance eu égard à la superficie jadis bâtie. Elle fournit un excellent exemple de métropole abbasside au développement aussi soudain que bref, à partir des exigences d'une ville-camp qui n'avait plus rien de commun avec les agrégats de pauvres huttes dans lesquelles se sédentarisaient les nomades arabes de la conquête et qui était née tout entière de la volonté d'al-Mu'tasim abandonnant Bagdad prompte aux révoltes, pour des raisons de sécurité.

La Samarra d'al-Mu'tasim, marquée par son palais et sa grande mosquée, était en effet une cité organisée de manière stricte. Les monuments principaux, reliés par des avenues, y tenaient la première place. Tout autour, les contingents de la garde étaient répartis dans divers quartiers en fonction de leur origine : là les Turcs dont « les concessions, dit le géographe al-Ya'kûbî *, furent isolées de celles des autres particuliers, de façon à les mettre bien à l'écart et à ne pas les mélanger à des groupes déjà arabisés » ; à côté d'eux des mercenaires du Farghâna ; ailleurs des Iraniens originaires de diverses provinces ; là encore, les Maghrébins, car la garde d'al-Mu'tasim ne comportait pas uniquement, tant s'en faut, des Turcs. Quant au contingent spécialement chargé de la protection du souverain, il occupait le voisinage immédiat du palais. D'autres quartiers avaient été réservés à la population arabisée et le contact évité dans la mesure du possible entre des éléments ethniques différents. Enfin, dans les marchés prévus auprès de la grande mosquée, « chaque spécialité de commerce avait été établie à part [...] à l'instar des décisions prises pour les marchés de Bagdad », précise le même al-Ya'kûbî. Bref, l'ensemble avait été dessiné par les soins du souverain et selon un plan extrêmement strict, en attendant de s'agrandir démesurément sur une vingtaine de kilomètres le long du Tigre, derrière un système de canaux protecteurs, par la multiplication de résidences souveraines accompagnées chacune de la naissance de nouveaux noyaux commerçants.

Les mêmes traits se retrouvaient à la même époque dans les grandes cités fondées au-dehors de l'Irak. Sans insister sur le cas de Kairouan par exemple qui grandit auprès des palais aghlabides, puis fatimides, le cas le plus suggestif est sans doute celui de Fustât-le Caire dont le prestige vint relayer, à partir de l'époque fatimide, celui de la métropole bagdadienne. Là aussi nous avons affaire à une succession de fondations, puisque, à la ville-camp de Fustât établie elle-même non loin d'une vieille cité égyptienne, s'était ajoutée, au IXe siècle, la « résidence royale » édifiée par Ibn Tûlûn à l'image de Samarra et embellie par ses descendants, qui avait pris le nom d'al-Katâ'i', « les Concessions », et qui s'était vu doter d'un palais ainsi que d'une grande mosquée encore célèbre aujourd'hui. Au Xe siècle devait être ensuite fondée par les conquérants fatimides la ville du Caire qui comportait elle aussi de nouveaux palais et une nouvelle grande mosquée et qui devint le principal centre urbain. Son développement, comme celui de Bagdad, fut suivi et durable, peut-être même plus continûment brillant, tandis que s'y relayaient de puissantes dynasties et que son activité de capitale se maintenait jusqu'à nos jours. Mais il est frappant de retrouver, à l'origine de son destin, ce caractère de « camp fortifié royal » doublé d'une ville active qui était devenu la norme à partir de cette époque et n'excluait pas, au moment de la fondation princière, les raffinements techniques d'un projet longuement réfléchi.

Rien n'était en effet laissé au hasard dans les créations dynastiques de cette époque de grande prospérité. Le soin avec lequel on consultait les astrologues eux-mêmes pour faire naître la nouvelle cité sous un horoscope favorable s'ajoutait encore aux minutieuses prévisions demandées aux maîtres d'œuvre et aux autres représentants de tous les corps de métiers. Suivait ensuite rapidement l'essor démographique des faubourgs, et ce que l'on peut ainsi appeler la « ville abbasside », puisque ses premiers spécimens remontent aux califes de ce nom, se mit à fleurir un peu partout dans l'empire à mesure que la vie des provinces s'y modelait de plus en plus sur celle de l'Irak. Du moins le sait-on pour certaines provinces et l'imagine-t-on pour d'autres, comme l'Iran, sur lesquelles nous manquent également les données des textes et les renseignements des archéologues.

•

Le sort de ces villes abbassides, le plus souvent « créées » ou « fondées » à nouveau non loin d'une ancienne cité, fut ensuite très variable, car leur développement à longue échéance dépendait des conditions historiques, c'est-à-dire de la vitalité des dynasties auxquelles elles étaient liées. Les villes d'Irak furent en particulier très instables. Si Basra, dont nous avons déjà évoqué la situation géographique privilégiée, maintint pour cette raison son importance au cours de la période médiévale, Kûfa fut éclipsée par Bagdad, laquelle commença elle-même à décliner au XIe siècle quand, avec le morcellement de l'empire, la capitale tendit à retomber au rang d'une simple cité provinciale. Au Maghreb, la même évolution marqua le destin de Kairouan et de Fès par exemple, supplantées l'une par Mahdiya, puis Tunis, et l'autre par la nouvelle fondation de Marrakech, tandis qu'en Égypte au contraire l'agglomération le Caire-Fustât, loin de souffrir sérieusement de la chute des Fatimides, affirmait une prééminence que les Ayyoubides, puis les Mamlouks devaient porter à son apogée. Quant aux villes syriennes, en majorité des villes antérieures à l'Islam et seulement transformées après la conquête telles que Damas, Alep, Homs, Hama et d'autres encore, elles s'affirmaient au contraire d'une remarquable stabilité. Certes les fondations typiquement umayyades de Ramla, 'Ayn al-Djarr et Kasr al-Hayr l'Oriental avaient disparu, non sans avoir connu en plein Moyen Age un tem-

57. L'ENTRÉE MONUMENTALE FORTIFIÉE DE LA CITADELLE D'ALEP
(*D'après J. Sauvaget*, Alep.)

Sur cette coupe où se distinguent les constructions ayyoubides et les adjonctions mamloukes (indiquées par des hachures), on remarque l'importance des fortifications accumulées à l'époque des croisades pour renforcer le site naturel de la citadelle d'Alep. Le pont menant à la porte principale, qui était précédée d'une barbacane, aboutissait à une série de passages coudés et hérissés d'obstacles divers qui défendaient l'accès à la plate-forme supérieure. Le tout était construit en belle pierre et surmonté d'une salle monumentale d'audience.

poraire renouveau. Mais les autres cités dont le rôle avait diminué pendant la grande époque abbasside, en raison de la suspicion où était tenue la province umayyade par excellence, redevinrent des centres très actifs quand de nouveaux petits royaumes se furent organisés autour d'elles. Un type de ville apparut alors, sensiblement différent de la métropole abbasside et plus proche de la ville féodale de l'Europe occidentale, qu'il ne faut pas limiter aux régions syriennes, mais dont il est tentant d'aller chercher les exemples dans cette province relativement bien connue du point de vue historique et géographique.

Ces villes syriennes, que l'on peut choisir comme exemples typiques de la ville post-saldjoukide, nous sont en effet encore accessibles aujourd'hui grâce aux vestiges archéologiques qui nous en ont été conservés et grâce aussi aux descriptions de leur état ancien que nous ont laissées des auteurs souvent fort bien informés. Elles se présentaient comme des villes fortifiées, pourvues de solides murailles et d'impressionnantes citadelles dont le plus beau spécimen, à côté de ceux de Damas, Homs, Baalbek ou Bosra, est sans doute la majestueuse forteresse d'Alep, dressée encore aujourd'hui au-dessus de son glacis circulaire.

58. PLAN DE LA VILLE D'ALEP AU XIe SIÈCLE

(*D'après J. Sauvaget*, ibid.)

Type de cité hellénistique adopté par les conquérants arabes et transformé au cours de quatre siècles de vie islamique. Le premier plan orthogonal est encore reconnaissable dans cette ville aux maisons de pierre. La mosquée primitive (A) a été remplacée au début du VIIIe siècle par une grande mosquée (B) élevée sur le site de l'ancienne agora, tandis qu'un musallâ (C) était aménagé en dehors de la section bâtie. La halle aux fruits (D) est restée proche de l'enceinte, d'origine byzantine. La citadelle (E), devenue au Xe siècle, sous la dynastie hamdanide, une ville royale, s'est enrichie de fortifications imposantes. Quant au fossé, il fut creusé par les Byzantins lors du siège d'Alep en 962; il constituera par la suite la limite orientale de la ville.

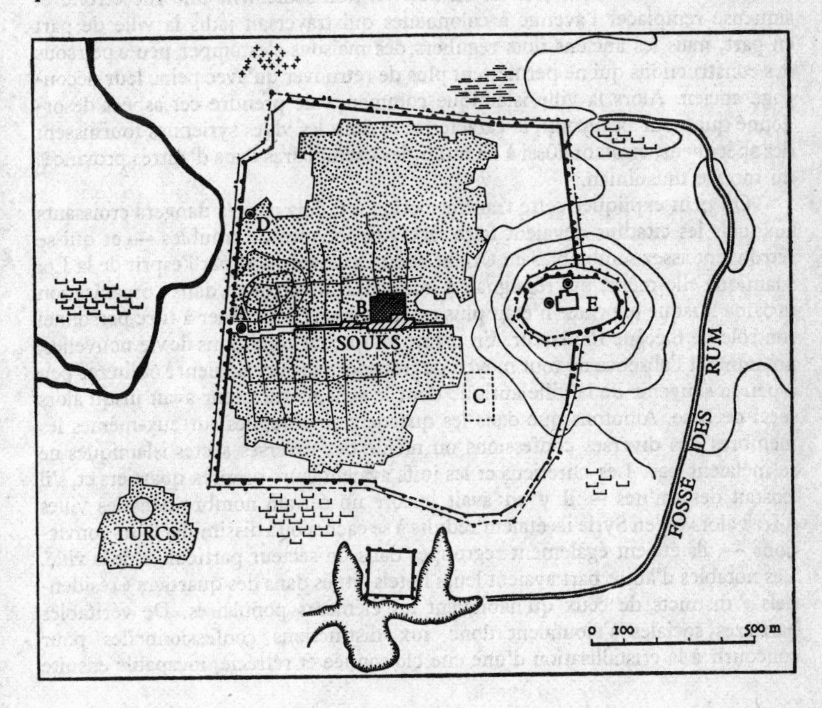

Les citadelles abritaient le plus souvent des palais souverains, tandis que les troupes des Turcomans qui constituaient les gardes royales étaient cantonnées dans des faubourgs extérieurs. Mais cet accent mis sur les défenses militaires, en raison des guerres incessantes menées alors contre les Francs, n'empêchait pas les cités d'être en même temps des centres intellectuels et économiques. L'ampleur des souks qui débordaient le centre de la ville pour s'étendre dans les quartiers suburbains, la multiplication des funduks destinés aux marchands musulmans ou étrangers peuvent en être prises pour signes, de même que l'accroissement constant du nombre des monuments religieux secondaires parsemant alors une cité par ailleurs protégée et intérieurement divisée en quartiers clos.

Aussi bien le tracé des rues s'était-il à cette époque sensiblement modifié par rapport à celui des agglomérations plus anciennes. On l'observe par exemple dans une ville telle que Damas où l'on vit non seulement une rue étroite et sinueuse remplacer l'avenue à colonnades qui traversait jadis la ville de part en part, mais les anciens îlots réguliers des maisons s'estomper peu à peu sous des constructions qui ne permettent plus de retrouver qu'avec peine leur découpage ancien. Alors la ville islamique commença de prendre cet aspect désordonné qui, pour beaucoup, la caractérise et dont les villes syriennes fournissent des spécimens, existant aussi à de multiples exemplaires dans d'autres provinces du monde musulman.

On peut expliquer cette transformation à la fois par les dangers croissants auxquels les citadins devaient faire face aux époques de troubles — et qui se retrouvent assez semblables en Orient et en Occident — et par l'esprit de la Loi islamique elle-même qui répugnait à intervenir directement dans l'organisation urbaine lorsque le prince n'était plus assez puissant pour jouer à titre personnel son rôle de mécène fondateur. En même temps des conditions de vie nouvelles, notamment l'absence de tout moyen de transport à roue, aidaient à oblitérer peu à peu le souvenir de la ville antique dont le schéma directeur avait jusqu'alors servi de base. Ajoutons que dans les quartiers ainsi repliés sur eux-mêmes les membres des diverses confessions ou même des diverses sectes islamiques ne se mêlaient pas. Les chrétiens et les juifs avaient leurs propres quartiers et, s'il existait des shi'ites — il y en avait encore un certain nombre dans les villes d'Irak alors qu'en Syrie ils étaient réduits à se cacher ou à dissimuler leurs convictions —, ils étaient également regroupés dans un secteur particulier de la ville. Les notables d'autre part avaient leurs hôtels situés dans des quartiers « résidentiels » distincts de ceux qu'habitaient les éléments populaires. De véritables barrières sociales s'ajoutaient donc aux distinctions confessionnelles pour concourir à la cristallisation d'une cité cloisonnée et rétrécie, incapable ensuite de sortir, à moins de révolution politique importante et jusqu'à l'époque moderne, du cadre trop rigide dans lequel elle s'était elle-même enfermée.

●

Dans cette ville islamique ancienne dont nous venons de voir surtout s'affirmer le double et successif caractère de métropole impériale d'abord, puis de petite ville féodale ensuite, coexistaient, ainsi qu'on l'a dit, les gens de diverses classes, si tant est qu'il soit possible de parler, dans la civilisation musulmane médiévale, de classes sociales déterminées. Les limites que l'on peut essayer de tracer ne sont en effet jamais bien nettes et si, à certaines époques, on constate dans certains milieux comme celui des secrétaires une conscience de classe, cette mentalité disparaît dans un contexte socio-historique différent. Par ailleurs les conceptions islamiques ne nous aident pas à trouver un critère. Si en effet, à propos du mariage par exemple, certains juristes distinguent entre Kurayshites, Arabes et non-Arabes, d'autres adoptent des séparations différentes. Aux distinctions sociales fondées sur la richesse, la fonction ou le mode de vie, se mêlent toujours des distinctions confessionnelles ou ethniques situant en fait la ligne de rupture, entre le musulman et le juif lorsqu'il s'agit de marchands, ou entre le sunnite fidèle et le sectaire au loyalisme douteux lorsqu'il s'agit de secrétaires par exemple. De la sorte, l'étude de la société revêt en pays d'Islam une complexité toute particulière et on trouvera préférable de parler plutôt de milieux que de classes proprement dites.

Parmi ces milieux sociaux plus spécialement urbains, celui des hommes de science et de religion venait en premier pour le rôle que ses membres jouaient dans la cité. Proches en effet du souverain qu'ils rencontraient à l'occasion, mais proches aussi des travailleurs avec lesquels ils étaient souvent en rapports, liés en tout cas au centre cultuel et communautaire représenté par la mosquée — dont le calife ou tout autre détenteur du pouvoir ne se désintéressait jamais, mais qui restait surtout le centre de la vie citadine —, soutenus dans leurs idées par le petit peuple qui se montrait rarement indifférent aux discussions des juristes et des théologiens, ces savants et « pieux personnages », ainsi qu'on les désigne souvent, étaient pour la ville islamique qui les abritait une population aussi permanente et aussi typique en son genre que l'entourage du prince.

C'était à eux que s'adressaient, de leur vivant, les marques de respect et d'hommage de leurs contemporains, eux aussi dont les tombes devenaient des objets de vénération que l'on visitait. Au point que, dans la mentalité de l'époque, le prestige de toute cité, et sans doute le meilleur garant de son vrai caractère islamique, tenait au nombre ainsi qu'à l'autorité des hommes de religion qui y étaient nés, y avaient vécu et enseigné, y étaient enterrés ou même y avaient simplement séjourné, ne fût-ce que temporairement. Car ces gens si profondément liés à la vie de villes qui se glorifiaient de leur présence étaient en même temps des voyageurs infatigables, prêts à glaner la science ou à répandre leurs doctrines partout où leur qualité de musulmans suffisait à les faire adopter comme membres de plein droit d'une communauté vivante, partout aussi où ils pouvaient établir ce lien de filiation directe entre maître et disciple qui était à la base de tout enseignement en pays islamique.

Aussi bien trouve-t-on dans la littérature arabe médiévale le reflet de cette situation. Non seulement les personnalités éminentes ayant illustré chaque branche des activités religieuses ou scientifiques alors à l'honneur y furent mentionnées dans de véritables répertoires biographiques *, classés par générations ou « couches » *(tabakât)* et réservés chacun à une de ces branches : volumes consacrés à des juristes de tel rite, à des médecins, à des mystiques, etc. ; mais encore les récits des chroniqueurs et annalistes contenaient toujours, au milieu de leurs relations des événements politiques et des faits de guerre, des obituaires annuels où une place de choix était réservée aux savants. Les « Histoires » de villes elles-mêmes, dont le plus célèbre exemple est fourni par l'*Histoire de Bagdad* d'al-Khatîb al-Baghdâdî *, se présentaient essentiellement, après une introduction topographique et historique plus ou moins développée, comme des dictionnaires biographiques à classement alphabétique contenant les noms de ces mêmes personnages, de préférence spécialistes des sciences religieuses, qui avaient participé à la vie intellectuelle et religieuse de la cité. Il n'était pas enfin jusqu'aux livres consacrés à vanter les « mérites » au sens large de ces mêmes cités ou jusqu'aux « guides du pèlerin », faits pour offrir à la piété des fidèles des listes de « visites pieuses » à accomplir en tel ou tel lieu, qui ne fussent d'abord remplis par la louange de ces célèbres défunts.

Parmi eux on comptait d'abord des traditionnistes, collecteurs en milieu sunnite des paroles ou « dicts » du Prophète et de ses Compagnons dont on a vu l'importance théologique et juridique. Ils avaient pour fonction non seulement de réunir ces paroles éminentes, mais de les classer, d'en apprécier la valeur respective et d'éliminer les textes non authentiques qui auraient pu venir s'introduire dans l'ensemble de leurs citations. Leur mise en œuvre de procédés jugés aujourd'hui insuffisants — car ils reposaient d'abord sur l'examen de « chaînes » de garants — s'apparentait à une véritable science généalogique * et constituait un aspect fondamental de leur activité, consacrée par ailleurs à la simple mémorisation ou notation par écrit des paroles elles-mêmes. Comme les autres savants, mais peut-être encore plus que les autres — car le système des chaînes de garants impliquait la transmission du témoignage par rencontre directe —, ils avaient donc l'habitude de visiter les diverses métropoles du monde islamique pour ajouter toujours de nouvelles paroles à leurs collections. Cette « quête » donnait sa physionomie particulière à l'auditoire des grands maîtres qui était en partie composé d'étrangers à la région.

A côté de ces spécialistes qui, à partir du xe siècle, avaient définitivement établi les méthodes propres à leur discipline, se rencontraient les savants plus particulièrement occupés à scruter le texte coranique lui-même, le plus souvent pour en préciser les variantes de lecture fondées elles aussi sur la Tradition ou en aplanir les difficultés grammaticales et lexicographiques * en recourant au matériel fourni par la littérature archaïque et en rejoignant ainsi le travail accompli par philologues et lettrés de formation plus profane. Des témoignages de leurs efforts préliminaires, pour inventorier par exemple les expressions ou les termes typiques figurant dans le Coran, sont parvenus jusqu'à nous sous forme de listes sur parchemin comparables à nos modernes « concordances ». Certains d'entre eux appartenaient en outre à cette catégorie des « lecteurs » de Coran qui jouèrent un rôle de premier plan dans les débuts de l'Islam, quand les lectures coraniques n'étaient pas encore fixées de façon définitive. Ils formaient encore au xe siècle une corporation respectée, dont les membres devaient avoir une connaissance approfondie du texte révélé. D'autres encore tenaient le rôle plus modeste, mais quasi officiel, de ces « récitateurs » qui, d'après al-Makdisî, passaient leur temps dans les mosquées à lire des textes édifiants.

Mais les Commentaires proprement dits du texte coranique restaient l'apanage d'exégètes qui se distinguaient surtout par leurs opinions théologiques et leur appartenance aux diverses sectes religieuses se partageant alors le monde de l'Islam. C'est dans l'ambiance des controverses qui se déroulaient entre mu'tazilites, shi'ites et traditionalistes par exemple, au moment où certains esprits commençaient d'appliquer aux questions religieuses une dialectique refusée par nombre d'autres, qu'il faut situer les plus représentatives de ces entreprises, accomplies tantôt par des penseurs qui faisaient appel à l'interprétation symbolique ou figurée, tantôt par des hommes restés fidèles à une conception littéraliste et à des explications plus strictement philologiques. De leurs opinions et de la faveur que celles-ci rencontraient dans telle région ou telle ville dépendait en fait la publicité assurée à leur enseignement, qu'ils pouvaient aussi bien donner au grand jour que réserver, dans leur propre demeure, au groupe étroit de leurs sympathisants.

Non moins importants étaient enfin les jurisconsultes qui mettaient au point les détails des dispositions juridiques et qui, surtout, rendaient des consultations sur les cas difficiles se posant aux cadis. Comme enseignants, leur activité restait privée, et comme jurisconsultes, leur fonction n'avait non plus rien d'officiel. Les cadis, lorsqu'ils étaient embarrassés, s'adressaient à eux, chacun choisissant tel juriste de sa connaissance en qui il avait confiance. Mais il n'existait pas, à l'époque classique, de *mufti* * officiel et le cadi restait libre, après consultation, de prendre lui-même la décision qui lui paraissait la meilleure. Rappelons toutefois que juristes et traditionnistes pouvaient être à l'occasion chargés par le calife d'examiner des questions importantes ou de réfuter des doctrines considérées par ce dernier comme pernicieuses. Al-Ma'mûn ainsi s'entoura, lorsqu'il voulut imprimer au régime une direction nouvelle, des avis de juristes et théologiens de tendance mu'tazilite. Al-Mutawakkil à son tour, lorsqu'il mit fin à cette expérience, pria des traditionnistes réputés de rassembler les arguments qu'ils pouvaient opposer à la doctrine condamnée. Les traditionnistes et les jurisconsultes se trouvèrent ainsi très tôt amenés à prendre position sur des questions doctrinales qui, plus tard, apparaîtront comme étant du domaine réservé aux spécialistes de la théologie dogmatique.

Cette théologie, on le sait, ne s'imposa que progressivement en tant que science autonome, se heurtant à l'opposition des tenants du traditionalisme, des hanbalites notamment, qui l'estimaient inutile, sinon néfaste. Ce fut cependant par le moyen d'un véritable enseignement dispensé à la grande mosquée ou dans d'autres locaux de caractère religieux que les théologiens au sens propre, c'est-à-dire surtout dans l'Irak des xe et xie siècles les ash'arites, cherchèrent à diffuser leur doctrine. Ces hommes de religion dont la compétence s'étendait souvent à plusieurs domaines ne manquaient pas d'utiliser, comme moyen de propagande, les sermons qu'ils pouvaient être autorisés à prononcer lors de la Prière du vendredi. Et à une époque de luttes religieuses particulièrement violentes, les souverains désireux de prendre parti de façon autoritaire en faveur de quelque doctrine, choisirent d'assurer à ses partisans le privilège de telles fonctions de prédication ou d'enseignement. Ce fut l'attitude des Saldjoukides lorsqu'ils voulurent condamner tout d'abord l'ash'arisme que combattaient les hanbalites, puis se rallier à cette école en lui donnant le moyen de diffuser ses thèses.

De l'ingérence du pouvoir dans l'orientation juridico-théologique résulta bientôt le soudain développement de ces madrasas qui étaient soumises à son contrôle direct et fondées pour assurer de convenables moyens d'existence aux professeurs ou étudiants qui y résidaient. On a certes discuté la question de savoir si les plus anciennes de ces madrasas avaient été destinées à l'enseignement de la théologie ash'arite, comme on l'a affirmé naguère, ou à celui du droit seul. Il ressort de récentes études que les professeurs des collèges de Bagdad furent effectivement d'abord des juristes, mais que peu à peu ces juristes shafi'ites, gagnés par la propagande ash'arite, utilisèrent leur enseignement à répandre les idées ash'arites qui, à leurs yeux, étaient étroitement liées aux notions de droit qu'ils inculquaient et correspondaient à l'application d'une même méthode de raisonnement. La madrasa ne fut d'ailleurs jamais un instrument de propagande purement shafi'ite-ash'arite. Les collèges créés en Syrie aux XIIe et XIIIe siècles appartenaient aussi bien à l'école hanafite, et seuls les malikites et hanbalites furent longtemps réduits, en ce domaine, à des moyens restreints. En fait les madrasas étaient destinées à former une élite intellectuelle acquise aux principes sunnites que défendaient, de manière parfois un peu diverse, toutes les grandes écoles juridiques.

L'existence des madrasas, notons-le, ne supprimait pas pour autant l'enseignement qui pouvait continuer d'être donné dans les mosquées où auparavant chaque professeur avait son « cercle », emplacement réservé dans tel angle de l'édifice ou au pied de tel pilier. Même après l'apparition des collèges officiels, tout étranger qui séjournait un moment dans une ville conservait, semble-t-il, le droit de s'installer dans quelque coin de la salle de prière pour y donner un cours. Mais les nouvelles fondations officielles assuraient l'existence d'un enseignement permanent, approuvé et rétribué par les autorités. Aussi bien les chaires étaient-elles généralement dévolues à vie et la leçon inaugurale donnée par un nouveau professeur se faisait-elle en présence du souverain qui venait honorer tel ou tel savant, personnage apprécié de lui dont il avait le plus souvent imposé la nomination après avoir provoqué de ses libéralités la construction de l'édifice où il allait enseigner. C'était en fait la rupture avec les anciennes habitudes selon lesquelles les cours, même donnés dans des oratoires ou dans des monuments funéraires apparaissant déjà comme des embryons de collèges, n'étaient d'aucune manière subventionnés par le gouvernement.

Que l'enseignement fût en tout cas purement privé comme dans les premiers siècles ou dispensé dans les madrasas officielles, il reposait toujours sur les mêmes méthodes. Il consistait essentiellement à faire lire et à commenter le texte d'un ouvrage dont l'auteur était soit le professeur, soit un de ses propres maîtres. Ceux des étudiants qui étaient capables de lire correctement le texte ainsi expliqué recevaient l'autorisation de le transmettre et d'en expliquer à leur tour le contenu à d'autres : c'était là une « licence » *(idjâza)* d'enseigner, mais limitée à un ouvrage précis. Certains de ces ouvrages n'avaient au reste jamais été rédigés par leur auteur : il s'agissait plutôt de « cours » que des disciples s'étaient chargés par la suite de consigner par écrit, en vertu de l'autorisation d'enseignement qui leur avait été donnée. Cette habitude fut ensuite abandonnée lorsque l'usage du papier permit de multiplier les copies d'un même ouvrage. L'enseignement néanmoins resta toujours fondé sur la lecture de textes faisant autorité, dont les auditeurs devaient assurer la plus grande diffusion possible.

L'exercice de l'esprit de critique n'en était point pour autant totalement absent. Les auteurs, juristes, philologues ou autres, passaient leur temps à se reprendre les uns les autres et à améliorer la formulation de leurs idées parfois différentes. Si leurs discussions restaient limitées à un cadre étroit, elles faisaient preuve d'une extrême subtilité. Certains d'entre eux ne manquaient pas non plus à l'occasion de se fonder sur leur réflexion personnelle, tel le géographe al-Makdisî qui était resté fidèle au système de lecture coranique utilisé en Syrie, son pays, mais qui avait adopté en matière de droit l'école d'Abû Hanîfa, école des Irakiens. Même si certaines écoles de pensée dominaient plus spécialement en diverses villes ou régions, il existait toujours des esprits assez indépendants pour s'en écarter et adhérer volontairement à un système différent.

Hommes de religion tenant une place de premier plan dans la ville, sinon spécialistes en sciences religieuses, tels étaient aussi les cadis qui représentaient, on l'a vu, l'appareil judiciaire de l'État et avaient donc, eux, une fonction officielle. Leur tâche d'arbitre exigeant valeur humaine et sens de l'équité plutôt que compétence juridique proprement dite était peu appréciée des juristes de formation qui en refusèrent bien souvent, d'après les sources anciennes, la responsabilité. Ainsi aurait agi Abû Hanîfa que ce refus, peut-être légendaire, aurait fait jeter en prison. On sait en outre de façon certaine que des juristes shafi'ites, en Irak au xe siècle, considéraient comme indigne d'eux une charge qui n'exigeait point expressément de connaissances techniques et dont, à l'occasion, avaient bénéficié des hommes peu instruits. N'y aurait-il pas eu au dire des chroniqueurs un marchand d'étoffes ainsi récompensé par Ibn al-Furât pour avoir protégé le vizir lors d'une précédente disgrâce? Cette nomination aurait marqué, pour la fonction de cadi, le début de la décadence, mais ce ne dut être là qu'un phénomène passager car les postes de cadis allaient être au contraire occupés, à une époque légèrement postérieure, par de véritables hommes de science, parfois juristes renommés, parfois encore choisis dans les rangs des prédicateurs ou des anciens « témoins professionnels ».

Le cadi percevait un salaire qui variait évidemment selon les régions et les périodes ; il n'excéda jamais, semble-t-il, deux cents dinars par mois, mais il est difficile de savoir ce qui revenait au magistrat lui-même car il devait, sur la somme qui lui était allouée, rétribuer ses divers auxiliaires, plus ou moins nombreux selon les cas. On a vu qu'autour de lui gravitait le monde des « témoins professionnels », ces notables qui l'assistaient dans les audiences, ainsi que celui des avocats qui pouvaient intervenir au cours des procès. En tout cas la doctrine exprimée par certains juristes, selon laquelle la fonction de cadi devait être exercée de façon bénévole, ne fut apparemment jamais appliquée. Le cadi était payé, quoiqu'il touchât une somme minime et que ce salaire insuffisant expliquât en partie la corruption régnant dans ce milieu.

A côté de ses responsabilités judiciaires déjà examinées, les fonctions plus spécialement « urbaines » du cadi varièrent de façon notable selon les lieux et les périodes sans qu'on puisse établir de règles précises. S'il arrivait par exemple que le cadi s'occupât lui-même de l'organisation intérieure de la cité, charge qui ailleurs pouvait être confiée au muhtasib, il arrivait aussi qu'il fît fonction d'imâm et dirigeât la Prière. Mais dans les localités importantes il existait un personnage spécialisé dans ce rôle et rétribué pour assurer l'exercice du culte, sans doute après désignation par le cadi. Le cadi exerçait en effet dans les villes une sorte de contrôle sur les « ministres du culte » tels que muezzins et prédicateurs venus finalement prendre place, après avoir été d'abord indépendants, dans une sorte de hiérarchie urbaine.

La fonction de muezzin par exemple était régulièrement et personnellement attribuée, d'autant qu'elle exigeait des aptitudes particulières. Celui qui l'obtenait percevait un salaire modique mais constant. Chargé de proclamer cinq fois par jour l'appel qui avertissait les fidèles de l'heure de la Prière et qui rythmait en quelque sorte la vie quotidienne de la cité, il devait savoir moduler, d'une voix claire et bien timbrée, les formules répondant à des options religieuses précises. Mais il était également tenu d'observer des usages réglés avec minutie dans les ouvrages de droit, où l'on voit par exemple figurer des recommandations de ce genre : « Est répréhensible la pratique des muezzins qui se renvoient mutuellement l'appel à la Prière. Le sont encore l'allongement excessif qu'ils donnent aux mots de ce texte, le fait qu'ils se détournent de la direction de la Mekke de toute leur poitrine dans la déclamation de la formule : « Venez à la Prière ! » et « Venez au succès ! », le fait que chacun d'eux lance son appel à la Prière pour lui seul et sans attendre que l'autre ait terminé, si bien que les assistants sont troublés pour répondre correctement à cet appel parce que les voix s'entremêlent. Tous ces procédés sont des actes répréhensibles et dont il faut avertir les intéressés. »

La charge de prédicateur paraît avoir été moins précisément définie. En certains cas le sermon pouvait être prononcé par des personnages divers, des hommes de religion sans rôle officiel qui profitaient parfois de l'occasion pour jouer un rôle politique. Ailleurs, comme à Bagdad, la fonction de prédicateur dans les grandes mosquées était très honorifique et réservée à des membres de la famille hashimide, par les soins du calife lui-même : il était en effet indispensable pour le souverain de contrôler dans la capitale les responsables chargés de prononcer l'invocation en sa faveur. Sur le cérémonial qui entourait ce rite nous connaissons encore au XIIe siècle le récit vivant laissé par le voyageur maghrébin Ibn Djubayr * qui avait été frappé, au cours de sa visite d'une des principales mosquées du Caire, par l'attitude d'un prédicateur : ce personnage, nous dit-il, « s'y comportait en véritable sunnite, et unissait en son invocation les Compagnons du Prophète, les Suivants *, ceux qui les égalent, les mères des Croyants, épouses du Prophète, ses nobles oncles maternels Hamza et al-'Abbâs. Modéré dans ses admonestations et émouvant en parlant de Dieu, il toucha les cœurs les plus durs et fit couler les larmes des yeux les plus secs. Pour le sermon, il parut vêtu de noir à la mode abbasside; son habit se composait d'une chape noire, recouverte du voile en mousseline noire dit *taylasân*, ainsi que du turban noir, et il portait un sabre. En montant sur la chaire, il y frappa du talon de son sabre, au moment même d'y monter, un coup qui se fit entendre des assistants, comme une invitation à garder le silence ; puis un autre coup au milieu de sa montée, et un troisième, quand il l'eut achevée ; puis il salua les assistants à droite et à gauche, et il resta debout entre deux étendards noirs tachetés de blanc que l'on avait plantés au plus haut de la chaire. » S'il n'existait donc pas d'organisation d'ensemble touchant l'exercice du culte dans les mosquées, bien des usages politiquement et juridiquement importants devaient y être respectés. Il incombait au muhtasib d'y veiller et, à partir du XIe siècle environ, ce dernier reçut mission de faire respecter le caractère sacré des mosquées et d'empêcher cadis et maîtres d'école d'y tenir désormais séance.

Qu'il s'agît en tout cas de docteurs et professeurs ou de ministres du culte, ces divers personnages se distinguaient par leur costume. Depuis une époque déjà ancienne ils portaient le voile de tête dit *taylasân*, coiffure avec laquelle ils se présentaient pendant les IXe et Xe siècles aux audiences du palais. Cette habitude suffisait à faire reconnaître leur appartenance à une classe sociale particulièrement respectée, mais les prédicateurs se signalaient en outre par la robe ou, dans certaines régions, par la tunique avec ceinture d'origine militaire. Notons surtout qu'à l'époque classique le turban, qui sera par la suite, au XIVe siècle notamment dans l'Égypte des Mamlouks, le signe distinctif des hommes de plume, docteurs ou administrateurs, par opposition aux hommes de sabre, n'avait pas encore revêtu de signification précise.

De leur côté, les sermonnaires populaires n'occupaient pas dans la ville un rang reconnu, mais n'en exerçaient pas moins une influence indéniable sur l'opinion. On trouvait parmi eux des dévots, des ascètes et aussi des conteurs spécialisés dans la narration de l'histoire des prophètes de l'ancien temps. Ne subissant aucun contrôle, ils pouvaient orienter l'opinion dans le sens qu'ils désiraient et comptaient souvent des propagandistes politiques. Ils pouvaient aussi répandre des idées théologiques néfastes, tels ceux à qui al-Ghazâlî reprochait de prêcher une trop grande « confiance » dans le pardon divin. Les autorités se méfiaient fort de ces gens qui n'avaient aucune formation définie, aucune compétence précise et sur qui on n'avait point de moyen d'action. C'est ce qui explique qu'à certains moments de tension le calife ait cru devoir interdire les rassemblements dans les mosquées ou dans les rues autour de ces sermonnaires.

D'autres hommes s'adonnaient à la dévotion sans bénéficier par ailleurs de ressources personnelles ni percevoir de salaire et parfois même en dédaignant toute activité rémunératrice. Tel était d'abord le cas de tous ceux qui, pratiquant la « retraite » dont parlent les traités de droit, passaient leur temps à la mosquée, y lisant le Coran, y répétant des invocations et y sanctifiant leurs journées selon des principes analogues à ceux que définit un Ghazâlî.

Tel était aussi le cas de ces soufis qui, dès le Xe siècle, formaient en certaines régions de petits groupes fermés qui avaient leurs propres règles de vie et qui souvent recouraient à la charité ou à la générosité publiques pour subsister. On peut citer par exemple cette communauté dans laquelle al-Makdisî réussit à pénétrer et où, en pratiquant un renoncement ostentatoire que lui permettait sa fortune personnelle, il parvint à se faire considérer comme un saint personnage dont le contact procurait bénédiction. De pareils groupes, auxquels s'agrégeaient momentanément errants et solitaires, ne firent que s'accroître et se multiplier jusqu'au moment où, au XIIe siècle, ils occupèrent de véritables couvents, souvent édifiés par des princes qui désiraient par là s'acquérir des mérites supplémentaires. C'était là une reconnaissance officielle de la place occupée dans la société urbaine par des soufis chez qui les puissants du jour allaient désormais chercher conseils et encouragements, notamment pour leur politique de défense de l'Islam. Mais déjà auparavant sermonnaires et dévots, qui vivaient tout d'abord quelque peu en marge, s'étaient vu accepter en tant que classe religieuse par le pouvoir : les chroniqueurs nous rapportent en effet qu'au début du XIe siècle les califes convoquaient, pour les proclamations importantes concernant le dogme, non seulement les cadis et les jurisconsultes, mais encore les sermonnaires et les ascètes, sans que nous sachions d'ailleurs très exactement comment étaient choisis les représentants de ces deux dernières catégories.

Les soufis et les mystiques se distinguaient à l'époque par leur costume, la fameuse robe de laine, ainsi que par un mode de vie qui s'accommodait tantôt de la solitude dans laquelle certains d'entre eux pérégrinaient d'un lieu à un autre, tantôt de l'existence dans une communauté régie par des règles plus ou moins strictes et groupée surtout autour de la personnalité révérée d'un maître.

Mais leurs mœurs n'étaient pas toujours sans reproche. Certains prétendus ascètes, exploitant la crédulité de leurs admirateurs, ne méprisaient point la bonne chère et « l'appétit des soufis » passera en proverbe. On leur reprochait aussi de pratiquer la magie et d'abuser le peuple par leur charlatanisme. Du fait qu'ils vivaient en groupe, ils étaient également accusés souvent de pédérastie et on ne manque pas, dans les anthologies, d'historiettes portant sur ce thème, qui montrent le dévot résistant héroïquement à la tentation ou plus généralement y succombant ; quelques-uns d'entre eux, particulièrement ignorants, auraient même vu, dit-on, dans cette pratique une règle religieuse. Au XIe siècle toutefois, au temps du mystique al-Hudjwirî, l'idée se répandit que la véritable dévotion exigeait la continence, rarement respectée dans les premiers siècles où les soufis étaient le plus souvent mariés, et certains d'entre eux resteront alors célibataires ou se contenteront de contracter des mariages de pure forme.

Ce fut dans ce milieu qu'apparurent des personnages auxquels on conféra la qualité de saints en raison des prodiges qui leur étaient attribués et du pouvoir que, disait-on, ils possédaient de faire exaucer les prières. Dès le XIe siècle plusieurs degrés existaient dans la « sainteté » ainsi reconnue, depuis le rang des « meilleurs » et des « substituts » jusqu'à celui du personnage qu'on appelait le « pôle » et qui était censé gouverner le monde et le soutenir avec l'aide des autres saints. Mais on touchait là à des spéculations cosmologiques qui n'avaient guère d'effet dans la réalité. S'il reste certain que nombre de dévots jouissaient d'un respect unanime et que leurs tombes, notamment celles des fondateurs d'ordre, étaient régulièrement visitées, nous manquons de détails sur la manière dont on observait à l'époque les pratiques de ce « culte des saints » qui s'adressait d'ailleurs aussi à des docteurs réputés ou même à des souverains s'étant signalés par leur ardeur à défendre militairement le domaine de l'Islam.

•

De ces hommes de religion, essentiellement imprégnés de culture juridique ou théologique, même s'ils étaient les uns portés vers la réflexion, les autres vers l'application pratique ou encore vers l'ascétisme — sans que d'ailleurs ces tendances différentes se soient jamais exclues —, se distinguaient dans la ville les secrétaires et les marchands, c'est-à-dire les hommes formés aux diverses techniques de l'administration et du commerce et aux sciences profanes que celles-ci supposaient. C'étaient là dans leur ensemble des gens riches, influents et cultivés, qui avaient vu leur importance grandir à mesure que le phénomène urbain connaissait dans l'Empire abbasside une ampleur croissante, à mesure aussi que s'étaient effacées les premières barrières existant entre conquérants musulmans et non-Arabes. On pourrait à certains égards les ranger sous l'étiquette de « bourgeois ». Mais ce terme impliquerait une participation active aux affaires de la ville, qui se manifesta seulement en pays d'Islam dans quelques cas bien déterminés, lorsque des périodes d'anarchie permirent à des milices locales de substituer pratiquement leur pouvoir à celui de la force émirale contrôlée ou non par le pouvoir central. De plus cette appellation risquerait d'introduire une notion étrangère aux catégories d'ordre proprement islamique existant dans la société de l'époque.

Il ne faudrait pas non plus exagérer l'originalité en tant que classe urbaine de ces administrateurs et grands marchands qui avaient généralement reçu, en sus de leur éducation spécialisée, une formation juridico-théologique comparable à celle des hommes de religion. Non seulement ils manifestaient souvent le goût, commun à l'époque, des discussions religieuses, mais leurs divertissements profanes étaient également partagés par des docteurs qui se targuaient eux aussi d'être de beaux esprits. A partir du XIe siècle enfin un rapprochement encore plus net se fit sentir entre administrateurs et docteurs, solidaires dans leur opposition à une classe militaire étrangère et non arabophone, celle des « hommes de sabre » qui était désormais juxtaposée dans la ville à celle des « enturbannés ».

Néanmoins, au Xe siècle encore les secrétaires, dont nous avons déjà évoqué la place dans l'entourage du souverain ainsi que les activités professionnelles fondées sur un type irano-mésopotamien de culture, formaient, au sein des milieux cultivés, un groupe conscient de ses traits distinctifs qu'il soulignait par certains détails de costume, comme le port de la longue tunique. A ce groupe appartenaient aussi bien de simples employés aux écritures que les scribes attitrés de tel puissant personnage ou bien les responsables des grands services de l'administration centrale et provinciale. Des liens étroits existaient en outre entre ces derniers personnages et leur clientèle particulière de lettrés à la recherche de mécènes, sinon d'emplois dans les bureaux de l'État, ainsi que les divers trafiquants, marchands et changeurs * de plus ou moins grande envergure, qui essayaient grâce à eux de réaliser de fructueuses opérations commerciales ou bancaires avec l'appui direct ou détourné des services officiels.

Moins bien connus, les négociants, qui différaient essentiellement des boutiquiers et des artisans vendant eux-mêmes les produits de leur travail, jouaient un rôle essentiel dans la ville en se livrant au commerce interurbain et parfois même international dont on a vu plus haut l'importance, dès une époque ancienne, dans les pays d'Islam. Le développement constant de leurs affaires nous est attesté par les traités que les juristes devaient consacrer, dès la fin du VIIIe siècle, aux problèmes du gain et aux conditions de sa licéité, même si l'organisation interne de leur commerce, à l'époque classique, nous est en fait encore mal connue.

Parmi ces négociants figuraient à la fois de grands commerçants, qui avaient évidemment besoin de capitaux importants et devaient non seulement s'associer selon des formules diverses, mais encore faire à l'occasion d'importants emprunts, et des banquiers professionnels qui avaient pour tâche essentielle de bailler aux premiers les fonds nécessaires. Les grands commerçants eux-mêmes présentaient plusieurs types qu'un récent ouvrage sur le capitalisme en pays d'Islam distingue, d'après un manuel de commerce du XIe siècle, en énumérant successivement « le marchand entrepositaire qui achète à bon prix et revend en conjoncture de hausse, qui doit savoir prévoir la conjoncture et espacer ses achats conformément à celle-ci [...] le commerçant voyageur et exportateur qui doit disposer d'une documentation à jour sur les prix dans les pays d'écoulement de ses marchandises et les droits de douane de façon à pouvoir calculer correctement ses prix et son bénéfice en prenant en considération les frais de transport, qui doit aussi avoir un agent sûr dans le pays en question ainsi qu'un magasin où il puisse décharger ses marchandises sans crainte [...] enfin le commerçant commanditaire qui doit se choisir un agent sûr ». Il s'y ajoutait les marchands étrangers, le plus souvent occidentaux et spécialement italiens, qui pour la plupart ne pénétraient pas profondément dans les régions musulmanes. Se contentant en effet de prendre livraison, non loin des côtes, des produits apportés de l'intérieur par le trafic caravanier, ils fréquentaient néanmoins, à partir du XIe siècle, les ports égyptiens et à partir du XIIe siècle les grandes villes d'Égypte et de Syrie où ils avaient obtenu de disposer d'entrepôts autonomes appelés funduks.

Dans ces milieux urbains commerçants tenaient également leur place, mais depuis beaucoup plus longtemps, des Orientaux chrétiens et juifs dont on parvient difficilement à évaluer l'importance selon les époques en raison des lacunes de la documentation actuelle. En pleine époque abbasside les négociants et banquiers juifs auraient été particulièrement actifs, on l'a souvent souligné, et il est exact que les documents provenant de la Geniza du Caire nous montrent le bien-fondé de cette affirmation. Un peu plus tard au contraire les traités fiscaux qui nous sont parvenus ne mentionnent plus explicitement aucune activité juive. Mais il serait dangereux, comme l'a montré C. Cahen, de tirer de ce dernier indice des généralisations trop hâtives. En dépit des mesures prises par Saladin, les juifs continuaient certainement de son temps à commercer dans les villes, tandis que les chrétiens, plus discrets, occupaient surtout le rôle d'intermédiaires entre les Européens et les musulmans. Encore faut-il noter que les marchands appelés du nom énigmatique de Karimis, qui détenaient pendant la période ayyoubide et mamlouke le monopole de fait du trafic de la mer Rouge, c'est-à-dire notamment du transit des épices dans le Proche-Orient, étaient au XIVe siècle, au moment de leur pleine prospérité, uniquement des musulmans. Mais on ne saurait affirmer que leur association, qui opérait dans une zone interdite pendant les croisades aux tributaires, avait son pendant ailleurs dans le monde musulman.

A côté des négociants figuraient les changeurs, ou plus particulièrement les personnages chargés dans les divers chefs-lieux d'évaluer la valeur exacte des pièces que les contribuables apportaient pour se libérer de leurs dettes envers le Trésor. Ces *djahbadh*, comme on les appelle, qui assumaient une fonction officielle et constituaient d'indispensables auxiliaires des agents de l'autorité, étaient aussi des hommes d'affaires, souvent chargés également de la ferme des impôts. Ce fut à des changeurs de cette espèce, devenus en quelque sorte les banquiers attitrés de la Cour, que le califat dut s'adresser au début du Xe siècle pour obtenir des prêts nécessaires à l'équilibre du budget.

De leur côté les artisans ou les marchands étrangers à une ville avaient de tout temps recours à des intermédiaires, les crieurs publics, qui écoulaient leurs produits auprès des clients et leur fournissaient le cas échéant les marchandises dont ils pouvaient eux-mêmes avoir besoin. Il est difficile de dire si ces courtiers intervenaient dans toutes les branches du commerce ou seulement dans le commerce des vêtements et des étoffes à propos duquel ils sont généralement signalés. Les quelques textes qui les évoquent indiquent en tout cas qu'ils étaient fort entreprenants, cherchant à s'assurer le monopole de la vente de certains produits fabriqués ou importés. Les manuels de *hisba* réagissaient contre cette tendance en affirmant la liberté pour chaque marchand de choisir le courtier qu'il désirait sans être obligé de s'attacher un intermédiaire attitré. Mais les clients, de leur côté, semblent s'être fiés volontiers à ces courtiers qui constituaient un élément essentiel de la vie marchande et dont le nombre ne fit sans doute que croître avec le temps, même si leur statut ne fut jamais nettement défini. Leur activité donnait du reste lieu à quantité de contestations et litiges, d'opérations frauduleuses aussi qui étaient plus ou moins liées aux manœuvres d'accaparement ou de vente forcée pratiquées par certains détenteurs du pouvoir, et la responsabilité des parties en présence devait être fixée par les jurisconsultes dans des consultations dont le texte nous est parfois parvenu.

Le commerce était en tout cas à l'origine des grosses fortunes qui se constituèrent dans l'Irak abbasside dès la fin du IXe siècle et tinrent souvent le calife lui-même à leur merci. Les hommes d'affaires ainsi en rapport avec les autorités gouvernementales constituaient d'importants « groupes de pression », comme on dirait maintenant, qui étaient liés à divers milieux politiques ou sectaires. Pour conserver leur fortune, ils la plaçaient pour une bonne part en objets de valeur ou en terres. Les domaines soumis à la dîme constituaient en effet au Xe siècle une excellente source de revenus, à condition que les services administratifs ne se montrassent pas trop pointilleux dans le calcul ou le contrôle des contributions versées. Ces domaines pouvaient en outre être confiés temporairement à des représentants, de même que les bijoux ou autres matières précieuses pouvaient être déposés chez des amis sûrs pour éviter les prélèvements et confiscations qui survenaient à tout moment et menaçaient des richesses amassées le plus souvent avec une rapidité surprenante.

Le type parfait des hommes d'argent de cette époque fut le fameux joaillier Ibn al-Djassâs dont les chroniqueurs nous rapportent comment il réussit à s'attribuer des pierres précieuses faisant partie du trousseau donné par le Toulounide Khumarawayh à sa fille lorsqu'elle fut demandée en mariage par le calife al-Muʻtadid : chargé d'escorter la fiancée d'Égypte en Irak, il réussit à la persuader de lui confier ces pierres qui pourraient lui être utiles en cas de revers de fortune et, la princesse étant morte la première, il conserva le riche dépôt. On nous rapporte aussi les mesures de confiscation dont il fut à deux reprises l'objet et surtout la manière dont il sut se défendre contre son plus redoutable ennemi, le vizir Ibn al-Furât. « Ce dernier, raconte-t-il, m'avait fait subir un traitement odieux et m'avait insulté d'une façon scandaleuse et humiliante, ordonnant à ses agents de placer mes propriétés sous séquestre et d'entraver mes transactions commerciales, de sorte que mon chiffre d'affaires tomba à un niveau très bas et que ma fortune fut menacée. Je lui dépêchai quelques amis pour trouver un terrain d'entente et lui fis offrir une somme dont le montant suffit habituellement à apaiser les rancunes. Les choses en restèrent là quelque temps et je pris patience jusqu'au moment où le danger devint pressant. » Il réussit alors à forcer de nuit la porte du vizir et eut avec lui une explication franche : « Agis avec moi, lui dit-il, selon les principes que te dicteront la générosité et la grandeur d'âme, sinon, je vais de ce pas chez le calife et je lui remets un billet à ordre de deux millions de dinars payable en or, à valoir sur ma caisse. A peine cette somme sera-t-elle en sa possession que tu pourras mesurer ma puissance, car je lui aurai certainement dit : « Prends cet argent, nomme un tel premier ministre » et livre-lui Ibn al-Furât. »

Les mêmes riches citadins, qui ne manquaient pas d'influence sur les cercles gouvernementaux et qui commandaient bien souvent par leurs constructions la physionomie architecturale de la cité, exerçaient encore leur emprise sur la vie intellectuelle. Nombre de lettrés en effet, sinon parmi les hommes de religion qui réussissaient généralement à se procurer grâce à leur science un gagne-pain, du moins parmi les essayistes, grammairiens ou poètes qui éprouvaient des difficultés matérielles beaucoup plus grandes, en étaient réduits pour vivre à quêter les largesses de tels personnages. Il n'était pas rare qu'on les vît errer de ville en ville jusqu'au moment où ils trouvaient l'occasion de faire « subventionner » leurs œuvres. Une sorte de mécénat exercé par l'oligarchie urbaine existait ainsi à côté du mécénat souverain. On en trouve aisément trace dans certains volumes littéraires qui ne font par exemple que rapporter les discussions ayant eu lieu, sur les sujets les plus variés et de la part de commensaux visiblement stipendiés, en présence de vizirs ou de hauts secrétaires recevant dans leurs hôtels particuliers. Un célèbre ouvrage d'al-Tawhîdî, le *Livre du plaisir et de l'intimité*, rend ainsi compte d'une série de causeries qui auraient été suscitées au Xe siècle par un vizir bouyide, lequel ne faisait en cela que suivre l'exemple donné, à la fin du VIIIe siècle, par les fastueux « protecteurs des lettres et des arts » que furent les Barmakides.

●

La vie intellectuelle de la cité n'était pas seulement dominée par l'activité des cercles religieux traditionnels d'une part et par celle des mécènes influents et fortunés d'autre part. C'était encore dans la ville que travaillaient nombre de spécialistes des sciences profanes, qui pouvaient appartenir à des milieux différents. Parmi eux figuraient ces grammairiens, tels al-Khalîl et Sîbawayh *, qui commencèrent à poser les bases de leur science et à dresser en de volumineux dictionnaires les premiers inventaires de la langue arabe. Parmi eux figuraient aussi ces traducteurs, le plus souvent chrétiens, tel Hunayn ibn Ishâk *, qui furent à certaines époques, notamment au temps du calife al-Ma'mûn, favorisés par le pouvoir et qui mirent à la portée des penseurs musulmans toute une série d'ouvrages philosophiques ou scientifiques grecs, parfois déjà traduits en syriaque *. Certains furent attachés aux bibliothèques des califes et des souverains, mais il existait en dehors du palais, entre le IXe et le XIe siècle, diverses catégories de bibliothèques constituées par de grands personnages ou par les tenants de divers mouvements religieux et qui profitaient aussi de l'actif commerce de librairie, employant copistes et enlumineurs, pratiqué dans des métropoles comme Bagdad et le Caire. Les principales de ces fondations furent des centres de diffusion de la pensée shi'ite, comme la Maison de la Sagesse instituée au Caire en 1005 par al-Hâkim ou la Maison de la Science créée à Bagdad en 991 par le vizir bouyide Sâbûr, mais d'autres avaient été organisées par des lettrés sunnites. Peu à peu cet effort de documentation, qui s'était d'abord poursuivi dans une atmosphère de relative liberté, devait être assumé par les madrasas post-saldjoukides et tomber alors sous l'emprise des maîtres ès sciences juridiques et religieuses.

Auparavant bien des traducteurs avaient été aussi des savants au sens étroit du terme. Ces spécialistes de disciplines diverses, partagés le plus souvent entre des spéculations abstraites et la réalisation d'applications pratiques susceptibles de les faire apprécier de leurs contemporains, jouissaient souvent de la protection des princes, même lorsqu'ils travaillaient, comme les chirurgiens et médecins par exemple, dans des organes fondamentaux de la cité. Si l'astronomie se développa en Irak au IXe siècle, ce fut grâce au secours du calife al-Ma'mûn qui fonda un observatoire à Bagdad, en même temps qu'il en créait un autre à Damas, tandis que bien plus tard une nouvelle impulsion devait être donnée à de telles recherches par les souverains mongols.

Mais il ne faut pas méconnaître l'influence profonde qu'exerça la vie cultuelle ou sociale islamique sur l'orientation des curiosités de tous ces savants. L'arithmétique et l'algèbre profitèrent ainsi dans leur développement des nécessités de calculs souvent compliqués demandés soit par le règlement des successions selon les systèmes prévus par le droit, soit par l'établissement de certains impôts. La géométrie était indispensable aux agents de l'État chargés d'évaluer la surface des terres soumises aux diverses taxes fiscales. L'étude des cycles astronomiques était encouragée par le calcul des heures de la Prière ou des mois de Jeûne, même si l'on préférait, dans la plupart des régions, l'observation directe du ciel aux prévisions théoriques, tandis que l'usage fort répandu des horoscopes invitait à des recherches sur les conjonctions d'astres.

Ainsi s'explique en partie le juste renom des physiciens et mathématiciens que l'on trouvait en pleine époque classique dans les villes abbassides d'Irak et qui se confondaient parfois avec ces ingénieurs, « mécaniciens » et fabricants spécialisés d'instruments de mesure dont on a vu les œuvres tenir une place importante parmi les productions du monde islamique médiéval.

Aux xe et xie siècles, leurs sciences favorites étaient également pratiquées dans l'Égypte fatimide, au Maghreb et en Iran, selon une mentalité et des méthodes qu'illustra la personnalité d'un des meilleurs savants de cette époque, le grand al-Bîrûnî * qui s'intéressa à l'astronomie indienne, à la culture des peuples « anciens » et aux sciences naturelles sans oublier la pharmacologie. De leur côté l'alchimie et la médecine rencontraient une constante faveur. Si l'alchimie, à laquelle est attaché le nom de Djâbir, ne réussit jamais à se hausser au niveau d'une science véritable, la médecine comptait depuis une époque ancienne des praticiens attentifs. Il existait, avant la conquête musulmane, une école à Djundîshâpûr en Iran, à laquelle appartenaient les fameux médecins des premiers califes abbassides, membres de la famille des Bakhtîshû'. Par la suite de nombreux savants, parmi lesquels le grand Avicenne, devaient exercer cet art, quoique de façon généralement empirique et en cherchant la meilleure manière d'agir sur les tempéraments individuels. Dès la fin du viiie siècle, un hôpital était créé à Bagdad sur le modèle de celui qui devait avoir existé très anciennement à Djundîshâpûr et au début du xe siècle, on comptait dans la ville cinq nouvelles fondations de ce genre, qui bénéficiaient de dotations faites par de riches personnages. Ces établissements se multiplièrent bientôt dans les autres grandes villes du monde islamique et on en trouvait au xiie siècle aussi bien au Caire et à Alexandrie, où Ibn Djubayr les visita, qu'à Alep ou Damas où les constructions monumentales qui les abritaient nous ont été conservées, sans oublier leur existence dans des villes iraniennes comme Rayy ou anatoliennes comme Divrigi.

Toujours dans les milieux urbains instruits écrivaient la plupart des auteurs de livres « profanes » destinés à assurer ensuite le renom de la prose littéraire arabe. Certes leurs œuvres ne manquaient point de lien avec la science religieuse traditionnelle. Des chroniques historiques furent ainsi rédigées en appendice à de véritables traités de théologie, soit qu'elles eussent été conçues comme des « histoires universelles » remontant à la création avec un évident présupposé religieux, soit qu'elles apparussent plutôt comme des récits isolés composés à la gloire des martyrs d'un parti religieux sectaire. De même un collectionneur d'anecdotes ou de maximes portant sur des sujets très divers pouvait-il se montrer dans ses écrits, comme le fit Ibn Kutayba, un théologien de formation. De même découvre-t-on un cadi de métier dans tel conteur narrant comme al-Tanûkhî * des scènes de la vie sociale qui avaient été empruntées à des époques différentes et qui lui permettaient de vanter à chaque occasion le thème de la

« confiance en Dieu ». De même enfin voit-on dans un géographe comme al-Makdisî se révéler non seulement un observateur des mœurs, des coutumes et des faits économiques, mais aussi un homme de religion soucieux de relever dans ses écrits les divergences doctrinales locales qu'il avait pu remarquer.

Toutefois la principale production des lettrés de ce genre, si l'on en écarte les écrits des penseurs imprégnés de philosophie hellénistique — que ce fussent des philosophes véritables ou des adeptes de mouvements sectaires —, ressortissait d'une manière générale au genre désigné sous le vocable assez large d'*adab* *, c'est-à-dire d'écrits destinés à former un type d'honnête homme essentiellement citadin, appelé *adîb*, se caractérisant par ses bonnes manières, son langage raffiné et ses qualités mondaines. Si l'adab, où s'illustrèrent des littérateurs tels qu'al-Djâhiz et al-Tawhîdî, comprenait des ouvrages qui embrassaient la somme des connaissances nécessaires dans un métier déterminé, celui de secrétaire ou de cadi par exemple, il était le plus souvent représenté par des recueils d'histoires amusantes ou émouvantes groupées autour d'un thème. Ces histoires pouvaient avoir été rassemblées par exemple pour vanter une classe sociale ou en faire un objet de satire, pour discuter des mérites de catégories telles que celles des Arabes et des non-Arabes, pour blâmer un défaut comme l'avarice ou illustrer un sujet tel que celui des « fausses angoisses », pour enfin relater des traits d'esprit et des reparties humoristiques prises parfois sur le vif. On y ajoutera les textes moralisateurs dont le type reste le *Livre de Kalîla et Dimna* avec ses nombreuses fables et surtout les séries de contes plus ou moins merveilleux dont certains sont à l'origine des fameuses *Mille et une nuits*. Aux IXe et Xe siècles remontent notamment des récits romanesques qui avaient pour thème les souvenirs d'expéditions maritimes aventureuses dues à l'essor contemporain du grand commerce. Tels sont les récits appartenant au cycle de *Sindbâd le Marin* ou les histoires anonymes colportées sur la Chine ou l'Inde, sans compter maintes relations qui ont pris place le plus souvent dans la littérature géographique postérieure. Mais d'autres contes mettaient en scène la population islamique urbaine proprement dite, que dépeignirent d'autre part, à partir du Xe siècle, ces exercices de virtuosité littéraire à intentions polémiques connus sous le nom de « séances ». La même littérature comptait encore de nombreux « romans d'amour » qui pour la plupart ne nous ont pas été conservés, mais dont on sait au moins la faveur qu'ils rencontraient dans les milieux bagdadiens de l'époque et dont on peut trouver les titres dans la précieuse nomenclature laissée au Xe siècle par le libraire-bibliothécaire Ibn al-Nadîm *.

A ces recueils et romans venaient se joindre des anthologies poétiques également pleines d'anecdotes, qui sont pour nous aujourd'hui autant de documents d'histoire sociale quand elles rassemblent, comme le fameux *Livre des chansons* d'al-Isfahânî, les vers les plus célèbres mis en musique au xe siècle ou quand elles traitent, comme cela arrivait également, d'un sujet aussi délicat que la nature et les manifestations de la passion amoureuse, objet de tant de poèmes. De la masse de telles anthologies poétiques se dégage, au xie siècle en Espagne, le fameux *Collier de la colombe* où le théologien Ibn Hazm réunit de précises descriptions des états amoureux, des historiettes vivantes et des vers de l'auteur lui-même, réalisant un livre rare dans la littérature arabe par l'exactitude de l'analyse psychologique, la netteté des jugements portés et le caractère émouvant de maints récits retraçant des expériences personnelles. Le souci d'analyser le comportement humain, pour instruire et distraire grâce à l'utilisation d'un mélange de prose et de vers susceptible de séduire le lecteur — souci qui caractérise essentiellement la littérature d'adab —, trouve sans doute là une de ses expressions les plus réussies, que rehaussaient encore un remarquable esprit de logique et une préoccupation réelle d'édification morale.

A ce moment, peut-on dire, parvenait à son apogée avant de sombrer dans le maniérisme une prose élégante qui avait profité de l'éducation progressive des milieux urbains et notamment du rôle qu'y avaient à cet égard et dès l'origine joué les scribes cultivés. Les plus anciens monuments de la prose arabe littéraire remontent en effet, on ne saurait l'oublier, aux secrétaires iraniens arabophones de la fin de l'époque umayyade et du début de l'époque abbasside que furent par exemple ʿAbd al-Hamîd et Ibn al-Mukaffaʿ. A eux revint l'initiative de rédiger les premières épîtres « composées » qui remplacèrent alors avantageusement les collections décousues de discours, proverbes, sentences et récits isolés que l'on connaissait seules auparavant. A Ibn al-Mukaffaʿ surtout revint le mérite d'avoir traduit et adapté un recueil d'origine indo-iranienne, le fameux *Livre de Kalîla et Dimna* déjà cité, qui introduisit dans la littérature arabe le genre du conte à intention didactique. En même temps s'exerçait l'influence d'autres secrétaires, auteurs de manuels techniques ou de libres chroniques historiques telle celle d'al-Sûlî *, chargés aussi de rédiger des lettres circulaires de caractère politique où ils rivalisaient dans l'art de s'exprimer avec élégance, concourant tous au développement d'une prose raffinée qui apprenait à véhiculer les connaissances les plus diverses tout en restant volontairement amusante et primesautière.

Dans la ville encore s'était assouplie, au sein des milieux lettrés, une langue poétique que l'on a vue abandonner peu à peu, sauf dans le panégyrique de cour et la satire officielle, les thèmes de la vie bédouine pour ceux de la vie raffinée des sédentaires et surtout les charmes de la nature cultivée. Certes les anthologues continuaient de recueillir et commenter les vestiges des anciens poèmes, révérés pour l'aspect pré-coranique de leur langue comme pour la fixité des figures de rhétorique que la critique littéraire ne cessait de cataloguer. Mais les incidences de l'existence quotidienne et les aspects du monde ambiant pénétraient peu à peu un domaine tout d'abord réservé au culte des grandeurs passées. L'ode fit place à des œuvres plus courtes et de genres plus différenciés, consacrées les unes à l'exaltation de l'ascétisme comme chez Abû l-'Atâhiya *, les autres à la description de scènes de chasse ou de scènes de beuverie comme chez Abû Nuwâs, tandis que d'autres enfin se confondaient avec de petites épigrammes d'inspiration amoureuse comme celles que composa Ibn al-Ahnaf. Une poésie moderniste vit ainsi le jour, au temps de Hârûn al-Rashîd, qui se développa au cours du IXe siècle pour revenir ensuite à un cadre plus conventionnel — sorte de néo-classicisme illustré surtout par les panégyriques du grand al-Mutanabbî —, tandis qu'une poésie à tendance philosophique et moraliste était cultivée en Syrie par l'aveugle al-Ma'arrî dont on a déjà évoqué la tendance sceptique, et que les luttes politico-religieuses alimentaient la verve ou au contraire la nostalgie de poètes de tendance shi'ite tels que Di'bil au temps d'al-Ma'mûn ou al-Sharîf al-Murtadâ deux siècles plus tard.

La diversité des genres allait ainsi de pair avec l'expression de sentiments non moins variés et, parmi les thèmes choisis, l'évocation de l'amour et des divertissements qui l'accompagnaient tenait la première place. En dehors, pourrait-on dire, d'un Islam dont les prescriptions étaient en ce cas volontiers ignorées, se trouvait donc affirmée, dans la cité comme dans le palais, l'importance d'une vie de plaisirs modelée alors pour une bonne part par les mœurs apparemment dissolues de la société : aventures scabreuses des débauchés en quête de femmes ou de mignons, intrigues qui se poursuivaient dans le secret des demeures privées, scènes plus grossières des tavernes, chantées par les poèmes bachiques, et des maisons de prostitution dont le fisc, à défaut de la Loi, n'ignorait pas l'existence.

La vie ne réside que dans le vin et les baisers,
Dans la poursuite d'une gazelle novice à qui l'on demande
ce qui n'est pas licite

trouve-t-on alors répété à satiété dans les vers de bien des poètes.

A la peinture de ces distractions faciles ne se limitait cependant pas une poésie qu'animaient aussi, on vient de le voir, des sentiments religieux teintés de renoncement mystique ou d'attachement partisan à certaines sectes. Surtout, la description même de la passion amoureuse, considérée comme fatale, s'y nuançait non seulement de réactions personnelles parfois délicates, comme la mélancolie résignée de Bashshâr * ou les plaintes d'Ibn al-Ahnaf, mais encore du reflet de certaines discussions à la mode dans les cercles cultivés de la société, s'interrogeant sur la nature de l'amour et sur son caractère louable ou blâmable. Le but suprême en était-il la « fusion des âmes » défendue par certains et s'agissait-il là d'une passion asservissante et humiliante ou d'un sentiment doué de valeur morale ? Les réponses différentes proposées selon les milieux se retrouvent derrière les élans de poètes essentiellement perméables aux questions philosophico-religieuses que l'on se posait alors et le fait mérite qu'on s'y arrête dans la mesure où il trouve des parallèles ou des prolongements dans la société médiévale d'Occident.

Si en effet les penseurs arabes imprégnés d'hellénisme étaient portés à voir dans l'amour un élan animant la création entière et permettant d'atteindre l'Ame universelle, les hommes de religion étaient beaucoup plus réticents à l'endroit d'une passion qu'ils appréciaient seulement si elle était permise par la Loi. Leur position, souvent ambiguë, reposait en réalité sur cette idée qui sera exprimée nettement au XIe siècle par l'Andalou Ibn Hazm : « L'amour est un don de Dieu quand il est licite, mais c'est une épreuve quand il est illicite », épreuve qui, selon certains, pouvait valoir le martyre. Le juriste bagdadien Ibn Dâwûd n'avait-il pas en effet, vers 900, découvert cette parole du Prophète : « Quiconque, étant tombé amoureux et ayant renoncé à sa passion, sut la taire et en périr, doit être considéré comme un martyr. » Par là il encourageait ses contemporains au refus de toute passion illicite, après avoir donné l'exemple, mais il accordait aussi à la passion amoureuse une place toute particulière. N'en était-il pas venu, pour défendre sa conception d'amour platonique, à recommander le renoncement comme le seul moyen « d'éterniser le désir de celui qui le possède avec le désir de celui qui en est l'objet » ? Il avait même entrepris d'attribuer pareille attitude à des poètes bédouins archaïques, ceux qui, disait-on, avaient pratiqué l'amour udhrite *, quoique son interprétation se trouvât contredite par tous les textes évoquant la situation de ces amants de l'ancien temps, non pas adeptes volontaires du renoncement, mais victimes de leur constance en des situations désespérées, tel Madjnûn, le « fou » de Laylâ.

L'attitude d'Ibn Dâwûd ne semble avoir d'ailleurs rencontré qu'un succès limité chez les « raffinés » du Xe siècle qui, tout en rejetant un libertinage excessif, ne répugnaient nullement aux satisfactions sensuelles qui ne sont entachées, en milieu islamique, d'aucun préjugé moral défavorable. Aussi bien l' « affleurement courtois » dont parlent certains spécialistes occidentaux, et qui n'est certes pas contestable, ne fut-il tout au mieux qu'un phénomène limité, ne reflétant point la mentalité courante et ne préservant pas la poésie plus que la prose de l'usage d'accents réalistes et de formules triviales qui défient volontiers la décence.

•

En face des milieux urbains instruits qui ont laissé tant de témoignages divers de leurs préoccupations, les artisans et ouvriers vivant dans leur voisinage constituaient une population humble, au mode de vie simple, sur laquelle nous sommes mal renseignés. Certains d'entre eux certes nous sont connus par leurs œuvres. Des recueils de signatures dressés ces dernières années ont même pu faire sortir de l'anonymat des fabricants d'astrolabes, qui étaient d'ailleurs aussi des savants, des armuriers, des sculpteurs sur bois, des artisans du métal ou même des maçons. Sans oublier ces verriers, céramistes ou autres artistes, dont les noms attendent encore d'être relevés et classés à leur tour systématiquement.

Mais l'organisation des ateliers et d'une manière générale celle du travail restent très imprécises à nos yeux et sans doute la faute n'en revient-elle pas moins à la réalité elle-même qu'à la rareté des documents conservés. Il semble seulement établi de manière à peu près sûre que cette organisation était rudimentaire. L'artisan était un « maître » qui avait tout juste auprès de lui quelques ouvriers et quelques apprentis. Les manufactures d'État, celles qui étaient notamment chargées de la confection des tissus de soie brochés d'or, présentaient vraisemblablement des capacités plus importantes. Mais dans l'ensemble les établissements spécialisés, tels que sucreries, poteries, verreries ou tanneries, restaient de dimensions modestes et n'utilisaient qu'un outillage grossier. Celui-ci était demeuré à peu près stationnaire depuis l'Antiquité quoique l'abondance de la main-d'œuvre et son excellente qualité eussent permis un niveau de production dont on a plus haut passé en revue la richesse et la variété. Seuls l'emploi de matériaux précieux et la minutie du travail conféraient aux objets fabriqués leur valeur, tandis que les rares progrès techniques accomplis, comme on l'a vu, dans le domaine des installations mécaniques et hydrauliques aidaient à la réalisation de quelques objets de luxe sans être mis pour autant au service des travailleurs eux-mêmes.

Les petites gens qui œuvraient dans ces conditions pénibles, artisans et boutiquiers, car l'un n'allait pas sans l'autre et chacun vendait en général les produits de son industrie, constituaient un monde pittoresque et varié, avec une volontaire diversification des métiers. De ces derniers, les listes anciennes qui nous sont parvenues, concernant des villes et des époques différentes, concordent toutes sur ce point. Et à côté de ce qu'on peut appeler les métiers de base, correspondant à des industries spécialisées, existaient nombre d'activités secondaires touchant principalement le domaine du vêtement ainsi que celui de l'alimentation *. Si l'on en croit en effet des traités de *hisba* du XIIe siècle, renforcés par le témoignage des contes et historiettes évoquant la vie quotidienne, il existait partout, non seulement des fourniers, bouchers, épiciers, marchands de légumes et autres détaillants peuplant les rues passantes, mais aussi quantité de porteurs d'eau, de marchands de boissons et surtout de « traiteurs », rôtisseurs, pâtissiers et « gargotiers » proposant aux clients des aliments tout préparés et des plats typiques, parmi lesquels cette fameuse bouillie de céréales, la *harissa*, qui se trouvait à la base de la nourriture populaire.

De tous ces métiers de plus ou moins bon rapport, dont certains étaient liés au commerce de luxe tandis que d'autres concouraient à faire du souk un lieu bruyant et animé où se pressait la foule, certains se distinguaient en outre parce qu'on les considérait traditionnellement comme « vils » : c'étaient ceux de tisserands, de ventouseurs ou barbiers, et de tanneurs. Il a été récemment montré qu'on ne pouvait donner de raison précise à ce dédain dont on trouve pourtant le reflet dans la Tradition et dans des proverbes qui nous sont parvenus. Hérité sans doute de conceptions depuis longtemps répandues dans l'Orient ancien, et contraire en principe à l'égalitarisme musulman, il n'en cherchait pas moins sa justification dans des versets coraniques établissant une hiérarchie parmi les croyants. On arriva ainsi, en milieu sunnite du moins car les shi'ites avaient pris le contrepied de ces mesures discriminatoires, à rejeter dans une classe inférieure tous ceux qui pratiquaient ce genre de métiers, ce qui conduisait pratiquement à récuser leur témoignage en justice et à leur interdire d'épouser les femmes appartenant à un autre milieu. Ainsi se trouvaient-ils rangés au côté de ceux qui violaient les interdits légaux d'ordre social ou sexuel, usuriers, accapareurs ou prostituées par exemple, sans compter les diverses espèces de malandrins que recherchait la police et qui appartenaient parfois à de véritables groupements organisés.

D'une manière générale, le monde des artisans était d'ailleurs méprisé des autres éléments citadins, notamment par des hommes de religion de tendance intellectualiste, tels les mu'tazilites, qui les accusaient d'être, dans leur ignorance, une proie facile pour les partisans des doctrines les plus simplistes, y compris l'anthropomorphisme. La réaction prouve à quel point le peuple subissait alors l'influence des divisions religieuses, tandis que recherchaient avec insistance son approbation des jurisconsultes et surtout des sermonnaires qui parfois se mêlaient aux conteurs, jongleurs et autres baladins pour se découvrir aux carrefours et dans les marchés quelque auditoire complaisant. Les propagandistes du mouvement shi'ite sembleraient notamment avoir voulu se gagner de tels soutiens en donnant au monde du travail une dignité qu'il ne possédait pas auparavant, raison pour laquelle on a parfois lié l'origine des corporations en pays d'Islam à la diffusion des idées défendues par les Karmates et les Fatimides. Le problème est en réalité beaucoup plus complexe et reste encore aujourd'hui mal éclairci à partir d'observations de caractère surtout négatif.

---

59. LE COMPLEXE COMMERCIAL D'ALEP A LA FIN DU MOYEN AGE

(*D'après J. Sauvaget*, ibid.)

a. Souk aux toiles d'emballage. — b. Souk des brocanteurs. — c. Souk du khân de la douane. — d. Souk aux cordes. — e. Souk vieux. — f. Souk aux basanes. — g. Souk de Damas. — h. Souk du khân des chaudronniers. — i. Souk des cordonniers. — j. Souk aux chaudrons. — k. Souk des droguistes. — l. Souk vieux d'Istanbul. — m. Souk aux draps. — n. Souk neuf d'Istanbul. — o. Souk aux foulards. — p. Souk des orfèvres. — q. Souk des brocanteurs. — r. Souk des marchands de bonnets. — s. Souk de la coudée. — t. Souk du bain. — u. Souk aux enchères. — v. Souk au savon. — w. Souk aux manteaux.

1. Souk du khân des pelletiers. — 2. Le khân aux soies. — 3. Le khân neuf. — 4. Le khân des Vénitiens. — 5. Le khân des fabricants de fil d'or. — 6. Le khân aux cordes. — 7. Le khân de la douane. — 8. Le khân des chaudronniers. — 9. Le khân des fabricants de vases à traire. — 10. Le khân au burghul. — 11. La kaysariya des graveurs de cachets. — 12. Le khân au savon. — 13. La kaysariya des pelletiers. — 14. Le khân des pelletiers.

Le centre commercial et artisanal d'Alep, tel qu'il apparaissait à la fin du Moyen Age, ne se constitua que progressivement, par adjonction aux souks existants d'imposants caravansérails urbains construits aux époques mamlouke et ottomane. Dans les temps plus anciens, les marchés étaient seulement disposés le long des rues parallèles voûtées qui avaient pris la place de l'avenue antique à colonnades et dont la construction s'était faite par ajouts successifs tout au long du Moyen Age.

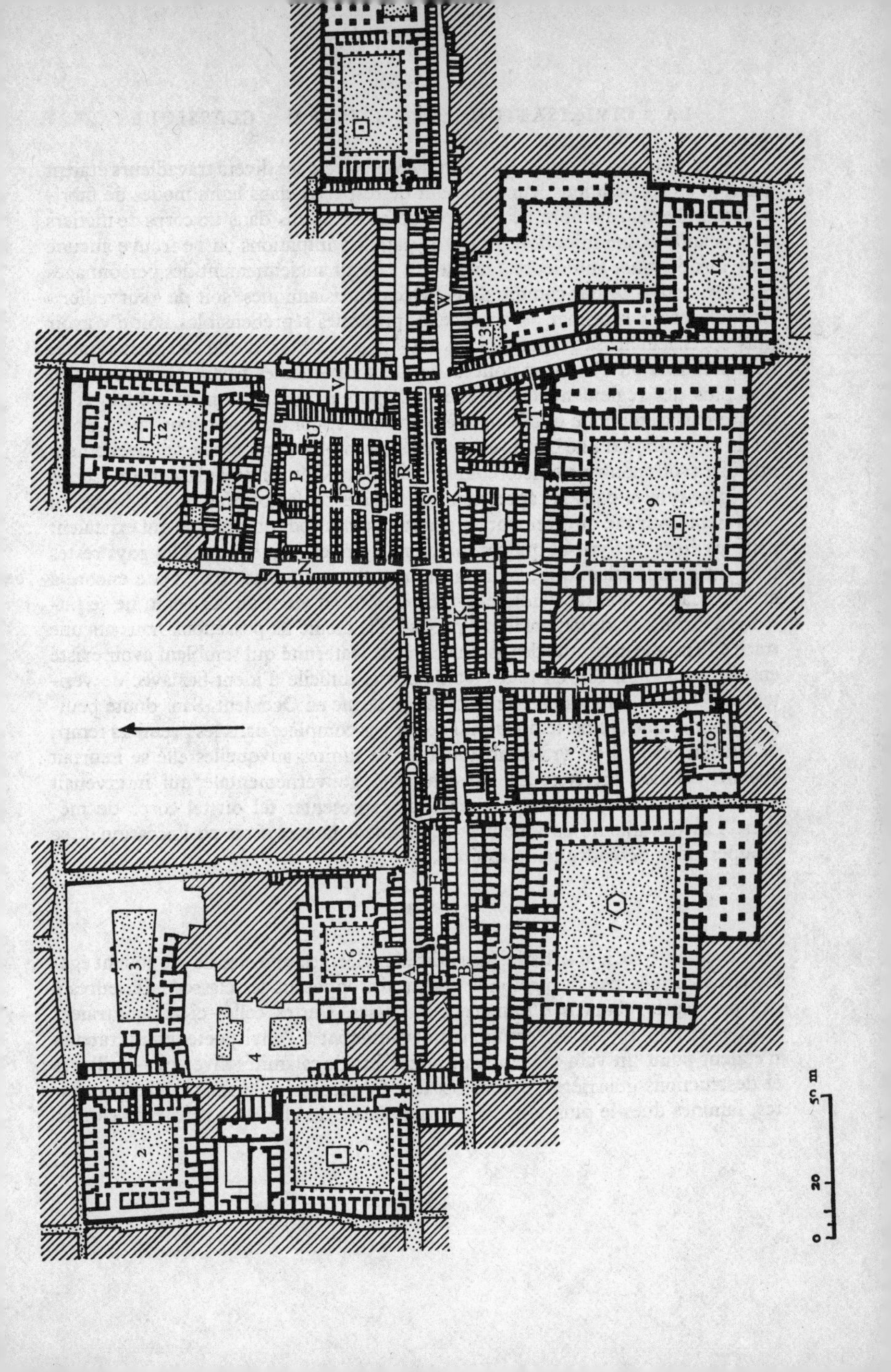

Il semble par exemple que vers le XVIe siècle les divers travailleurs étaient groupés en corporations leur imposant de respecter dans leurs modes de fabrication un certain nombre de règles et de n'être admis dans un corps de métiers qu'à la suite d'une initiation. Mais, de pareilles initiations on ne trouve aucune trace aux époques antérieures, même s'il existait anciennement des personnages chargés, dans l'Orient comme dans l'Occident islamiques, soit de « surveiller » les souks et d'y réprimer les éventuelles pratiques répréhensibles, soit d'y avoir plus spécialement la responsabilité, vis-à-vis de l'État, d'une catégorie donnée de marchands ou d'artisans dont ils faisaient eux-mêmes partie. On ne sait rien non plus des règlements qui pesaient à l'époque classique sur les métiers et on ignore par exemple de quelle manière artisans et commerçants pouvaient obtenir la disposition d'une boutique dans des ensembles commerciaux nouvellement organisés sous contrôle officiel comme ceux de la Ville ronde d'al-Mansûr. Certes les règles suivies dans la répression des fraudes ou le contrôle de la fabrication pouvaient avoir été directement empruntées à des codes byzantins qui existaient dans les villes de Syrie et qui continuèrent à être en vigueur dans les pays restés hors du monde islamique; mais la preuve d'un emprunt direct reste encore à établir. La fonction de syndic elle-même, dont on vient de faire état, ne se rattache à aucune tradition ancienne précise. De même ne possédons-nous aucune trace à l'époque classique des associations de fraternité qui semblent avoir existé ensuite mais qu'il est, en tout état de cause, difficile d'identifier avec de véritables « corporations » au sens médiéval du terme en Occident. Sans doute peut-on admettre que la liberté du travail ne fut pas complète dans les premiers temps de l'Islam, mais il est vraisemblable que les limites auxquelles elle se heurtait étaient définies directement par l'autorité gouvernementale qui intervenait dans le choix du personnage chargé de représenter tel ou tel corps de métiers. Les travailleurs eux-mêmes ne semblent jamais avoir eu l'occasion de se grouper pour défendre leurs intérêts.

•

Dans une société urbaine aussi différenciée, les niveaux de vie étaient également marqués par de profonds contrastes opposant les classes inférieures à des privilégiés pourvus d'immenses richesses. Certes celles-ci se montraient fragiles et les « revers de fortune » qu'évoquèrent à l'envi poètes et littérateurs n'étaient point un vain mot lorsque aux effets de calamités diverses — pillages et destructions guerrières, épidémies fort fréquentes si l'on en croit les annalistes, famines dues le plus souvent à l'irrégularité du climat — venaient s'ajouter ceux de l'arbitraire princier. Il suffisait par exemple qu'un personnage devînt vizir pour que tous ses collaborateurs et tous ses obligés — y compris d'obscurs artisans qui avaient pu lui rendre service auparavant — fussent promus à des fonctions rémunératrices ou eussent leur part de certains profits plus ou moins licites; mais la réciproque était vraie lors de la disgrâce du même vizir. Il suffisait qu'un poème plût à quelque mécène pour que son auteur fût, pour un temps, délivré de tout souci matériel, mais la ruine pouvait ensuite lui venir aussi soudainement que la prospérité. Il suffisait aussi d'un bouleversement politique, d'une révolte militaire, d'un de ces changements de dynastie si fréquents à certaines époques, pour que souffrît toute la population active d'une ville, et la vindicte souveraine s'abattant sur quelques grands, avec son cortège de confiscations, d'emprisonnements et même d'exécutions capitales, entraînait de semblables catastrophes pour toute la clientèle des personnages visés.

Mais quelles que fussent les causes d'instabilité dans la structure des diverses classes de la société, leurs pouvoirs d'achat demeuraient essentiellement divers et l'on peut essayer de se représenter, en pleine époque classique, ce qu'était l'éventail des gains. Certes, il ne faut pas se dissimuler que pareille détermination demeure approximative, même dans le cas des fonctionnaires dont les salaires sont souvent évoqués par les chroniqueurs, car les dignitaires de la Cour recevaient ou acquéraient des concessions foncières dont les revenus s'ajoutaient à leurs salaires normaux. Nous savons du moins qu'au haut de l'échelle le vizir, à la fin du IXe siècle, disposait de quelque deux cent mille dinars par an, qu'au début du Xe siècle un Ibn al-Furât ajoutait aux huit cent mille dinars fournis par ses domaines personnels environ cent mille dinars correspondant à un traitement qu'il touchait partie en espèces et partie en nature, tandis qu'on évaluait le revenu d'autres vizirs à environ cent mille dinars. Le contraste était patent avec le salaire des simples secrétaires du service central, qui se contentaient de cinq cents dinars, et celui des « directeurs de divans », qui ne dépassait pas, semble-t-il, cinq mille dinars. Au contraire les préfets fiscaux de province devaient fréquemment recevoir des sommes presque comparables, puisque les textes anciens nous parlent à leur sujet de revenus de quatre cent ou cinq cent mille dinars.

Les hommes de religion touchaient de leur côté des sommes très inférieures et le grand cadi de Bagdad recevait seulement six mille dinars par an, avec lesquels il devait rétribuer lui-même son suppléant et les dix jurisconsultes qui l'assistaient. Quant aux hommes de la garde califienne, leur solde variait entre cent et cinq cents dinars environ, selon leur catégorie. Mais les soldes des militaires augmentèrent au cours du Xe siècle, tandis que les traitements des secrétaires et des cadis tendirent plutôt à diminuer, et il ne faut pas oublier que les hauts fonctionnaires et dignitaires entretenaient chacun une Maison et parfois une garde importante dont ils assuraient le salaire sur leurs propres revenus.

Pour apprécier d'autre part la valeur de ces revenus, il suffira de savoir que cent vingt dinars par an étaient considérés à la fin du IXe siècle comme suffisants pour assurer la subsistance d'un homme seul et trois cent soixante pour assurer la subsistance d'une famille. Les simples ouvriers ou employés en tout cas étaient loin de toucher toujours pareilles sommes : on cite le cas d'un homme qui fut embauché par un boutiquier pour tenir les comptes et qui, nourri et habillé, recevait un dinar et demi par mois, ainsi que le cas d'un médecin qui visitait des malades pour un quart de dirham par consultation.

Aussi bien ces énormes écarts de gains et de fortunes expliquent-ils l'existence, au sein des grandes villes islamiques, d'une population pauvre et remuante, comparable dans son mode de vie à celle qui peuplait misérablement les campagnes, mais beaucoup plus efficace sur le plan politique aussi bien que religieux. Cette plèbe, faite surtout d'individus sans travail ou de gens pratiquant des métiers inférieurs décriés, se manifestait en certaines occasions avec violence. Ce fut elle par exemple qui, lors du siège de Bagdad par al-Ma'mûn, en 812-813, entreprit de combattre aux côtés des soldats réguliers du calife al-Amîn : des bandes de jeunes gens décidés à tout, avec un équipement rudimentaire — on les appela « les nus » —, attaquèrent farouchement les assaillants surpris par leur réaction soudaine. Ces volontaires, qui se jetaient avec énergie dans la lutte contre un prince dont ils blâmaient sans doute les idées politico-religieuses, professaient en même temps le plus grand mépris pour les riches marchands qui, de leur côté, redoutaient leur turbulence et étaient prêts à pactiser avec l'assaillant dans le désir de sauvegarder leurs biens. Ils n'étaient en fait que les premiers représentants historiquement connus de ces « errants », les *'ayyârûn*, qui à partir du XIe siècle entreprirent en Irak et en Iran de régner en maîtres dans des villes où le pouvoir central ne faisait plus sentir son autorité et qui en fait aboutirent à accroître l'anarchie en se heurtant à l'opposition des éléments aristocratiques. Ces « errants », proches des petits artisans, formaient cependant à côté d'eux des groupements distincts, animés par un idéal de solidarité qui semble avoir été à l'origine de la *futuwwa*, sorte de chevalerie islamique qui se développa à partir du XIIe siècle en liaison avec les confréries mystiques. Parfois, et notamment en Iran, ils en arrivèrent à former de véritables milices locales et à s'entendre avec les notables pour résister à des atteintes extérieures qu'ils rejetaient; on peut déjà penser qu'au IXe siècle une organisation de ce genre avait donné naissance à la petite dynastie des Saffarides du Sîstân. Mais ces *'ayyârûn* ne se manifestèrent pas seulement dans la résistance à des assaillants étrangers ou dans le soutien accordé à certaines révoltes locales et provinciales ; ils participaient aussi aux dissensions politico-religieuses qui déchirèrent nombre de villes d'Irak et d'Iran entre le XIe et le XIIe siècle et qui avaient commencé à se manifester bien plus tôt dans une métropole aussi peuplée et aussi sensibilisée que Bagdad aux effets des discussions théologiques. En Syrie, en revanche, ils étaient pratiquement remplacés par des éléments plus pacifiques, les « jeunes » ou *ahdâth*, qui se substituaient eux aussi à l'autorité quand celle-ci devenait déficiente, mais qui n'occasionnèrent jamais dans le pays de troubles aussi sérieux que ceux qui sévissaient plus à l'est.

Ces éléments plébéiens actifs permirent aux villes d'Orient, durant une époque limitée, de manifester une relative autonomie que l'on a récemment voulu rapprocher de la situation urbaine existant au même moment dans certaines régions de l'Italie méridionale. De tels rapprochements, justifiés par des évolutions politiques analogues, ne sauraient malgré tout faire oublier les conditions différentes existant à cet égard dans la cité médiévale d'Occident et dans une cité islamique dont les habitants surent à l'occasion profiter des circonstances favorables à leur effort d'indépendance, mais ne disposèrent jamais d'aucun moyen légal d'exprimer leurs aspirations ni de définir leurs intérêts communs.

Aussi bien en période de calme, lorsque l'autorité centrale faisait sentir son poids, peu de problèmes se posaient. Dans la ville, la défense était assurée par le gouverneur, la justice par le cadi, le maintien de l'ordre par le préfet de police ; enfin, l'entretien des organes essentiels était confié au muhtasib qui s'occupait par ailleurs de faire respecter les prescriptions religieuses, morales et sociales. Seuls des troubles politiques et religieux ou des difficultés économiques permettaient de sentir les inconvénients d'un système où nul n'était qualifié pour prendre des initiatives et où des efforts individuels devaient pallier cette carence. Parfois le mécontentement de la population aboutissait seulement à des luttes de factions et à des divisions stériles. Parfois un cadi ou, au contraire, un chef de milice populaire prenait la direction et assurait la défense de la cité, comme dans la Syrie du XIIe siècle. A toutes les époques les milieux urbains, où la plèbe était parfois excitée par les notables eux-mêmes et notamment par les hommes de religion, se montrèrent remuants pour des causes qu'il convient d'analyser en évitant toute généralisation hâtive, mais en gardant présents à l'esprit les problèmes propres à une ville dont la coloration religieuse constituait le trait dominant.

•

Cette coloration religieuse primordiale, qui faisait à l'époque classique l'originalité d'une ville de croyants peuplée par définition d'hommes libres appartenant à la même communauté, n'y empêchait cependant pas la présence de quelques éléments au statut particulier : esclaves d'une part et tributaires de l'autre.

Les esclaves, fort nombreux, étaient en grande partie islamisés et de toute façon intégrés au milieu social. Il ne semble pas qu'ils aient jamais joué le rôle de fomenteurs de troubles. S'il y eut dans l'histoire islamique de célèbres et dures révoltes serviles, celles-ci se produisirent toujours dans les campagnes, sur de grands domaines où travaillait péniblement une main-d'œuvre maltraitée. Dans les villes, au contraire, les esclaves étaient au service du prince, des grands et des notables. Tandis que les hommes étaient utilisés comme serviteurs, parfois de très haut rang comme on l'a vu dans le milieu palatin, ou encore comme soldats à qui tous les grades de l'armée étaient ensuite ouverts, les femmes fournissaient habituellement des cuisinières, nourrices, gouvernantes et surtout chanteuses, musiciennes ou danseuses, sans compter les innombrables concubines que possédait tout maître de maison fortuné et qui pouvaient parvenir à une situation enviée. Hommes et femmes provenaient de pays et de peuples variés, Byzance, pays slaves, Turkestan, Nubie; chaque région avait, si l'on peut dire, sa spécialité et si les soldats étaient de préférence turcs, les nourrices étaient plutôt nubiennes et les intendants grecs.

La présence de ces esclaves, et surtout de ces concubines, contribua pour une bonne part à altérer considérablement les caractères ethniques des conquérants et même des autochtones islamisés. Il suffit de rappeler que presque tous les califes abbassides furent fils d'esclaves pour comprendre à quel point les populations se trouvèrent fondues, aux xe et xie siècles, au cœur de l'Empire islamique. Mais, si ces hommes et femmes de condition servile, dont certains d'ailleurs obtenaient leur affranchissement, donnaient à la vie urbaine par leur présence un caractère qu'il ne convient pas d'oublier, ils n'éprouvèrent jamais dans l'ensemble de conscience de classe qui les fît se grouper et les amenât à se dresser contre leurs maîtres.

D'un autre côté les tributaires chrétiens, juifs et zoroastriens, plus ou moins nombreux selon les régions, prenaient part à la vie de la société musulmane tout en constituant des communautés bien distinctes régies par leurs propres lois et ayant des représentants officiels auprès des autorités. Parmi eux, de tout temps les chrétiens furent des administrateurs zélés et loyaux, qui atteignaient parfois aux plus hautes dignités, comme on l'a vu dans l'organisation de l'administration centrale de l'empire, et qui se distinguaient également comme médecins.

Si périodiquement, sous al-Mutawakkil par exemple ou sous al-Muktadir, des mesures étaient prises pour les écarter des postes clés, elles restaient lettre morte ou n'étaient appliquées que d'une façon temporaire. Les juifs en revanche étaient plus particulièrement, comme on l'a vu, négociants, banquiers ou changeurs, mais pratiquaient aussi les métiers de tanneurs, teinturiers et orfèvres. Ces données n'ont toutefois qu'une valeur relative et des documents récemment publiés viennent de montrer qu'en fait on rencontrait des juifs et des chrétiens dans presque toutes les professions.

Sur la répartition même de ces tributaires à l'intérieur du monde islamique médiéval, les précisions font défaut. Sans doute les géographes arabes fournissent-ils à ce sujet quelques indications, mais dépourvues totalement des données quantitatives qui seraient d'abord nécessaires. Il est également difficile de savoir dans quelle mesure ces proportions furent modifiées par des conversions à l'Islam entre le Xᵉ et le XIIIᵉ siècle, quoique la disparition attestée à cette époque d'un certain nombre de couvents * irakiens puisse faire penser à une sérieuse diminution du nombre des chrétiens dans cette région.

•

A la place occupée dans les milieux urbains actifs par les tributaires correspondait le rôle important que tenaient également leurs fêtes dans la vie quotidienne de la cité islamique. Le fait, qui pourrait sembler assez curieux lorsqu'on songe au cloisonnement confessionnel des quartiers et des milieux sociaux, s'explique par le besoin qu'avaient alors les masses populaires de saisir toutes les occasions de réjouissance et de les transformer en manifestations folkloriques d'autant plus appréciées qu'elles revenaient à des dates fixes de l'année solaire et qu'elles se combinaient à des rites saisonniers.

Certes, l'année restait rythmée par les deux fêtes musulmanes canoniques. La Petite Fête, célébrée avec joie, comportait des distributions aux pauvres, et les puissants se devaient à cette époque de l'année d'accueillir et de nourrir dans leurs palais le plus grand nombre possible de nécessiteux. Quant à la Grande Fête, si elle était surtout célébrée à la Mekke, elle n'en était pas moins l'objet de cérémonies dans tout le monde islamique et elle se prolongeait par les réjouissances accompagnant dans chaque ville le retour de pèlerins qui avaient affronté tant de dangers et dont on attendait chaque fois l'arrivée avec anxiété. A Bagdad par exemple, ces voyageurs devaient s'arrêter au faubourg de Yasiriya pour permettre à la population de préparer les festivités ; certains d'entre eux étaient à cette occasion admis à l'audience du calife qui profitait de leur présence pour faire certaines proclamations solennelles. Plus tard, au XVe siècle, on trouve chez le voyageur européen Bertrandon de La Broquière une description vivante des scènes dont il fut le témoin à Damas à l'arrivée de la caravane : « Trois mille chameaux, nous dit-il, [...] mirent près de deux jours et de deux nuits à entrer à Damas et fut une chose de grande solennité, selon leur fait. Car le Seigneur et tous les plus notables de la ville allèrent au-devant pour cause de leur Alkoran qu'ils portaient [...] sur un chameau vêtu d'un drap de soie [...] Et avait devant cette chose quatre ménestriers et moult grand foison de tambours et naquaires qui faisaient un grand bruit. Et avait devant ledit chameau et autour de lui bien trente hommes qui portaient, les uns arbalètes et les autres épées nues en leur main et aucuns petits canons de quoi ils tiraient plusieurs fois. Et après ledit chameau, venaient huit anciens hommes qui chevauchaient chacun un chameau courant. Et emprès eux, ils faisaient mener leurs chevaux bien habillés de riches selles, selon le pays. » D'autres fêtes musulmanes encore, rappelons-le, étaient célébrées moins solennellement, celles qui commémoraient des épisodes de la vie du Prophète, sa naissance et son Voyage nocturne, celles auxquelles étaient attachés spécialement les shi'ites, sans compter les multiples rassemblements qui s'effectuaient à certaines dates autour des mausolées de saints.

Mais les musulmans ne manquaient pas non plus de participer aux manifestations publiques qui accompagnaient les fêtes des tributaires. Que ce fût dans la Bagdad abbasside ou dans le Caire fatimide par exemple, les fêtes de Pâques étaient célébrées par tous dans la cité. A la Cour de Bagdad des esclaves apparaissaient le dimanche des Rameaux, portant des palmes et des branches d'olivier. A Jérusalem le gouverneur de la ville assistait à la procession qui se rendait à l'église de la Résurrection. A Bagdad, le jour de Pâques, chrétiens et musulmans gagnaient le couvent de Samalu situé près d'une des portes de la ville et s'y livraient à des danses éperdues. A Noël la population de Bagdad tout entière allumait des feux pendant la nuit, tandis qu'en Égypte l'Épiphanie était considérée comme la « nuit de l'immersion », au cours de laquelle une foule nombreuse se rassemblait à la lueur des torches sur les deux rives du Nil pour y manger, boire et danser en musique. A ces fêtes proprement chrétiennes, mais qui étaient en fait l'occasion de divertissements très profanes, s'ajoutaient les diverses fêtes du « nouvel an » marquant le début de l'année solaire antéislamique que l'on célébrait presque partout. Les fêtes anciennes du nouvel an copte, en été, ou persan, à l'équinoxe de printemps, donnaient notamment lieu à des réjouissances traditionnelles, d'une part en Égypte, d'autre part en Irak, en Iran et même dans des pays éloignés comme l'Espagne. A leur occasion la coutume voulait qu'on s'aspergeât d'eau. Il arriva que ces fêtes, qui se transformaient en des manifestations de carnaval, fussent interdites, mais les interdictions étaient généralement de courte durée.

•

La diversité même de ces réjouissances, intégrées à un spectacle de la rue dont la pittoresque variété n'était pas moins frappante, symbolise en fait l'hétérogénéité de cette ville islamique classique où se reflétaient tant de tendances politiques et religieuses contraires, en même temps que s'y faisait sentir la constante influence des milieux palatins aristocratiques. Aussi bien cette ville rassemblait-elle toutes les forces vives de la civilisation de l'époque. Bédouins et campagnards vivaient, on l'a vu, quelque peu en marge, bien que les premiers fussent considérés comme les dépositaires de la pure langue arabe et que les autres fussent à l'origine de la richesse économique de l'empire. De son côté l'entourage du souverain était constitué en partie, depuis le IXe siècle, par des étrangers mal assimilés, d'où le prince lui-même était parfois issu. Seuls les hommes de la ville, docteurs, marchands et travailleurs auxquels on doit ajouter les administrateurs, assuraient la continuité de la Tradition en veillant aussi bien à l'accomplissement des devoirs et au respect du dépôt doctrinal qu'à l'observance des modes de vie proprement musulmans. Sans doute nombre de souverains, même non arabes, eurent-ils eux aussi à cœur de défendre l'Islam et de promouvoir cette civilisation qu'ils s'étaient chargés de sauvegarder. Mais leur action fut inégale et les citadins, qui furent toujours les seuls habilités à maintenir les principes et les usages caractérisant la vie urbaine islamique, constituaient de toute manière la principale justification de l'action des princes et de leurs armées.

*

CONCLUSION

Nous avons, au début de cet ouvrage, justifié notre parti de vouloir isoler, au sein d'une civilisation islamique trop souvent considérée comme intemporelle, une période « classique » dont on peut limiter l'essor aux siècles qui virent naître et s'épanouir la première culture arabo-musulmane. Mais la diversité d'aspects de cette civilisation classique elle-même nous est ensuite apparue tout au long du tableau que nous nous efforcions de brosser. Même au cœur d'un Proche-Orient considéré de préférence aux foyers excentriques plus différenciés, la Syrie musulmane de l'époque des croisades ne fut pas semblable à l'Irak abbasside ni à l'Égypte fatimide ni, à plus forte raison, à la Syrie umayyade. Chaque époque eut sa couleur propre, dans ses réussites matérielles comme dans les faits politiques ou dans les efforts de réflexion de ceux qui y participèrent, et cette originalité s'affirma jusque dans la vigueur de luttes idéologiques constantes. Tant il est vrai que les constructions des docteurs musulmans, juristes et théologiens, loin d'avoir été élaborées dans une monolithique unité de pensée formelle, s'accordèrent au contraire avec les effets d'une lente évolution des conditions matérielles et des réactions des individus.

Aussi bien l'apparent paradoxe d'une société musulmane à la fois multiforme et commandée par les règles strictes de l'Islam se résout-il aisément lorsqu'on sait reconnaître la faculté d'adaptation qui caractérisa toujours la pensée musulmane classique et notamment sa pensée juridique. Les hommes de loi qui en furent la vivante incarnation ne refusèrent jamais d'intégrer à un cadre pourtant présenté comme permanent les conséquences des transformations survenant dans le monde qui les entourait. Les « réévaluations » dont ils se faisaient ainsi les défenseurs plus ou moins conscients ne contredisaient en rien pour eux le respect de la Loi révélée, interprétée selon cet usage moyen de l'intelligence personnelle et du bon sens dont ils critiquaient rarement la légitimité. Même les divergences et les conflits qui ne cessèrent de surgir entre eux et qui colorèrent si profondément le monde ancien de l'Islam ne firent que proposer des réponses aux variations de connaissance conceptuelle et de niveau de vie enregistrées alors par leur société : pensée et organisation primitives d'abord, puis éclat intense de la période d'apogée qui brilla en face d'un Occident encore barbare, alternatives enfin de moments d'éclipse et de rayonnement qui se succédèrent sans que l'Islam en tant que tel en fût aucunement responsable.

Mais la reconnaissance de cette situation n'a pas seulement valeur de méthode pour aider à mieux connaître une civilisation médiévale disparue. Elle conduit surtout à réviser certains jugements portés à son égard par des Occidentaux qui se partagent trop souvent en simples détracteurs ou bien admirateurs. Détracteurs, les uns n'éprouvent en effet que dédain pour des œuvres qui s'écartent de l'esprit gréco-romain dans la littérature comme dans l'art, qui ne font qu'une part infime au travail d'imagination à côté de l'érudition religieuse et philologique, qui portent les marques d'une mentalité volontiers encline à la sensualité et à la violence, à l'exercice de l'arbitraire l'emportant sur l'esprit de méthode, au légalisme enfin, bien fait pour engendrer parfois une attitude d'hypocrisie. Admirateurs au contraire, d'autres restent d'abord séduits par l'ampleur de réalisations techniques et économiques qui furent à certaines époques supérieures à celles de l'Europe ; ils aiment à y découvrir l'œuvre de nomades progressivement adaptés à la vie sédentaire pour perpétuer, dans des États puissants, les traditions des plus anciens empires de l'Orient, à y déceler surtout les effets de vertus sociales et religieuses qui furent particulièrement exaltées et souvent effectivement pratiquées dans les pays d'Islam. Rarement demeurent impartiales leurs réactions, acceptant ou rejetant l'Islam tout d'un bloc, en fonction de son « legs » ou de ses possibilités d'adaptation aux formes de vie moderne, en fonction surtout des différences qui opposent sa civilisation à la forme de civilisation occidentale méritant le mieux de lui être comparée, celle de l'Occident médiéval.

De fait les rapports existant entre un monothéisme islamique et les monothéismes chrétien ou juif, reposant sur des bases philosophiques et scientifiques de même origine, ont permis d'entreprendre dans le cadre des études médiévales, des études de « théologie comparée » ou de « mystique comparée » du christianisme et de l'Islam, d'observer dans les deux cas la constitution de milieux sociaux comparables où les « clercs » jouissaient d'un prestige particulier, de reconnaître enfin dans les ouvrages traduits par exemple en Espagne, à partir du XIIe siècle, et destinés à y jouer un rôle de catalyseurs, non seulement des textes de l'Antiquité conservés dans le monde musulman, mais aussi des études nouvelles parmi lesquelles ces traités d'algèbre, d'astronomie, d'optique, de médecine et de philosophie qui allaient alimenter le renouveau intellectuel de l'Occident roman. Ces études toutefois débouchent généralement sur la prise de conscience d'oppositions frappantes, en ce qui concerne non seulement les usages et les institutions, mais encore les conceptions intellectuelles profondes et les modes de raisonnement : divergences fondamentales sur l'idée même de Dieu ; utilisation dans la société musulmane classique d'une langue de structure sémitique, ne se prêtant que difficilement à certaines articulations de la pensée; recherche de la subtilité formelle plutôt que de la rigueur, tandis que les essayistes jouaient de la composition désordonnée de leurs écrits pour dissimuler leurs idées directrices et que les docteurs défendaient leurs options religieuses par allusions détournées plutôt que par démonstrations directes; respect de l'expression verbale dans les œuvres littéraires et d'un ritualisme accentué dans les prescriptions cultuelles ; goût de la rhétorique et de la préciosité en matière de poésie comme dans les manifestations d'une prose volontiers enrichie de sentences gnomiques ; recherche de compositions abstraites, savantes et indéfiniment recommencées ou continuées par répétition du même modèle dans des œuvres d'art dépourvues de tout naturalisme et de toute spontanéité.

Or, ce sont les jugements abrupts entraînés par la poursuite de pareilles comparaisons qui peuvent être nuancés par une meilleure appréhension de la réalité vivante de l'Islam au cours des siècles. Considérés de plus près, dans leur propre évolution historique et à l'intérieur de leur propre univers, les musulmans du Moyen Age, tout pénétrés qu'ils aient été de leur supériorité matérielle et doctrinale, tout impénétrables d'apparence aux influences venues du monde des « infidèles », apparaissent cependant plus proches de leurs contemporains médiévaux. Inquiets et divisés, ayant cherché simplement à réaliser eux aussi, au prix de tâtonnements successifs, leurs propres aspirations religieuses, intellectuelles et artistiques, tout en améliorant leur bien-être et en imposant autant que possible leur puissance à leurs voisins, ils ne parvinrent qu'à des équilibres provisoires, en dépit de leurs prétentions à bâtir leur société tout entière sur la base d'une Révélation. Plus on poursuit les investigations précises et plus se révèle alors autant qu'une autre humaine et par là même enrichissante, digne donc de l'attention de l'historien aussi bien que du philosophe, une civilisation qui se voulut à coup sûr triomphante, doctrinaire et unique, qui puisa sans doute dans cette conscience l'essentiel de son originalité, mais qui resta néanmoins fragile et perfectible dans la lente continuité de ses efforts et de ses mutations.

INDEX

A

AL-'ABBAS
Oncle de Muhammad, appartenant comme lui au clan des Banû Hâshim ou HASHIMIDES et ancêtre des ABBASSIDES. De condition modeste, il était, avant l'Islam, chargé d'alimenter en eau les pèlerins venant à la MEKKE et se convertit tardivement.

ABBASSIDES
Deuxième dynastie califienne de l'Islam, qui régna de 750, date du renversement des UMAYYADES, à 1258, date de la prise de BAGDAD par les MONGOLS, de son sac et de la mise à mort du dernier calife régnant. Pendant la grande époque de la dynastie, le pouvoir de ses divers représentants fut néanmoins variable. Résidant toujours en IRAK dont ils avaient fait la PROVINCE centrale de l'empire, les CALIFES virent leur autorité réelle se restreindre peu à peu, tandis qu'ils reconnaissaient à certains gouverneurs de province investis par eux une relative indépendance (AGHLABIDES, TAHIRIDES, SAFFARIDES, SAMANIDES, TOULOUNIDES, IKHSHIDIDES) et assistaient, impuissants, à la sécession d'autres provinces (ANDALUS, MAGHREB, IRAN des GHAZNAWIDES, ÉGYPTE des FATIMIDES, etc.), tandis qu'ils abandonnaient enfin, à partir du milieu du xe siècle, l'essentiel de leur prérogatives à des ÉMIRS, les BOUYIDES, ou à des SULTANS, les SALDJOUKIDES d'Iran, exerçant également leur autorité à Bagdad.

'ABD AL-DJABBAR
Théologien mu'tazilite, né à BAGDAD, qui exerça les fonctions de cadi à RAYY sous les BOUYIDES et mourut en 1025.

'ABD AL-HAMID
Lettré et administrateur de la fin de l'époque UMAYYADE, d'origine irakienne, qui fut secrétaire du calife MARWAN II et mourut aux côtés de son maître en 750. Il est considéré comme le fondateur du genre épistolaire arabe.

'ABD AL-MALIK IBN MARWAN
Calife UMAYYADE d'Orient (685-705), qui fut le véritable fondateur de la branche marwanide de la dynastie et profita du concours de l'énergique AL-HADJDJADJ pour affermir son pouvoir. Il réprima les révoltes d'Arabie et d'IRAK, rétablit l'unité de l'empire, en arabisa l'ADMINISTRATION et inaugura la politique architecturale qui allait faire la célébrité de son fils AL-WALID Ier.

'ABD AL-RAHMAN III
Premier calife UMAYYADE d'Espagne, dont le règne, exceptionnellement long (912-961), fut très brillant, marqué d'abord par l'œuvre de pacification intérieure, ensuite par des entreprises belliqueuses contre les rois chrétiens et par une lutte d'influence avec le régime FATIMIDE. Ses goûts de mécène se manifestèrent surtout dans sa ville royale de MADINAT AL-ZAHRA'.

'ABD SHAMS
Nom du clan auquel appartenaient les UMAYYADES.

ABRAHAM
PROPHÈTE biblique mentionné par le Coran et les auteurs musulmans sous le nom d'Ibrâhîm al-Khalîl ou « l'ami de Dieu ». Ancêtre des Arabes par son fils Ismaël et bâtisseur de la KA'BA de la MEKKE, il apparaît dans les récits coraniques comme le plus parfait représentant de la religion monothéiste naturelle qui aurait été altérée par les JUIFS et les CHRÉTIENS avant d'être rétablie dans son intégrité par Muhammad. D'où son qualificatif habituel de HANIF.

ABU L- 'ATAHIYA
Poète d'origine arabe, mort en 828, et surtout connu pour sa POÉSIE d'inspiration ascétique, qui fut accusé à la fin de sa vie de professer des doctrines hétérodoxes.

ABU BAKR
Surnommé *al-Siddîk* ou « le véridique », COMPAGNON, ami et beau-père du Prophète, qui était né à la MEKKE et fut le premier des califes *râshidûn*. Il régna après la mort de Muhammad, de 632 à 634. Il fut considéré par la tradition SUNNITE comme le plus ancien converti à l'Islam, mais critiqué par les SHI'ITES pour s'être emparé du pouvoir en écartant 'ALI. Son règne fut surtout consacré à réprimer la révolte des tribus d'Arabie et à consolider le nouvel État musulman.

ABU FIRAS
Poète de la famille HAMDANIDE, cousin de SAYF AL-DAWLA et homme de guerre. Fait prisonnier par les Byzantins, il passa plusieurs années à CONSTANTINOPLE et composa alors des élégies. Ayant tenté de se révolter contre le fils de Sayf al-Dawla, il fut tué en 948.

ABU HANIFA
Juriconsulte et théologien, fondateur de l'école HANAFITE, mort en prison et enterré à BAGDAD en 767. Il passa la plus grande partie de sa vie à enseigner et à discuter la théologie et le droit à KUFA et refusa toujours d'exercer les fonctions de cadi. Abû Hanîfa a été souvent accusé d'opinions théologiques hétérodoxes mal définies et parfois contradictoires. L'orientation postérieure de son école laisse à penser que ces accusations n'étaient pas entièrement sans fondement.

ABU MUSLIM
Chef militaire et l'un des principaux agents de la révolte ABBASSIDE. Ses origines sont obscures ; c'est sans doute un ancien ESCLAVE d'origine iranienne que l'un des prétendants abbassides attacha à son service et fit entrer, par adoption, dans la FAMILLE DU PROPHÈTE. Dirigeant le mouvement clandestin révolutionnaire au KHURASAN, il réunit en cette région les forces armées qui devaient permettre aux Abbassides de renverser le régime UMAYYADE et en devint gouverneur après la victoire. Il fut regardé par le nouveau CALIFE comme un personnage dangereux et c'est ce qui explique la décision prise par AL-MANSUR de se débarrasser de lui après l'avoir attiré seul à la Cour. Il semble qu'Abû Muslim avait abandonné depuis longtemps la secte révolutionnaire dont il avait sans doute fait partie dans sa jeunesse, mais qu'il avait, lors de son activité de PROPAGANDISTE, accepté des adhérents de toutes origines. Rien ne permet de croire qu'il ne se soit pas rallié sincèrement aux califes abbassides.

ABU NUWAS
Célèbre poète de l'époque ABBASSIDE, originaire d'une famille modeste arabo-iranienne du KHUZISTAN, mort à BAGDAD vers 810. Après avoir étudié à BASRA et à KUFA, il devint l'un des intimes du calife Hârûn AL-RASHID. Il est surtout connu par ses poésies amoureuses et bachiques, écrites dans un style moderniste.

ABU SUFYAN
L'un des Mekkois les plus hostiles à Muhammad en même temps que l'un des plus habiles politiques de la cité. Chef du clan des UMAYYADES et père du futur calife MU'AWIYA, il ne se rallia à l'Islam qu'*in extremis*.

ABU TALIB
Oncle du Prophète, qui s'occupa de son éducation, et père de 'ALI.

ABU YUSUF
Jurisconsulte de l'école HANAFITE, de pure origine arabe et disciple d'ABU HANIFA, qui fut grand cadi de BAGDAD jusqu'à sa mort en 798.

Très écouté du calife Hârûn AL-RASHID, il rédigea à son intention un traité des finances publiques.

ABUS (juridiction des)
L'un des privilèges du souverain qui pouvait, soit assumer lui-même cette fonction, soit déléguer une autre personne pour l'assumer. Cette juridiction, dont l'organisation reste mal connue, donna naissance, à BAGDAD, à une justice d'État.

ʿAD
Tribu légendaire de l'Antiquité, mentionnée par le Coran comme ayant existé après l'époque de Noé et ayant repoussé le PROPHÈTE, appelé Hûd, qui lui avait été envoyé. Elle fait partie de ces nations orgueilleuses qui auraient refusé d'écouter les prophètes et furent en conséquence châtiées.

ADAB
Terme qui signifiait à l'origine « habitude ancienne considérée comme exemple à suivre, comportement louable, savoir-vivre » et qui en vint à désigner d'une façon générale la littérature arabe en prose destinée à la distraction, à l'édification et à l'instruction de l'honnête homme, illustrée notamment par AL-DJAHIZ, AL-TANUKHI et AL-TAWHIDI.

ADAM
Le premier homme, mentionné par le Coran qui raconte sa création en un récit qui dérive des traditions bibliques, à la fois juives et chrétiennes. Adam est aussi considéré par la TRADITION musulmane comme le premier PROPHÈTE. A ce titre les SHIʿITES font de lui un être bénéficiant de la lumière divine, voire même une incarnation de l'Intellect, origine de l'émanation cosmique.

ADHARBAYDJAN
Région d'IRAN située à l'ouest de la mer Caspienne au sud du Caucase, qui fut conquise en 639 et 643. Là se révolta en 816, sous le califat d'AL-MA'MUN, un rebelle nommé Bâbak qui se disait prophète et qui réussit à tenir en échec les troupes califiennes pendant vingt ans.

ADHRUH
Localité située dans l'actuelle Jordanie entre Maʿân et Petra, conquise par Muhammad lui-même en 631. C'est là que MUʿAWIYA reçut l'hommage d'AL-HASAN. C'est là surtout que se tint la réunion destinée à arbitrer, après la bataille de SIFFIN, le conflit entre ʿALI et Muʿâwiya et qui aboutit à la destitution de ʿAlî.

ADJNADAYN
Site de la bataille au cours de laquelle les musulmans vainquirent, en juillet 634, les armées grecques défendant la Palestine et commandées par le frère de l'empereur Héraclius. Ce site a été localisé entre RAMLA et Bayt Djibrîn.

ADMINISTRATION
Très complexe à l'époque de la domination des califes ABBASSIDES et divisée alors en services centraux et administrations propres à chaque PROVINCE, elle obligea les souverains à s'appuyer sur le corps des secrétaires. Avec le morcellement de l'empire, les services administratifs eurent un rôle moins important.

ʿADNAN
Ancêtre éponyme des Arabes du Nord parmi lesquels on distingue deux grands groupes : les Rabîʿa et les Mudar.

ʿADUD AL-DAWLA
Émir BOUYIDE, né à ISFAHAN en 936, mort à BAGDAD en 983. D'abord gouverneur du FARS dès 944, il reçut du CALIFE en 962 le surnom honorifique sous lequel il est connu. Ayant ensuite réussi à étendre sa domination sur le KIRMAN et le SISTAN, il devint, après cinq ans de luttes et d'intrigues, maître de l'IRAK, grand ÉMIR (979) et, pendant quatre ans, réunit sous sa domination l'ensemble des territoires contrôlés par la famille bouyide, non sans exercer une étroite tutelle sur le calife. Prince tolérant qui s'efforça de calmer les passions religieuses, fort excitées de son temps en Irak, en même temps que soucieux du bien-être public, il assura la sécurité dans les régions dont il contrôlait l'ADMINISTRATION, fit restaurer les canaux détériorés par les guerres et édifier de nouveaux hopitaux.

AFFRANCHIS
Ils jouèrent un très grand rôle dans la société islamique médiévale et le gouvernement, surout à partir du moment où l'ARMÉE fut

composée d'ESCLAVES progressivement affranchis selon les diverses formes prévues par la LOI. Une simple parole suffit pour que l'esclave soit affranchi. L'affranchissement peut être conditionnel en prenant effet plus tard. Il peut aussi résulter d'un CONTRAT spécial (dit *mukâtaba*) selon lequel l'esclave doit se racheter par des paiements successifs. La concubine mère (*umm walad*) doit être affranchie à la mort de son maître et ne peut plus de ce fait être vendue. V. CLIENTS.

AFGHANISTAN

Ce pays moderne correspond à l'extrémité orientale du KHURASAN et à une partie du SISTAN ainsi qu'au Kâbulistân, région dont le prince s'était soumis à l'Islam sous AL-MA'MUN, mais qui ne fut véritablement islamisée que sous les GHAZNAWIDES.

AGHLABIDES

Dynastie de gouverneurs autonomes qui régna en IFRIKIYA de 800 à 909. Fondée par le fils d'un officier iranien de l'armée ABBASSIDE, elle eut pour capitale KAIROUAN, conquit la SICILE sur les Byzantins ainsi que l'île de Malte, et s'assura la suprématie maritime en Méditerranée centrale. Elle fut renversée par les FATIMIDES.

AHWAZ

Ville du KHUZISTAN en IRAN, devant son nom aux tribus guerrières de la région. Prospère au début de l'époque ABBASSIDE grâce à la culture de la canne à sucre, elle fut très touchée par la révolte des ZANDJ au IXe siècle.

'A'ISHA

Fille d'ABU BAKR et femme du Prophète, épousée par lui toute jeune, qui aurait eu sur lui beaucoup d'influence et fait l'objet d'après la TRADITION d'épisodes qui auraient même motivé la révélation de certains versets du Coran. Elle voulut jouer un rôle politique parmi les COMPAGNONS. Vénérée des SUNNITES, elle est violemment critiquée des SHI'ITES, notamment pour la part qu'elle prit à la bataille du CHAMEAU en y soutenant les ennemis de 'Alî.

'AKABA

Nom d'une passe située entre Minâ et la MEKKE, où Muhammad, à deux reprises, en 621 et 622, rencontra les habitants de la future MÉDINE avec lesquels il conclut un accord en vue de son expatriation.

AL-AKHTAL

Sobriquet d'un poète arabe CHRÉTIEN qui fut « le chantre » et le commensal des premiers UMAYYADES et de leurs auxiliaires et mourut au début du VIIIe siècle. Panégyriste des souverains, il exerça d'autre part son talent satirique en se répandant en invectives contre son rival DJARIR.

ALCHIMIE

En arabe *al-kîmiyâ'* (mot d'origine grecque transmis par le SYRIAQUE). Étude des minéraux et des procédés permettant de les transformer. Cette science à présupposés philosophiques prit le plus souvent l'aspect d'une doctrine ésotérique. Toutefois certains savants tels qu'Abû Bakr AL-RAZI, AL-BIRUNI et IBN SINA tentèrent d'élaborer, à partir de ces recherches et en utilisant d'autres méthodes, une ébauche de chimie. V. DJABIR.

ALEP

Ville de SYRIE septentrionale conquise par les musulmans en 637. Ville hellénistique nommée Bérée, puis romaine et byzantine, elle conserva pendant longtemps une population CHRÉTIENNE assez importante. Délaissée dans les premiers temps de la période ABBASSIDE, elle devint au milieu du Xe siècle la capitale du petit État des HAMDANIDES, mais fut en 962 assiégée, prise et dévastée par les Byzantins. Elle retrouva une ère de prospérité sous les ZANKIDES et les AYYOUBIDES à qui sont dues la construction ou la reconstruction de nombreux monuments encore conservés, sans compter la fameuse citadelle. Devenue centre commercial très actif à partir de la fin du XIIe siècle, mais dévastée par l'invasion MONGOLE de 1260, elle retrouva sa prospérité économique au XVe siècle.

ALEXANDRIE

Principal port maritime de l'ÉGYPTE, célèbre dans l'Antiquité par son phare qui ne s'écroula qu'au XIVe siècle, par sa bibliothèque dont l'incendie par les conquérants arabes est du domaine de la légende et par son école philosophique et scientifique. Elle devint à l'époque islamique une base navale et le siège d'un ARSE-

NAL. Il reste très peu de vestiges de la ville médiévale. On sait qu'une grande MOSQUÉE y fut édifiée par le conquérant 'AMR IBN AL-'AS, une autre à l'époque FATIMIDE par l'émir BADR AL-DJAMALI en 1804, et que les murailles de la ville furent construites sur l'ordre du calife abbasside AL-MUTAWAKKIL en 858.

ALGÈBRE
Le mot français dérive du titre de l'ouvrage d'al-Khwârizmî : *Hisâb al-Djabr wa-l-mukâbala*, qui désigne en fait deux méthodes de transformation de l'équation et qui fut ensuite donné à la théorie générale de l'algèbre. Il est maintenant avéré que furent utilisés, pour définir ces méthodes, des ouvrages grecs et indiens qui ont fait l'objet de recherches récentes. L'algèbre fut d'autre part appliquée à la solution des problèmes de géométrie, permettant à Abû l-Wafâ' de fonder la trigonométrie.

ALGER
En arabe *al-Djazâ'ir*, « les îlots », nom qui fut appliqué à la ville fondée au Xe siècle sur l'actuelle baie d'Alger, face aux îlots qui la bordent. Alger ne fut au Moyen Age qu'un port de médiocre importance, le trafic commercial du MAGHREB passant à l'époque par les routes caravanières intérieures, mais les ALMORAVIDES y édifièrent une belle MOSQUÉE au XIIe siècle.

'ALI
Cousin et gendre du Prophète, époux de sa fille FATIMA et COMPAGNON de la première heure qui fut aussi le quatrième des CALIFES *râshidûn*. Sa personnalité, médiocre selon la Tradition SUNNITE, inlassablement louée par ses défenseurs, fut à l'origine de la plus profonde rupture de la COMMUNAUTÉ musulmane et de la naissance du SHI'ISME.

'ALI IBN 'ISA
Célèbre vizir qui dirigea le gouvernement à plusieurs reprises sous le règne d'AL-MUKTADIR. Expert en finances, bon rédacteur, administrateur honnête et scrupuleux il réussit à se rendre indispensable au CALIFE, mais ne sut jamais lui plaire et se rendit impopulaire à tous par sa politique d'économie.

'ALI AL-RIDA
Descendant de 'ALI et VIIe IMAM des DUODÉCIMAINS, choisi comme héritier par le calife abbasside AL-MA'MUN puis mort et enterré en 818 à Tûs, localité devenue ensuite MESHHED.

ALIDES
Descendants de 'ALI et de FATIMA, comprenant deux branches, celles des Husaynides ou descendants d'AL-HUSAYN et des Hasanides ou descendants d'AL-HASAN. Ils ne cessèrent, avec une vigueur variable, de revendiquer le pouvoir et les IMAMS des trois grands mouvements SHI'ITES sont des leurs. Les Alides vivant à BAGDAD au Xe siècle étaient représentés par un syndic, alors qu'auparavant ils étaient fondus dans la masse des HASHIMIDES. Ils reçurent à partir de cette époque la qualification de sharîf, « noble », qui continua jusqu'à l'époque moderne à désigner les descendants du Prophète dont certains fondèrent des dynasties locales.

ALIMENTATION
Dans les pays conquis par l'Islam, l'alimentation ne fut pas foncièrement transformée, mais la constitution de l'empire permit l'expansion de produits qui n'étaient jusqu'alors connus ou cultivés que localement. Les faits les plus importants à signaler sont la diffusion de la culture du riz et de la canne à sucre, ainsi que l'importation de produits étrangers en provenance de l'Extrême-Orient, des pays slaves et byzantins. La religion créait des barrières nettes, le musulman ne pouvant par exemple consommer la viande préparée par un CHRÉTIEN et provenant d'un animal non égorgé rituellement.

ALMOHADES
En arabe *al-Muwahhidûn*, « les partisans de l'unicité divine ». Dynastie qui régna au MAGHREB et en Espagne de 1130 à 1269 après être née d'un mouvement religieux réformiste, qui eut pour capitale MARRAKECH et qui laissa ensuite la place aux MÉRINIDES, HAFSIDES et NASRIDES.

ALMORAVIDES
Dynastie qui régna au MAGHREB occidental et en Espagne entre 1056 et 1147 et céda ensuite la place aux ALMOHADES. Elle eut pour origine le triomphe de guerriers berbères Sanhâdja installés dans un RIBAT, sans doute à l'embouchure du Sénégal dans le SOUDAN occidental

(d'où leur nom arabe *al-Murâbitûn*, dont on fit Almoravides d'après la forme espagnole), qui conquirent le Maghreb et se choisirent pour capitale la nouvelle ville de MARRAKECH.

ALP ARSLAN
Le deuxième des grands sultans SALDJOUKIDES, qui régna de 1063 à 1073 et fut surtout un chef de guerre.

ALVÉOLES
Les alvéoles droits ou sphériques utilisés en encorbellement constituent un des éléments caractéristiques du DÉCOR architectural islamique à partir du XIe siècle, désigné par le terme arabe *muqarnas*. Le procédé naquit de la multiplication des trompes ou niches d'angle permettant, selon la tradition de l'ARCHITECTURE iranienne, le passage du carré au cercle dans la couverture des salles à COUPOLE. Il perdit ensuite son rôle fonctionnel, à mesure qu'il connaissait une vogue croissante dans les couronnements de portails comme dans les plafonds à multiples facettes. Ce procédé décoratif finit par devenir un motif détaché de tout lien avec la structure des monuments et exécuté à partir d'épures constructives extrêmement compliquées.

AMAN
Sauf-conduit et promesse de sauvegarde que le CALIFE, ou son représentant, délivrait soit à d'anciens rebelles, soit à des étrangers venant d'un territoire non islamique. Des lettres d'amân furent ainsi périodiquement accordées à des ambassadeurs, à des commerçants ou à des pèlerins et le respect de ces documents permit le développement des relations entre pays musulmans et non musulmans.

'AMR IBN AL-'AS
COMPAGNON du Prophète, à qui revint l'honneur de la conquête de l'ÉGYPTE. Il fut le fondateur de FUSTAT, seconda ensuite MU'AWIYA dans sa lutte contre 'ALI et joua un rôle déterminant lors de l'arbitrage d'ADHRUH.

AMULETTES
Constamment utilisées par le peuple, tolérées par certains DOCTEURS, mais condamnées par d'autres plus rigoristes.

ANALOGIE (principe d')
En arabe *kiyâs*. L'un des procédés utilisés par les juristes pour compléter les prescriptions coraniques et les enseignements de la TRADITION. Il fut surtout défini par ALSHAFI'I qui s'efforça de réduire à cette seule forme de raisonnement les EFFORTS DE RÉFLEXION personnelle des jurisconsultes et qui en fit le quatrième fondement du droit, après le Coran, la Tradition et le CONSENSUS. Il fut aussi appliqué en théologie, notamment par AL-ASH'ARI qui établissait une sorte d'analogie entre le monde divin et la création. En revanche il fut toujours considéré avec méfiance par les HANBALITES, tant dans le droit que dans la théologie, et fut rejeté par les ZAHIRITES.

ANATOLIE
Ou Asie Mineure. Nom, d'origine grecque, de la péninsule montagneuse asiatique faisant face aux Balkans. Cette région qui, au sens étroit, ne comprenait ni l'ARMÉNIE ni la HAUTE-MÉSOPOTAMIE, resta à l'abri des premières conquêtes bien qu'elle fût l'objet de constantes razzias, poussées parfois jusqu'à CONSTANTINOPLE, et ce furent seulement les TURCS, lors de l'essor des SALDJOUKIDES, qui y pénétrèrent et en modifièrent le peuplement. Elle fut alors le siège des souverains de RUM.

ANDALUS
Terme d'origine obscure qui désignait dans le monde islamique médiéval la partie musulmane de la péninsule Ibérique, quelle que fût son extension. La population était fort composite. Elle comprenait, à côté des autochtones convertis ou non à l'Islam, divers éléments allogènes : Arabes musulmans, BERBÈRES musulmans, ESCLAVES nègres et slaves, et fut le siège de diverses dynasties locales, parmi lesquelles celle des UMAYYADES d'Occident.

'ANDJAR
Important site UMAYYADE de l'arrière-pays libanais. Une installation agricole, dans une haute plaine au sol fertile moyennant certains travaux de drainage et d'adduction d'eau, s'y doublait de la présence d'une ville fondée de toutes pièces par le calife AL-WALID Ier entre 705 et 715. Des influences antiques et byzantines y sont particulièrement nettes dans le mode de construction et le style du DÉCOR.

ANTÉISLAM
En arabe *djâhiliya*, ou période de l'ignorance et de la barbarie, par opposition à l'époque islamique. Cette période comprend le temps qui s'écoula depuis la « création » jusqu'à la prédication de Muhammad.

APPARTEMENT
En arabe *bayt*. Groupe de plusieurs pièces constituant à l'intérieur d'une MAISON ou d'un PALAIS un ensemble indépendant comprenant parfois une petite cour. On distingue anciennement les appartements de type syrien et de type irakien représentés dans l'architecture UMAYYADE et ABBASSIDE. Ensuite se manifestèrent les étapes d'une évolution répondant à la diversité des foyers régionaux ou dynastiques, mais insuffisamment étudiée jusqu'à ce jour.

APPEL A LA PRIÈRE
En arabe *adhân*, d'où le nom du personnage chargé de cet appel, *mu'adhdhin*, francisé en muezzin. Destiné à avertir les croyants que l'heure de la PRIÈRE approche, cet appel aurait eu son usage fixé par Muhammad à MÉDINE, après consultation des COMPAGNONS, et le premier muezzin aurait été un Noir abyssin nommé Bilâl.

ARABE (langue)
Appartient à la branche méridionale du sémitique commun, mais présente certains traits analogues à ceux du sémitique nord-ouest (hébreu, araméen). L'arabe classique, langue du Coran, paraît s'être constitué en Arabie avant le VIe siècle. Une certaine obscurité règne sur le problème de son origine car on ne possède pas de document attestant son utilisation avant le témoignage du Coran lui-même. L'arabe devint le moyen d'expression de la culture islamique dans tout l'empire, même dans les régions où il ne s'était pas répandu comme langue parlée. Il subsista également comme véhicule de la science religieuse, après le XIe siècle, dans les pays où se développèrent de nouvelles littératures nationales. A côté de l'arabe classique, dont la structure fut fixée aux VIIIe et IXe siècles par des philologues qui prenaient pour modèle la langue en usage de leur temps chez certaines tribus d'Arabie, se développèrent des parlers vulgaires, souvent fort éloignés de la langue châtiée que les milieux intellectuels et aristocratiques s'efforçaient dans les premiers temps de maintenir. L'accession aux plus hautes charges de l'État de CLIENTS et de militaires d'origine non arabe ne fit qu'accentuer cette évolution.

ARABESQUE
L'emploi de ce terme, désignant un type d'ornementation spécifiquement islamique, doit être restreint aux stylisations d'origine végétale animées d'un mouvement rythmique et visant à recouvrir entièrement la surface à orner, à l'exclusion des ENTRELACS GÉOMÉTRIQUES, des décors calligraphiques, et des REPRÉSENTATIONS FIGURÉES. L'arabesque, apparue sous sa forme classique dans l'art ABBASSIDE, après les premiers tâtonnements de l'art UMAYYADE, connut à partir du Xe siècle une période de pleine maturité pour se scléroser ensuite dès le XIIIe siècle, plus ou moins vite selon les régions, mais toujours par usage des mêmes poncifs et répétition des mêmes motifs indifféremment transposés dans n'importe quel matériau.

'ARAFA
Éminence située à 20 km environ de la MEKKE, où a lieu la plus importante cérémonie du PÈLERINAGE.

ARCHITECTURE
Manifestation essentielle de l'art islamique qui fut d'abord un art de bâtisseurs sachant répondre, par des programmes nouveaux, à la situation résultant de l'originalité de l'Islam et des conditions de son développement. C'est en ce sens que les divers monuments typiques de la civilisation musulmane doivent être considérés comme des structures éminemment vivantes dont l'agencement répondait « à certaines nécessités d'ordre pratique liées au mode de fonctionnement des institutions du temps » (J. Sauvaget).

ARCHIVES (documents d')
Parvenus jusqu'à nous en petit nombre bien que les archives tinssent, d'après les CHRONIQUES, une place importante dans les bureaux de l'ADMINISTRATION califienne, ils commencent maintenant à être recherchés et exploités systématiquement. Pendant longtemps la « diplomatique » s'est réduite à la papyrologie, les PAPYRUS étant parmi les principaux documents qui nous aient été conservés. Depuis quelque temps

on s'intéresse davantage aux documents moins anciens, sur PARCHEMIN ou sur PAPIER, qui sont découverts çà et là. Des formules d'actes, de diplômes, de CONTRATS nous sont fournies d'autre part par des traités théoriques (manuels à l'usage des secrétaires de chancellerie et ouvrages de droit), mais ces renseignements, utiles, ne peuvent pallier le manque de documents originaux. Quelques textes, apparemment authentiques, sont également reproduits par les chroniqueurs.

ARGENT

La MONNAIE d'argent était surtout répandue dans les anciens territoires de l'Empire sassanide qui possédaient des mines importantes, mais demeura ensuite l'une des bases du système monétaire (V. DIRHAM). Le métal lui-même comptait parmi les productions de l'empire et était utilisé pour de nombreuses pièces d'orfèvrerie.

ARISTOTE

Les principales œuvres d'Aristote furent connues et traduites dans le monde musulman où elles exercèrent une influence sur le développement de la pensée philosophique.

ARMÉE

D'abord composée de volontaires arabes, elle se transforma progressivement en une armée de professionnels d'origine servile. Le caractère étranger des chefs militaires accédant au pouvoir marqua profondément les régimes politiques des pays islamiques.

ARMEMENT

L'arme principale des troupes en mouvement était l'arc, manié par des cavaliers. Parmi les autres armes on comptait le sabre, les arbalètes, la lance, le bouclier, les cuirasses, les masses d'armes les appareils tels que balistes et béliers, auxquels s'ajoutèrent des procédés d'attaque ou de défense tels que le naphte ou feu grégeois, les « miroirs ardents » et les chausse-trappes. La fabrication des armes comptait parmi les activités artisanales importantes.

ARMÉNIE

Région située entre l'Asie Mineure, le Caucase, l'ADHARBAYDJAN et la HAUTE-MÉSOPOTAMIE. L'Arménie, conquise vers 645, mais évacuée lors de la guerre entre 'ALI et MU'AWIYA, accepta de payer aux UMAYYADES un tribut que versaient ses princes. En dépit de la grave révolte qui éclata au milieu du IXe siècle et qui fut réprimée par le calife AL-MUTAWAKKIL, les princes d'Arménie conservèrent à l'époque ABBASSIDE une relative autonomie. Le pays connut ensuite une période troublée jusqu'au moment où il fut conquis par les SALDJOUKIDES.

ARSENAL

Permettant le développement des flottes que certaines dynasties islamiques essayèrent de constituer, des arsenaux existèrent par exemple à Acre, Tarsus, ALEXANDRIE, Kulzum et Aydhab sur la mer Rouge, Rawda près de FUSTAT, MAHDIYA, Almeria, Alanya dans la Turquie saldjoukide, Tunis, Ceuta et Tanger. Leur activité correspondait à celle des principaux ports militaires et était liée aux possibilités d'importation des bois nécessaires à la construction des navires.

ARTUKIDES

Dynastie d'ÉMIRS turcs, d'abord au service des grands SALDJOUKIDES, puis autonomes, qui domina en plusieurs branches aux destins divers (Amida, Harput, Mardin) la région du DYAR BAKR de 1102 à 1408.

AL-ASH'ARI

Théologien (873-935) considéré généralement comme le fondateur de la théologie dogmatique ou KALAM. Il fut en fait à l'origine de l'école dite ASH'ARITE qui fut l'une des écoles théologiques les plus répandues dans le monde musulman médiéval.

ASSASSINS

Nom donné par les Occidentaux aux membres de l'une des SECTES de l'ISMA'ILISME, celle des nizaris « mangeurs de *hashîsh* ». L'activité terroriste à laquelle se livraient les membres de cette secte explique le sens donné au mot français qui dérive de l'arabe *hashshâsîn*.

ASTROLABE

Instrument ASTRONOMIQUE portatif aux usages variés, servant en particulier à déterminer la hauteur des astres et les heures, ainsi qu'à établir des horoscopes. Seuls ont été conservés des astrolabes plats composés de disques superposés et d'une plaque ajourée, appelée araignée, qui représentait la voûte des étoiles fixes. La conception en remontait aux savants de l'Antiquité. Ils furent perfectionnés durant tout le Moyen Age islamique, puis imités en Occident vers 1200, où ils furent utilisés jusqu'à l'invention du télescope.

ASTRONOMIE
Science héritée des Grecs qui connut un grand succès dans le monde islamique. Elle fut encouragée par le calife AL-MA'MUN ainsi que par d'autres souverains. Les astronomes les plus remarquables furent AL-KHWARIZMI, les frères Banû Mûsâ, qui avaient leur propre observatoire à BAGDAD au IXe siècle, Abû Ma'shar (m. 886), al-Battânî (m. 929 à HARRAN), Abû l-Wafâ' (m. 997), inventeur de la trigonométrie, Nâsir al-Dîn al-Tûsî (m. 1274), qui travailla à Marâgha sous les MONGOLS, sans compter les savants andalous tels qu'al-Madjritî (m. 1077).

ATABEG
Dignitaire qui, chez les SALDJOUKIDES et leurs épigones, exerçait la fonction de tuteur d'un jeune prince. Les atabegs, qui étaient généralement des chefs militaires, profitèrent souvent de la situation pour s'emparer eux-mêmes du pouvoir. Ainsi se constituèrent plusieurs petites dynasties d'atabegs, notamment à MOSSOUL et à DAMAS (V. BOURIDES).

ATTRIBUT DIVINS
Le problème de leur existence à partir des NOMS DE DIEU qui les présupposeraient est l'un des plus importants de la théologie musulmane.

AUMONE LÉGALE
En arabe *zakât*, mot d'origine araméenne signifiant « purification ». L'aumône légale frappait à l'origine les divers biens des musulmans, sans distinction nette entre capital et revenus.

AUMONE VOLONTAIRE
Appelée généralement en arabe *sadaka*, par opposition à l'AUMONE LÉGALE ou *zakât*. Il s'agit d'un acte recommandé surtout dans certaines circonstances, par exemple à la fin du JEÛNE de ramadan, et prescrit parfois à titre de réparation (dans le cas d'inobservation d'un rite légal).

AUTOMATES
Très appréciés des milieux aristocratiques et constamment perfectionnés par les savants. Firent l'objet de traités techniques détaillés.

AUXILIAIRES
En arabe *ansâr*. Nom donné aux habitants de Yathrib qui soutinrent la cause de Muhammad.

AL-AWZA'I
Jurisconsulte mort à Beyrouth en 774, fondateur d'une école juridique qui disparut après avoir conservé des adeptes jusqu'au Xe siècle.

'AYN DJALUT
Village de Palestine où se situa, en septembre 1260, la bataille par laquelle les MAMLOUKS d'ÉGYPTE repoussèrent les MONGOLS.

AYYOUBIDES
Dynastie de souverains indépendants investis par le calife ABBASSIDE, qui fut fondée par Salâh al-Dîn ou SALADIN et qui régna en ÉGYPTE, SYRIE et HAUTE-MÉSOPOTAMIE, de 1171 à 1260. Une branche secondaire domina le YÉMEN entre 1174 et 1229, tandis qu'une autre réussissait à se maintenir dans la région du DIYAR BAKR jusqu'en 1462 environ.

AL-AZHAR
« La brillante ». Nom de la grande MOSQUÉE fondée au CAIRE par le conquérant FATIMIDE Djawhar. Inaugurée en 972 et située à proximité du PALAIS, elle fut le centre religieux de la nouvelle agglomération, joua un rôle important dans la politique de propagande fatimide, mais subit ensuite les conséquences de la réaction SUNNITE des AYYOUBIDES. Ayant perdu en effet pour un temps son privilège de grande mosquée, elle redevint un centre d'enseignement sous les MAMLOUKS qui la dotèrent de diverses fondations pieuses.

B

BADR
Bourgade située au sud-ouest de MÉDINE sur la route qu'empruntaient les caravanes qui se rendaient de la MEKKE en SYRIE. C'est là qu'en

mars 624 les musulmans, interceptant un convoi de Mekkois, remportèrent sur ces derniers leur première victoire, qu'ils considérèrent comme une justification de leur foi.

BADR AL-DJAMALI
Général et vizir du calife FATIMIDE al-Mustansir. Ancien ESCLAVE arménien d'un ÉMIR syrien, il était devenu gouverneur de DAMAS et disposait d'un corps important de mercenaires arméniens. Le CALIFE fit appel à lui pour résister aux exigences de sa GARDE turque et fit de lui son commandant en chef et son vizir (1073). Badr rétablit l'ordre en ÉGYPTE, mais ne put empêcher les SALDJOUKIDES de s'emparer de Damas (1076). Il mourut en 1094, peu avant le calife.

BAGDAD
Ville d'IRAK sur les bords du Tigre, capitale de l'Empire ABBASSIDE de 752 à 836 et de 892 à 1258, qui fut fondée par le calife AL-MANSUR dans un site qui n'avait encore accueilli aucune ville importante durant les époques antérieures, mais qui correspondait à un nœud de communications. A partir de la première ville royale fortifiée, communément appelée Ville ronde, l'agglomération bagdadienne connut rapidement un développement prodigieux. Mais elle fut éprouvée par des sièges dévastateurs, en 813 puis en 865, ainsi que par des inondations à partir de la fin du IXe siècle, puis déclina à mesure que l'empire se démembrait. Son centre se déplaça peu à peu du nord au sud sur la rive est, tandis que la rive ouest était progressivement abandonnée, et la ville qui fut entourée de murs à la fin du XIe siècle par le calife al-Mustazhir ne correspondait plus qu'à une petite partie de l'ancienne cité. L'ensemble fut dévasté par l'invasion MONGOLE en 1258. Il ne reste que peu de chose des PALAIS, MOSQUÉES, MADRASAS qui ornaient Bagdad avant cet événement. Seule la madrasa Mustansiriya, restaurée, est encore visible, ainsi qu'un MINARET qui fut celui de la grande mosquée du palais califien.

BAHRAYN
Archipel du golfe Persique, face à la côte orientale de l'Arabie, où s'établit, aux Xe et XIe siècles, l'État communautaire des KARMATES.

BAIN
En arabe *hammâm*. Édifice typique de la ville islamique correspondant aux nécessités de la PURETÉ RITUELLE comme aux habitudes héritées de l'Antiquité et mises d'abord en œuvre dans les réalisations princières. Qu'il soit public ou privé, le bain devait toujours comporter une étuve, alimentée en vapeur par un sytème de chaufferie, des salles tièdes ou chaudes plus ou moins nombreuses ainsi qu'une première salle de déshabillage.

AL-BAKILLANI
Théologien ASH'ARITE et juriste MALIKITE, mort en 1013, qui passa une partie de sa vie à BAGDAD, mais exerça aussi quelque temps la fonction de cadi hors de la capitale et fréquenta la Cour du Bouyide 'ADUD AL-DAWLA à SHIRAZ. Il fit beaucoup pour préciser et répandre la doctrine ash'arite.

AL-BALADHURI
Historien d'origine IRANIENNE, mort en 892, qui, sous le règne du calife abbasside AL-MUTAWAKKIL, défendit l'œuvre et la mémoire des califes UMAYYADES. Il fut surtout l'auteur d'un *Livre des conquêtes* et d'un grand ouvrage sur les *Généalogies des nobles* (arabes) qui constitue une importante CHRONIQUE de l'époque umayyade.

BALANCE
En arabe *mîzân*. Instrument dont le perfectionnement profita de l'attention portée à la réglementation du commerce dans le monde islamique. V. MUHTASIB.

BALIS
Ancienne ville de SYRIE septentrionale détruite par l'invasion MONGOLE et qui n'est plus aujourd'hui qu'un champ de ruines.

BALKH
Ville d'IRAN oriental, correspondant à l'ancienne Bactres, qui fut un centre bouddhiste avant d'être conquise par les musulmans en 663. Sa prospérité déclina tardivement au profit de Mazâr-I-sharif.

BARMAKIDES
Célèbres ministres de Hârûn AL-RASHID, dont la brutale disgrâce en 803, apparemment

inexplicable, frappa les esprits des contemporains et posa longtemps une énigme aux historiens.

BARRAGES
Utilisés dès l'époque UMAYYADE parmi les moyens de captation de l'eau pour l'irrigation selon des techniques héritées de la très haute Antiquité.

BASHSHAR IBN BURD
Poète arabe, mort en 783, d'origine iranienne. Aveugle de naissance, il composa surtout des poésies amoureuses ainsi que des satires qui furent sans doute à l'origine de la haine que lui voua le vizir du calife AL-MAHDI et qui explique sa mort violente.

BASRA
Ville d'IRAK et port du golfe Persique, située dans une riche région de palmiers-dattiers, mais aussi de marais et de roseaux, qui fut d'abord un camp temporaire de la conquête fondé entre 635 et 638. Centre économique, ce fut aussi très tôt un centre intellectuel, où l'on discutait notamment théologie et grammaire. Nombre de MU'TAZILITES en étaient originaires, ainsi que l'ascète AL-HASAN AL-BASRI. Éprouvée par les révoltes des Zutt, des ZANDJ et des KARMATES à l'époque ABBASSIDE, Basra fut en grande partie ruinée par l'invasion MONGOLE.

BIBLIOTHÈQUES
Nombreuses dans l'Orient islamique médiéval, elles étaient généralement liées à des mouvements intellectuels ou religieux dont elles facilitaient la diffusion. A partir des XIe et XIIe siècles, elles furent intégrées aux MADRASAS.

BIOGRAPHIQUE (science)
Discipline très développée dans le monde islamique en raison de l'importance de l'enseignement autoritatif dans les diverses sciences. De nombreuses biographies touchent à la SIRA et des dictionnaires biographiques sont consacrés, les uns aux COMPAGNONS du Prophète, détenteurs de la TRADITION authentique, les autres aux TRADITIONNISTES, lecteurs du Coran, juristes des diverses écoles, d'autres encore aux grammairiens, MÉDECINS et PHILOSOPHES. Dans ces recueils, les biographies sont classées par générations ou *tabakât*.

AL-BIRUNI
L'un des plus grands savants et écrivains du monde musulman, originaire du KHWARIZM, né en 973 et mort à GHAZNA en 1050, qui s'intéressa à l'histoire, aux mathématiques, à l'ASTRONOMIE et aux sciences physiques et naturelles. Auteur d'une *Chronologie des peuples anciens* écrite vers 1000 et traitant des problèmes de CALENDRIERS, de météorologie et d'astronomie ainsi que d'une *Description de l'Inde* et du *Kanûn Mas'ûdi*.

BISMILLAH
« Au nom de Dieu ». Formule empruntée à la sourate liminaire du Coran, qu'il est recommandé aux musulmans de répéter en de nombreuses circonstances de la vie et par laquelle débutaient généralement tous documents et textes écrits.

AL-BISTAMI
Célèbre mystique iranien qui vécut à Bistâm dans la PROVINCE de Kûmis et y mourut en 874. On lui doit des maximes qui furent recueillies et commentées par ses disciples et qui dépeignent les étapes de son itinéraire vers l'union mystique, obtenue grâce à un total dépouillement de soi.

BOURIDES
Dynastie qui régna à DAMAS de 1104 à 1154. Elle fut fondée par l'ATABEG turc Tughtakîn qui, à la mort de son maître le SALDJOUKIDE Dukâk, s'empara du pouvoir qu'il transmit à son propre fils Bûri.

BOUYIDES
Dynastie d'émirs SHI'ITES originaires du DAYLAM, qui obtinrent, à partir de 932, des gouvernements dans les PROVINCES orientales des DJIBAL, du FARS, du KIRMAN, puis occupèrent à BAGDAD, de 945 à 1055, la charge de grand ÉMIR.

AL-BUHTURI
Poète de l'époque ABBASSIDE, d'origine bédouine, qui devint panégyriste officiel à la Cour des CALIFES et mourut en 897.

BUKHARA
Ville de TRANSOXIANE, conquise par les Arabes à la fin du VIIe siècle, puis secouée par des

révoltes au début du VIIIe siècle. Elle fut particulièrement prospère à l'époque de la domination des SAMANIDES et devint un centre très actif de culture islamique. Elle fut conquise en 1220 par l'armée de Gengis Khan.

AL-BUKHARI
TRADITIONNISTE né à BUKHARA et mort près de SAMARKAND en 870, qui voyagea plusieurs années dans l'Orient islamique pour écouter les maîtres de son temps. Il composa le *Sahîh (le Véritable)*, qui est considéré comme le meilleur des six grands recueils consacrés à la TRADITION.

BUTIN
Les quatre cinquièmes du butin doivent être, selon les prescriptions coraniques, distribués entre les combattants, tandis que le dernier cinquième revient à Dieu, c'est-à-dire à son apôtre, à la famille de ce dernier, aux orphelins, aux nécessiteux et aux voyageurs (*Coran*, VIII, 41). Le CALIFE était ainsi libre de disposer de ce cinquième pour l'intérêt de la COMMUNAUTÉ.

BYZANCE
Les relations entre Byzance et le monde musulman connurent des périodes de tension particulière alternant avec des périodes de calme relatif. L'époque UMAYYADE et le début de l'époque ABBASSIDE furent caractérisés par une série de tentatives manquées d'expéditions contre CONSTANTINOPLE. Le milieu du IXe siècle marqua un renversement de situation, l'Empire byzantin se renforçant tandis que le califat déclinait et se morcelait. Les principales offensives byzantines se situent au Xe siècle : reprise de la Crète, attaques de Nicéphore Phocas contre le royaume HAMDANIDE d'Alep, campagne du même Nicéphore en SYRIE qui aboutit en 969 à l'annexion d'Antioche et à l'établissement de la suzeraineté byzantine sur ALEP, campagne de Jean Tzimiscès en Syrie et Palestine contre la nouvelle puissance FATIMIDE. L'arrivée des Turcs et des croisés mit fin aux entreprises des Byzantins contre le monde arabe.

C

CAIRE (le)
En arabe *al-Kâhira*, du nom de la planète Mars qui présida, selon l'horoscope, à la fondation de la ville. Ville d'ÉGYPTE fondée en 969 sur les bords du Nil immédiatement au nord de FUSTAT, après la conquête de cette dernière par les FATIMIDES. Résidence princière, groupant autour de deux grands PALAIS des quartiers où étaient installés les mercenaires et leurs officiers, c'était aussi une ville fortifiée. La grande mosquée AL-AZHAR y fut construite aussitôt, et bientôt suivit l'érection de la grandiose mosquée d'al-Hâkim ainsi que celle de quelques autres sanctuaires fatimides. A la fin du XIIe siècle, SALADIN, qui avait conçu le projet de réunir par une nouvelle enceinte le Caire et Fustât, édifia la citadelle où devait s'installer en 1207 son neveu al-Malik al-Kâmil. La ville connut ensuite une nouvelle prospérité à l'époque MAMLOUKE où y furent édifiés nombre de MOSQUÉES, MADRASAS et MAUSOLÉES, groupés souvent en ensembles architecturaux d'une remarquable ampleur.

CALENDRIER
Non seulement l'Islam utilisa une nouvelle ère, l'ère hégirienne (V. HÉGIRE), mais aussi un calendrier purement lunaire différent des calendriers en usage jusque-là en Arabie et dans les territoires voisins. Le Prophète interdit en effet, peu avant sa mort, l'usage des mois intercalaires et décida de revenir aux mois lunaires. De la sorte, l'année hégirienne comporte seulement trois cent cinquante-quatre jours. On notera aussi que le jour de vingt-quatre heures commence, non au lever du soleil, mais à son coucher.

CALIFE
Successeur du Prophète et chef de la COMMUNAUTÉ.

CALLIGRAPHIE
Jouissant à chaque époque d'un remarquable prestige, l'art de la calligraphie au calame fut pratiqué tout au long de l'histoire islamique par des copistes réputés que l'on classa traditionnellement en diverses catégories ou « écoles », correspondant chacune à l'apparition d'un nouveau style. Son véritable essor, après les premières réalisations du COUFIQUE simple puis brisé, fut marqué par la fixation d'un canon précis pour les formes cursives de l'ÉCRITURE arabe (dans laquelle la « ligne de base » du cou-

fique se disloque en menus éléments incurvés). La hardiesse et la régularité du trait s'accompagnaient, dans les plus beaux manuscrits, de décors annexes sous forme d'ENLUMINURES et de MINIATURES qui étaient souvent exécutées par le même artiste. La calligraphie resta toujours un art éminemment personnel, parfois même « inspiré » au sens mystique du terme.

CANALISATIONS
De nombreux types de canalisations, depuis les galeries souterraines jusqu'aux canaux à ciel ouvert traversant les vallées au moyen d'aqueducs, étaient utilisés pour l'adduction de l'eau en pays islamique. Ces organes de transfert et de drainage, exécutés parfois de manière monumentale, complétaient les systèmes de captation représentés par les BARRAGES et les appareils élévatoires du type noria.

CARAVANSÉRAILS
Gîtes d'étape pour les caravanes et centres d'accueil pour les négociants et leurs marchandises établis, les uns en pleine campagne où ils étaient utilement fortifiés, les autres dans les villes où ils pouvaient être réservés à certains trafics ou à certains corps de marchands.

CAVERNE
Grotte où Muhammad, quittant la MEKKE pour MÉDINE au moment de l'HÉGIRE et poursuivi par les Mekkois, se réfugia temporairement, en compagnie d'ABU BAKR. L'épisode, bien connu des Vies du Prophète, fut abondamment célébré par la TRADITION sunnite.

CÉNOTAPHES
Des cénotaphes, habituellement exécutés en bois sculpté, accompagnèrent les MAUSOLÉES à partir de l'époque SALDJOUKIDE. Servant parfois de lieux de SÉPULTURE, ils pouvaient ou non se confondre avec les tombes proprement dites. Ils étaient tout spécialement l'objet de la vénération populaire dans les lieux de VISITES PIEUSES.

CÉRAMIQUE
L'essor pris dès une époque ancienne par l'art de la céramique en pays d'Islam aboutit d'abord à une production abondante d'objets de première qualité. Il devait ensuite se combiner à un goût tout particulier de la POLYCHROMIE pour motiver l'utlisation de faïence, à partir du XIIe siècle, dans la décoration intérieure et extérieure des munuments.

CHAMEAU (bataille du)
Bataille qui opposa, en 656, près de BASRA, 'ALI et un groupe de COMPAGNONS. Elle doit son nom au fait que l'engagement le plus violent se produisit autour du chameau qui portait la litière de 'A'ISHA.

CHANGEURS
Jouent un rôle important dans la société islamique en raison du bimétallisme de la monnaie et du fait que les MONNAIES devaient être pesées et non comptées.

CHANT ET MUSIQUE
Font partie des divertissements princiers et aristocratiques, mais sont généralement réprouvés par les DOCTEURS, du moins par les plus rigoristes, en particulier les HANBALITES qui s'appuient sur des paroles des COMPAGNONS, donc sur la SUNNA.

CHÂTEAUX
Jouèrent un grand rôle, à côté des PALAIS, dans le monde islamique ancien. On distingue parmi eux les résidences princières ou aristocratiques liées à l'existence de grands DOMAINES d'exploitation et les châteaux forts de caractère d'abord militaire ou stratégique, non sans qu'il y ait eu d'ailleurs de fréquentes interpénétrations entre les deux types d'édifices. A la première catégorie appartiennent notamment les châteaux UMAYYADES élevés au VIIIe siècle dans le territoire syro-palestinien. A la deuxième catégorie appartiennent les puissantes constructions militaires qui furent surtout élevées à certaines époques dans des zones troublées telles que l'IRAN, l'AFGHANISTAN, l'ANATOLIE, la SYRIE, le MAROC ou même l'ANDALUS. Ces châteaux sont parfois à rapprocher de certaines citadelles de ville, qui servirent elles aussi de résidences à de petites Cours souveraines pendant les époques de troubles et de morcellements territoriaux.

CHRÉTIENS
Les chrétiens vivant dans les territoires islamiques se répartissaient en diverses communautés qui se caractérisaient à la fois par la

langue, la liturgie et la doctrine et qui avaient chacune un chef nommé tantôt patriarche, tantôt *catholicos*. Ces chefs, élus par les évêques, étaient reconnus et investis par le CALIFE ou son représentant. Ils n'étaient pas seulement des chefs religieux, mais aussi des juges, remplissant en gros dans leur communauté les mêmes fonctions que les califes et ayant aussi dans certaines occasions des responsabilités financières. C'est par leur intermédiaire que le calife faisait observer le statut propre aux tributaires.

CHRONIQUES

Très nombreuses dans la littérature arabe, elles énumèrent généralement les événements ayant eu lieu chaque année, parfois en juxtaposant des versions des faits différentes, et quelque peu contradictoires, sans que l'auteur prenne parti entre elles. Elles revêtent souvent la forme d'histoires universelles débutant à la création. Mais d'autres se limitent à l'évocation d'épisodes marquants ; il s'agit alors le plus souvent de chroniques SHI'ITES rappelant les malheurs subis par les membres de la FAMILLE DU PROPHÈTE.

CHYPRE

Conquise par le futur calife MU'AWIYA en 649, l'île fut reprise par les Byzantins à la fin du Xe siècle. Elle devait être reconquise par les MAMLOUKS, après avoir constitué un royaume latin pendant les croisades.

CIRCONCISION

Non mentionnée par le Coran, recommandée seulement par la TRADITION qui attribue cette pratique d'une part à ABRAHAM, d'autre part aux Arabes de l'époque antéislamique. Parmi les écoles juridiques, seul le SHAFI'ISME la considère comme obligatoire.

CLIENTS

En arabe *mawâli* hommes libres ou AFFRANCHIS. Ils jouèrent un rôle de plus en plus important dans la société à partir du VIIIe siècle. La majorité d'entre eux étaient d'origine IRANIENNE, mais la même appellation fut appliquée aux affranchis d'origine TURQUE constituant les officiers de la GARDE califienne. En Orient, au IXe siècle, les clients iraniens adhérèrent très souvent à un mouvement à la fois littéraire et politico-social qui avait pour but de combattre la prééminence des Arabes et de la culture arabe dans le monde islamique.

COMMUNAUTÉ DES CROYANTS

Ensemble des musulmans. Le rôle de la Communauté dans l'élaboration doctrinale et dans le domaine politique varia selon les mouvements politico-religieux.

COMPAGNONS

Compagnons de Muhammad et les premiers convertis à l'Islam. Ils comprennent les EXPATRIÉS mekkois et les AUXILIAIRES de MÉDINE. Une hiérarchie entre les Compagnons a été établie par les diverses écoles politico-religieuses. Pour les SUNNITES, les meilleurs sont les quatre premiers CALIFES, qui font eux-mêmes partie des « Dix Élus » qui entreront certainement au paradis. Pour les SHI'ITES, le seul Compagnon qui fût digne de succéder à Muhammad est 'ALI ; les autres ne méritent que l'insulte. La vénération des Compagnons est l'un des aspects fondamentaux de la mentalité sunnite. D'où les nombreux dictionnaires biographiques qui leur ont été consacrés dans la littérature arabe (en particulier celui d'Ibn Sa'd, TRADITIONNISTE mort en 844) et l'abondance des lieux de VISITES PIEUSES qui, à partir d'une certaine époque, furent liés à leur souvenir.

CONCESSION FONCIÈRE

En arabe *iktâ'* ou *katî 'a*, « territoire séparé ». Domaine remis par le chef de la COMMUNAUTÉ, en principe à titre temporaire, à un grand personnage, membre de la famille régnante ou dignitaire. Il s'agissait en général d'anciens domaines d'État abandonnés lors de la conquête, mais certaines terres qui n'avaient pas cette origine purent aussi, notamment en IRAK, faire l'objet de concessions. Ces concessions étaient astreintes au paiement de la dîme et suivaient donc le même régime que les terres possédées par les musulmans en Arabie. A partir du milieu du Xe siècle, l'*iktâ'* changea de caractère, car l'État prit l'habitude de distribuer des terres dites de KHARADJ en concession aux chefs militaires pour leur assurer un revenu fixe.

CONFRÉRIE

Groupe de SOUFIS utilisant, pour parvenir à l'extase et atteindre à la Réalité divine, les méthodes définies par un maître fondateur et se pliant à une règle de vie commune. On pénètre dans une confrérie par initiation et on gravit progressivement les degrés menant à la dignité suprême.

CONSENSUS

En arabe *idjmâ'*. Terme technique juridico-théologique désignant l'accord unanime des DOCTEURS d'une époque ou d'une région déterminées, ou même l'accord de la COMMUNAUTÉ en général. Le consensus est considéré par toutes les écoles juridiques comme une des sources du droit.

CONSTANTINOPLE

Capitale de l'Empire byzantin que les géographes arabes appelèrent dès le XIIe siècle Istanbul, d'un nom dérivé du grec *Æis tèn polin*, et que conserveront les OTTOMANS. Constantinople fut l'objet d'expéditions répétées de la part des Arabes : en 655, victoire navale des Arabes, non exploitée ; en 664, expédition terrestre qui atteignit Pergame ; en 668-669, expéditions maritimes continuelles, mais qui se terminèrent par la destruction de la flotte arabe ; en 716-717, expédition de Maslama, ordonnée par le calife Sulaymân et siège de la ville ; en 782, arrivée de Hârun AL-RASHID en face de Constantinople et signature d'un traité de paix avec l'impératrice Irène. V. BIZANCE.

CONTRATS

Le droit musulman reconnaît l'existence d'un certain nombre d'actes et de contrats qui créent des obligations précises : la reconnaissance écrite (en arabe *ikrâr*) par laquelle l'accusé reconnaît le bon droit de son adversaire et qui constitue une preuve légale ; l'acte de vente (en arabe *bay'*) qui, pour être valable, doit comporter une série de clauses précises, respecter les principes du droit et porter la signature de témoins ; le contrat de louage ou de location (en arabe *idjâra*) qui peut être conclu soit pour une période déterminée, soit pour une certaine tâche et qui concerne en particulier diverses formes de métayage ; le contrat d'association entre marchands, conçu comme une procuration et qui peut revêtir des formes diverses ; le contrat de dépôt (en arabe *amâna*) ; le contrat de prêt sans intérêt (en arabe *'âriya*) ; l'acte de donation (en arabe *hiba*) ; le contrat de garantie (en arabe *kafâla*) accordé à un débiteur ; le SERMENT (en arabe *yamîn*) ; enfin le contrat de MARIAGE.

CORDOUE

Ville d'Espagne située au cœur de l'Andalousie, capitale de l'émirat, puis du califat UMAYYADE d'Occident. Conquise en 711 elle fut dès 719 adoptée comme résidence par les ÉMIRS qui s'étaient d'abord installés à SÉVILLE.

COSTUME

Les pièces fondamentales de l'habillement étaient la chemise, le pantalon, les bottes ou les sandales ainsi qu'une coiffure de type variable. La tenue militaire était caractérisée par le manteau court, dit *kabâ'*, qui devint la tenue officielle d'audience. Les secrétaires portaient une robe longue boutonnée par-devant appelée *durrâ'a*. Le vêtement ordinaire était la robe longue dite *djubba*. En ce qui concerne la coiffure, les courtisans portaient le haut bonnet dit *kalansuwa*, sur lequel pouvait être enroulé un turban. A l'époque ABBASSIDE, le turban ne paraît avoir eu aucune signification précise. C'est seulement vers le XIIIe siècle que les hommes de religion furent qualifiés d'« enturbannés » par opposition aux hommes de sabre. Auparavant les cadis se distinguaient par le port du voile de tête triangulaire dit *taylasân*.

COUFIQUE

Nom impropre, quoique couramment utilisé, de l'ÉCRITURE arabe anguleuse dont les auteurs arabes anciens mettaient le développement en rapport avec la ville de KUFA et dont les premiers spécimens, aux lettres régulières et bien formées, apparaissent en fait dans les textes lapidaires de la Syrie UMAYYADE (milliaires de 'ABD AL-MALIK en 705 par exemple).

COUPOLE DU ROCHER

Monument érigé en 691 sur l'ordre du calife umayyade 'ABD AL-MALIK sur l'esplanade de l'ancien temple de JÉRUSALEM.

COUVENTS CHRÉTIENS

En arabe *dayr*, mot d'origine SYRIAQUE. Les couvents chrétiens étaient très nombreux à une époque ancienne, surtout en IRAK, HAUTE-MÉSOPOTAMIE, SYRIE et ÉGYPTE.

COUVENTS MUSULMANS
Couvents où vivaient et se réunissaient, à partir du XIe siècle environ, les membres des CONFRÉRIES soufies. Ils portent, en arabe, des noms divers, mais présentaient peu d'originalité dans leur type architectural, lié à celui de la MADRASA et destiné à donner naissance, à la suite de fréquentes collusions avec le MAUSOLÉE, aux complexes architecturaux qui prédominèrent dans l'art islamique à partir de l'époque postsaldjoukide.

CTÉSIPHON
Ancienne capitale des Sassanides, ruinée par la conquête arabe. Il ne reste de l'ancien PALAIS que son aile méridionale et le grand IWAN dit îwân de Chosroès.

D

DAMAS
Ville de SYRIE, située au pied de l'Anti-Liban, à 708 m d'altitude et au milieu d'une oasis de montagne appelé la Ghûta, qui fut conquise par les musulmans dès 635. Ville hellénistique, puis romaine et byzantine, dont l'existence remontait à un lointain passé, elle devint la capitale de l'Empire arabo-islamique sous la dynastie des UMAYYADES. Le calife AL-WALID Ier, après avoir consfisqué et démoli l'église qui avait succédé au grand temple de Zeus damascénien, fit édifier sur cet emplacement l'une des premières grandes MOSQUÉES du monde islamique dont l'ordonnance générale subsiste et qui est connue encore sous le nom de mosquée des Umayyades. En décadence à l'époque ABBASSIDE, Damas ne redevint une ville prospère qu'au temps des BOURIDES, des ZANKIDES et des AYYOUBIDES. Après avoir souffert de l'invasion MONGOLE de 1260, elle retomba à l'époque MAMLOUKE au rang de ville provinciale.

DAWUD AL-ISFAHANI
Fondateur de l'école juridique appelée ZAHIRISME. Né à KUFA vers 815, il s'établit à BAGDAD où il mourut en 884.

DAYLAM
Région d'IRAN, située en bordure de la mer Caspienne et correspondant aux hautes terres du DJILAN, habitée par une peuplade robuste qui joua un rôle important dans le monde islamique. A une époque ancienne, le Daylam servit de refuge aux prétendants 'ALIDES, notamment sous Hârûn AL-RASHID. A la fin du IXe siècle il fut dominé par les imâms ZAYDITES du TABARISTAN. C'est du Daylam que vinrent les BOUYIDES qui, soutenus par une armée daylamite, réussirent à s'emparer du pouvoir à BAGDAD au milieu du Xe siècle.

DELHI
Ou Dihli. Ville de l'INDE qui fut la capitale des premiers souverains musulmans de ce pays, en 1211, et resta par la suite la capitale des dynasties du Nord. Elle fut le foyer de l'art musulman de l'Inde et conserve encore de fort imposants témoignages de l'activité constructrice des souverains, notamment le fameux Kutb Minar, MINARET de la première grande MOSQUÉE de l'Inde, la mosquée Kuwwat al-Islam, érigée par Kutb al-Dîn Aybak et complétée par son successeur, et le tombeau de l'empereur MOGHOL Humayûn (1568-1569).

DINAR
Mot arabe venant du grec *denarion* (latin *denarius*) et désignant l'unité monétaire d'OR. Les premiers dinars frappés par les califes UMAYYADES à la fin du VIIe siècle furent imités des pièces byzantines portant l'effigie d'Héraclius, avec suppression de tout symbole chrétien et adjonction d'une légende musulmane en arabe. Mais vers 696 le calife 'ABD AL-MALIK fit frapper des pièces d'un nouveau style, dépourvues de toute représentation figurée et portant seulement des légendes arabes. Au MAGHREB, les premiers dinars imitaient les pièces byzantines à légende latine. Leur titre (à l'origine de 96 à 98 %) fut modifié par certains souverains en fonction de la situation économique. Les BOUYIDES, ainsi que SALADIN, eurent ainsi recours à des dévaluations plus ou moins sensibles, mais les dynasties iraniennes, à partir des GHAZNAWIDES, devaient également frapper des dinars dont le titre était peu élevé. Les dinars portaient à l'origine la formule de la PROFESSION DE FOI, les versets de la sourate CXII, ainsi que la formule dite de la « mission prophétique » (*Coran*, IX, 33). Ce n'est qu'à l'époque ABBASSIDE, qu'apparurent les noms des CALIFES et parfois ceux des gouverneurs ou des fonctionnaires

chargés de la frappe, et ensuite les noms des ateliers.

DIRHAM
Mot arabe venant du grec *drachmè* et désignant l'unité monétaire d'ARGENT en même temps qu'une unité de poids. Les plus anciens dirhams frappés par les califes UMAYYADES le furent à l'imitation des drachmes sassanides, mais avec adjonction de quelques mots arabes. Ils furent ensuite modifiés par la réforme de 'ABD AL-MALIK en 696. Les pièces d'argent furent frappées en Iran, pays abondamment pourvu de ce métal, ainsi qu'en IRAK (WASIT), en SYRIE (DAMAS), en ÉGYPTE, au MAGHREB et en Espagne.

DIWAN
Mot vraisemblablement d'origine iranienne désignant un REGISTRE, un recueil, et employé pour qualifier d'une part les recueils de POÉSIE, d'autre part les registres administratifs et, par extension, les bureaux employant lesdits registres. Selon les auteurs musulmans le premier bureau, institué par le calife 'UMAR, fut celui de l'ARMÉE. A l'époque UMAYYADE furent créés les bureaux financiers s'occupant de la collecte des IMPOTS et de l'utilisation des revenus. A l'époque ABBASSIDE, l'ADMINISTRATION centrale comporta une série de dîwâns spécialisés dont nous connaissons les noms, mais pas toujours le fonctionnement exact. C'est seulement à l'époque OTTOMANE que le mot dîwân en vint à désigner de façon constante le conseil impérial, organisme gouvernemental constitué de la réunion du grand vizir et des ministres.

DIYAR BAKR
Littéralement « territoire de la tribu de Bakr ». Nom de la partie septentrionale de la HAUTE-MÉSOPOTAMIE, qui avait pour ville principale Amida. La région releva du royaume des HAMDANIDES, fut ensuite dominée par les ARTUKIDES, mais fut en partie conquise par SALADIN et ses successeurs. Ces derniers s'intéressaient en effet tout particulièrement à un pays peuplé de ces Kurdes auxquels ils appartenaient et parmi lesquels ils recrutaient leurs soldats.

DJABAL SAYS
Résidence UMAYYADE de la steppe syrienne, située dans le cratère désolé d'un ancien volcan, à une centaine de kilomètres au sud-est de DAMAS. Ses ruines ont permis d'y déceler à la fois une installation agricole et une habitation princière, marquée par la présence d'un BAIN et d'un CHÂTEAU. L'ensemble est attribué à l'époque du calife umayyade AL-WALID Ier, entre 705 et 715.

DJABIR
Alchimiste mort en 780, connu en Europe sous le nom de Gaber. Probablement SABÉEN d'origine, il se convertit à l'Islam et adhéra au SHI'ISME.

DJABRITES
Partisans de la prédétermination divine. Les TRADITIONALISTES sont de cette tendance.

AL-DJAHIZ
Célèbre prosateur et essayiste arabe, né à BASRA vers 776, mort en 869, auteur de traités de polémique politico-religieuse et d'ouvrages instructifs ou récréatifs. Défenseur de la culture arabe, il rassembla dans le *Livre de l'exposition* des sentences et fragments en prose divers remontant à l'époque archaïque. L'œuvre d'al-Djâhiz est un remarquable reflet de la vie intellectuelle, politique, religieuse et sociale dans la première moitié du IXe siècle.

DJARIR
Grand poète satirique de l'époque UMAYYADE, d'origine arabe, mort vers 725 et considéré comme l'un des maîtres de l'ancienne POÉSIE.

DJIBAL
Littéralement « montagnes », nom du plateau montagneux qui borde l'IRAK à l'est et qui correspond à peu près à l'ancienne Médie. Les principales villes sont : ISFAHAN, HAMADHAN, KAZWIN et Muhammadiya (RAYY).

DJINNS
Êtres corporels doués d'intelligence, comme les hommes et les anges, mais créés, d'après le Coran (LV, 14), d'une flamme sans fumée et destinés soit au paradis soit à l'enfer.

AL-DJUNAYD
Mystique originaire de BAGDAD, disciple d'al-Muhâsibî et mort en 910, qui représente le type du SOUFI pondéré, évitant les extravagances et

les écarts de langage. Seuls quelques traités ont été conservés de lui, qui exercèrent une influence certaine sur AL-HALLADJ.

DJUND

Terme désignant à l'origine les circonscriptions militaires de SYRIE où étaient établis les guerriers mobilisables et qui étaient d'abord au nombre de quatre : Homs, DAMAS, Jordanie et Palestine. Les membres du djund, tous arabes, recevaient une solde en sus d'une part du BUTIN éventuel, mais aussi des CONCESSIONS FONCIÈRES. Cette organisation fut en partie imitée en Espagne musulmane sous les émirs UMAYYADES. Tout en conservant son sens primitif, le terme djund en vint à désigner une force armée, de quelque composition qu'elle fût.

DJUNDISHAPUR

Ville du KHUZISTAN fondée à l'époque sassanide, qui était et resta, après la conquête islamique, un centre culturel important, surtout célèbre par son école de MÉDECINE.

DJURDJAN

Région d'IRAN située à l'angle sud-est de la mer Caspienne. Après avoir conquis définitivement en 716 ce pays fertile, le gouverneur UMAYYADE y fonda une ville qui en prit le nom. La PROVINCE fut au IXe siècle travaillée par la propagande des ZAYDITES du TABARISTAN voisin et resta un foyer d'agitation presque permanent. La ville fut détruite par les MONGOLS.

AL-DJUWAYNI

Théologien ASH'ARITE, mort en 1085. D'origine iranienne, il enseigna à la MADRASA de NISHAPUR, puis à la MEKKE et à MÉDINE où il acquit une grande renommée (d'où son surnom d'*Imâm al-Haramayn*, « IMAM des deux sanctuaires ») avant de retourner ensuite à Nîshâpûr.

DOCTEURS

En arabe *'ulamâ'*, « savants ». Terme général désignant les spécialistes des sciences religieuses, plus particulièrement les jurisconsultes, interprètes de la LOI, et les théologiens.

DOMAINES FONCIERS

En arabe *diyâ'*. Terres données en concession aux musulmans ou leur appartenant en propre et soumises à la seule dîme. V. CONCESSION FONCIÈRE.

DRUZES

Adhérents d'une SECTE initiatique d'origine isma'ilienne qui se répandit surtout en SYRIE et dont les fondateurs affirmaient le caractère divin du calife fatimide AL-HAKIM.

DUODÉCIMAINS

Terme désignant les SHI'ITES croyant à la disparition du XIIe IMAM et attendant son retour.

DYNASTIQUE (principe)

Principe que la plupart des familles ayant régné dans le monde islamique s'efforcèrent d'imposer, mais sans réussir à définir une règle de succession précise. Ce principe était contraire aux habitudes tribales, non seulement des Arabes, mais également des Iraniens BOUYIDES, des Turcs SALDJOUKIDES ou des Berbères ALMORAVIDES.

E

ÉCRITURE

L'écriture arabe, « qui s'est imposée à tous les peuples convertis à la religion musulmane et sert aujourd'hui à transcrire les sons, non seulement de l'arabe, mais encore du persan, de l'hindoustani, du malais, de certaines langues de l'Afrique noire (et naguère du turc) », présente les caractéristiques d'une écriture sémitique s'écrivant de droite à gauche et ne notant que les consonnes. Son évolution au cours de treize siècles d'histoire a été dominée par son aspect d'écriture réservée à un milieu fermé d'érudits et de lettrés et d'écriture valorisée aussi bien par son rôle religieux — elle servait à transcrire le texte sacré du Coran — que par les qualités esthétiques qu'on lui a toujours reconnues ; d'où son emploi comme motif décoratif sur les objets et dans les inscriptions monumentales.

EFFORT DE RÉFLEXION

En arabe *idjtihâd*. Expression technique désignant le travail d'interprétation de la LOI islamique auquel se livrèrent les chefs des grandes écoles juridiques et qui aboutit à l'élaboration de systèmes déterminés.

ÉGYPTE
En arabe *Misr*. Région conquise en 642 et où les musulmans fondèrent, près du site de l'ancienne Babylone, la ville-camp de FUSTAT, puis la résidence royale du CAIRE. L'Égypte, PROVINCE de l'Empire ABBASSIDE, obtint une semi-indépendance sous les émirs TOULOUNIDES et IKHSHIDIDES, puis fut le centre du califat FATIMIDE avant d'être dominée par les AYYOUBIDES.

ÉMIR
En arabe *amîr*, « celui qui est revêtu de l'autorité » *(amr)*, « commandant ». Terme désignant les chefs militaires et les gouverneurs de PROVINCE, particulièrement chargés du commandement des troupes ainsi que la direction de la PRIÈRE.

ENCYCLOPÉDIES
L'esprit encyclopédique qui se manifesta très tôt chez les auteurs arabes les conduisit à rédiger de nombreux ouvrages regroupant des connaissances diverses, parmi lesquels apparurent les manuels à l'usage des secrétaires de chancellerie. Ce dernier genre aboutit à la composition, à l'époque MAMLOUKE, de traités comme celui d'AL-KALKASHANDI.

ENLUMINURES
Motifs décoratifs à base d'ARABESQUES et d'ENTRELACS GÉOMÉTRIQUES rehaussés d'or ou d'argent qui apparaissent dès une époque ancienne sur les manuscrits de qualité — de très anciennes copies du Coran en COUFIQUE en sont pourvues, notamment au début de sourates et de versets — et s'y localisent de préférence sur les deux premières pages du volume.

ENTRELACS GÉOMÉTRIQUES
Motifs décoratifs se distinguant de l'ARABESQUE au sens strict dans la mesure où ils ne font appel à aucune stylisation de caractère floral. Leurs premiers spécimens apparaissent sur des panneaux de stuc UMAYYADES et notamment des *claustra* ajourés de cette époque.

ESCLAVES
La pratique de l'esclavage est restée très vivace dans le monde islamique médiéval. Les esclaves étaient dans les premiers temps fournis par les prisonniers infidèles faits lors des conquêtes ; les pays musulmans continuèrent à être approvisionnés en esclaves par les razzias saisonnières, par les actes de piraterie en Méditerranée et par le commerce. Les esclaves offerts sur le marché étaient soit des Noirs ou des berbères d'Afrique, soit des TURCS, soit des Slaves.

EXPATRIÉS
Plutôt qu'« émigrés ». En arabe *muhâdjirûn*, COMPAGNONS de Muhammad qui décidèrent de quitter avec lui la MEKKE pour trouver un lieu plus accueillant.

F

FAMILLE
La famille islamique continue la famille patriarcale de l'époque antéislamique. La vie de famille est caractérisée par l'institution de la polygamie et du concubinage. Les enfants sont élevés jusqu'à l'âge de sept ans environ dans le gynécée.

FAMILLE DU PROPHÈTE
Considérée par les SHI'ITES comme méritant seule de régner. D'où les innombrables mouvements révolutionnaires en faveur d'un membre, parfois non désigné, de la famille du Prophète *(Al Muhammad)*.

AL-FARABI
PHILOSOPHE mort à DAMAS en 950. D'origine turque et de conviction SHI'ITE, il étudia à BAGDAD et vécut longtemps à ALEP où il bénéficia d'une pension allouée par le Hamdanide SAYF AL-DAWLA. Il fut l'un des premiers et des plus brillants penseurs islamiques qui aient puisé dans les idées philosophiques grecques et composa une épître sur *la Cité parfaite* où il expose ses idées politiques et économiques.

AL-FARAZDAK
Grand poète satirique de l'époque UMAYYADE, d'origine arabe, né à BASRA et mort en 728, qui passa la majeure partie de sa vie à DAMAS, à la Cour des CALIFES. Il fut surtout célèbre pour les invectives qu'il échangea avec DJARIR.

FARGHANA
Région constituée par la vallée du Syr Darya et les montagnes avoisinantes, à population ira-

nienne, qui résista à l'occupation musulmane jusqu'au début du IXe siècle, date à laquelle elle fut incluse dans les territoires des gouverneurs SAMANIDES. Elle fournit à partir de ce moment des soldats pour l'ARMÉE califienne.

FARS
Région correspondant à la Perse proprement dite, ayant pour ville principale SHIRAZ. La conquête, difficile, en fut achevée en 648-649. Au XIe siècle, le Fârs tomba sous l'autorité des SAFFARIDES, puis au XIIe siècle sous celle des BOUYIDES, auxquels succédèrent les SALDJOUKIDES.

FATIMA
Fille de Muhammad, qui épousa 'ALI après l'HÉGIRE et fut la mère d'AL-HASAN et d'AL-HUSAYN, ancêtres de lignées d'IMAMS shi'ites. Les SHI'ITES ont pour elle une dévotion toute particulière et lui appliquent le qualificatif d'*al-Zahrâ'*, « la lumineuse », qui fait allusion aux privilèges que les membres de la FAMILLE DU PROPHÈTE ont reçus de Dieu. Il semble qu'elle ait réellement pris parti, après la mort de son père, contre les prétentions d'ABU BAKR qui lui dénia, de son côté, tout droit à l'héritage de Muhammad. Elle encouragea 'Alî à la résistance et mourut environ six mois plus tard.

FATIMIDES
Dynastie califienne qui régna d'abord en IFRIKIYA, puis en ÉGYPTE, de 909 à 1171. Elle prétendait descendre de 'ALI et FATIMA et fut soutenue par un mouvement SHI'ITE extrémiste aux doctrines hétérodoxes, l'isma'ilisme.

FAYYUM
Nom d'origine copte désignant une région de la Moyenne-Egypte située à l'est de la vallée du Nil. Son territoire, de tout temps fertile et prospère, qui fut pendant quelques siècles après la conquête musulmane un centre CHRÉTIEN pourvu de nombreux monastères, est le lieu d'origine d'un grand nombre de PAPYRUS arabes d'ÉGYPTE.

FÈS
Ou Fâs. Ville située au croisement des deux grands axes de communication du MAROC, fondée par les IDRISSIDES à la fin du VIIIe siècle et constituée d'abord de deux agglomérations bordant face à face le wadi Fâs. Au XIe siècle, l'ALMORAVIDE Yûsuf ibn Tâshufîn réunit les deux villes en une seule et fit agrandir la grande MOSQUÉE dite des Kairouanais (*Karawiyîn*). La période almoravide fut l'une des plus prospères de l'histoire de Fès. Assiégée par les ALMOHADES qui détruisirent sa forteresse, mais firent reconstruire en 1212 les murailles, la ville tomba ensuite sous leur autorité, puis sous celle des MÉRINIDES qui en firent leur capitale.

FÊTES
Comprenaient essentiellement les deux fêtes musulmanes canoniques, celle de la fin du JEÛNE et celle du SACRIFICE du PÈLERINAGE, auxquelles s'étaient ajoutées des fêtes SHI'ITES et SUNNITES ainsi que le MAWLID AL-NABI.

FIRDAWSI
L'un des plus anciens auteurs en langue PERSANE, né en 932, mort en 1020. On lui doit le *Livre des rois*, poème épique à la gloire de l'IRAN.

FORTIFICATIONS
L'art de la fortification atteignit dans l'ARCHITECTURE islamique médiévale un remarquable degré d'efficacité : utilisation d'entrées coudées, bretèches à mâchicoulis, systèmes de remparts doubles avec fossés et avant-murs, etc. Les procédés employés varièrent cependant selon les régions, les matériaux et surtout la nature des éléments fortifiés, allant de la simple enceinte à tours pleines, destinée à protéger tel CHÂTEAU rural contre une attaque de pillards, aux systèmes complexes de défense des places fortes devant être capables de résister aux assauts d'un siège en règle.

FOSSÉ (jour du)
Bataille qui se déroula en 627 entre les Mekkois et les musulmans retranchés dans MÉDINE et au cours de laquelle les Mekkois furent repoussés.

FRESQUES
Utilisées sans doute comme une imitation à bon marché (fresques de pavement) des MOSAÏQUES en pâte de verre. On en connaît de fort intéressants spécimens remontant aux périodes UMAYYADE et ABBASSIDE, avec des représentations figurées empruntées notamment aux thèmes de la vie princière évoquant la majesté du

souverain ou ses divertissements. Mais l'habitude n'allait point s'en perdre complètement aux époques ultérieures en dépit de la faveur plus grande rencontrée par des revêtements de CÉRAMIQUE à la fois peu coûteux et plus brillamment colorés.

FUNDUK

Terme dérivé du grec *pandocheion* et désignant les entrepôts ou CARAVANSÉRAILS urbains.

FUSTAT

Ville d'ÉGYPTE dont l'emplacement est aujourd'hui appelé Vieux-Caire, qui fut fondée en 641 en un point stratégique. Comme BASRA et KUFA, ce fut d'abord un camp dont le nom dérivait du grec *phossaton* (latin *fossatum*) et faisait allusion au fossé qui l'entourait. Encore habitée après la fondation de la ville FATIMIDE du CAIRE, non fortifiée cependant, Fustât déclina peu à peu jusqu'à ce qu'on décidât, en 1168, de l'incendier pour qu'elle ne risquât point d'être occupée par les Francs du royaume de JÉRUSALEM. Relevée et en partie reconstruite ensuite, elle ne retrouva jamais son importance ancienne.

G

GARDE

Tout souverain possédait sa garde personnelle dont le chef jouait un rôle important au Palais. A partir du milieu du IXe siècle le chef de la garde califienne fut choisi parmi les ÉMIRS d'origine servile qui commandaient l'ARMÉE.

GHASSANIDES

Tribu d'origine sud-arabe, qui émigra dans les steppes syriennes au IIIe siècle apr. J.-C., embrassa le christianisme et fut employée par les Byzantins pour défendre leur empire contre les LAKHMIDES de HIRA entrés au service des Sassanides.

AL-GHAZALI

Théologien connu en Occident sous le nom d'Algazel, né en 1058, mort à Tûs en IRAN en 1111. Il a laissé de nombreux ouvrages dont les plus importants sont : un traité de vie religieuse, conciliant les exigences du droit et celles du SOUFISME, qui s'intitule *Revivification des sciences de la religion* ; la prétendue autobiographie appelée *la Délivrance de l'erreur*, où il situe sa position personnelle en face des mouvements contemporains, notamment philosophie et shi'isme isma'ilien ; la critique de la PHILOSOPHIE appelée *Destruction des philosophes ;* la réfutation de l'isma'ilisme intitulée *Erreurs des Batinites*.

GHAZNA

Ville située dans l'actuel AFGHANISTAN, à 145 km au sud-ouest de Kaboul, et ancienne capitale des GHAZNAWIDES. Après être demeurée aux premiers siècles de l'Islam entre les mains de chefs locaux plus ou moins soumis aux gouverneurs arabes, elle avait été occupée définitivement en 962 par un général des SAMANIDES avant de devenir en 977 la résidence du père de MAHMUD, fondateur de la dynastie ghaznawide. La ville, mise à sac en 1150 par le GHOURIDE Djahân-Sûz (« incendiaire du monde »), devint une des capitales de cette dynastie avant de tomber entre les mains des Khwarizmshahs. Elle fut saccagée par les MONGOLS en 1121, mais des fouilles archéologiques récentes s'y sont montrées fructueuses.

GHAZNAWIDES

Dynastie de souverains indépendants d'origine TURQUE investis par le calife ABBASSIDE, qui régna d'abord en AFGHANISTAN et en TRANSOXIANE, puis au KHURASAN oriental et en INDE, de 998 à 1186. Sa résidence principale fut GHAZNA. Célèbre par sa conquête de l'Inde, elle se heurta à la puissance SALDJOUKIDE en IRAN et fut plus tard remplacée par les GHOURIDES dans ses territoires de l'Inde et du Khurâsân oriental.

GHOURIDES

Dynastie de souverains indépendants investis par le calife ABBASSIDE et originaires de la région du Ghour dans l'actuel AFGHANISTAN, qui régna sur le KHURASAN oriental et en INDE de 1100 à 1215.

GRENADE

Célèbre par son Alhambra. C'est seulement au XIe siècle que cette localité, située dans une haute plaine couverte de vergers et entourée de montagnes, devint le centre d'un petit royaume, celui des ZIRIDES d'Espagne. Au

XIIIe siècle s'y installèrent ensuite les NASRIDES qui devaient s'y maintenir jusqu'en 1492, date de la reconquête.

GUERRE SAINTE
En arabe *djihâd*. Obligation collective pesant sur la COMMUNAUTÉ musulmane et dont est spécialement chargé le CALIFE ou son représentant. C'est à MÉDINE, au moment où s'organisa la lutte contre les Mekkois, que fut défini le devoir de combattre tous ceux qui n'adhéraient pas à l'Islam jusqu'à ce qu'ils se convertissent ou acceptassent de payer le tribut, signe de leur soumission.

H

AL-HADJDJADJ
Energique gouverneur UMAYYADE originaire d'Arabie. Au service du calife 'ABD AL-MALIK, il fut très jeune nommé gouverneur de l'IRAK dont il réprima la rébellion en 691, puis envoyé contre IBN AL-ZUBAYR dont il triompha à la suite du siège de la MEKKE. Après cette victoire qui assurait l'unité de l'État umayyade, il fut nommé gouverneur des PROVINCES d'Arabie, puis envoyé de nouveau en Irak réprimer de nouveaux troubles. Il fonda en 702 la ville fortifiée de WASIT et participa activement à la réforme administrative et monétaire entreprise par 'Abd al-Malik. Il seconda aussi très efficacement le calife suivant, AL-WALID Ier, sur lequel il exerça une grande influence.

HAFSIDES
Dynastie qui régna en IFRIKIYA ou Berbérie orientale de 1228 à 1574. Succédant aux ALMOHADES dans la partie occidentale de leur royaume, elle avait été fondée par un de leurs anciens gouverneurs. Elle repoussa l'attaque de Louis IX en 1270, fut à plusieurs reprises en guerre avec les MÉRINIDES voisins et eut à lutter à la fois contre les entreprises de Charles Quint et contre celles des OTTOMANS.

AL-HAKIM
Sixième calife FATIMIDE, célèbre par sa bizarrerie, ses persécutions contre les CHRÉTIENS et aussi les SUNNITES d'ÉGYPTE, ses actes de tyrannie et de cruauté qui le firent redouter de tous ses sujets. Il accepta les théories des extrémistes ISMA'ILIENS qui voulaient le diviniser. Il mourut en 1021, après un règne de vingt-cinq ans, d'une façon mystérieuse.

AL-HALLADJ
Célèbre mystique, né en IRAN, qui de fort bonne heure se mit à voyager en divers pays d'Orient. Partout où il passait, il prêchait la réforme des cœurs et exhortait à la recherche de l'amour divin. A BAGDAD, au début du Xe siècle, il fut impliqué dans la conjuration SUNNITE d'IBN AL-MU'TAZZ, poursuivi et bientôt arrêté, puis condamné et exécuté après un célèbre procès.

HAMADHAN
Ville de l'IRAN central, située à 1 800 m d'altitude, appartenant à la province des DJIBAL. D'origine ancienne, elle était placée sur une importante voie de passage. Conquise définitivement en 645, elle fut saccagée par les SALDJOUKIDES en 1100, puis par les MONGOLS en 1221.

HAMDANIDES
Dynastie d'ÉMIRS indépendants investis par le calife ABBASSIDE, qui régna en HAUTE-MÉSOPOTAMIE et en SYRIE septentrionale de 905 à 1004. Son principal représentant fut SAYF AL-DAWLA, champion de la cause arabe et islamique contre les attaques byzantines.

HAMMADIDES
Branche de la dynastie des ZIRIDES. Ils régnèrent au MAGHREB central entre 1015 et 1152, et eurent pour capitale, avant de se replier sur la côte, la KAL'A DES BANU HAMMAD. La dynastie fut renversée par les ALMOHADES.

HANAFISME
École juridique fondée au VIIIe siècle par ABU HANIFA. Le hanafisme devint l'école prédominante dans l'Empire OTTOMAN.

HANBALISME
École juridique et théologique, TRADITIONALISTE et fidéiste, fondée au IXe siècle par IBN HANBAL. Elle joua un rôle important à BAGDAD, du IXe au XIe siècle, dans la lutte contre le SHI'ISME.

HANIF
Terme d'origine obscure (sans doute ara-

méenne) et d'interprétation discutée apparaissant dans le Coran où il désigne des personnages qui possédaient, avant l'apparition de l'Islam, la vraie religion monothéiste. Il est appliqué notamment à ABRAHAM. Chez les auteurs postérieurs, hanîf est souvent utilisé dans le sens de musulman.

HARAM
Terme arabe signifiant « interdit » ou « sacré » et s'appliquant aux sanctuaires des villes saintes de l'Islam ainsi qu'aux territoires sacrés les entourant. Il s'applique aussi à la salle de prière des mosquées, par opposition à la cour. Il est aussi parfois synonyme de HAREM.

AL-HARAWI
Ascète errant et pèlerin qui, après une vie de voyages, finit son existence à ALEP où il mourut en 1215. On lui doit un *Guide des lieux de pèlerinage* qui énumère tous les objets de VISITES PIEUSES fréquentés de son temps et un « manuel du prince » destiné à un souverain AYYOUBIDE.

HAREM
En arabe *harîm*. Terme dérivant de la même racine que HARAM et s'appliquant plus particulièrement au gynécée dont l'accès est réservé au maître de la maison, aux proches parents et aux serviteurs, le plus souvent eunuques, dûment autorisés. Le mot *harîm* désignait aussi à BAGDAD le domaine de la résidence califienne.

HARRAN
Ville de HAUTE-MÉSOPOTAMIE, habitée par les pseudo-SABÉENS qui adoraient des divinités astrales. La ville conquise en 640 fut la résidence de l'Umayyade MARWAN II. Florissante et pourvue de beaux monuments, elle fut en partie détruite lors de l'apparition des MONGOLS et non reconstruite.

AL-HASAN
Fils de 'ALI ; abandonna ses prétentions au califat sous le règne de MU'AWIYA et mourut en 670.

AL-HASAN AL-BASRI
Ou de Basra. Ascète, théologien et TRADITIONNISTE, fils d'un Irakien AFFRANCHI et mort à BASRA en 728. Il composa divers ouvrages qui ne sont pas conservés, eut de nombreux disciples et prononça des SERMONS partiellement recueillis dans les anthologies. Son influence s'exerça sur les premiers adeptes du SOUFISME et, semble-t-il, sur les anciens MU'TAZILITES.

HASHIMIDES
Descendants de Hâshim, l'arrière-grand-père de Muhammad. Par la suite les Hashimides comprirent à la fois les descendants d'ABU TALIB et de 'ALI, appelés 'ALIDES, et ceux d'AL-'ABBAS, appelés ABBASSIDES.

HATTIN
Village de Palestine situé à l'ouest de Tibériade où, le 5 juillet 1187, SALADIN fut victorieux des Francs du royaume de Jérusalem.

HAUTE-MÉSOPOTAMIE
Région appelée en arabe *Djazîra*, « la presqu'île », comprise entre les cours supérieurs du Tigre et de l'Euphrate et correspondant à un territoire situé actuellement d'une part en IRAK et en SYRIE, d'autre part en Turquie. Elle comprenait trois districts, appelés d'après les noms des tribus qui s'y établirent après les conquêtes : Diyâr Rabî'a (chef-lieu MOSSOUL), DIYAR BAKR (chef-lieu Amida) et Diyâr Mudar (chef-lieu RAKKA).

HÉBRON
Ville de Palestine possédant un sanctuaire remontant à l'époque hérodienne : selon une tradition ancienne, y auraient été enterrés ABRAHAM ainsi que d'autres patriarches. Ce lieu de culte juif fut adopté par les musulmans.

HÉGIRE
Expatriation de Muhammad et des premiers musulmans qui partirent se réfugier à Yathrib. La date qui marque le début de l'ère hégirienne est en fait le 16 juillet 622, premier jour du premier MOIS de l'année.

HERAT
Ville du KHURASAN conquise en 652 par les musulmans. Elle possédait au XIIIe siècle une grande MOSQUÉE réputée comme l'une des plus célèbres du monde islamique. Elle fut ensuite prospère sous les TIMOURIDES qui en firent leur capitale.

HÉRITAGE
Le régime des successions est caractérisé en

Islam par le fait que le droit de tester est limité et qu'il ne peut exister de légataire universel, des parts déterminées étant réservées directement à certaines catégories d'héritiers, tandis que d'autres catégories, constituées par les ESCLAVES et les tributaires, sont exclues de la succession. Sont appelés à hériter en premier lieu : la fille (si elle est seul enfant), la fille du fils, le père ou à défaut l'aïeul paternel, la mère, la sœur et le frère utérins, l'époux ou l'épouse. Le reste de l'héritage est remis au plus proche des parents par les hommes dits *'asaba*. Les biens en déshérence sont recueillis par le TRÉSOR public.

HIDJAZ

Région d'Arabie dont le nom signifie « barrière », située entre la côte de la mer Rouge et le plateau désertique appelé Nedjd. Dans la partie intérieure montagneuse se trouvent la ville de la MEKKE, née autour d'anciens lieux sacrés, et les oasis de Yathrib, devenue MÉDINE, et de Tâ'if.

HIRA

Ville de Mésopotamie qui fut d'abord un campement semi-permanent de tribus arabes et qui devint à la fin du IIIe siècle la résidence des LAKHMIDES, puis le siège d'un évêché nestorien et un centre intellectuel important. La ville fut abandonnée à partir du VIIIe siècle.

HISHAM

Calife UMAYYADE, fils de 'ABD AL-MALIK, qui régna de 724 à 743. Il réussit à pacifier l'IRAK, mais non à éviter l'effervescence des PROVINCES iraniennes et berbères. Il fit construire des CHATEAUX encore connus aujourd'hui par des ruines imposantes, tels KASR AL-HAYR AL-GHARBI et KASR AL-HAYR AL-SHARKI.

HUDAYBIYA

Vallée proche de la MEKKE où Muhammad conclut en l'an 628 avec les Mekkois une convention qui constituait pour lui un indéniable succès diplomatique.

AL-HUDJWIRI

Mystique iranien né à GHAZNA, qui voyagea dans tout le monde islamique pour rencontrer les principaux SOUFIS de son temps. Mort à Lahore en 1072, il laissa un ouvrage intitulé *Kashf al-Mahdjûb*, qui traite de la vie et de l'enseignement des divers maîtres soufis.

HUNAYN

Vallée proche de la MEKKE, située sur la route menant à Tâ'if, où bataille fut livrée aux musulmans, aussitôt après la reddition de la MEKKE, par une coalition de bédouins.

HUNAYN IBN ISHAK

Savant CHRÉTIEN, qui étudia la MÉDECINE à BAGDAD, puis séjourna en Asie Mineure pour recueillir des manuscrits grecs scientifiques, occupa ensuite une position de premier rang à la Maison de la Sagesse instituée par AL-MA'MUN et avec l'aide de ses disciples effectua un grand nombre de traductions en arabe.

AL-HUSAYN

Second fils de 'ALI et de FATIMA, né à MÉDINE vers 627. Il fut tué à KARBALA' le 10 muharram 61, soit le 10 octobre 680. Le calife Yazîd aurait déploré cette mort qu'il n'avait pas ordonnée et qui le fit honnir des shi'ites. Ceux-ci commémorèrent par la suite la mort d'al-Husayn par des cérémonies de deuil célébrées le 10 muharram.

HYPOCRITES

En arabe *al-Munâfikûn*. Nom, donné dans le Coran à ceux des Médinois sur lesquels le Prophète ne pouvait pas compter, qui désigne plutôt des hésitants ou des sceptiques.

I

IBADITES

Secte KHARIDJITE modérée, apparue en IRAK à la fin du VIIe siècle, qui se répandit surtout parmi les BERBÈRES du MAGHREB. L'adhésion au kharidjisme fut chez ces derniers une forme de résistance au pouvoir central et le kharidjisme anima les révoltes qui éclatèrent dans leurs territoires contre le califat ABBASSIDE, puis contre le califat FATIMIDE.

IBLIS

Nom propre de Satan, probablement corruption du grec *diabolos*. Le terme *al-shaytân*, qui est aussi appliqué à Iblîs, n'est pas un nom propre et peut désigner des démons. Selon le Coran, Iblîs, maudit pour avoir refusé de se prosterner devant ADAM, vit sa peine différée jusqu'au jour du JUGEMENT DERNIER et reçut le pouvoir d'égarer les hommes.

IBN 'ABBAD
Vizir de deux souverains BOUYIDES, né en 938, mort en 995, connu sous le nom de « maître » (*al-Sâhib*), lettré de talent et protecteur des savants MU'TAZILITES.

IBN ABI 'AMIR
Surnommé al-Mansûr. Maire du palais sous le calife UMAYYADE d'Espagne Hishâm II, homme d'État et chef militaire, qui mourut en 1002 et se construisit une résidence royale près de CORDOUE.

IBN AL-'ARABI
Mystique et PHILOSOPHE andalou, né à Murcie en 1165, qui s'établit à DAMAS où il mourut en 1240 et où l'on vénère son tombeau.

IBN BATTA
Docteur HANBALITE irakien, mort vers 997.

IBN DJUBAYR
Auteur né à Valence en 1145, qui servit en qualité de secrétaire les souverains ALMOHADES et accomplit à la fin du XIIe siècle trois PÈLERINAGES à la MEKKE. Il mourut à ALEXANDRIE en 1217 au retour de son troisième voyage. Il nous a laissé une *Relation de voyage* où non seulement il raconte son séjour à la Mekke, mais où il décrit les pays qu'il eut alors l'occasion de visiter.

IBN AL-FARID
Poète mystique arabe (1181-1235) qui vécut au CAIRE à l'époque AYYOUBIDE, surtout célèbre par son *Hymne au vin*.

IBN AL-FURAT
Célèbre vizir du calife AL-MUKTADIR, homme politique et financier de grande envergure, mais de convictions SHI'ITES et peu loyal envers le régime, ministre à trois reprises, et exécuté sur l'ordre du calife en 924.

IBN AL-HANAFIYA
Fils de 'ALI et d'une femme appartenant à la tribu des Banû Hanîfa, mort en 801. Bien qu'il ne fût pas un descendant du Prophète par FATIMA, il revendiqua, dit-on, le pouvoir et c'est en son nom qu'AL-MUKHTAR se révolta en IRAK à l'époque UMAYYADE.

IBN HANBAL
TRADITIONNISTE, juriste et théologien, mort en 855 ; fondateur d'une des quatre grandes écoles SUNNITES, le HANBALISME.

IBN HAZM
Théologien andalou, né à CORDOUE en 994, mort en 1064. Penseur original, il adopta le système des ZAHIRITES dont il appliqua les principes à la théologie dogmatique. On lui doit des ouvrages de droit, de sciences coraniques, de morale, mais ses idées théologiques sont surtout exposés dans son grand traité d'histoire des religions, *Kitâb al-fisâl fî-l-milal*, où il attaqua avec vigueur JUIFS, CHRÉTIENS et musulmans coupables de déviationnisme, notamment les ASH'ARITES. Il est également célèbre par son petit traité sur l'amour intitulé *le Collier de la colombe*.

IBN KHALDUN
Né à Tunis en 1332 dans une famille d'origine arabe jadis fixée en Espagne, et mort au CAIRE en 1406, Ibn Khaldûn fut un lettré et un juriste qui occupa de hautes fonctions. Nommé grand cadi MALIKITE au Caire en 1384 sous les MAMLOUKS, il est l'auteur d'une *Histoire universelle* précédée de *Prolégomènes* où il définit l'histoire en tant que science indépendante et se livre à des considérations générales sur les lois naturelles qui régissent l'évolution des sociétés humaines et des dynasties.

IBN KUDAMA
Docteur HANBALITE syrien, mort à DAMAS en 1223, auteur d'importants ouvrages de droit et adversaire de la théologie dogmatique.

IBN KUTAYBA
Lettré arabe, né à KUFA d'une famille iranienne, qui fut pendant quelques années cadi en IRAN, à Dînawar, puis s'établit à BAGDAD où il bénéficia des subsides du régent AL-MUWAFFAK et mourut en 889. On lui doit une petite ENCYCLOPÉDIE, une anthologie de vers et d'anecdotes touchant aux sujets les plus divers, *'Uyûn*

al-Akhbâr, un traité de critique poétique, un manuel à l'usage des secrétaires, d'orientation surtout philologique, un traité sur les traditions prophétiques divergentes et un commentaire coranique.

IBN MAS'UD
COMPAGNON du Prophète et auteur d'un système de LECTURE CORANIQUE qui fut condamné à BAGDAD au Xe siècle.

IBN AL-MUKAFFA'
Célèbre auteur arabe d'origine iranienne, exécuté vers 757 par ordre du calife AL-MANSUR. Auteur de traités éthiques inspirés des traditions iraniennes, ainsi que d'un mémorandum à l'adresse du CALIFE et traducteur du recueil de fables de *Kalila et Dimna*, il fut considéré comme un crypto-MANICHÉEN et aurait également écrit une réfutation du saint livre du Coran.

IBN AL-MU'TAZZ
Prince ABBASSIDE, petit-fils du calife AL-MUTAWAKKIL et fin lettré. Hostile aux entreprises des secrétaires SHI'ITES, il se laissa entraîner dans la conjuration qui, en 908, voulut détrôner AL-MUKTADIR, mais paya de sa vie son acceptation. Poète, il a traité de sujets « modernes », décrivant dans une langue pure et claire les divertissements de la haute société. Critique littéraire, il a laissé un *Traité de poétique* ainsi qu'un *Traité du beau langage*, où il s'attacha à définir les différentes figures et métaphores et où, tout en cherchant à défendre la culture proprement arabe, il subit l'influence indéniable de la *République* d'ARISTOTE qui venait alors d'être traduite.

IBN AL-NADIM
Libraire et bibliothécaire bagdadien, mort en 995, qui dressa une liste des principaux ouvrages connus et utilisés de son temps. Ce recueil bio-bibliographique, de grande valeur pour la connaissance de la vie intellectuelle au Xe siècle, porte le nom d'*Al-Fihrist*.

IBN AL-RUMI
Poète de l'époque ABBASSIDE, d'origine grecque et de tendance SHI'ITE, mort en 895, qui fut panégyriste du calife AL-MU'TADID et protégé par de nombreux vizirs et secrétaires.

IBN RUSHD
Juriste, théologien et PHILOSOPHE, connu en Occident sous le nom d'Averroès, qui fut cadi de SÉVILLE, puis de CORDOUE au temps des souverains ALMOHADES, mais mourut au MAROC en 1198. Sa principale œuvre est la *Destruction de la destruction*, réfutation de la critique adressée par AL-GHAZALI aux philosophes.

IBN SINA
Le plus célèbre PHILOSOPHE musulman, connu en Occident sous le nom d'Avicenne. Né en 980 dans la région de BUKHARA, il fut l'intime et l'auxiliaire de divers princes et mourut près de HAMADHAN en 1037.

IBN TAYMIYA
Théologien HANBALITE qui étudia et enseigna à DAMAS à l'époque des MAMLOUKS, non sans faire quelques séjours au CAIRE. Son intransigeance doctrinale et la vigueur de sa personnalité lui valurent l'hostilité à la fois des SOUFIS et des SHAFI'ITES. Il mourut dans la citadelle de DAMAS en 1328. Sa doctrine est à l'origine du mouvement wahhabite qui se répandit en Arabie au XVIIIe siècle.

IBN AL-ZUBAYR
Fils d'al-Zubayr, cousin de Muhammad, qui s'était révolté contre 'ALI à la bataille du CHAMEAU. Lui-même refusa de reconnaître le second calife umayyade YAZID Ier et se proclama CALIFE à la MEKKE où il maintint sa domination pendant dix ans. C'est seulement en 692 qu'AL-HADJDJADJ, le général du calife 'ABD AL-MALIK, réussit à s'emparer de la Ville sainte et qu'Ibn al-Zubayr fut tué.

IDRISSIDES
Dynastie indépendante qui régna au MAGHREB extrême (MAROC actuel) de 789 à 926. Fondée par un descendant de 'ALI, qui aurait échappé au massacre de Fakhkh en 786 et s'enfuit du HIDJAZ en Afrique, elle eut pour capitale la nouvelle ville de FÈS et contribua à répandre la culture islamique parmi les BERBÈRES récemment convertis. Elle fut renversée par les FATIMIDES.

IFRIKIYA
Nom arabe de la Berbérie orientale et déformation du mot latin *Africa*, qui s'était d'abord appliqué à la région de Carthage. Généralement

réduit aux territoires du Constantinois et de la Tunisie actuels, il est aussi plus rarement étendu par les géographes médiévaux à l'ensemble du MAGHREB. Sa capitale fut KAIROUAN, éclipsée à l'époque FATIMIDE par MAHDIYA, puis, à partir de 1159, par Tunis.

IKHSHIDIDES
Dynastie de gouverneurs autonomes qui domina l'ÉGYPTE de 935 à 969. Son fondateur, le TURC Muhammad ibn Tughdj, appartenait à une famille qui avait servi les ABBASSIDES pendant deux générations et reçut du CALIFE, en même temps que le gouvernement d'Égypte, le titre d'Ikhshîd, porté jadis par des princes locaux de Sogdiane. Sous son fils le pouvoir réel fut exercé par un ESCLAVE turc, nommé KAFUR.

IMAM
Terme arabe présentant des sens très différents selon le contexte dans lequel il est employé. « Guide », l'imâm est d'abord celui qui dirige la PRIÈRE RITUELLE de la COMMUNAUTÉ. L'imâm par excellence est le CALIFE chargé de guider la Communauté dans l'accomplissement de ses divers devoirs religieux, notamment de la Prière, du PÈLERINAGE et de la GUERRE SAINTE. Le titre d'imâm, adopté et porté de façon régulière par les califes ABBASSIDES à partir du début du IXe siècle, était utilisé parallèlement dans les mouvements shiites avec une coloration particulière. D'un autre côté, le terme imâm est souvent employé pour désigner les fondateurs des écoles juridiques officielles et il s'applique aussi, d'une manière plus générale, à tout maître dont l'opinion fait autorité, en quelque discipline que ce soit, sciences religieuses, philologie ou belles-lettres. Dans ce dernier cas, il présente une valeur nettement honorifique attestée par exemple par son emploi dans la titulature.

IMAMAT
Nom de l'institution du califat. Diverses conditions étaient requises pour accéder à l'imamat.

INDE
Pays conquis progressivement par l'Islam. La première pénétration toucha le SIND. C'est seulement au XIe siècle que les GHAZNAWIDES étendirent la domination musulmane en occupant d'abord la PROVINCE de Lahore. Puis le sultan GHOURIDE Mu'izz al-Dîn s'empara de DELHI où il installa l'officier TURC Kutb al-Dîn Aybak, lequel établit également sa souveraineté sur le Bengale. Plusieurs États musulmans se constituèrent dans l'Inde entre 1206, date de la mort de Kutb al-Dîn, et 1526, date à laquelle ces États furent absobés dans l'Empire MOGHOL. Les Cours des souverains musulmans attirèrent nombre de poètes, savants et théologiens qui s'établirent dans le pays.

INDONÉSIE
Pays que les marchands musulmans, persans, indiens ou même arabes commencèrent à fréquenter anciennement et où les premières communautés musulmanes sont signalées au XIIe siècle. Les premiers royaumes islamiques y datent de la fin du XIIIe siècle. L'islamisation de l'Indonésie est un exemple typique de pénétration pacifique.

INIMITABILITÉ
Trait propre au style du Coran, qui constitue le seul véritable miracle unanimement reconnu du Prophète.

INNOVATION
En arabe *bid'a*. Terme technique juridico-théologique désignant toute pratique ou idée nouvelle non conforme à l'Islam primitif considéré comme la norme dont il ne faut point se départir. L'accusation d'innover était une des plus graves que l'on pouvait lancer contre un musulman et dès les premiers temps ce fut en tant qu'innovations que furent condamnées certaines thèses théologiques.

INQUISITION
Pratiquée en diverses circonstances à l'encontre des personnages soupçonnés d'opinions hérétiques ou accusés de combattre secrètement l'Islam. La plus fameuse période d'inquisition fut celle de la MIHNA.

IRAK
Nom arabe de la Basse-Mésopotamie, sa frontière septentrionale étant située à Takrît, limite de la culture du palmier. L'Irak comprenait à l'époque ancienne deux régions, celle de KUFA (ou de BAGDAD) et celle de BASRA (ou Bas-Irak). L'Irak constitua le centre de l'Empire ABBASSIDE et nombre de géographes lui réservent la

première place parmi les diverses régions du monde habité qu'ils distinguent.

IRAN
Région intégrée au territoire de l'Islam dès les premiers temps de la conquête, à la suite de l'effondrement de l'Empire sassanide et qui joua un rôle important dans l'équilibre du nouvel Empire arabo-islamique.

'ISA
Forme arabe du nom de Jésus dans le Coran. Le Coran n'admet pas la nature divine de 'Isâ qui est l'esclave de Dieu, éventuellement « esprit » *(rûh)* procédant de Dieu, mais ne saurait être Dieu. Sur sa mort, le Coran adopte la thèse docétiste selon laquelle un sosie fut substitué à Jésus et crucifié à sa place.

ISFAHAN
Ville de l'IRAN occidental qui fut conquise en 640 ou 644 par les armées musulmanes et resta le chef-lieu de la province des DJIBAL. Centre économique important au Xe siècle, choisie comme capitale par quelques princes BOUYIDES, elle servit momentanément de résidence au Saldjoukide MALIKSHAH qui contribua à l'embellissement de sa grande MOSQUÉE. Elle devint en 1597 la capitale des SAFAVIDES dont les constructions font encore aujourd'hui la célébrité de la ville.

AL-ISFAHANI
Lettré né à ISFAHAN, descendant des KURAYSH, qui étudia à BAGDAD, puis fut attiré à ALEP à la Cour de l'émir SAYF AL-DAWLA, et mourut en 967. De conviction SHI'ITE il écrivit un ouvrage sur le *Martyrologe des Alides*, mais sa renommée est due surtout à sa monumentale anthologie poétique intitulée *Livre des chansons*.

IWAN
Également appelé *līwān* dans l'Égypte MAMLOUKE. Cet élément structural caractéristique de l'ancien art iranien (palais sassanide de CTÉSIPHON) fut très vite intégré à la MAISON et à la demeure princière islamique en IRAK et transporté ensuite, à partir de l'époque SALDJOUKIDE, dans les monuments religieux.

J

JÉRUSALEM
En arabe *Bayt al-Makdis*, « demeure de la sainteté », et à l'époque moderne *al-Kuds*. Ville de Palestine conquise par les musulmans en 638 après capitulation et qui fut considérée très tôt comme la troisième ville sainte de l'Islam où fut élevée la Coupole du rocher. Enjeu, au XIe siècle, des luttes entre Fatimides et SALDJOUKIDES, elle fut prise par les croisés en 1099 et reprise en 1187 par SALADIN qui restaura la mosquée al-Aksâ et fit édifier des MADRASAS. En 1229, Jérusalem fut, en vertu du traité signé par l'AYYOUBIDE al-Malik al-Kâmil, restituée aux Francs pour dix ans, mais fut au milieu du XIIIe siècle pillée par les Khwarizmiens que les Ayyoubides avaient appelés à l'aide. Jérusalem tomba ensuite au pouvoir des MAMLOUKS qui y firent divers travaux de restauration, puis en 1517 au pouvoir des OTTOMANS.

JEÛNE
Les règles du jeûne ne furent définies par Muhammad qu'à MÉDINE. Ce furent les versets 183 à 185 de la sourate II qui en établirent l'essentiel. Selon les traditions adoptées par la plupart des auteurs musulmans, le MOIS de ramadan fut choisi comme le mois pendant lequel avaient été révélées les premières sourates du Coran.

JUGEMENT DERNIER
Annoncé par le Coran. Les écoles théologiques discutent de la réalité de certains détails contenus dans les descriptions traditionnelles, notamment la balance, mais aussi de la façon dont les hommes seront tenus pour responsables de leurs actions et de leurs croyances et dont s'exercera l'intercession du Prophète.

JUGEMENT PERSONNEL
En arabe *ra'y*. Expression désignant le raisonnement par lequel les anciens DOCTEURS complétaient les prescriptions du Coran et de la TRADITION pour élaborer le droit. Les écoles juridiques définirent divers types de raisonnement permettant d'appliquer légitimement le jugement personnel, mais le rôle de celui-ci était plus ou moins étendu selon les écoles.

JUIFS
Étaient représentés en Arabie lors de l'apparition de l'Islam par quelques groupes relativement importants. Dans l'Empire islamique, les juifs formaient des communautés régies de la même façon que les communautés CHRÉTIENNES.

K

KA'BA
Pôle religieux de l'Islam, vers lequel tous les musulmans se tournent pour la PRIÈRE. Ce sanctuaire qu'ABRAHAM aurait jadis fondé était à l'époque antéislamique encombré d'idoles qui disparurent à l'apparition de l'Islam. Il fut dans la suite l'objet de diverses reconstructions et restaurations qui cependant s'efforcèrent de toujours respecter son ordonnance traditionnelle la plus ancienne. La Ka'ba, à l'époque médiévale comme aujourd'hui, était normalement recouverte d'un voile de soie *(kiswa)* sur lequel était brodée une inscription reproduisant les termes de la PROFESSION DE FOI. Ce voile était renouvelé régulièrement, au moins chaque année, par les soins du CALIFE, lorsque ce dernier dominait réellement les villes saintes d'Arabie.

KADARITES
Appelation des partisans d'une doctrine théologique restreignant la prédétermination et affirmant l'existence d'un libre arbitre chez l'homme.

AL-KADIR
Vingt-cinquième calife ABBASSIDE (991-1031) et souverain qui, du temps que l'essentiel du pouvoir califien avait été remis aux BOUYIDES, entreprit de restaurer son autorité en s'appuyant sur les GHAZNAWIDES de l'IRAN extrême. Il combattit parallèlement des doctrines qu'il jugeait à cet égard pernicieuses en proclamant solennellement une PROFESSION DE FOI d'inspiration HANBALITE connue sous le nom de *Risâla Kâdiriya*.

KADIRIYA
Confrérie de SOUFIS fondée au milieu du XIIe siècle par le mystique 'Abd al-Kâdir al-Djîlânî, qui instruisait ses disciples dans un collège et dans un COUVENT de BAGDAD, édifices qui furent rasés par l'invasion MONGOLE de 1258. L'ordre se répandit très tôt dans diverses régions du monde musulman, aussi bien au MAGHREB extrême, en ÉGYPTE et en Arabie qu'en Asie Mineure ou en IRAN et dans l'INDE. La confrérie restait toujours nominalement dirigée par le gardien du MAUSOLÉE du fondateur à Bagdad.

KADISIYA
Localité située à quelques kilomètres à l'est de l'ancienne KUFA, où eut lieu, en 637, la bataille qui permit aux armées musulmanes de conquérir l'ensemble de la Mésopotamie.

KAFUR
« Camphre », nom d'un célèbre eunuque noir d'origine abyssine (appelé ainsi par antiphrase), qui fut au service des gouverneurs IKHSHIDIDES d'ÉGYPTE et assuma lui-même le pouvoir entre 946 et 968, d'abord comme régent, puis comme souverain investi par le calife de BAGDAD. Il fut un généreux mécène et le poète AL-MUTANABBI passa quelques années à sa Cour.

KAHTAN
Ancêtre éponyme des Arabes du Sud ou Yéménites, parmi lesquels on distingue les Himyarites sédentaires et divers groupes nomades, notamment les Azd, Tayy, Hamdân, ainsi que les LAKHMIDES, GHAṢSANIDES et Kinda qui fondèrent des royaumes en Syro-Mésopotamie avant l'Islam.

KA'ID
Terme arabe francisé à une époque récente en caïd, désignant à l'époque ABBASSIDE un chef militaire de haut rang, subordonné au commandant en chef.

KAIROUAN
Ville d'IFRIKIYA qui fut d'abord un camp militaire fondé par 'UKBA en 670. Elle servit de résidence aux gouverneurs arabes d'époques UMAYYADE et ABBASSIDE, puis aux princes AGHLABIDES qui habitèrent le CHÂTEAU fortifié de Kasr Kadim et la nouvelle résidence princière de Rakkâda, jusqu'à la prise de pouvoir des FATIMIDES qui bâtirent leur propre ville royale, Sabra-Mansouriyya. La ruine de Kai-

rouan comme capitale économique et politique de la Berbérie fut définitivement provoquée, sous la domination des ZIRIDES, par l'invasion des Banû Hilâl. A partir de cette époque, Kairouan demeura partiellement étrangère à la vie du grand empire des ALMOHADES d'abord, puis de la principauté des HAFSIDES qui avait pour centre Tunis.

KAL'A DES BANU HAMMAD
Résidence occupée au XIe siècle, dans un site des monts du Hodna, en Algérie, par une branche des ZIRIDES. L'insécurité régnant dans la région, à la suite de la progression vers l'ouest des bandes des Banû Hilâl qui avaient envahi l'IFRIKIYA, amena au début du XIIe siècle l'abandon de cette capitale pour Bougie.

KALAM
Terme arabe signifiant « discussion » et désignant la théologie dogmatique qui faisait appel, non seulement aux données scripturaires, mais aussi aux arguments rationnels.

KALB
Tribu d'origine sud-arabe, descendant de KAHTAN, sur laquelle s'appuyèrent la plupart des califes UMAYYADES d'Orient et qui eut pour rivale la tribu des KAYS.

AL-KALKASHANDI
Auteur d'une célèbre ENCYCLOPÉDIE rédigée dans l'Égypte MAMLOUKE, appelée *Subh al-a'shâ*, qui constitue une mine de documents sur l'organisation administrative, politique et militaire de la SYRIE et de l'ÉGYPTE aux XIVe et XVe siècles et sur les institutions des époques antérieures.

KARBALA'
Palmeraie située à environ 100 km au sud-ouest de BAGDAD, à la limite du désert, où le petit-fils du Prophète, AL-HUSAYN, trouva la mort en 680.

KARMATES
Partisans d'un mouvement politico-religieux d'origine ISMA'ILIENNE qui fondèrent, au BAHRAYN et en Arabie orientale, un État indépendant (894-fin du XIe siècle) qui menaça le califat ABBASSIDE pendant plusieurs décennies au cours du Xe siècle.

KASR AL-HAYR AL-GHARBI
Ou l'Occidental. Résidence UMAYYADE pourvue d'un CHÂTEAU et située dans la steppe syrienne, à une centaine de kilomètres au sud-ouest de PALMYRE, au croisement de deux grands axes de circulation (voie commerciale DAMAS-Palmyre et piste nomade allant de Homs à la grande dépression du Djawf dans le nord de l'Arabie). Ces vestiges ainsi que ceux du système d'irrigation montrent l'importance d'une fondation qu'une inscription de 727 attribue en majeure partie au calife HISHAM.

KASR AL-HAYR AL-SHARKI
Ou l'Oriental. Résidence UMAYYADE située dans la steppe syrienne à une centaine de kilomètres au nord-est de PALMYRE dont les constructions se dressent dans un immense enclos, aux murs de terre écroulés, où l'on a pu retrouver les traces d'un système complet d'irrigation. Les découvertes récentes inciteraient à situer bien au-delà de l'époque umayyade la date d'abandon de Kasr al-Hayr al-Sharkî.

KASR AL-KHARANA
CHÂTEAU umayyade d'attribution parfois discutée, situé dans une dépression du plateau transjordanien, non loin de KUSAYR'AMRA, et présentant un extrême intérêt archéologique dû à son ancienneté ainsi qu'à son bon état de conservation.

KAYS
Tribu nord-arabe qui se signala à l'époque UMAYYADE par sa rivalité avec les KALB.

KAYSARIYA
marché dont le nom dérive de celui du marché d'Antioche édifié par un empereur romain et appelé de ce fait *kaysarion*. Les premières kaysariyas, de type basilical, furent édifiées en SYRIE. Le type se répandit en ÉGYPTE et au MAGHREB.

KAZWIN
Ville d'IRAN appartenant aux DJIBAL, située au pied de la chaîne de l'Alburz. Place forte des Sassanides, elle fut conquise en 644.

KHADIDJA
Première épouse de Muhammad, qui n'en eut pas d'autre tant qu'elle vécut. Sa mort est

située, dans les biographies de Muhammad, trois ans avant l'HÉGIRE.

KHALID IBN AL-WALID
Général arabe appartenant à la tribu des KURAYSH, qui avait embrassé l'Islam après la bataille d'UHUD à laquelle il avait activement participé dans le camp des Mekkois.

AL-KHALIL IBN AHMAD
Grammairien de BASRA, d'origine arabe, mort en 791, célèbre pour avoir élaboré la théorie de la métrique arabe et pour avoir, sinon rédigé, du moins ébauché l'un des premiers dictionnaires arabes, intitulé *Livre du 'Ayn*, du nom de la lettre de l'alphabet par laquelle il commence.

KHARADJ
Nom de l'impot foncier pesant en fait, à partir d'une certaine époque, sur les anciennes terres conquises et non abandonnées lors de la conquête par leurs occupants. Il fut considéré comme un loyer dû pour l'exploitation des terres devenues propriété de la COMMUNAUTÉ et assimilées au BUTIN.

KHARIDJITES
Anciens partisans de 'ALI qui l'abandonnèrent après la bataille de SIFFIN et adoptèrent une doctrine rigoriste et égalitariste.

AL-KHATIB AL-BAGHDADI
TRADITIONNISTE, auteur d'un monumental dictionnaire biographique des traditionnistes et hommes célèbres qui vécurent ou séjournèrent à BAGDAD, intitulé *Histoire de Bagdad*. Il mourut en 1071.

KHIRBAT AL-MAFDJAR
Résidence UMAYYADE pourvue d'un CHÂTEAU et située dans la fertile et chaude vallée du Jourdain à quelques kilomètres de Jéricho et à 300 m environ au-dessous du niveau de la mer. Divers indices autorisent à dater sa fondation du règne du calife HISHAM, sans cependant permettre d'y voir un domaine possédé par le calife lui-même.

KHIRBAT AL-MINYA
Résidence UMAYYADE pourvue d'un CHÂTEAU et située dans la fertile plaine palestinienne, au nord-ouest du lac de Tibériade et près de la ville du même nom. Une inscription met cette fondation en rapport avec le calife AL-WALID Ier, entre 705 et 715, mais d'autres travaux y materaient du règne de HISHAM.

KHURASAN
Région d'IRAN oriental comprise entre le FARS, à l'est, l'Amou Darya, au nord, le SISTAN, au sud, et le Kâbulistân, à l'est, ayant pour villes principales NISHAPUR, MARW, HERAT, BALKH et Tûs. Elle fut envahie et conquise dès 651, mais pacifiée définitivement en 708. C'est là qu'ABU MUSLIM recruta les partisans du mouvement ABBASSIDE. La PROVINCE devint pratiquement autonome sous les TAHIRIDES (820) et passa ensuite sous la domination successive des SAFFARIDES, des SAMANIDES (900), des GHAZNAWIDES (994), des SALDJOUKIDES (1037) et enfin des Khwarizm-shahs qu'éliminèrent les MONGOLS (1220). C'était là une des régions les plus riches et les plus peuplées de l'Iran, dont l'importance au sein de l'Empire abbasside ne cessa de se faire sentir et dont la prospérité ancienne à la fois agricole, artisanale et commerciale transparaît encore dans les vestiges archéologiques nombreux qui la parsèment.

KHUZISTAN
Région d'IRAN occidental correspondant à l'ancienne Susiane, conquise en 646 et ayant pour villes principales AHWAZ, Tustar, DJUNDISHAPUR et Râm-Hormuz dans un pays malsain au climat chaud, mais à la terre fertile.

KHWARIZM
Région fertile constituée par le cours inférieur de l'Amou Darya et par son delta. Sa prospérité tenait à l'existence d'un intense réseau d'irrigation qui fut abandonné vers la fin du Moyen Age. Peuplée surtout, au début de l'époque islamique, par des ZOROASTRIENS et des CHRÉTIENS qui parlaient un dialecte iranien, le Khwârizm constituait un petit royaume indépendant dont les chefs furent maintenus, après la conquête, avec le titre de Khwarizmshahs et des pouvoirs diminués. Le SULTAN Sandjar confia ensuite à nouveau, vers la fin du XIe siècle, le gouvernement de la PROVINCE à des gouverneurs qui réussirent, eux, à faire de leur royaume une grande puissance, étendirent leur domination sur l'IRAN jusqu'à la vallée du Tigre et mirent fin à la dynastie saldjoukide de l'Iran.

Les relations commerciales qui avaient assuré la puissance du Khwârizm et concouru à sa prospérité amenèrent aussi la guerre avec Gengis Khan et l'invasion MONGOLE qui mit fin au règne de ces sultans.

AL-KHWARIZMI

Mathématicien et ASTRONOME originaire du KHWARIZM (780-850), qui fut un des savants appelés à BAGDAD par le calife AL-MA'MUN. Auteur de *Tables astronomiques* qui furent traduites en latin, il est surtout connu comme théoricien de l'ALGÈBRE.

KIBLA

Direction de la MEKKE, ou plus exactement de la KA'BA, indiquée dans une MOSQUÉE par le mur de fond ou mur kibli auquel doivent faire face les rangées d'assistants. L'expression « gens de la kibla » désigne les musulmans.

AL-KINDI

PHILOSOPHE né à KUFA vers 796 d'une grande famille arabe, qui bénéficia de la protection des califes AL-MA'MUN et AL-MU'TASIM et mourut à BAGDAD vers 873. Il favorisa le mouvement de traduction des œuvres laissées par la pensée grecque et peut être considéré comme le plus ancien philosophe musulman.

KIRMAN

Région d'IRAN bordant le golfe Persique et située à l'est du FARS d'une part, au sud-ouest du grand désert central d'autre part. Conquise entre 640 et 650, la région fut difficile à pacifier et resta pendant longtemps un foyer de rébellion, où grandirent par exemple les SAFFARIDES en attendant qu'elle abritât plus tard une branche de la dynastie SALDJOUKIDE.

KONYA

Ville d'ANATOLIE correspondant à l'ancienne Iconium et située dans la haute plaine intérieure que la chaîne taurique sépare de la mer. Elle fut conquise par les SALDJOUKIDES DE RUM qui en firent leur capitale et y édifièrent nombre de monuments partiellement conservés aujourd'hui. Là fut enterré le fondateur de l'ordre SOUFI des MAWLAWIYA.

KUFA

Ville d'IRAK ayant succédé au camp militaire fondé vers 640 sur l'Euphrate. Kûfa fut toujours réputée à juste titre comme un centre de propagande du SHI'ISME : c'est là que vécut et fut tué 'ALI et c'est de là que les propagandistes ABBASSIDES menèrent leur « révolution » avant qu'y fût finalement proclamé le premier CALIFE de la dynastie, AL-SAFFAH. Elle fut d'autre part connue comme le siège d'une école grammaticale. Kûfa déclina rapidement après la fondation de BAGDAD tandis que restait seule fréquentée l'agglomération voisine de Nadjaf, qui contenait le MAUSOLÉE de 'Ali, encore vénéré aujourd'hui.

AL-KULAYNI

Théologien shi'ite DUODÉCIMAIN mort vers 941, auteur d'un monumental traité de théologie et de droit imamites intitulé *Al-Kâfî*.

KUMM

Ville d'IRAN, de la province des DJIBAL, conquise en 644, dont la population se révolta à deux reprises au IXe siècle contre les califes ABBASSIDES. Centre SHI'ITE, elle contenait de nombreux MAUSOLÉES de SAINTS, parmi lesquels le plus important était celui d'une certaine Fâtima, fille du VIIIe IMAM.

KURAYSH

Tribu faisant partie du groupe des Arabes du Nord ou 'ADNAN, qui dominait la MEKKE au début du VIIe siècle et comprenait plusieurs clans d'inégale puissance. A cette tribu appartinrent Muhammad, les quatre premiers CALIFES, les UMAYYADES, les ABBASSIDES et les ALIDES.

KUSAYR 'AMRA

Petit BAIN umayyade ruiné s'élevant au sud-est de l'actuelle ville de 'Ammân. Sa découverte à la fin du siècle dernier par Aloys Musil lui valut une notoriété justifiée par ses qualités architecturales (le bain dit Hammâm al-Sarakhs dans la même région mérite seul de lui être comparé) et surtout la présence, à l'intérieur de la construction, d'un abondant groupe de FRESQUES.

AL-KUSHAYRI

Célèbre mystique et théologien ASH'ARITE, mort en 1073. Il est également l'auteur d'une *Épitre* qui tend à concilier SOUFISME et théologie orthodoxe.

L

LAKHMIDES
Tribu sud-arabe qui s'était infiltrée en Syro-Mésopotamie deux siècles avant l'HÉGIRE et qui constitua autour de HIRA un royaume allié aux Sassanides. Les Lakhmides étaient convertis au christianisme et c'est sans doute sur leur territoire qu'apparut l'ÉCRITURE arabe.

LASHKARI BAZAR
Ensemble de CHÂTEAUX édifiés par les souverains GHAZNAWIDES et GHOURIDES sur les bords de l'Hilmend au SISTAN, près de la ville de Bust, et destinés à servir de résidences d'hiver dans une région chaude et fertile, enrichie encore par sa situation sur un axe commercial important au Moyen Age.

LAS NAVAS DE TOLOSA
Localité d'Espagne située au pied de la Sierra Morena où eut lieu, en 1212, la bataille qui marqua la fin de la domination des ALMOHADES sur l'Espagne méridionale.

LECTURES CORANIQUES
Manières de lire et d'interpréter le texte du Coran. Les systèmes de lecture autorisés au Xe siècle à BAGDAD et, depuis lors, dans le monde SUNNITE, sont en principe au nombre de sept : ceux de Nâfî' (AFFRANCHI iranien mort à MÉDINE en 785), d'Ibn Kathîr (mort à la MEKKE en 737, d'origine iranienne), d'Abû 'Amr (Arabe mort à KUFA vers 770), d'Ibn 'Amir (Arabe mort à DAMAS en 762), de 'Asim (affranchi mort à Kûfa en 744), de Hamza (affranchi mort en Irak en 772 et d'al-Kisâ'î (affranchi d'origine iranienne mort près de RAYY en 804). Mais sept autres sont également tolérés.

LIBAN
En arabe *Lubnân*. Chaîne de montagnes bordant la Méditerranée, qui a donné son nom à la région correspondante. Chez les géographes médiévaux, le Liban fait partie de la SYRIE au sens large. Sa principale ville est Beyrouth, à l'origine port et RIBAT. Les montagnes du Liban servirent de refuge au cours de l'histoire à divers groupes ethniques ou religieux, les CHRÉTIENS mardaïtes venus de l'Amanus vers le IXe siècle, les maronites, d'origine obscure, les Arabes de la tribu de Tanûkh qui s'intallèrent vers le Xe siècle dans le sud du pays, les DRUZES, les NUSAYRIS. Leur territoire fut d'autre part occupé par les croisés qui y créèrent des royaumes (royaume de Tripoli en particulier) et y édifièrent des châteaux forts dont certains existent encore.

LITANIE
En arabe *dhikr*. Répétition du NOM DE DIEU ou de ses divers qualificatifs à laquelle se livrent les SOUFIS en vertu de nombreux versets coraniques recommandant de « se souvenir fréquemment de Dieu ». Les litanies peuvent comporter également la répétition de formules plus ou moins développées attestant l'unicité divine.

LOI
En arabe *sharî'ca*. Comprend les dogmes auxquels le musulman doit adhérer et les prescriptions qu'il doit observer.

M

AL-MA'ARRI
Célèbre poète aveugle, d'origine arabe, né en 979 et mort en 1058 à Ma'arrat al-Nu'mân, en SYRIE septentrionale. Marqué de tendances isma'iliennes, apparaît dans ses écrits comme un esprit profondément tourmenté par le spectacle des souffrances humaines, plein d'amertume, prompt à la révolte et à l'irrévérence à l'égard des dogmes reçus, mais sincèrement religieux, plutôt déiste que parfait musulman. Ses principales œuvres sont le recueil de panégyriques et d'élégies intitulé *Étincelle du silex*, ainsi que *l'Épître du pardon*.

MADINAT AL-ZAHRA'
Résidence fondée en 936, à quelques kilomètres de CORDOUE, par le calife umayyade 'ABD AL-RAHMAN III, qui fut ensuite éclipsée par la résidence d'al-Mansûr IBN ABI 'AMIR, puis pillée par les mercenaires berbères révoltés au début du XIe siècle.

MADRASA
Collège, de fondation officielle ou privée, spécialisé dans l'enseignement des sciences reli-

gieuses, et principalement du droit, où était assuré l'entretien d'un ou de plusieurs professeurs et de leurs étudiants. Du point de vue architectural, la madrasa devint, à l'époque de sa grande difffusion, l'un des monuments les plus représentatifs de l'art islamique.

MAGHREB
Ou « Occident ». Région correspondant à l'Afrique du Nord, peuplée de berbères et conquise par les musulmans à partir de 670.

MAGIE
Les pratiques de magie et de divination, d'origine préislamique, remontant soit à d'anciennes coutumes populaires, soit aux croyances de l'Antiquité, étaient très répandues dans le monde islamique médiéval et en partie tolérées par les hommes de religion qui distinguaient entre magie prohibée et magie permise. La divination était étroitement liée à l'astrologie, d'où l'usage des horoscopes, mais elle reposait aussi sur la pratique qui consistait à deviner l'avenir en ouvrant le Coran au hasard et en interprétant le verset par lequel commençait la page ouverte. La crainte des mauvais présages était universellement répandue et explique notamment l'emploi des euphémismes dans le langage.

MAHDI
Littéralement « celui qui est guidé [par Dieu] ». En milieu SUNNITE, le terme s'appliqua d'une part à des CALIFES du temps passé tels que les quatre premiers, ceux qui marchèrent « dans la voie droite », d'autre part à un mystérieux personnage qui devait, à la fin des temps, restaurer la religion dans son intégrité et faire régner la justice. Cette dernière croyance d'ordre eschatologique, fondée sur des allusions de la TRADITION, se développa en milieu populaire à une époque quelque peu tardive et sous l'influence du SHI'ISME. La théorie du mahdisme, qui explique certains mouvements politiques modernes, a été bien exposée par IBN KHALDUN dans ses *Prolégomènes*. Auparavant on avait vu un réformateur tel qu'Ibn Tûmart, fondateur de la dynastie ALMOHADE, se présenter comme mahdî.

AL-MAHDI
Nom du fondateur de la dynastie FATIMIDE, 'Ubayd Allâh, dont l'appartenance à la famille ALIDE n'est pas certaine. Nom également porté par le troisième calife ABBASSIDE, qui poursuivit pendant quelques années la chimère d'une réconciliation avec les prétendants 'alides.

MAHDIYA
« Ville du MAHDI », bâtie et fortifiée au Xe siècle sur une étroite presqu'île de la côte tunisienne par le fondateur de la dynastie FATIMIDE comme une ville royale réservée à cet usage et pouvant également servir de base maritime.

MAHMUD DE GHAZNA
Fondateur de la dynastie GHAZNAWIDE, conquérant de l'INDE et défenseur du SUNNISME en IRAN, mort en 1030. C'était le fils d'un officier TURC qui avait été nommé gouverneur du KHURASAN par l'émir SAMANIDE en 994. Il réussit à dominer un vaste empire qui s'étendait de la vallée du Gange à l'Iran occidental. Ce fut également un mécène qui attira à sa Cour poètes et savants.

MAISON
La maison islamique ne présente aucun trait constant permettant de la définir. On doit cependant noter l'extension particulière de certains types régionaux imités hors de leur lieu d'origine en raison de la vogue d'un art dynastique particulier (extension du type de la maison irakienne à IWANS par exemple).

AL-MAKDISI
Originaire de JÉRUSALEM. Auteur d'un ouvrage de géographie écrit à la fin du Xe siècle et qui constitue le tableau le plus documenté que nous possédions sur la situation matérielle et religieuse des diverses PROVINCES du monde islamique à cette époque. Ce tableau est à comparer à celui qu'à fourni, à la même époque, Ibn Hawkal.

MAKSURA
Emplacement réservé à l'intérieur de la salle de prière des grandes MOSQUÉES. La pratique de la maksûra remonterait, d'après les auteurs arabes, à l'époque des premiers CALIFES et aurait eu pour but de protéger le souverain contre les attentats éventuels ; mais elle fut également liée au développement du cérémonial à l'époque UMAYYADE et au souci des califes d'établir une séparation entre eux et les simples croyants.

MALAZGIRT
Ou Manzikert. Localité d'ARMÉNIE située au nord du lac de Van, où eut lieu la bataille au cours de laquelle le sultan saldjoukide ALP ARSLAN mit en déroute l'armée de l'empereur byzantin Romain Diogène et ouvrit aux bandes SALDJOUKIDES la voie de l'ANATOLIE orientale.

MALIK
Jurisconsulte fondateur de l'école MALIKITE, qui vécut à MÉDINE et y mourut en 795, à l'âge de quatre-vingt-cinq ans. Son principal ouvrage, le *Muwatta'*, constitue le plus ancien traité de droit conservé. Il représente le premier effort de systématisation du droit islamique, tel qu'il était pratiqué dans le HIDJAZ, et revêt à ce titre une importance considérable.

MALIKISME
École juridique, fondée au VIIIe siècle par MALIK, qui se caractérisa par son rigorisme lié à des positions théologiques TRADITIONALISTES. Elle joua un rôle important dans la lutte contre le SHI'ISME en IFRIKIYA à l'époque des ZIRIDES et fut prédominante au MAGHREB dès une époque ancienne.

MALIKSHAH
Troisième SULTAN de la dynastie SALDJOUKIDE, fils d'ALP ARSLAN, qui régna de 1072 à 1092. Il résida à ISFAHAN et ne séjourna que rarement à BAGDAD où il fit pourtant quelques constructions importantes. Il conserva longtemps pour vizir le grand NIZAM AL-MULK qui poursuivit l'œuvre d'organisation de l'empire commencée sous Alp Arslân. La fin de son règne fut troublée, après la mort du vizir, par des querelles dynastiques qui annonçaient le démembrement de son empire.

MAMLOUKS
De ce nom commun ayant pour sens « esclave » dérive le nom de la dynastie qui régna en ÉGYPTE et en SYRIE de 1250 à 1517, date de l'occupation des pays arabes par les OTTOMANS. Elle correspond à la succession d'ÉMIRS, d'origine servile mais sans aucun lien de parenté, qui appartenaient à l'aristocratie militaire et qui avaient pris le pouvoir en substituant leur autorité à celle du dernier souverain AYYOUBIDE dont ils constituaient la GARDE. L'originalité de l'État mamlouk consistait en une stricte hiérarchie militaire, d'où étaient exclus les hommes libres, et au sein de laquelle se faisaient et se défaisaient les carrières au milieu de luttes et d'intrigues parfois sanglantes. Par ailleurs, les Mamlouks pratiquèrent une politique SUNNITE et reconnurent comme CALIFES les descendants ABBASSIDES réfugiés au CAIRE après l'invasion mongole.

AL-MA'MUN
Septième calife ABBASSIDE (813-833), qui était fils de Hârûn AL-RASHID et d'une concubine persane. Gouverneur des PROVINCES orientales à la mort de son père, il obtint le califat en menant, depuis sa lointaine capitale de MARW, une guerre victorieuse contre son demi-frère al-Amîn et en faisant assiéger BAGDAD dont la Ville ronde fut alors ruinée. Il se distingua ensuite par une politique religieuse nouvelle qui heurta les milieux TRADITIONALISTES irakiens et instaura la période de l'INQUISITION mu'tazilite ou MIHNA.

MANICHÉISME
Religion de salut, prétendant à l'universalité, qui fut prêchée au IIIe siècle de notre ère par Mani dans les régions iraniennes. Au début de l'époque ABBASSIDE, certains personnages récemment convertis à l'Islam furent accusés d'avoir conservé des sympathies pour le manichéisme, et même de militer secrètement pour cette religion. Ils furent appelés *zindîk*, d'un mot d'origine iranienne. Certains mouvements théologiques comme le MU'TAZILISME s'attachèrent tout particulièrement à combattre les influences manichéennes.

AL-MANSUR
Deuxième calife ABBASSIDE (754-775) et le véritable fondateur de la dynastie, après les quatre années de règne de son demi-frère AL-SAFFAH. Fondateur de BAGDAD et ennemi irréductible des 'ALIDES auxquels il déniait tout droit au pouvoir, il posa les premières bases de l'ADMINISTRATION centrale de l'empire et assura le respect du PRINCIPE DYNASTIQUE.

MARDJ RAHIT
Village de SYRIE situé au nord de DAMAS, où, en 684, le nouveau calife MARWAN Ier, à la tête des tribus KALB, mit en déroute les KAYS, partisans

d'IBN AL-ZUBAYR. Cette bataille ne fit qu'accentuer les rivalités entre tribus nord-arabes et tribus YÉMÉNITES.

MARIAGE

Fait l'objet d'un CONTRAT qui doit être conclu en présence de témoins libres, deux hommes ou un homme et deux femmes, ainsi que de cérémonies dont certaines sont recommandées par les juristes. Le contrat constitue le seul acte légalement valable pour qu'il y ait mariage, la vie commune et la consommation du mariage n'étant point nécessaires et n'ayant de conséquences légales qu'en cas de dissolution. La célébration du mariage comporte des cérémonies et rites divers, fondés sur des coutumes anciennes ou locales et en partie entérinés par le droit. Ces usages ne sont pas les mêmes chez les bédouins, les paysans et les citadins. Le mariage s'accompagne toujours d'un repas offert aux hommes. Dans les villes, il est surtout marqué par la conduite solennelle de la mariée jusqu'à sa nouvelle demeure, coutume qui remonte au moins au IXe siècle. Cette cérémonie n'a pas pourtant rejeté certaines coutumes des pays concernés.

MARIB

Ancienne capitale du royaume de Saba en Arabie du Sud, à proximité de laquelle aurait été édifiée la fameuse digue de Mârib qui servait à irriguer le pays environnant et dont on a retrouvé les vestiges. A la rupture de ce BARRAGE, au VIe siècle, est attribuée l'émigration des tribus sud-arabes vers le nord, mais il est probable, comme on l'a dit, que le pays était déjà alors dans un état de déclin qui empêchait la restauration de cet ouvrage.

MARINE

Une marine islamique fut constituée en Méditerranée par MU'AWIYA avec l'aide d'équipages CHRÉTIENS. C'est avec cette flotte que les califes UMAYYADES entreprirent sans succès de s'emparer de CONSTANTINOPLE. La marine joua un rôle effacé en Orient jusqu'au moment où SALADIN s'efforça de la reconstituer, tandis que ne cessait au contraire de s'affirmer, à l'autre extrémité de la Méditerranée, la vocation maritime de l'ANDALUS dans la guerre de course comme dans les activités plus pacifiques. V. ARSENAL.

MAROC

Nom moderne de la partie occidentale du MAGHREB, né de la déformation du mot *Marrâkush* (MARRAKECH) qui désignait la ville la plus importante de cette région.

MARRAKECH

Ville du MAGHREB extrême située au pied de l'Atlas. Fondée par les ALMORAVIDES, probablement en 1070, dans un lieu où n'existait, dit-on, aucune agglomération, elle fut occupée en 1147 par les ALMOHADES qui en firent à leur tour leur capitale, puis conquise en 1269 par les MÉRINIDES qui installèrent leur résidence à FÈS.

MARW

Ville de l'IRAN oriental (à distinguer de son homonyme Marw al-Rûd sur le cours du même Murghâb), conquise vers 651 par les armées musulmanes, qui fut la résidence d'ABU MUSLIM lors de la préparation de la « révolution ABBASSIDE » et devint le chef-lieu de l'importante et fertile province du KHURASAN. Remplacée ensuite par NISHAPUR, elle vit peu à peu son importance décliner dans les siècles ultérieurs, bien qu'elle eût pour un temps retrouvé sa suprématie pendant la domination des SALDJOUKIDES, notamment pendant le règne de MALIKSHAH et celui de Sandjar qui devait y être enterré, et que les TIMOURIDES s'y soient intéressés après la ruine de la cité par les MONGOLS.

MARWAN Ier

Quatrième calife UMAYYADE, fondateur de la branche marwanide. Né à la MEKKE, il n'aurait pas été COMPAGNON du Prophète, mais il entra au service de son grand-oncle, le calife 'UTHMAN. Il fut proclamé CALIFE à l'assemblée de Djâbiya en 683, à un âge déjà avancé. Il mourut à DAMAS en 685.

MARWAN II

Dernier calife UMAYYADE, qui avait établi sa résidence à HARRAN en HAUTE-MÉSOPOTAMIE. Il fut vaincu par les armées ABBASSIDES à la bataille du Grand ZAB. Poursuivi, il se réfugia en ÉGYPTE, mais fut rejoint à Bûsîr où il fut tué (août 750).

MASHHAD

Martyrion, monument commémoratif ou chapelle funéraire qui tient à la fois de l'ORATOIRE et du MAUSOLÉE, qui peut recouvrir une tombe de MARTYR ou d'IMAM ou simplement signaler l'endroit où s'est manifesté un PROPHÈTE. Souvent objet de VISITES PIEUSES et parfois lié à des dévotions SHI'ITES, il put motiver l'érection d'édifices imposants.

AL-MAS'UDI

Polygraphe arabe né à BAGDAD d'une famille qui prétendait descendre du Compagnon IBN MAS'UD. Après avoir voyagé dans toute l'Asie, peut-être jusqu'en Extrême-Orient, ainsi que sur les côtes d'Afrique orientale, il vint s'installer en SYRIE, puis à FUSTAT où il écrivit un ouvrage ENCYCLOPÉDIQUE dont nous n'avons conservé qu'un abrégé intitulé *les Prairies d'or*. Peu avant sa mort (956), il écrivit un traité, le *Livre de l'avertissement*, qui fournit des détails précis sur diverses questions historiques et géographiques.

AL-MATURIDI

Théologien considéré comme le fondateur de l'école maturidite, mort à SAMARKAND en 944 et contemporain d'AL-ASH'ARI. Il semble qu'al-Mâturidî ait été considéré comme un simple théologien HANAFITE et son école régulièrement confondue avec le hanafisme dont elle représente un aspect. Solidement implanté en TRANSOXIANE, le maturidisme constitua, au sein du KALAM, la tendance la plus proche du MU'TAZILISME.

MAUSOLÉE

Type d'édifice inconnu de la civilisation islamique à ses débuts, où l'on construisait peu audessus des SÉPULTURES, mais dont la vogue fut croissante à partir du XIe siècle, ce qui donna lieu à des interprétations architecturales variées.

AL-MAWARDI

Juriste et moraliste de l'époque BOUYIDE qui fut en rapports étroits à BAGDAD avec les milieux gouvernementaux, notamment avec un célèbre vizir califien, et qui mourut en 1058. On lui doit l'un des premiers traités de droit public, intitulé les *Statuts gouvernementaux*, où il propose un programme de redressement du califat dont les pouvoirs avaient été amoindris durant la période bouyide. Il écrivit aussi un traité de morale intitulé *Règles de vie profane et religieuse*.

MAWLAWIYA

CONFRÉRIE mystique dite des « derviches tourneurs », qui doit son nom au titre de *mawlânâ*, « notre maître », donné à son fondateur, Djalâl al-Dîn al-Rûmî (m. 1273). Son centre était à KONYA en ANATOLIE. Elle se répandit dans cette région, à Istanbul et même en SYRIE à l'époque OTTOMANE.

MAWLID AL-NABI

FÊTE populaire connue au MAGHREB sous le nom de *mouloud*, fixée au 12 rabî' I et liée à la vénération dont fut l'objet, à partir de la fin du VIIIe siècle semble-t-il, la maison natale de Muhammad à la MEKKE.

MÉDECINE

Branche où les savants travaillant dans le monde musulman firent des observations cliniques parfois importantes. Parmi les grands médecins, citons les Banû Bakhtîshû', CHRÉTIENS, iraniens, médecins des califes ABBASSIDES au VIIIe siècle, 'Ali Rabbân al-Tabarî (IXe siècle) et IBN SINA (X^e-XIe siècle). AL-BIRUNI écrivit aussi un important *Traité des drogues*.

MÉDINE

Ville d'Arabie, anciennement Yathrib, qui devint la résidence de Muhammad après l'HÉGIRE. Médine, siège du califat sous les trois premiers CALIFES, fut abandonnée par 'ALI en 656. Ayant cessé d'être capitale, elle devint non seulement une ville sainte où l'on vénérait les souvenirs du Prophète et visitait son tombeau, mais le refuge de gens pieux comme aussi des opposants au régime. Les 'ALIDES notamment vécurent de préférence à Médine tant que les califes le leur permirent. Médine fut aussi, à l'époque UMAYYADE, une ville de plaisirs et de divertissements, célèbre par ses chanteuses. Sa MOSQUÉE, considérée comme sanctuaire sacré (HARAM), contient le tombeau du Prophète ainsi que ceux de FATIMA, d'ABU BAKR et de 'UMAR. La construction d'une mosquée monumentale remonte au calife umayyade AL-WALID Ier et l'édifice subit par la suite de nombreux remaniements.

MEKKE (la)

Ville sainte et berceau de l'Islam, située dans

une dépression montagneuse du HIDJAZ, à quelque 1 200 km de la SYRIE et 800 km du YÉMEN. Elle resta à l'époque islamique le centre du nouveau PÈLERINAGE, en même temps qu'elle constituait le point vers lequel devait se tourner tout fidèle accomplissant la PRIÈRE RITUELLE. Ville religieuse avant tout, située dans un HARAM, elle fut l'objet de l'attention des diverses dynasties qui la contrôlèrent. Aux UMAYYADES qui la reprirent à l'anti-calife IBN AL-ZUBAYR revint le mérite de construire la MOSQUÉE sacrée enfermant dans sa cour la Ka'ba. Au Xe siècle, l'entrée en scène des KARMATES inaugura une période de troubles (attaques de la ville et prise de la Pierre noire en 930, rendue en 950), suivie de l'instauration d'une dynastie de gouverneurs hasanides, les sharîfs de la Mekke, qui devaient y subsister jusqu'à l'époque moderne. Ces sharîfs reconnurent tantôt la suzeraineté des FATIMIDES, tantôt celle des SALDJOUKIDES, jusqu'à ce que les AYYOUBIDES puis les MAMLOUKS, suivis des OTTOMANS, eussent étendu leur domination sur l'Arabie.

MÉRINIDES
Dynastie qui régna au MAGHREB de 1196 à 1465. Succédant aux ALMOHADES dans la partie occidentale de leur royaume, avec le soutien des berbères Zenâta, elle eut pour capitale FÈS. Elle tenta sans succès de secourir les NASRIDES de GRENADE, ne réussit pas à repousser les attaques des Espagnols et des Portugais au début du XVe siècle et fut alors éliminée.

MESHHED
Ville de l'IRAN oriental, qui succéda à l'ancienne Tûs, laquelle avait été conquise vers 650 par les armées musulmanes. Le nom de Meshhed apparaît pour la première fois dans des textes du Xe siècle ; c'est celui du MAUSOLÉE ou MASHHAD qui avait été bâti en ce lieu pour l'IMAM al-Ridâ et qui était devenu le centre d'une agglomération importante à la suite de la fréquentation par les SHI'ITES de ce lieu de pèlerinage.

MIHNA
Nom donné par les milieux SUNNITES à l'épreuve à laquelle furent soumis les hommes de religion à la fin du règne du calife AL-MA'MUN et durant les deux règnes suivants, lorsque la doctrine MU'TAZILITE fut érigée en doctrine officielle.

MIHRAB
Niche creusée dans le mur KIBLA d'une MOSQUÉE. Son apparition à l'époque UMAYYADE ne saurait s'expliquer indépendamment du rôle alors dévolu à la mosquée comme lieu de rassemblement de la COMMUNAUTÉ sous la présidence de son chef temporel et religieux ou IMAM. La valeur symbolique du mihrâb ne fit ensuite que croître, tandis qu'on s'appliquait en même temps à en faire l'emplacement le plus richement décoré de tout l'édifice.

MINARET
Tour utilisée pour lancer l'APPEL À LA PRIÈRE. Son usage, quoique ancien, n'était pas connu de Muhammad. La grande variété de formes revêtue par ces minarets n'a pas encore été étudiée de manière satisfaisante, pas plus que le problème de l'origine de ce type d'élément architectural qui fut sans doute utilisé à des fins diverses, parmi lesquelles celle de tour à signaux.

MINBAR
Élément essentiel du mobilier de la MOSQUÉE puisqu'il s'agit de la chaire à degrés d'aspect monumental où se tient le prédicateur pour prononcer son SERMON lors de la PRIÈRE solennelle du vendredi. L'usage du minbar, qui correspondait d'abord à celui d'un trône réservé au chef de la COMMUNAUTÉ, remontait à Muhammad lui-même.

MINIATURES
Utilisées pour décorer les manuscrits de certains types d'ouvrages arabes à partir du XIIe siècle. Firent ensuite la gloire des écoles de miniatures persanes et turques qu'illustrèrent des artistes renommés.

MIRDASSIDES
Dynastie d'ÉMIRS arabes qui régnèrent en SYRIE du Nord de 1023 à 1079. De confession SHI'ISTE, ils n'en reconnaissaient pas moins, comme les HAMDANIDES qu'ils avaient supplantés, le califat ABBASSIDE.

MISKAWAYH
PHILOSOPHE et historien de l'époque BOUYIDE,

mort en 1030. Il s'intéressa particulièrement à l'éthique, composa sur ce sujet un traité où l'on relève une forte influence des idées philosophiques grecques, recueillit également les sentences appartenant à diverses traditions et fut l'auteur d'une CHRONIQUE, dont les derniers tomes décrivent de façon fort vivante l'histoire politique de BAGDAD au Xe siècle.

MOGHOLS
Dynastie dont le fondateur, Bâbur, prétendait descendre à la fois de Timûr et de Gengis Khan, et qui régna en INDE de 1526 à 1858. Elle fut surtout illustrée par un règne qui dura cinquante ans (1556-1605), celui d'Akbar, grand homme d'État et penseur original aux idées syncrétistes.

MOÏSE
En arabe *Mûsâ*. PROPHÈTE mentionné par le Coran qui reproduit un certain nombre de récits bibliques en y apportant des modifications de détail et en y faisant des adjonctions qui paraissent être d'origine aggadique. Moïse, rejeté par son peuple, est présenté comme un précurseur de Muhammad. Le Coran connaît les divers épisodes de sa vie et lui attribue plusieurs prodiges.

MONGOLS
Ou Il-Khâns. Dynastie qui régna en Iran de 1256 à 1353. Il-Khân est le titre que porta Hülegü, descendant de Gengis Khan et frère du grand Khân Mengu, qui fut chargé de la conquête et de l'occupation de l'Asie occidentale. Hülegü et ses descendants, chassés de la SYRIE par les MAMLOUKS en 1260, régnèrent sur l'IRAK, l'IRAN, l'ANATOLIE orientale et le CAUCASE. Restés d'abord chamanistes et favorables au christianisme et au bouddhisme, les khâns se convertirent à l'Islam à la fin du XIIIe siècle, ce qui permit une meilleure entente entre les sujets iraniens et les conquérants turco-mongols. L'empire ilkhanide se disloqua rapidement au début du XIVe siècle.

MONNAIE
La frappe des monnaies était un privilège du souverain. Les premières monnaies frappées par les souverains musulmans étaient à l'imitation des pièces byzantines ou sassanides. Elles furent ensuite pourvues seulement de légendes arabes. Le nom du CALIFE n'apparut qu'au début de l'époque ABBASSIDE. Il fut souvent suivi du nom de l'héritier et de celui du gouverneur. Lorsque l'empire se morcela, les dynastes autonomes frappèrent eux-mêmes monnaie, mais en continuant d'indiquer sur l'avers des pièces le nom du calife dont ils reconnaissaient ainsi l'autorité. Les monnaies, à l'origine uniformes, devinrent ainsi rapidement variées avec le morcellement de l'empire.

MOSAÏQUES
Utilisées pour la décoration extérieure et intérieure des monuments sous deux formes différentes : la mosaïque exécutée dans la tradition des mosaïques hellénistiques ou byzantines, et la mosaïque de faïence faite de fragments de CÉRAMIQUE. Le premier type fleurit tout particulièrement à l'époque UMAYYADE, mais se perpétua en SYRIE par exemple jusqu'à l'époque MAMLOUKE. Le second type allait faire la célébrité des monuments des époques MONGOLE et TIMOURIDE en IRAN et en Asie centrale. Une place à part doit encore être réservée aux mosaïques exécutées en briques sur fond de plâtre que l'on vit apparaître en Iran sur certains monuments SALDJOUKIDES ou légèrement postérieurs.

MOSQUÉE
Le terme français mosquée, venant de l'espagnol *mezquita*, correspond à l'arabe *masdjid* désignant tout lieu destiné à l'accomplissement de la PRIÈRE RITUELLE. En fait il est préférable de le réserver à la traduction du terme arabe *djâmi'*, pour lequel on adopte parfois l'expression grande mosquée ou mosquée-cathédrale, et d'y voir l'édifice cultuel fondamental servant à réunir la COMMUNAUTÉ pour la Prière solennelle du vendredi et pour l'audition de l'allocution, de nature plus ou moins religieuse selon les époques, prononcée par l'IMAM sur le MINBAR. On en distinguera donc le simple ORATOIRE sans valeur de lieu de réunion officiel. Cette distinction permet de se rendre compte de l'évolution architecturale différente de deux types de monuments dont le premier a été marqué par le cérémonial aulique et a toujours été interprété comme un vaste local destiné aux déploiements de foule, tandis que le second pouvait être annexé aux édifices les plus divers pour y servir simplement de lieu de dévotion.

MOSSOUL
Ville de HAUTE-MÉSOPOTAMIE, située sur le Tigre en face de l'ancienne Ninive. D'abord colonie militaire fondée en 641 par les conquérants musulmans, elle connut rapidement au cours de la période UMAYYADE une extension considérable. Ce fut la résidence des premiers HAMDANIDES ainsi que de ZANKI et d'une branche des ZANKIDES plus connus sous le nom d'ATABEGS de Mossoul.

MSHATTA
Important château UMAYYADE du plateau transjordanien, situé à environ 35 km au sud de 'Ammân, dont la datation et l'interprétation furent longtemps discutées.

MU'AWIYA
Premier calife UMAYYADE, fils d'ABU SUFYAN, il appartenait à la puissante aristocratie mekkoise et ne se rallia à l'Islam que lors de la reddition de la MEKKE. Nommé gouverneur de la SYRIE après la conquête de cette PROVINCE, à laquelle il avait activement participé, il vit son autorité accrue au temps de 'UTHMAN et agit en administrateur remarquable. Devenu CALIFE, il régna pendant vingt ans en réussissant à annihiler l'opposition des fils de 'ALI. Généralement loué pour sa maîtrise de soi, sa souplesse, sa finesse politique, son éloquence et son esprit de décision, il fut cependant violemment attaqué par les adeptes du SHI'ISME et les partisans du régime ABBASSIDE.

MUFTI
Jurisconsulte donnant des consultations juridiques ou *fatwâ*. A l'époque classique, la fonction de mufti n'a aucun caractère officiel et les avis des jurisconsultes n'ont pas force exécutoire. C'est seulement à l'époque OTTOMANE que fut organisé un corps de muftis HANAFITES ayant à sa tête un « grand mufti » et dont les avis étaient suivis en matière de statut personnel et d'organisation du culte.

MUHARRAM
Nom du premier mois de l'année musulmane. Le sens de ce mot (« interdit » ou « sacré ») s'explique par le fait qu'à l'époque antéislamique ce mois correspondait à une époque de trêve sacrée. A l'époque islamique le 10 muharram, appelé *'Ashûrâ*, devint un jour de FÊTE célébré par les SHI'ITES qui commémoraient ce jour-là l'anniversaire de la mort d'AL-HUSAYN à KARBALA'.

MUHTASIB
Magistrat chargé de la fonction de hisba. Cette fonction est parfois rattachée à celle de la police. Parfois au contraire elle est assumée par le cadi, sans qu'il existe de muhtasib. La fonction n'est attestée pour la première fois que sous le califat d'AL-MANSUR. Quant aux attributions du muhtasib, elles sont définies par le juriste AL-MAWARDI, tandis que les traités de hisba des XIIe et XIIIe siècles prévoient surtout la nature du contrôle que le muhtasib doit exercer sur les marchands, artisans et membres des diverses professions.

MU'IZZ AL-DAWLA
Premier « grand ÉMIR » de la famille BOUYIDE, qui, après s'être établi au KIRMAN, domina l'IRAK de 945 à 967.

AL-MUKHTAR
Rebelle de l'époque UMAYYADE qui défendit en IRAK les droits du fils de 'ALI nommé Muhammad IBN AL-HANAFIYA et qui fut vaincu et tué en 687.

AL-MUKTADIR
Dix-huitième calife ABBASSIDE (908-932) qui régna longtemps mais se laissa dominer par son entourage. Il changea maintes fois de vizir, d'où l'instabilité politique d'une période marquée par le déclin de l'autorité califienne et du pouvoir civil au bénéfice du pouvoir militaire, et périt de mort violente en voulant s'opposer à un général rebelle.

AL-MUKTAFI
Dix-septième calife ABBASSIDE (902-908), qui œuvra énergiquement pour le redressement du califat SUNNITE.

MURDJITES
Partisans d'un mouvement théologique refusant de condamner et d'exclure de la COMMUNAUTÉ les croyants coupables d'un manquement grave à la LOI.

MURUWWA
Terme arabe signifiant « virilité, maîtrise de soi,

dignité » et correspondant à l'une des notions fondamentales de l'éthique arabo-islamique.

MUSA IBN NUSAYR
Général arabe qui conquit l'Espagne. Mûsâ revint à DAMAS en 715, pourvu d'un riche BUTIN, mais tomba aussitôt après en disgrâce, accusé de détournements, et mourut pauvre en exil.

MUSALLA
Terme signifiant « lieu de prière », mais désignant plus particulièrement un ORATOIRE en plein air. Le musallâ comporte seulement un MIHRAB devant lequel le souverain, ou son représentant, se tient pour diriger la PRIÈRE.

MU'TA
Localité de Transjordanie où, en 630, une petite troupe musulmane envoyée par Muhammad pour soumettre les Arabes installés dans cette région fut défaite par une armée byzntine et essuya d'importantes pertes.

AL-MU'TADID
Seizième calife ABBASSIDE, fils du régent AL-MUWAFFAK et d'une concubine grecque, dont le règne (892-902) fut consacré à rétablir la situation très compromise du califat. Ce fut un des souverains les plus habiles de la dynastie mais il ne put empêcher à la fin de son règne les KARMATES d'infliger une sévère défaite aux armées califiennes ni les secrétaires SHI'ITES de prendre solidement pied dans l'ADMINISTRATION centrale.

AL-MUTANABBI
Surnom d'un poète du Xe siècle surtout célèbre par ses panégyriques. Né à KUFA en 915, il alla étudier à DAMAS. Séduit par le mouvement SHI'ITE extrémiste qui se répandait alors en SYRIE, il aurait pris la direction d'une révolte, d'où son surnom « celui qui se prétend prophète », et aurait été emprisonné. Mais quelque temps après il réussit à attirer l'attention de l'émir d'Alep, SAYF AL-DAWLA, qui l'invita à sa Cour où il passa neuf ans à ALEP à composer soit des panégyriques vantant la gloire des Arabes, soit des poèmes d'inspiration pessimiste. En butte à l'envie, il dut chercher un autre protecteur qu'il trouva en la personne du régent KAFUR en ÉGYPTE, gagna ensuite l'IRAK, puis l'IRAN, et fut alors tué par des bédouins pillards lors de son voyage de retour.

AL-MU'TASIM
Huitième calife ABBASSIDE (833-843) et frère d'AL-MA'MUN auquel il succéda. Célèbre dans les annales islamiques pour avoir le premier introduit l'usage d'une abondante milice personnelle faite d'ESCLAVES d'origine turque ou iranienne, il le fut aussi pour avoir fondé à SAMARRA une nouvelle résidence califienne.

AL-MUTAWAKKIL
Dixième calife ABBASSIDE (847-861) et fils d'AL-MU'TASIM, qui résida à SAMARRA et fut surtout connu comme le « restaurateur » du SUNNISME après la période d'INQUISITION mu'tazilite et son hostilité aux descendants de 'ALI. Il périt assassiné à l'instigation de son propre fils.

MU'TAZILITES
Partisans d'un mouvement théologique rigoriste à tendance rationalisante.

AL-MU'TAZZ
Treizième calife ABBASSIDE, fils d'AL-MUTAWAKKIL, qui régna à SAMARRA de 866 à 869, date à laquelle il fut déposé par les GARDES turcs.

AL-MUWAFFAK
Frère du calife ABBASSIDE al-Mu'tamid et régent de l'empire de 875 à 891. Il s'illustra en combattant la grave rébellion des ZANDJ du Bas-Irak et réussit à faire désigner comme héritier son propre fils, AL-MU'TADID.

N

NABATÉENS
Peuplade arabe qui, à une époque difficile à déterminer, s'infiltra dans le territoire transjordanien où, au IIe siècle av. J.-C., ses chefs réussirent à constituer un royaume ayant pour capitale Petra. L'appellation « nabatéen » est passée en arabe et désigne, à l'époque islamique, les agriculteurs autochtones.

NAHRAWAN
Localité proche de l'actuelle BAGDAD, située sur

le canal du même nom, où eut lieu la bataille au cours de laquelle les partisans de 'ALI exterminèrent les réfractaires KHARIDJITES.

NASIR-I KHUSRAW
Poète et lettré persan, né en 1003 dans la région de BALKH, mort en 1060 dans le pays montagneux du Badakhshân (proche de la source de l'Amou Darya). Propagandiste isma'ilien au cours de ses voyages, il est l'auteur d'un recueil de poèmes philosophiques, d'une ENCYCLOPÉDIE et surtout d'une précieuse *Relation* qui nous renseigne sur la situation du monde musulman au XIe siècle.

AL-NASIR LIDIN ALLAH
« Celui qui fait triompher la religion de Dieu », surnom de règne du trente-quatrième calife ABBASSIDE (1180-1225), qui essaya de mener une politique indépendante et de restaurer l'autorité califienne.

NASRIDES
Dynastie qui régna à GRENADE de 1230 à 1492.

NAVIGATION
Joua un grand rôle dans la vie des pays islamiques, en raison des liaisons commerciales maritimes qu'ils entretinrent d'une part avec les pays de la Méditerranée occidentale, d'autre part avec l'Extrême-Orient. La navigation fluviale fut également très développée, notamment le long de l'axe de l'Euphrate, de BALIS à BASRA, et il existait de nombreux types de bateaux dont nous connaissons les noms plus que les caractéristiques exactes.

NIHAWAND
Ville d'IRAN occidental, appartenant aux DJIBAL, située, à 1 800 m d'altitude, sur la route menant d'IRAK à ISFAHAN. Près de la ville eut lieu la bataille qui, en 642, ouvrit aux armées musulmanes la voie de l'Iran.

NILOMÈTRE
Monument situé dans l'île de Rawda à FUSTAT et abritant l'échelle graduée destinée à mesurer la hauteur du Nil lors de ses crues. Encore conservé actuellement, le nilomètre aurait été construit par AL-MA'MUN, puis restauré au temps du calife abbasside AL-MUTAWAKKIL par les soins du savant ASTRONOME al-Farghânî, et porte encore des inscriptions remontant à cette date.

NISHAPUR
Ville de l'IRAN oriental, conquise vers 651 par les armées musulmanes et devenue prospère au IXe siècle quand les gouverneurs TAHIRIDES en firent leur résidence. Chef-lieu du KHURASAN à l'époque de la domination des SAMANIDES, elle présentait alors la division tripartite traditionnelle des villes d'Iran — citadelle, ville et faubourgs — et connaissait une grande prospérité — activités agricoles et commerciales, existence dans son voisinage de mines de turquoise réputées. Résidence du Ghaznawide MAHMUD, puis du Saldjoukide TUGHRILBERG à partir de 1038, elle fut, aux XIIe et XIIIe siècles, dévastée par des guerres, des révoltes et des tremblements de terre dont elle ne se releva jamais.

NIZAM AL-MULK
Célèbre ministre des sultans SALDJOUKIDES, né en 1018 près de Tûs en IRAN, mort en 1092. Devenu sous MALIKSHAH un véritable maître de l'empire, il entreprit de mettre fin à l'insubordination de nombreux membres de la famille califienne, tandis que par ailleurs il se montrait beaucoup plus exigeant à l'égard du souverain et qu'il développait l'enseignement du droit SHAFI'ITE dans les nouvelles MADRASAS. Il a laissé un traité de gouvernement intitulé *Siyâset Nâme*, écrit en PERSAN en 1091. Dans la dernière partie de sa carrière, il eut à faire face à une recrudescence de l'isma'ilisme et fut assassiné en 1092 par un homme déguisé en SOUFI que l'on considère généralement comme un envoyé des nizaris ou « ASSASSINS ».

NOMS DE DIEU
Qualificatifs s'appliquant à Dieu, au nombre de quatre-vingt-dix-neuf. Les plus importants figurent dans le texte du Coran. L'existence de ces noms par lesquels il est recommandé de s'adresser à Dieu a amené les théologiens à poser le problème des ATTRIBUTS DIVINS.

NUIT DU DESTIN
Nuit sainte, le plus souvent située entre le 27 et le 28 ramadan, au cours de laquelle, selon une croyance répandue, le destin de chaque homme était fixé pour l'année à venir. Il est recommandé aux croyants de passer en prières dans les MOSQUÉES de la ville cette nuit au cours de

laquelle on célèbre d'autre part l'anniversaire du jour où furent révélées les premières sourates du Coran. Une autre nuit, celle du 14 au 15 sha'bân, était également considérée, aux Xᵉ et XIᵉ siècles, comme « nuit du destin ». Selon AL GHAZALI, il y avait quinze nuits durant lesquelles il était recommandé de prier pour être exaucé.

AL-NU'MAN (le cadi)
Juriste de l'époque FATIMIDE, auteur d'ouvrages de droit isma'ilien qui font autorité. Au temps du CALIFE al-Mu'izz, il jouit d'un prestige exceptionnel et occupa l'un des premiers rangs dans la hiérarchie des PROPAGANDISTES isma'iliens. Il mourut en 974 à FUSTAT.

NUR AL-DIN
Souverain ZANKIDE qui régna en SYRIE de 1146 à 1174. Fils de l'atabeg ZANKI, il hérita tout d'abord du seul royaume de Syrie du Nord, mais se fit rapidement remarquer par son action vigoureuse contre les Francs, à qui il enleva plusieurs places fortes, et s'empara de Damas, régnant alors sur la Syrie entière. Nûr al-Dîn a laissé la réputation d'un champion de l'Islam et du SUNNISME, soucieux de se conformer aux prescriptions de la LOI et de faire régner la justice et l'équité parmi ses sujets. Ce fut un grand bâtisseur, qui d'une part restaura les défenses des principales villes syriennes, d'autre part fit édifier en grand nombre MOSQUÉES, MADRASAS et hopitaux.

NUSAYRIS
Secte SHI'ITE extrémiste remontant, semble-t-il, au IXᵉ siècle, qui considérait 'Alî comme une incarnation de la divinité et dont la doctrine paraît avoir subi l'influence de certaines idées chrétiennes. Ses représentants, installés dans la SYRIE septentrionale, sont plus couramment appelés aujourd'hui alaouites.

O

OPTIQUE
Science cultivée par les musulmans qui firent certaines découvertes dans le domaine de la réfraction. Le plus célèbre savant est Ibn al-Haytham, qui travailla au CAIRE sous les FATIMIDES dans la première moitié du XIᵉ siècle et dont le traité fut traduit en latin en Occident dès le XIIᵉ siècle.

OR
La MONNAIE d'or, surtout utilisée dans les anciennes PROVINCES de l'Empire byzantin, demeura toujours, avec l'ARGENT, l'une des bases du système monétaire islamique. Le métal lui-même était produit dans certaines régions de l'empire et servait à la fabrication de pièces d'orfèvrerie.

ORATOIRE
En arabe *masjid*. Lieu de culte réservé à la PRIÈRE RITUELLE. On en connaît de nombreux exemples dans les villes comme oratoires de quartiers. Mais leurs plus intéressants spécimens du point de vue architectural furent sans doute les oratoires de PALAIS conservés par exemple à LASHKARI BAZAR ou à SARAGOSSE. Noter aussi les types d'oratoires attestés dans certains CARAVANSÉRAILS saldjoukides.

OTTOMANS
Dynastie qui doit son nom à un certain 'Uthmân, chef de la famille de la tribu TURQUE des Oghuz établie en ANATOLIE. Les chefs de ce petit clan de Bithynie à l'époque des Principautés, développant leurs activités de guerre sainte en Europe, devinrent les maîtres d'un vaste empire.

P

PACTE PRÉÉTERNEL
En arabe *mîthâk*. Pacte par lequel les hommes, avant même leur création, auraient, selon le Coran, reconnu la souveraineté de leur Seigneur. Les SOUFIS se fondent souvent sur ce pacte pour prouver la possibilité de l'union mystique.

PALAIS
A côté des CHÂTEAUX, les palais furent abondamment représentés dans la civilisation islamique classique qui connut, à partir de l'époque ABBASSIDE, des fondations souveraines correspondant à de véritables villes royales le

plus souvent ruinées aujourd'hui. Pour certaines d'entre elles, on peut néanmoins faire état de plans détaillés et reconstituer partiellement, d'après descriptions et récits, la vie et les cérémonies qui y prenaient place. Leurs premiers spécimens furent à l'origine des grandes métropoles irakiennes de BAGDAD, RAKKA OU SAMARRA. Imités ensuite dans tout l'empire chaque fois qu'y régnait une dynastie suffisamment puissante, ces palais se retrouvèrent avec les mêmes caractéristiques dans les PROVINCES les plus éloignées et leur tradition renaîtra encore, par-delà les siècles et les périodes troublées où fleurirent citadelles et châteaux forts, dans les constructions d'époque tardive que seront les fastueux palais des MOGHOLS, des SAFAVIDES et des OTTOMANS.

PALMYRE

En arabe *Tadmur*. Oasis de SYRIE qui fut anciennement occupée par une peuplade arabe rivale des NABATÉENS et aramaïsée comme eux. Après avoir joué un rôle important à l'époque romaine, Palmyre resta, à l'époque islamique, une place caravanière, mais sans commune mesure avec l'antique cité dont les ruines se dressent encore au milieu du désert.

PAPIER

Matériau connu dans l'Empire ABBASSIDE depuis le milieu du VIIIe siècle, mais surtout à partir du IXe, lorsque son emploi se répandit dans la chancellerie bagdadienne, pour servir de support aux textes les plus variés. Sa fabrication, limitée d'abord à la région de SAMARKAND où s'était implantée cette invention chinoise, gagna ensuite au Xe siècle l'IRAK, la SYRIE et l'ÉGYPTE pour atteindre au XIIe le MAROC et l'Espagne. Son prix de revient relativement peu élevé, inférieur en tout cas à ceux du PAPYRUS et du PARCHEMIN, explique que l'on ait pu écrire énormément dans la civilisation islamique.

PAPYRUS

Matériau d'origine végétale, fabriqué à partir de la plante du même nom et selon une technique essentiellement égyptienne, qui fut utilisé comme support de l'ÉCRITURE dans les premiers siècles de l'Islam et avant la généralisation de l'usage du PAPIER. Ses plus anciens spécimens d'époque islamique ont été retrouvés en ÉGYPTE. Leurs grandes collections conservées dans des bibliothèques d'Orient ou d'Occident offrent à l'historien une mine de renseignements de toutes sortes, exploités selon les méthodes d'une science spécialisée, la papyrologie, dont on étend souvent la compétence, par une extension abusive du terme, à tous les documents anciens écrits en arabe sur quelque matériau que ce soit (cuir, parchemin, papier, tissu, bois, os, ostraca, verre ou même pierre). Matériau coûteux, mais apprécié dans les bureaux de l'État UMAYYADE, puis ABBASSIDE — car les documents écrits sur papyrus étaient difficiles à gratter et falsifier —, le papyrus ne put cependant résister à la concurrence du papier et sa fabrication, qui avait commencé à décliner dans le cours du Xe siècle, cessa complètement dans la seconde moitié du XIe.

PARCHEMIN

Matériau utilisé, ainsi que les peaux tannées de moutons, chèvres, veaux et gazelles, comme support de l'ÉCRITURE dans les tout premiers siècles de l'Islam, en même temps que le PAPYRUS égyptien et avant la diffusion de la technique du PAPIER. Son usage était surtout réservé, soit aux pièces d'ARCHIVES dont on tenait à assurer la conservation, soit aux copies soignées du Coran, dont certaines pouvaient s'accompagner de délicates ENNLUMINURES. Le parchemin demeura un matériau précieux, abandonné de manière à peu près générale au XIe siècle, bien que son emploi se fût maintenu plus longtemps dans les PROVINCES occidentales du MAGHREB et de l'Espagne.

PARTI (esprit de)

En arabe *'asabiya*. Issu de l'ancien esprit de clan bédouin et transposé sur le plan islamique, c'est l'attachement à des mouvements politico-religieux et aux régimes correspondants. L'esprit de parti est considéré par l'historien IBN KHALDUN comme indispensable à la constitution des États. Cultivé par les SHI'ITES, il s'oppose à l'esprit de regroupement communautaire que préconisent les TRADITIONALISTES.

PEINES

Des peines légales on distingue les peines discrétionnaires laissées à l'arbitraire du chef de la COMMUNAUTÉ et administrées généralement par ses représentants, le préfet de police et le MUHTASIB.

PÈLERINAGE RITUEL
Pour effectuer le Pèlerinage majeur, obligation fondamentale de l'Islam, les pèlerins, après s'être mis en état de sacralisation à l'endroit où ils pénètrent dans le territoire sacré ou HARAM, se réunissent dans la MOSQUÉE de la MEKKE, le 7 du mois de dhû l-hidjdja et accomplissent pendant les jours suivants divers rites dont la station à 'Arafa et le jet des cailloux à Minâ, entrecoupés d'allocutions pieuses et de prières. Le 10, prend place le SACRIFICE qui marque la fin du Pèlerinage proprement dit. Alors, aussi, le pèlerin se fait raser la tête, signe de désacralisation, avant de retourner à la Mekke. Le Pèlerinage mineur ou *'umra*, effectué seul ou à la suite du Pèlerinage majeur, consiste seulement en rites accomplis à la Mekke. Le Pèlerinage, toujours dirigé par un représentant du chef de la COMMUNAUTÉ, était pour ce dernier l'occasion d'affirmer sa domination sur les villes sainte de l'Islam.

PERSANE (langue)
Langue indo-européenne dérivant du pehlevi, langue officielle de l'État et de l'Église sassanides, qui était notée dans une écriture d'origine araméenne. Le persan, en tant que langue littéraire, fit son apparition vers le Xᵉ siècle, époque à laquelle écrivit , dans les régions dominées par les SAMANIDES, le grand poète FIRDAWSI. Le persan, qui était noté à l'aide de l'alphabet arabe modifié et qui fit de nombreux emprunts à l'arabe, se répandit dans l'INDE à l'époque MOGHOLE, ainsi qu'au Turkestan. Le vocabulaire persan a pénétré aussi dans l'urdu, forme de l'hindoustani adoptée par les milieux musulmans de l'Inde et qui s'écrit en caractères arabes.

PHILOSOPHES
Tiennent une place à part dans l'Islam qui a tendance à les exclure. Imprégnés de pensée hellénistique, ils cherchent à rester fidèles au message coranique, dont ils présentent parfois des interprétations n'ayant qu'un lointain rapport avec le sens obvie. Leurs doctrines pénétrèrent plus facilement la pensée SHI'ITE.

PLATON
En arabe *Aflâtûn*. Était connu du monde arabo-islamique, mais souvent à travers des œuvres qui lui étaient faussement attribuées ou des commentaires remontant à la Basse Antiquité. Beaucoup de citations ou d'extraits de Platon parvinrent aux penseurs arabes par l'intermédiaire de Galien, mais le platonisme proprement dit eut moins d'influence que le néo-platonisme représenté par des auteurs tels que Plotin, Porphyre et Proclus.

PLATRE
Un des matériaux favoris des bâtisseurs musulmans préoccupés de dissimuler sous des revêtements tapissants un gros œuvre qui pouvait être de médiocre qualité. Il pouvait soit être sculpté et peint, soit servir de support à des FRESQUES ou garnir les creux ménagés dans des décors de brique en relief. On lui substituait parfois des enduits encore plus économiques faits de simple terre argileuse.

POÉSIE
Joue un grand rôle dans la société islamique. Les poètes sont les panégyristes des souverains et les défenseurs des grandes causes. Leur présence n'est pas moins indispensable dans les séances de divertissements aristocratiques comportant CHANT ET MUSIQUE. D'où les grands genres : panégyrique et satire remontant à l'époque archaïque, puis poésie bachique, érotique, ou même mystique correspondant à une tendance moderniste.

POITIERS (bataille de)
Eut lieu en octobre 732, vraisemblablement entre Tours et Poitiers au lieu-dit Moussais-la-Bataille, à proximité d'une voie romaine. Ce détail explique que son emplacement soit désigné par les auteurs arabes andalous sous le nom de « chaussée des martyrs ». C'est là que Charles Martel arrêta les troupes musulmanes commandées par 'Abd al-Rahmân al-Ghâfikî. Elle est restée pour les Occidentaux le symbole de la victoire sur l'Islam.

POLYCHROMIE
Le goût de la couleur, toujours présent dans l'art islamique, explique la faveur qu'y rencontrèrent dans l'ARCHITECTURE des décors en MOSAÏQUE de verre ou de faïence aussi bien que des revêtements en carreaux de CÉRAMIQUE s'ajoutant aux effets plus discrets de dichromie obtenus dans certaines constructions de pierre. Les enduits de PLATRE ou de stuc sculp-

tés étaient eux-mêmes peints de tons francs et violents, tandis qu'on utilisait sur les enduits lisses la technique de la FRESQUE.

PONTS
Comptent parmi les réalisations architecturales destinées à améliorer l'état des voies commerciales. Certains d'entre eux se confondaient avec les digues des réseaux d'irrigation sous forme de ponts-BARRAGES. Mais les grands fleuves ne furent jamais traversés qu'à l'aide de ponts de bateaux.

POSTE
En arabe *barîd* (du grec *beredos*). Le service de la poste, remarquablement organisé dans les premiers temps du régime ABBASSIDE, sur le modèle des services qui existaient antérieurement dans les Empires byzantin et sassanide, se détériora avec le morcellement de l'empire.

PRIÈRE DE DEMANDE
En arabe *du'â'*, « invocation » en faveur de quelqu'un. La prière personnelle de demande tient une place dans la PRIÈRE RITUELLE, mais peut aussi être récitée indépendamment en toutes occasions. Le problème de son efficacité face à la toute-puissance divine a été résolu diversement par les écoles théologiques : son utilité est niée par les MU'TAZILITES, mais affirmée par les ASH'ARITES, ainsi que par les PHILOSOPHES qui l'incluent dans leurs systèmes cosmiques.

PRIÈRE RITUELLE
En arabe *salât*, mot d'origine araméenne. Accomplie selon les prescriptions coraniques à des heures fixes, précisées, selon la TRADITION, par Muhammad après le VOYAGE NOCTURNE et se situant avant le lever du soleil, après le zénith, au milieu de l'après-midi, aussitôt après le coucher du soleil et pendant la nuit, la Prière comporte des paroles et gestes divers, prononcés et exécutés en commun par les fidèles présents, dont la récitation de la Profession de foi.

PROFESSION DE FOI
Récitation de la formule *(shahâda)* par laquelle on affirme son adhésion à l'Islam. On appelle aussi profession de foi (en arabe *'akîda*) l'énumération des divers articles de foi auxquels adhèrent les membres d'une école ou d'un mouvement de pensée.

PROPAGANDISTE
En arabe *dâ'i*, « celui qui appelle à la vraie doctrine ». Terme désignant particulièrement les agents secrets qui jouèrent un rôle de premier plan dans les mouvements SHI'ITES, tout en remplissant des fonctions variées selon les SECTES.

PROPHÈTES
Le Coran mentionne un certain nombre de prophètes qui furent les précurseurs de Muhammad. A côté des prophètes bibliques figurent des envoyés dont l'appel ne fut pas écouté par leurs peuples et des personnages tels qu'Idrîs, souvent considéré comme le fondateur de la civilisation et identifié par les PHILOSOPHES avec Hermès Trismégiste.

PROVINCES
Ne présentaient pas toujours de limites précises. La province avait normalement à sa tête, dans l'Empire ABBASSIDE, un gouverneur militaire et un préfet fiscal indépendants l'un de l'autre. Mais cette organisation idéale fut rarement réalisée. L'émancipation des provinces fut le cauchemar des CALIFES abbassides.

PTOLÉMÉE
Ce savant alexandrin du IIe siècle de notre ère, auteur du célèbre *Almageste*, est celui qui a exercé la plus forte influence sur l'ASTRONOMIE et la géographie islamiques.

PURETÉ RITUELLE
Indispensable au croyant et obtenue par la pratique de diverses ablutions. La souillure majeure, produite essentiellement par les rapports sexuels (ainsi que menstrues et accouchements), est éliminée par la purification majeure *(ghusl)* ou grande ablution consistant en un lavage de tout le corps.

R

RAKKA
Ville de HAUTE-MÉSOPOTAMIE, sur la rive gauche de l'Euphrate. Site antique placé à un important point de passage, où le calife abbasside AL-MANSUR édifia en 772 une résidence appelée d'abord al-Râfika. Hârûn AL-RASHID

s'y établit quelques années. Rakka servait de base de départ aux expéditions envoyées contre la SYRIE (en cas de rébellion) ou contre les territoires byzantins. Elle fut occupée en 1159 par NUR AL-DIN qui y restaura la grande MOSQUÉE.

RAMLA
Ville de Palestine, fondée par le futur calife UMAYYADE Sulaymân, qui remplaça Ludd comme chef-lieu de cette circonscription militaire syrienne. Occupée par les croisés qui y construisirent une église, elle fut reprise par SALADIN qui la détruisit en partie en 1187. La tour célèbre qui y subsiste encore est un MINARET restauré à l'époque MAMLOUKE. Il semble qu'aucune agglomération ancienne n'ait existé auparavant sur le site de Ramla qui tirerait son nom, à en croire les auteurs arabes, du caractère sablonneux du terrain sur lequel elle avait été bâtie.

AL-RASHID
Cinquième calife ABBASSIDE (786-809), portant le nom de Hârûn. Il incarna le type du souverain oriental aimant le luxe et le plaisir mais soucieux aussi de son prestige et prenant à cœur d'accomplir ses devoirs de CALIFE tout en se déchargeant des responsabilités administratives sur des serviteurs qu'il se réservait d'éliminer ensuite. Son attitude à l'égard des BARMAKIDES est à cet égard typique. Al-Rashîd est connu en Occident pour avoir reçu des ambassades envoyées par Charlemagne, ambassades sur lesquelles les CHRONIQUES arabes gardent un silence complet, mais qui semblent avoir procuré quelques avantages au clergé latin de JÉRUSALEM ; personne ne soutient plus maintenant que Charlemagne ait obtenu un « protectorat » sur les Lieux saints.

RASSOULIDES
Dynastie SUNNITE d'origine TURQUE qui domina le YÉMEN de 1229 à 1454 en entretenant des rapports étroits avec les MAMLOUKS d'Égypte.

RAYY
Ville d'IRAN correspondant à l'ancienne Ragha et aujourd'hui ruinée non loin de l'actuelle Téhéran. Conquise par les Arabes vers 640, la cité avait été reconstruite et fortifiée vers 760, recevant alors le nom de Muhammadiya qu'elle porte sur les MONNAIES. Important centre commercial à l'époque ABBASSIDE, elle fut la capitale d'une des principautés BOUYIDES, entre 925 et 1027, mais dévastée ensuite par les SALDJOUKIDES en 1035 et de nouveau par les MONGOLS en 1220. Son abandon date de cette époque.

AL-RAZI (Abû Bakr)
L'un des plus grands médecins du Moyen Age, ce PHILOSOPHE arabe, né à RAYY en 850, mort en 923, fut un esprit remarquablement indépendant. Théoricien et praticien, il dirigea un des hopitaux de BAGDAD au début du Xe siècle et écrivit, outre de nombreux traités médicaux, un ouvage monumental , *al-Hâwî*, qui fut traduit en latin en SICILE au XIIIe siècle, sous le titre *Liber continens*. Ne doit pas être confondu avec Fakhr al-Dîn al-Râzî, théologien ASH'ARITE qui fut protégé par les sultans GHOURIDES et les Khwarizmshahs et mourut en 1209.

REGISTRE
L'utilisation des registres, substitués aux feuilles ou aux rouleaux pour les comptes et les ARCHIVES, remonte traditionnellement au début du califat ABBASSIDE et cette innovation est attribuée à Khâlid ibn Barmak, père de Yahyâ le BARMAKIDE.

RÉPUDIATION
En arabe *talâk*. La répudiation de la femme par le mari est irrévocable si la formule nécessaire a été prononcée trois fois. Dans ce cas le MARIAGE est dissous. C'est la forme normale du divorce, de caractère unilatéral, forme qui paraît remonter aux usages antéislamiques. Une fois répudiée, la femme, qui conserve son douaire, ne peut contracter un nouveau mariage avant d'avoir laissé passer un délai de quelques mois. Elle ne peut non plus être reprise par son ancien mari sans avoir entre-temps contracté un nouveau mariage et avoir été à nouveau répudiée. D'autres formes de dissolution du mariage sont prévues par le droit islamique. La femme peut recouvrer sa liberté par la procédure du *khul'* par laquelle elle restitue son douaire : il s'agit en fait d'un divorce à l'amiable sur la nature duquel les juristes discutent. L'annulation du mariage peut aussi être demandée par la femme ou par son « tuteur », pour une raison précise, et être prononcée par le cadi. D'autre part, la malédiction que le mari lance contre sa femme,

s'il la soupçonne, sans preuves légales, d'adultère, peut avoir pour conséquence le divorce, mais il s'agit là d'un procédé peu courant. Enfin, le SERMENT fait par le mari, selon un usage remontant aux temps antéislamiques, de cesser toute relation conjugale avec son épouse pendant une période d'au moins quatre mois équivaut pratiquement à une répudiation définitive ; ce serment peut toutefois ne pas être observé et cette dernière disposition a été maintenue vraisemblablement par les juristes pour laisser au mari le temps de la réflexion.

RHÉTORIQUE

En arabe *balâgha*. La science de la rhétorique joue un grand rôle dans les milieux arabes et arabisés où l'éloquence a toujours été considérée comme l'une des qualités essentielles de l'homme digne de ce nom. De nombreux traités ont été écrits au cours des âges, qui reposent en général sur une analyse formelle, d'origine aristotélicienne, des procédés de rhétorique.

RIBAT

Institution originale liée à l'obligation de la GUERRE SAINTE et à la stabilisation des frontières de l'empire à l'époque ABBASSIDE. Du point de vue architectural les ribâts se présentaient comme des fortins bien protégés, pourvus de tours de guet et aménagés intérieurement pour abriter un certain nombre de résidents permanents qui y célébraient notamment la PRIÈRE en commun, d'où parfois leur transformation ultérieure en MOSQUÉES. Leurs plus célèbres exemples anciens sont conservés en Tunisie. Leur nom est ensuite passé, en territoire iranien, à de simples CARAVANSÉRAILS fortifiés.

ROBE D'HONNEUR

En arabe *khil'a*. Vêtement que le souverain remettait aux divers dignitaires pour les honorer d'abord lors de leur investiture, puis à titre de distinction lorsque leurs services méritaient d'être publiquement récompensés. Ces « robes » étaient faites de tissus de soie brodés d'inscriptions en fil d'OR, et confectionnés dans les ateliers dits de *tiraz*.

RUM

Terme désignant soit les Byzantins, soit leur pays, même après la conquête islamique, et s'expliquant par la prétention qu'avaient les Byzantins d'être les authentiques héritiers de Rome.

RUSAFA

Nom donné par les musulmans à la ville byzantine de Sergiopolis, dans la steppe syrienne. Ce nom fut également appliqué à la résidence fondée par le prince abbasside AL-MAHDI en face de la Ville ronde de BAGDAD, sur la rive gauche du Tigre.

RUSTAMIDES

Dynastie indépendante qui régna au MAGHREB central de 777 à 909. Fondée par un KHARIDJITE d'origine persane, elle eut pour centre TAHART et étendit son autorité sur l'ensemble des Berbères IBADITES, au Maghreb et en Libye. Elle fut renversée par les FATIMIDES.

S

SABÉENS

Secte d'origine païenne pratiquant un culte astral et professant une doctrine d'origine néoplatonicienne, dont les membres étaient installés, à l'époque médiévale, à HARRAN en HAUTE-MÉSOPOTAMIE. Selon certains récits, ils se seraient fait passer, au VIIIe siècle, pour des adeptes d'une secte judéo-chrétienne, nommés également sabéens, qui étaient répandus en Basse-Mésopotamie et que mentionne le Coran. De la sorte ils purent être assimilés aux Détenteurs de l'Écriture et être traités en tributaires.

SACRIFICE

L'immolation d'une victime se fait à l'occasion de la Grande FÊTE, célébrée à la MEKKE à la fin du PÈLERINAGE et, à la même date, dans le monde islamique entier. Ce sacrifice est censé commémorer le sacrifice d'Isaac (ou d'Ismaël, selon une version très répandue chez les auteurs musulmans) par ABRAHAM. Mais des sacrifices peuvent également être faits à la suite de vœux ou pour expier certaines transgressions commises durant le Pèlerinage.

SAFAVIDES

Dynastie SHI'ITE qui régna en IRAN de 1501 à 1732 et dont l'origine exacte paraît avoir été volontairement obscurcie par ses membres. Les Safavides semblent devoir leur nom au maître d'une CONFRÉRIE soufie dite safawiya qui s'était développée en ADHARBAYDJAN en milieu turkmène aux XIVe et XVe siècles et se laissa gagner par le shi'isme. Les premiers représentants de la dynastie prétendaient être d'origine ALIDE et posséder des qualités semi-divines. Sous cette dynastie, le shi'isme se fortifia en Iran et la région prit mieux conscience de son originalité propre.

AL-SAFFAH
Surnom de règne du premier calife ABBASSIDE, qui ordonna le massacre des membres de la famille UMAYYADE et gouverna avec l'aide de son frère, le futur calife AL-MANSUR.

SAFFARIDES
Dynastie de gouverneurs qui occupèrent le SISTAN, avec des fortunes diverses, de 867 à 1495 environ. De 867 à 911, Ya'kûb et ses descendants furent des gouverneurs autonomes qui étendirent leur domination sur le KHURASAN. Par la suite les membres de la famille se maintinrent dans la PROVINCE en reconnaissant la suzeraineté, soit des SAMANIDES, soit des GHAZNAWIDES, soit des MONGOLS.

SAINTS
La mention que fait le Coran d'élus qui sont particulièrement « proches » de Dieu dans le paradis a permis le développement, dans l'Islam, d'un culte des saints qui résulta en fait de la convergence de courants divers et se traduisit par l'habitude des visites pieuses ou pèlerinages locaux.

SALADIN
Ou plus exactement Salâh al-Dîn, de son nom Yûsuf ibn Ayyûb, fondateur de la dynastie AYYOUBIDE, lui-même d'origine kurde et l'un des grands souverains de l'histoire de l'Islam. Né à Takrît en IRAK en 1138, fils d'ÉMIR, il reçut une solide instruction militaire en même temps qu'une bonne formation SHAFI'ITE. Il dut le début de sa carrière à son oncle Shîrkûh qui, envoyé par NUR AL-DIN en ÉGYPTE, devint vizir du calife FATIMIDE du moment. Lui succédant en 1169, le futur Saladin détrôna le calife et proclama le retour de l'Égypte à l'orthodoxie SUNNITE ainsi qu'à l'obédience ABBASSIDE (1171). La mort de Nûr al-Dîn en 1174 lui permit de se déclarer indépendant, d'obtenir l'investiture califienne et d'étendre sa domination à la fois sur l'Égypte, la SYRIE centrale et le HIDJAZ, puis sur la Syrie septentrionale et la HAUTE-MÉSOPOTAMIE. Il employa toute son énergie à la lutte contre les Francs et au renforcement du sunnisme, reprit Jérusalem (1189), mais dut, après la 3e croisade, céder quelques places littorales. Il mourut à DAMAS en 1193.

SALDJOUKIDES
Dynastie de SULTANS d'origine turque investie par les califes ABBASSIDES et comprenant plusieurs branches : les Grands Saldjoukides qui régnèrent en IRAN et en IRAK de 1038 à 1118 ; les Saldjoukides d'Irak (1118-1194), qui furent renversés par les Khwarizmshahs ; les Saldjoukides de SYRIE (1078-1113) auxquels succédèrent divers ATABEGS ; les Saldjoukides du KIRMAN (1041-1186) ; les SALDJOUKIDES DE RUM (1077-1307). L'époque saldjoukide fut marquée par un renouveau du SUNNISME, auquel contribua la diffusion des MADRASAS, ainsi que par l'apparition de formes d'art et d'ARCHITECTURE nouvelles.

SALDJOUKIDES DE RUM
Dynastie SUNNITE qui régna en ANATOLIE de 1077 à 1307. Fondée par le fils d'un officier TURC qui avait vainement tenté de renverser son parent le sultan ALP ARSLAN, elle ne fut solidement établie qu'au milieu du XIIe siècle et c'est au XIIIe siècle qu'elle connut l'apogée de sa puissance, aussi importante du point de vue de l'histoire politique (naissance de la Turquie) que de celui de l'histoire économique (essor du commerce) et sociale (rôle des CONFRÉRIES).

SAMANIDES
Dynastie d'ÉMIRS autonomes qui régnèrent d'abord en TRANSOXIANE à partir de 875, puis en Transoxiane et au KHURASAN à partir de 900, et furent renversés en 1005 par les GHAZNAWIDES. Leur État connut une grande prospérité économique et leur capitale, BUKHARA, fut un centre intellectuel où, à côté des disciplines arabes traditionnelles, on cultiva la littérature persane renaissante.

SAMARKAND
Ville de TRANSOXIANE, conquise en 712 par

les armées musulmanes qui en firent un point d'appui pour l'occupation du pays environnant. Centre économique en relation commerciale avec la Chine, en même temps que chef-lieu d'une région agricole prospère, elle servit de résidence à la dynastie des SAMANIDES et présentait au Xe siècle, au milieu de ses jardins, une division tripartite (citadelle, ville et faubourgs). Elle avait abrité une fabrique de PAPIER dès le milieu du VIIIe siècle et fut aussi un centre intellectuel, patrie du théologien AL-MATURIDI.

SAMARRA
Résidence califienne ABBASSIDE située sur les rives du Tigre, à une centaine de kilomètres en amont de BAGDAD et dans une région jadis fertile qu'irriguait le canal du Kâtul. Fondée d'abord par AL-MU'TASIM en 836, elle fut encore habitée après le retour des CALIFES à Bagdad en 883, mais vouée peu à peu à une décadence qu'accentua l'abandon progressif des campagnes irakiennes retournant à la steppe. La populeuse agglomération se réduisit jusqu'à n'être plus qu'une petite bourgade ceinte de murs et groupée autour de deux sanctuaires d'IMAMS shi'ites, qui sont restés jusqu'à ce jour objets de pèlerinage et de vénération.

SAN'A'
Ville du YÉMEN, située dans une haute vallée montagneuse de l'ancienne Arabie Heureuse. Occupée avant l'HÉGIRE par les Abyssins, puis par un gouverneur sassanide, elle fut rattachée au monde de l'Islam vers 631. Prise ensuite vers 901 par le fondateur de la dynastie des ZAYDITES du Yémen, elle demeura pendant plusieurs siècles l'objet de rivalités entre mouvements sectaires et dynasties d'origines diverses. Elle était au Xe siècle un centre économique important, qui devait par la suite peu à peu dépérir.

SARAGOSSE
Ville d'Espagne dont le nom arabe, *Sarâkusta*, n'est que la transposition du nom latin *Cæsarea Augusta*. Conquise en 713, elle marqua la limite septentrionale des possessions musulmanes et fut pour cette raison le chef-lieu de la « marche supérieure » de l'ANDALUS. Elle fut à l'époque UMAYYADE le foyer de plusieurs révoltes locales, mais devint, au début du XIe siècle, le centre d'une principauté arabe florisssante que remplaça bientôt celle des Banû Hûd auxquels la ville doit le PALAIS appelé Aljaferia. Elle fut reconquise en 1118.

SARIR
Nom arabe du lit de repos qui servait de trône au souverain islamique.

SAYF AL-DAWLA
Célèbre ÉMIR de la dynastie des HAMDANIDES, qui régna à ALEP de 945 à 967. Il se distingua surtout par les luttes qu'il soutint contre les Byzantins pendant près de vingt ans, avec des fortunes diverses, ainsi que par son activité de mécène. Il protégea notamment le panégyriste AL-MUTANABBI, le philosophe AL-FARABI et l'anthologue AL-ISFAHANI.

AL-SAYYID AL-HIMYARI
Poète SHI'ITE de l'époque ABBASSIDE mort vers 789, qui glorifia les 'ALIDES et exposa dans ses poèmes une doctrine imprégnée de messianisme.

SÉANCE
Genre littéraire arabe consistant en récits (ou *makâmât*) qui mettent en scène un mendiant ou un vagabond beau parleur. Il fut illustré surtout par al-Hamadhâni, lettré mort en 1008, qui passa la plus grande partie de sa vie dans les PROVINCES iraniennes, puis par al-Harîrî (m. 1122) qui versa dans un maniérisme insupportable mais laissa une œuvre appréciée de ses contemporains, copiée à de multiples exemplaires qu'enrichissaient souvent des MINIATURES. On appelle aussi séances (*madjâlis*) les réunions que tenaient savants, grammairiens, théologiens pour discuter des questions qui les préoccupaient et dont des ouvrages ou des passages fragmentaires fournissent le compte rendu.

SECTES
L'hérésie fut toujours difficile à définir en pays d'Islam du fait qu'il n'y existe pas d'unité doctrinale. SUNNITES et SHI'ITES notamment s'accusent mutuellement d'hérésie. Les hérésiographes appuient généralement leur classification sur un « dict » du Prophète selon lequel la COMMUNAUTÉ se divisera en soixante-treize sectes dont une seule sera sauvée. Ils s'attachèrent, dans un dessein le plus souvent apologétique et parfois sur un ton polémique, à exposer les doc-

trines des diverses sectes, auxquelles certains ajoutaient les doctrines des religions autres que l'Islam et les doctrines philosophiques. Les plus connus d'entre eux sont AL-ASH'ARI, al-Baghdâdî (m. 1037), AL-SHAHRASTANI.

SEPT DORMANTS
Ou « gens de la caverne ». Nom des sept jeunes CHRÉTIENS persécutés par l'empereur Dèce (IIIe siècle de notre ère), qui, selon la légende, se réfugièrent dans une caverne près d'Éphèse où ils s'endormirent pendant deux siècles pour se réveiller au temps de l'empereur Théodose (Ve siècle) et mourir peu après. Cette légende est également rapportée par le Coran dans la sourate » de la Caverne » (XVIII), qui propose la fidélité de ces jeunes gens à leur Seigneur en exemple aux nouveaux croyants.

SÉPULTURES
Souvent marquées en pays d'Islam, en dépit de certaines réserves des rigoristes, par des constructions funéraires de caractère monumental. Les tombes connurent selon les époques des types variés allant de la simple pierre levée à la tombe CÉNOTAPHE mais s'accompagnant toujours de longues épitaphes qui tiennent à la fois de la PROFESSION DE FOI islamique et de l'œuvre d'art à ÉCRITURE décorative. V. MAUSOLÉE.

SERMENT
A dans l'Islam valeur légale. Quiconque manque à un serment fait au nom de Dieu doit une expiation qui consiste à nourrir des pauvres, à affranchir des ESCLAVES ou à jeûner.

SERMON
Il faut distinguer le sermon rituel (en arabe *klutba*), prononcé à la PRIÈRE du vendredi ainsi qu'aux Prières des Deux FÊTES et à certaines autres Prières exceptionnelles, des appels et harangues librement effectués à d'autres occasions par des propagandistes religieux.

SÉVILLE
Ancienne ville romaine d'origine ibérique (appelée Hispalis, d'où l'arabe *Ishbîliya*), et résidence passagère des rois wisigoths, elle fut conquise en 712. Elle tomba ensuite entre les mains des ALMORAVIDES (1091), puis des ALMOHADES (1147), et fut à nouveau au début du XIIe siècle un centre actif pourvu de monuments parmi lesquels subsiste le fameux MINARET de la Giralda, contemporain de la tour de Hassân à Rabat et du minaret de la mosquée Kutubiya à MARRAKECH. Séville fut reconquise par Ferdinand III en 1248.

AL-SHAFI'I
Jurisconsulte, fondateur de l'école SHAFI'ITE, mort en 820 à FUSTAT. Né en Palestine d'une famille arabe KURAYSHITE, il passa une partie de sa jeunesse à la MEKKE et à MÉDINE et fut le disciple de MALIK. Ayant ensuite élaboré son propre système, il s'établit à Fustât où il se mit à enseigner à la mosquée de 'Amr. Ses deux plus importants ouvrages sont l'*Épître (Risâla)* et le traité connu sous le nom de *Kitâb al-Umm*.

SHAFI'ISME
École juridique fondée au début du IXe siècle par AL-SHAFI'I, qui remit en honneur l'étude de la TRADITION et fixa les bases du droit comme étant le Coran, la Tradition, le raisonnement par ANALOGIE et le CONSENSUS. C'est dans ses rangs que furent le plus souvent recrutés les ASH'ARITES.

AL-SHAHRASTANI
Théologien iranien ASH'ARITE, mort en 1153, renommé pour son traité d'histoire des religions appelé *Kitâb al-milal wa-l-nihal*.

AL-SHARIF AL-MURTADA
Auteur SHI'ITE, mort en 1045, poète renommé et théologien qui réfuta les thèses MU'TAZILITES. Il succéda en 1016 comme syndic des ALIDES à son frère al-Sharîf al-Râdî, à qui l'on attribue la composition d'un recueil de discours de 'ALI.

AL-SHAYBANI
Juriste de l'école HANAFITE, disciple d'ABU YUSUF. Cadi de RAKKA entre 796 et 803, il vécut ensuite à BAGDAD, accompagna le calife Hârûn AL-RASHID dans son voyage au KHURASAN en 805 et mourut alors qu'il venait d'être nommé cadi dans cette PROVINCE. Il est l'auteur de nombreux écrits qui font autorité dans l'école hanafite.

SHAYKH
« Vieillard », terme de politesse incluant une idée de vénération, qui fut appliqué à l'origine

au chef de tribu ou *sayyid,* puis à tout personnage d'un certain âge, mais surtout à des hommes s'étant distingués dans la défense de l'Islam. Plus tard on l'utilisa comme surnom honorifique notamment pour les fondateurs de CONFRÉRIES.

SHI'ITES
Partisans de 'ALI et de ses descendants, qui refusèrent d'admettre la légitimité des califes UMAYYADES et ABBASSIDES et revendiquèrent le pouvoir en faveur des imâms ALIDES. Les SECTES shi'ites constituèrent divers mouvements, notamment ceux des ZAYDITES, des DUODÉCIMAINS et des isma'iliens.

SHIRAZ
Ville de l'IRAN occidental conquise vers 640 par les armées musulmanes et chef-lieu de la province du FARS. Elle fut rebâtie à l'époque UMAYYADE et fortifiée au XIe siècle. Surnommée la « tour des saints », elle abrite de nombreux tombeaux vénérés, parmi lesquels celui d'un 'ALIDE ainsi que ceux des poètes mystiques persans Sa'di et Hâfiz, et doit aussi sa célébrité à l'école de MINIATURISTES qui s'y développa sous l'égide des princes TIMOURIDES dans la seconde moitié du XVe siècle.

SIBAWAYH
Grammairien arabe d'origine iranienne, mort en 793, qui fut disciple d'AL-KHALIL et appartint à ce qu'il est convenu d'appeler l'école grammaticale de BASRA. Il est l'auteur d'un ouvrage intitulé le *Livre (Kitâb)* qui fut longtemps considéré comme faisant autorité.

SICILE
Conquise par les AGHLABIDES entre 827 et 902, la Sicile resta entre les mains d'ÉMIRS musulmans, sous la dépendance nominale des Aghlabides, puis des FATIMIDES, jusqu'en 1091. La Sicile fut l'une des voies par lesquelles la science arabe pénétra en Europe occidentale. A la fin du XIIe siècle, toutefois, les musulmans, en butte aux tracasseries, quittèrent peu à peu la Sicile.

SIFFIN
Localité de HAUTE-MÉSOPOTAMIE située sur la rive droite de l'Euphrate, non loin de RAKKA, et ancien site romain. Célèbre par la bataille qui s'y engagea en 657 entre les troupes de MU'AWIYA et celles de 'ALI.

SIND
Région constituée par la basse vallée du delta de l'Indus, qui fut envahie par les armées UMAYYADES en 711 et conquise en 713. Jusqu'au Xe siècle, elle resta administrée en fait par des chefs locaux qui n'entretenaient avec le gouvernement central que des relations très lâches. Ce fut seulement lors de la constitution des royaumes GHAZNAWIDE et GHOURIDE que la domination musulmane y fut solidement établie.

SIRA
Littéralement « comportement », nom donné aux biographies de Muhammad dont l'une des plus anciennes, œuvre d'un certain Ibn Ishâk (m. 767), porte précisément le nom de *Sîrat al-Nabî.*

SIRAF
Ville de l'IRAN occidental et port sur le golfe Persique, qui fut jusqu'au XIIe siècle le point de départ du commerce maritime avec l'Extrême-Orient et un grand entrepôt d'épices.

SIRDAB
Pièce souterraine rafraîchie par un bassin à eau courante et aménagée comme un lieu de réception ou de divertissement, où les habitants de riches demeures pouvaient aller chercher la fraîcheur dans les régions au climat étouffant. Il en existait dans les palais ABBASSIDES de SAMARRA comme dans le château UMAYYADE de KHIRBAT AL-MAFDJAR.

SISTAN
Ou Sidjistân. Région de l'IRAN oriental située au sud du KURASAN et du Kâbulistân, traversée de cours d'eau qui se déversent dans des lagunes. Le Sîstân fut conquis à partir de 643, mais resta mal pacifié tant que le Kâbulistân n'eut pas été soumis au début du IXe siècle. Il fut le siège de la dynastie des SAFFARIDES, puis appartint aux domaines des SAMANIDES, des GHAZNAWIDES et des SALDJOUKIDES.

SOUDAN
En arabe *Sûdân,* « pays des Noirs », terme s'appliquant aux pays d'Afrique tropicale où avait pénétré l'Islam au Moyen Age. On distinguait

le Soudan occidental (bassin du Sénégal et du moyen Niger), le Soudan central (bassin du Tchad) et le Soudan oriental (bassin du haut Nil). Au Soudan central une dynastie musulmane apparut à la fin du XIIe siècle, mais l'islamisation fut plus lente. Quant au Soudan oriental, il entretint dès une époque ancienne des rapports commerciaux avec les Égyptiens à qui les Nubiens fournissaient des ESCLAVES et les produits de leurs mines d'OR. L'islamisation du Soudan oriental commença véritablement au XIIe siècle, lorsque SALADIN dut intervenir contre les Nubiens qui soutenaient le régime FATIMIDE. Mais ce n'est qu'au XVIe siècle que le territoire du Dâr Fûr fut acquis à l'Islam.

SOUFISME
Nom donné dans l'Islam au mouvement ascétique et mystique.

SUFYAN-AL-THAWRI
Juriste et théologien originaire de KUFA, mort en 718. Estimé pour sa vie ascétique et sa connaissance de la TRADITION, il fonda une école juridique qui eut des représentants jusqu'au Xe siècle. Inquiété par le calife AL-MANSUR, il dut se réfugier à la MEKKE d'où il revint ensuite à BASRA.

AL-SUHRAWARDI
Surnommé *al-Maktûl*, « celui qui fut exécuté ». PHILOSOPHE et SOUFI né au milieu du XIIe siècle qui vécut à ISFAHAN, puis à BAGDAD et à ALEP, et qui, d'abord soutenu par le prince AYYOUBIDE al-Malik al-Zâhir, fils de SALADIN, fut ensuite condamné à mort par lui et exécuté en 1191 à l'âge de trente-six ans environ. Il fut le théoricien de la métaphysique de l'Illumination et un apôtre du syncrétisme religieux.

SUIVANTS
Nom donné aux descendants directs des COMPAGNONS du Prophète, dont l'autorité en matière de TRADITION compte beaucoup pour les TRADITIONALISTES.

AL-SULI
Lettré d'origine TURQUE, mort en 946, descendant d'un partisan du mouvement ABBASSIDE. Il fut secrétaire dans l'ADMINISTRATION abbasside, chargé de l'instruction des fils du calife AL-MUKTADIR, et devint l'intime des souverains au début du Xe siècle. On lui doit divers ouvrages, notamment un manuel à l'usage des secrétaires et une CHRONIQUE des règnes d'al-Râdî et d'al-Muttakî qui constitue une source importante de l'histoire politique et intellectuelle de cette période.

SULTAN
Titre décerné officiellement par le calife ABBASSIDE à partir du milieu du XIe siècle à certains ÉMIRS qu'il désirait honorer particulièrement et à qui il voulait conférer une autorité supérieure à celle des autres émirs. Le premier sultan fut le Saldjoukide TUGHRILBEG. Le mot *sultân*, sans doute d'origine non sémitique, désignait d'abord le pouvoir de Dieu et du souverain. Rapidement, il prit un sens concret, s'appliquant au détenteur de l'autorité, au souverain lui-même.

SUNNA
Coutume du Prophète, constituée par ses dits et gestes, sur laquelle se fondent les jurisconsultes et les théologiens pour mieux préciser le contenu de la LOI islamique issue du Coran, et qui est essentiellement définie par la littérature de la TRADITION.

SUNNITES
Partisans de la SUNNA et adhérents d'un système politico-religieux déniant aux descendants de 'ALI tout droit au pouvoir. S'opposant aux SHI'ITES sur le plan politique, les sunnites s'écartent également d'eux par la place qu'ils font à la COMMUNAUTÉ et à la TRADITION se perpétuant au sein de cette Communauté. Les sunnites peuvent appartenir à diverses écoles juridiques, qui divergent sur des points de rituel ou de droit social généralement secondaires. Mais certains d'entre eux, notamment les HANBALITES, se considèrent souvent comme les seuls dépositaires du sunnisme intégral.

SYRIAQUE (langue)
Parler araméen de la ville d'Édesse, devenu langue littéraire lorsque Édesse fut la métropole intellectuelle de l'Orient chrétien. La littérature syriaque fut florissante du IIIe au VIIe siècle, survécut à l'Islam en tant que littérature savante, mais disparut vers le XIIIe siècle. C'est par l'intermédiaire du syriaque qu'ont été faites de nombreuses traductions d'ouvrages grecs.

SYRIE
Région, appelée en arabe *Sha'm*, qui correspondait aux territoires actuels des États de Syrie, LIBAN, Jordanie et Israël. Elle fut après la conquête islamique divisée en circonscriptions militaires et ses principales villes restèrent, en partant du nord, ALEP, DAMAS, JÉRUSALEM. Cette PROVINCE, exposée bien souvent au morcellement territorial sous l'effet des divisions internes et des attaques extérieures, devait constamment demeurer un des foyers les plus vivants de la culture arabo-musulmane.

T

AL-TABARI
Juriste et historien né au TABARISTAN, mort à BAGDAD en 923. Fondateur d'une école juridique particulière qui eut peu d'adeptes, il est surtout connu par deux ouvrages monumentaux, son *Commentaire* coranique et son *Histoire universelle*. Il fut violemment attaqué par les HANBALITES qui voulurent empêcher, lorsqu'il mourut, qu'on lui donnât une SÉPULTURE musulmane.

TABARISTAN
Région d'IRAN située entre la mer Caspienne et la chaîne de l'Alburz, couverte d'épaisses forêts et ayant pour ville principale Rûyân. Ce pays fut difficile à islamiser et à pacifier, en dépit d'expéditions successives envoyées par les UMAYYADES et les premiers ABBASSIDES. C'est seulement au milieu du IXe siècle que son prince local se convertit à l'Islam. Peu après, le Tabaristân devint un foyer d'agitation SHI'ITE, refuge des premiers imâms ZAYDITES qui en contrôlèrent plus ou moins effectivement le territoire pendant des siècles, jusqu'au moment où ils furent éliminés par les isma'iliens d'Alamut, au début du XIIe siècle.

TABRIZ
Ville d'IRAN et chef-lieu de l'ADHARBAYDJAN, conquise en 642, qui fut plusieurs fois détruite et reconstruite. Elle est surtout célèbre par la Mosquée bleue, œuvre de Djahân Shâh, souverain des Moutons noirs, qui fit de Tabrîz la capitale d'un important royaume dès le XVe siècle.

TABUK
Localité située sur la route de MÉDINE à DAMAS, à la limite de l'Empire byzantin au temps du Prophète. Elle fut l'objet d'une expédition lancée par Muhammad en 631, expédition qui aboutit à la soumission de quelques tribus arabes du voisinage.

TAHART
Ville du MAGHREB central, correspondant à la moderne Tiaret, au sud-ouest d'ALGER, qui fut fondée par Ibn Rustam en 761. Appelée « le petit Irak », elle fut pendant un siècle et demi le centre d'une vie intellectuelle et économique intense, puis déclina après la chute des RUSTAMIDES en 909.

TAHIRIDES
Famille qui doit son nom à Tâhir, général au service du calife AL-MA'MUN, nommé gouverneur du KHURASAN en 821. Les descendants de Tâhir occupèrent pendant plusieurs décennies, au cours du IXe siècle, le gouvernement du Khurâsân d'une part, le poste de préfet de police de BAGDAD d'autre part, mais durent abandonner leur PROVINCE aux SAFFARIDES en 873.

TALISMANS
Très utilisés par le peuple. Il existait des talismans sur PAPIER, couverts de signes apparemment incompréhensibles, mais remontant à une tradition de MAGIE parfois fort ancienne. Il existait aussi des pierres talismans, douées de pouvoirs guérisseurs.

AL-TANUKHI
Cadi irakien, mort en 994, célèbre pour son art de conteur, auteur de deux ouvrages dont l'un est surtout divertissant, tandis que l'autre, la *Délivrance de l'angoisse*, a un caractère plus édifiant. Ses récits constituent une mine pour la connaissance de la vie sociale au Xe siècle.

TARIK IBN ZIYAD
Chef militaire d'origine berbère qui conquit l'Espagne sous les ordres de MUSA IBN NUSAYR. Le rocher où il aborda conserve son nom : Djabal al-Târik, devenu Gibraltar.

AL-TAWHIDI
Essayiste arabe, mort en 1023, qui passa la plus

grande partie de sa vie à BAGDAD, tantôt en faveur auprès de quelque vizir, tantôt en disgrâce. Attiré par le MU'TAZILISME, le SOUFISME et la PHILOSOPHIE, il composa divers recueils, les uns d'inspiration philosophico-religieuse, comme les *Mukâbasât*, d'autres relatant les discussions diverses qui avaient lieu en présence des vizirs, comme le *Livre du plaisir et de l'intimité (Kitâb al-Imtâ')*.

TÉMOIGNAGE
Constitue la preuve fondamentale en matière judiciaire, à côté des SERMENTS et de l'aveu. Le témoignage n'est valable que s'il est rendu par un musulman libre et intègre. Le témoignage d'une femme vaut la moitié de celui d'un homme. Celui du tributaire n'est en principe pas reconnu.

THAMUD
Peuple mentionné par le Coran parmi ceux qui repoussèrent les PROPHÈTES qui leur étaient envoyés. Il s'agit en fait d'une peuplade arabe historique dont on relève la trace au VIIIe siècle av. J.-C. Cette peuplade occupait au début de notre ère des territoires situés en Arabie du Nord, en Jordanie et même en SYRIE et a laissé des inscriptions rupestres.

TIMOURIDES
Dynastie qui dut son nom à Timûr ou Tamerlan et qui régna en IRAN et en TRANSOXIANE de 1370 à 1506. Tamerlan est surtout connu par ses incursions dévastatrices qui le menèrent d'un côté à DELHI, de l'autre en ANATOLIE et en SYRIE. Mais il fonda aussi une dynastie qui favorisa les arts, les lettres et les sciences durant le XVe siècle.

TLEMCEN
En arabe *Tilimsân*. Ancienne ville romaine, où s'établirent au VIIIe siècle des Berbères KHARIDJITES et où, en 790, l'ÉMIR Idrîs Ier édifia une grande MOSQUÉE. Une nouvelle agglomération fut fondée par les ALMORAVIDES, qui correspond à la Tlemcen actuelle et a conservé sa grande mosquée (achevée en 1135). Une troisième ville, al-Mansûra, fut également construite à l'ouest de l'ancienne cité par les MÉRINIDES à la fin du XIIIe siècle, lorsqu'ils cherchèrent à enlever Tlemcen à leurs rivaux abdalwadides.

TOLÈDE
Ancienne ville romaine nommée *Toletum* (d'où l'arabe *Tulaytula*) et capitale des rois wisigoths, conquise en 714 par TARIK. Tolède fut pendant longtemps un foyer d'agitation contre les ÉMIRS arabes et le centre de révoltes successives que n'arrêtèrent pas de sévères répressions. C'est seulement au début du Xe siècle que le calife 'ABD AL-RAHMAN III réussit à soumettre définitivement la ville, qui devint la résidence d'un gouverneur chargé de veiller à la défense de la frontière. Tolède fut reconquise en 1085 par le roi de Castille.

TOULOUNIDES
Dynastie de gouverneurs autonomes qui domina l'ÉGYPTE de 868 à 905. Fondée par un officier TURC, fils d'un mercenaire des califes ABBASSIDES, elle fut la première dynastie islamique égyptienne et entreprit la constitution d'une importante armée locale de mercenaires. Ses membres furent aussi de grands bâtisseurs : mosquée d'Ibn Tûlûn à FUSTAT.

TRADITION
En arabe *hadîth*. Ensemble des dits et gestes du Prophète et des COMPAGNONS constituant la SUNNA. La science de la Tradition se développa surtout au Xe siècle.

TRADITIONALISTE
Terme conventionnel désignant les théologiens fidèles aux idées théologiques traditionnelles. Les traditionalistes accordent en général une place importante à l'étude de la TRADITION, mais ne sont pas nécessairement des TRADITIONNISTES spécialisés.

TRADITIONNISTE
En arabe *muhaddith*. Savant spécialisé dans l'étude de la TRADITION. Les traditionnistes sont souvent de tendance TRADITIONALISTE, mais pas nécessairement. En outre il existe des traditionnistes SHI'ITES, surtout occupés à recueillir les paroles des IMAMS.

TRANSOXIANE
Région située entre l'Amou Darya (ancien Oxus) et le Syr Darya (ancien Iaxarte), appelée en arabe *Mâ warâ' al-nahr*, conquise entre 705 et 715, dont les villes principales étaient BUKHARA et SAMARKAND.

TRÉSOR
Il convient de distinguer le service central du Trésor public, le trésor califien privé et le Trésor provincial qui, à l'origine, était conservé à l'intérieur des MOSQUÉES dans des édicules dont certains existent encore en SYRIE.

TUGHRILBEG
Premier sultan de la dynastie SALDJOUKIDE, qui régna de 1038 à 1065. C'est à lui que revint le mérite, après avoir remporté sur les GHAZNAWIDES en 1040 la victoire de Dandanakân, d'étendre la domination saldjoukide de l'IRAN oriental à l'IRAK et à l'ANATOLIE.

TURCOMANS
Mot qui désignait à l'origine les TURCS restés nomades mais qui rapidement fut appliqué aux Oghuz, ce groupe de tribus auquel appartenaient les SALDJOUKIDES ainsi que les OTTOMANS.

TURCS
Peuple qui occupait aux VIIIe et IXe siècles la région du cours inférieur de l'Amou Darya et qui fournit au califat ABBASSIDE des mercenaires, avant d'envahir l'Empire islamique, d'y transformer notablement le milieu social en influant parallèlement sur l'évolution artistique et d'y fonder les dynasties des SALDJOUKIDES, des OTTOMANS et des Grands MOGHOLS. La littérature turque ottomane, qui fut florissante à partir de 1300, subit fortement l'influence du PERSAN et de l'ARABE.

U

'UDHRITE (amour)
Amour caractérisé par un renoncement au désir sensuel, souvent comparé à l'amour platonique ou à l'amour « courtois », et qui aurait été pratiqué, dans les temps anciens, selon les anthologues arabes, par des bédouins de la tribu 'Udhra.

UHUD
Montagne située à environ 4 km au nord de MÉDINE, où eut lieu entre les musulmans et les Mekkois un engagement qui tourna à l'avantage de ces derniers. Là mourut l'oncle de Muhammad, Hamza, tombé en martyr.

'UKBA
Conquérant de l'IFRIKIYA et fondateur de KAIROUAN. Il lutta contre les berbères du MAGHREB et finit par tomber sous leurs coups en 683. Il est considéré en Ifrîkiya comme un saint patron.

'UMAR
Deuxième calife qui régna de 634 à 644. Appartenant à une famille pauvre kurayshite, il se serait d'abord violemment opposé à Muhammad avant de se rallier à l'Islam. Il joua un rôle actif dans l'élection du premier calife ABU BAKR auquel il succéda. C'est sous son règne que furent réalisées les plus importantes conquêtes.

'UMAR II
Calife UMAYYADE qui régna de 717 à 720 et laissa une réputation de piété. C'est le seul qui ait trouvé grâce auprès des historiographes d'époque ABBASSIDE. Il s'efforça en effet d'adopter une attitude conciliante à l'égard des 'ALIDES et d'atténuer les sévères mesures prises par le gouverneur d'IRAK contre les propriétaires fonciers convertis à l'Islam et ayant abandonné leurs terres.

UMAYYADES
1. Umayyades d'Orient.
Première dynastie califienne de l'Islam qui régna de 660, date de la prise du pouvoir par MU'AWIYA, à 750, date de la « révolution ABBASSIDE ». On peut considérer qu'elle eut pour capitale DAMAS, bien qu'en fait ses divers souverains aient surtout résidé dans des CHÂTEAUX accompagnant les installations agricoles qu'ils avaient fondées ou développées dans la steppe syro-palestinienne. L'opposition des milieux piétistes et des partisans des 'ALIDES s'ajouta aux difficultés d'ordre économique et social, bientôt rencontrées par la dynastie à la suite de la transformation du monde arabo-islamique de la conquête, pour aboutir à son renversement brutal. Un membre échappé au massacre devait fonder plus tard en Espagne la dynastie des Umayyades d'Occident.
2. Umayyades d'Occident.
Dynastie d'ÉMIRS indépendants, puis de CALIFES, qui régna en Espagne de 756 à 1031. Sa capitale fut CORDOUE et son apogée fut marquée par le règne de 'ABD AL-RAHMAN III qui se proclama CALIFE en 929.

URBANISME
Plus présentes dans la ville islamique qu'on n'a souvent voulu le dire, les préoccupations d'urbanisme s'y retrouvent à toutes les époques et mériteraient d'être étudiées en fonction des conditions historiques prévalant alors.

'UTHMAN
Troisième calife qui régna de 644 à 656 et mourut assassiné. Il appartenait à la famille UMAYYADE et était un riche marchand de la MEKKE qui se rallia de bonne heure à l'Islam et devint le gendre de Muhammad.

V

VISITES PIEUSES
Visites aux tombes des saints personnages, qu'on doit distinguer du PÈLERINAGE à la MEKKE. La visite de la tombe de Muhammad à MÉDINE constitue la plus méritoire.

VIZIR
Nom de l'auxiliaire du calife abasside jouant le rôle d'un chef de gouvernement et issu le plus souvent du corps des secrétaires.

VOUTES
Abondamment représentées dans l'ARCHITECTURE islamique qui utilisa plus rarement, sauf dans la MAISON paysanne de certaines régions boisées, les systèmes de couverture avec charpentes.

VOYAGE NOCTURNE
Voyage que Muhammad aurait accompli, au cours d'une certaine nuit, entre la MEKKE et JÉRUSALEM et qui aurait été complété par une « ascension » jusqu'au septième ciel. Son anniversaire, fixé au 27 radjab, fut célébré peut-être dès l'époque du calife umayyade 'ABD AL-MALIK.

W

WAKF
Ou en Occident *habs* (d'où la forme francisée habous). Bien inaliénable dont la propriété est censée revenir à Dieu ou à la COMMUNAUTÉ et dont les revenus sont consacrés à l'entretien d'un édifice religieux ou d'utilité publique. La fondation résulte normalement d'un acte écrit irrévocable précisant les conditions et le but de la donation et se terminant généralement par la formule « Que cela ne soit ni vendu, ni donné, ni transmis en héritage ».

WALAYA
Terme arabe désignant l'obligation faite aux SHI'ITES de reconnaître 'ALI et ses descendants comme IMAMS.

AL-WALID Ier
Calife UMAYYADE, fils et successeur de 'ABD AL-MALIK, grand bâtisseur de la dynastie, qui poursuivit par ailleurs la politique d'arabisation de l'ADMINISTRATION.

WASIT
Ville d'IRAK située sur le Tigre dans une position « médiane », d'où son nom, fondée à l'époque UMAYYADE, vers 702, pour servir de résidence fortifiée au gouverneur et de garnison aux troupes syriennes chargées de maintenir l'ordre en Irak. Elle déclina ensuite à l'époque ABBASSIDE, mais resta jusqu'au XIIIe siècle une ville importante et économiquement active. Sa ruine totale, au XVIe siècle, résulta sans doute d'une modification du cours du Tigre. On a retrouvé les traces d'une mosquée ummayyade.

Y

AL-YA'KUBI
Géographe et historien de tendance SHI'ITE, mort en 897, qui écrivit une *Histoire* politiquement orientée et un ouvrage de géographie qui contient de précieuses descriptions de BAGDAD et de SAMARRA.

YARMUK
Rivière de SYRIE, affluent du Jourdain où, en août 636, les armées musulmanes commandées par KHALID IBN AL-WALID écrasèrent les troupes byzantines.

YAZID Ier
Deuxième calife UMAYYADE, fils de MU'AWIYA, qui régna de 680 à 683.

YÉMEN
Région située au sud-ouest de la péninsule Arabique, faisant partie de l'Arabie dite Heureuse. Malgré le déclin qui suivit la ruine de la digue de MARIB, ce pays conserva une grande importance économique dans le monde islamique médiéval et fut dominé, à partir de la fin du IXe siècle, par une dynastie ZAYDITE.

Z

ZAB (Grand)
Rivière de HAUTE-MÉSOPOTAMIE se jetant dans le Tigre un peu en aval de MOSSOUL. C'est sur les bords de cette rivière qu'eut lieu en 749 la bataille décisive qui permit aux partisans ABBASSIDES de renverser la dynastie UMAYYADE.

ZAHIRISME
École juridique s'en tenant à la lettre des textes (en arabe *zâhir*), fondée au IXe siècle par Dâwûd AL-ISFAHANI, qui fut représentée surtout par l'Andalou IBN HAZM, mais disparut et ne fut pas reconnue au XIIe siècle comme une des écoles officielles.

ZANDAKA
MANICHÉISME ou adoption d'idées inspirées du manichéisme ou, plus généralement, impiété.

ZANDJ
Nom, d'origine iranienne, donné aux ESCLAVES noirs d'Afrique orientale qui étaient employés dans les *latifundia* du Bas-Irak et se révoltèrent à la fin du IXe siècle, sous la direction d'un prétendu 'ALIDE.

ZANKI
Fils d'un officier TURC au service du Saldjoukide MALIKSHAH, devenu en 1127 gouverneur de MOSSOUL et tuteur ou ATABEG du fils du SULTAN. Il parvint à annexer les régions d'Alep, de Homs, de Hama et de Baalbek. Il mourut assassiné (1146), sans avoir réussi à s'emparer de DAMAS.

ZANKIDES
Dynastie qui doit son nom à ZANKI, émir TURC dont le père, officier du sultan saldjoukide MALIKSHAH, fut gouverneur d'ALEP de 1086 à 1094. Elle comporte deux branches dont l'une régna à Alep de 1127 à 1146, puis à MOSSOUL de 1146 à 1222, l'autre à DAMAS, puis Alep de 1146 à 1181. A la seconde branche appartint NUR AL-DIN à qui succéda l'un de ses officiers, SALADIN.

ZAYD
Petit-fils d'AL-HUSAYN et arrière-petit-fils de 'ALI, qui se révolta contre le régime UMAYYADE en 740.

ZAYDITES
Adeptes d'un mouvement SHI'ITE dit modéré parce qu'il n'adoptait pas de doctrines hétérodoxes sur les qualités de l'IMAM, mais qui fut à l'origine de nombreuses révoltes armées aux VIIIe et IXe siècles et de la constitution de deux dynasties indépendantes, au TABARISTAN et au YÉMEN.

ZIRIDES
Dynastie autonome qui régna en IFRIKIYA de 972 à 1152. Elle fut fondée par un berbère (de la tribu Sanhâdja). En 1041, le souverain ziride rejeta l'obédience fatimide pour reconnaître le califat ABBASSIDE, ce qui fut cause de l'invasion de l'Ifrîkiya, par des bédouins pillards de Basse-Égypte, qui mit fin à la civilisation kairouanaise de l'époque ziride. La dynastie fut renversée par les ALMOHADES, après avoir dû laisser reconquérir la SICILE par les Normands.

ZIYAD
Personnage d'origine servile, qui fut le bras droit du calife MU'AWIYA et qui, comme gouverneur de l'IRAK, réussit à maintenir le calme dans cette PROVINCE. Le CALIFE fit de lui son fils adoptif.

ZOROASTRISME
Religion officielle de l'État sassanide, caractérisée par le culte du feu, et qui conserva encore un certain nombre d'adeptes dans les PROVINCES iraniennes après la conquête islamique.

ORIENTATION BIBLIOGRAPHIQUE

OUVRAGES GÉNÉRAUX

L'ouvrage essentiel est l'*Encyclopédie de l'Islam*, 1re éd., 4 vol. et supplément, Leyde, 1913-1942, peu à peu remplacée par la deuxième édition, Leyde, 1954 et suiv., en cours de publication, qui atteint actuellement la lettre L. On peut utiliser d'autre part deux répertoires bibliographiques : *Abstracta islamica*, bibliographie sélective portant à la fois sur les périodiques et les ouvrages, publiée par la *Revue des Études Islamiques*, Paris, Geuthner, depuis 1927 ; J. D. Pearson, *Index islamicus 1906-1955*, Cambridge, 1958, et ses suppléments successifs. On ajoutera : K. A. C. Creswell, *A bibliography of the architecture, arts and crafts of Islam*, Le Caire, 1961, et les suppléments ainsi que des ouvrages de référence : C. E. Bosworth, *The Islamic dynasties*, Édimbourg, 1967, pratique, mais qui ne dispense pas de recourir à E. de Zambaur, *Manuel de généalogie et de chronologie*, Bad Pyrmont, 1955 ; H. G. Cattenoz, *Tables de concordance des ères chrétienne et hégirienne*, Rabat, 1954 (indispensable lorsqu'on utilise les chroniques) ; *Historical Atlas of Islam*, éd. W. C. Brice, Leyde, 1981 ; C. Brockelmann, *Geschichte der arabischen Literatur*, 5 vol., Leyde, 1937-1949 (indispensable répertoire bio-bibliographique avec liste des manuscrits, mais non histoire de la littérature) ; à compléter par F. Sezgin, *Geschichte des arabischen Schrifttums*, Leyde, 1967 et suiv. ; G. Flügel, *Concordantiae Corani arabicae*, Leipzig, 1942 (permettant de retrouver l'origine des citations coraniques) ; A. J. Wensinck, *A handbook of early Muhammadan Tradition*, Leyde, 1960 (contenant un index sommaire des ouvrages de Tradition) ; W. Hinz, *Islamische Masse und Gewichte*, Leyde, 1955 (sur la métrologie) ; *Répertoire chronologique d'épigraphie arabe*, 17 vol., Le Caire, 1931-1982.

Pour une orientation d'ensemble on utilisera D. SOURDEL, *l'Islam*, coll. « Que sais-je ? », Paris, 1949, dern. éd. 1981, et *l'Islam médiéval*, Paris, 1979 ; I. GOLDZIHER, *le Dogme et la Loi de l'Islam*, trad. franç., Paris, 1920 et *Muhammedanische Studien*, Halle, 1889-1890, rééd. 1961 (ouvrages vieillis) ; H. A. R. GIBB, *les Structures de la pensée religieuse de l'Islam*, trad. franç., Paris, 1950 ; H. LAOUST, *les Schismes dans l'Islam*, Paris, 1965 ; H. CORBIN, *Histoire de la philosophie islamique*, Paris, 1964 (surtout important pour les doctrines sectaires) ; M. GAUDEFROY-DEMOMBYNES, *les Institutions musulmanes*, Paris, 1946 (ouvrage classique mais sans perspective historique) ; L. GARDET, *la Cité musulmane*, Paris, 1961, et *les Hommes de l'Islam*, Paris, 1977 ; W. M. WATT, *Islam and the integration of society*, Londres, 1961 et *The Formative period of the Islamic thought*, Édimbourg, 1973.

On pourra recourir à diverses histoires générales : R. FOLZ, *De l'Antiquité au Moyen Age*, Paris, 1973 ; E. PERROY, *le Moyen Age*, Paris, 1955. On consultera aussi B. LEWIS, *les Arabes dans l'histoire*, trad. franç., Neuchâtel, 1958 ; C. CAHEN, *l'Islam, des origines au début de l'empire ottoman*, Paris, 1970 ; D. SOURDEL, *Histoire des Arabes*, coll. « Que sais-je ? », Paris, 1976. Voir également *The Cambridge History of Islam*, 2 vol., Cambridge, 1970.

Sur la topographie historique du monde musulman ancien, il n'existe pas d'ouvrage d'ensemble. Sur quelques régions on dispose d'ouvrages de valeur inégale : G. LE STRANGE, *The Lands of the Eastern Caliphate*, Cambridge, 1930 ; R. DUSSAUD, *Topographie historique de la Syrie ancienne et médiévale*, Paris, 1927 ; J. MASPERO et G. WIET, *Matériaux pour servir à la géographie de l'Égypte*, Le Caire, 1914 ; W. M. RAMSAY, *The Historical geography of Asia Minor*, Londres, 1890. Une place à part doit être faite à X. DE PLANHOL, *les Fondements géographiques de l'Islam*, Paris, 1970.

Sur les relations et les influences entre Islam et Occident : *The Legacy of Islam*, éd. par J. SCHACHT et C.E. BOSWORTH, Oxford, 1974. Voir aussi W. M. WATT, *l'Influence de l'Islam sur l'Europe médiévale*, Paris, 1974 ; N. DANIEL, *Islam and the West*, Édimbourg, 1960 ; J.-C. VADET, *l'Esprit courtois en Orient*, Paris, 1968.

II. MUHAMMAD ET LE CORAN

Sur la vie de Muhammad, voir : R. BLACHÈRE, *le Problème de Mahomet*, Paris, 1952 ; M. GAUDEFFROY-DEMOMBYNES, *Mahomet*, Paris, 1957 ; W. M. WATT, *Mahomet à La Mecque* et *Mahomet à Médine*, trad. franç., Paris, 1958 et 1959 ; M. HAMIDULLAH, *le Prophète de l'Islam*, 2 vol., Paris, 1959 (qui donne le point de vue d'un musulman) ; enfin M. RODINSON, *Mahomet*, Paris, 1961, rééd. 1968.

Sur le Coran : une initiation est fournie par R. BLACHÈRE, *le Coran*, coll. « Que sais-je ? », Paris, 1967. Traductions récentes : R. BLACHÈRE, *le Coran*, Paris 1947-1951 (avec reconstitution de l'ordre primitif des sourates), et *le Coran*, Paris, 1957 (qui suit l'ordre traditionnel) ; D. MASSON, *Le Coran*, Paris, 1967 ; R. BELL, *The Qur'ân*, Édimbourg, 1937-1939 ; R. PARET, *Der Koran*, Stuttgart, 1962 et suiv. Sur les problèmes textuels, voir surtout : R. BELL, *Introduction to the Qur'ân*, Édimbourg, 1953 ; R. BLACHÈRE, *Introduction au Coran*, Paris, 1959.

Sur les rapports avec les religions juive et chrétienne : TOR ANDRAE, *les Origines de l'Islam et du christianisme*, trad. franç., Paris, 1955 ; D. MASSON, *le Coran et la révélation judéo-chrétienne*, Paris, 1958. Sur la connaissance du Coran en Europe médiévale : J. KRITZECK, *Peter the Venerable and Islam*, Princeton, 1964. Parmi les études particulières, la plus récente est celle de D. BAKKER, *Man in the Qur'ân*, Amsterdam, 1965, où l'on trouvera une utile bibliographie. Sur les problèmes d'exégèse, l'ouvrage classique reste celui d'I. GOLDZIHER, *Die Richtungen der islamischen Koranauslesung*, rééd. Leyde, 1952 ; voir aussi H. CORBIN, « l'intériorisation du sens en herméneutique soufie iranienne », *Eranos Jahrbuch*, XXVI, 1957.

III. HISTOIRE DES ÉTATS ISLAMIQUES

Outre les ouvrages généraux déjà signalés auxquels on ajoutera les recueils d'études réimprimées de M. CANARD, *l'Expansion arabo-islamique et ses répercussions, Miscellanea Orientalia, Byzance et les musulmans du Proche-Orient*, Londres, 1973-1974, et C. CAHEN, *Turco-Byzantina et Oriens christianus*, Londres, 1974, et *les Peuples musulmans dans l'histoire médiévale*, Damas, 1977, on consultera sur les conquêtes : M. J. DE GOEJE, *Mémoires sur la conquête de la Syrie*, Leyde, 1886 ; A. J. BUTLER, *The Arabe conquest of Egypt*, 2e éd., Oxford, 1978 ; H. A. R. GIBB, *The Arab conquests in Central Asia*, Londres, 1923. On notera aussi les réflexions de G. H. BOUSQUET, « Observations sur la nature et les causes de la conquête arabe », dans *SI*, VI, 1956.

Sur la période des premiers califes et des Umayyades, aucune étude d'ensemble ne peut-être citée en dehors de l'ouvrage vieilli de J. WELLHAUSEN, *Das Arabische Reich und sein Sturz*, Berlin, 1902, rééd. 1960, et des études également dépassées de H. LAMMENS. Le récent essai de M. A. SHABAN, *Islamic history A.D. 600-750 (A. H. 132), a new interpretation*, Cambridge, 1971, est à utiliser avec précaution. On ajoutera P. CRONE, *Slaves on horses*, Cambridge, 1980 ; R. SAYED, *Die Revolte des Ibn al-Ash'ath und die Koranleser*, Fribourg-en-B., 1977 ; M. A. SHABAN, *The Abbasid revolution*, Cambridge, 1970, aux perspectives partielles.

Sur l'époque abbasside, aucun ouvrage n'a été consacré à l'histoire des divers califats de la grande époque, mais on trouvera dans D. SOURDEL, *le Vizirat abbâside*, Damas 1959-1960, en même temps que l'étude d'une institution particulière, des exposés permettant de se familiariser avec les principales étapes de la période considérée. Certains aspects sont étudiés dans J. LASSNER, *The Shaping of Abbasid Rule*, Princeton, 1980 ; N. ABBOT, *Two queens of Bagdad*, Chicago, 1946 ; F. GABRIELI, *al-Ma'mûn e gli Alidi*, Leipzig, 1929 ; D. SOURDEL, « la politique religieuse du calife al-Ma'mûn », dans *REI*, 1962, et « la politique religieuse des successeurs d'al-Mutawakkil », dans *SI*, XIII, 1960 ; E. HERZFELD, *Geschichte der Stadt Samarra*, Hambourg, 1948.

Sur l'Irak à partir du xe siècle, voir : H. BOWEN, *The Life and times of'Ali b'Isâ, the Good Vizier*, Cambridge-Londres, 1928 ; H. BUSSE, *Chalif und Grosskönig. Die Buyiden im Iraq*, Beyrouth, 1969 ; A. HARTMANN, *An Nasir li-Din Allah (1180-1251)*, Berlin, 1975.

Sur l'Iran abbasside, voir plus particulièrement : B. SPULER, *Iran in frühislamischer Zeit*, Wiesbaden, 1952 ; W. BARTHOLD, *Turkestan down to the Mongol invasion*, Londres, 1926 ; C.E. BOSWORTH, *The Ghaznavids. Their empire in Afghanistan and Eastern Iran, 944-1040*, Édimbourg, 1963, et *Later Ghaznavids*, Édimbourg, 1977. Voir aussi *The Cambridge history of Iran*, IV, Cambridge, 1975.

Sur la Syrie et l'Égypte durant la même période : M. CANARD, *Histoire de la dynastie des H'amdanides de Jazîra et de Syrie*, Alger, 1951 ; G. WIET, *L'Égypte arabe de la conquête arabe à la conquête ottomane*, Paris, 1934 (*apud* G. HANOTAUX, *Histoire de la nation égyptienne*).

Sur les Fatimides on trouvera une vue d'ensemble, bien à jour, dans M. CANARD, art. *Fatimides* dans *Enc. Isl* (2).

Sur l'époque saldjoukide on consultera *The Cambridge history of Iran*, V, Cambridge, 1969 ; *Islamic Civilisation 950-1150*, Oxford, 1973 ; *A history of the Crusades*, éd. K. M. SETTON, t. I à IV. Sur la Syrie on se reportera à l'ouvrage de C. CAHEN, *la Syrie du Nord à l'époque des croisades*, Paris, 1940, que l'on peut compléter par N. ÉLISSÉEFF, *Nûr al-Dîn*, Beyrouth, 1967 ; A. S. EHRENKREUTZ, *Saladin*, Albany, 1972 ; St. HUMPHREYS, *From Saladin to the Mongols*, Albany, 1977 ; F. GABRIELI, *Storici arabi delle Crociate*, Turin, 1963 (extraits traduits). Sur les problèmes anatoliens, voir C. CAHEN, *Preottoman Turkey*, Londres, 1968 ; S. VYONIS, *The Decline of Medieval Hellenism in Asia Minor*, 1970.

Sur l'évolution du Maghreb, G. MARÇAIS, *la Berbérie musulmane et l'Orient au Moyen Age*, Paris, 1946 ; H. TERRASSE, *Histoire du Maroc*, Casablanca, 1949-1950. Les études spécialisées sont fournies par M. TALBI, *l'Émirat aghla-*

bide 184-296/800-909. Histoire politique, Paris, 1966; F. DACHRAOUI, *le Califat fatimide au Maghreb*, Tunis, 1981; H. R. IDRIS, *La Berbérie orientale sous les Zirîdes*, Paris, 1962; J. BOSCH VILÁ, *Los Almorávides*, Tétouan, 1956; A. HUICI MIRANDA, *Historia politica del Imperio almohades*, Tétouan, 1956-1957; R. BRUNSCHVIG, *La Berbérie orientale sous les Hafsides*, Paris, 1940-1947.

Sur l'Espagne musulmane, l'ouvrage fondamental reste celui d'E. LÉVI-PROVENÇAL, *Histoire de l'Espagne musulmane*, Paris, 1944-1953, qui ne dépasse pas le xe siècle. Sur la période postérieure, voir H. TERRASSE, *Islam d'Espagne*, Paris, 1958; A. GONZALEZ PALENCIA, *Historia de la España musulmana*, 4e éd., Madrid, 1948. Sur la Sicile, voir F. GABRIELI et U. SCERRATO, *Gli Arabi in Italia*, Milan, 1970.

IV. DOCTRINE ET DROIT

Outre les ouvrages généraux déjà signalés, auxquels on ajoutera les recueils d'études réimprimées de R. BRUNSCHVIG, *Études d'islamologie*, Paris, 1976, et H. LAOUST, *Pluralismes de l'Islam*, Paris, Geuthner, 1983, on consultera, sur la Tradition, I. GOLDZIHER, *Études sur la Tradition islamique*, trad. franç., Paris, 1952, étude remontant à 1891, à compléter par A. GUILLAUME, *The Tradition of Islam*, Oxford, 1924. Traités anciens accessibles en traduction : AL-BUKHARI, *les Traditions islamiques*, 4 vol., Paris, 1903-1914 (trad. A. HOUDAS et W. MARÇAIS); G. LECOMTE, *le « Traité des divergences du hadît » d'Ibn Qutayba*, Damas, 1962.

Sur la théologie en général une bonne initiation est fournie par W. M. WATT, *Islamic philosophy and theology*, Édimbourg, 1962, à compléter par des ouvrages plus développés tels que L. GARDET et M. M. ANAWATI, *Introduction à la théologie musulmane*, Paris, 1948; L. GARDET, *Dieu et la destinée de l'homme*, Paris, 1967. Voir aussi W. M. WATT, *Free will and predestination in early Islam*, Londres, 1948; A. J. ARBERRY, *Revelation and reason in Islam*, Londres, 1957. Sur les credo anciens, voir W. M. WATT, art. *'akîda* dans *Enc. Isl.* (2); A. J. WENSINCK, *The Muslin creed, its genesis and its historical development*, Cambridge, 1932.

Sur le mouvement traditionaliste, W. M. PATTON, *Ahmad ibn Hanbal and the Mihna*, Leyde, 1897, reste utile. On le complétera par diverses études de H. LAOUST art. *Ahmad ibn Hanbal* et *hanâbila* dans *Enc. Isl* (2); *la Profession de foi d'Ibn Batta*, Damas, 1958; *Précis de droit d'Ibn Qudâma*, Beyrouth, 1950. On ajoutera G. MAKDISI, *Ibn'Aqîl et la résurgence de l'Islam traditionaliste au XIe siècle*, Damas, 1963; on ne négligera pas, bien qu'il porte sur une époque plus tardive, H. LAOUST, *Essai sur les doctrines... d'Ibn Taimiya*, Le Caire, 1939. Sur le zahirisme, l'ouvrage classique reste celui d'I. GOLDZIHER, *Die Zâhiriten*, Leipzig, 1894; voir aussi A. ARNALDEZ, *Grammaire et théologie chez Ibn Hazm de Cordoue*, Paris, 1956.

Sur la théologie dogmatique et l'ash'arisme, des études récentes ont renouvelé les questions et des traductions ont facilité l'accès aux textes fondamentaux. Voir M. ALLARD, *le Problème des attributs divins dans la doctrine d'al-Aš'ari et de ses premiers disciples*, Beyrouth, 1965; R. M. FRANK, « The Structure of the created causality according to al-Aš'ari », dans *St. Isl.*, XXV, 1966; G. MAKDISI, « Ash'ari and the ash'arites in Islamic religious history », dans *St. Isl.*, XVII, 1962; H. KLOPFER, *Das Dogma des Imân al-Haramain al-Djuwaini*, Wiesbaden, 1958. On ajoutera, sur une doctrine particulière, *le Livre de Mohammed ibn Toumert*, éd. J. D. LUCIANI, Alger, 1903 (avec l'introduction d'I. GOLDZIHER). Sur un aspect tardif de la pensée ash'arite, voir J. VAN ESS, *Die Erkenntnislehre des Adudaddin al-Ici*, Wiesbaden, 1966.

Sur la naissance et la constitution des écoles juridiques, l'ouvrage fondamental est J. SCHACHT, *The Origins of Muhammadan jurisprudence*, Oxford, 1950 (résumé en français : *Esquisse d'une histoire du droit musulman*, Paris, 1952). Voir aussi art. *hanafiyya* dans *Enc. Isl.* (2). Sur le malikisme, A. BEKIR, *Histoire de l'école malikite en Orient jusqu'à la fin du Moyen*

Age, Tunis, 1962; consulter aussi IBN ABI ZAYD AL-QAYRAWANI, *la Risâla*, trad. L. BERCHER, Alger, 1952.

Sur le droit proprement dit : D. SANTILLANA, *Istituzioni di diritto musulmano malichita con riguardo anche al sistema sciafiita*, Rome, 1938, et J. SCHACHT, *G. Bergsträsser's Grundzüge des islamischen Rechts*, Berlin 1935. Sur les réglementations sociales et familiales, une bonne initiation est fournie par J. SCHACHT, *An introduction to Islamic Law*, Oxford, 1964, qui comporte une bibliographie détaillée. On peut consulter aussi L. MILLIOT, *Introduction à l'étude du droit musulman*, Paris, 1953, orienté vers les problèmes modernes, et Y. LINANT DE BELLEFONDS, *Traité de droit musulman comparé*, Paris-La Haye, 1955.

Sur le droit fatimide voir R. BRUNSCHVIG, dans *Études d'islamologie*. Le droit imamite, auquel on peut s'initier par le traité traduit par A. QUERRY, *Droit musulman. Recueil de lois concernant les Musulmans schyites*, Paris, 1871-1872, n'a pas fait l'objet d'études particulières.

Sur les prescriptions rituelles, G. H. BOUSQUET, *les Grandes Pratiques rituelles de l'Islam*, Paris, 1949, est à compléter par G. E. VON GRUNEBAUM, *Muhammadan festivals*, Londres-New York, 1958, ainsi que par M. GAUDEFROY-DEMOMBYNES, *le Pèlerinage à La Mecque*, Paris, 1923.

Sur le culte des saints, en dehors de nombreuses enquêtes locales de valeur inégale, on consultera l'étude d'I. GOLDZIHER, dans les *Muhammedanische Studien ; le Guide des lieux de Pèlerinage d'al-Harawî*, trad. J. SOURDEL-THOMINE, Damas, 1957.

Sur les tributaires, voir A. FATTAL, *le Statut légal des non-musulmans en pays d'Islam*, Beyrouth, 1958. Le droit international est traité par W. HEFFENING, *Das Islamische Fremdenrecht*, Hanovre, 1923.

Sur le droit public, les ouvrages de base sont ceux d'E. TYAN, *Institutions du droit public musulman. I. Le Califat*, Paris, 1954 ; II. *Sultanat et califat*, Paris, 1957, ainsi que *Histoire de l'organisation judiciaire en pays d'Islam*, Leyde, 1960, qui fournissent une première approche dans des ouvrages de structure discutable. Des études plus approfondies, mais plus limitées, sont fournies par D. SOURDEL, art. *Khalîfa* dans *Enc. Isl.* (2) ; J. F. P. HOPKINS, *Medieval Muslim government in Barbary*, Londres, 1958, ainsi que par divers ouvrages portant sur l'histoire des dynasties d'Orient ou d'Occident (voir *supra*). On tiendra compte également d'A. K. S. LAMBTON, *State and government in medieval Islam*, Londres, 1981.

Le comportement idéal du souverain est exposé par divers ouvrages didactiques. Voir, d'une façon générale, G. RICHTER, *Studien zur Geschichte der älteren Fürstenspiegel*, Leipzig, 1932, et, plus particulièrement, J. SOURDEL-THOMINE, « les conseils du shaykh al-Harawî à un prince ayyubide », dans *Bull. d'Et. Or.* XVII, 1961-1962.

Sur la hisba, C. CAHEN et M. TALBI, art. *hisba* dans *Enc. Isl.* (2), et sur l'organisation administrative, art. collectif *dîwân*. On consultera aussi P. CHALMETA, *El señor del zoco en España*, Madrid, 1973. Sur l'origine de la fiscalité, C. DENNETT, *Conversion and the Poll Tax*, Cambridge (U. S. A.), 1951, et F. LØKKEGAARD, *Islamic taxation in the classic period*, Copenhague, 1950, rendent périmées les études antérieures. Sur le développement de la fiscalité, voir les études réimprimées de C. CAHEN. Il est possible de lire en traduction le traité d'AL-MAWARDI, *les Statuts gouvernementaux*, Alger, 1915 (auteur sur lequel on consultera H. LAOUST, dans *Pluralisme de l'Islam*, ainsi que le traité de hisba de l'Occidental IBN 'ABDUN, dans E. LÉVI-PROVENÇAL, *Séville musulmane au XIIe siècle*, Paris, 1947. Voir aussi, sur un plan plus général, IBN KHALDUN, *les Prolégomènes*, trad. B^on^ DE SLANE, Paris, 1932, et trad. V. MONTEIL (sous le titre *Discours sur l'histoire universelle*), Beyrouth, 1967.

A J. WELLHAUSEN, *Die Religiös-politischen Oppositionsparteien im alten Islam*, Göttingen, 1901 est dépassé, mais utilisable. On ajoutera, sur les sectes et leurs doctrines, les œuvres fondamentales de H. LAOUST, *Schismes* et *Pluralismes*, ainsi que la traduction de l'hérésiographe Shahrastanî par J. C. VADET, *les Dissidences de l'Islam*, Paris, Geuthner, 1983.

Sur le kharidjisme, on consultera, à défaut d'étude d'ensemble, l'art. *kharidjites* dans *Enc. Isl.* (2).

Le mu'tazilisme a été étudié par A. NADER, *le Système philosophique des mu'tazila*, Beyrouth, 1956, et surtout par J. VAN ESS, « Une lecture à rebours de l'histoire du mu'tazilisme », dans *Rev. Et. Isl.*, 1978-1979, et M. BERNARD, *le Problème de la connaissance d'après... Abd al-Gabbar*, Alger, 1982.

Sur le shi'isme zaydite, C. VON ARENDONK, *les Débuts de l'imamat zaydite du Yémen*, trad. franç., Leyde, 1960 ; W. MADELUNG, *Der Imâm al-Qâsim und die Glaubenslehre der Zaiditen*, Wiesbaden, 1965.

Sur le shi'isme imamite, D. M. DONALDSON, *The Shi'ite religion*, Londres, 1933, est dépassé, mais non remplacé. On tiendra compte de H. LAOUST, dans *Pluralismes*, et D. SOURDEL, « L'imamisme vu par le cheikh al-Mufid », dans *Revue Ét. Isl.* 1972.

Sur l'isma'ilisme, B. LEWIS, *The Origins of isma'ilism*, Cambridge, 1940 ; W. IVANOW, *Brief survey of the evolution of isma'ilism*, Leyde, 1952, et, plus récemment, W. MADELUNG, « Fatimiden und Bahrainqarmaten » et « Das Imamat in der frühen ismailitischen Lehre », dans *Der Islam*, 1959 et 1961. L'aspect philosophique de cette doctrine a retenu l'attention de H. CORBIN, *Trilogie ismaélienne*, Paris, 1961, entre autres études. Les épîtres des frères sincères ont été étudiées par Y. MARQUET, *la Philosophie des Ihwan al-safa : de Dieu à l'homme*, Lille, 1973.

Sur les nizaris, voir M. G. S. HODGSON, *The Order of Assassins*, Leyde, 1955 ; voir aussi B. LEWIS, *The Assassins*, Londres, 1968, trad. fr. Paris, 1982. Sur les sectes extrémistes, H. HALM, *Die islamische Gnosis*, Zurich, 1982.

V. SOUFISME, PHILOSOPHIE, ÉTHIQUE, SCIENCES

1. Soufisme.

Ouvrage généraux : R. A. NICHOLSON, *Studies in Islamic mysticism*, Cambridge, 1921 ; A. J. ARBERRY, *le Soufisme*, trad. franç., Paris, 1952 (excellente initiation) ; G. C. ANAWATI et L. GARDET, *Mystique musulmane, aspects et tendances, expériences et techniques*, Paris, 1961 ; M. MOLÉ, *les Mystiques musulmans*, Paris, 1965. Parmi les nombreuses études particulières, on retiendra : J. VAN ESS, *Die Gedankenwelt des Hârit al-Muhâsibi*, Bonn, 1961 ; G. BÖWERING, *The Mystical Vision of Existence in classical Islam*, Berlin-New York, 1980 ; L. MASSIGNON, *La Passion d'al-Hallâj*, Paris, 1922 (nouv. éd. 1975) ; H. CORBIN, *Sohrawardi d'Alep, fondateur de la doctrine illuminative*, Paris, 1939. Sur al-Ghazâlî, qui appartient à la fois au soufisme et à la théologie, les études sont très nombreuses. On retiendra : A. J. WENSINCK, *la Pensée de Ghazâlî*, Paris, 1940 ; F. JABRE, *la Notion de certitude selon Ghazâlî*, Paris, 1958 ; *la Notion de ma'rifa chez Ghazâlî*, Beyrouth, 1958 ; W. M. WATT, *Muslim intellectual, a study of al-Ghazâlî*, Édimbourg, 1963 ; H. LAOUST, *la Politique de Gazâlî*, Paris, 1970.

2. Philosophie.

Sur l'influence de la pensée antique, voir notamment M. STEINSCHNEIDER, *Die Arabischen Uebersetzungen aus dem Griechischen*, Leipzig, 1893 ; I. MADKOUR, *l'« Organon » d'Aristote dans le monde arabe*, Paris, 1934 ; P. KRAUS, *Plotin chez les Arabes*, Le Caire, 1941 ; F. ROSENTHAL, *Das Fortleben der Antike im Islam*, Zurich, 1965 (extraits traduits). Sur la philosophie musulmane elle-même, outre les ouvrages généraux déjà signalés et les art. dans *Enc. Isl.* (2), on pourra consulter M. HORTEN, *Die Philosophischen System der spekulativen Theologie im Islam*, Bonn, 1912 ; P. J. DE MENASCE, *Arabische Philosophie*, Berne, 1948 ; R. WALZER, *Greek into Arabic*, Oxford, 1962 et « *L'*éveil de la philosophie islamique », dans *Rev. des Et. isl.*, 1970 ; N. RESCHER, *The Development of Arabic logic*, Pittsburgh, 1964.

Sur al-Fârâbî, voir I. MADKOUR, *la Place d'al-Fârâbi dans l'école philosophique musulmane*, Paris, 1934. Sur Avicenne, A. M. GOICHON, *la Philosophie d'Avicenne et son influence en Europe*, Paris, 1944 ; G. C. ANAWATI, *Essai de bibliographie avicenienne*, Le Caire, 1950 ;

L. GARDET, *la Pensée religieuse d'Avicenne*, Paris, 1951. Sur Averroès, L. GAUTHIER, *Ibn Rochd*, Paris, 1948 ; R. ARNALDEZ, « la pensée religieuse d'Averroès », dans *St. Isl.*, VII-VIII, 1957 et X, 1959.

3. Éthique.
L'ouvrage général de D. M. DONALDSON, *Studies in Muslim ethics*, Londres, 1963, n'aborde pas les questions fondamentales. On trouvera des informations utiles dans R. WALZER, art. *akhlâk* dans *Enc. Isl.* (2), ainsi que D. B. MACDONALD, *The Religious attitude and life of Islam*, Chicago, 1909, et G. H. BOUSQUET, *la Morale de l'Islam et son éthique sexuelle*, Paris, 1953. Sur des questions plus particulières on consultera M. ARKOUN, *Miskawayh philosophe et historien*, Paris, 1970.

4. Sciences.
Un bon exposé d'ensemble est fourni par L. MASSIGNON et R. ARNALDEZ, « la science arabe », dans *Histoire générale des sciences*, publiée par R. TATON, t. I, Paris, 1957. Consulter aussi G. SARTON, *Introduction to the history of sciences*, 4 vol., Baltimore, 1937-1948 ; A. MIELI, *la science arabe et son rôle dans l'évolution scientifique mondiale*, rééd. Leyde, 1966.

VI. LITTÉRATURE ET ART

I. Littérature.
L'étude détaillée de R. BLACHÈRE, *Histoire de la littérature arabe*, 3 vol., Paris 1952-1966, n'atteint encore que la fin de l'époque umayyade. On dispose en revanche des initiations de C. PELLAT, *Langue et littérature arabes*, Paris, 1955, et G. WIET, *Introduction à la littérature arabe*, Paris, 1966. En anglais, H. A. R. GIBB, *Arabic literature, an introduction*, Londres, 1926, reste suggestif. En italien, F. GABRIELI, *Storia della letteratura araba*, Milan, 1952. Quelques études particulières sont à signaler : G. E. VON GRUNEBAUM, *Kritik und Dichtkunst*, Wiesbaden, 1955 ; C. PELLAT, *le Milieu basrien et la formation de Gâhiz*, Paris, 1953 ; G. LECOMTE, *Ibn Qutayba, l'homme, son œuvre, ses idées*, Damas, 1965 ; M. BERGÉ, *Abu Hayyan al-Tawhidi*, Damas, 1979 ; H. LAOUST, « la vie et la philosophie d'Aboul-ʿAla'-Maʿarry », dans *BEO*, X, 1943-1944 ; R. BLACHÈRE, *Abou t-Tayyib al-Motanabbi*, Paris, 1935 ; A. MIQUEL, *la Géographie humaine du monde musulman jusqu'au milieu du XIe siècle*, Paris-La Haye, 1967 ; H. PÉRÈS, *la Poésie andalouse, en arabe classique, au XIe siècle*, Paris, 1937.

Sur les littératures non arabes, voir : A. J. ARBERRY, *Classical Persian literature*, New York, 1958 ; A. BAUSANI et A. PAGLIARO, *Storia della letteratura persiana*, Milan, 1960 ; A. BOMBACI, *Histoire de la littérature turque*, trad. franç., Paris, 1968.

2. Art et archéologie.
Il n'existe pas de manuel général d'archéologie islamique. L'Occident est le mieux partagé puisqu'on dispose de G. MARÇAIS, *L'Architecture musulmane d'Occident : Tunisie, Algérie, Maroc, Espagne*, Paris, 1955, et de H. TERRASSE, *L'Art hispano-mauresque des origines au XIIIe siècle*, Paris, 1932, ainsi que de M. GOMEZ MORENO, *Ars Hispaniae*. Pour l'Orient, il faut se reporter d'une part à des exposés généraux, souvent succincts, d'autre part à des études spécialisées que l'on peut retrouver commodément dans les bibliographies de K. A. C. CRESWELL signalées *supra*.

Exposés généraux : B. SPULER et J. SOURDEL-THOMINE, *Die Kunst der Islam*, Berlin, 1973 (avec une importante documentation) ; G. MARÇAIS, *l'Art de l'Islam*, Paris, 1946, rééd. 1962 ; J. SOURDEL-THOMINE, « l'Islam », dans *Encyclopédie de la Pléiade, Histoire de l'art, le Monde non chrétien*, Paris, 1961, art. *fann* dans *Enc. Isl.* (2) et *De l'art de l'Islam*, Paris, Geuthner, 1983 ; K. OTTO-DORN, *l'Art de l'Islam*, trad. franç., Paris, 1967 ; M. ROGERS, *The Spread of Islam*, Oxford, 1976 ; O. ASLANAPA, *Turkish Art and Architecture*, Londres, 1970. Pour les origines, U. MONNERET DE VILLARD, *Introduzione allo studio dell'archeologia islamica*, Venise-Rome, 1966 ; J. SAUVAGET, *la Mosquée omeyyade de Médine*, Paris, 1947 ; M. ECOCHARD, *Filiation de monuments grecs, byzan-*

tins et islamiques, Paris, Geuthner, 1977 ; R. ETTINGHAUSEN, *From Byzantium to Sasanian Iran and the Islamic World*, Leyde, 1972. Voir aussi O. GRABAR, *The Formation of Islamic art*, Newhaven, 1973.

Études spécialisées : sur les époques anciennes, la documentation est fournie, avec ampleur, par K. A. C. CRESWELL, *Early Muslim Architecture*, 2 vol., Oxford, 1932-1940 (cf. *A Short Account of Early Muslim Architecture*, Londres, 1958, et art. *architecture* dans *Enc. Isl.* [2]). Sur l'Égypte ikhshidide, fatimide, ayyoubide et mamlouke, K. A. C. CRESWELL, *Muslim architecture of Egypt*, 2 vol., Oxford, 1952-1959 ; L. HAUTECŒUR et G. WIET, *les Mosquées du Caire*, Paris, 1932. Sur la Syrie, outre les études relatives à des châteaux umayyades signalées *infra*, tenir compte de J. SAUVAGET, « l'architecture musulmane en Syrie », dans *Revue des arts asiatiques*, VIII, 1934 ; *les Monuments ayyoubides de Damas*, 3 livr., Paris, 1938-1940. Sur l'Irak et la Haute-Mésopotamie, F. SARRE et E. HERZFELD, *Archäologische Reise im Euphrat- und Tigrisgebiet ;* E. HERZFELD, *Der Wandschmuck der Bauten von Samarra* et *Die Malereien von Samarra*, Berlin, 1923 et 1927. Sur l'Iran, une documentation importante est fournie par A. U. POPE, *A survey of Persian art*, 7 vol., Londres-New York, 1939, venant compléter les premiers ouvrages de F. SARRE, *Denkmäler persischer Baukunst*, Berlin, 1901-1910, et E. DIEZ, *Churasanische Baudenkmäler*, Berlin, 1918. Voir aussi A. MARICQ et G. WIET, *le Minaret de Djam*, Paris, 1959 ; J. SOURDEL-THOMINE, « Deux minarets d'époque seldjoukide en Afghanistan », dans *Syria*, XXX, 1953. Sur l'Anatolie médiévale. A. GABRIEL, *Monuments turcs d'Anatolie*, 2 vol., Paris, 1931-1934 ; *Voyage archéologiques dans la Turquie orientale*, 2 vol., Paris, 1940 ; R. H. ÜNAL, *les Monuments islamiques anciens d'Erzurum*, Paris, 1968. Sur l'Ifrîkiya on ajoutera A. LÉZINE, *le Ribât de Sousse*, Tunis, 1956, et *Architecture de l'Ifrîqiya*, Paris, 1966. Sur la Sicile, outre *gli Arabi*... déjà cité, voir U. MONNERET DE VILLARD, *Le Pitture musulmane al soffitto della Capella Palatina in Palermo*, Rome, 1950.

Pour les arts mineurs, on trouvera une initiation dans E. KÜHNEL, *Islamische Kleinkunst*, Berlin, 1925, Braunschweig, 1963 ; M. S. DIMAND, *A handbook of Muhammadan art*, New York, 1958 ; E. J. GRUBE, *The World of Islam*, Londres, 1966.

Sur la peinture ancienne, voir surtout T. W. ARNOLD, *Painting in Islam*, rééd. New York, 1965 ; R. ETTINGHAUSEN, *la Peinture arabe*, trad. franç., Genève, 1962 ; D. T. RICE, *Islamic Painting*, Edimbourg, 1971 ; B. W. ROBINSON, *Islamic Painting and the Arts of the Book*, Londres, 1976.

Pour d'autres domaines, consulter notamment G. WIET, *Soieries persanes*, Le Caire, 1948 ; E. KÜHNEL et L. BELLINGER, *The Textile Museum. Catalogue of dated Tiraz fabrics : Umayyad, Abbassid, Fatimid*, Washington, 1952 ; K. ERDMANN, *Der Orientalische Knüpfteppich*, Tübingen, 1955 ; A. LANE, *Early Islamic pottery*, Londres, 1958 ; E. J. GRUBE, *Islamic pottery in the Keir Collection*, Londres, 1976 ; M. AYALON, *la Poterie islamique* (fouilles de Suse), Paris, 1974 ; G. MARÇAIS et L. POINSSOT, *Objets kairouanais, IXe au XIIIe siècle*, 2 vol., Tunis, 1948-1952 ; D. S. RICE, *The Baptistère de Saint-Louis*, Paris, 1953 ; *The Wade cup*, Paris, 1955 ; G. FECHERVARI, *Islamic Metalwork in the Keir Collection*, Londres, 1976 ; E. KÜHNEL, *Die islamischen Elfen beinskulpturen, VIII.-XIII. jh.*, Berlin, 1971 ; tous volumes et articles auxquels on ajoutera des catalogues de musées, tels ceux du Musée arabe du Caire, et des catalogues d'expositions aux introductions souvent fondamentales.

Paléographie : sur l'écriture arabe, voir A. GROHMANN, *Arabische Paläographie*, Vienne, 1967-1971 (incomplet) et surtout J. SOURDEL-THOMINE, art. *khatt* dans *Enc. Isl.* (2).

Épigraphie : outre le *Répertoire chronologique* signalé *supra*, il existe un *Corpus* des inscriptions arabes mis en chantier par M. VAN BERCHEM en 1894 (qqs volumes publiés sur Égypte, Syrie et Anatolie) et des tentatives de valeur inégale pour d'autres régions. Sur le détail des travaux réalisés à ce jour et les projets en cours, voir J. SOURDEL-THOMINE, art. *kitâbât* dans *Enc. Isl.* (2) et noter l'existence d'études sur l'épigraphie ornementale telles que J. SOURDEL-THOMINE, *Épitaphes coufiques de Bâb Saghîr*, Paris, 1950.

En numismatique, il n'existe pas de manuel et les catalogues des diverses collections sont souvent vétustes et dépassés à l'exception du catalogue des monnaies islamiques du British Museum, qui ne comporte encore que deux volumes, J. WALKER, *A catalogue of the Arab-Sassanian coins*, Londres, 1946, et *A catalogue of the Arab-Byzantine and postreform Omaiyad coins*, Londres, 1956. Diverses études portent sur des monnayages dynastiques.

VII. VIE ÉCONOMIQUE. AMÉNAGEMENT ET DÉFENSE DU TERRITOIRE

Sur la vie économique en pays d'islam, voir maintenant E. ASHTOR, *A Social and Economic History of the Near East in the Middle Ages*, Londres, 1976 ; A. DURI, *Arabische Wirtschaftgeschichte*, Zurich, 1979, un peu succinct ; *Studies in the Economic History of the Middle East*, Londres, 1970, et surtout *Wirtschaftsgeschichte des vorderen Orients in islamischer Zeit*, Teil 1, coll. *Handbuch des Orientalistik*, Leyde, 1977. Voir aussi M. RODINSON, *Islam et capitalisme*, Paris, 1966.

Pour comprendre les problèmes anciens du nomadisme on doit recourir à des enquêtes ethnographiques modernes. Un inventaire des tribus bédouines est fourni par M. VON OPPENHEIM, *Die Beduinen*, 5 vol., Leipzig, 1938-1954. Voir aussi l'art *badw* dans *Enc. Isl.* (2).

Il existe peu d'études sur la société rurale médiévale en tant que telle. On peut tout juste signaler : A. K. S. LAMBTON, *Landlord and peasant in Persia*, Oxford, 1953 ; il faut la compléter par des enquêtes modernes de géographie ou de sociologie telles que : J. WEULERSSE, *Paysans de Syrie et du Proche-Orient*, Paris, 1946 ; J. BESANÇON, *l'Homme et le Nil*, Paris, 1957. On tiendra compte également d'études archéologiques suggestives ; ainsi G. TCHALENKO, *Villages antiques de la Syrie du Nord*, Paris, 1958, qui a des prolongements médiévaux, et J. SOURDEL-THOMINE, « le peuplement de la région des villes mortes à l'époque ayyoubide », dans *Arabica*, I, 1954.

Sur les problèmes de l'irrigation, peuvent être utilisées des études à base archéologique comme R. MAC ADAMS, *Land behind Baghdad*, Chicago-Londres, 1965, concernant l'évolution du réseau de canaux en Irak ; M. SOLIGNAC, « Installations hydrauliques de Kairouan et des steppes tunisiennes du VIIe au XIe siècle », dans *Ann. Inst. Et. Or.*, X-XI, 1952-1953. Sur une technique particulière, H. GOBLOT, *Les Qanats*, Paris, 1979.

Sur les machines, étude philologique et technique de G. S. COLIN, « La noria marocaine et les machines hydrauliques dans le monde arabe », dans *Hespéris*, XIV, 1932. Voir aussi L. TORRES BALBÁS, « Las Norias fluviales en España », dans *Al-Andalus*, V, 1940.

Nous disposons de rares informations sur l'agriculture. L'unique traité qui nous soit parvenu, celui d'Ibn Wahshiya, est encombré de considérations cosmologiques. Il existait des calendriers fournissant des renseignements sur les activités agricoles ; les seuls conservés concernent l'Espagne ; le premier et le plus important est le *Calendrier de Cordoue*, rééd. et trad. par C. PELLAT, Leyde, 1961. Voir à ce sujet L. BOLENS, *les Méthodes culturales au Moyen Age d'après les traités d'agronomie andalous : traditions et techniques*, Genève, 1974. Sur les productions, on peut se reporter à D. MÜLLER-WODARG, « Die Landwirtschaft Aegyptens in der frühen Abbasidenzeit », dans *Der Islam*, XXXI-XXXIII, 1954-1958, ainsi qu'à M. CANARD, « le riz dans le Proche-Orient aux premiers siècles de l'Islam », dans *Arabica*, VI, 1959.

Sur les techniques artisanales, voir les manuels et articles d'histoire de l'art touchant les arts mineurs ainsi que des études évoquant leurs aspects modernes, à commencer par la *Description de l'Égypte*, Paris, 1821-1829. Voir aussi, dans *Enc. Isl.* (2), les art. *ʿadj* et *harîr* (ivoire et soie), et J. SAUVAGET, « Introduction à l'étude de la céramique musulmane », dans *REI*, XXXIII, 1965. Sur les maîtres artisans, des inventaires systématiques à partir de leurs signatures ont été dressés par L. A. MAYER, *Islamic architects*, et *Islamic astrolabists*, Genève, 1956, *Islamic woodcarvers*, 1958, *Islamic metalworkers*, 1959, *Islamic armourers*, 1962. Sur le développement de certaines activités, R. B. SERJEANT, « Material for a history of Islamic textiles up to the Mongol conquest », dans *Ars islamica*, IX, X, XI et XIII-XIV. Sur les techniques en général, voir G. WIET, « le monde musulman (VIIe-XIIIe siècle) », dans *Histoire générale des techniques*. I. *Les Origines de la civilisation technique*, Paris, 1962 ; *History of technology*, éd. C. SINGER, t. II, *The Mediterranean civilization and the Middle Ages*, Oxford, 1956. Voir aussi H. WULF, *The Traditional crafts of Persia*, Cambridge (Mass.), 1966.

Sur l'inexistence des « corporations » en milieu islamique médiéval, voir art. de C. CAHEN et S. M. STERN dans *The Islamic City*, Oxford, 1970. Diverses études ou traductions détaillent en revanche utilement des listes anciennes de corps de métiers, ainsi A. RAYMOND et G. WIET, *les Marchés du Caire*, Caire, 1979.

Le commerce dans le monde musulman est mal étudié. On se reportera encore aux ouvrages anciens : W. HEYD, *Histoire du commerce du levant au Moyen Age*, trad. franç., Leipzig, 1885 (réimpr. post.) ; A. SCHAUBE, *Handelsgeschichte romanischen Völker des Mittelmeergebietes bis zur Ende der Kreuzzüge*, Munich, 1906, que l'on complétera par A. R. LEWIS, *Naval power and trade in the Mediterranean (500-1100)*, Princeton, 1951, et par Y. LABIB, *Handelsgeschichte Aegyptens im Spätmittelalter*, Wiesbaden, 1965. Voir aussi, dans *Enc. Isl.* (2), l'art. *bâkhûr* (encens), et M. LOMBARD, *Les Textiles dans le monde musulman*, Paris-La Haye, 1978.

Sur les voies commerciales, tenir compte d'études archéologiques comme J. SAUVAGET, « caravansérails syriens du Moyen Age », dans *Ars islamica*, 1939 et 1940, et K. ERDMANN, *Das Anatolische Karavansaray des 13. Jahrhunderts*, Berlin, 1961 ; voir aussi G. F. HOURANI, *Arab seafaring in the Indian Ocean*, Beyrouth, 1963, auquel on ajoutera le texte publié et traduit par J. SAUVAGET, *Relation de la Chine et de l'Inde*, Paris, 1948. Sur les véhicules, voir M. RODINSON, art. *'adjala* dans *Enc. Isl.* (2).

Sur les rapports entre le commerce musulman et l'économie de l'Occident, M. LOMBARD, « l'or musulman au Moyen Age », dans *Annales, E.S.C.*, 1947, qui s'inscrit en faux contre la théorie de H. Pirenne et autres articles du même ainsi que C. CAHEN, *Makhzūmiyyât*, Leyde, 1977.

Les prix ont fait l'objet de plusieurs enquêtes. Voir surtout E. ASTHOR, *Histoire des prix et des salaires dans l'Orient médiéval*, Paris, 1969 (qui dispense de recourir aux autres études du même auteur). Certains renseignements importants sont fournis par des documents d'archives qui existent dans le monde de l'Islam bien qu'ils n'aient pas encore reçu des historiens une attention suffisante. Voir par exemple ceux que fournissent les papyrus des grandes collections connues ou les pièces du fonds damascain d'Istanbul publiées par J. et D. SOURDEL (voir à ce propos *Études médiévales et patrimoine turc*, Paris, 1983).

Sur le service officiel de la poste, voir D. SOURDEL, art. *barîd* dans *Enc. Isl* (2), et, pour une époque plus tardive, J. SAUVAGET, *la poste aux chevaux dans l'empire des Mamlouks*, Paris, 1941.

Sur l'organisation militaire, il n'existe pas d'étude d'ensemble. Voir C. CAHEN, art. *djaysh* et D. SOURDEL, art. *djund*, ainsi que H. TERRASSE et J. SOURDEL-THOMINE, art. *burdj* dans *Enc. Isl.* (2). Un travail de N. FRIES, *Das Heereswesen der Araber zur Zeit der Omayyaden*, 1921, reste utilisable pour la période ancienne ; on peut le compléter, pour des périodes plus tardives, par C. E. BOSWORTH dans son recueil d'études réimprimées *The medieval History of Iran*, Londres, 1977 ; D. AYALON, *l'Esclavage du Mamlouk*, Jérusalem, 1951, et « studies on the Mamluk army », dans *BSOAS*, XV-XVI, 1953-1954. Sur l'armement : K. HUURI, *Zur Geschichte des mittelalterlichen Geschützwesens aus orientalischen Quellen*, Leipzig, 1941 ; D. AYALON, *Gunpowder and firearms in the Mam-*

luk kingdom, Londres, 1956. Sur la guerre maritime, on devra se référer à des ouvrages généraux tels que E. EICKHOFF, *Seekrieg und Seepolitik zwischen Islam und Abendland (650-1040)*, Sarrebruck, 1954, et H. AHRWEILER, *Byzance et la mer*, Paris, 1966.

VIII. VILLES ET PALAIS

1. Villes.
Sur le problème de la ville musulmane, tel qu'il était posé à une époque encore récente, voir X. de PLANHOL, *le Monde islamique*, Paris, 1957. Tenir compte aujourd'hui d'E. WIRTH, « Die orientalische Stadt », dans *Saeculum*, 1975. Les questions d'autonomie ont été abordées par C. CAHEN, « Mouvements populaires et autonomisme urbain dans l'Asie musulmane au Moyen Age », dans *Arabica*, V, 1958 et VI, 1959 (et tiré à part). Outre les art. de l'*Enc. Isl.* (2) (*Baghdād, Basra, Dimashk, Fās, Fustāt, Halab, Hama, Isfahan, Kahira, Kayrawan*), on signalera des ouvrages tels que J. LASSNER, *The topography of Baghdad*, Detroit, 1970 ; J. SAUVAGET, *Alep*, Paris, 1941 ; J. L. ABU-LUGHOD, *Cairo*, Princeton, 1971 ; S. STAFFA, *Conquest and fusion. The Social Evolution of Cairo*, Leyde, 1977. Pour le Maghreb, voir R. LE TOURNEAU, *Fès avant le protectorat*, Casablanca, 1949 ; G. DEVERDUN, *Marrakech*, Rabat, 1959 ; A. LÉZINE, *Mahdia*, Paris, 1965.

Sur les villes d'Espagne, voir L. TORRES BALBÁS, *Ciudades hispanomusulmanas*, Madrid, s.d.

Sur les villes d'Iran, très négligées, on s'initiera par H. GAUBE, *Iranian Cities*, New York, 1979, et R. N. FRYE, *Bukhara, the medieval achievement*, Norman, 1965.

Sur les types monumentaux des villes, voir les diverses études archéologiques. L'article de J. PEDERSEN, *masdjid*, dans *Enc. Isl.*, qui traite des mosquées, oratoires, madrasas, mausolées, est périmé, mais n'est pratiquement pas remplacé. Voir maintenant J. SOURDEL-THOMINE, « la mosquée et la madrasa, types monumentaux de l'art islamique médiéval », dans *Cahiers Civ. med.*, 1970, et « locaux d'enseignement et madrasas dans l'Islam médiéval », dans *Rev. Et. Isl.*, 1976. Les mausolées : O. GRABAR, « The Early Islamic commemorative structures », dans *Ars orientalis*, VI, 1966. Sur les hôpitaux, art. *bimāristān* dans *Enc. Isl.* (2). Sur les bains : J. SOURDEL-THOMINE, art. *hammām* dans *Enc. Isl.* (2) ; la meilleure publication en ce domaine est celle de M. ÉCOCHARD et C. LE CŒUR, *les Bains de Damas*, Beyrouth, 1942-1943. Sur les marchés, E. WIRTH, « Zum Problem des Bazars », dans *Der Islam*, 1974-1975.

Les milieux urbains, à une époque tardive, ont fait l'objet de l'étude d'I. M. LAPIDUS, *Muslim cities in the later Middle Ages*, Cambridge, 1967. Sur la vie quotidienne, J. SADAN, *le Mobilier au Proche-Orient médiéval*, Leyde, 1976. Sur les bibliothèques, voir Y. ECHE, *les Bibliothèques arabes... au Moyen Age*, Damas, 1967. Sur l'enseignement, G. MAKDISI, *The Rise of Colleges*, Edimbourg, 1981, et D. SOURDEL, « réflexions sur la diffusion de la madrasa en Orient », dans *Rev. Et. Isl.*, 1976.

La vie des tributaires est assez mal connue. Voir, outre l'ouvrage d'A. FATTAL cité *supra*, L. MASSIGNON, « la politique islamo-chrétienne des scribes nestoriens de Deir Qunna à la Cour de Bagdad au IXe siècle », dans *Vivre et penser*, IIe série, 1942 ; W. J. FISCHEL, *Jews in the economic and political life of medieval Islam*, Londres, 1937, et les études récentes de S. D. GOITEIN sur les documents trouvés dans la Geniza du Caire, dont les principaux résultats sont consignés dans *A Mediterranean society : the Jewish communities of the Arab world*, Berkeley, 1967-1978.

2. Palais.
Sur les châteaux umayyades et leurs sites, voir les réflexions préliminaires de J. SAUVAGET, « châteaux umayyades de Syrie », dans REI, XXXV, 1967, ainsi que H. STERN, « notes sur l'architecture des châteaux umayyades », dans *Ars islamica*, XI-XII, 1946.

Études particulières : outre l'ouvrage déjà

signalé de K. A. C. CRESWELL, voir J. SAUVAGET, « remarques sur les monuments omeyyades », dans *JA*, 1937-1940, « les ruines omeyyyades du Djebel Seis », dans *Syria*, XX, 1938 ; K. BRISCH, « le château omeyyade du Djebel Seis », dans *Annales archéologiques de Syrie*, 1963 ; M. CHEHAB, « The Umayyad palace at Andjar », dans *Ars orientalis*, V, 1963 ; D. SCHLUMBERGER, « les fouilles de Qasr el-Heir al-Gharbi », dans *Syria*, XX, 1939, et « deux fresques omeyyades », dans *Syria*, XXV, 1946 ; R. W. HAMILTON, *Khirbat al-Mafjar. An Arabian Mansion in the Jordan Valley*, Oxford, 1959 ; O. GRABAR, *City in the Desert. Qasr al-hayr East*, Cambridge Mass., 1978. — Les palais de Bagdad ne sont connus que par des descriptions littéraires. Ceux de Samara, incomplètement fouillés, sont aussi incomplètement publiés. On se reportera à E. HERZFELD, *Erster vorlaüfiger Bericht über die Ausgrabungen von Samarra*, Berlin, 1912, et à K. A. C. CRESWELL, *Early Muslim architecture* (cité *supra*). — Sur les palais d'Afghanistan, voir D. SCHLUMBERGER, et J. SOURDEL-THOMINE, *Lashkari Bazar. Une résidence royale ghaznévide et ghoride*, 3 vol., Paris, 1977 ; A. BOMBACI, *The Kûfic inscription in Persian verses in the palace of Mas'ûd III at Ghazni*, Rome, 1966 (avec le plan du palais). — Sur les palais saldjoukides d'Anatolie, voir K. OTTO-DORN et M. ONDER, « Bericht über die Grabung in Kobadabad », dans *Archäologischer Anzeiger*, 2, 1966. — Sur le Maghreb : L. GOLVIN, *Recherches archéologiques à la Qal a des Banû Hammâd*, Paris, 1965. — Sur l'Espagne, L. TORRES BALBÁS, « Excavaciones en Medinat al-Zahra », dans *Al-Andalus*, 1946, 1948.

Il n'existe pas d'étude d'ensemble sur les citadelles des pays d'Islam. Celle de Damas a été étudiée par J. SAUVAGET, « la citadelle de Damas », dans *Syria*, XI, 1931. On trouvera des informations sur celle d'Alep dans E. HERZFELD, *Matériaux pour un Corpus inscriptionum arabicarum, Alep*, Le Caire, 1954-1955. Sur celles d'Anatolie dans les ouvrages d'A. GABRIEL (voir *supra*). Sur celle du Caire, dans K. A. G. CRESWELL, *Muslim Architecture of Egypt* (cité *supra*).

Le cérémonial a été surtout étudié par M. CANARD, « le cérémonial fatimide et le cérémonial byzantin. Essai de comparaison », dans *Byzantion*, XXI, 1953, et D. SOURDEL, « questions de cérémonial abbâside », dans *REI*, 1960. Sur la Maison du souverain, voir dans *Enc. Isl.* (2) les art. *hâdjib* et *ghulâm*.

Sur les rares portraits de souverains, voir J. WALKER, « A unique medal of the Seljuk Tughrilbeg », dans *Centennial volume of the American Numismatic Society*, 1958, et G. C. MILES, « A portrait of the Buyid prince Rukn al-Dawlah », dans *The American Numismatic Society, Museum notes*, XI, 1964.

Sur les divertissements : M. CANARD, « quelques aspects de la vie sociale en Syrie et Jazîra au xe siècle », dans *Arabic and Islamic studies*, Leyde, 1965, et A. G. CHEJNE, « The Boon-Companion in early Abbasid times », dans *Journal of the American Oriental Society*, 1965. Sur la chasse, lire le traité traduit par F. VIRÉ, *Le Traité de l'art de volerie*, Leyde, 1967.

ATLAS GÉNÉRAL

TABLEAU D'ASSEMBLAGE →

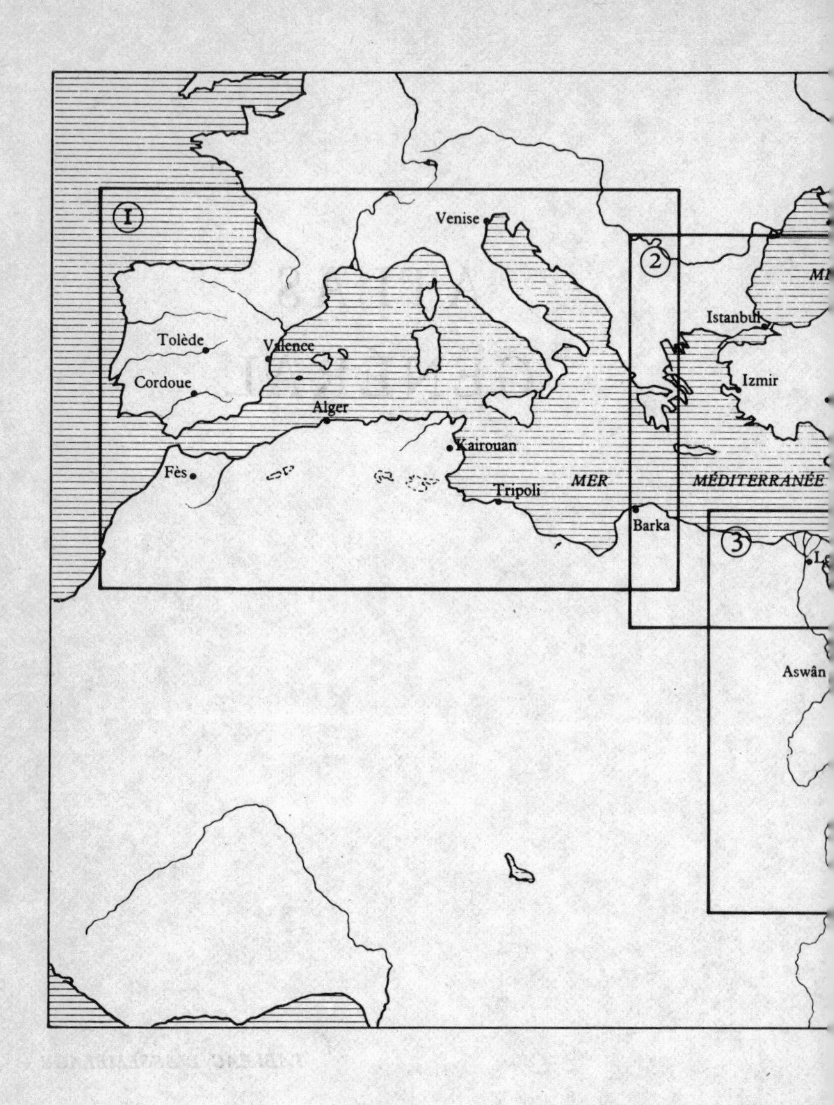
1
Venise
2
Istanbul
Tolède
Valence
Izmir
Cordoue
Alger
Kairouan
Fès
MER
MÉDITERRANÉE
Tripoli
Barka
3
Aswân

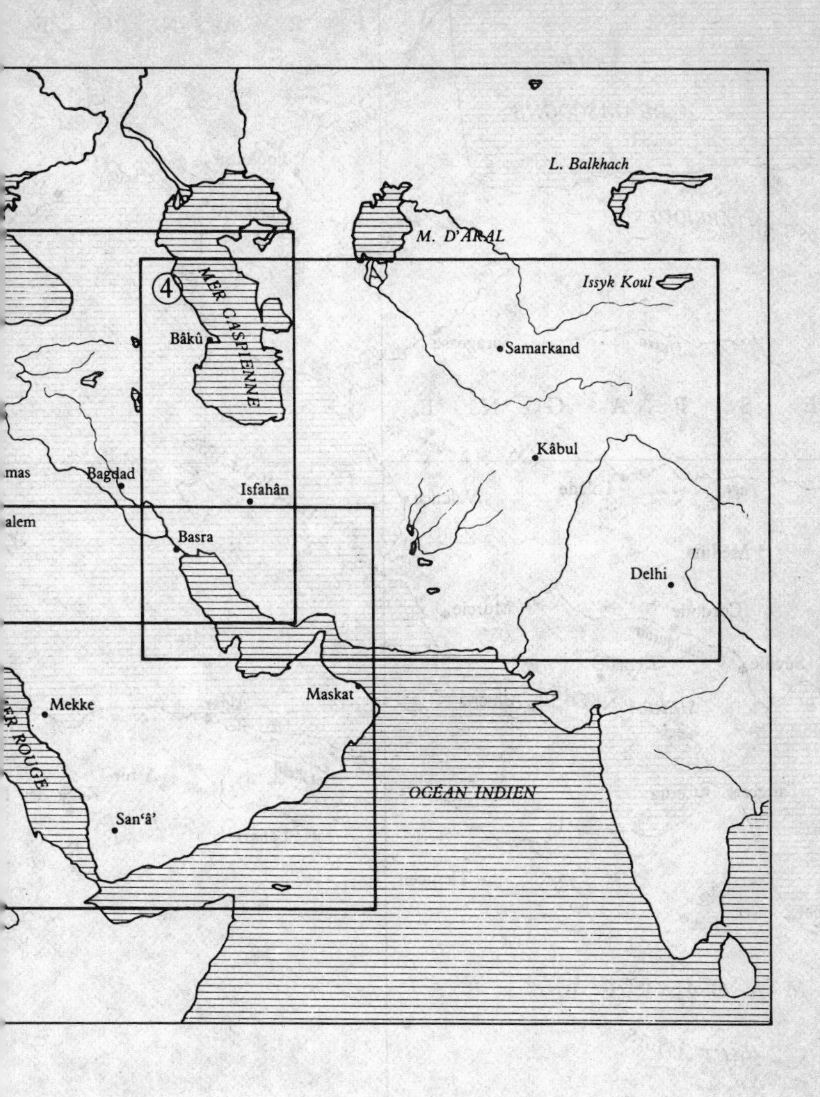

L. Balkhach
M. D'ARAL
Issyk Koul
4
MER CASPIENNE
Bâkû
Samarkand
Kâbul
mas
Bagdad
Isfahân
alem
Basra
Delhi
Maskat
Mekke
ER ROUGE
OCÉAN INDIEN
San'â'

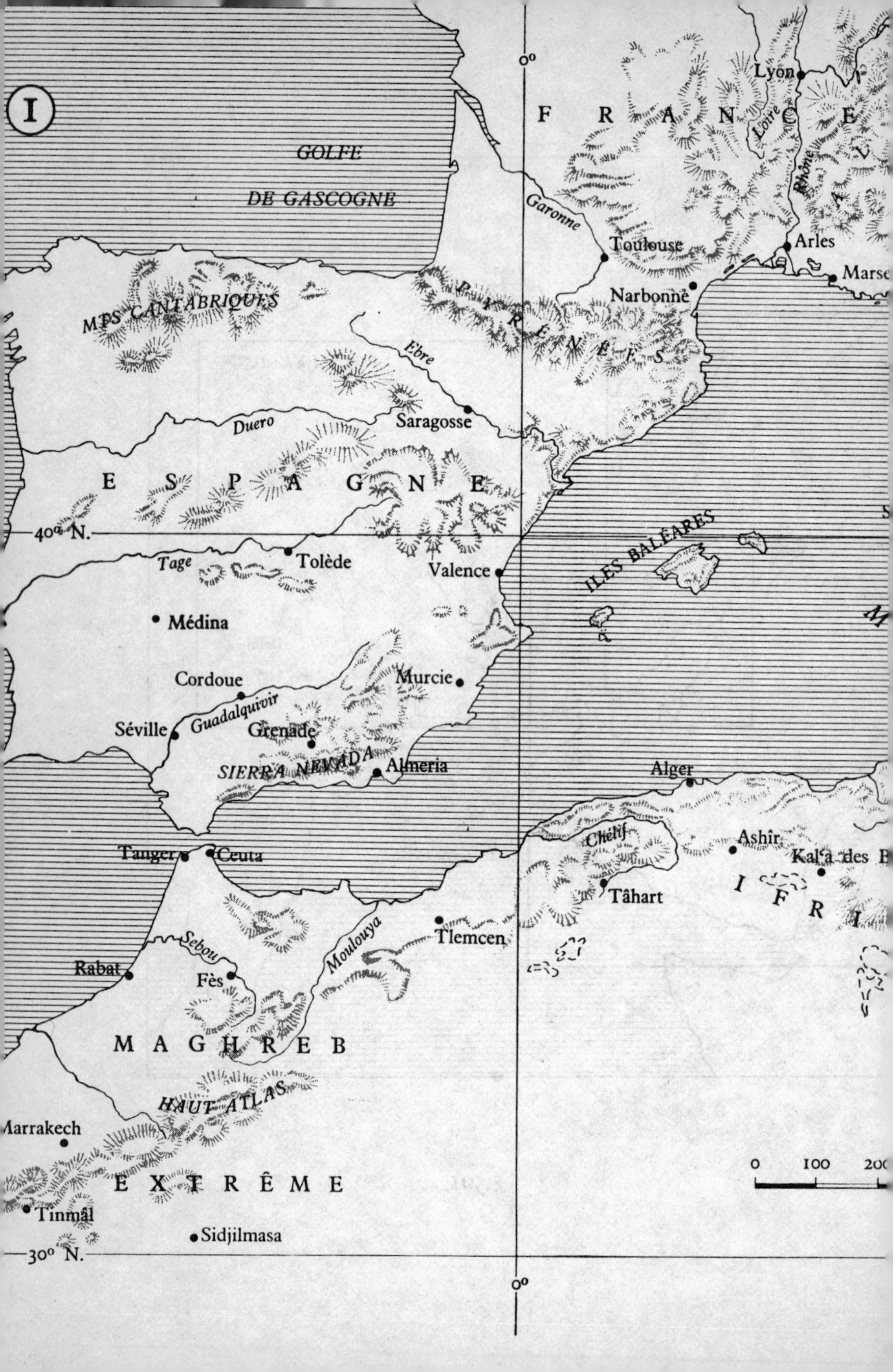

I
GOLFE
DE GASCOGNE
F R A N C E
Lyon
Loire
Rhône
Garonne
Toulouse
Arles
Narbonne
MTS CANTABRIQUES
PYRÉNÉES
Ebre
Saragosse
Duero
E S P A G N E
40° N.
Tage
Tolède
Valence
ILES BALÉARES
Médina
Cordoue
Murcie
Guadalquivir
Séville
Grenade
SIERRA NEVADA
Almeria
Alger
Tanger
Ceuta
Chélif
Ashîr
Tâhart
Tlemcen
Moulouya
Sebou
Rabat
Fès
M A G H R E B
HAUT ATLAS
E X T R Ê M E
Tinmâl
Sidjilmasa
30° N.
0°
0
100

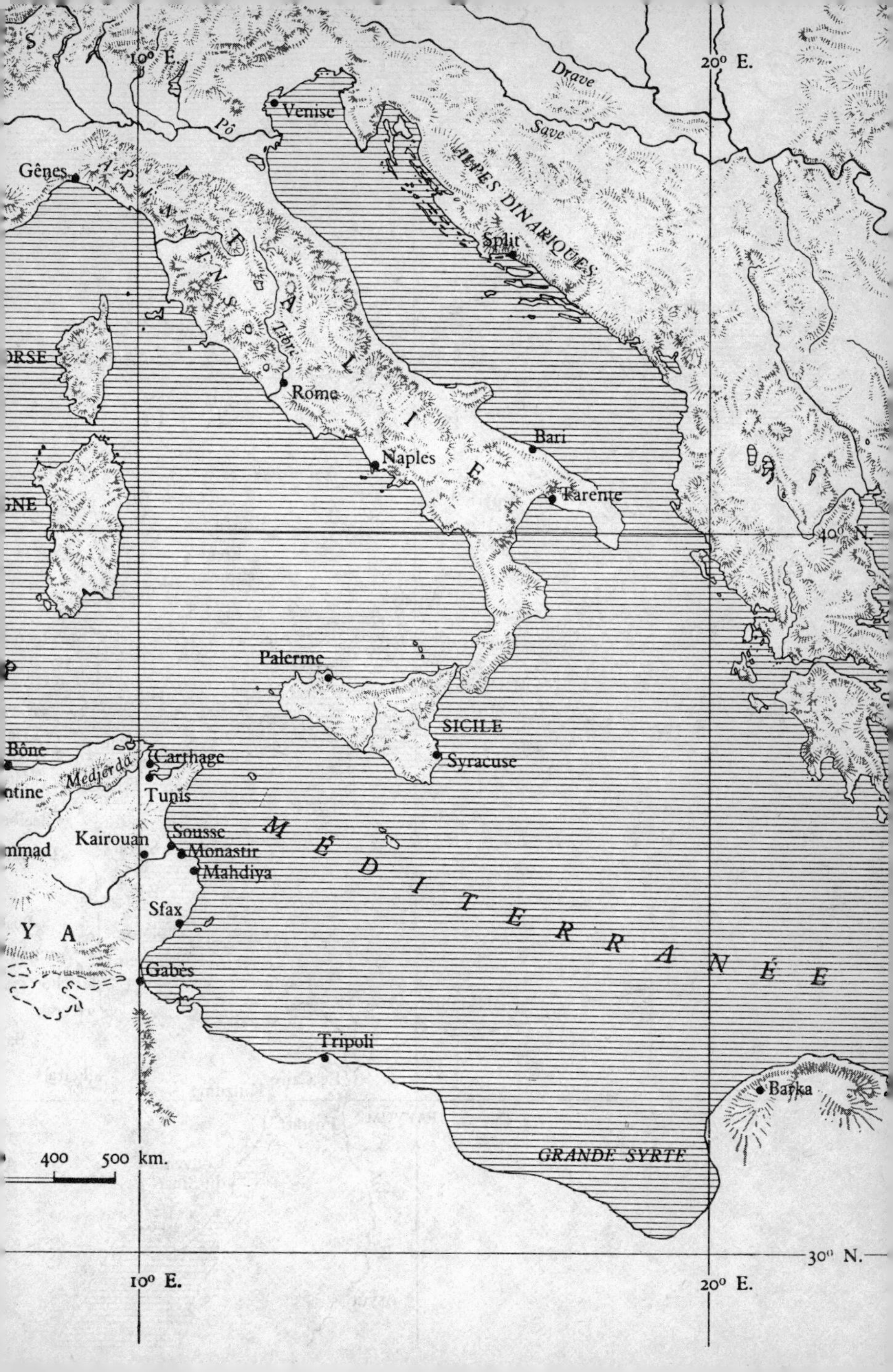

10° E.
20° E.
Drave
Save
Pô
Venise
Gênes
APENNINS
ALPES DINARIQUES
Split
Tibre
ITALIE
ORSE
Rome
Bari
Naples
Tarente
GNE
40° N.
Palerme
SICILE
Bône
Carthage
Syracuse
Medjerda
ntine
Tunis
Sousse
Kairouan
mmad
Monastir
Mahdiya
MÉDITERRANÉE
Sfax
YA
Gabès
Tripoli
Barka
400
500 km.
GRANDE SYRTE
30° N.
10° E.
20° E.

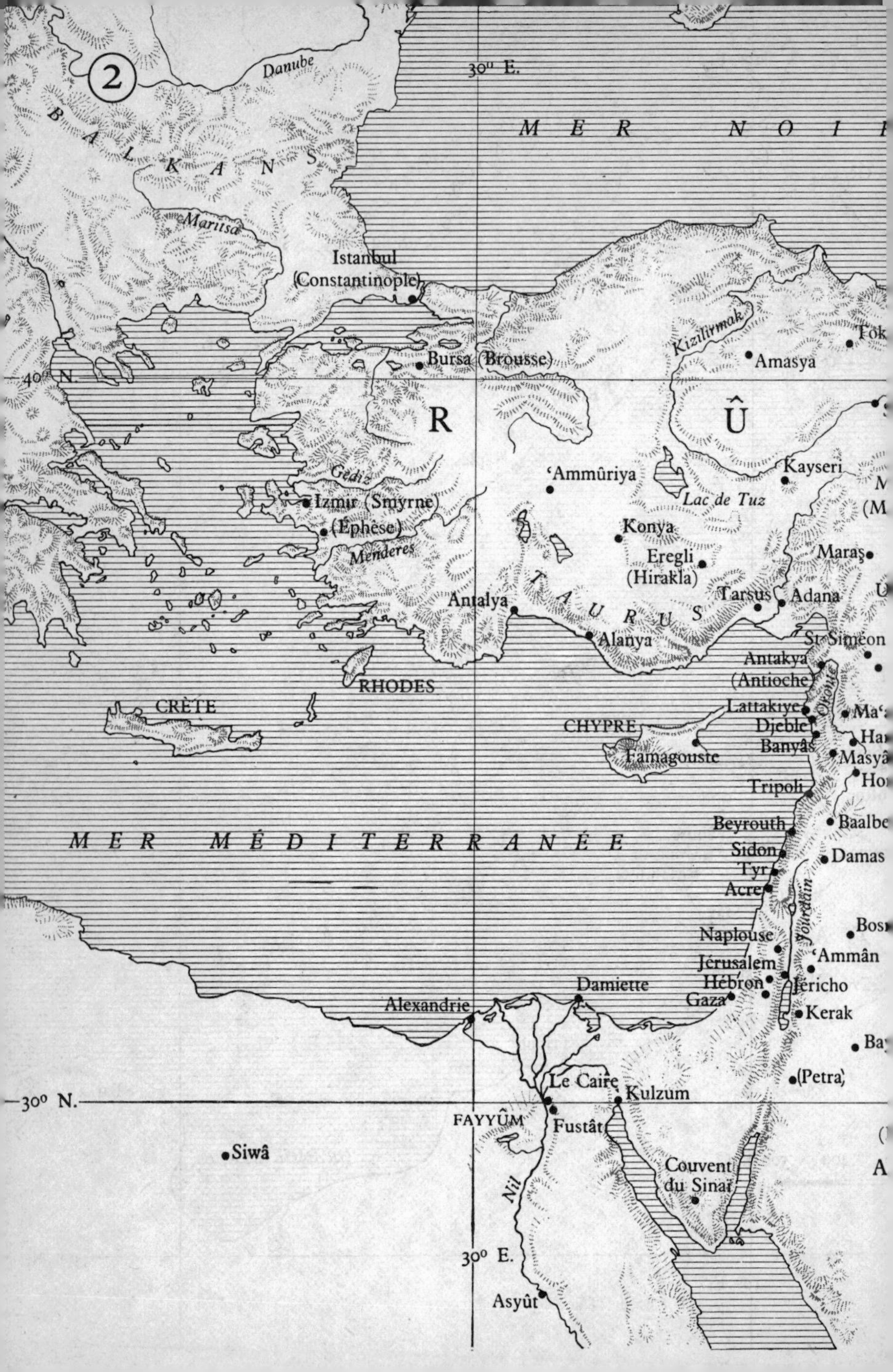
2
Danube
BALKANS
30° E.
MER NOIRE
Maritsa
Istanbul
(Constantinople)
Kizilirmak
Tok
Bursa (Brousse)
Amasya
40° N.
R
Û
Gediz
'Ammûriya
Kayseri
Izmir (Smyrne)
(Éphèse)
Lac de Tuz
Konya
Menderes
Eregli
(Hirakla)
Maraş
Antalya
TAURUS
Tarsus
Adana
Alanya
St Siméon
Antakya
(Antioche)
RHODES
Oronte
CRÈTE
Lattakiye
CHYPRE
Djeble
Banyâs
Famagouste
Masyâ
Tripoli
Beyrouth
Baalbe
MER MÉDITERRANÉE
Sidon
Damas
Tyr
Acre
Jourdain
Naplouse
'Ammân
Jérusalem
Hébron
Jéricho
Damiette
Gaza
Alexandrie
Kerak
(Petra)
Le Caire
30° N.
Kulzum
FAYYÛM
Fustât
Siwâ
Couvent
du Sinaï
Nil
30° E.
Asyût

40° E.
50° E.
Terek
Derbend
(Bâb al-Abwâb)
Tiflis
MER CASPIENNE
Trabzon
(Trébizonde)
Koura
Ani
Bayburt
ARMÎNIYA
Erivan
Dvin (Dâbil)
Bâkû
Erzurum
M
Malazgirt
Nakhitshawân
Kharpût
Ahlat (Akhlât)
Bitlis
(Bidlis)
Lac de Van
ADHARBAYDJÂN
Diyarbakir
(Amida)
Ardabîl
Tabrîz
Hisn Kayfâ
Rezaiye
Kiziltepe
(Dunaysir)
Mardin
(Urmia)
Marâgha
Cizre
Djazîrat ibn 'Umar
L. d'Urmia
DJILÂN
Harrân
Nusaybin
(Nisîbîn)
Gd Zab
Irbil
Mossoul
Sultâniya
Amul
Rakka
Kazwîn
TABARISTÂN
Rusâfa
Damâwand
Pt Zab
Teheran (Rayy)
Tigre
DJIBÂL
Euphrate
Sâwa
Warâmîn
Hamadhân
Takrît
Kumm
Samarra
Nihâwand
Sultânâbâd
Kâshân
(Anbâr)
Nahrawân
Burûdjird
Zawâra
Bagdad
(Ctésiphon)
Natanz
Ardistân
IRAK
KHUZISTÂN
Isfahân
Karbalâ'
Ukhaidir
Nadjaf
Kûfa
(Hira)
Kâdisiya
Wâsit
Tustar
Ahwâz
Râm Hurmuz
Basra
Bishâpûr
Istakhr
Kâzirûn
Shirâz
GOLFE PERSIQUE
Fîrûzâbâd
RABIE
0 100 200 300 400 500 km.
Sîrâf

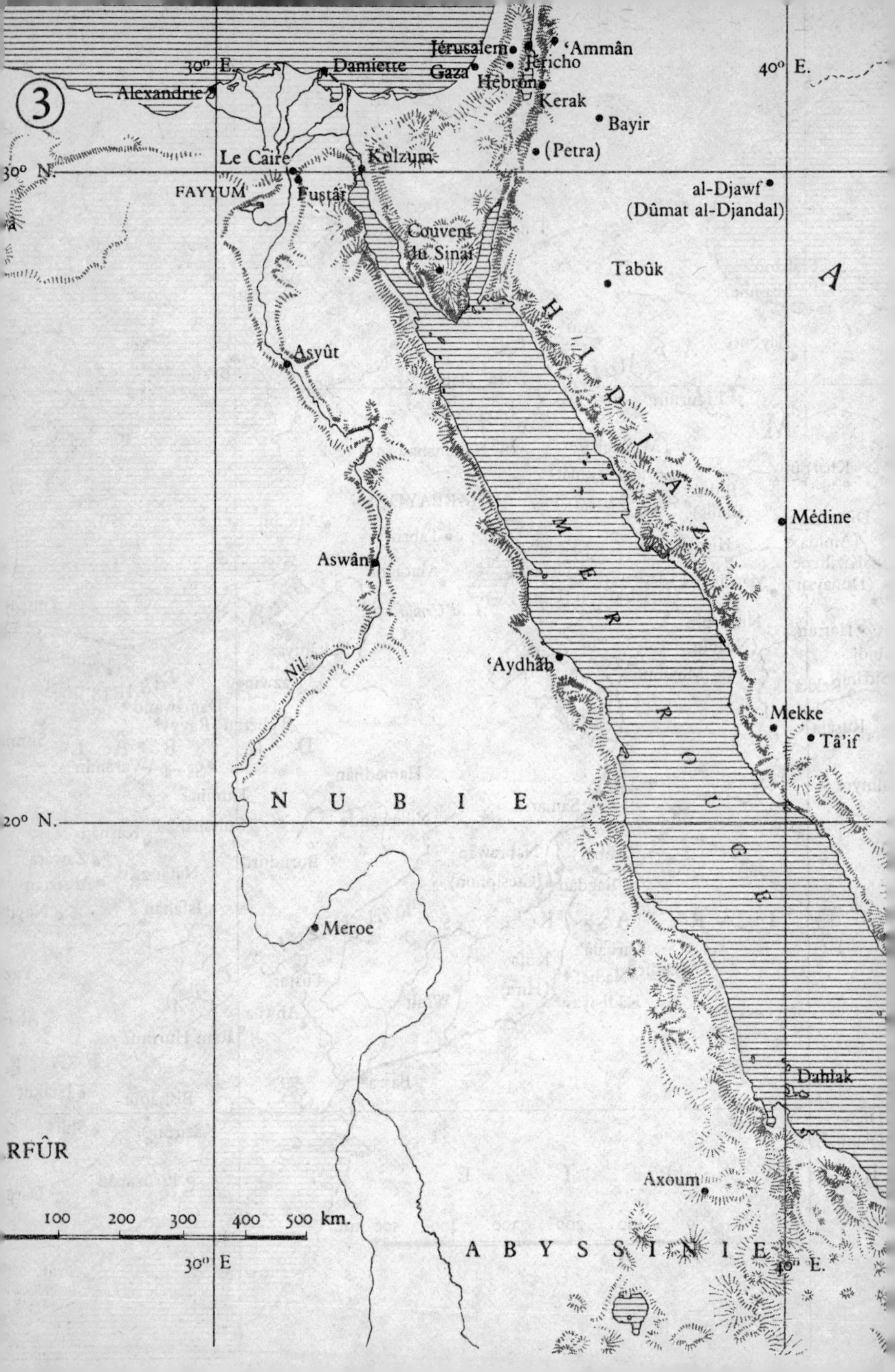
3
30° E.
Alexandrie
Damiette
Jérusalem
Jéricho
'Ammân
Gaza
Hébron
Kerak
Bayir
(Petra)
Le Caire
Kulzum
30° N.
FAYYUM
Fustât
al-Djawf
(Dûmat al-Djandal)
Couvent du Sinaï
Tabûk
A
40° E.
H I D J A Z
Asyût
M E R R O U G E
Médine
Aswân
'Aydhâb
Nil
Mekke
Tâ'if
N U B I E
20° N.
Meroe
Dahlak
RFÛR
Axoum
100 200 300 400 500 km.
30° E
A B Y S S I N I E
40° E.

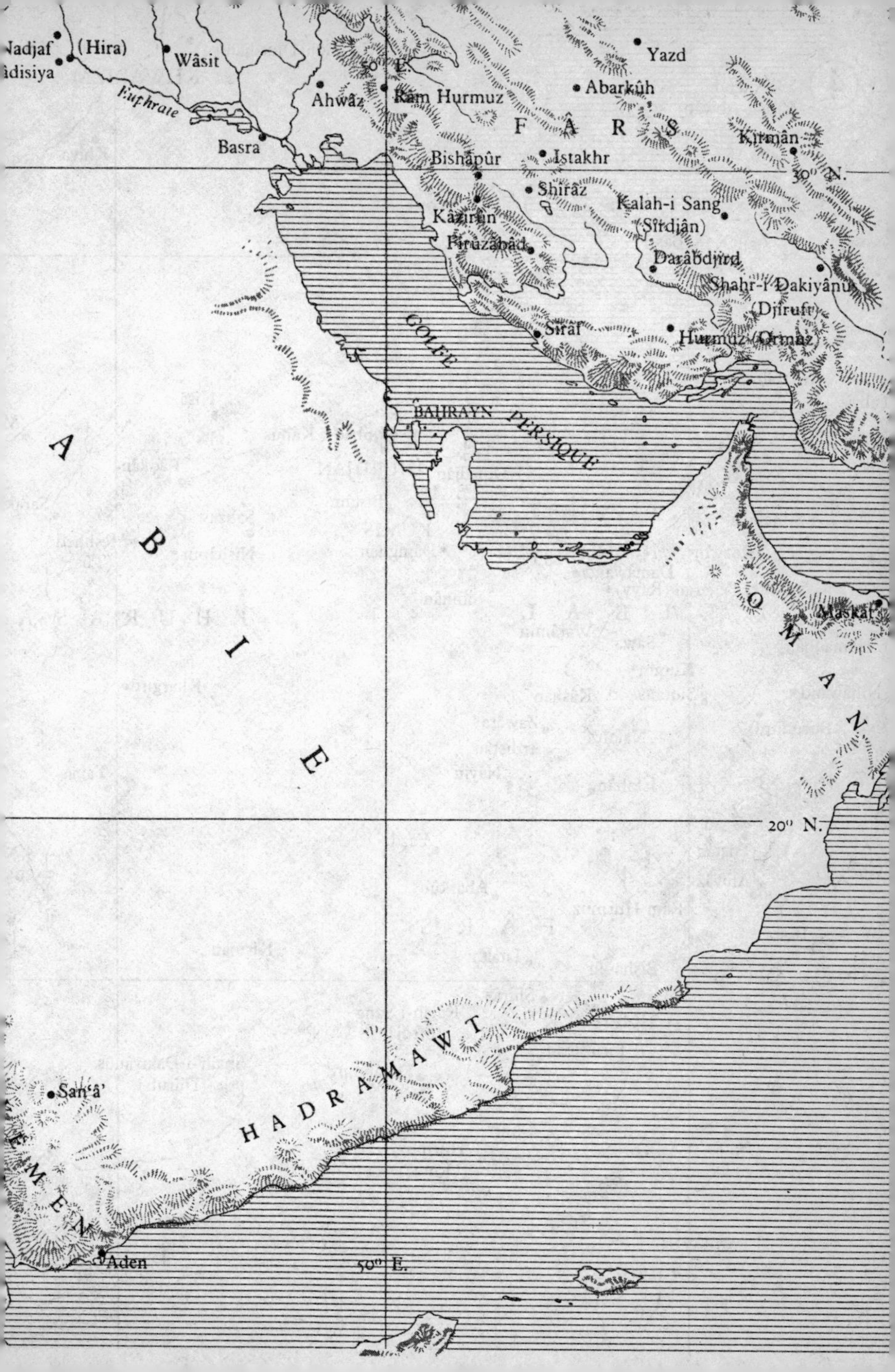

Nadjaf
(Hira)
Wâsit
Euphrate
Basra
Ahwâz
50° E.
Râm Hurmuz
Yazd
Abarkûh
F Â R S
Kirmân
30° N.
Bishâpûr
Istakhr
Shirâz
Kalah-i Sang
(Sîrdjân)
Kâzirûn
Firuzâbâd
Darâbdjird
(Djiruft)
Sîrâf
Hurmuz (Ormuz)
GOLFE PERSIQUE
BAHRAYN
A R A B I E
O M A N
Maskat
20° N.
H A D R A M A W T
San'a'
Aden
50° E.

4
50° E.
60° E.
40° N.
30° N.
MER CASPIENNE
GOLFE PERSIQUE
Derbend
(Bâb al-Abwâb)
Urgendj (Djurdjâniya)
Kâth
KHWÂRIZM
Khiva
Bâkû
Ardabîl
Tabrîz
Maragha
DJÎLÂN
Sultâniya
Kazwîn
TABARISTÂN
Amul
Damâwand
Téhéran (Rayy)
D J I B Â L
Warâmîn
Simnân
Dâmghân
KUMIS
Bistâm
Djurdjân
DJURDJÂN
Gunbâd-i Kâbûs
Nisâ
Râdkân
Sabzawâr
Nîshâpûr
Meshhed
(Tûs)
Sarakh
K H U R Â S Â
Hamadhân
Sâwa
Kumm
Nihâwand
Sultânâbâd
Burûdjird
Kâshân
Zawâra
Natanz
Ardistân
Nâyin
Isfahân
K H U Z I S T Â N
Tustar
Ahwâz
Râm Hurmuz
Basra
Yazd
Abarkûh
F Â R S
Istakhr
Bishâpûr
Shîrâz
Kâzirûn
Fîrûzâbâd
Kalah-i Sang
(Sîrdjân)
Darâbdjird
Kirmân
Shahr-i Dakiyânûs
(Djîruft)
Khargird
Tabas
Sîrâf
Hurmuz
(Ormuz)
BAHRAYN

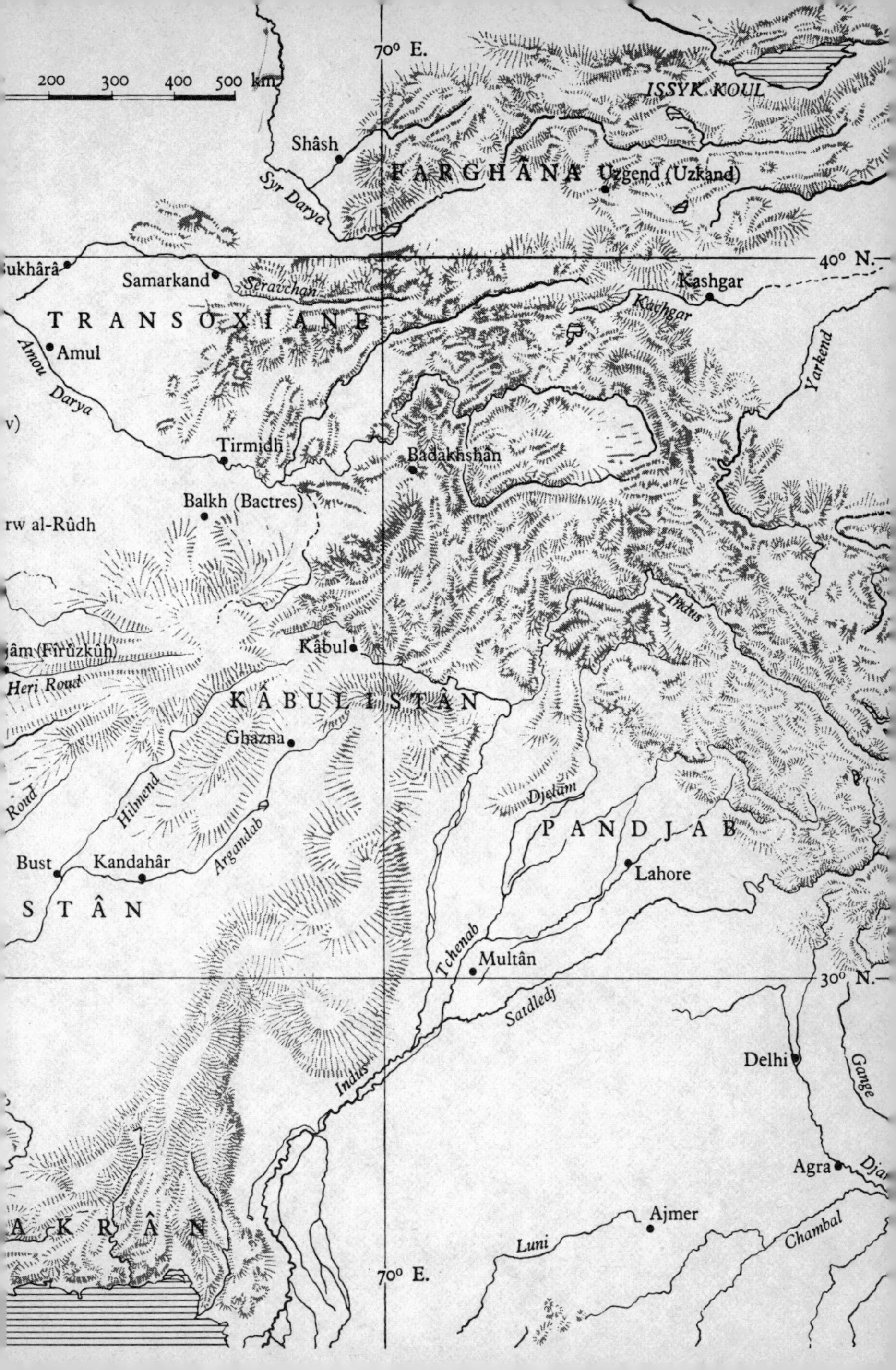
200
300
400
500 km
70° E.
ISSYK KOUL
Shâsh
Syr Darya
F A R G H Â N A
Uzgend (Uzkand)
40° N.
ukhârâ
Samarkand
Seravchan
Kashgar
Kachgar
T R A N S O X I A N E
Amul
Amou Darya
Yarkend
v)
Tirmidh
Badakhshân
Balkh (Bactres)
rw al-Rûdh
Kâbul
jâm (Firûzkûh)
Heri Roud
Indus
K Â B U L I S T Â N
Ghazna
Roud
Hilmend
Djelam
Argandab
P A N D J A B
Bust
Kandahâr
Lahore
S T Â N
Tchenab
Multân
30° N.
Satdledj
Delhi
Indus
Gange
Agra
Dja
Ajmer
A K R Â N
Luni
Chambal
70° E.

LES GRANDES VOIES COMMERCIALES
DANS LE MONDE MUSULMAN MÉDIÉVAL
(*D'après* Historical atlas of the Muslim peoples.) →

La densité d'un réseau de voies commerciales tant maritimes que terrestres constitue sans doute l'un des aspects les plus frappants de l'organisation du monde islamique au Moyen Age. Ces voies, qui furent selon les époques inégalement fréquentées en fonction de vicissitudes dont cette carte simplifiée ne saurait tenir compte, n'en suivirent pas moins toujours dans leur tracé quelques grands itinéraires imposés par des nécessités géographiques primordiales.

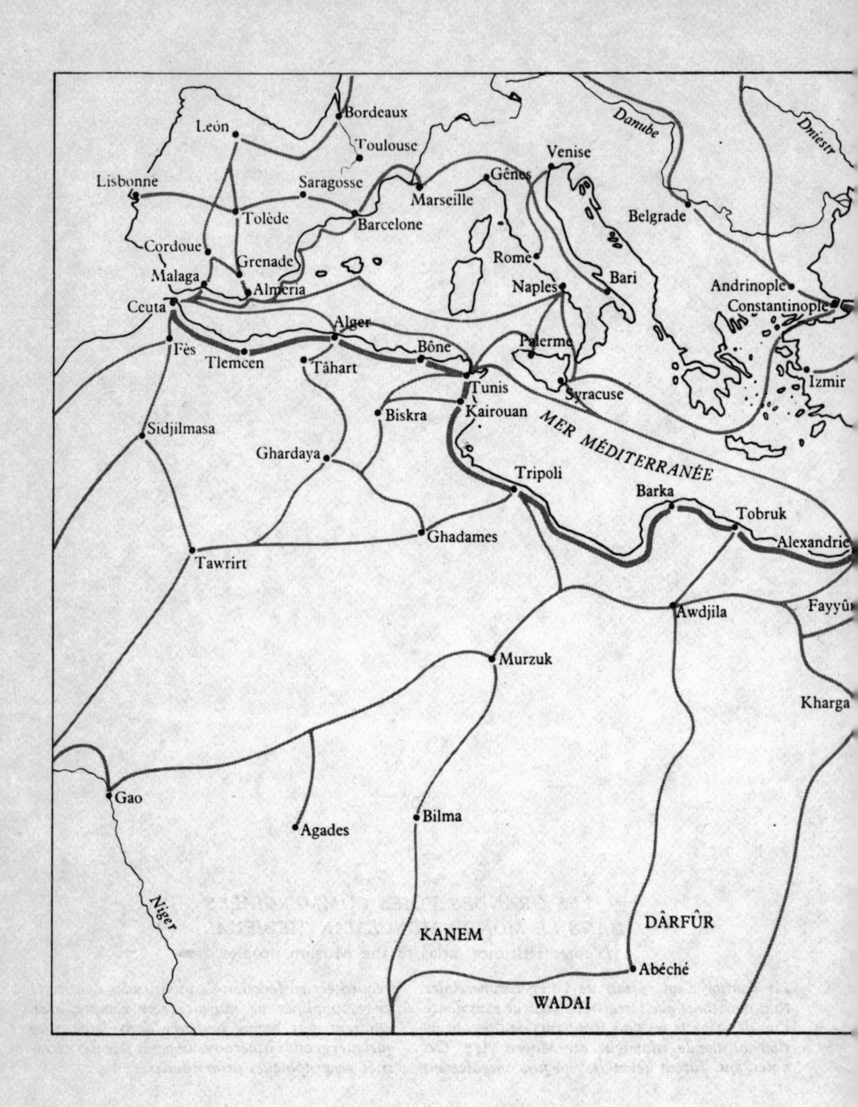

Bordeaux
León
Toulouse
Venise
Danube
Dniestr
Lisbonne
Saragosse
Gênes
Marseille
Tolède
Barcelone
Belgrade
Cordoue
Grenade
Rome
Malaga
Almeria
Naples
Bari
Andrinople
Ceuta
Constantinople
Alger
Fès
Tlemcen
Tâhart
Bône
Palerme
Tunis
Izmir
Syracuse
Kairouan
Biskra
Sidjilmasa
MER MÉDITERRANÉE
Ghardaya
Tripoli
Barka
Tobruk
Ghadames
Alexandrie
Tawrirt
Awdjila
Murzuk
Kharga
Gao
Bilma
Agades
Niger
DÂRFÛR
KANEM
Abéché
WADAI

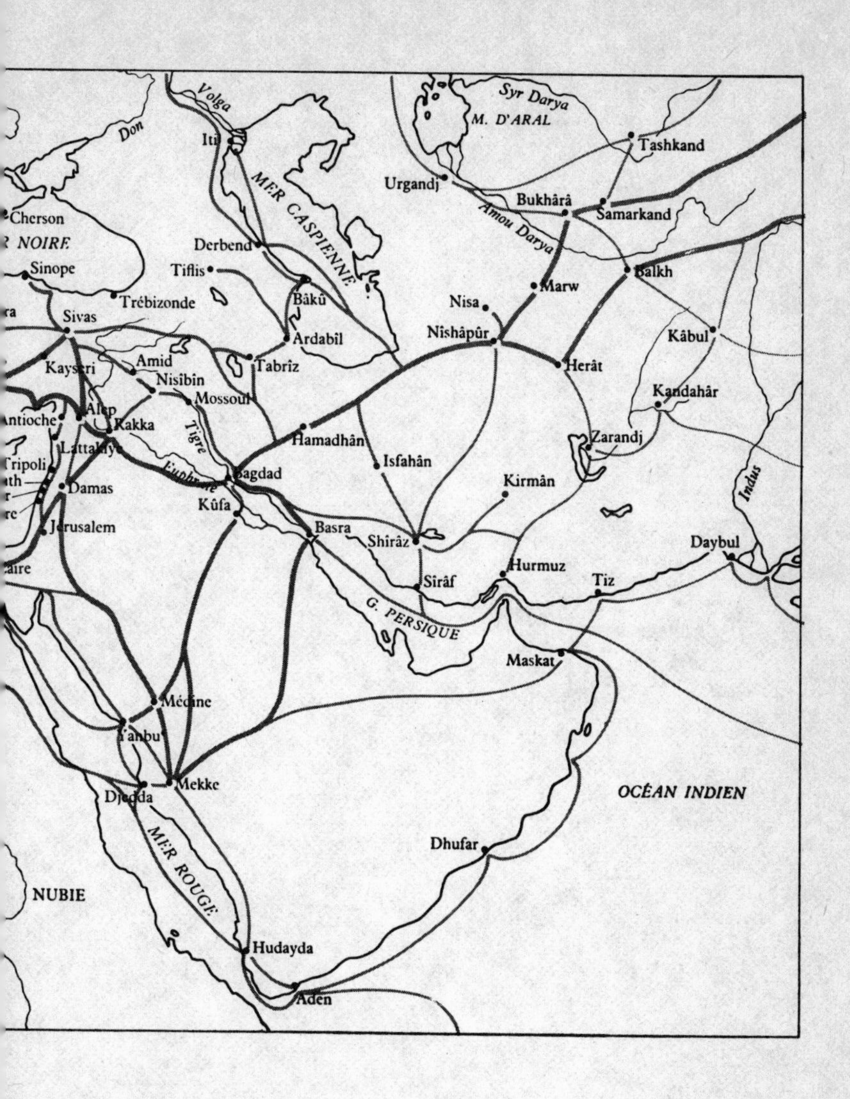

Volga
Don
Itil
MER CASPIENNE
Cherson
NOIRE
Sinope
Derbend
Tiflis
Trébizonde
Bâkû
Sivas
Ardabîl
Kayseri
Amid
Tabrîz
Nisîbîn
Mossoul
Alep
Antioche
Rakka
Tigre
Lattakiye
Tripoli
Euphrate
Bagdad
Damas
Kûfa
Jerusalem
Hamadhân
Isfahân
Basra
Shîrâz
Sîrâf
G. PERSIQUE
Syr Darya
M. D'ARAL
Tashkand
Urgandj
Bukhârâ
Samarkand
Amou Darya
Balkh
Marw
Nisa
Nîshâpûr
Kâbul
Herât
Kandahâr
Zarandj
Kirmân
Indus
Daybul
Hurmuz
Tiz
Maskat
Médine
Mekke
Djedda
MER ROUGE
NUBIE
OCÉAN INDIEN
Dhufar
Hudayda
Aden

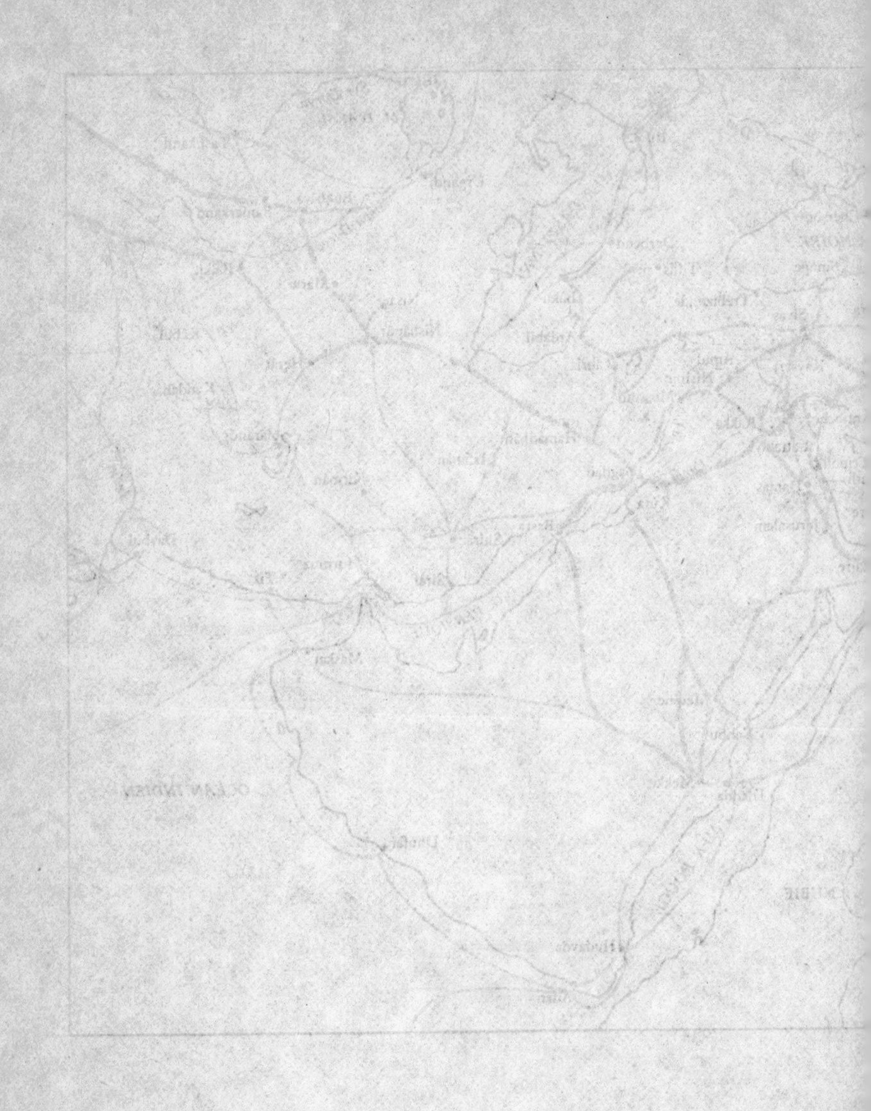

TABLE DES MATIÈRES

II. RELIGION ET SOCIÉTÉ

Achevé d'imprimer le 27 octobre 1983
sur les presses de l'imprimerie Aubin à Ligugé.
Brochage par la [illegible] à Chevilly-Larue.
N° d'édition : 4679. N° d'impression : L-16090.
Dépôt légal : novembre 1983.
Imprimé en France.

Achevé d'imprimer le 20 octobre 1983
sur les presses de l'imprimerie Aubin à Ligugé.
Brochage par la S.P.B.R. à Chevilly-Larue.
N° d'édition : 1669 - N° d'impression : L 16030.
Dépôt légal : novembre 1983.
Imprimé en France.